Manual bíblico de Halley

Manual bíblico de Halley

Edição revista e ampliada

Nova Versão Internacional (NVI)

TRADUÇÃO
Gordon Chown

EDITORA VIDA
Rua Conde de Sarzedas, 246 — Liberdade
CEP 01512-070 — São Paulo, SP
Tel.: 0 xx 11 2618 7000
atendimento@editoravida.com.br
www.editoravida.com.br
@editora_vida /editoravida

MANUAL BÍBLICO DE HALLEY
© 2000, by Halley´s Bible Handbook, Inc
Originalmente publicado nos EUA com o título
Halley´s Bible Handbook With the New Internacional Version
Edição brasileira © 2002, Editora Vida
Publicação com permissão contratual da
ZONDERVAN PUBLISHING HOUSE. (Michigan, EUA)

Todos os direitos desta edição em língua portuguesa
são reservados e protegidos por Editora Vida pela
Lei 9.610, de 19/02/1998.

É proibida a reprodução desta obra por quaisquer meios
(físicos, eletrônicos ou digitais), salvo em breves citações,
com indicação da fonte.

■

Exceto em caso de indicação em contrário,
todas as citações bíblicas foram extraídas de
Nova Versão Internacional (NVI)
© 1993, 2000, 2011 by International Bible Society, edição
publicada por Editora Vida.Todos os direitos reservados.

■

As opiniões expressas nesta obra refletem o ponto de vista
de seus autores e não são necessariamente equivalentes às
da Editora Vida ou de sua equipe editorial.

Editor responsável: Sônia Freire Lula Almeida
Tradução: Gordon Chown
Revisão de tradução: Lilian Jenkino
Revisão de provas: Josemar de Souza Pinto
Diagramação: Luciana Di Iorio e Claudia Lino
Capa: Douglas Lucas

Os nomes das pessoas citadas na obra foram alterados nos
casos em que poderia surgir alguma situação embaraçosa.

Todos os grifos são do autor, exceto indicação em contrário.

1. edição: jul. 2002
6. reimp.: mar. 2009
7. reimp.: abr. 2010
8. reimp.: ago. 2011
9. reimp.: nov. 2011
10. reimp.: maio 2014
11. reimp.: mar. 2019
12. reimp.: fev. 2020
13. reimp.: jan. 2021
14. reimp.: jan. 2023
15. reimp.: ago. 2024

Dados Internacionais de Catalogação na Publicação (CIP)
(Câmara Brasileira do Livro, SP, Brasil)

Halley, Henry Hampton, 1874-1965.
  Manual Bíblico de Halley: Nova Versão Internacional (NVI) / Henry Hampton Halley; tradução Gordon Chown. — São Paulo : Editora Vida, 2001.

  Título original: *Halley´s Bible Handbook With the New International Version*.
  Bibliografia
  ISBN 978-85-7367-569-6

  1. Bíblia - Comentários I. Título.

01-4198   CDD-220.7

Índice para catálogo sistemático:
1. Bíblia : Comentários 220.7

"A Bíblia é o bem mais
precioso da espécie humana."

Sumário

Prefácio à nova edição   9

O coração da Bíblia
Nota ao leitor   12
O coração da Bíblia   13
O hábito da leitura bíblica   16
Freqüentar a igreja como ato de adoração   21
Declarações notáveis a respeito da Bíblia   22
Os antecedentes da Bíblia
O que a Bíblia é   26
Como a Bíblia está organizada   27
De que a Bíblia trata?   30
O pensamento central de cada livro da Bíblia   38
O ambiente da Bíblia   40
   1. Por que o ambiente é importante   40
   2. O antigo Oriente Médio   40
   3. As potências mundiais dos tempos bíblicos   41
   4. Estradas e viagens nos tempos bíblicos   41
   5. A Terra Prometida: Israel   47
   6. A Cidade Santa: Jerusalém   50
A escrita, os livros e a Bíblia   56

ANTIGO TESTAMENTO
No princípio   68
   Gênesis 1—11   69
O período dos patriarcas   85
   Gênesis 12—50   87
O Êxodo: Israel sai do Egito   105
   Êxodo—Deuteronômio   110
A conquista e a colonização de Canaã   151
   Josué—Rute   153
A monarquia: Davi, Salomão e o reino dividido   173
   1 Samuel—2 Crônicas   176

O exílio na Babilônia e o regresso	234
Esdras—Ester	238
Poesia e sabedoria	248
Jó—Cântico dos Cânticos	251
Os profetas	294
Isaías—Malaquias	297
O Messias no AT	394
Os 400 anos entre os Testamentos	408
NOVO TESTAMENTO	
Visão panorâmica da vida de Jesus	428
Jesus era o Filho de Deus?	441
Como era Jesus?	444
Os doze discípulos	446
Os quatro evangelhos	449
Harmonia dos evangelhos	452
Mateus—João	460
A igreja primitiva	565
Atos—Judas	574
O porvir	715
Apocalipse	717
Depois do Novo Testamento	771
História concisa da igreja ocidental	772
História cincisa da Terra Santa e dos judeus depois de Cristo	808
Para ler e estudar a Bíblia	825
Lendo a Bíblia do começo ao fim	826
Ferramentas básicas para o estudo bíblico	831
Material suplementar	841
Como a Bíblia chegou até nós	842
1. Como os livros da Bíblia foram compilados	842
2. Como o texto da Bíblia foi preservado	846
3. Temos o texto "original" da Bíblia?	850
4. Versões da Bíblia em inglês	852
5. Os apócrifos	854
Redescobrindo o passado bíblico	857
A casa de Herodes	865
Tabelas de distâncias	867
1. Cidades do Antigo Testamento	867
2. Cidades do Novo Testamento (Evangelhos)	868
3. Cidades do Novo Testamento (Atos dos Apóstolos)	869
O calendário judaico	870
Orações	871
Homenagem à memória de Henry H. Halley	878
Bibliografia	884
Índice de assuntos	886

Prefácio à nova edição

ESTA NOVA EDIÇÃO do *Manual bíblico de Halley* representa a continuação do ministério de meu bisavô. Henry H. Halley dedicou a vida à divulgação da Palavra de Deus. Desejava que todos lessem, conhecessem e amassem a Bíblia, acreditassem em sua mensagem inspirada por Deus e a aceitassem.

O desejo sincero de meu coração é que esta edição do *Manual bíblico de Halley*, agora com o acréscimo de sugestões para o estudo da Bíblia, informações arqueológicas atualizadas e novos mapas e ilustrações, continue a ser uma bênção para cada um de seus leitores.

Desejo expressar meu profundo amor e estima por minha avó, Julia Berry, que continuou cuidando do *Manual bíblico de Halley* e dando-lhe apoio durante muitos anos após a morte de seu pai, Henry Halley. O seu trabalho inicial em prol desta edição deu-nos compreensão do ministério de seu pai e serviu-nos de guia enquanto concluíamos as revisões.

Agradecemos a todos quantos ofereceram apoio e auxílio a esta edição, especialmente minha mãe, Julie Schneeberger; meu marido, Gary Wicker; dr. Stan Gundry; Ed e Ruth van der Maas e Carl Rasmussen. Vimos muitos exemplos extraordinários de como o Senhor realmente atuou por intermédio dessa equipe, e de outros cooperadores, para completar esta nova edição do *Manual bíblico de Halley*.

Como sempre, este Manual (nas palavras de meu bisavô) "consagra-se ao propósito de que cada crente deve ser um leitor assíduo e devotado da Bíblia, e que o dever primordial da igreja e do ministério é guiar, fomentar e incentivar o seu povo no referido hábito".

— PATRICIA WICKER

O coração da Bíblia

Nota ao leitor

As PÁGINAS QUE se seguem são o coração e a alma do *Manual bíblico de Halley*.

O intuito do dr. Halley não foi escrever um livro que ajudasse as pessoas a *saber* mais *a respeito* da Bíblia. A paixão do dr. Halley era levar as pessoas e as igrejas a *ler* a Bíblia, a fim de que tivessem um encontro com o Deus da Bíblia, escutassem sua voz e viessem a amar seu Filho, Jesus Cristo.

O restante deste livro terá pouco valor permanente se forem desconsideradas as convicções centrais do dr. Halley, declaradas com tanta paixão e poder nesta seção.

Instamos você a dedicar tempo à leitura desta seção — e a tornar a lê-la de tempos em tempos.

O coração da Bíblia

Este livro baseia-se em duas convicções fundamentais:

1. A Bíblia é a Palavra de Deus.
2. Cristo é o coração, o centro da Bíblia.

1. A Bíblia é a Palavra de Deus

Sem considerar as teorias sobre a inspiração da Bíblia, as idéias a respeito de como seus livros chegaram à forma atual, o grau de prejuízo do texto bíblico nas mãos de redatores e escribas ao ser transmitido, a questão de quanto deve ser interpretado ao pé da letra e quanto deve ser aceito com sentido figurado ou qual parte da Bíblia é história e qual é poesia — se simplesmente admitirmos que a Bíblia é exatamente o que se apresenta e estudarmos seus 66 livros para lhes conhecer o conteúdo, verificaremos nela uma unidade de pensamento a revelar que uma única Mente inspirou a redação e a compilação de todos os seus livros. Observamos que ela traz em si o sinete de seu Autor, sendo ela, de modo inigualável, a Palavra de Deus.

Muitos sustentam que a Bíblia é uma compilação de antigas histórias sobre o esforço do homem para encontrar a Deus, o registro das experiências humanas na busca por Deus que levaram ao aperfeiçoamento gradativo das concepções a respeito dele com base nas experiências das gerações precedentes. Isso significaria, é lógico, que os inúmeros trechos da Bíblia segundo os quais Deus falou na verdade empregam mera figura de linguagem, pois Deus não falou de fato. Ao contrário, as pessoas expressaram suas idéias na linguagem religiosa que *pretendia* ser a linguagem de Deus, quando, na realidade, era apenas o que *imaginavam* que Deus poderia dizer. A Bíblia, segundo essa teoria, é rebaixada ao nível de outros livros. Apresentam-na não como o livro divino, mas como obra humana que finge ser obra de Deus.

Rejeitamos totalmente essa teoria, e com repulsa! Cremos que a Bíblia não é o relato do homem sobre seus esforços para encontrar a Deus, mas sim a narrativa do esforço de Deus por revelar-se à humanidade. É o registro do próprio Deus quanto ao seu trato com os homens, no desdobramento da revelação que fez de si mesmo à espécie humana. A Bíblia é a vontade revelada do Criador de toda a humanidade, transmitida às suas criaturas pelo próprio Criador para lhes servir de instrução e direção nos caminhos da vida.

Não se pode duvidar que os livros da Bíblia foram compostos por autores humanos: nem sequer podemos identificar alguns deles. Tampouco sabemos exatamente *como* Deus mandou que esses autores escrevessem. Mas cremos e sabemos que Deus os dirigiu *de fato* e que esses livros, portanto, são exatamente o que Deus quis que fossem.

Há uma diferença entre a Bíblia e todos os demais livros. Há escritores que oram, pedindo a ajuda e a orientação de Deus, e Deus realmente os ajuda e orienta. Existem muitos livros bons neste mundo que deixam a impressão inconfundível de que Deus ajudou os autores a escrevê-los. Mas nem mesmo os autores mais piedosos teriam a presunção de alegar a favor de seus livros que *Deus* os escreveu.

Entretanto, é essa a afirmação que a Bíblia faz sobre si mesma, e assim o povo de Deus, no decurso de milhares de anos, tem aprendido, compreendido e asseverado. O próprio Deus supervisionou e dirigiu a redação dos livros da Bíblia, de tal modo que o que foi escrito é composição de Deus. A Bíblia é a Palavra de Deus num sentido que não se aplica a nenhum outro livro do mundo.

Muitas declarações da Bíblia estão expressas em formas antigas de pensamento e de linguagem. Hoje expressaríamos essas mesmas idéias de forma diferente e em linguagem moderna, não naquela empregada nos tempos antigos. Mas ainda assim a Bíblia encerra precisamente o que Deus quer que a humanidade saiba, da forma exata pela qual ele quer que o conheçamos. E até ao fim dos tempos o "velho e querido Livro" permanecerá sendo a única e exclusiva resposta às indagações da humanidade na busca por Deus.

- Todos devem amar a Bíblia.
- Todos devem ser leitores assíduos da Bíblia.
- Todos devem esforçar-se por viver segundo os ensinamentos da Bíblia.
- A Bíblia deve ocupar o lugar central na vida e nos trabalhos de toda igreja e de todo púlpito.
- *A tarefa exclusiva do púlpito é ensinar com clareza a Palavra de Deus,* expressando na linguagem de hoje as verdades que na Bíblia estão expressas em formas antigas de pensamento e de linguagem.

2. Cristo é o coração, o centro da Bíblia

A Bíblia consiste em duas partes: o *Antigo Testamento (AT)* e o *Novo Testamento (NT)*.

- O AT é a história de uma nação: Israel.
- O NT é a história de um homem: Jesus, o Filho de Deus.

A nação foi fundada e sustentada por Deus para trazer o homem ao mundo. Na pessoa de Jesus, o próprio Deus tornou-se homem a fim de fornecer os meios para a redenção da humanidade. Além disso, Jesus dá à humanidade a idéia concreta, definida e palpável a respeito de que tipo de pessoa devemos ter em mente ao pensar em Deus: Deus é tal qual Jesus. Jesus era Deus encarnado, Deus em forma humana.

Sua permanência na terra é o acontecimento central de toda a história: o AT serve de palco para ela; o NT detalha-a.

Jesus Cristo (o Messias) teve a vida mais memorável e bela que já se conheceu. Nasceu de uma virgem e viveu sem pecar. Na condição de homem, foi o mais bondoso, terno, meigo, paciente e compassivo que já existiu. Amava as pessoas. Detestava vê-las passando por aflições. Gostava muito de perdoar. Deleitava-se em ajudar. Operava milagres maravilhosos para alimentar os famintos. Ao aliviar os que sofriam, esquecia-se de alimentar-se a si mesmo. Multidões cansadas, acossadas pelas dores e angustiadas vinham a ele e recebiam cura e alívio. A respeito dele, e de nenhum outro, foi dito que, se todas as obras de bondade por ele praticadas fossem registradas, o mundo inteiro não poderia conter todos os livros resultantes.

Esse é o tipo de homem que Jesus foi.

Esse é o tipo de pessoa que Deus é.

Em seguida, Jesus morreu na cruz para tirar o pecado do mundo e se tornar o Redentor e Salvador da humanidade.

Ele ressuscitou dentre os mortos e agora vive — não meramente como personalidade histórica, mas também como pessoa viva. Esse é o fato mais importante da história e a força mais vital no mundo de hoje.

Toda a Bíblia concentra-se nessa bela história de Cristo e na promessa da vida eterna feita aos que o aceitarem. A Bíblia foi escrita tão-somente para que as pessoas creiam em Cristo, o entendam, conheçam, amem e o sigam.

Cristo, o centro, o coração da Bíblia, sendo ainda o ponto focal da história, também está no centro, no âmago de nossa vida. Nosso destino eterno está em suas mãos. A aceitação ou a rejeição dele como Senhor e Salvador determina, para cada um de nós, a glória ou a ruína eterna — o céu ou o inferno; ou um, ou outro.

A decisão mais importante que alguém pode ser chamado a tomar é a de resolver, em seu coração, de uma vez por todas, a questão da sua atitude para com Cristo.

Disso dependem todas as coisas.

É maravilhoso ser crente, o mais elevado privilégio da raça humana. O Criador de todas as coisas quer relacionar-se com cada um de nós! Aceitar a Cristo como Salvador, Senhor e Mestre, esforçar-se com sinceridade e consagração por segui-lo no modo de vida que ele ensinou, é sem sombra de dúvida a maneira mais razoável e satisfatória de viver. Dele resulta paz, tranqüilidade de espírito, contentamento, felicidade, esperança, vida abundante e sem fim.

Como alguém pode ser tão cego e insensato a ponto de prosseguir pela vida afora e ver a morte face a face, sem a esperança cristã? À parte de Cristo, o que existe e o que poderia existir para a vida valer a pena — seja neste mundo, seja no mundo do porvir? Todos teremos que morrer. Para que fugir do assunto com riscos de zombaria, ou tentar negá-lo? O que parece claro é que todo ser humano deveria querer receber a Cristo de braços abertos e considerar que levar o nome de cristão é o mais glorioso privilégio de sua vida.

Em última análise, a coisa mais maravilhosa da vida é ter consciência, no mais profundo íntimo da alma, de que vivemos para Cristo. E, por mais débeis que sejam nossos esforços, labutamos em nossas tarefas do dia-a-dia na esperança de fazer alguma coisa para depositar como oferta aos seus pés, em gratidão e humilde adoração, quando nos encontrarmos com ele face a face.

O hábito da leitura bíblica

Todos devem amar a Bíblia. Todos devem lê-la.
Todos.
Ela é a Palavra de Deus. Contém as soluções para a vida. Conta a respeito do melhor amigo que a humanidade já teve, o homem mais nobre, bondoso e fiel que já palmilhou esta terra.
É a mais bela história já contada. É o melhor guia para a conduta humana que já se conheceu. Proporciona à vida sentido, brilho, alegria, vitória, destino e glória não encontrados em nenhum outro livro.
Nada existe na história, nem na literatura, que de alguma forma se compare à narração singela a respeito do homem da Galiléia, que dedicava seus dias e noites a ministrar aos sofredores, a ensinar a bondade humana, a morrer pelo pecado dos homens e a prometer a segurança da salvação e da felicidade eterna a todos os que quisessem chegar até ele.
A maioria das pessoas, em seus momentos mais difíceis, forçosamente tem alguma dúvida a respeito de como ficará sua situação quando chegar o fim. Por mais que queiramos deixar o assunto de lado com um riso de desdém, virá mesmo esse dia final. E como ficaremos então?
Pois bem, é a Bíblia que detém a resposta. E uma resposta inequívoca. Deus existe. O céu existe. E o inferno existe. Existe o Salvador. Haverá o Dia do Juízo. Feliz aquele que, já nesta vida, fizer as pazes com o Cristo da Bíblia e se preparar para essa partida final.
Como pode uma pessoa sensata impedir que seu coração sinta caloroso amor por Cristo e pela Bíblia, que conta a seu respeito? Todos devem amar a Bíblia. Todos. Todos.
Entretanto, é simplesmente chocante como as igrejas e respectivos membros em geral negligenciam a Bíblia. Sem dúvida, conversamos a respeito da Bíblia, a defendemos, louvamos e exaltamos. Com toda certeza! Mas muitos membros de igreja raras vezes chegam mesmo a olhar o interior de uma Bíblia — e na verdade sentiriam vergonha de ser vistos lendo a Bíblia. E uma porcentagem alarmante dos líderes da igreja não parece, de modo geral, estar se esforçando com afinco para fazer de seus membros leitores da Bíblia.
Somos inteligentes no tocante a todas as demais coisas. Deveríamos ser igualmente inteligentes no tocante à nossa espiritualidade. Lemos jornais, revistas, romances e livros de todos os tipos, escutamos o rádio e assistimos à televisão horas a fio. Entretanto, a maior parte de nós nem sequer sabe o nome dos livros da Bíblia. Que vergonha para nós! Pior ainda, o púlpito, que poderia facilmente remediar a situação, não raro dá a impressão de não se importar e, de modo geral, não recomenda devidamente a leitura bíblica individual.
O contato pessoal e direto com a Palavra de Deus é o principal meio de crescimento do cristão. Todos os líderes na história do cristianismo que demonstraram ter poder espiritual foram leitores dedicados da Bíblia.
A Bíblia é o livro pelo qual pautamos nossa vida. A leitura bíblica é o meio de aprendermos as idéias que moldam nossa vida, mantendo-as sempre novas na mente. Para vivermos de modo correto, precisa-

mos também pensar correto. Devemos ler a Bíblia com freqüência e regularidade para que os pensamentos de Deus nos ocupem a mente com freqüência e regularidade; para que os seus pensamentos passem a ser os nossos pensamentos; para que sejamos transformados na imagem do próprio Deus, em condições de termos comunhão eterna com nosso Criador.

Não há dúvida de que podemos, até certo ponto, absorver verdades cristãs freqüentando cultos, ouvindo sermões, lições bíblicas e testemunhos, bem como mediante a leitura de livros evangélicos.

Embora essas coisas sejam boas e úteis, transmitem-nos a verdade de Deus em segunda mão, diluída por canais humanos e consideravelmente encoberta pelas idéias e tradições humanas.

Nenhuma dessas coisas pode, de modo algum, substituir nossa leitura da Bíblia nem a fundamentação de nossa fé, esperança e vida diretamente na Palavra de Deus, em vez de dependermos do que as pessoas dizem a respeito da Palavra de Deus.

A Palavra de Deus é a arma que o Espírito de Deus usa para a redenção e para o aperfeiçoamento da alma humana. Não basta escutar os outros falarem, ensinarem e pregarem a respeito da Bíblia. Cada um de nós precisa se manter em contato direto com a Palavra de Deus. É o poder de Deus em nosso coração.

A leitura da Bíblia é o hábito cristão fundamental.

Não queremos dizer, com isso, que devemos adorar a Bíblia como um fetiche. Mas certamente adoramos a Deus e ao Salvador de quem a Bíblia trata. E, como amamos nosso Deus e Salvador, amamos com ternura e dedicação o livro que provém dele e diz respeito a ele.

Não queremos dizer, tampouco, que o hábito da leitura da Bíblia seja uma virtude por si só, pois existe a possibilidade de lermos a Bíblia sem aplicar seus ensinamentos à nossa vida. E até mesmo existem alguns que lêem a Bíblia sem deixar de ser maus, perversos e nada cristãos. São, contudo, exceções.

De modo geral, a leitura bíblica, quando realizada com a atitude certa, é o hábito do qual brotam todas as virtudes cristãs — é o poder mais eficaz que a humanidade conhece quanto à formação do caráter.

Ler a Bíblia é ato de consagração espiritual. Nossa atitude para com a Bíblia é indício bastante seguro de nossa atitude para com Cristo. Se amamos uma pessoa, gostamos muito de ler a respeito dela, não é verdade? Se ao menos pudéssemos nos persuadir a pensar em nossa leitura bíblica como ato de consagração a Cristo, talvez nos dispuséssemos a tratar a questão com mais seriedade.

Ser cristão é sublime. O mais alto privilégio que qualquer mortal pode ter é caminhar pela vida afora de mãos dadas com Cristo como Salvador e Guia. Ou, para expressar de forma mais correta, dar passos infantis e incertos ao lado dele sem nunca lhe largar a mão, por mais que tropecemos.

Esse relacionamento que cada um de nós tem com Cristo é uma das coisas mais íntimas da vida, e não falamos muito a respeito disso provavelmente porque muitas vezes nos consideramos vergonhosamente indignos de levar seu nome. Por que o Criador de todas as coisas se importaria *comigo*? No mais íntimo do coração, porém, quando refletimos com seriedade, sabemos que, por causa de nossa fraqueza, nosso mundanismo, nossa frivolidade, nosso egoísmo e nossos pecados, a necessidade que temos dele pesa mais na balança que nosso amor a qualquer coisa deste mundo. Ele é o nosso Pai. E, em nossos momentos de maior lucidez, sabemos que não deveríamos por motivo algum ofendê-lo ou magoá-lo voluntariamente. Por que magoaríamos aquele que nos ama e a quem amamos? Seria total falta de consideração nossa.

A Bíblia é o livro que nos conta a respeito de Cristo e de seu amor imensurável por nós. É possível amar a Cristo e, ao mesmo tempo, acomodar-se com indiferença à sua Palavra? É possível tal coisa? Cada um de nós tem de fazer escolhas, dia após dia — a fim de servir a ele, e não ao mundo. A Bíblia ensina a fazer isso!

Além do mais, a Bíblia é o melhor livro devocional. Os livros e livretes de leitura devocional diária, hoje em dia publicados em tanta abundância, não deixam de ter sua utilidade. Não servem, porém, como substitutos da Bíblia. A Bíblia é a própria Palavra de Deus, e nenhum outro livro pode tomar seu lugar. Todo cristão, por mais jovem ou idoso que seja, deve ser leitor fiel da Bíblia.

George Müller, que em seus orfanatos em Bristol, na Inglaterra, realizou, com a oração e a fé uma das obras mais notáveis da história do cristianismo, atribuía seu sucesso (humanamente falando) a seu amor pela Bíblia. Disse ele:

> Creio que a razão principal por que tenho sido conservado no serviço cristão alegre e útil é que sempre amei as Sagradas Escrituras. Sempre tive o hábito de ler a Bíblia, de capa a capa, quatro vezes por ano, e isso em espírito de oração, a fim de aplicá-la ao meu coração e praticar o que aprendo ali. Durante 69 anos, tenho sido um homem feliz.

Subsídios para o estudo da Bíblia

A Bíblia é um livro grande ou, a bem da verdade, uma biblioteca de livros provenientes do passado muito distante. Assim, precisamos de todo o auxílio que possamos obter em nosso esforço para compreendê-la. Apesar disso, quando conhecemos o conteúdo da Bíblia, nos surpreende ver quanto ela interpreta a si mesma. Não faltam dificuldades na Bíblia, algumas das quais ultrapassam a compreensão dos mais doutos. Não obstante, seus ensinos principais são tão claros que uma criança consegue compreender, sem enganos, o âmago da Bíblia. (No fim deste livro, você encontrará sugestões de obras que serão úteis para o estudo da Bíblia [v. p. 831]. *Nunca*, porém, deverão substituir a leitura pura e simples da Bíblia, feita com coração e mente abertos.)

Aceite a Bíblia como ela é, exatamente como ela mesma declara ser. Não se preocupe com as teorias dos críticos. Sairão de moda as tentativas engenhosas da crítica moderna de subverter a fidedignidade histórica da Bíblia; a própria Bíblia perdurará até o fim da história, como luz da humanidade. Tenha fé total na Bíblia. Ela é a Palavra de Deus. Ela nunca irá decepcioná-lo. Para nós, seres humanos, é a rocha eterna. Confie em seus ensinos e seja feliz para sempre.

Leia a Bíblia com a mente aberta. Não tente encaixar todos os trechos bíblicos no molde de algumas poucas doutrinas prediletas. Tampouco procure impor aos textos idéias que na verdade não se acham presentes ali. Procure, sim, encontrar, sincera e honestamente, os principais ensinos e lições de cada passagem. Dessa forma, chegaremos a crer no que devemos crer, pois a Bíblia tem a plena capacidade de cuidar de si mesma, se lhe dermos oportunidade.

Leia a Bíblia com toda a atenção. Ao ler a Bíblia, devemos nos vigiar com muito cuidado, a fim de impedir que nossos pensamentos vagueiem e assim tornem nossa leitura superficial e sem sentido. Devemos ter a resoluta determinação de concentrar a atenção no que estamos lendo, para envidar os melhores esforços a fim de entender o máximo que pudermos, sem nos preocupar em demasia com o que não compreendemos, devendo estar sempre à procura de lições aplicáveis à nossa vida.

Tenha sempre um lápis à mão. Ao longo da leitura, é prática excelente marcar os textos bíblicos que chamam a atenção e, de vez em quando, folheando as páginas, reler os textos marcados. Com o tempo, a Bíblia bem marcada terá muito valor para nós, à medida que se aproxima o dia em que nos encontraremos com seu Autor.

A leitura habitual e sistemática da Bíblia é o que conta. A leitura esporádica ou intermitente não faz muito sentido. Se não tivermos algum tipo de sistema a ser seguido e mantido com resolução firme, o mais provável é que não conseguiremos, de modo nenhum, ler muito a Bíblia. Nossa vida interior, assim como nosso corpo físico, precisa de alimento diário.

Um período determinado de cada dia, seja qual for o plano de leitura que seguirmos, deve ser reservado para isso. De outra forma, o mais provável será negligenciarmos nossa leitura bíblica ou até mesmo nos esquecermos dela. Seria excelente ser a leitura a primeira coisa que fazemos pela manhã, caso nossa rotina de trabalho assim permita. No entanto, no fim da tarde, depois de voltarmos do serviço, é possível que nos sintamos mais livres das tensões da pressa. Ou talvez tanto de manhã quanto à noite. Para alguns, um período no meio do dia pode ser mais apropriado.

Não importa muito qual seja o horário específico em cada dia. O importante é escolhermos o período que melhor se encaixe a nosso horário de tarefas diárias, procurando nos manter fiéis a ele, sem, porém, desanimar se, uma vez ou outra, a rotina for interrompida por causas imprevistas.

Poderíamos pôr em dia boa parte de nossa leitura bíblica no domingo, por ser este o dia do Senhor, separado para as coisas do Senhor.

Memorize o nome dos livros da Bíblia. Faça isso logo de início. A Bíblia é composta de 66 livros. Cada um desses livros diz respeito a alguma coisa. O ponto de partida para desenvolver qualquer conceito inteligente da Bíblia é, em primeiro lugar, saber quais são esses livros, em que ordem estão dispostos e, de modo geral, de que trata cada um deles. (V. p. 38-9.)

Memorize versículos prediletos. Memorize-os na íntegra e repita-os mentalmente com freqüência — quando você estiver sozinho, ou à noite, para ajudá-lo a adormecer nos braços eternos. É com esses versículos que nos alimentamos e vivemos.

Fazer passar freqüentemente os pensamentos de Deus pela nossa mente fará com que ela cresça e se torne mais semelhante à mente de Deus; e, à medida que nossa mente se conformar assim à mente de Deus, nossa vida inteira será transformada para assemelhar-se à imagem divina. É um dos melhores auxílios espirituais de que podemos dispor.

Planos de leitura da Bíblia

Existem muitos planos diferentes para a leitura da Bíblia. Vários desses planos são sugeridos mais adiante neste livro (v. p. 826). Um deles talvez seja mais atraente para algumas pessoas, ao passo que outras preferirão outra possibilidade. É possível também que a mesma pessoa, em ocasiões diferentes, queira optar por vários planos. Não importa muito qual seja o plano específico. O essencial é que leiamos a Bíblia com certa regularidade.

Nosso plano de leitura deve percorrer a Bíblia toda com razoável freqüência. A Bíblia toda é a Palavra de Deus, perfazendo uma única história, uma estrutura literária de unidade profunda e maravilhosa, centralizada na pessoa de Cristo. Cristo é o âmago e o ponto culminante da Bíblia. A Bíblia inteira pode muito acertadamente ser chamada a história de Cristo. O AT prepara o caminho para sua chegada. Os quatro evangelhos contam a história de sua vida na terra. As cartas do NT explicam seus ensinos. E o Apocalipse demonstra seu triunfo.

Um plano bem equilibrado de leitura da Bíblia seria, segundo nossa opinião, mais ou menos assim: para cada leitura completa da Bíblia, leiamos o NT uma ou duas vezes, com freqüente leitura complementar dos capítulos prediletos de ambos os Testamentos.

Mais adiante neste livro, você verá vários planos de leitura da Bíblia (v. p. 826), bem como a seção que explica os tipos de recursos para estudo bíblico que você poderá adquirir a fim de ajudá-lo a entender o que lê, como concordâncias, Bíblias de estudo, dicionários bíblicos e comentários, com explicação da utilidade de cada um deles (v. p. 831).

Freqüentar a igreja como ato de adoração

"Todos os cristãos devem freqüentar a igreja todas as semanas, sem falta, a não ser que sejam impedidos por alguma enfermidade, por algum serviço *obrigatório* ou por alguma outra necessidade premente."

Numa sociedade de consumo como a nossa, a primeira reação é: "Por quê? Que vantagens a igreja me oferece?".

Uma pergunta dessa natureza revela incompreensão do assunto.

Não somos *nós* a razão de ser da igreja — é *Deus* o enfoque central. Freqüentar a igreja deve ser um ato de adoração. Todos os domingos pertencem a Cristo. Se todos os crentes freqüentassem a igreja todos os domingos, nossas igrejas ficariam transbordantes. Isso redundaria em poder para a igreja. Esta serviria de testemunha diante da comunidade, por ser composta de pessoas que adoram seu Salvador por amor, não pelas vantagens. O propósito da igreja é exibir Cristo diante da população em geral. A igreja foi fundada por Cristo. Cristo é o âmago e o Senhor da igreja. A igreja existe para testificar de Cristo. O próprio Cristo, e não a igreja, é o poder que transforma a vida das pessoas. A missão da igreja é enaltecer a Cristo, a ponto de ele pessoalmente poder realizar sua obra bendita no coração das pessoas.

Esse método nunca mudará. A invenção da imprensa, que possibilitou a publicação de muitas Bíblias e livros cristãos a preços acessíveis, de modo que as pessoas podem ler por conta própria a respeito de Cristo, e a invenção do rádio e da televisão, que nos permitem ficar sentados em casa, escutando ou assistindo a sermões e cultos — tais coisas nunca eliminarão a necessidade de freqüentarmos a igreja. O plano de Deus é que seus fiéis, em todas as comunidades, em todas as partes da terra, encontrem-se no horário determinado para o culto, e assim, juntos, desse modo público, honrem a Cristo diante de todos.

Entretanto, acontece com muita freqüência que as pessoas utilizam a igreja como posto de abastecimento espiritual. Funcionamos com o tanque vazio a semana toda e depois esperamos que a igreja compense o que nós mesmos deixamos de fazer — *dedicar, durante a semana inteira, tempo à leitura da Palavra de Deus e à reflexão sobre ela.*

Se negligenciarmos o hábito da leitura bíblica, chegaremos à igreja em estado de inanição espiritual. Dependeremos da igreja para encher nossa alma vazia. E ficaremos decepcionados, pois a igreja não poderá, no período de uma ou duas horas no domingo de manhã, preencher o vazio que produzimos em nós mesmos por negligenciarmos a Palavra de Deus.

Vá à igreja preparado. Leia a Bíblia de antemão. Você será abençoado, e Cristo será enaltecido!

Declarações notáveis a respeito da Bíblia

Billy Graham: Em nossa geração, existem pessoas que questionam se a Bíblia é a Palavra de Deus. Do começo ao fim, porém, a Bíblia é a Palavra de Deus, inspirada pelo Espírito Santo. Quando consulto a Bíblia, sei que estou lendo a verdade. E abro-a para lê-la todos os dias.[1]

George Müller, de Bristol: O vigor de nossa vida espiritual estará na proporção exata do lugar que a Bíblia ocupa em nossa vida e em nossos pensamentos. Declaro isso tendo por base a experiência de 54 anos [...] Já li cem vezes a Bíblia inteira, e sempre com maior deleite. Cada vez ela se me apresenta como um livro novo. Grande tem sido a bênção recebida de seu estudo consecutivo, diligente e diário. Considero perdido o dia em que não passei um período proveitoso com a Palavra de Deus.

D. L. Moody: Eu orava pedindo fé e imaginava que algum dia a fé cairia e me atingiria como um raio. Parecia, entretanto, que a fé não vinha. Certo dia, li no capítulo 10 de Romanos: "A fé vem por se ouvir a mensagem, e a mensagem é ouvida mediante a palavra de Cristo" (v. 17). Antes, eu tinha fechado minha Bíblia e orado, pedindo fé. Passei então a abrir minha Bíblia e a estudá-la, e minha fé vem crescendo continuamente desde aquele momento.

Abraham Lincoln: Creio que a Bíblia é o melhor presente que Deus já deu ao homem. É por meio desse livro que nos é comunicado todo o bem da parte do Salvador do mundo.

W. E. Gladstone: Conheci 95 dos grandes homens do mundo que viveram no meu tempo, e, destes, 87 eram seguidores da Bíblia. A Bíblia leva em si as marcas de sua origem especial, e a distância imensurável a separa de quaisquer possíveis concorrentes.

George Washington: É impossível governar corretamente o mundo sem Deus e sem a Bíblia.

Daniel Webster: Se existe algo em meus pensamentos ou em meu estilo que se possa elogiar, devo-o aos meus pais, que instilaram em mim, desde a infância, o amor pelas Escrituras. Se formos fiéis aos princípios ensinados na Bíblia, nosso país continuará prosperando sempre. Mas, se nós e nossa posteridade negligenciarmos suas instruções e sua autoridade, ninguém poderá imaginar quão repentina será a catástrofe que poderá nos sobrevir, sepultando toda a nossa glória em profunda obscuridade.

Thomas Carlyle: A Bíblia é a declaração mais verdadeira da alma do homem jamais escrita. Por meio dela, como que através de uma janela aberta por Deus, todos podem penetrar a quietude da eternidade e discernir, em vislumbres, seu lar muito distante, do qual se haviam esquecido fazia muito tempo.

John Ruskin: Seja qual for o mérito de algo que eu tenha escrito, devo-o simplesmente ao fato de, quando menino, minha mãe ter lido todos os dias para mim um trecho da Bíblia e me ter feito decorar parte dessa leitura.

---

[1] Extraído do sermão de Billy Graham *Jesus Cristo é a verdade*, ©1991, de Associação Evangelística Billy Graham. Citado com permissão.

Charles A. Dana: O esplendoroso e velho Livro ainda permanece de pé; e esta velha terra, quanto mais suas folhas forem reviradas e analisadas, tanto mais apoiará e ilustrará as páginas da Palavra Sagrada.

Thomas Huxley: A Bíblia tem sido a Carta Magna dos pobres e oprimidos. A raça humana não tem condições de passar sem ela.

Patrick Henry: A Bíblia vale a soma total de todos os demais livros que já foram publicados.

U. S. Grant: A Bíblia é a âncora de nossas liberdades.

Horace Greeley: É impossível escravizar mental ou socialmente o povo que lê a Bíblia. Os princípios bíblicos são os alicerces da liberdade humana.

Andrew Jackson: Este livro, cavalheiro, é a rocha em que se firma nossa república.

Robert E. Lee: Em todas as minhas perplexidades e angústias, a Bíblia nunca deixou de me fornecer luz e vigor.

Lorde Tennyson: A leitura da Bíblia já é, em si mesma, educação.

John Quincy Adams: Tão grande é minha veneração pela Bíblia, que, quanto mais cedo meus filhos começarem a lê-la, tanto mais confiante será minha esperança de que demonstrarão ser cidadãos úteis à pátria e membros respeitáveis da sociedade. Há muitos anos adoto o costume de ler a Bíblia do começo ao fim, uma vez por ano.

Immanuel Kant: A existência da Bíblia como livro para o povo é o maior benefício que a raça humana já experimentou. Todo esforço por depreciá-la é um crime contra a humanidade.

Charles Dickens: O Novo Testamento é, de longe, o melhor livro que o mundo já conheceu ou virá a conhecer.

William Herschel: Todas as descobertas humanas parecem ter sido feitas com o propósito único de confirmar, cada vez mais fortemente, as verdades contidas nas Sagradas Escrituras.

Isaac Newton: Existem mais indícios seguros de autenticidade na Bíblia do que em qualquer história não-cristã.

Goethe: Por mais que continue avançando a cultura intelectual, por mais que progridam as ciências naturais na sua extensão e profundidade, por mais que a mente humana queira se expandir, para além da sublimidade e da cultura moral do cristianismo, conforme ele resplandece nos evangelhos, é que não irão.

Os antecedentes da Bíblia

- O que a Bíblia é
- Como a Bíblia está organizada
- De que a Bíblia trata?
- O pensamento central de cada livro da Bíblia

O que a Bíblia é

A BÍBLIA **é uma coletânea de 66 "livros"** escritos no decurso de um período de mais de 1 500 anos. Numa Bíblia impressa comum, o livro mais longo (Salmos) ocupa mais de cem páginas, e o mais breve (2 João), menos de uma página.

Mais de quarenta pessoas escreveram os vários livros da Bíblia. Algumas eram ricas, e outras, pobres. Havia reis, poetas, profetas, músicos, filósofos, agricultores, professores, um sacerdote, um estadista, um pastor de ovelhas, um cobrador de impostos, um médico e alguns pescadores. Escreveram em palácios e em prisões, em grandes cidades e em lugares ermos, em tempos terríveis de guerra e em tempos de paz e de prosperidade. Escreveram narrativas, poesias, história, cartas, provérbios e profecias.

A Bíblia não é um livro-texto nem uma obra de teologia abstrata, para ser analisada, debatida e entendida exclusivamente por teólogos e outros peritos de alto nível cultural. É um livro que diz respeito a pessoas que realmente viveram e ao Deus verdadeiro e real.

A Bíblia é a inspirada Palavra de Deus. Os teólogos e estudiosos têm debatido interminavelmente entre si a respeito de como o livro escrito por tantos autores no decurso de tantos anos pode ter a mínima possibilidade de ser inspirado por Deus. Esse debate equivale a sentar-se à mesa do almoço e discutir a respeito da receita em vez de comer os alimentos, saboreá-los e ser nutrido por eles.

Assim como "a prova da teoria está na prática", também a comprovação da veracidade da Bíblia está na sua leitura — feita com coração aberto e mente receptiva. A leitura assim demonstrará que a Bíblia é uma mensagem divinamente inspirada, uma só unidade entrelaçada em si, da parte de Deus (cf. Jo 7.17).

Como a Bíblia foi escrita há tanto tempo, existem coisas que, no século XXI, talvez achemos de difícil compreensão. Entretanto, nosso coração e nosso espírito conseguem captar o que o coração de Deus e seu Espírito nos dizem: que somos amados por ele, agora e para todo o sempre.

Como a Bíblia está organizada

À PRIMEIRA VISTA, a Bíblia é uma coletânea de escritos longos e breves sem nenhuma organização aparente, excetuando-se sua divisão principal em duas partes: o AT e o NT.

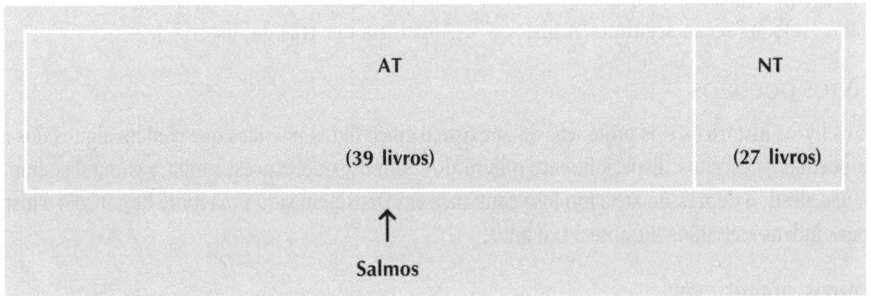

O AT ocupa aproximadamente três quartos da Bíblia, e o NT, cerca de um quarto. O livro dos Salmos fica aproximadamente no meio da Bíblia.

Os dois Testamentos

O AT foi escrito *antes* da época de Cristo. Foi escrito em sua maior parte em hebraico, a língua do povo judeu, e continua a ser a Bíblia do povo judeu. Nos primeiros dias da igreja, durante as primeiras décadas depois da morte e da ressurreição de Jesus, a Bíblia hebraica era a única Bíblia que os cristãos possuíam. Foi só mais tarde, quando o NT já passara a existir, que a Bíblia hebraica foi chamada "AT". A palavra "testamento" significa, nesse caso, "aliança" (acordo ou contrato solene que estabelece um relacionamento formal com obrigações mútuas). A Bíblia hebraica fala da aliança que Deus fez com Abraão, o patriarca do povo judeu. O NT diz respeito à nova aliança que Deus fez com todas as pessoas por meio de Jesus Cristo.

Portanto, o AT antevê a vinda de Jesus, o Messias (ou Cristo), que nos salvou dos nossos pecados e estabeleceu o Reino de Deus, alicerçado na justiça e na misericórdia. O NT conta a história de Jesus e contém escritos de seus primeiros seguidores.

Três grupos de livros em cada Testamento

Cada Testamento...

- começa com um grupo de **livros históricos** e
- termina com **livros proféticos** (o NT tem um só livro predominantemente profético: o Apocalipse).

Entre os livros históricos e os proféticos estão:

- os livros **poéticos** (AT) e
- as **cartas** ou epístolas (NT).

Os livros do AT

1. Livros históricos

O AT contém 17 livros históricos, dispostos em ordem cronológica. O povo judeu chamava (e ainda chama) os cinco primeiros livros históricos de *Torá* (palavra hebraica que significa "lei", visto que esses livros contêm as leis que Deus deu a Moisés). Esses cinco livros também são chamados *Pentateuco* (que em grego significa "cinco livros"). A história abrangida por esses livros pode ser dividida em seis períodos (v. tb. na seção seguinte: "A história" e "A história por trás da história").

2. Livros poéticos

Entre os livros históricos e os proféticos do AT existem cinco livros poéticos que contêm alguns dos mais belos poemas já escritos. Especialmente o livro dos Salmos, que expressa toda a gama das emoções humanas, desde a depressão até a jubilosa confiança em Deus, tem sido uma fonte de consolo e inspiração para judeus e cristãos durante 3 mil anos.

3. Livros proféticos

O AT contém 17 livros proféticos. Os cinco primeiros desses livros são chamados *Profetas maiores*, por serem muito mais longos que os outros 12, chamados *Profetas menores*. (Lamentações é um livro pequeno que foi incluído entre os *Profetas maiores* por ter sido escrito pelo profeta Jeremias, que também escreveu o livro de Jeremias, o segundo livro dos *Profetas maiores*.)

Os livros do NT

1. Livros históricos

Entre o final do AT e o início do NT há um período de cerca de quatrocentos anos. Tomamos conhecimento de muitas coisas a respeito desses "anos silenciosos" lendo outros livros que não fazem parte do AT nem do NT (v. p. 407-25).

O NT contém cinco livros históricos: os quatro evangelhos, que relatam a vida de Cristo, e o livro de Atos, que conta a história da igreja primitiva, principalmente com respeito à obra do apóstolo Paulo.

2. Cartas ou epístolas

O NT contém 21 cartas ou epístolas. As 13 primeiras foram escritas pelo apóstolo Paulo; estão dispostas por ordem de tamanho, desde a mais longa (Romanos) até a mais breve (Filemom). Outras foram escritas pelo apóstolo João (três cartas), Pedro (duas cartas) e Tiago e Judas (uma carta cada); não é possível saber com certeza quem escreveu a carta de Hebreus.

Todas as cartas foram escritas nas primeiras décadas da igreja.

3. O livro profético

O NT tem um só livro profético: o Apocalipse. (A palavra grega original, *apokalupsis*, significa "desvendar" ou "revelação".)

Antigo Testamento		
Livros históricos	**Livros poéticos**	**Livros proféticos**
Gênesis	Jó	Isaías
Êxodo	Salmos	Jeremias
Levítico	Provérbios	Lamentações
Números	Eclesiastes	Ezequiel
Deuteronômio	Cântico dos Cânticos	Daniel
Josué		Oséias
Juízes		Joel
Rute		Amós
1 Samuel		Obadias
2 Samuel		Jonas
1 Reis		Miquéias
2 Reis		Naum
1 Crônicas		Habacuque
2 Crônicas		Sofonias
Esdras		Ageu
Neemias		Zacarias
Ester		Malaquias

Novo Testamento		
Livros históricos	**Cartas**	**Livros proféticos**
Mateus	Romanos	Apocalipse
Marcos	1 Coríntios	
Lucas	2 Coríntios	
João	Gálatas	
Atos	Efésios	
	Filipenses	
	Colossenses	
	1 Tessalonicenses	
	2 Tessalonicenses	
	1 Timóteo	
	2 Timóteo	
	Tito	
	Filemom	
	Hebreus	
	Tiago	
	1 Pedro	
	2 Pedro	
	1 João	
	2 João	
	3 João	
	Judas	

De que a Bíblia trata?

A história *A história por trás da história*

ANTIGO TESTAMENTO

❶ No princípio
Criação, Adão e Eva, Queda, Caim e Abel,
Noé e o Dilúvio, Babel

"No princípio Deus criou os céus e a terra." Os dois primeiros capítulos da Bíblia mostram como Deus criou todas as coisas. A última coisa que ele criou foi a humanidade, que Deus criou "homem e mulher" — **Adão** e **Eva**. A Criação era boa e harmoniosa.

Mas no terceiro capítulo essa harmonia é destruída. Adão e Eva são enganados pela serpente (Satanás) e optam por desobedecer a Deus. Fazem a única coisa que Deus não permitira: comem da árvore proibida porque querem ser iguais a Deus. É uma ação pequena — com conseqüências cósmicas.

A desobediência ("a **Queda**") deles introduz desarmonia e morte no mundo e no Universo. Os seres humanos agora estão separados não somente uns dos outros e da Criação, mas também de Deus. Agora, toda a história, e cada vida, termina em morte.

A Queda é seguida por vários acontecimentos infelizes:

- Adão e Eva são expulsos do **jardim do Éden**.
- **Caim** e **Abel:** Filhos de Adão e Eva. Caim mata Abel.
- **Noé** e o **Dilúvio:** A situação fica tão ruim, que Deus resolve destruir a raça humana num dilúvio. Somente Noé, sua família e pares de animais, como representantes de sua espécie, sobrevivem na arca.
- **A Torre de Babel:** Os habitantes do mundo querem construir uma cidade com "uma torre que alcance os céus". Da mesma forma que Adão e Eva, querem ser semelhantes a Deus. Mas Deus intervém e confunde o idioma falado no mundo. A partir daí, o Senhor os espalha sobre toda a face da terra. Desde esse fato, as pessoas vêm falando idiomas diferentes.

Os três primeiros capítulos de Gênesis armam o palco para tudo o que acontece no restante da Bíblia. O pecado de Adão e de Eva fez separação entre a humanidade e Deus. Por conseqüência, também perdemos a harmonia — que Deus nos conceda — com nós mesmos, com nosso próximo e com o restante da Criação. Mas Deus, que ama os seres humanos a quem criou, promete desfazer o que Adão e Eva fizeram ao desobedecer. Restaurará a harmonia entre si mesmo e a humanidade, entre os povos e na totalidade da Criação. Deus promete que um descendente de Adão e Eva será a solução — ele trará a salvação, pondo em ordem as coisas entre Deus e suas criaturas.

No restante da Bíblia, esta é a história por trás da história: **Deus está operando para pôr em ordem todas as coisas.** (No NT, vemos que **ele já realizou isso por meio de Jesus.**) A história "convencional" — como a encontrada nos livros históricos — talvez pareça caótica, mas a história por trás da história informa que a totalidade da história está avançando para o ponto em que o plano de Deus para a salvação e para a redenção do Universo será consumado, quando, conforme diz o último livro da Bíblia:

> Agora o tabernáculo de Deus está com os homens, com os quais ele viverá. Eles serão os seus povos; o próprio Deus estará com eles e será o seu Deus. Ele enxugará dos seus olhos toda lágrima. Não haverá mais morte, nem tristeza, nem choro, nem dor, pois a antiga ordem já passou (Ap 21.3,4).

De que a Bíblia trata? 31

A história *A história por trás da história*

❷ A época dos patriarcas
Abraão, Isaque, Jacó e José

Deus manda **Abraão** partir de Ur dos caldeus e ir até Canaã. Ali eles têm um filho, **Isaque**, embora Sara, a esposa de Abraão, tenha ultrapassado em muito a idade de ter filhos.

Isaque, seu filho **Jacó** e os doze filhos de Jacó são conhecidos como os **patriarcas** de Israel, visto que toda a nação — as doze tribos — descendeu deles. ("Israel" é o nome que Deus deu a Jacó.)

Um dos filhos de Jacó, **José**, acaba ficando no Egito, onde passa a ser a segunda autoridade depois do faraó e salva o país da fome.

Toda a família de José desce então ao Egito, onde reside durante cerca de quatrocentos anos.

Com a escolha que Deus faz de Abraão, inicia-se a preparação de um povo por meio do qual virá o Redentor prometido. Deus promete a Abraão que este terá inúmeros descendentes que possuirão a terra de Canaã (a Palestina) e por meio dos quais Deus abençoará o mundo inteiro. Essas promessas fazem parte da aliança (acordo solene) que Deus faz com Abraão. As promessas são cumpridas de maneira lenta, porém segura — embora o próprio Abraão veja bem pouco desse cumprimento.

Por meio de José, bisneto de Abraão, Deus leva os descendentes de Abraão até o Egito. Ali, acabam sofrendo opressão e escravidão. Mas seu relativo isolamento também permite que a nação cresça sem o perigo de ser absorvida pelas várias nações cananéias — o que indubitavelmente teria acontecido se tivessem permanecido em Canaã.

❸ O Êxodo do Egito
Moisés, Arão, mar Vermelho, monte Sinai

Depois de quatrocentos anos, os israelitas tornam-se tão numerosos que o faraó fica preocupado, imaginando que possam assumir o controle da nação. Sujeita-os a trabalhos forçados nos seus projetos de construção.

Moisés é um israelita que foi criado na corte pela filha do faraó. Deus o chama para livrar os israelitas da escravidão e levá-los de volta a Canaã, à terra que Deus prometera a seu antepassado Abraão. **Arão**, irmão de Moisés, vai com ele falar ao faraó.

O faraó recusa-se a deixar o povo sair. Deus o convence a mudar de opinião com o envio de dez pragas terríveis. A última das pragas permite que o anjo da morte mate todos os primogênitos, mas Deus protege os israelitas, instruindo-os a colocar sangue de cordeiro sobre as vergas das portas, a fim de que o anjo da morte passe por cima deles e os poupe. (Esse é o início da Páscoa.) Depois disso, o faraó concorda em deixar o povo ir. Posteriormente, muda de idéia e persegue os israelitas, mas todo o seu exército se afoga no mar Vermelho, depois de Deus criar um caminho e permitir que somente os israelitas atravessem.

No **monte Sinai**, Deus transmite suas leis a Israel. Como os israelitas não crêem que Deus os ajudará a conquistar a terra, acabam passando 40 anos no deserto.

Deus prepara Moisés para tirar os israelitas do Egito. Para isso, usa a corte egípcia a fim de dar a Moisés a educação de que necessitaria para a enorme tarefa que tinha diante de si.

Assim como fizera com Abraão, agora Deus faz uma **aliança com o povo de Israel no monte Sinai**. Como parte dessa aliança, Deus dá a esse grupo de escravos que nunca aprendera a viver como nação um conjunto de leis que visava governar-lhes a vida diária depois de se estabelecerem na Terra Prometida.

Parte dessa aliança é a advertência de que a desobediência acarretará desgraças, ao passo que a obediência à aliança — a observância das leis de Deus — produzirá bênçãos. A sobrevivência e o sucesso dos israelitas dependerá inteiramente de obedecerem a Deus. Eles aprendem essa verdade pelo caminho mais difícil quando a desobediência deles e a falta de fé no deserto os levam a um período de 40 anos de peregrinações antes de finalmente serem autorizados a entrar na Terra Prometida.

| A história | A história por trás da história |

❹ Canaã: conquista da terra e estabelecimento da nação
Josué, juízes (Débora, Gideão, Sansão)

Moisés morre, e **Josué** passa a ser o líder. Assim, conduz os israelitas para dentro da Terra Prometida, atravessando o Jordão perto de **Jericó**. Conquistam parte da terra, e cada uma das doze tribos recebe um quinhão. Não há, porém, nenhuma autoridade central, e por vários séculos as diferentes tribos desobedecem a Deus e o abandonam. Deus permite, então, que um exército estrangeiro as castigue, mas, quando clamam a Deus, ele lhes envia um líder (um **juiz**) para derrotar o inimigo. Não demora, porém, até que o ciclo inteiro recomece. Entre os juízes encontram-se **Gideão** e **Sansão**.	Agora a promessa de Deus de que os descendentes de Abraão possuirão a terra começa a ser cumprida. Em Ai, eles recebem, mais uma vez, uma demonstração do vergonhoso fracasso que resulta de desconsiderarem a Deus e suas instruções. À medida que a terra é conquistada e colonizada, são lançadas as sementes de problemas futuros. Os israelitas não conseguem conquistar a totalidade da terra (o que Deus lhes ordenara que fizessem), e os cananeus que sobraram serão uma fonte constante de sedução para afastá-los de Deus. Esse fato passa a ficar bastante evidente no período dos juízes, quando as várias tribos correm repetidas vezes o risco de se esquecer completamente do Deus que as tirou do Egito.

❺ A monarquia e o reino dividido
Samuel, Saul, Davi, Salomão, dois reinos: Israel e Judá

Por último, os israelitas pedem um rei. **Samuel**, o último juiz, estabelece **Saul** como o primeiro rei. Saul começa bem, mas acaba se suicidando numa batalha. Em seguida, **Davi** torna-se rei e une todas as tribos no reino de Israel, tendo Jerusalém como capital. (Isso acontece por volta de 1000 a.C.) Davi tem como sucessor seu filho **Salomão**. Este edifica o **Templo** em Jerusalém e reúne riquezas espetaculares. Depois da morte de Salomão, porém, as dez tribos do norte se separam e estabelecem um reino próprio, o **Reino do Norte**, que passa agora a ser chamado **Israel**; o **Reino do Sul** (com apenas duas tribos: Judá e Benjamim) é chamado Judá. Jerusalém e o templo ficam em **Judá**. O Reino do Norte tem uma série de reis maus. É finalmente destruído pelos **assírios** em 722 a.C. O povo é deportado e desaparece da história para sempre. O Reino do Sul tem alguns reis bons e outros maus. É finalmente conquistado pelos **babilônios**, que destroem Jerusalém e o templo em 586 a.C. O povo é levado para Babilônia.	A adoração a Deus deveria ter unido as doze tribos. Em vez disso, os israelitas resolvem que querem um rei para que também possam tornar-se uma nação, assim como as demais a seu redor. Davi estabelece o reino que une todas as tribos. Deus agora faz **uma aliança com Davi**, de cuja dinastia virá o Grande Rei que personificará o rei ideal da parte de Deus. Esse Rei governará para sempre com justiça e misericórdia. Essa aliança com Davi é o passo seguinte no desdobramento do plano de Deus. Infelizmente, o reino termina em fracasso. Primeiro é dividido em dois reinos menores. O Reino do Norte rejeita a Deus desde o início, é invadido, e seu povo, deportado depois de uns dois séculos. O Reino do Sul — a despeito de ali estarem Jerusalém e o templo de Deus e de ter havido vários reis tementes ao Senhor — também acaba rejeitando a Deus, fato este que leva à sua deportação pelos babilônios. Todavia, a linhagem familiar de Davi continua, e Deus cumpriria a promessa que fizera a Davi.

De que a Bíblia trata?

A história	A história por trás da história

❻ O exílio babilônico e o retorno do exílio
Esdras, Neemias, Ester

Enquanto os judeus (o povo de Judá) estão na Babilônia, os babilônios são derrotados pelos **persas**. Os persas permitem que os judeus voltem a Jerusalém. O templo e os muros são reconstruídos sob a liderança de **Esdras** e **Neemias**. (O retorno acontece em etapas, no decurso de um período de cerca de um século.) A história de **Ester** é uma vinheta desse período; a coragem de Ester pode ter influenciado o rei persa no sentido de apoiar o retorno dos judeus a Jerusalém. [Os cinco livros de **poesia e sabedoria** (Jó a Cântico dos Cânticos) e os 17 livros dos **profetas** (Isaías a Malaquias) foram escritos, em grande parte, durante os períodos do reino e do exílio e retorno (períodos ❺ e ❻).]	O exílio babilônico produziu mudanças profundas na maneira de o povo judaico ver a si mesmo e o seu relacionamento com Deus. Já não podiam alegar despreocupadamente que Deus nunca permitiria que seu templo fosse destruído ou seu povo fosse conquistado por outras nações. Muitas pessoas sondavam sua própria alma: Deus havia abandonado seu povo? Deus havia cancelado sua aliança com Abraão, com seu povo e com Davi por eles não haverem cumprido suas obrigações nos termos da aliança? Entretanto, os profetas tinham predito não somente o juízo de Deus sobre seu povo como também a queda de Jerusalém — eles também tinham dito que, a despeito das aparências, Deus não havia abandonado seu povo. A terrível experiência do exílio levou a uma ênfase na promessa de que Deus ainda levaria a efeito o cumprimento final de todas as suas promessas mediante o envio do Messias.

Os 400 anos entre os Testamentos

Entre o final do AT e o início do NT transcorre um período de cerca de quatrocentos anos. Durante esse período, surgem muitas mudanças. ▪ Os **romanos**, e não os persas, são agora a grande potência mundial. ▪ No exílio babilônico, a **sinagoga** torna-se muito importante como local onde o povo se reúne para o culto e o estudo da Bíblia hebraica (nosso AT). ▪ Durante aproximadamente cem desses 400 anos entre os Testamentos, os judeus voltam a ser independentes sob a liderança dos **macabeus**. ▪ Dois grupos que surgem nesse período de 400 anos são os **saduceus** e os **fariseus**. Os ensinos de Jesus têm mais proximidade com os dos fariseus, mas estes acabam sendo seus opositores mais ferrenhos. ▪ O grupo encarregado das questões do dia-a-dia na Palestina, incluindo-se as religiosas, é o **Sinédrio**, que consiste nos fariseus, nos saduceus, nos mestres da lei e no sumo sacerdote. ▪ A região central da Palestina é Samaria. Os **samaritanos** têm um parentesco parcial com os judeus e adoram a Deus, mas no monte Gerizim, não em Jerusalém. Os judeus os evitam a todo custo.	Depois do exílio babilônico, os judeus voltam para Jerusalém. Durante quatro séculos de conflito, Deus prepara o mundo ao redor de Israel para a vinda do Redentor prometido. Os impérios gregos conferem ao mundo conhecido da época um idioma comum, o grego, ao passo que posteriormente o Império Romano fornece um governo estável e a paz em âmbito mundial (a *pax romana*), bem como um notável sistema de estradas. Tudo isso permite a divulgação rápida das boas novas de Jesus — de Deus vindo à terra para conciliar consigo mesmo o mundo.

| A história | A história por trás da história |

Novo Testamento

❼ A vida de Jesus
Jesus, João Batista, crucificação, ressurreição

O AT, desde Abraão até Malaquias, abrange cerca de dois mil anos de história — e o NT, apenas uns 70 (os primeiros 25 a 30 dos quais somente de modo muito breve).

Os **quatro evangelhos** (Mateus, Marcos, Lucas e João) contam a história da vida de Jesus, mas cada um com uma tônica um pouco diferente.

O **nascimento** virginal de Jesus (c. 4 a.C.; v. p. 429) é relatado principalmente em Lucas. Somente uma história é registrada a respeito de sua juventude — a visita que fez ao templo de Jerusalém quando estava com 12 anos de idade. Sabemos ainda que adotou a profissão do pai terreno, José; tornou-se carpinteiro.

Depois, quando Jesus está com cerca de trinta anos de idade, aparece no deserto perto do rio Jordão um profeta chamado **João Batista**, que instrui as pessoas a se arrepender e a demonstrar seu arrependimento pela recepção do batismo. Anuncia ainda que virá alguém maior que ele, que "batizará com o Espírito Santo e com fogo". Jesus insiste em também ser batizado por João.

Depois disso, Jesus inicia seu ministério pregando que está próximo o **Reino de Deus**. Cura muitas pessoas, prega nas sinagogas e declara ser o cumprimento daquilo que os profetas, incluindo-se João Batista, prometeram durante séculos: o "ungido" de Deus (**Messias** em hebraico, **Cristo** em grego), que estabeleceria o Reino de Deus na terra.

O problema é que os líderes do povo (fariseus, saduceus e mestres da lei) vêem os milagres que Jesus opera, mas não conseguem acreditar que Jesus realmente seja quem ele declara ser: o Filho de Deus. Acham que essa afirmação de Jesus é uma blasfêmia e que, portanto, forçosamente só consegue operar milagres porque tem ligação com o Diabo. Muitas pessoas, porém, acreditam em Jesus.

Jesus escolhe **doze discípulos** (que posteriormente serão chamados apóstolos) para viajarem com ele e serem por ele ensinados. Pedro (também chamado Simão Pedro) é o líder entre os doze. Pedro, João e Tiago, ir-

Jesus é o cumprimento das promessas de Deus feitas a Abraão e a Davi. Sua morte e ressurreição vão reunir Deus com seu povo. É por meio de Jesus que o mundo inteiro será abençoado. Ele é o Rei proveniente da casa de Davi. Seu **Reino**, no entanto, não se baseia no poder externo e mundano. Pelo contrário, baseia-se na justiça, na misericórdia, na humildade e no poder irresistível do amor. Jesus demonstra como Deus é. Não impõe submissão, mas pede uma resposta oferecida livremente: fé e confiança nele mesmo.

O povo de Israel, no entanto, não pode aceitar essa revisão radical de suas expectativas — prefere um rei que restaure o poder político de Israel. Jesus é crucificado sob acusação de blasfêmia. Mas sua **morte** é uma vitória, a vitória do amor sobre o poder destruidor do pecado. É uma vitória porque Deus ressuscita Jesus dentre os mortos. Sua **ressurreição** demonstra que a morte já não é o fim, mas, ao contrário, um novo começo. Por causa da ressurreição, sabemos que a verdade que procuramos e a cura de nossa culpa, de nossa solidão e de nosso isolamento em relação a Deus e ao próximo acham-se em Jesus.

Jesus entregou voluntariamente sua vida. Seu sangue derramado pagou a dívida de nossos pecados e assim abriu o caminho para uma **nova aliança** — não somente com Abraão, com Israel ou com Davi, mas com todas as pessoas, em todos os lugares, que desejem ser o povo de Deus. Essa nova aliança não requer a guarda de leis e não se baseia em obras, mas se fundamenta exclusivamente na graça de Deus. A salvação eterna é dada gratuitamente por ele a todos os que crerem em Jesus e o aceitarem como Senhor e Salvador. Deus tornou seu plano de redenção muito simples e disponível para todos!

Este era o propósito final por trás das alianças anteriores: estabelecer uma nova aliança mediante o sangue de Jesus.

De que a Bíblia trata?

A história   *A história por trás da história*

mão de João, formam o círculo íntimo entre os discípulos.

Jesus continua ensinando e operando milagres, mas, à medida que se torna claro que não vai estabelecer o Reino de Deus nem expulsar os romanos do país, muitas pessoas deixam de segui-lo. Elas não compreendem (nem sequer os discípulos) que a missão de Jesus não é política, mas visa harmonizar o relacionamento entre Deus e a humanidade — que o Reino de Deus deve primeiramente ser estabelecido no coração daqueles que seguem a Jesus.

No fim, os líderes resolvem matar Jesus, mas querem fazê-lo de um modo que não perturbe o povo e também mantenha uma aparência de legalidade. (Os fatos da última semana da vida de Jesus são narrados com pormenores em todos os quatro evangelhos.) Um dos discípulos, **Judas**, entrega Jesus aos líderes. Depois de procurarem em vão descobrir testemunhas que possam fornecer motivos para a pena de morte, os líderes acabam condenando Jesus à morte por ele ter declarado ser o Filho de Deus — afirmação que fizera o tempo todo. Ele é então **crucificado** pelos romanos.

Depois de três dias, porém, o túmulo está vazio — Jesus **ressuscitara dentre os mortos!** Ele aparece aos seus discípulos por um período de 40 dias e depois sobe ao céu.

❽ A igreja primitiva
Pentecoste, Pedro, Paulo

A história da igreja primitiva começa pouco depois da ascensão, com a descida do Espírito Santo sobre os discípulos de Jesus no dia de **Pentecoste**. Isso lhes dá coragem para pregar e ensinar a respeito de Jesus, embora os líderes judeus se oponham a eles e lancem alguns deles no cárcere.

Um dos adversários mais ferrenhos dos seguidores de Jesus é **Saulo** de Tarso. Ele pertence ao partido dos fariseus e acredita sinceramente que está servindo a Deus quando se esforça para eliminar a igreja.

Depois, na estrada de Damasco, encontra-se com o Jesus ressurreto e passa a ser, ao invés de um adversário ferrenho, um seguidor igualmente ferrenho de Jesus. A partir de então, passa a ser conhecido por seu

Jesus veio, em primeiro lugar, para os descendentes de Abraão — os israelitas. Mas o evangelho de Jesus é para o mundo inteiro — é a bênção prometida a Abraão mais de 3 mil anos atrás. Vemos na igreja primitiva como Deus assegura que as boas novas de Jesus serão disseminadas pelo mundo inteiro. O povo de Deus já não é meramente um grupo étnico ou político. O povo de Deus consiste em todos os que, independentemente de raça, gênero ou talentos, aceitam com fé a proclamação divina de que estamos reconciliados com ele por meio de Jesus.

A história

nome romano, **Paulo**, e boa parte de Atos diz respeito às suas viagens na parte oriental do Império Romano (conhecidas como suas três **viagens missionárias**) e sua viagem a Roma, onde fica aprisionado.

Um problema para a igreja primitiva é acostumar-se à idéia de que o evangelho de Jesus não é somente para os judeus, mas para *todas* as pessoas. O apóstolo **Pedro** precisa receber uma demonstração da parte de Deus de que é certo batizar não-judeus — até mesmo romanos (At 10). Há necessidade da reunião especial dos apóstolos em Jerusalém para resolver que os cristãos não-judeus não precisam tornar-se judeus (pela circuncisão física) antes de se tornar cristãos (At 15). A porta do Reino de Deus fica escancarada — Deus é um Deus de oportunidades iguais!

O restante do NT compõe-se primordialmente de **cartas** escritas por Paulo (as 13 primeiras: Romanos a Filemom) e por outros autores (Hebreus e Judas).

O último livro é **Apocalipse**, que é o livro do juízo final de Deus contra os incrédulos e o cumprimento da promessa de Deus à igreja. A despeito das aparências e das ameaças de Satanás, Deus vencerá no fim, e sua igreja — as pessoas que nele confiam — estará com ele para sempre!

A história por trás da história

Os dois quadros que se seguem oferecem um rápido panorama de onde cada período da história bíblica se encontra nas Escrituras.

A. ANTIGO TESTAMENTO

❶ No princípio
Criação, Adão e Eva, Queda, Caim e Abel, Noé e o Dilúvio, Babel

❷ A época dos patriarcas
Abraão, Isaque, Jacó, José

❸ O Êxodo: Israel sai do Egito
Moisés, Arão, mar Vermelho, monte Sinai

❹ Canaã: conquista da terra e estabelecimento da nação
Josué, os juízes (Débora, Gideão, Sansão)

❺ A monarquia e o Reino dividido
Samuel, Saul, Davi, Salomão, dois reinos: Israel e Judá

❻ O exílio babilônico e o retorno do exílio
Esdras, Neemias, Ester

Livros escritos nos dois últimos períodos acima (reino, exílio e retorno):

- Poesia e provérbios — *Jó, Salmos, Provérbios*
- Profetas — *Isaías, Jeremias, Daniel, Jonas*

De que a Bíblia trata?

B. Os 400 anos entre os Testamentos

C. Novo Testamento

❼ **A vida de Jesus**
Jesus, João Batista, crucificação, ressurreição

❽ **A igreja primitiva**
Pentecoste, Pedro, Paulo

> Livros escritos no último período acima (igreja primitiva):
>
> - Cartas — *Paulo, Pedro, João, Judas, Tiago*
> - Profecia — *Apocalipse*

Antigo Testamento

	Livros históricos	Livros poéticos	Livros proféticos	
❶	Gênesis 1—11			
❷	Gênesis 12—50			
❸	Êxodo Levítico Números Deuteronômio			
❹	Josué Juízes Rute			
❺	1 Samuel 2 Samuel 1 Reis 2 Reis 1 Crônicas 2 Crônicas	Jó Salmos Provérbios Eclesiastes Cântico dos Cânticos	Isaías Jeremias Lamentações Ezequiel Daniel	Oséias Joel Amós Obadias Jonas Miquéias Naum Habacuque Sofonias
❻	Esdras Neemias Ester			Ageu Zacarias Malaquias

Novo Testamento

	Livros históricos	Cartas	Livro profético
❼	Mateus Marcos Lucas João		
❽	Atos	Romanos *até* Judas	Apocalipse

O pensamento central de cada livro da Bíblia

(Alguns dos livros têm uma idéia principal; outros versam sobre assuntos variados.)

Gênesis	A fundação da nação hebraica
Êxodo	A aliança com a nação hebraica
Levítico	As leis da nação hebraica
Números	A viagem rumo à Terra Prometida
Deuteronômio	As leis da nação hebraica
Josué	A conquista de Canaã
Juízes	Os primeiros 300 anos na Terra Prometida
Rute	Os primórdios da família messiânica de Davi
1 Samuel	A organização do reino
2 Samuel	O reinado de Davi
1Reis	A divisão do reino
2Reis	A história do reino dividido
1 Crônicas	O reinado de Davi
2 Crônicas	A história do Reino do Sul
Esdras	O retorno do cativeiro
Neemias	A reconstrução de Jerusalém
Ester	Israel escapa do extermínio
Jó	O problema do sofrimento
Salmos	O hinário nacional de Israel
Provérbios	A sabedoria de Salomão
Eclesiastes	A vaidade da vida terrena
Cântico dos Cânticos	A exaltação do amor conjugal
Isaías	O profeta messiânico
Jeremias	O último esforço por salvar Jerusalém
Lamentações	Canto fúnebre sobre a desolação de Jerusalém
Ezequiel	"Saberão que eu sou Deus"
Daniel	O profeta na Babilônia
Oséias	A apostasia de Israel
Joel	A predição da era do Espírito Santo
Amós	O governo final e universal de Davi
Obadias	A destruição de Edom
Jonas	A mensagem de misericórdia para Nínive
Miquéias	Belém será o berço do Messias
Naum	A destruição de Nínive

Habacuque	"O justo viverá pela fé"
Sofonias	O advento da "linguagem pura"
Ageu	A reconstrução do templo
Zacarias	A reconstrução do templo
Malaquias	Mensagem final ao povo desobediente
Mateus	Jesus, o Messias
Marcos	Jesus, o Maravilhoso
Lucas	Jesus, o Filho do Homem
João	Jesus, o Filho de Deus
Atos	A formação da igreja
Romanos	A natureza da obra de Cristo
1 Coríntios	Diversas desordens na igreja
2 Coríntios	Paulo vindica seu apostolado
Gálatas	Pela graça, não pela lei
Efésios	A unidade da igreja
Filipenses	Uma epístola missionária
Colossenses	A divindade de Jesus
1 Tessalonicenses	A Segunda Vinda de Cristo
2 Tessalonicenses	A Segunda Vinda de Cristo
1 Timóteo	Cuidados com a igreja de Éfeso
2 Timóteo	Conselhos finais de Paulo
Tito	As igrejas de Creta
Filemom	A conversão do escravo fugitivo
Hebreus	Cristo, mediador da nova aliança
Tiago	Boas obras
1 Pedro	A uma igreja perseguida
2 Pedro	Predição da apostasia
1 João	O amor
2 João	A precaução contra os falsos mestres
3 João	A rejeição dos auxiliares de João
Judas	A apostasia iminente
Apocalipse	O triunfo final e definitivo de Cristo

O ambiente da Bíblia

1. Por que o ambiente é importante

A Bíblia está repleta de pessoas, lugares e acontecimentos — ela fala das maneiras de Deus lidar concretamente com a humanidade e do relacionamento entre a humanidade e Deus nas situações e problemas diários da vida real.

Embora a compreensão da mensagem da Bíblia — o evangelho do amor eterno de Deus por seu povo — não dependa de nosso conhecimento da ambientação histórica, geográfica e cultural dos tempos bíblicos, tal conhecimento acrescenta uma dimensão concreta à leitura do texto sagrado e nos ajuda a focalizar mais nitidamente a mensagem bíblica.

Por exemplo: em Gênesis 23, morre Sara, a esposa de Abraão, e este precisa de um local para sepultá-la. Deus prometera que a terra de Canaã pertenceria a Abraão e a seus descendentes, mas nessa ocasião Abraão ainda não é dono de um centímetro quadrado que seja; ainda é um nômade. Abraão aborda Efrom, o heteu, que é dono da caverna onde deseja sepultar Sara. A história reflete um padrão comum de negociação. Efrom parece muito generoso, mas na realidade acaba vendendo a caverna a Abraão por um preço exorbitante. Essa era a única parte de Canaã que Abraão possuía quando morreu, e pagara muitas vezes o valor real desse pedacinho de chão — nem por isso deixou de ter fé na promessa de Deus de que um dia seus descendentes possuiriam a totalidade da terra (v. Hb 11.8-10).

Semelhantemente, a geografia com freqüência desempenha um papel importante na Bíblia. Quando Deus chamou Abraão para subir de Ur dos caldeus a Canaã, que ficava a oeste de Ur, Abraão acabou chegando a Harã, quase tão distante de Canaã, ao norte, quanto Ur, a leste (Gn 12). O problema não era que Abraão tinha um fraco senso de direção. Pelo contrário, era impossível que Abraão viajasse diretamente para o oeste em direção a Canaã, visto que entre Ur e Canaã só existia deserto. Abraão foi obrigado a seguir o rio Eufrates, a única fonte confiável de água numa viagem de mais ou menos 960 km em linha reta, antes de seguir caminho para o sul, em direção a Canaã. (V. adiante mais informações sobre as estradas e as viagens nos tempos bíblicos.)

2. O antigo Oriente Médio

O ambiente da Bíblia é a região hoje chamada **Oriente Médio**: os atuais Egito, Turquia, Israel, Líbano, Síria, Jordânia, Arábia Saudita, Iraque e Irã. Essa mesma região é denominada **Oriente Médio antigo** quando examinamos sua história.

É uma área menor que os Estados Unidos, e boa parte dela é desértica. As maiores e mais antigas civilizações prosperaram em torno dos rios dessa região — o Império Egípcio, ao longo do rio Nilo, e os Impérios Sumério, Assírio, Babilônico e Persa, na região dos rios Tigre e Eufrates, onde se situa hoje o Iraque.

Às vezes, temos a idéia errônea de que Abraão, com quem se inicia a história do povo de Deus, viveu em tempos bem primitivos. Nada poderia estar mais longe da verdade — a não ser que tomemos por certo que a tecnologia e a explosão urbana sejam as marcas registradas da civilização. Quando Deus chamou Abraão (c. 2000 a.C.),

- o Egito já detinha uma civilização florescente havia mais de um milênio — as pirâmides já existiam havia quase cinco séculos;
- na ilha de Creta, a grande civilização minóica já estava prosperando havia mais de cinco séculos;
- a região em redor dos rios Tigre e Eufrates (também chamada Mesopotâmia = "entre os rios") era o palco da grande civilização suméria — Ur dos caldeus, de onde veio Abraão, era uma próspera cidade no rio Eufrates;
- grandes civilizações também floresciam mais a leste, no vale do Indo e na China.

Foi somente depois do fim do AT (c. 400 a.C.) que o centro do poder foi se deslocando para o Ocidente, para longe do antigo Oriente Médio, primeiramente para a Grécia e depois para Roma.

3. As potências mundiais dos tempos bíblicos

Os mapas das páginas 43 e 44 mostram os seis grandes impérios dos tempos bíblicos. (As fronteiras exatas variavam, e algumas delas nunca chegaram a ser definidas com clareza.)

Como mostram os seis mapas, os três primeiros impérios ficavam a leste e a sudeste do mar Mediterrâneo; os três últimos demonstram uma mudança paulatina rumo ao oeste, e por fim, com a ascensão do Império Romano, o centro do poder transferiu-se do norte da África e do Oriente Médio para a Europa.

- **Império Egípcio.** Passou a ser o lugar de residência de Israel quando os patriarcas se mudaram para o Egito no final de Gênesis; os israelitas saíram do Egito, no Êxodo, 400 anos mais tarde.
- **Império Assírio.** Destruiu o Reino do Norte, Israel, em 722 a.C., e deportou o povo. A capital era Nínive (poupada depois da pregação de Jonas).
- **Império Babilônico.** Destruiu Jerusalém e o Reino do Sul, Judá, em 586 a.C., deportando o povo para a Babilônia. A capital era Babilônia (onde o profeta Daniel alcançou posição de destaque).
- **Império Persa.** Destruído pelo Império Babilônico em 539 a.C. Suas capitais eram Persépolis e Susã (esta serviu de ambientação para o livro de Ester). O primeiro governante persa, Dario, permitiu que os judeus voltassem a Jerusalém.
- **Império Grego.** Fundado por Alexandre, o Grande, cerca de 330 a.C. (v. p. 409). O legado do Império Grego não foi político, e sim cultural: o helenismo (v. p. 417).
- **Império Romano.** Império que estava nos seus dias de glória na época de Cristo e da igreja primitiva (v. p. 565-73; quanto ao Império Romano depois da época de Cristo, v. p. 774-83).

4. Estradas e viagens nos tempos bíblicos

Nosso entendimento sobre relatos do AT e do NT pode ser melhorado se compreendermos a influência que as estradas e o clima desempenharam no transcurso dos acontecimentos bíblicos.

Nos tempos antigos, a localização das estradas era determinada, em grande medida, pelas características naturais da paisagem. A maioria das estradas que passavam pela acidentada região montanhosa de Judá geralmente seguiam o espigão das montanhas, visto que uma rota mais direta acarretaria subidas e descidas por muitos vales e ravinas.

A água — em demasia ou escassez — também era um problema. As estradas nos vales e nas baixadas podiam ficar inundadas durante a estação das chuvas ou tão enlameadas que não podiam ser utilizadas. Viajar durante a estação seca do verão era muito mais fácil que viajar pelas estradas lamacentas e encharcadas nos meses do inverno. As estações da primavera e do verão eram a "época em que os reis saíam para a guerra" (2Sm 11.1), porque as estradas ficavam secas e os grãos recém-colhidos estavam disponíveis para alimentar as tropas.

Já a falta de água era problema ainda mais grave. Quando Abraão viajou de Ur até Canaã (v. mapa na p. 89), não podia simplesmente ir para o oeste — o que lhe teria poupado centenas de quilômetros —, uma vez que não havia fontes de água no deserto da Arábia. Em vez disso, tinha de seguir uma das grandes estradas comerciais internacionais que ligavam a Mesopotâmia ao Egito, à Turquia e à Arábia. A partir de Ur, esses caminhos seguiam os grandes rios, o Eufrates e o Tigre, e os dois passavam por Harã, quase 650 km ao norte de Canaã.

As grandes estradas internacionais

As "grandes estradas internacionais" não eram muito diferentes das trilhas transcontinentais do antigo oeste americano, como a trilha do Oregon. As operações básicas de "construção de estradas" incluíam remoção de pedras do caminho, retirada de árvores e arbustos, manutenção de travessias rasas nos leitos dos rios e possivelmente construção de trilhas ao longo de encostas íngremes. Mas essas estradas principais em geral seguiam por terrenos relativamente fáceis e nunca ficavam longe das fontes de água.

Essas estradas tinham de ser desembaraçadas e novamente niveladas de tempos em tempos, especialmente quando uma personagem importante, como um rei, estava para viajar por elas. Portanto, não é mera linguagem poética, mas sim uma declaração a respeito da manutenção literal das estradas, quando lemos: "Preparem o caminho para o Senhor, façam veredas retas para ele. Todo vale será aterrado e todas as montanhas e colinas, niveladas" (Lc 3.4,5) — isto é, os sulcos e os pontos baixos desgastados devem ser preenchidos, e as saliências devem ser removidas.

Morar perto de uma estrada internacional trazia benefícios econômicos. Essas estradas serviam ao trânsito de negociantes e mercadores itinerantes, à divulgação de mensagens governamentais e comerciais e ao transporte de mercadorias de valor, como o cobre, o ferro, o estanho, o ouro, a prata, o incenso, tinturas e cerâmica. (Artigos mais volumosos, como madeira e pedras, em geral eram transportados em barcos e balsas.) Quem controlasse as estradas — quer bandidos, quer um governo central mais permanente — podia auferir rendas consideráveis do tráfego. O governo central podia cobrar pedágio das caravanas que passavam, vender alimentos e hospedagem e oferecer os serviços de escoltas militares que as caravanas podiam alugar a fim de garantir sua passagem segura por um território "perigoso".

Essas mesmas estradas eram também usadas para as expedições militares, que não traziam nenhum benefício econômico, mas somente riscos enormes, no caso de exércitos hostis.

Os que habitavam ao longo das estradas internacionais também ficavam expostos a novas influências intelectuais, culturais, lingüísticas e religiosas, e isso levava, inevitavelmente, a certo grau de assimilação. Por exemplo: a facilidade de viajar por Samaria ajuda a explicar por que aquela região estava aberta a influências religiosas e culturais não-israelitas.

A posição remota da região montanhosa de Judá e o acesso relativamente difícil a Jerusalém deixaram o Reino do Sul menos suscetível às influências estrangeiras. Essa diferença ajuda a explicar por que a deportação do Reino do Norte aconteceu cerca de 130 anos antes da deportação do Reino do Sul, Judá (v. p. 173-5).

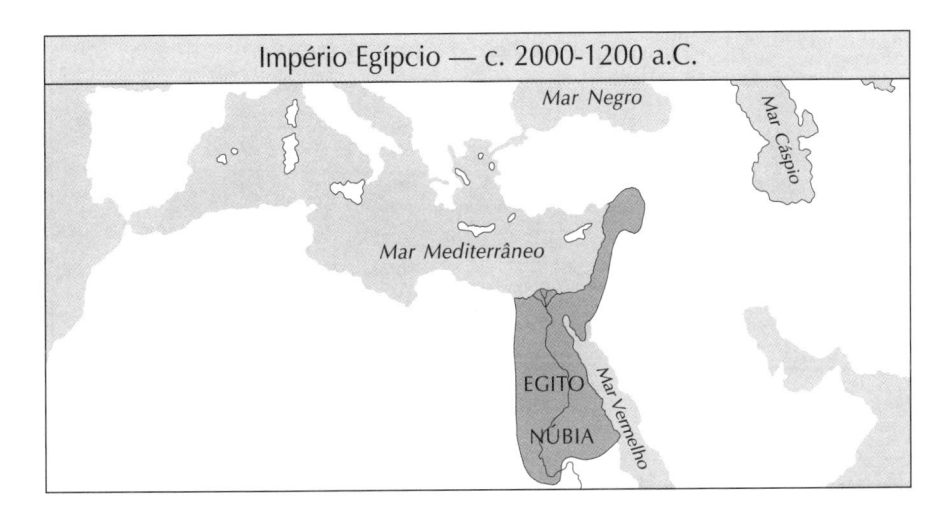

O ambiente da Bíblia

Império Egípcio — c. 2000-1200 a.C.

Mar Negro
Mar Cáspio
Mar Mediterrâneo
EGITO
NÚBIA
Mar Vermelho

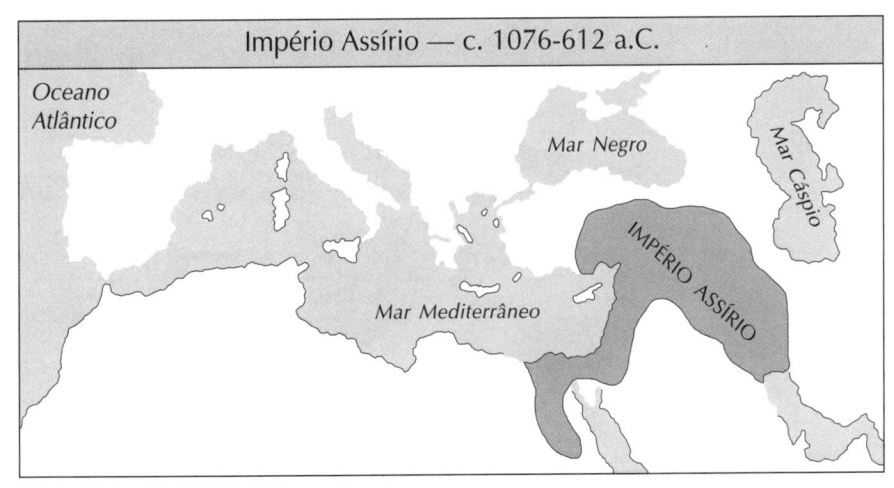

Império Assírio — c. 1076-612 a.C.

Oceano Atlântico
Mar Negro
Mar Cáspio
Mar Mediterrâneo
IMPÉRIO ASSÍRIO

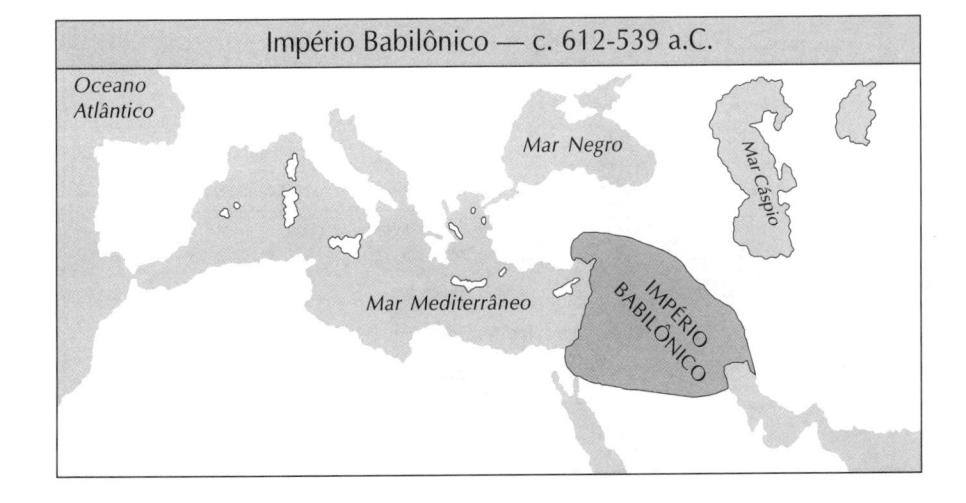

Império Babilônico — c. 612-539 a.C.

Oceano Atlântico
Mar Negro
Mar Cáspio
Mar Mediterrâneo
IMPÉRIO BABILÔNICO

Império Persa — c. 539-332 a.C.

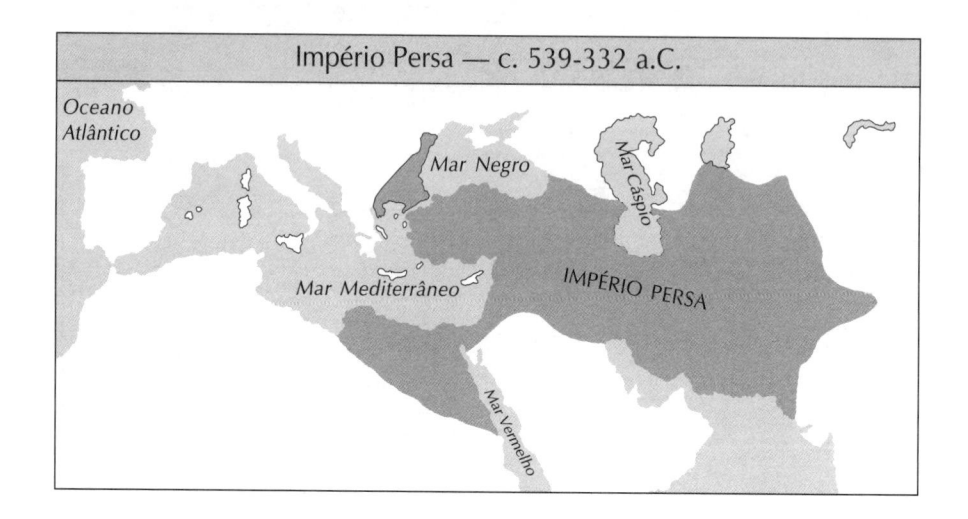

Oceano Atlântico
Mar Negro
Mar Cáspio
Mar Mediterrâneo
IMPÉRIO PERSA
Mar Vermelho

Império Grego — c. 332-146 a.C.

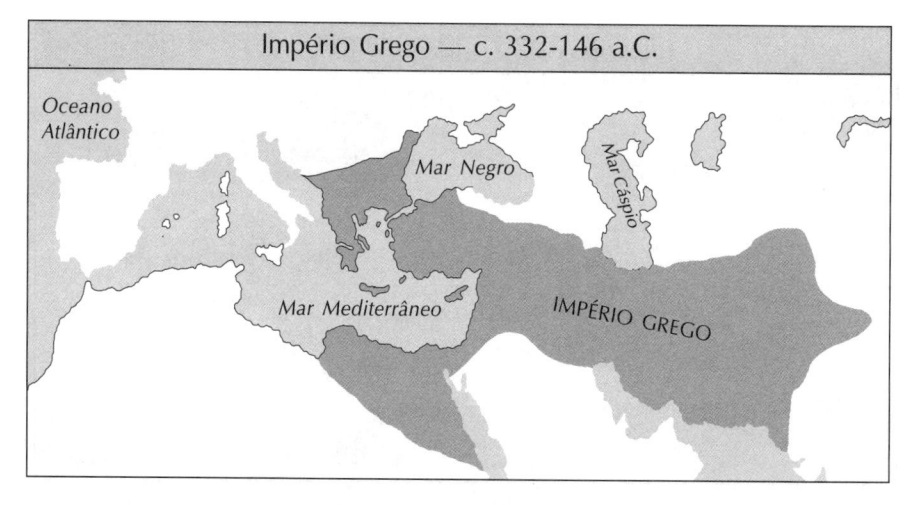

Oceano Atlântico
Mar Negro
Mar Cáspio
Mar Mediterrâneo
IMPÉRIO GREGO

Império Romano — c. 146 a.C.-476 d.C.

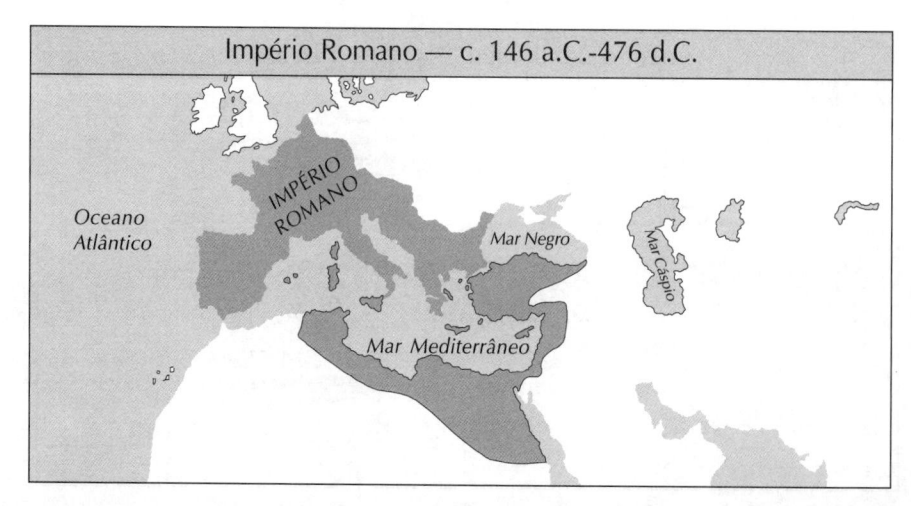

Oceano Atlântico
IMPÉRIO ROMANO
Mar Negro
Mar Cáspio
Mar Mediterrâneo

O ambiente da Bíblia 45

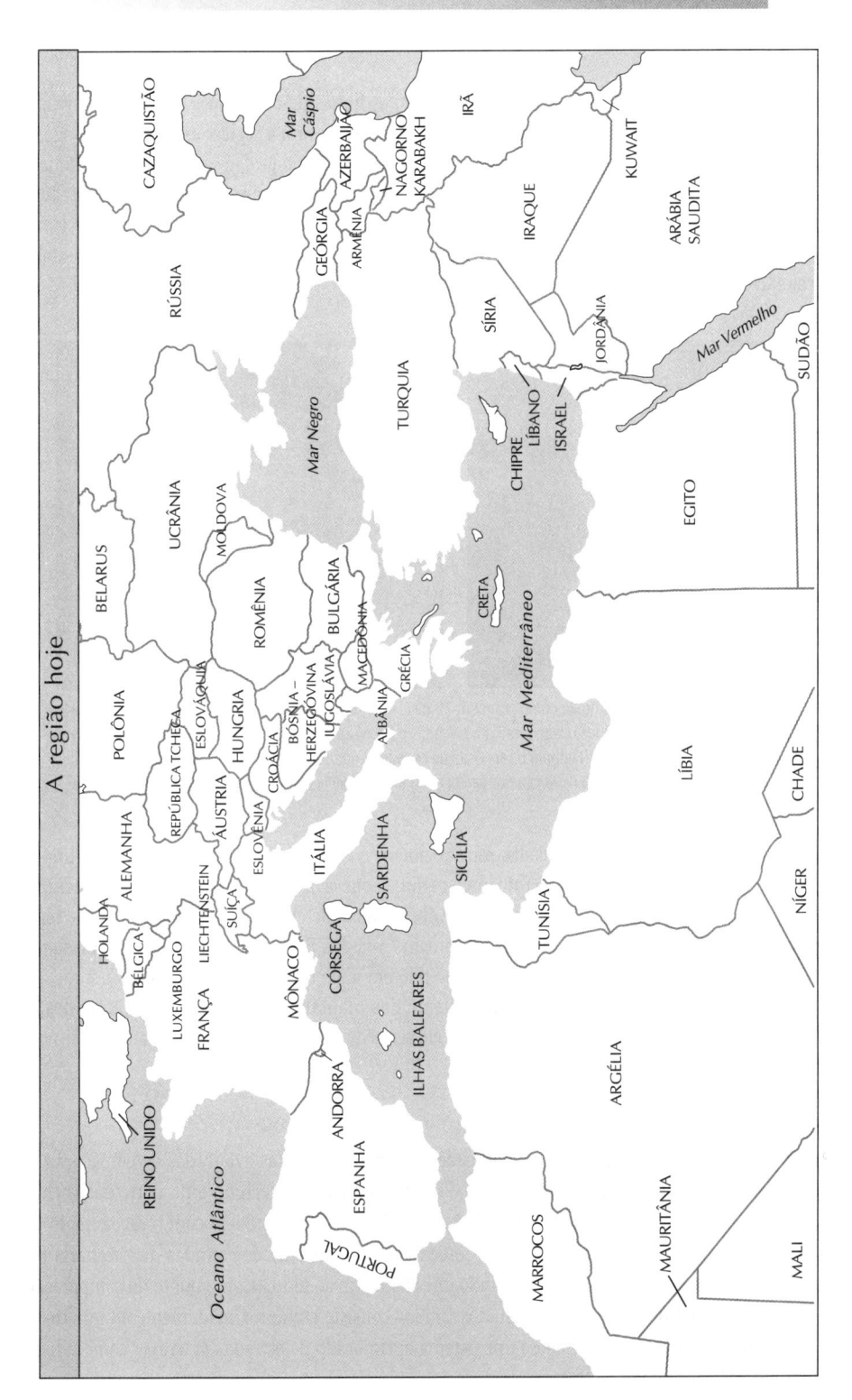

A região hoje

As estradas de Canaã

Antes de Abraão chegar à terra de Canaã (c. 2000 a.C.), as linhas de comunicação interna do país já estavam bem estabelecidas. Duas estradas internacionais atravessavam a região: uma delas ao longo do litoral (às vezes referida como "caminho do Mar") e a outra, a leste do rio Jordão (estrada transjordânica). A estrada internacional a oeste provavelmente desempenhou um papel importante na história de José, que encontrou seus irmãos perto de Dotã, foi lançado numa cisterna e depois foi vendido a comerciantes midianitas que o levaram ao Egito (Gn 37.12-28). Dotã ficava a menos de 24 km da estrada ocidental, e a cisterna talvez ficasse ainda mais perto.

Estas ruas de Pompéia estão exatamente como eram em 79 d.C., quando uma erupção do monte Vesúvio enterrou-as debaixo das cinzas vulcânicas. As ruas urbanas tinham calçadas e travessias para pedestres: as pedras grandes na rua são alpondras, já que as ruas também tinham o propósito de escoar as águas das chuvas. Os sulcos demonstram que a largura das carroças romanas tinha de ser padronizada a fim de possibilitar a passagem entre as pedras.

O mapa da página 66 mostra muitas das rotas regionais e locais de Canaã. Uma dessas é de importância especial para os estudos bíblicos: a rota inter-regional, que ia desde Berseba, no sul, até Siquém, no norte — passando por Hebrom, Belém, Jerusalém, Gibeá, Ramá, Betel/Ai e Siló. Essa rota aparece repetidas vezes no texto bíblico. Algumas pessoas a chamam "rota dos Patriarcas", porque Abraão, Isaque e Jacó viajaram ao longo dela, ao passo que outros se referem a ela como "rota das Cristas," porque, em muitos lugares, corre ao longo das cristas da vertente das montanhas de Judá e de Efraim. Mesmo quando não mencionada especificamente, em geral ela serve de palco para muitos dos fatos registrados na Bíblia.

As estradas romanas

Foi pouco antes da época do NT que os romanos desenvolveram técnicas avançadas de construção de estradas: preparando o leito da estrada por meio do nivelamento do terreno e do corte das rochas, empregando o meio-fio para marcar a margem das estradas e preocupando-se com o escoamento e a colocação do calçamento. O Império Romano desenvolveu um sistema de estradas que acabaria por estender-se da Escócia até o Eufrates — somando uns 85 mil km ao todo. (Como ponto de comparação, o Sistema Interestadual de Rodovias dos Estados Unidos consiste em aproximadamente 48 mil km de estradas.) É provável que a construção de um sistema aprimorado de estradas já tivesse começado na Síria e em Judá na época do NT.

As viagens

Além de andar a pé, entre as antigas modalidades de transporte havia jumentos, carroças com rodas inteiriças e carruagens. Posteriormente, passou-se ao uso do camelo para transportar cargas pesadas, especialmente em caravanas. Os cavalos foram usados no segundo e no primeiro milênio a.C. para puxar carruagens e para servir nas unidades de cavalaria; durante o período persa (539-332 a.C.) e posteriormente, seu emprego nas viagens em geral tornou-se mais comum. Na época do NT, eram usados todos esses meios de transporte, e a melhoria do sistema viário aumentou o uso de carroças e carruagens.

Os israelitas nunca foram uma nação marítima. O mar é mencionado freqüentemente como representação simbólica do caos e das nações que se opõem a Deus. Portanto, quando Jonas foge de Deus para o mar, isso significa mais que meramente ir para o Ocidente em oposição ao Oriente — simbolicamente, implica ir em direção a tudo que se opõe a Deus. Deus, porém, controla o mar e todos os seus habitantes. E, em Apocalipse 21.1, a declaração de que "o mar já não existia" também pode significar que finalmente as nações rebeldes já não conseguem perturbar a criação de Deus.

5. A Terra Prometida: Israel

Boa parte da história bíblica ocorreu na terra de Israel e arredores. Compreender a geografia dessa área fornece subsídios valiosos para o estudo dos fatos bíblicos ali ocorridos. Israel é um país com aproximadamente o tamanho do Estado de Sergipe, totalizando 21 mil km².

As quatro regiões principais

A cidade de Jerusalém, a capital de Israel e palco central da história bíblica, acha-se a meio caminho entre o **mar Mediterrâneo** e o **deserto da Arábia** ou **Oriental**. Comprimidas entre o mar e o deserto — numa faixa de apenas 112 km de largura na latitude de Jerusalém — existem quatro "zonas" que se estendem de norte a sul (v. mapa na p. seguinte):

1. A **planície litorânea**, que na latitude de Jerusalém tem menos de 20 km de largura.
2. A **cordilheira montanhosa central**, na qual Jerusalém se situa numa altitude de aproximadamente 762 m, tem cerca de 58 km de largura.
3. O **vale tectônico**, através do qual corre o rio Jordão, que faz parte do sistema do vale tectônico e se estende por 5 900 km desde a África até o sul da Turquia.
4. As **montanhas transjordanianas**, que têm forte aclive no lado oriental do vale tectônico e depois descem paulatinamente em direção ao deserto da Arábia.

O deserto da Arábia ou Oriental estende-se ao leste uns 720 km, desde as montanhas transjordanianas até o rio Eufrates.

As estações

Nos tempos bíblicos, Israel era primordialmente um país agrícola. Às vezes, é difícil para quem mora em áreas urbanas perceber quão intensamente os israelitas dependiam do clima — não apenas os agricultores, mas a nação como um todo. Quando as colheitas fracassavam, seguia-se a fome. Jacó, em desespero, mandou seus filhos ao Egito para comprar cereais (v. Gn 42.1-3). E a oração de Elias para que não chovesse (1Rs 17.1; 18.41-46) era mais que o pedido de alguns verões desagradavelmente secos — significava potencialmente fome e desgraça.

A Terra Santa — regiões naturais

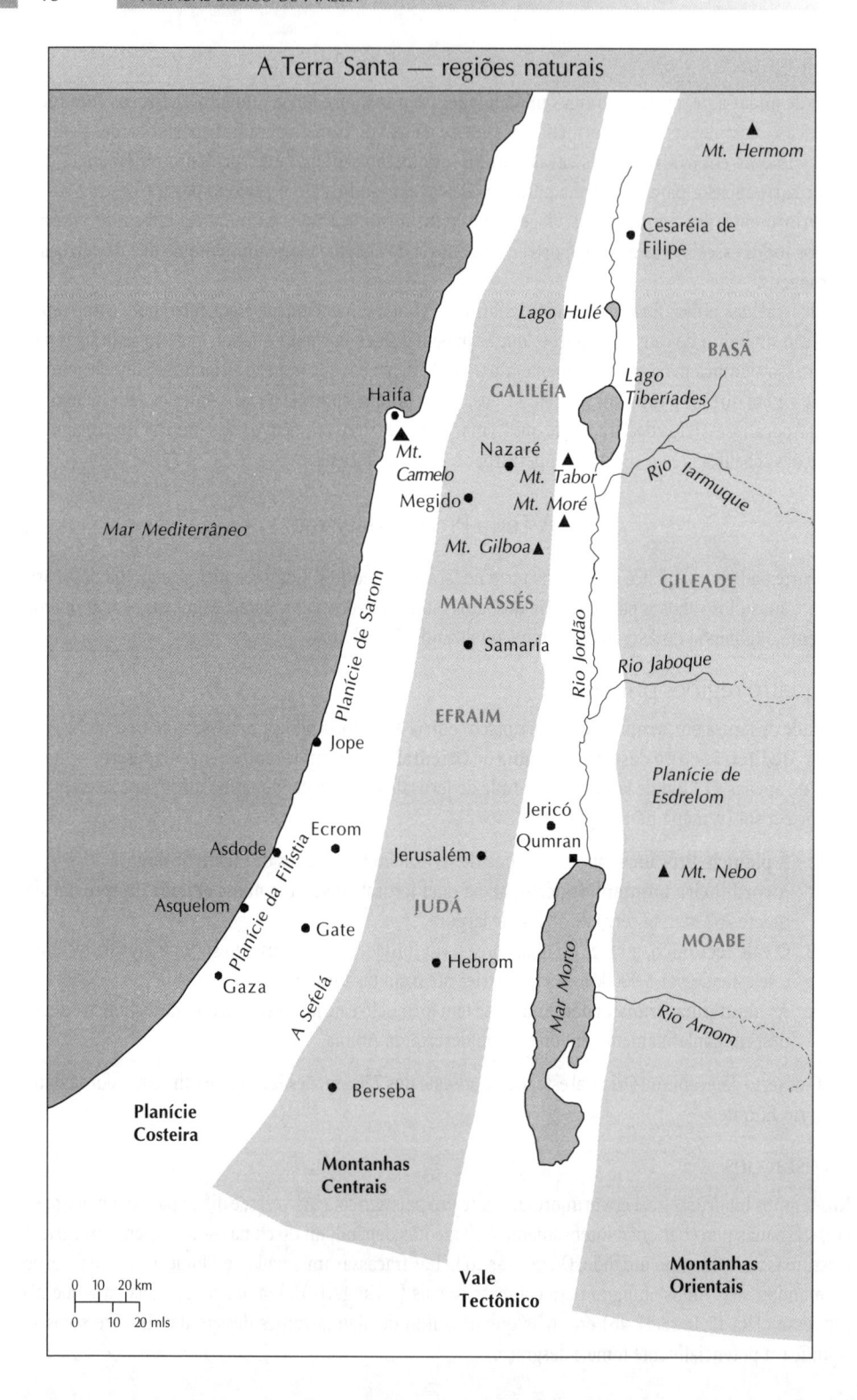

- Mt. Hermom
- Cesaréia de Filipe
- Lago Hulé
- BASÃ
- Haifa
- GALILÉIA
- Lago Tiberíades
- Mt. Carmelo
- Nazaré
- Mt. Tabor
- Megido
- Mt. Moré
- Rio Iarmuque
- Mt. Gilboa
- Mar Mediterrâneo
- GILEADE
- Planície de Sarom
- MANASSÉS
- Samaria
- Rio Jordão
- Rio Jaboque
- EFRAIM
- Planície de Esdrelom
- Jope
- Jericó
- Ecrom
- Qumran
- Asdode
- Jerusalém
- Mt. Nebo
- Asquelom
- Planície da Filístia
- Gate
- JUDÁ
- MOABE
- Gaza
- A Sefelá
- Hebrom
- Mar Morto
- Rio Arnom
- Berseba
- Planície Costeira
- Montanhas Centrais
- Vale Tectônico
- Montanhas Orientais

0 10 20 km
0 10 20 mls

O índice pluviométrico médio varia consideravelmente em diferentes partes do país (Am 4.6-8). Em alguns anos, certas regiões podem ficar sem chuva durante quatro ou cinco semanas consecutivas nos meses de janeiro e fevereiro, geralmente os mais chuvosos do ano. Nas regiões em que a média anual total é de apenas 300 a 400 mm, não há nenhuma garantia de que os cereais cresçam, pois uma variação de apenas 250 a 375 mm pode provocar uma desgraça. Nas áreas com alto índice pluviométrico, os agricultores podem semear e colher "a cem por um" (Gn 26.12) nos anos "normais", mesmo assim uma série de anos de seca pode ser devastadora e, no passado, podia afugentar as pessoas da terra (Gn 12.10).

Os israelitas sabiam que Iavé, o Senhor, mantinha continuamente os olhos sobre a terra, desde o início do ano até o fim, e que a obediência aos mandamentos divinos traria bênçãos, ao passo que a desobediência provocaria seca e calamidades (Dt 11.8-17). Entretanto, considerando as incertezas quanto à quantidade e distribuição das chuvas, não é de estranhar que alguns israelitas fossem tentados a participar do culto a Baal, o deus cananeu das tempestades, que, segundo se acreditava, trazia fertilidade à terra.

O ano em Israel está dividido entre duas estações principais: a estação chuvosa (meados de outubro até abril) e a estação seca (meados de junho até meados de setembro), separadas entre si por meses de transição.

A estação seca — o verão
(meados de junho a meados de setembro)

Em oposição às condições climáticas sempre mutáveis de muitas partes da América, as condições em Israel durante os meses do verão são relativamente estáveis. Dias de calor e noites mais frescas são a regra, e quase nunca chove. Em Jerusalém, por exemplo, a temperatura máxima diurna em agosto mantém-se, em média, em 30°, e a mínima noturna em média é de 18°.

Os dias de verão são relativamente sem nuvens; na realidade, Israel é um dos países mais ensolarados que existem no mundo. Num dia típico de verão, as temperaturas começam a subir imediatamente depois do nascer do sol. Dentro de pouco tempo, uma brisa marítima refrescante começa a soprar do oeste. Depois de passar pela planície costeira, chega até Jerusalém, nas montanhas, por volta do meio-dia, e seu efeito refrescante impede que a temperatura suba de modo significativo durante as horas da tarde. Em geral, porém, a brisa não atinge a Jordânia senão algumas horas depois do meio-dia, de modo que as temperaturas ali continuam a subir durante boa parte do dia.

Nos meses do verão, amadurecem as uvas, os figos, as romãs, as azeitonas, os melões e outros produtos. O orvalho do verão e os sistemas profundos de raízes levam a essas plantas a necessária umidade. A maior parte das frutas é colhida em agosto e setembro. Durante o verão, os pastores levam seus rebanhos de ovelhas e de cabras para o oeste, deixando-os alimentar-se com o restolho do trigo e da cevada que foram ceifados na primavera. Como o solo fica seco durante os meses do verão, é relativamente fácil viajar. Nos tempos bíblicos, as caravanas e os exércitos atravessavam com facilidade a maior parte do país, e os exércitos se serviam de suprimentos abundantes de cereais que tiravam da população local.

A primeira estação de transição
(meados de setembro a meados de outubro)

A primeira estação de transição, de meados de setembro a meados de outubro, marca o fim das condições estáveis e secas do verão. É a estação da colheita das frutas, e os agricultores começam a aguardar ansiosamente o início da estação chuvosa. No outono, a navegação no Mediterrâneo passa a ser perigosa (At 27.9) e continua assim no decurso dos meses de inverno.

A estação chuvosa — o inverno
(meados de outubro a abril)

A estação chuvosa, de meados de outubro a abril, é caracterizada por tempestades esporádicas procedentes do mar Mediterrâneo, que normalmente trazem três dias de chuvas seguidos por vários dias de tempo seco (embora sejam freqüentes os desvios dessa norma). No mês de janeiro, a temperatura média diurna é de 10º. Jerusalém recebe neve apenas uma ou duas vezes por ano, mas esta raramente permanece no chão mais do que um dia.

Entretanto, as temperaturas frias, combinadas com vento e chuva, podem tornar a vida desconfortável nas regiões montanhosas — desconforto este que as pessoas suportam com bom ânimo por causa do poder vivificante das chuvas. Durante um ano típico, um agricultor ara o campo e planta seus cereais depois de as "chuvas de outono" — entre outubro e dezembro — terem amaciado a terra dura, cozida pelo sol. Os cereais crescem de dezembro a fevereiro, período em que as chuvas diminuem 75%, e continuam a amadurecer em março e abril, enquanto as chuvas vão chegando ao fim. Essas "chuvas de primavera" são importantes para a produção de grandes colheitas.

A chuva é tão importante que o hebraico tem várias palavras para ela, cada uma referindo-se a uma parte diferente da estação chuvosa. Deuteronômio 11.14 diz: "... então, no devido tempo, enviarei chuva [heb., *māṭār*; dez.-fev.] sobre a sua terra, chuva de outono [heb., *yôreh*; out.-dez.] e de primavera [heb., *malqôsh*; mar.-abr.], para que vocês recolham o seu cereal, e tenham vinho novo e azeite" (v. tb. Jr 5.24; Os 6.3).

A segunda estação de transição
(maio a meados de junho)

A segunda estação de transição dura de maio a meados de junho. As temperaturas sobem paulatinamente, e a estação é pontilhada por uma série de dias quentes, secos e poeirentos durante os quais os ventos sopram dos desertos do leste e do sul. Nesses dias, que recebem os nomes dos ventos *ḥāmsîn*, *sirocco* ou *shārav*, a temperatura freqüentemente sobe 14º acima do normal, e a umidade relativa do ar pode cair até 40%. As condições dos ventos *ḥāmsîn* podem ser muito debilitantes, tanto para os seres humanos quanto para os animais, e secam totalmente as belas flores e relvas que cobrem a paisagem durante os meses do inverno (Is 40.7,8). Todavia, o efeito positivo desses ventos é que o tempo quente e seco ajuda no amadurecimento dos grãos ao "fixar seu estado" antes da colheita. É nessa estação que se faz primeiramente a colheita da cevada e depois a do trigo.

6. A Cidade Santa: Jerusalém

Jerusalém ocupa um lugar especial no coração e no pensamento de judeus, cristãos e muçulmanos. É mencionada cerca de oitocentas vezes na Bíblia, de Gênesis 14.18 ("Salém") a Apocalipse 21.10 (a Nova Jerusalém). Embora Jerusalém tenha hoje uma população de quase meio milhão de pessoas, suas origens foram humildes.

Localização

É um pouco surpreendente a importância de Jerusalém, levando-se em conta sua localização. Não fica perto de nenhuma das duas grandes estradas internacionais (v. p. 66), a única estrada que passava por ela era a das montanhas entre o norte e o sul, mesmo assim a uns 600 m a oeste do centro antigo da cidade.

Jerusalém situa-se na região montanhosa da Judéia, a uma altitude de 762 m, fato este que lhe deu o benefício de muitas defesas naturais. O mar Morto, as falésias do vale tectônico, o deserto da Judéia e a acidentada região montanhosa forneciam proteção a leste, a oeste e ao sul, ao longo da estrada das montanhas, mas era difícil o acesso a essa estrada a partir do litoral ou do vale tectônico. Por causa dos acessos mais fáceis do norte e do noroeste, os exércitos invasores com freqüência têm atacado Jerusalém pelo lado do norte.

Sendo assim, além de ficar distante das principais rotas do comércio (e das expedições militares), Jerusalém desfrutava da segurança de suas defesas naturais. Se Jerusalém, por causa da localização, não era um centro natural de comércio, também não estava no âmago de uma região agrícola extraordinariamente rica. Na realidade, Jerusalém estava empoleirada bem na fronteira entre o deserto e as terras de "semeadura" (apropriadas para a agricultura). A própria Jerusalém recebe amplo suprimento das chuvas de inverno (c. 625 mm por ano), da mesma forma que as colinas a oeste, de modo que podem produzir colheitas de vários tipos, mas imediatamente além do monte das Oliveiras, ao leste de Jerusalém, está o deserto da Judéia, que é estéril.

Por difícil que seja imaginar atualmente, nos períodos mais antigos os montes da cidade e as terras ao redor estavam cobertos de árvores. A partir de cinco mil anos atrás, as árvores maiores foram cortadas para fornecer madeira para as construções e para os navios, ao passo que tanto as maiores quanto as menores foram usadas como combustível para as fornalhas de cal e de cerâmica e para aquecer as casas nos meses de inverno. As áreas que tinham sido desarborizadas podiam ser utilizadas para fins agrícolas, e nos terrenos mais nivelados — por exemplo, no vale de Refaim, a sudoeste da cidade — havia plantio de cereais (Is 17.5).

Topografia

Jerusalém está cercada por montanhas mais altas que as colinas sobre as quais foi construída a parte original da cidade antiga. *Grosso modo*, a cidade antiga pode ser visualizada como se estivesse numa saliência, no fundo de uma grande bacia cuja beirada ultrapassasse a altura da saliência dentro dela. "Como os montes cercam Jerusalém, assim o Senhor protege o seu povo, desde agora e para sempre" (Sl 125.2).

A Jerusalém bíblica foi construída em duas elevações paralelas, na direção norte-sul. A elevação ocidental, a mais alta e larga das duas, é delimitada a oeste pelo vale de Hinom, que faz uma curva e também corre pela margem sul da colina.

A elevação mais estreita, e menos alta, tem a leste o vale do Cedrom. Tanto o Hinom quanto o Cedrom são mencionados na Bíblia, mas não o vale existente entre as elevações oriental e ocidental. Por falta de um nome melhor, os geógrafos freqüentemente o chamam de vale Central, ou — seguindo o nome citado por Josefo, historiador judeu — o vale de Tiropeão ("fabricantes de queijo") (*Guerra* 5.4.1).

Em muitos aspectos, a elevação ocidental é mais propícia à ocupação, não somente por ter uma superfície relativamente grande e, portanto, a capacidade de sustentar mais pessoas, mas também por ser mais alta e parecer ter melhores defesas naturais (encostas mais altas e íngremes) que a elevação oriental. A despeito disso, foi a parte sul e inferior da elevação oriental, com formato de charuto, a primeira a ser colonizada. A razão pela qual o núcleo antigo de Jerusalém foi estabelecido nessa colina insignificante, no fundo de uma bacia, foi que a única nascente de água de tamanho considerável em toda a área — a fonte de Giom — estava localizada ao lado da elevação oriental, no vale do Cedrom.

Davi conquista a cidade

A cidade ficava na fronteira dos territórios das tribos de Benjamim e de Judá, embora estivesse, rigorosamente falando, dentro de Benjamim. No período dos juízes, a cidade pertencia ao jebuseus e era chamada

Jebus (Jz 19.11,12). Acabou sendo conquistada pelo rei Davi, que atacou a cidade em seu ponto mais fraco — o suprimento de água. Visto que a fonte de Giom ficava fora da cidade, parece que algum túnel ou poço tinha sido escavado até a fonte ou um açude nas suas proximidades, a fim de garantir o suprimento de água em épocas de cerco. Não fica claro se Joabe, comandante das tropas de Davi, entrou na cidade subindo pelo túnel aquático ou se lhe interrompeu o fornecimento de água — mas Jebus capitulou (2Sm 5.6-8).

Com a conquista de Jerusalém, Davi alcançou vários alvos estratégicos. Primeiro: retirou da área fronteiriça o enclave estrangeiro e assim eliminou a ameaça potencial às tribos israelitas.

Segundo: por causa da localização neutra de Jerusalém — nem no coração de Judá (como era o caso de Hebrom, capital anterior de Davi), nem na parte setentrional de Israel —, era uma capital aceitável tanto para Judá, a própria tribo de Davi, quanto para as tribos do norte, que recentemente o tinham reconhecido como rei.

Além disso, ao conquistar Jerusalém pessoalmente, Davi passou a tê-la como propriedade sua e de seus descendentes, não podendo ser reivindicada pela tribo dele nem por qualquer outra — ela tornou-se a sede da dinastia davídica. Além disso, Davi levou a arca da aliança de Quiriate-Jearim para Jerusalém e assim estabeleceu essa cidade como o principal centro de adoração para todas as tribos de Israel (2Sm 6.1-23; 1Cr 13.1-14).

A cidade que Davi conquistou era pequena — tinha aproximadamente seis hectares e uma população de 2 000 a 2 400 habitantes. Evidentemente ele passou a residir na velha fortaleza jebuséia chamada Sião, e a partir de então a fortaleza, bem como a cidade inteira, seria chamada "Cidade de Davi" (p. ex., 2Sm 5.7).

Jerusalém sob o reinado de Salomão

Perto do fim de seu reinado, Davi comprou a eira de Araúna, o jebuseu, local ao norte do antigo centro da cidade e em posição mais alta; esse é o local em que Salomão acabou edificando o templo (2Sm 24.18-25; 1Cr 21.18-26). Pouco depois de Salomão ter sido coroado rei, Davi morreu "e foi sepultado na Cidade de Davi" (1Rs 2.10). Segundo parece, foi estabelecido um cemitério real no qual foram sepultados muitos de seus descendentes até Ezequias (m. 686 a.C.), mas esse local não foi descoberto.

No quarto ano de seu reinado (966 a.C.), Salomão começou a construir o templo, tarefa que durou sete anos. Não se sabe a localização exata do templo, embora uma tradição antiga e a pesquisa moderna o situem nas imediações do Domo da Rocha, que agora ocupa o ponto mais alto da área do templo.

No reinado de Salomão, a cidade teve seu tamanho mais que duplicado, de 6 para cerca de 13 hectares, com uma população entre 4 500 e 5 000 pessoas. Entre a população aumentada havia, no mínimo, algumas das esposas estrangeiras com as quais Salomão se casou. Foi para elas que Salomão edificou vários santuários pagãos "no monte que fica a leste de Jerusalém" (1Rs 11.7,8) — provavelmente na parte sul do monte das Oliveiras. A localização desses santuários era tal que ficavam bem acima da Cidade de Deus e também do templo do Deus vivo e verdadeiro.

Jerusalém desde Salomão até sua destruição

Quando o norte separou-se do sul, após a morte de Salomão (930 a.C.), os sucessores de Salomão reinaram sobre um território muito menor, que consistia em Judá e em parte de Benjamim. Jerusalém continuou sendo a sede do governo da dinastia davídica, e o templo de Salomão continuou sendo o centro do culto ao Deus de Israel.

Durante o período da monarquia dividida (930-722 a.C.), Jerusalém foi atacada algumas vezes: pelo faraó Sisaque, durante o reinado de Roboão (925 a.C.; 1Rs 14.22-28; 2Cr 12.2-4), e por Hazael, de Damasco de Arã, durante o reinado de Joás (c. 813 a.C.; 2Rs 12.17,18; 2Cr 24.17-24). Em ambos os casos, presentes suntuosos, tirados da tesouraria do Templo, compraram os agressores.

Nos dias de Amazias, de Judá, porém, o rei Jeoás, de Israel, atacou a cidade e "derrubou cento e oitenta metros do muro da cidade, desde a porta de Efraim até a porta da Esquina" (c. 790 a.C.; 2Cr 25.23).

A Bíblia também informa que, durante o século VIII a.C., "Uzias construiu torres fortificadas em Jerusalém, junto à porta da Esquina, à porta do Vale e no canto do muro" (2Cr 26.9) ao reforçar as defesas da cidade — talvez diante da crescente ameaça assíria na pessoa de Tiglate-Pileser III. Parece muito provável que, durante o reinado de Uzias (792-740 a.C.) e de seus sucessores, Jerusalém tenha se expandido mais a oeste, a ponto de incluir a parte sul da elevação ocidental. O grande aumento do tamanho de Jerusalém nessa época provavelmente se deve à chegada de imigrantes do Reino do Norte que se mudavam para o sul a fim de evitar o ataque assírio. É possível que tenham pensado que Jerusalém jamais seria conquistada por uma potência estrangeira por estar ali o templo do Senhor e que o Senhor nunca permitiria que semelhante indignidade fosse perpetrada (Sl 132.13-18).

Pouco depois da queda do Reino do Norte, em 722 a.C., Ezequias revoltou-se contra os suseranos assírios (v. p. 229-32) e precisou fortalecer as defesas de Jerusalém. Segundo parece, foi durante seu reinado que as casas que haviam surgido na parte sul da elevação ocidental foram cercadas por uma muralha nova (Is 22.10). A área total da cidade murada tinha aumentado para 61 hectares, com uma população de cerca de 25 mil pessoas.

Visto que o principal suprimento de água da cidade, a fonte de Giom, ficava a certa distância das casas recém-muradas, e assim ficava exposto ao ataque dos inimigos, Ezequias concebeu um plano para desviar a água até um local no interior das muralhas da cidade e mais perto da colina ocidental. Ele executou o plano mediante a escavação de um túnel subterrâneo que seguiu um caminho sinuoso até um local do vale central, que, embora ficasse fora da muralha antiga da Cidade de Davi, ficava dentro da muralha recém-construída na colina ocidental. Esse desvio das águas da fonte é mencionado não somente na Bíblia (2Rs 20.20; 2Cr 32.30), mas também numa inscrição hebraica que foi descoberta na extremidade sul do túnel de 550 m de comprimento (v. p. 230).

Em 701 a.C., Senaqueribe, da Assíria, atacou. Embora enviasse parte de seu exército com os respectivos comandantes a Jerusalém a fim de exigir a capitulação da cidade — Senaqueribe ufanou-se de ter cercado Ezequias em Jerusalém como um pássaro na gaiola —, teve de bater em retirada quando, segundo o texto bíblico, grande parte de seu exército foi destruída por intervenção divina (2Rs 19.35).

Nos séculos VIII e VII a.C., houve governantes bons e maus em Jerusalém. No lado negativo, houve Acaz e Manassés, que sacrificaram crianças no vale de Ben-Hinom (2Cr 28.3; 33.6; cf. 2Rs 23.10). Foi no reinado de Acaz que pelo menos parte da área do templo foi remodelada, e um novo altar, baseado num modelo pagão de Damasco, foi construído para substituir o mais antigo (2Rs 16.10-18).

Nesse mesmo período, também houve dois reis piedosos, Ezequias e Josias, que se esforçaram para desfazer o mal que seus antecessores tinham perpetrado, tratando de limpar e reformar o templo. Foi durante essa reconstrução (c. 622 a.C.) que foi descoberto o Livro da Lei, e, em obediência a seus preceitos, foram instituídas algumas reformas adicionais (2Rs 22; 2Cr 34). Por causa, porém, dos pecados que o povo e seus líderes continuavam a cometer, o juízo divino finalmente caiu sobre Jerusalém. Em 586 a.C., quando o rei Nabucodonosor da Babilônia destruiu tanto a cidade quanto o templo, a maior parte da população foi deportada para a Babilônia.

A reedificação de Jerusalém

Cinqüenta anos mais tarde, o primeiro grupo de judeus — totalizando cerca de 50 mil pessoas — obteve a permissão de voltar para Jerusalém. Eles reconstruíram o altar dos sacrifícios, mas foi somente 20 anos mais tarde que o templo foi reedificado, sob o comando de Zorobabel e concluído em 516 a.C. (Ed 6). Esse segundo templo era uma estrutura muito mais modesta que o templo de Salomão. Um segundo retorno foi liderado por Esdras em 458 a.C., mas as muralhas da cidade não foram levantadas senão em 445 a.C., sob a liderança de Neemias, quase um século depois de os primeiros judeus terem voltado da Babilônia.

Desde a época de Neemias (445 a.C.) até o começo do século II a.C., não se sabe muito a respeito de Jerusalém. A cidade permaneceu debaixo do controle persa até 332 a.C., quando Alexandre, o Grande, conquistou o Oriente Médio. Depois de sua morte, em 323 a.C., os ptolomeus, do Egito, obtiveram o controle da Palestina e de Judá, e geralmente se supõe que debaixo de seu governo tranqüilo uma aristocracia sacerdotal governava a partir de Jerusalém.

Todavia, no início do século II a.C., o rei selêucida Antíoco III derrotou os ptolomeus (198 a.C.), e a mudança de governo foi bem recebida pela maioria da população judaica. Com o apoio desse rei, foram feitos reparos no templo, e um grande tanque foi construído — provavelmente o tanque de Betesda (Eclesiástico 50.1-3).

Antíoco IV (175-164 a.C.), no entanto, esforçou-se por exterminar a religião judaica. O templo de Jerusalém foi profanado, e uma estátua do principal deus grego, Zeus, de Olímpia, foi levantada em seu recinto (168 a.C.). Além disso, outras construções gregas foram erigidas em Jerusalém, incluindo-se um ginásio de esportes e uma cidadela. A cidadela, chamada Acra em grego, foi edificada na elevação oriental imediatamente ao sul da área do templo e era tão alta que se levantava dominadora acima da área do templo. Embora as forças de Judas Macabeu tivessem conseguido retomar Jerusalém, purificar o templo (164 a.C.) e restabelecer o culto sacrificial, a guarnição selêucida de Acra continuou a ser um espinho na carne dos judeus até que Simão (142-135 a.C.), irmão de Judas, a conquistou e a demoliu — a ponto de nivelar a colina na qual ela fora edificada (Josefo, *Antig.* 13.6.7 [215]).

No final do período helenístico, os irmãos hasmoneus Aristóbulo II e Hircano II disputavam o cargo de sumo sacerdote e o controle do país. No fim, o general romano Pompeu interveio e marchou contra Jerusalém. Depois de ter estabelecido arraiais militares a sudoeste e a noroeste, a cidade na elevação ocidental foi-lhe entregue pelos seguidores de Hircano. Os que apoiavam Aristóbulo, porém, lutaram para defender a elevação oriental. Diante disso, Pompeu construiu um dique em torno da elevação e, depois de edificar rampas de assalto, atacou a área do templo do lado ocidental, atravessando as ruínas da ponte que transpunha o vale Central e atacando também pelo norte.

A chegada de Pompeu marcou o início do prolongado controle de Jerusalém por Roma e por seu sucessor bizantino, que duraria até a época das conquistas persa e árabe (614 e 639 d.C.), com exceção de breves períodos durante a primeira e a segunda revolta judaica.

Jerusalém sob o reinado de Herodes, o Grande

No início do período do governo romano, Jerusalém passou por grande expansão, construção e embelezamento, sob a liderança do rei vassalo Herodes, o Grande (37-4 a.C.). Uma de suas grandiosas realizações foi a recuperação do templo e do monte do Templo. Embora sofresse limitações quanto ao que poderia fazer com o prédio do templo propriamente dito — a palavra divina e a tradição ditavam suas dimensões básicas —, ele passou mais de ano e meio embelezando e retocando a estrutura.

Ele não ficou limitado por restrições semelhantes no tocante aos átrios que cercavam o Templo e por isso despendeu grandes somas na ampliação deles. Diz-se que duplicou o tamanho da área da plataforma, de modo que ela chegou a seu tamanho atual — quase duas vezes o tamanho da cidade de Jerusalém que Davi conquistara uns mil anos antes. Embora nenhum remanescente do templo de Herodes tenha sido descoberto que pudesse com certeza ser identificado como tal, sobreviveu a enorme plataforma na qual foram edificados os seus átrios. A área atualmente está ocupada por estruturas muçulmanas e é chamada Haram esh-Sharif — o Santuário Nobre.

Ao construir essa grande plataforma, Herodes aproveitou alguns muros existentes, sobretudo no leste, mas expandiu a plataforma para o norte, oeste e sul. Na realidade, tamanha era a expansão no oeste, que parte do vale Central foi preenchida e coberta. Hoje, umas 26 fileiras de pedras herodianas, assentadas na rocha natural, ainda permanecem. Essas pedras foram cortadas com tanta precisão, que nenhuma argamassa foi usada na construção do muro. As pedras pesam entre duas e dez toneladas em geral, ao passo que a maior das pedras conhecidas mede 14 x 3 x 3 m e pesa 415 toneladas! Parte desse muro é conhecida como "muro Ocidental" ou "muro das Lamentações".

Ao longo do perímetro superior da enorme plataforma do Templo, Herodes construiu ou reformou várias colunatas cobertas. A mais famosa destas era a "colunata Real", ao sul. Consistia em 162 colunas dispostas em quatro fileiras, que formavam uma construção longa, em forma de basílica. As colunas tinham 8 m de altura e 1,4 m de diâmetro, e eram coroadas com capitéis corintianos. Embora atualmente nada reste da colunata, a aparência de seu muro exterior pode ser conjecturada com base no padrão das pilastras em nicho que pode ser visto na estrutura herodiana que cerca o túmulo dos Patriarcas, em Hebrom, bem como em outros fragmentos arquitetônicos descobertos em escavações recentes (v. foto na p. 95).

Ao sul do monte do Templo, foram descobertas grandes porções da escadaria formal que subia até os portões de Hulda. Os alicerces ainda estão visíveis no muro sul do recinto de Haram (os chamados portões duplos e tríplices). As passagens subterrâneas (embora estejam atualmente fechadas) que levam até ao cume do monte, dentro do muro, ainda são conservadas. Nas escavações ao longo da porção sul do muro ocidental de retenção, foram achadas porções da rua Norte—Sul, um esgoto da cidade e, mais interessante, os pilares que sustentavam uma plataforma e uma escadaria que levavam para o sul, desde um portão na seção sul do muro ocidental do monte do Templo até o vale Central. Também foi achada uma grande pedra lavrada, inscrita em hebraico com as palavras "Para o lugar de tocar a trombeta". Evidentemente, essa pedra tinha caído de sua posição no pináculo sudoeste do monte do Templo, onde marcara o local em que o sacerdote se postava para tocar a trombeta e anunciar aos cidadãos de Jerusalém o início do Sábado, da Lua Nova, do Ano Novo e de outros dias especiais.

Herodes levou quase dez anos para completar as obras principais no monte do Templo, mas ainda havia turmas trabalhando no empreendimento depois da morte de Herodes, em 4 a.C., durante a vida de Jesus (Jo 2.20; c. 28 d.C.) e até mesmo na data tardia de 64 d.C. — apenas seis anos antes de ser destruído pelos romanos: em 70 d.C.

A noroeste do Templo, Herodes reconstruiu a fortaleza que ali existira e a chamou Antonina, em homenagem a seu amigo Marco Antônio. Essa fortaleza, situada numa escarpa rochosa, elevava-se acima da área do templo e abrigava uma guarnição cujo dever consistia em monitorar e controlar as multidões que se reuniam no recinto do templo. Supõe-se tradicionalmente que foi ali que Jesus compareceu diante de Pilatos no dia em que foi crucificado, mas é mais provável que Pilatos estivesse hospedado no palácio de Herodes Antipas e que tinha sido esse o lugar em que Jesus foi interrogado, humilhado e condenado. O que fica certo é que o apóstolo Paulo foi levado à fortaleza Antonina ("a fortaleza") depois de ter sido libertado pelos soldados romanos de uma multidão irada (At 21.34).

(Quanto à história de Jerusalém desde a época do NT até hoje, v. p. 808-24.)

A escrita, os livros e a Bíblia

ATÉ POR VOLTA do século XVIII, os conhecimentos acerca do passado eram limitados. Quando faltavam fatos, a imaginação assumia o controle e preenchia as lacunas.

Dessa forma, em 1572, o pintor holandês Maerten van Heemskerck fez um desenho da antiga cidade da Babilônia. Parecia uma cidade européia de seus dias, com a adição de alguns elementos exóticos, tais como o campanário em espiral acima da torre e as parcas roupas dos cidadãos. E ele não foi o único. Ao pintar cenas bíblicas, Rembrandt retratou interiores estranhamente holandeses, ao passo que os grandes pintores italianos da Renascença freqüentemente usavam paisagens italianas como fundo para as pinturas bíblicas.

Retrato do passado feito no século XVI: *A cidade da Babilônia*, de Van Heemskerck.

A Revolução Industrial trouxe consigo a necessidade de remover grandes quantidades de solo para a construção de alicerces de fábricas, de estradas de ferro e assim por diante. No decurso dessas operações, vieram a lume artefatos que eram obviamente da Antigüidade, e as pessoas começaram a pensar a respeito do passado de maneira mais concreta.

O Egito

Em 1798, Napoleão fez uma expedição ao Egito. Levou consigo vários estudiosos para examinar algumas das antigüidades egípcias e para levar algumas delas para a França. (A lembrança mais visível desse acontecimento é o grande obelisco da praça da Concórdia, em Paris, erigido em Lúxor por Ramessés II, no ano de 1250 a.C. e levado para Paris em 1831.) Os estudiosos que acompanharam Napoleão viram as pirâmides, a grande esfinge e os muitos templos e estátuas que estavam parcialmente enterrados na areia. Além disso, viram os hieróglifos que cobriam muitos desses monumentos e reconheceram que se tratava de uma língua escrita, mas ninguém fazia idéia do significado. Sendo assim, esses monumentos eram testemunhas mudas da grandeza antiga — e a história do Egito permaneceu, de modo geral, um livro fechado.

Antes de serem decifrados os hieróglifos do Egito, monumentos como este obelisco de Ramessés II, em Lúxor, estavam mudos.

Uma descoberta relativamente modesta forneceu a chave. Em Roseta, cidade da margem ocidental do delta do Nilo, foi achada uma placa de granito negro medindo 1,20 x 0,76 m — pouco menor que um jornal totalmente aberto — com três inscrições, uma acima da outra. A de baixo era em grego, língua conhecida que podia ser traduzida, mas a de cima estava em hieróglifos e a do meio, em demótico, escrita egípcia simplificada. O texto grego indicava que a pedra continha um decreto de Ptolomeu V, promulgado por volta de 200 a.C.

Tomando-se por certo que as as três línguas da pedra de Roseta tinham o mesmo significado, um dos problemas era que ninguém sabia se os hieróglifos eram ideográficos (cada sinal representando uma idéia) ou fonéticos (cada sinal representando um som). A solução surgiu com o reco-

Pedra de Roseta, que se tornou a chave para a decifração dos hieróglifos egípcios.

nhecimento de que o nome de Ptolomeu v no texto hieroglífico era cercado por um cartucho ou moldura (veja um exemplo de cartucho na foto abaixo). Em 1822, o estudioso francês Jean-François Champollion finalmente conseguiu decifrar as inscrições hieroglíficas (descobriu-se que os hieróglifos eram parcialmente ideográficos e parcialmente fonéticos). Seu grande feito deveu-se em parte ao fato de também ter estudado o copta, língua derivada do egípcio que continua a ser usada até hoje como língua litúrgica da igreja cristã do Egito.

A Mesopotâmia

O interesse pelas antigüidades da Mesopotâmia, onde haviam florescido os impérios sumério, assírio e babilônico, começou aproximadamente na mesma época. Em 1811, Claude James Rich, agente da Companhia da Índia Oriental Britânica que morava em Bagdá, 80 km a nordeste do sítio da antiga Babilônia, ficou curioso depois de ver tijolos com inscrições trazidos por um colega agente. Rich visitou o sítio da Babilônia. Passou dez dias ali, durante os quais localizou e mapeou o vasto agrupamento de colinas que haviam restado da Babilônia antiga. Com a ajuda de habitantes da região, fez escavações nas colinas e achou umas poucas tabuinhas, que levou de volta para Bagdá.

Um cartucho com o nome de Ramessés II, que, segundo alguns acreditam, foi o faraó do Êxodo.

Em 1820, visitou Mossul e gastou quatro meses esboçando uma planta das colinas imediatamente do outro lado do rio, que suspeitou serem as ruínas de Nínive. Ali também coletou tabuinhas e inscrições que nem ele nem pessoa alguma conseguiram ler.

A chave para decifrar a língua babilônica foi, assim como no caso dos hieróglifos egípcios, a descoberta de uma inscrição em três idiomas. Dessa vez foi uma inscrição maciça, lavrada 152 m acima do nível do chão, numa parede vertical de rocha natural, 320 km a nordeste da Babilônia. A inscrição tinha sido feita por ordem do rei Dario Histaspes, da Pérsia, em 516 a.C. (Esse foi o mesmo Dario por cuja ordem o templo de Jerusalém foi reedificado, conforme é narrado em Esdras, e a inscrição de Beistum foi feita no mesmo ano em que o templo foi concluído.) A inscrição apresentava um longo relato das conquistas de Dario, em persa, elamita e babilônico.

Sir Henry Rawlinson, cônsul-geral britânico em Bagdá, tinha alguns conhecimentos da antiga língua persa. Com incrível perseverança, começou a copiar as inscrições em 1835. Isso envolveu um considerável grau de riscos físicos, mas ele continuou (com algumas interrupções) a tarefa

A maioria das tábuas cuneiformes contém somente texto. Esta tábua mostra o texto acima de um mapa assírio e data, talvez, do século IX a.C.

que se impusera, até que, em 1847, completasse o trabalho de cópia com a ajuda de escadas apoiadas no chão e de balanços presos no alto — e especialmente com a assistência de um "selvagem menino curdo", cujo nome permanece desconhecido. Seus esforços valeram a pena: dentro de pouco tempo, Rawlinson conseguiu decifrar a língua babilônica.

Bibliotecas antigas

O segredo da antiga língua babilônica tinha sido desvendado em tempo hábil para a interpretação dos vastos tesouros da literatura babilônica antiga descobertos na época. Em 1842, Paul Emil Botta começou a escavar as colinas próximas de Mossul, que tanto haviam despertado a curiosidade de Rich, e nos dez anos seguintes desvendou o magnífico palácio de Sargão, em Khorsabad.

Sir Austen Henry Layard, um inglês chamado o "pai da assiriologia", descobriu, entre 1845 e 1851, em Nínive e em Calá, ruínas dos palácios de cinco reis assírios citados na Bíblia, bem como a grande biblioteca de Assurbanipal, que, segundo se calcula, continha 100 mil volumes.

Assim, descobriu-se que, ao contrário do que antes se imaginava, o antigo Oriente Médio tinha alto grau de alfabetização. Haviam sido formadas grandes bibliotecas, que podiam conter arquivos reais, dicionários e outras obras de referência, bem como livros sobre direito, religião, ciências e literatura.

Outra grande coletânea de tabuinhas descoberta é a biblioteca de Sargão (722-705 a.C.), que consiste em 25 mil tabuinhas, além da biblioteca real de Assurbanipal, com 20 mil dessas tabuinhas. (Essas duas bibliotecas estão agora no Museu Britânico.) Outras descobertas de importância foram feitas em Nuzi (20 mil tabuinhas do segundo milênio a.C.), em Nipur, 80 km a sudeste da Babilônia (umas 50 mil tabuinhas dos séculos IV e V a.C.), e em outros lugares.

Talvez a maior biblioteca de toda a antigüidade tenha sido a de Alexandria, no Egito. Alexandria e sua biblioteca foram fundadas por Alexandre, o Grande, pouco antes de 300 a.C. A biblioteca colecionava livros que tratavam de todas as áreas do saber. Ela realmente tornou-se um repositório de todo o conhecimento do mundo antigo. Os livros da biblioteca não eram tabuinhas de barro, mas rolos de papiro ou de pergaminho.

A *Septuaginta* (a tradução grega do AT) foi feita em Alexandria, em meados do século III a.C., provavelmente nessa mesma biblioteca.

Infelizmente, a magnífica coleção de livros foi destruída quando os árabes, comandados pelo califa Omar, conquistaram o Egito em 642. Segundo a lenda, o raciocínio de Omar para a queima da biblioteca foi muito simples: se os livros concordavam com o *Alcorão*, eram supérfluos; se discordavam, eram iníquos. (Entretanto, é bem possível que, após três séculos de controle cristão em Alexandria, não tenha sobrado muita coisa da coleção, considerando-se o antagonismo contra a erudição pagã nos primeiros séculos da igreja.)

Os mosteiros também eram lugares onde os livros eram colecionados e conservados. Manuscritos da Bíblia e de outros escritos foram copiados nos mosteiros durante a Idade Média.

Nunca poderemos saber quantos manuscritos de valor incalculável foram perdidos ou destruídos no decurso dos anos — mesmo nos mosteiros. Um dos dois manuscritos mais antigos, valiosos e completos da Bíblia foi descoberto por acaso no Mosteiro de Santa Catarina, à sombra do monte Sinai (daí o nome do manuscrito: *Códice sinaítico*; v. p. 849). Estava aguardando, juntamente com outros manuscritos, ser usado como combustível numa lareira.

O desenvolvimento da escrita

Só depois de decifradas algumas das principais línguas antigas é que se tornou possível reunir os indícios de como e quando foi desenvolvida a escrita. Isso não se tratava de mera questão acadêmica. No século XIX, imperava a opinião (baseada em "evidências científicas") de que a escrita não fora desenvolvida senão depois da época de Moisés, de modo que seria impossível que os cinco primeiros livros da Bíblia tivessem sido escritos por ele, e assim, as primeiras porções das Escrituras eram essencialmente fraudulentas.

Entretanto, o estudo cuidadoso das evidências tem demonstrado que a escrita foi desenvolvida por volta de 3150 a.C. — mais de 1000 anos antes de Abraão e mais de 1500 anos antes de Moisés!

A escrita

O surgimento da escrita foi, sem dúvida alguma, uma das invenções mais relevantes da história da humanidade. Foi a marca divisória entre o que chamamos pré-história e história — entre o passado que podemos conhecer somente por remanescentes físicos (monumentos, implementos, restos mortais humanos etc.) e o passado que também podemos conhecer, até certo ponto, mediante textos escritos. Sem textos escritos para nos ajudar a reconstruir o passado, estamos limitados a conjecturas e suposições. (Um indício desse fato é a freqüência com que objetos de sociedades pré-literárias são identificados como "objetos religiosos" — o que freqüentemente significa não termos a mínima idéia de sua finalidade.)

A escrita foi inventada para atender às necessidades práticas de uma sociedade cada vez mais complexa. À medida que aumentava o comércio, tornava-se óbvio que era insatisfatório manter o controle das remessas, das mercadorias e dos pagamentos por meio do uso de pedras de contagem riscadas com símbolos de objetos ou de animais. Portanto, por volta de 3100 a.C., os sumérios da Mesopotâmia criaram um sistema de centenas de pictogramas (desenhos que representam coisas específicas) um tanto simplificados, bem como de sinais que representavam medidas e números. Esses sinais eram impressos em tábuas de barro, e isso possibilitou a manutenção de registros razoavelmente permanentes.

Parte do relevo do ataque de Senaqueribe contra Láquis (2Cr 32). Sem o entendimento das inscrições cuneiformes, teria sido praticamente impossível identificar esse relevo como representação de um acontecimento bíblico. (V. tb. p. 230.)

Os hieróglifos eram parte fundamental da arte egípcia. Essas cenas mostram a alma do falecido adejando sobre o corpo (primeira), a múmia sendo preparada (segunda) e a procissão fúnebre (terceira).

Uma vez que a escrita passou a ser usada, os símbolos relativamente complexos tornaram-se cada vez mais simplificados (a simplificação não é uma invenção moderna) e acabaram tendo formas simples, abstratas e geométricas. (Em português, empregamos alguns símbolos em lugar de palavras inteiras, por exemplo: @, #, $, %, &.)

A idéia de que era possível captar a linguagem por meio da escrita não demorou a viajar pelas estradas comerciais em direção ao Oriente e ao Ocidente. Os elamitas a leste adotaram a nova escrita, e de lá ela viajou para a Índia e depois para a China.

Quando os egípcios ficaram sabendo da arte da escrita, criaram — ao contrário dos assírios e dos babilônios, que fizeram uma adaptação dos símbolos mais antigos da escrita — símbolos próprios, os hieróglifos.

O alfabeto

Depois da invenção da escrita propriamente dita, o avanço mais importante foi a invenção dos símbolos *fonéticos* — o alfabeto.

Cada palavra ou sílaba já não exigia um símbolo separado. *Qualquer* palavra podia agora ser expressa numa quantidade de símbolos que variava entre 20 e 30. A invenção da escrita alfabética é geralmente atribuída aos fenícios, que habitavam no norte de Canaã, embora não saibamos de fato exatamente onde e quando o alfabeto mais antigo veio a existir. O que se sabe é que todos os alfabetos posteriores foram derivados do fenício, ou pelo menos criados sob a influência de seus derivados.

Inicialmente, os fenícios não tinham símbolos para as vogais, mas somente para as consoantes. O alfabeto hebraico, assim como todos os alfabetos, é originário do fenício e também tem sinais somente para as consoantes. Posteriormente, quando o hebraico deixou de ser língua viva, surgiu a necessidade de se acrescentar vogais para ter certeza de que o texto seria lido corretamente. Isso foi feito no período de 500-1000 d.C. pelos estudiosos judeus chamados massoretas, que indicavam as vogais por meio de pequenas linhas e pontos colocados dentro, embaixo e em cima das consoantes. (Hoje, o hebraico, que voltou a ser língua viva, é novamente escrito sem as vogais.)

No princípio Deus criou

Texto hebraico sem pontos vocálicos
NIrol lmB YI;lmB

Texto hebraico com pontos vocálicos
/Irox zDB iI;zmB

Texto hebraico das primeiras palavras de Gênesis, tanto sem vogais quanto com a "pontuação" vocálica acrescentada durante a Idade Média.

(A desvantagem do alfabeto é que qualquer texto escrito só poderá ser entendido por aqueles que falam o idioma específico. O uso de símbolos para indicar palavras ou idéias torna possível que uma língua como o chinês seja lida e entendida por pessoas que falam diferentes dialetos e não podem entender umas às outras quando falam.)

O terceiro avanço importante, depois da escrita e do alfabeto, foi a invenção da imprensa, que revolucionou o mundo.

A escrita, os livros e a Bíblia

É difícil para nós, cercados que estamos por palavras escritas, imaginar como teria sido encontrar a escrita pela primeira vez. As palavras de uma pessoa podiam viajar sem que ela — ou até mesmo alguém que a tivesse ouvido falar — estivesse presente. Seria realmente como magia! Não é de estranhar que, na mitologia, a escrita seja considerada uma dádiva dos deuses. No início, ela só estava à disposição de um pequeno grupo elitista em que se destacavam os sacerdotes, visto que a escrita era um meio de preservar e transmitir conhecimentos sagrados. (A escrita também era um modo de preservar o conhecimento das proezas de um governante e, mediante a seletividade, um meio altamente eficaz de propaganda, visto que somente as vitórias eram registradas, ao passo que as derrotas eram desconsideradas, ou, de alguma forma, apresentadas de uma perspectiva positiva.)

Na Bíblia, há inúmeras referências à redação de livros e aos lugares em que eram depositados. Já em Êxodo 17.14, depois de Israel ter derrotado Amaleque, foi dito a Moisés: "Escreva isto num rolo, como memorial". Não há indício de onde o rolo foi depositado, mas é digno de nota que a declaração que se segue é que "Moisés construiu um altar" (isso aconteceu antes da construção do Tabernáculo).

Semelhantemente, pouco depois de ter recebido os Dez Mandamentos, "Moisés, então, escreveu tudo o que o Senhor dissera", e de novo sua ação seguinte foi construir um altar (Êx 24.4).

Desde o início, os israelitas foram o povo do Livro. As palavras de Deus e a narrativa de suas ações a favor de seu povo são preservadas *e lidas* diante do povo: "[Moisés] leu o Livro da Aliança para o povo" (Êx 24.7).

Os sacerdotes e os levitas eram os guardiães reconhecidos dessas obras sagradas. No fim dos Dez Mandamentos, lemos: "Depois que Moisés terminou de escrever num livro as palavras desta lei do início ao fim, deu esta ordem aos levitas que transportavam a arca da aliança do Senhor: 'Coloquem este Livro da Lei ao lado da arca da aliança do Senhor, do seu Deus'" (Dt 31.24-26).

Escriba egípcio. Nas culturas antigas, os escribas (que se especializavam na leitura e na escrita) eram tidos na mais alta conta.

Em Deuteronômio, também lemos que, quando no futuro Israel recebesse um rei, esse rei, subindo "ao trono de seu reino, mandará fazer num rolo, para seu uso pessoal, uma cópia da lei *que está aos cuidados dos sacerdotes levitas*. Trará sempre essa cópia consigo e terá que lê-la todos os dias da sua vida, para que aprenda a temer o Senhor, o seu Deus, e a cumprir fielmente todas as palavras desta lei, e todos estes decretos" (Dt 17.18,19; grifo do autor).

Quando Israel recebeu seu primeiro rei, Saul, "Samuel expôs ao povo as leis do reino. Ele as escreveu num livro e o pôs perante o Senhor" (1Sm 10.25). Esse registro das leis e sua conservação no Tabernáculo não eram simples rotinas de arquivamento, mas, sim, uma cerimônia solene que submetia Saul a uma obrigação diante de Deus e do povo. O rolo serviria de testemunha contra ele diante de Deus, caso deixasse de exercer devidamente o cargo de rei.

Os primeiros livros da Bíblia podem ser chamados Livro da Aliança ou Livro da Lei. No período em que Judá, o Reino do Sul, desprezou o Senhor, o Livro da Lei ficou literalmente perdido durante certo tempo e depois foi redescoberto por Hilquias, no Templo (2Rs 18.18s.; 23.2,21; 2Cr 34.14,15). E Josafá (872-848 a.C.) enviou levitas para ensinar em Judá: "Eles percorreram todas as cidades do reino de Judá, levando consigo o Livro da Lei do Senhor e ensinando o povo" (2Cr 17.9).

Portanto, os escritos que Deus ordenou que fossem feitos estavam, de alguma maneira, identificados com a arca da aliança, o Tabernáculo, os sacerdotes e os levitas. Isso parece sugerir que havia uma biblioteca no Templo de Jerusalém, mas não existe nenhuma declaração direta na Bíblia que confirme

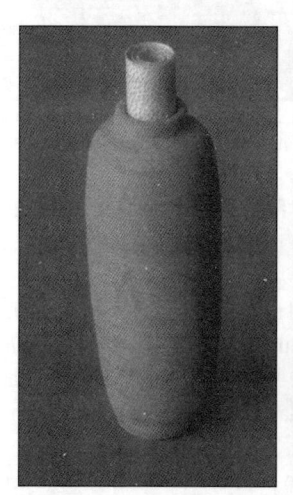

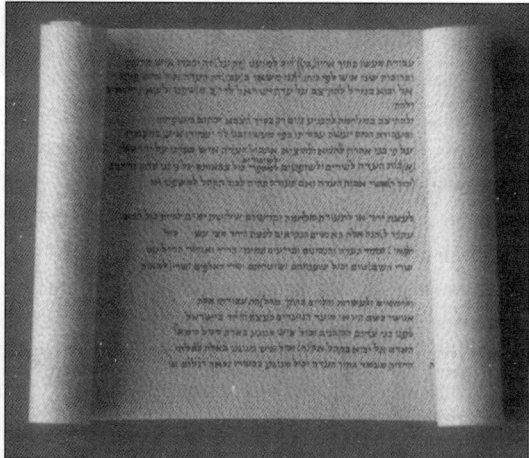

Cavernas de Qumran, em que foram encontrados os rolos do mar Morto. A jarra e o rolo acima são réplicas. Os rolos originais tiveram de ser desenrolados por métodos especiais, e a maior parte deles acabou em fragmentos que precisaram ser unidos novamente.

esse fato. Mesmo assim, fica claro que existiam coleções de livros em Israel. Além do Livro da Lei, há referências a outros livros: o Livro das Guerras do Senhor (Nm 21.14), o Livro de Jasar (Js 10.12,13), "os registros históricos do profeta Natã e do vidente Gade" (1Cr 29.29) e os "registros históricos dos videntes" (2Cr 33.19). Esses livros, todos agora perdidos, devem ter existido e talvez fossem acessíveis, visto que são referidos da mesma forma que nós diríamos: "Desejando mais informações, veja...".

Além dessas fontes mencionadas de modo direto, deve ter havido compilações de tratados, genealogias, transações comerciais e documentos semelhantes. Os 11 primeiros capítulos de 1Crônicas, por exemplo, exigiram extensa compilação de registros genealógicos. Eclesiastes 12.12 também apóia indiretamente o conceito de compilações de livros: "Não há limite para a produção de livros".

A biblioteca mais antiga hoje preservada é a de Qumran, a cerca de 1,5 km a oeste da extremidade noroeste do mar Morto, guardando os famosos rolos do mar Morto. Essa coleção de rolos — alguns completos e outros apenas fragmentários — consistia em várias centenas de manuscritos, sendo cerca de cem deles bíblicos. Foram descobertos por acaso, em 1947, por um beduíno. A biblioteca foi alojada ali por uma seita judaica que mantinha um mosteiro nas vizinhanças. Os manuscritos datam do último século a.C. e do primeiro d.C. Um dos manuscritos contém o livro de Isaías. É cerca de mil anos mais velho que o exemplar mais antigo conhecido antes de 1947, e os dois mostraram ser praticamente idênticos!

Como a Bíblia chegou até nós

Desejando mais informações a respeito de como a Bíblia chegou até nós e de como ela foi transmitida no decurso dos séculos, v. p. 842-56.

Estradas e rotas em Canaã

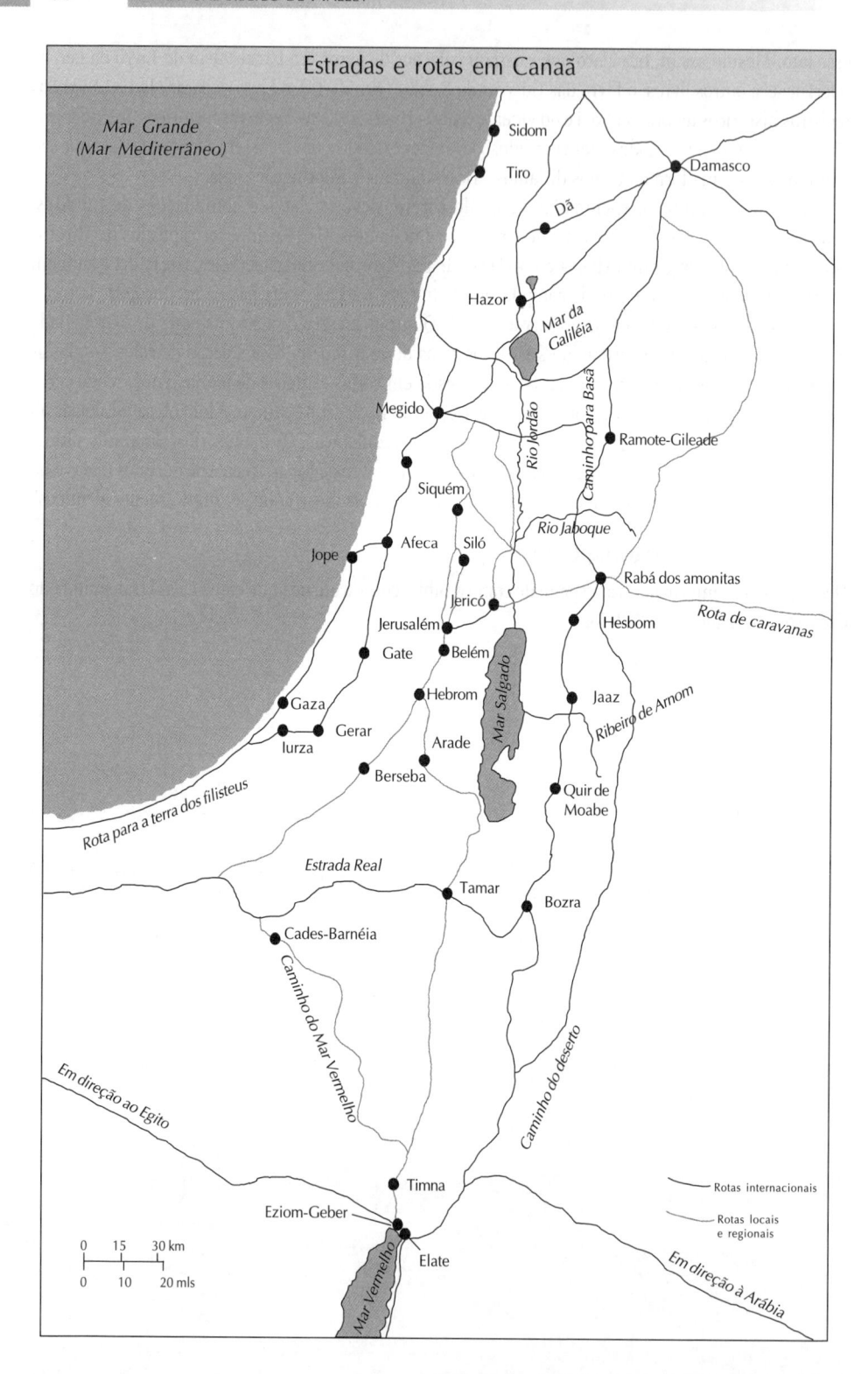

Mar Grande (Mar Mediterrâneo)

- Sidom
- Tiro
- Dã
- Damasco
- Hazor
- *Mar da Galiléia*
- *Rio Jordão*
- Megido
- *Caminho para Basã*
- Ramote-Gileade
- Siquém
- *Rio Jaboque*
- Jope
- Afeca
- Siló
- Jericó
- Rabá dos amonitas
- Jerusalém
- Hesbom
- *Rota de caravanas*
- Gate
- Belém
- Hebrom
- *Mar Salgado*
- Jaaz
- Gaza
- Gerar
- Arade
- *Ribeiro de Arnom*
- Iurza
- Berseba
- Quir de Moabe
- *Rota para a terra dos filisteus*
- *Estrada Real*
- Tamar
- Bozra
- Cades-Barnéia
- *Caminho do Mar Vermelho*
- *Caminho do deserto*
- *Em direção ao Egito*
- Timna
- Eziom-Geber
- Elate
- *Mar Vermelho*
- *Em direção à Arábia*

— Rotas internacionais
— Rotas locais e regionais

0 15 30 km
0 10 20 mls

Antigo Testamento

No princípio

Gênesis 1—11

"No princípio Deus criou os céus e a terra." Essa declaração é feita com serena imponência e simplicidade, sem argumentos nem explicações.

Os 11 primeiros capítulos de Gênesis fazem parte de uma obra muito maior: o *Pentateuco* — os cinco primeiros livros da Bíblia, que, segundo a tradição, foram escritos por Moisés. Ele escreveu esses livros *para o povo de Israel* na caminhada em direção a Canaã, a Terra Prometida.

Os capítulos de 1 a 11 de Gênesis preparam o palco e contêm a chave para o nosso entendimento de toda a Bíblia, tanto do AT quanto do NT. Nesses poucos capítulos, Deus revela-se a nós — ele é o Criador, nosso Pai amoroso, o Provedor e o Justo Juiz. Deus cria o homem à imagem do próprio Deus, dotado de livre-arbítrio. Satanás, o grande enganador, introduz o pecado na criação perfeita de Deus. Deus não pode tolerar o pecado. Como Deus é justo juiz, existem conseqüências pelo pecado. Deus tem um plano para redimir o homem para si mesmo e acabar para sempre com o poder de Satanás.

O plano divino de redenção, introduzido em Gênesis 1—11, apresenta as razões por que Deus escolheu Noé e Abraão. É também por essas razões que ele fará de Abraão uma bênção para o mundo — o plano divino para a redenção do mundo passa por Abraão e pela nação de Israel e conduz, finalmente, a Jesus Cristo, nosso Salvador.

Gênesis 1—11

A Criação; Adão e Eva
Caim e Abel
Noé e o Dilúvio
A Torre de Babel

> E Deus viu tudo o que havia feito, e tudo havia ficado muito bom.
>
> Gênesis 1.31
>
> ... o meu arco que coloquei nas nuvens. Será o sinal da minha aliança com a terra [...] Nunca mais as águas se tornarão um dilúvio para destruir toda forma de vida.
>
> Gênesis 9.13-15

Quem escreveu Gênesis?

As antigas tradições hebraicas e cristãs dizem que Moisés, orientado por Deus, compôs Gênesis a partir de documentos antigos já existentes em seus dias. Os últimos fatos relatados no livro de Gênesis ocorreram cerca de trezentos anos antes dos dias de Moisés. Ele somente poderia ter recebido essas informações por revelação direta de Deus ou valendo-se de registros históricos recebidos dos antepassados.

Como Gênesis está organizado

O livro começa com o *Hino da Criação*, seguido por dez "histórias" ou "registros" (RA: "gerações") que formam a estrutura de Gênesis. Parece que Moisés os incorporou integralmente, com os acréscimos e as explicações que Deus o tenha orientado a fazer. Os onze documentos são:

1. o *Hino da Criação* (1.1—2.3);
2. a história "das origens dos céus e da terra, no tempo em que foram criados" (2.4—4.26);
3. a história de Adão (5.1—6.8);
4. a história de Noé (6.9—9.28);
5. a história de "Sem, Cam e Jafé, filhos de Noé" (10.1—11.9);
6. a história de Sem (11.10-26);
7. a história de Terá (11.27—25.11);
8. a história de "Ismael, o filho de Abraão que Hagar, a serva egípcia de Sara, deu a ele" (25.12-18);
9. a história de "Isaque, filho de Abraão" (25.19—35.29);
10. a história de "Esaú, que é Edom" (36.1-43);
11. a história de Jacó (37.2—50.26).

Esses onze documentos formam o livro de Gênesis.

- Os seis primeiros relatos abrangem o período desde a Criação até cerca de 2000 a.C. (Gn 1—11).
- Os cinco últimos relatos abrangem a vida de Abraão e das três gerações depois dele, de cerca de 2000 a 1800 a.C.

O livro inicia-se com a Criação e os primeiros seres humanos no jardim do Éden. Encerra-se quando os descendentes de Abraão já estão no Egito.

Entre o fim de Gênesis e o início do livro seguinte, Êxodo, há uma lacuna de uns quatrocentos anos.

1. O *Hino da Criação* (Gn 1.1—2.3)

É uma descrição poética, em movimento cadenciado e majestoso, das etapas sucessivas da Criação, vazada no modelo bíblico do número "sete", tão freqüente. Em nenhuma obra, científica ou não, existe narração mais sublime da origem das coisas.

Quem escreveu o *Hino da Criação*? Foi utilizado por Moisés, porém escrito, sem dúvida, em época muito anterior. A escrita era já comumente empregada muito tempo antes de Moisés. Além disso, alguns dos mandamentos, estatutos e leis de Deus existiam nos dias de Abraão, 600 anos antes de Moisés (Gn 26.5).

Como o autor soube a respeito do que acontecera antes de existir o homem? Decerto, Deus lhe revelou o passado remoto, da mesma forma que, posteriormente, o futuro distante foi revelado aos profetas.

> Criou Deus o homem
> à sua imagem,
> à imagem de Deus o criou;
> homem e mulher os criou.
> Deus os abençoou, e lhes
> disse: "Sejam férteis e
> multipliquem-se!
> Encham e subjuguem
> a terra!"
> Gênesis 1.27,28a

Talvez o próprio Deus tenha ensinado esse hino a Adão. E talvez fosse recitado oralmente no círculo familiar ou cantado como um ritual do culto primitivo (os hinos formavam grande parte das formas mais primitivas de literatura), geração após geração, até que fosse inventada a escrita. O próprio Deus zelou por sua transmissão até que finalmente ocupasse o lugar predeterminado como declaração inicial do divino Livro das Eras.

Se a Bíblia é a Palavra de Deus, como cremos que é, e uma vez que Deus sabia desde o princípio que a usaria como instrumento para a redenção da humanidade, por que seria difícil acreditar que o próprio Deus tivesse outorgado a semente e o núcleo dessa Palavra?

Quem criou Deus?

Toda criança faz essa pergunta — e ninguém consegue responder. Existem fatos fora de nosso alcance. Não conseguimos ter idéia do começo nem do fim do tempo, nem mesmo dos confins do espaço. Ou o mundo sempre existiu, ou foi feito do nada — essas são as alternativas. Não podemos, no entanto, compreender nem uma nem outra.

Uma coisa sabemos: o que existe de mais sublime ao alcance do nosso pensamento é a personalidade, a mente, a inteligência. Qual foi a origem de tudo isso? Poderia o inanimado criar a inteligência? Pela fé aceitamos, como o alvo supremo de nosso pensamento, um poder superior a nós mesmos — Deus —, na esperança de que um dia, no além, compreenderemos os mistérios da existência.

A criação do Universo — Gn 1.1

"No princípio", Deus criou o Universo. O que se segue, nos "sete dias", é o relato da formação da substância já produzida em preparo para a criação de Adão.

Os sete dias — Gn 1.2—2.3

Não sabemos se os sete dias eram de 24 horas ou consistiam em períodos sucessivos mais longos. A palavra "dia" tem significados variáveis. Em 1.5, é usada como termo correspondente a "luz". Em 1.8 e 1.13, parece significar um dia de 24 horas. Em 1.14 e 1.16, parece referir-se a um dia de 12 horas. Em 2.4, parece abranger o período inteiro da Criação. Em passagens como Joel 3.18, Atos 2.20 e João 16.23, "dia" parece significar a totalidade da era cristã. Em passagens como 2 Timóteo 1.12, a expressão parece referir-se à era posterior à Segunda Vinda de Cristo. E em Salmos 90.4 e em 2 Pedro 3.8: "... para o Senhor um dia é como mil anos, e mil anos como um dia".

Observe-se que os seis dias formam dois pares de três dias (dias 1.º e 4.º, 2.º e 5.º e 3.º e 6.º). No primeiro dia de cada par, é criado o meio ambiente que posteriormente é povoado pelos objetos ou seres que são criados no segundo.

Dia 1	Luz e trevas	Dia 4	Luminares do dia e da noite
Dia 2	Mar e céu	Dia 5	Criaturas da água e do ar
Dia 3	Terra fértil	Dia 6	Criaturas da terra; animais terrestres; provisão de alimento para os seres humanos

Estrutura do relato de cada um dos seis dias em Gênesis 1.2—2.3	
1. Anúncio	"Disse Deus"
2. Ordem	"Haja", "Ajuntem-se" etc.
3. Relatório	"E assim foi" • expressão que resume o que Deus fez • palavra de designação ou bênção
4. Avaliação	"ficou bom"
5. Marcação de tempo	"Passaram-se a tarde e a manhã; esse foi o _____ dia"

Primeiro dia: Luz (1.2-5)

Os céus e a terra foram criados por Deus no princípio — em algum período no passado sem data específica. Tudo estava escuro, vazio e sem forma, até que Deus disse: "Haja luz", e houve luz. Vemos que o poder criador de Deus é manifesto simplesmente pelo ato da fala. Sua primeira palavra criadora fez surgir a luz em meio às trevas.

Em João 1.1,2, lemos que a "Palavra" (Jesus) existia no princípio e que a "Palavra" estava com Deus e era Deus. João conta ainda que "todas as coisas foram feitas por intermédio dele [a Palavra]; sem ele, nada do que existe teria sido feito" (1.3).

Deus não fez meramente o Universo físico: "E Deus viu tudo o que havia feito, *e tudo havia ficado muito bom*" (Gn 1.31; grifo do autor). Tudo o que Deus faz é realmente muito bom, porque a Palavra mediante a qual ele criou todas as coisas é a própria essência da bondade, da beleza e da luz: "Nele [a Palavra] estava a vida, e esta era a luz dos homens. A luz brilha nas trevas" (Jo 1.4,5) agora, da mesma forma que no início da Criação.

Criação ou recriação?

Embora a maior parte dos estudiosos da Bíblia acredite que Gênesis seja o relato da Criação, alguns acreditam que Gênesis oferece um relato tanto da Criação quanto da recriação. Na segunda opção, o versículo 1 conta a respeito da criação original, ao passo que o versículo 2 — "Era [veio a ser] a terra sem forma e vazia" — conta a respeito de um tempo subseqüente à criação inicial, em que Deus criou de novo os céus e a terra após terem ficado sem forma e vazios, talvez em decorrência de algum acontecimento catastrófico. O verbo hebraico traduzido por "era", empregado aqui no texto original, é traduzido por "veio a ser" ou "tornou-se" quando aparece em alguns outros trechos da Bíblia.

Segundo dia: O firmamento (1.6-8)

O firmamento (ou "expansão"), chamado "céu", é a atmosfera ou camada de ar entre a terra coberta pelas águas e as nuvens, possibilitada pelo esfriamento das águas na superfície da terra.

Terceiro dia: A terra e a vegetação (1.9-13)

Até essa altura, a superfície da terra parece ter ficado inteiramente coberta de água. Deus ordenou que a água se agrupasse num só lugar, ao qual deu o nome de "mares". Podemos imaginar que a crosta da terra, à medida que se esfriava e engrossava, começou a empenar, de modo que as ilhas e os continentes surgiram paulatinamente. Ainda não existia chuva, porém densas neblinas regavam a parte seca recém-formada, ainda quente devido ao próprio calor. Havia clima tropical em toda parte, e a vegetação deve ter crescido rapidamente e em proporções gigantescas.

Quarto dia: O Sol, a Lua e as estrelas (1.14-19)

No quarto dia, Deus criou o Sol, a Lua e as estrelas. É provável que as estações tenham surgido quando a superfície da terra cessou de receber o calor, principalmente de seu interior, e tornou-se dependente do calor do Sol.

No versículo 16, lemos que o "luminar maior" governa o dia, e o "menor", a noite. Essas fontes de luz têm três funções principais (v. 17,18): dão luz à terra, governam o dia e a noite e fazem separação entre a luz e as trevas.

Essas passagens são belos exemplos de como Deus manifestou sua imagem, as características divinas, na totalidade da Criação.

Quinto dia: Os animais marinhos e as aves (1.20-25)

Com a bênção de Deus e com a sua ordem "Sejam férteis e multipliquem-se!", os animais marinhos e as aves encheram as águas e se multiplicaram na terra.

> **O Universo que Deus criou**
>
> Os astrônomos estimam que a Via Láctea, a galáxia à qual pertence nossa Terra e o sistema solar, contém mais de 30 bilhões de sóis. Muitos desses sóis são imensamente maiores que o nosso Sol, que é um milhão e meio de vezes maior que a terra. A Via Láctea tem o formato de um delgado relógio de pulso; seu diâmetro de uma extremidade a outra é de 200 mil anos-luz. (Um ano-luz é a distância que a luz viaja por ano, numa velocidade de quase 300 mil quilômetros por segundo.) Existem, no mínimo, 100 mil galáxias semelhantes à Via Láctea, com milhões de anos-luz de distância entre elas. E tudo isso talvez não passe de uma partícula daquilo que existe além, nos limites do espaço, que parecem na verdade infinitos, intermináveis.

Observe a progressão: seres inanimados no primeiro e no segundo dia, a vida vegetal no terceiro e a vida animal no quinto.

Sexto dia: Os animais terrestres e o homem (1.24-31)

A Terra finalmente estava pronta para receber os animais e, em última análise, o homem. Deus revela que todas as criaturas vivas na terra são criadas "de acordo com a sua espécie". Isso refuta a teoria de que todas as espécies de animais evoluíram de um único organismo primitivo comum. Apóia as evidências científicas de que as criaturas viventes têm se adaptado, no decurso do tempo, ao meio ambiente, ao passo que não existe evidência convincente de que uma espécie de animal tenha passado, pela evolução, a ser outra.

Deus criou Adão e Eva à imagem dele próprio. A bênção divina que Deus impetrou sobre o homem e a mulher igualmente era que prosperassem e se multiplicassem de tal maneira que enchessem a terra e exercessem domínio (mordomia) sobre toda a criação. O Reino universal de Deus é refletido no domínio que ele comissiona a humanidade a exercer sobre toda a criação terrestre. Em certo sentido, Deus criou a terra como centro de treinamento para os seres humanos, no qual ele nos está preparando para nosso destino eterno, quando governaremos e reinaremos com Cristo sobre o Universo inteiro (2Tm 2.12; Ap 3.21).

Deus viu tudo o que havia feito, e havia ficado "bom" (1.4,10,12,18,21,25,31). Logo, porém, esse quadro tornou-se escuro. Deus por certo já sabia de antemão que assim aconteceria e deve ter considerado toda a obra de criação da humanidade uma mera etapa em direção ao mundo glorioso que ainda surgirá a partir dela, conforme se conta nos capítulos finais do Apocalipse.

É interessante ressaltar a declaração de Deus de que tudo quanto tinha feito no sexto dia havia ficado "*muito* bom", talvez para realçar a relevância desse dia em comparação aos anteriores.

Sétimo dia: Deus descansou (2.1-3)

Deus não descansou em sentido absoluto (Jo 5.17), mas somente dessa obra criadora específica. Esse foi o fundamento do sábado (Êx 20.11). O "descanso sabático" também é uma figura do céu (Hb 4.4,9).

> NOTA ARQUEOLÓGICA: Histórias babilônicas da Criação
>
> Foram encontradas várias epopéias da Criação nas ruínas da Babilônia, de Nínive, de Nipur e de Assur notavelmente semelhantes ao *Hino da Criação* de Gênesis. Essas epopéias foram escritas em tabuinhas de barro antes da época de Abraão.
>
> Essas histórias babilônicas e assírias da Criação (bem como as egípcias) são todas inegavelmente politeístas. Em geral defendem a preeminência de algum dos deuses e não raro refletem conflitos ou guerras entre eles. O relato de Gênesis forma um nítido contraste com esses registros, por sua singeleza e clareza: "No princípio Deus criou...".

Há pontos de semelhança entre as narrativas babilônicas e assírias e o relato de Gênesis – por exemplo, a seqüência dos atos criadores: firmamento (expansão), terra seca, luminares celestes, seres humanos. Mas as semelhanças não comprovam mútua dependência, embora a simplicidade do relato de Gênesis possa ser um argumento a favor de serem as histórias babilônicas e as tradições assírias corrompidas baseadas no original simples e divino.

O que é "imagem de Deus"?

Trechos como Gênesis 9.6 e Tiago 3.9 demonstram que a imagem de Deus não foi perdida por ocasião da Queda, e até mesmo os que não fazem parte do povo de Deus a detêm. A expressão "imagem de Deus" não é usada com freqüência nas Escrituras, e é difícil identificar seu exato significado.

- Alguns acreditam que possa referir-se a alguma qualidade espiritual, mental e/ ou psicológica dos seres humanos, como a capacidade de pensar, de sentir emoções ou de fazer escolhas (= livre-arbítrio).
- Outros ressaltam o contexto de Gênesis 1.26,27, em que a tônica recai no "domínio" exercido pelos seres humanos sobre a criação divina. Com base no contexto, é possível dizer que, assim como Deus criou, também os dotados com sua imagem devem ser "criadores"; por exemplo: os primeiros seres humanos receberam a ordem de dar nome aos animais, de ser férteis e de se multiplicar.
- Por último, alguns ressaltam a qualidade "relacional" da Divindade trina e una, o que se deduz pelas expressões "façamos" e "nossa imagem". Sugerem que, assim como existem relacionamentos dentro da Divindade, também os seres humanos têm a capacidade de entrar em relacionamento com Deus e com outros seres humanos, sendo "imagem" exatamente isso. (Entretanto, essa característica da Divindade não é plenamente revelada senão muito mais tarde — p. ex., em Jo 1.1-5.)

É possível que o correto entendimento do conceito realmente inclua aspectos de mais de uma das interpretações acima. O fato importante a ser levado em conta é que nós, seres humanos criados à imagem de Deus, temos um relacionamento especial com ele, não partilhado por outras formas de vida animal. E, como seres humanos, precisamos nos lembrar de que *todos* somos portadores dessa imagem — o que, naturalmente, deve influenciar a maneira de tratarmos uns aos outros.

2. A história dos céus e da terra (Gn 2.4—4.26)

Esse relato é chamado, às vezes, a "segunda história da Criação". Começa com a referência à condição desolada da terra (2.5,6), que corresponde à primeira parte do terceiro dia no primeiro relato (1.9,10),

> Disse então o homem: "Esta, sim, é osso dos meus ossos e carne da minha carne! Ela será chamada mulher, porque do homem foi tirada". Por essa razão, o homem deixará pai e mãe e se unirá à sua mulher, e eles se tornarão uma só carne.
> GÊNESIS 2.23,24

e passa então a descrever alguns pormenores omitidos no primeiro relato. A partir daí, prossegue com a história da Queda. Trata-se do suplemento do primeiro relato, e não de sua contradição.

Quem foi o autor desse documento? Ele continua a história até a sexta geração dos descendentes de Caim (4.17-22) e termina com Adão ainda vivo. (Este viveu até a oitava geração dos descendentes de Sete, 5.4-25.) Portanto, todos os fatos desse relato aconteceram durante a vida de Adão. Se a escrita não fora inventada enquanto Adão ainda vivia, não será possível que ele tenha contado esses fatos repetidas vezes em seu círculo familiar, de modo que pelo menos a substância do relato tenha assumido uma forma fixa até a invenção da escrita?

O jardim do Éden — Gn 2.4-17

No capítulo 1, o Criador é chamado "Deus" (*'elohîm*), nome genérico do Ser Supremo. No presente trecho, trata-se do "Senhor Deus" (*yhwh* [*Iavé*] *'elohîm*), seu nome pessoal. É um primeiro passo na revelação que Deus fez de si mesmo.

Nenhuma chuva, mas brotava água (v. 5,6). Ou: "surgia uma neblina" (v. nota da NVI), tradução que parece preferível. Significaria que, durante algum tempo, a terra foi regada por neblinas pesadas, pois a superfície terrestre ainda estava tão quente e os vapores conseqüentes eram tão densos que as gotas refrescantes de chuva nas orlas mais exteriores das nuvens se evaporavam novamente antes de alcançar a terra.

A árvore da vida (v. 9; 3.22) indica que a imortalidade depende de algo externo a nós. Essa árvore voltará a ser acessível no fim aos que pertencerem a Cristo (Ap 2.7; 22.2,14).

A árvore do conhecimento do bem e do mal (v. 9,17) era "agradável ao paladar", "atraente aos olhos" e "desejável para dela se obter discernimento" (3.6). Qualquer que tenha sido a natureza exata dessa árvore — literal, figurada ou simbólica —, a essência do pecado de Adão e de Eva foi esta: queriam transferir de Deus para si mesmos o controle da vida deles. Deus lhes tinha dito, em essência, que poderiam fazer tudo o que quisessem, *excetuando-se* exclusivamente comer do fruto daquela árvore. Enquanto estiveram num relacionamento correto com Deus — em outras palavras, enquanto reconheceram a Deus como Criador e Senhor —, experimentaram a vida conforme Deus pretendia e foram verdadeiramente a coroa da criação divina. Estavam totalmente satisfeitos com essa vida até que Satanás, em forma de serpente, os enganou, levando-os a pensar que, se fossem iguais a Deus e soubessem o que Deus sabe, a vida seria ainda melhor. Uma vez plantada essa semente de engano, tornaram-se insatisfeitos. Queriam ser "como Deus". Queriam ser senhores de si mesmos e senhores únicos da criação de Deus. Essa não é a essência do pecado humano? Desde o princípio, Deus planejou que os seres humanos vivessem para sempre, a única condição prévia era a obediência a Deus. Adão e Eva deixaram-se enganar pelo inimigo e assim desobedeceram a Deus. A partir daí, começou o longo e vagoroso processo de redenção mediante um Salvador, por meio de quem podemos recuperar nossa condição perdida.

A criação da mulher — Gn 2.18-25

Já foi declarado em 1.27 que o ser humano foi criado "homem e mulher". Nesse trecho, relata-se mais pormenorizadamente como a mulher foi criada. E aqui, no início da raça humana, também se acha a origem divina e a santidade do casamento: um só homem, uma só mulher, uma só carne (v. 24).

As Escrituras representam o casamento como equivalente terreno do relacionamento entre Cristo e a igreja (Ef 5.25-32; Ap 19.7; 21.2,9). A igreja é chamada "noiva" de Cristo. A esposa de Adão foi tirada do lado dele, enquanto ele dormia (v. 21,22). Pode tratar-se de um retrato primitivo da igreja, a noiva de Cristo, que recebe da parte dele a vida.

Viviam nus, e não sentiam vergonha (v. 25). É possível que tenham sido "revestidos" pela luz etérea de Deus, como Jesus na transfiguração (Mc 9.3), e que talvez essa luz tenha desaparecido quando entrou o pecado — mas um dia ela voltará a revestir os redimidos (Ap 3.4; 21.23). De todas as criaturas de Deus, ao que saibamos, só a raça humana usa roupas — emblema de nossa natureza pecaminosa e símbolo da necessidade de sermos cobertos pela redenção divina.

> **A localização do jardim do Éden**
>
> O jardim do Éden ficava às margens dos rios Tigre e Eufrates, no ponto de junção com o Pisom e o Giom (2.10-14). O Pisom e o Giom não foram identificados. O Eufrates e o Tigre têm origem na região montanhosa do Cáucaso, no sudoeste da Ásia, fluem para o sudeste e deságuam no golfo Pérsico (v. mapa da p. seguinte). Duas hipóteses de localização do jardim têm sido aventadas: ou próximo dos afluentes do Tigre e do Eufrates ou perto da foz do Eufrates, na antiga Babilônia.

Gn 3   A Queda do homem

Foi provocada pela astúcia da serpente. Ela é representada falando por si mesma, mas a Bíblia revela posteriormente que se tratava de Satanás falando por intermédio da serpente (2Co 11.3,14; Ap 12.9; 20.2). Ela conseguiu fazer com que Adão e Eva desobedecessem ao Criador. Consumou-se a obra perversa. E a mortalha do pecado, da dor e da morte caiu sobre o mundo que Deus criara belo e definira como bom.

Por que Deus criou os seres humanos com a capacidade de pecar?

Existe alguma outra maneira pela qual ele poderia tê-los criado? Poderia existir uma criatura moral sem a capacidade de fazer opções? A liberdade é a dádiva de Deus à humanidade: liberdade para pensar, liberdade de consciência e até mesmo liberdade para desobedecer-lhe.

Em certo desastre de trem, o maquinista, que poderia ter poupado a vida saltando para fora, ficou firme em seu posto e assim salvou os passageiros, mas perdeu a própria vida. Então levantaram um monumento. Não à locomotiva — ela só fez o que seu maquinário a forçou a fazer —, mas ao maquinista, que, de livre e espontânea vontade, optou por dar a vida para salvar os passageiros.

Mas Deus não sabia de antemão que o homem pecaria?

Sim — e também tinha conhecimento prévio das temíveis conseqüências. Também sabia de antemão qual seria o resultado. Sofremos e imaginamos por que Deus fez um mundo assim. Um dia, porém, depois de todas as coisas terem chegado ao destino final, nossos sofrimentos terminarão e, junto com os remidos de todas as eras, acrescentaremos nossa voz às aleluias perpétuas de louvor a Deus por nos ter criado da maneira que nos criou e por nos encaminhar para a vida, para a alegria e para a glória nas eras sem fim da eternidade (Ap 19.1-8).

Os efeitos do pecado na natureza

Aqui, nas páginas iniciais da Bíblia, temos uma explicação antiga da natureza como ela é hoje: no âmbito do mundo, o ódio generalizado às cobras (3.14,15), a dor ao dar à luz (v. 16) e a produção espontânea de ervas daninhas pela terra, ao passo que a vegetação que produz alimentos precisa ser cultivada (v. 17-19). Além disso, porém, também há prenúncios de Cristo no descendente da mulher (v. 15) e no sacrifício para expiação (4.4).

O jardim do Éden

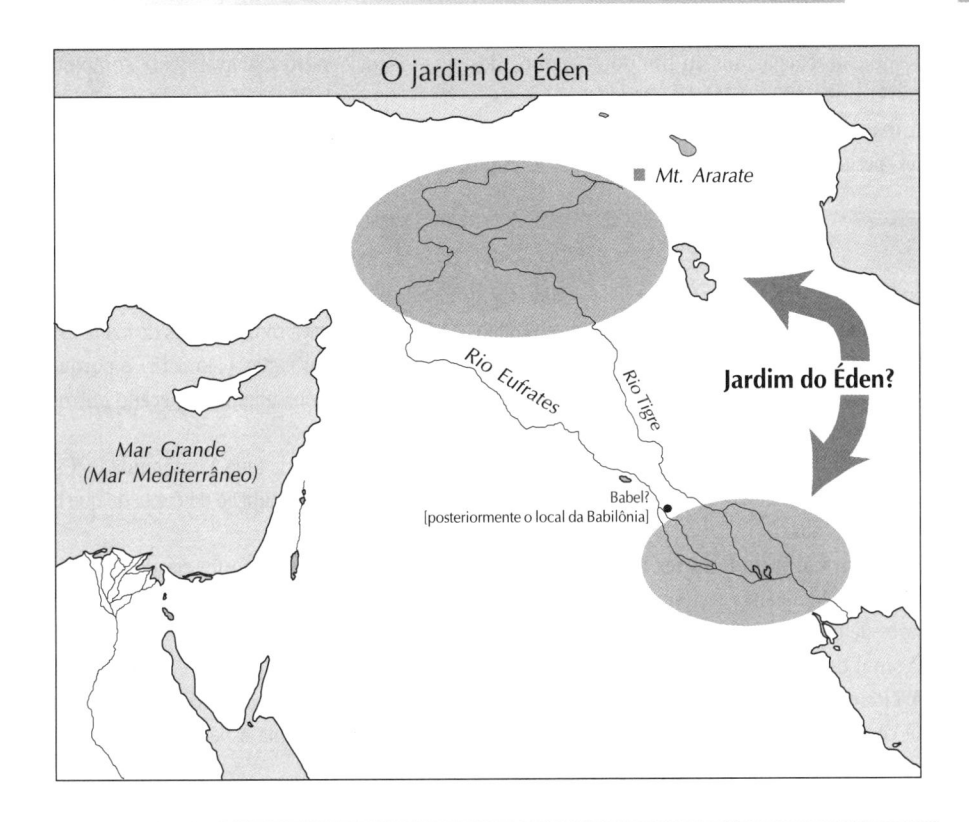

- Mt. Ararate
- Mar Grande (Mar Mediterrâneo)
- Rio Eufrates
- Rio Tigre
- Jardim do Éden?
- Babel? [posteriormente o local da Babilônia]

Outras tradições a respeito da Queda

- **Persa**: Nossos primeiros pais, inocentes, virtuosos e felizes, habitavam um jardim onde havia uma árvore de imortalidade, até o momento em que surgiu, em forma de serpente, um espírito maligno.
- **Hindu**: Na primeira era, as pessoas estavam isentas do mal e das enfermidades, possuíam tudo o que desejassem e tinham vida longa.
- **Grega**: As primeiras pessoas, na idade áurea, viviam nuas, livres do mal e das aflições, desfrutando a comunhão com os deuses.
- **Chinesa**: Houve uma era feliz, em que as pessoas tinham alimentos com fartura e viviam cercadas por animais mansos.
- **Mongólica e tibetana**: Tradições semelhantes à dos chineses.
- **Teutônica**: A raça original desfrutava de uma vida de festividades perpétuas.

A história original do jardim do Éden foi sem dúvida contada por Adão a Matusalém. Matusalém contou-a a Noé, e este, aos respectivos filhos. Nas culturas posteriores, passou por várias modificações.

O descendente da mulher (v. 15). Aqui, imediatamente após a Queda do homem, consta a profecia feita por Deus de que a criação dos seres humanos ainda se revelaria bem-sucedida mediante o "descendente da mulher". Esse é o primeiro indício na Bíblia de um Redentor vindouro. O emprego do pronome "este" (v. 15) demonstra que se trata de uma pessoa específica. Houve apenas um descendente de Eva que nasceu de mulher sem o envolvimento de um homem. Aqui, bem no início da história bíblica, aparece essa primeira prefiguração de Cristo. E, à medida que a história bíblica se desdobra, surgem outros indícios, retratos e declarações que se tornam cada vez mais nítidos e abundantes, de modo que, ao chegarmos ao fim do AT, vemos desenhado um quadro razoavelmente completo de Cristo (v. p. 394-405, "O Messias no AT").

A mãe de toda a humanidade (v. 20). A expiação efetuada por Cristo baseia-se na unidade da raça em Adão. O pecado de um só homem trouxe a morte. A morte de um só homem trouxe a redenção (Rm 5.12-19).

Gn 4   Caim e Abel

Supondo-se que Adão e Eva foram criados adultos, Caim, quando matou Abel, talvez tivesse cerca de 129 anos de idade. Isso porque, quando nasceu Sete, pouco depois (v. 25), Adão estava com 130 anos de idade (5.3).

O sacrifício de Abel (v. 4) foi aceitável porque suas ações eram justas (1Jo 3.12) e porque foi oferecido com fé (Hb 11.4). Parece que Deus instituíra esses sacrifícios quando o pecado entrou no mundo. É uma espécie de retrato antigo da morte expiatória de Cristo.

A mulher de Caim (v. 17) deve ter sido sua irmã, pois Eva foi a "mãe de toda a humanidade" (3.20). Adão tinha filhos e filhas cujos nomes não foram mencionados (5.4) — a tradição dá conta de que tinha 33 filhos e 27 filhas.

De quem Caim poderia ter medo (v. 14)? Nos 130 anos desde que Adão foi criado até Abel ser assassinado, já haviam nascido várias gerações, e a população total pode ter aumentado para muitos milhares de pessoas.

O sinal de Caim (v. 15). Qualquer que tenha sido, as pessoas certamente sabiam o que significava.

A cidade de Caim (v. 17), em algum lugar a leste do Éden, provavelmente não passava de uma aldeia com choupanas rústicas, tendo um muro por defesa a servir de uma espécie de reduto central para seus descendentes proscritos.

Na família de Caim, a poligamia seguiu-se pouco depois ao assassinato (v. 19). Deus já ordenara, desde o princípio, que um só homem e uma só mulher vivessem juntos no casamento (2.24). O ser humano, porém, não demorou a adotar outro sistema.

3. A história de Adão (Gn 5.1—6.8)

Esse é o terceiro documento do livro de Gênesis (v. p. 69). Continua a história até os 500 anos da vida de Noé (5.32).

Gn 5   A genealogia de Adão até Noé

As idades dessa genealogia são extraordinariamente longas. Por exemplo: Adão, 930 anos; Sete, 912 anos; Matusalém, 969 anos (a pessoa da Bíblia que alcançou maior longevidade); Noé, 950 anos. A grande idade que alcançaram é geralmente explicada segundo a teoria de que o pecado mal começara a exercer sua influência maligna sobre a raça humana.

Ao somar as cifras deste capítulo, parece ter havido 1656 anos entre a criação de Adão e o Dilúvio. Alguns entendem que, como essa genealogia e a do capítulo 11 têm dez gerações cada uma, podem ter sido abreviadas (assim como no caso da genealogia de Jesus, em Mt 1).

Enoque, v. 21-24

Enoque foi o melhor homem das primeiras gerações. Numa sociedade indizivelmente perversa, ele "andou com Deus". Nascido 622 anos após a criação de Adão, foi contemporâneo dele durante 308 anos. "Deus o havia arrebatado" já aos 365 anos de idade, 69 anos antes do nascimento de Noé.

A única outra pessoa arrebatada por Deus sem precisar passar pela morte foi Elias (2Rs 2). Talvez estivesse nos planos de Deus que Enoque e Elias fossem uma espécie de prefiguração do destino feliz dos santos, que também serão arrebatados vivos na segunda vinda de Cristo (1Ts 4.17).

Matusalém, v. 25-27

Chegou a 969 anos de idade, sendo o mais velho dos dez homens alistados no capítulo 5. Sua vida coincidiu parcialmente com a de Adão durante 243 anos e com a de Sem durante 98 anos, formando assim um elo entre o jardim do Éden e o mundo pós-diluviano. Morreu no ano do Dilúvio.

A corrupção pré-diluviana — Gn 6.1-8

Acredita-se que "os filhos de Deus" (v. 2) eram anjos caídos, aos quais talvez se faça referência em 2 Pedro 2.4 e em Judas 6, ou líderes dos descendentes de Sete que fizeram casamentos mistos com os descendentes ímpios de Caim. Esses casamentos anormais, o que quer que tenham sido, encheram a terra de corrupção e violência.

Jesus considerou o Dilúvio um fato histórico e assemelhou a época de sua segunda vinda aos dias de Noé (Mt 24.37-39). Os acontecimentos do mundo atual levam a conjecturar que aqueles dias podem estar voltando.

Os 120 anos do versículo 3 podem referir-se ao período que ainda restaria antes do Dilúvio ou à redução da extensão da vida humana depois da longevidade dos homens mencionados no capítulo 5.

4. A história de Noé (Gn 6.9 — 9.28)

Esse é o quarto documento do livro de Gênesis (v. p. 69). Contém a história do Dilúvio, como foi contada e talvez registrada por Noé e transmitida por Sem a Abraão.

Noé e a arca — Gn 6.9-18

A arca media cerca de 138 m de comprimento, 23 de largura e 14 de altura. Tinha três conveses, divididos em compartimentos, com uma fileira de janelas em redor, na parte superior. Pode ter sido muito semelhante, quanto ao tamanho e às proporções, aos transatlânticos de nossos dias. Como a raça humana habitava às margens de um grande rio, a construção de barcos foi uma de suas realizações mais antigas. Tabuinhas de escrita cuneiforme dão conta de que, no alvorecer da história, os habitantes da Babilônia ocupavam-se dos transportes fluviais. Nesse caso, Noé pode ter tido familiaridade, desde a infância, com a construção de barcos e com o trânsito fluvial.

Em conformidade com as dimensões citadas em Gênesis, a arca foi, durante pelo menos 5 mil anos, a maior embarcação já construída — até 1858, quando foi construído o Great Eastern, navio com mais de 200 m de comprimento.

Os animais — Gn 6.19 — 7.5

Em 6.19-21 e 7.2, temos a explicação de que deviam ser levados para a arca sete casais de animais puros e só um casal de cada um dos outros. Alguns calculam que havia espaço na arca para 7 mil espécies de animais.

Foi tarefa gigantesca construir a arca, reunir os animais e armazenar o alimento necessário. Noé e seus três filhos não poderiam tê-lo feito sozinhos. Sendo neto de Matusalém e bisneto de Enoque, é bem possível que Noé tenha sido rei de uma cidade, conforme reza a tradição babilônica, e tenha empregado milhares de homens na obra. Era, sem dúvida, alvo de escárnio constante, mas Noé persistiu na fé (2Pe 2.5; Hb 11.7).

Talvez a arca seja também um símbolo de nossa salvação em Jesus. Noé, sua família e os animais, todos passaram pela porta da arca (7.13). A porta é um símbolo comum de Cristo (Mt 7.7; 2Co 2.12). O versículo 16 declara que "o Senhor fechou a porta" — Noé e sua família não poderiam ter salvado a si mesmos. Nós, da mesma maneira que Noé, somos salvos pela graça de Deus. É só passarmos pela porta.

Outras tradições a respeito do Dilúvio

Tradições de um dilúvio catastrófico são encontradas em muitas culturas antigas:

- **Egípcia:** Os deuses, certa vez, purificaram a terra por meio de um grande dilúvio, do qual escaparam só uns poucos pastores.
- **Grega:** Deucalião foi avisado de que os deuses trariam um dilúvio à terra, por causa da grande perversidade desta. Ele construiu uma arca, que acabou repousando no monte Parnasso. Uma pomba foi enviada duas vezes.
- **Hindu:** Manu, avisado a tempo, construiu um navio no qual só ele escapou de um dilúvio que destruiu todas as criaturas.
- **Chinesa:** Fa-He, fundador da civilização chinesa, escapou, segundo se declara, de um dilúvio enviado porque o homem se rebelara contra o céu — junto com sua esposa, três filhos e três filhas.
- **Inglesa:** Os druidas tinham uma lenda segundo a qual o mundo tinha sido povoado de novo por um patriarca justo, que se salvara num navio forte de um dilúvio enviado para destruir a raça humana por causa da iniquidade.
- **Polinésia:** Histórias de um dilúvio, do qual escaparam oito pessoas.
- **Mexicana:** Um homem, com esposa e filhos, foi salvo num navio de um dilúvio que cobriu a terra.
- **Peruana:** Um homem e uma mulher salvaram-se em uma caixa que ficou flutuando nas águas do dilúvio.
- **Dos aborígenes americanos:** Várias lendas, segundo as quais uma, três ou oito pessoas se salvaram, num barco acima do nível das águas, em um alto monte.
- **Da Groenlândia:** A terra se inclinou, e toda a raça humana se afogou, menos um homem e uma mulher, os quais repovoaram a terra.

Gn 7.6—8.19 O Dilúvio

"... nesse mesmo dia todas as fontes das grandes profundezas jorraram, e as comportas do céu se abriram" (7.11). O vale do Eufrates quase pode ser chamado o istmo do hemisfério oriental, onde o mar Mediterrâneo e o oceano Índico se aproximam (assim como os oceanos Atlântico e Pacífico se aproximam no istmo do Panamá). A região montanhosa da Armênia é quase um sistema insular, tendo os mares Cáspio e Negro ao norte, o Mediterrâneo a oeste e o golfo Pérsico e o oceano Índico ao sul. Um rebaixamento cataclísmico da região faria com que as águas desses mares a invadissem, à medida que as chuvas desciam do alto.

Gn 8.20—9.17 O arco-íris

Pode ser que o Dilúvio tenha deixado o ar mais transparente, de modo que o arco-íris ficou claramente visível. E Deus o designou como sinal de sua aliança com a raça humana, no sentido de que nunca haveria outro Dilúvio (9.8-17). A próxima destruição da terra será pelo fogo (2Pe 3.7).

A profecia de Noé — Gn 9.18-28

Noé amaldiçoa Cam e abençoa Sem e Jafé. Essa "maldição contra Cam" muitas vezes tem sido relacionada às pessoas de raças não-brancas, especialmente os negros. Ela tem sido usada para apoiar a suposta superioridade da raça branca e também como justificativa para a escravidão e muitos tipos de discriminação.

Quanto tempo Noé passou na arca?

- Noé entrou na arca sete dias antes de começar a chover (7.4,10).
- Começou a chover no dia 17 do segundo mês do seiscentésimo ano de Noé (7.11). Choveu 40 dias (7.12).
- As águas cobriram a terra 150 dias (7.24; 8.3).
- A arca repousou no dia 17 do sétimo mês (8.4).
- Noé retirou a coberta da arca no dia 1.º do primeiro mês do seiscentésimo primeiro ano de Noé (8.13).
- Noé e a família saíram da arca no dia 27 do segundo mês (8.14-19).
- Significa que ficaram na arca 1 ano e 17 dias (5 meses flutuando, 7 meses na montanha).

A arca de Noé foi encontrada?

Em anos recentes, foram publicados vários artigos onde se alegava terem sido encontrados os restos da arca de Noé no alto das montanhas do Ararate. Embora seja tentador aceitar esses relatos como comprovação da veracidade histórica da Bíblia, até agora nenhum deles forneceu evidências concretas (exceto fotografias que não levariam ninguém a suspeitar que retratassem a arca, a não ser que estivesse especificamente procurando sinais dela). Ao contrário: uma coisa que esses relatórios parecem ter em comum é que, por uma razão ou outra, qualquer evidência concreta — tal com um pedaço de madeira da arca — lastimavelmente desapareceu ou foi perdida. Antes de surgirem argumentos irrefutáveis, apoiados por evidências, de que a arca de Noé realmente foi achada, ela continua perdida.

A credibilidade da Palavra de Deus não é ajudada por "comprovações" questionáveis, destituídas de integridade factual. A própria Palavra de Deus, em sua plena integridade, é sua melhor defesa!

Noé, entretanto, fala a respeito de *Canaã* (filho de Cam). Para os israelitas, que receberam esse livro de Moisés enquanto caminhavam para a Terra Prometida — ou seja, Canaã —, a profecia de Noé foi um encorajamento, porque Deus, através de Noé, colocara uma maldição sobre os cananeus. Os israelitas, portanto, podiam avançar sem temor, visto que Deus entregaria os cananeus em suas mãos. Esse fato é ressaltado pelas bênçãos impetradas sobre Sem e Jafé: "Bendito seja o Senhor, o Deus de Sem!" e "Amplie Deus o território de Jafé" (v. 26,27). Os israelitas, sendo descendentes de Sem, podiam confiar na presença de Deus.

É difícil definir os "cananeus" como grupo racial específico. Seu idioma era semítico, da mesma forma que o hebraico, mas suas origens parecem ter sido diversificadas. Eram unificados por uma cultura que pode ser chamada cananéia.

5. A história dos filhos de Noé (Gn 10.1—11.9)

Quinto documento de Gênesis (v. p. 69), preparado provavelmente por Sem e transmitido a Abraão. Sem viveu desde 98 anos antes do Dilúvio até 150 anos depois do nascimento de Abraão (11.10).

Gn 10 — As nações descendentes de Noé

A família de Noé desembarcou da arca no monte Ararate, perto das cabeceiras do Eufrates. Depois, segundo parece, migraram de volta para a Babilônia, a uma distância de 800 km, para sua habitação de antes do Dilúvio. Cem anos depois (v. 25), foram dispersados mediante a confusão dos idiomas.

Os descendentes de Jafé (v. 2-5) foram para o norte, estabeleceram-se nas regiões em redor dos mares Negro e Cáspio e passaram a ser os antepassados das raças caucasianas da Europa e da Ásia.

À medida que Deus dispersava o povo "por toda a terra", depois de Babel, desenvolveram-se as culturas e se expandiram o comércio e as viagens. Podemos imaginar que as gerações de Sem a Abraão usavam caravançarás como o da foto: uma estalagem perto de um oásis numa das áreas desertas do Oriente Médio. Não existe teto para proteger das chuvas esparsas, mas os muros servem para manter do lado de fora os animais selvagens e os assaltantes.

Os descendentes de Cam (v. 6-20) rumaram para o sul. Os nomes citados parecem dizer respeito à Arábia meridional e central, ao Egito, ao litoral oriental do Mediterrâneo e à costa leste da África. Canaã, filho de Cam, e seus descendentes, estabeleceram-se no país que levou seu nome e posteriormente veio a ser a pátria dos judeus.

Os descendentes de Sem (v. 21-31; "semitas") incluíam os judeus, os assírios, os sírios e os elamitas do norte do vale do Eufrates e em suas fronteiras.

Ninrode (v. 8-12) foi o líder de maior destaque nos 400 anos entre o Dilúvio e Abraão. Neto de Cam (v. 8) e nascido pouco depois do Dilúvio, pode ter vivido durante esse período inteiro (a julgar pelas idades mencionadas em 11.10-16). Era um homem bastante empreendedor.

Sua fama de "o mais valente dos caçadores" (v. 9) significava que foi protetor do povo num período em que os animais selvagens eram uma ameaça contínua à população. Sinetes babilônicos primitivos representavam um rei em combate com um leão — essa pode ser uma tradição de Ninrode.

Em sua ambição por controlar a raça que rapidamente se multiplicava e se espalhava, ele parece ter sido um dos líderes da edificação da torre de Babel (v. 10; 11.9). E, após a confusão dos idiomas e a dispersão do povo, Ninrode parece ter posteriormente retomado os trabalhos na Babilônia. Em seguida, construiu três cidades na vizinhança — Ereque, Acade e Calné — e as consolidou num só reino governado por ele mesmo. A Babilônia ficou sendo conhecida, por longo tempo, como "a Terra de Ninrode".

Ainda ambicionando o controle da raça que se expandia cada vez mais, Ninrode avançou uns 480 km para o norte e fundou Nínive (embora certa versão diga que se tratava de Assur) e as três cidades vizinhas de Reobote-Ir, Calá e Resém. Esse grupo de cidades constituía o reino setentrional de Ninrode. Durante muitos séculos a partir de então, Babilônia e Nínive, fundadas por Ninrode, foram as principais cidades do mundo.

A Torre de Babel — Gn 11.1-9

A confusão do idioma ocorreu na quarta geração depois do Dilúvio, aproximadamente por ocasião do nascimento de Pelegue (10.25), ou seja, 101 anos depois do Dilúvio e 326 anos antes da chamada de Abraão (11.26). Foi o método adotado por Deus para dispersar a raça, a fim de que o reino que a raça humana estava criando nunca excluísse o Reino de Deus.

Durante muitos anos, acreditou-se que a Torre de Babel se parecia com um zigurate babilônico, um tipo de torre de degraus. Os zigurates, no entanto, evoluíram a partir de estruturas religiosas mais simples, e a forma final do zigurate não apareceu na Mesopotâmia a não ser bem depois do início do terceiro milênio a.C. — quando já existiam muitos idiomas diferentes.

Qualquer que tenha sido o fato histórico exato, o propósito por trás da Torre de Babel era semelhante ao de Adão e Eva em Gênesis 3. O povo queria levantar um *migdāl*, cidade fortificada, "com uma torre que alcance os céus" (v. 3,4), ou seja, queriam ser autônomos e usurpar o poder divino. Queriam transcender as limitações humanas.

O significado da Torre de Babel torna-se claro quando a examinamos em contraposição ao Dia de Pentecoste (At 2), sua contrapartida:

Gênesis 11	Atos 2
Babel, cidade edificada por pessoas	Jerusalém, cidade de Deus
O povo tenta alcançar o céu	Deus Espírito Santo desce do céu
O idioma é confundido; as pessoas não mais se entendem	Um único idioma, entendido por todos os presentes
O povo é dispersado	O povo acorre de todos os lugares

6. A história de Sem (Gn 11.10-26)

Sexto documento do livro de Gênesis (v. p. 69). Em 10.21-31, são citados nominalmente os descendentes de Sem. Aqui, acompanha-se a linhagem diretamente de Sem a Abraão, abrangendo dez gerações (427 anos). O próprio Sem pode ter registrado toda essa genealogia, pois o percurso de sua vida incluiu a totalidade do período abrangido por ela.

De acordo com esses números:

- Houve 1656 anos entre Adão e o Dilúvio; 427 anos entre o Dilúvio e Abraão.
- A vida de Adão coincidiu em parte (243 anos) com a de Matusalém.
- A vida de Matusalém coincidiu em parte (600 anos) com a de Noé e com a de Sem (98 anos).

	Idade por ocasião do nascimento do filho	Idade total		Idade por ocasião do nascimento do filho	Idade total
Adão	130	930	Arfaxade, nascido		
Sete	105	912	2 anos após o Dilúvio	35	438
Enos	90	905	Salá	30	433
Cainã	70	910	Héber	34	464
Maalaleel	65	895	Pelegue	30	239
Jarede	162	962	Reú	32	239
Enoque	65	365	Serugue	30	230
Matusalém	187	969	Naor	29	148
Lameque	182	777	Terá	130	205
Noé, no Dilúvio	600	950	Abraão, ao entrar em Canaã		75
TOTAL		1 656	TOTAL		427

- Houve 126 anos entre a morte de Adão e o nascimento de Noé.
- Noé viveu 350 anos após o Dilúvio; morreu dois anos antes de Abraão nascer.
- Sem viveu desde 98 anos antes do Dilúvio até 502 anos após o Dilúvio.
- Sem viveu até 75 anos após a entrada de Abraão em Canaã.
- Noé viveu até ver a nona geração de seus descendentes.
- Na coluna à direita, todos, menos Pelegue e Naor, estavam vivos quando Abraão nasceu.

No período com tamanho grau de longevidade, a população aumentou muito rápido, embora as idades se tornassem paulatinamente mais curtas após o Dilúvio.

O período dos patriarcas

Gênesis 12—50

As histórias de como Deus tratou com Abraão, Isaque, Jacó e José (ancestrais do povo israelita, também chamados patriarcas de Israel) estão registradas nos capítulos de 12 a 50 de Gênesis. A tônica dessas narrativas é a promessa multifacetada que Deus lhes fez e depois reiterou. Essa promessa oferece um modelo significativo da maneira pela qual Deus continuou a lidar com a raça humana (v. p. 87-8).

Segundo o sentido natural de passagens como 1 Reis 6.1, Êxodo 12.40 e outras, Abraão teria entrado na terra de Canaã em 2091 a.C., aos 75 anos de idade — em meados do período arqueológico chamado Bronze Médio I (2200-2000 a.C.). O próspero centro comercial de Ur, localizado no sul da Mesopotâmia, que Abraão deixara em data anterior, é bastante conhecido graças às escavações do sítio arqueológico e às milhares de tabuinhas de escrita cuneiforme descobertas ali e nas redondezas.

A terra de Canaã, onde Abrão ingressou com Sara e seu sobrinho, Ló, desfrutava de bem menos progresso. Nesse período, os habitantes moravam em tendas, em povoações muito pequenas (a maioria delas com menos de um hectare) e sem muros. Na realidade, no registro arqueológico da Palestina há uma ausência total de cidades muradas nesse período. Arqueologicamente, esse período parece ser caracterizado pelo fato de as pessoas morarem em tendas e sepultarem seus mortos em túmulos em forma de poço, em colinas artificiais ou debaixo de dolmens (duas ou mais pedras colocadas de pé, com outra pedra deitada sobre elas). Esses dados harmonizam-se com o retrato bíblico segundo o qual os patriarcas habitavam em tendas (fato mencionado 24 vezes em Gn 12—50) e ganhavam a vida mediante o pastoreio (ovelhas e cabritos são mencionados 24 vezes) e a agricultura (lavoura e colheita, 26.12).

Por ocasião da morte de Abraão, em 1991 a.C., a terra de Canaã entrava no período do Bronze Médio II (2000-1550 a.C.), quando grandes cidades fortificadas voltaram a ser construídas, embora seja possível que a maioria da população continuasse a habitar nos campos como pastores e agricultores. A história egípcia de Sinué (que se acha em *Ancient Near Eastern texts* [*Textos antigos do Oriente Próximo*], p. 18-23) data de cerca de 1962 a.C. (nos dias de Isaque); descreve Canaã como uma terra cheia de figos, uvas, vinho, mel, azeite, frutas, cevada, trigo e gado (cf. Dt 8.8).

Na ocasião em que Jacó se mudou para o Egito (1876 a.C.), o país estava experimentando um período de estabilidade durante a XII Dinastia. No mínimo, mantinha contatos comerciais com povos da região do Mediterrâneo oriental e também com os povos ao sul do Egito, na Núbia. Infelizmente, nenhum registro extrabíblico foi encontrado, por enquanto, que se refira a algum dos povos mencionados nessa seção das Escrituras.

A Mesopotâmia também experimentava um período de prosperidade nessa época (o chamado período Babilônico Antigo). Nesse tempo, governava o afamado Hamurábi, conhecido especialmente por suas leis registradas no célebre *Código de Hamurábi*. Além dos documentos achados no sul da Mesopotâmia, foi descoberto um enorme arquivo cuneiforme em Mari, localizada mais ao norte, no rio Eufrates. As tabuinhas de Mari mencionam especificamente várias das cidades-estados de maior destaque em Canaã: Hazor (com 70 alqueires de tamanho) e Lesém (posteriormente conhecida como Dã; Js 19.47; Jz 18.29). Além disso, alguns dos nomes de pessoas (mas não as próprias) que se acham nas tabuinhas de Mari formam paralelos com nomes mencionados no texto bíblico, e as alianças políticas, as atividades tribais e a ambientação cultural refletidas nas tabuinhas ajudam muito a ilustrar o estilo geral de vida do povo nesse período.

Um dólmen funerário nas colinas de Golã. Dolmens semelhantes a este (pedras de pé, encimadas por uma pedra horizontal) também foram achados na Europa, sobretudo na Grã-Bretanha e na França.

Datas bíblicas

2091 a.C.	Abrão entra em Canaã
2066 a.C.	Nasce Isaque
2006 a.C.	Nasce Jacó
1991 a.C.	Morre Abraão
1886 a.C.	Morre Isaque
1876 a.C.	Jacó muda-se para o Egito

Datas relacionadas à Palestina

(Os períodos da história da Palestina recebem o nome do material então empregado.)

2200-2000 a.C. *(Bronze Médio I)*
As pessoas moravam principalmente em tendas. Não existiam cidades de relevância. Os mortos eram colocados em sepulturas, em dolmens (duas ou mais placas verticais de pedra, com uma pedra horizontal em cima; v. foto acima), ou em túmulos.

2000-1550 a.C. *(Bronze Médio II)*
Foram estabelecidas cidades maiores. Portões de cidades bem conservados, pertencentes a esse período, foram achados em Dã e em Ascalom. A Palestina mantinha contatos internacionais tanto com a Mesopotâmia quanto com o Egito.

Datas egípcias

(Os períodos da história do Egito são definidos principalmente pelas dinastias faraônicas.)

2160-2010 a.C. *(Primeiro Período Intermediário: Dinastias IX e X)*
Época de instabilidade no Egito. Abraão visita o Egito nesse período (Gn 12.10-20).

2106-1786 a.C. *(Reino Médio: Dinastias XI e especialmente XII. Os períodos coincidem parcialmente, uma vez que, durante algum tempo, o Egito foi um país dividido.)*
Época de estabilidade e prosperidade no Egito. José e posteriormente Jacó e seus filhos mudam-se para o Egito.

1786-1550 a.C. *(Segundo Período Intermediário: Dinastias XIV-XVII)*
A opressão de Israel começa provavelmente durante as dinastias XV e XVI (as dinastias dos hicsos; Êx 1.8,9).

Gênesis 12—50

O início da história da redenção
Abraão, Isaque, Jacó e José

Então o SENHOR disse a Abrão: "Saia da sua terra, do meio dos seus parentes e da casa de seu pai, e vá para a terra que eu lhe mostrarei.
Farei de você um grande povo,
e o abençoarei. Tornarei famoso o seu nome,
e você será uma bênção. Abençoarei os que o abençoarem
e amaldiçoarei os que o amaldiçoarem;
e por meio de você
todos os povos da terra serão abençoados".
— GÊNESIS 12.1-3

Depois dessas coisas o SENHOR falou a Abrão numa visão:
"Não tenha medo, Abrão! Eu sou o seu escudo; grande será a sua recompensa!" [...]
Levando-o para fora da tenda, disse-lhe: "Olhe para o céu e conte as estrelas,
se é que pode contá-las". E prosseguiu: "Assim será a sua descendência".
Abrão creu no SENHOR, e isso lhe foi creditado como justiça.
— GÊNESIS 15.1,5,6

7. A história de Terá (Gn 11.27—25.11)

A história de Abraão, registrada provavelmente por Abraão e por Isaque. Os últimos versículos do capítulo 11 fornecem o elo genealógico entre Terá e Abraão, ao passo que a própria história de Abraão começa no capítulo 12.

O chamado de Abraão — Gn 12.1-3

Aqui começa a história da redenção. Temos apenas indícios dela no jardim do Éden (Gn 3.15). Agora, 400 anos depois do Dilúvio, Deus chama Abraão para ser o fundador de uma nação por meio da qual Deus concretizaria a restauração e a redenção da raça humana.

Deus prometeu a Abraão, homem justo que creu em Deus, e não nos ídolos dos povos que o cercavam, que seus descendentes:

1. herdariam a terra de Canaã;

2. seriam uma grande nação;
3. seriam uma bênção para todas as nações.

Essa promessa (12.2,3; 22.18) serve de fundamento para o restante da Bíblia. Deus chamou Abraão pela primeira vez em Ur (Gn 11.31; At 7.2-4) e de novo em Harã (12.1-4), em Siquém (12.7), em Betel (13.14-17) e duas vezes em Hebrom (15.5, 18; 17.1-8). A promessa foi repetida a seu filho Isaque (26.3,4) e a seu neto Jacó (28.13,14; 35.11,12; 46.3,4). As mesmas promessas também são encontradas posteriormente na aliança que Deus fez com Davi (v. "2Sm 7: Deus promete a Davi um trono eterno").

Parece, em conformidade com 11.26,32, 12.4 e Atos 7.2-4, que Abraão nasceu quando seu pai tinha 130 anos de idade, e infere-se de 11.6 que Abraão não era o primogênito. Tinha 75 anos quando entrou em Canaã e cerca de 80 quando fez o salvamento de Ló e se encontrou com Melquisedeque. Estava com 86 anos quando Ismael nasceu, com 99 quando Sodoma foi destruída, com 100 quando Isaque nasceu, com 137 por ocasião da morte de Sara e com 160 quando Jacó nasceu. Morreu aos 175 anos de idade, 115 anos antes de Jacó migrar para o Egito.

As promessas que Deus fez a Abraão	
"Farei de você um grande povo..." (você terá numerosos descendentes)	Gênesis 12.2; 13.16; 15.18 etc.
"e o abençoarei"	Gênesis 12.2
"Tornarei famoso o seu nome..."	Gênesis 12.2
"você será uma bênção"	Gênesis 12.2
"Abençoarei os que o abençoarem..."	Gênesis 12.3
"amaldiçoarei os que o amaldiçoarem"	Gênesis 12.3
Bênção divina para os judeus, bem como para os gentios	Gênesis 12.3; 22.18; 26.4 (v. Gl 3.16)
Seus descendentes ocuparão Canaã	Gênesis 15.18; 17.8
A promessa é eterna	Gênesis 13.15; 17.7,8,13,19; 48.4
Reis descenderão dele	Gênesis 17.6,8
Deus será o Deus de Israel para sempre	Gênesis 17.7,8

Gn 12.4-9 A entrada de Abraão em Canaã

(V. mapa na p. seguinte.)

Harã, cerca de 965 km a noroeste de Ur e 643 km a nordeste de Canaã, foi o primeiro lugar em que Abraão parou. Tinha saído de Ur à procura de uma terra onde pudesse edificar uma nação livre da idolatria, sem saber seu destino (Hb 11.8). Harã, porém, já era uma região extensamente povoada, com estradas até a Babilônia, a Assíria, a Síria, a Ásia Menor e o Egito, ao longo das quais caravanas e exércitos marchavam constantemente. Portanto, depois da morte de Terá, seu pai, Abraão, seguindo o chamado de Deus, seguiu adiante em busca de uma terra mais esparsamente povoada.

Siquém, a primeira parada de Abraão em Canaã, no centro daquela terra, ficava em um lindo vale entre o monte Ebal e o monte Gerizim. Ali Abraão construiu um altar a Deus, mas logo seguiu viagem para o sul, continuando a exploração da terra.

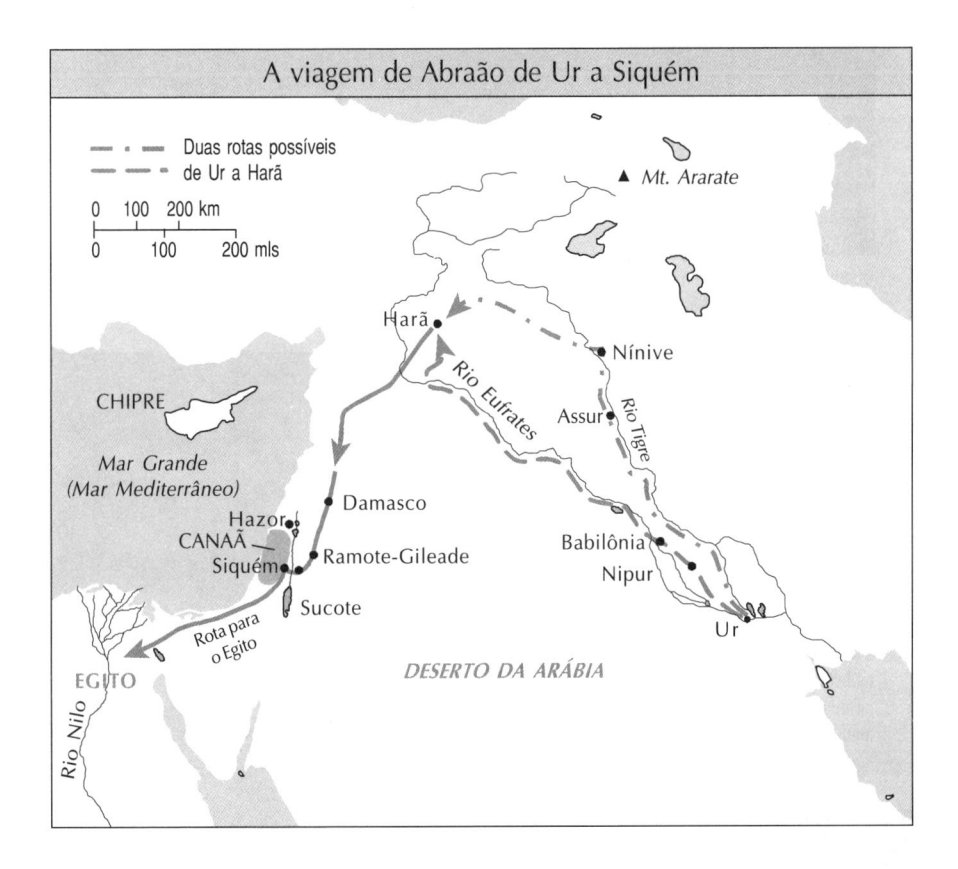

A viagem de Abraão de Ur a Siquém

Betel, 32 km ao sul de Siquém e 16 km ao norte de Jerusalém, foi a parada seguinte de Abraão. Era um dos pontos mais elevados de Canaã, com uma vista magnífica em todas as direções. Abraão estava viajando pela crista da cordilheira, provavelmente porque o vale do Jordão a leste e a planície marítima costeira, a oeste, já estavam razoavelmente bem povoados. Em Betel, ele também construiu um altar, como posteriormente fez em Hebrom e como já fizera em Siquém, não somente em reconhecimento a Deus, mas também como declaração pública de sua fé perante o povo no meio do qual viera morar. Certamente gostou de Betel, pois foi ali que se estabeleceu ao voltar do Egito, e ali ficou até a ocasião em que se separou de Ló (cap. 13).

Quando Abraão foi para o Egito, as pirâmides, incluindo-se as mais famosas, em Gizé (acima), já tinham quase 1500 anos de idade.

Nem todas as primeiras tentativas de levantar pirâmides, no século XXVI a.C., foram bem-sucedidas. A pirâmide mais antiga é a chamada pirâmide de degraus do faraó Djoser (à direita), uma estrutura estável. Mas a pirâmide de Maidum, que provavelmente foi concluída pelo faraó Snofru, da III Dinastia, foi uma questão diferente. O núcleo era uma grande pirâmide com oito degraus. Ao redor desse núcleo foi feito um aterro a fim de criar uma pirâmide verdadeira, com um revestimento externo. Por causa de uma conjunção de problemas no projeto e na construção, a parte externa da pirâmide cedeu em determinada ocasião, sobrando o núcleo cercado por um monte de entulho.

A pirâmide "encurvada" de Dashur (à esquerda) resultou de uma mudança no projeto depois de ter sido construída parte da pirâmide, talvez ocasionada pelo desmoronamento da pirâmide de Maidum. Segundo parece, os lados no projeto original eram demasiadamente íngremes.

Abraão no Egito — Gn 12.10-20

Saindo de Betel em direção ao sul, Abraão deve ter passado perto de Jerusalém. Por haver fome ali, foi morar no Egito até que a fome acabasse. Abraão até conseguiu arrumar problemas no Egito. Sua esposa, Sara, era bonita, e os governantes poderosos mantinham a prática de confiscar as mulheres belas para si, matando os respectivos maridos. O cauteloso subterfúgio de referir-se a Sara como "irmã" não foi exatamente uma mentira. Ela era sua meia-irmã (20.12). Casamentos entre parentes próximos eram comuns em épocas remotas, até que a expansão das famílias oferecesse escolhas mais amplas.

Abraão em Canaã

Mapa mostrando: Mar Grande (Mar Mediterrâneo), Dã, Mar da Galiléia, Rio Jordão, Siquém, Sucote, REGIÃO MONTANHOSA DE EFRAIM, Rio Jaboque, Betel, Ai, Salém, Hebrom, Gerar, Berseba, Mar Salgado, Sodoma, Gomorra, NEGUEBE, Zoar (Belá).

Abraão e Ló separam-se — Gn 13

Ló era sobrinho de Abraão. Tinham estado juntos desde que saíram de Ur, muitos anos antes. Mas agora suas manadas e rebanhos tinham aumentado muito, e os que deles cuidavam passaram a conten-der de tal maneira por causa das pastagens que pareceu melhor que se separassem. Abraão, com magnanimidade, concedeu a Ló a escolha dentre todas as terras da região. Ló, insensatamente, escolheu a planície de Sodoma. Abraão escolheu Hebrom, que passou a ser sua residência permanente a partir de então.

A visita de Abraão ao Egito

É bem conhecido o fato, revelado por inscrições e obras de arte egípcias, de que, no decurso da história do Egito, "asiáticos" provenientes de Canaã entraram no país por vários motivos. Temos, desde os dias dos patriarcas, e com data de talvez poucos anos antes de José entrar no Egito (c. 1891 a.C.), a pintura na parede do túmulo de Khum-hotep III, que retrata 37 asiáticos entrando no Egito com propósitos comerciais. As roupas bastante coloridas, tanto dos homens quanto das mulheres, estão bem representadas. Não é necessário, entretanto, tirar daí a conclusão de que os patriarcas eram mercadores/comerciantes, pois os asiáticos entravam no Egito por muitas razões, dentre as quais a obtenção de alimentos e de água para as famílias e rebanhos.

Tenda beduína da atualidade, provavelmente não muito diferente das tendas em que Abraão morou. A tenda era (e em algumas partes do Oriente Médio ainda é) a habitação mais cômoda e lógica para um povo não-sedentário. Não reflete necessariamente um modo de vida primitivo nem pobreza ou falta de luxo: Abraão era um homem rico.

Gn 14 — Abraão derrota reis babilônicos

Abraão queria livrar Ló e talvez tivesse qualidades de gênio militar. Com 318 de seus homens e alguma ajuda da parte de seus vizinhos, pôs em fuga esses quatro reis mediante um ataque de surpresa à meia-noite. Os exércitos da época eram pequenos, e os "reis" eram, na realidade, príncipes tribais. Abraão era um tipo de rei, talvez o chefe de um clã de tamanho razoável.

Os reis mencionados em Gênesis 14 aparecem somente no texto bíblico. (A conjecturada identificação entre o Anrafel da Bíblia e o rei Hamurábi da Babilônia não é muito plausível.) Sabe-se, segundo os documentos de escrita cuneiforme descobertos em Mari e em outros lugares, que no período patriarcal os reis muitas vezes faziam alianças para guerrear contra outros reis — situação que se vê refletida em Gênesis 14.

Melquisedeque (v. 18-20)

O que resta do portão da cidade de Dã, da época de Abraão, é visto aqui sob uma cobertura de proteção. Abraão perseguiu "até Dã" os reis que tinham levado cativo seu sobrinho, Ló. Abraão nem imaginava que alguns de seus descendentes (no Reino do Norte) posteriormente iriam "até Dã" a fim de adorar ali um bezerro de ouro, em vez de adorar ao Deus verdadeiro (1Rs 12.30).

Sacerdote-rei de Salém (Jerusalém). Uma tradição hebraica diz que se tratava de Sem, filho de Noé e sobrevivente do Dilúvio — que ainda vivia como o homem mais velho do mundo na época. Na era patriarcal, ele seria sacerdote de toda a espécie humana. Se for assim, seria indício de que, imediatamente depois do Dilúvio, Deus já escolhera Jerusalém para servir de cenário da redenção humana. Melquisedeque, sendo tanto sacerdote quanto rei, foi figura e "tipo" de Cristo (Sl 110; Hb 5—7). O que sabemos com certeza é que ele invocou uma bênção sobre Abraão, e este, em resposta, entregou-lhe o dízimo, que era a décima parte de todas as suas posses. Muitos cristãos hoje em dia seguem o exemplo de Abraão, oferecendo a Deus seus dízimos por meio de suas igrejas e de outros ministérios. Por certo eles também recebem as bênçãos de Deus.

Deus renova suas promessas a Abraão — Gn 15—17

Deus renovou sua aliança com Abraão de modo bem visível, mediante o costume antigo de passar entre os pedaços de animais sacrificados. Essa ação solene representava o juramento entre as partes contratantes da aliança: "Assim seja feito comigo se eu não cumprir meu juramento e compromisso".

As promessas incluíram a predição de que, antes de seus descendentes passarem de fato a habitar em Canaã, passariam 400 anos num país estrangeiro (15.13), ou seja, no Egito. Além disso, quando Abraão tinha 100 anos, e Sara, 90, foi prometido que nasceria seu herdeiro, Isaque. A impaciência do casal, no tocante ao cumprimento dessa promessa por parte de Deus, levou os dois a pedir a cooperação de sua serva, Hagar. Esse era o costume da época para garantir o nascimento de um herdeiro masculino. Treze anos mais tarde, Deus lembrou a Abraão que ele precisava cumprir sua parte na aliança. O nome "Isaque" significa "ele ri" — nome dado por Deus, muito possivelmente em resposta à incredulidade inicial de Abraão e de Sara (17.17; 18.12).

Deus também instituiu a circuncisão como símbolo da aliança com Abraão e seus descendentes, a marca física dos descendentes masculinos de Abraão como membros da nação de Deus.

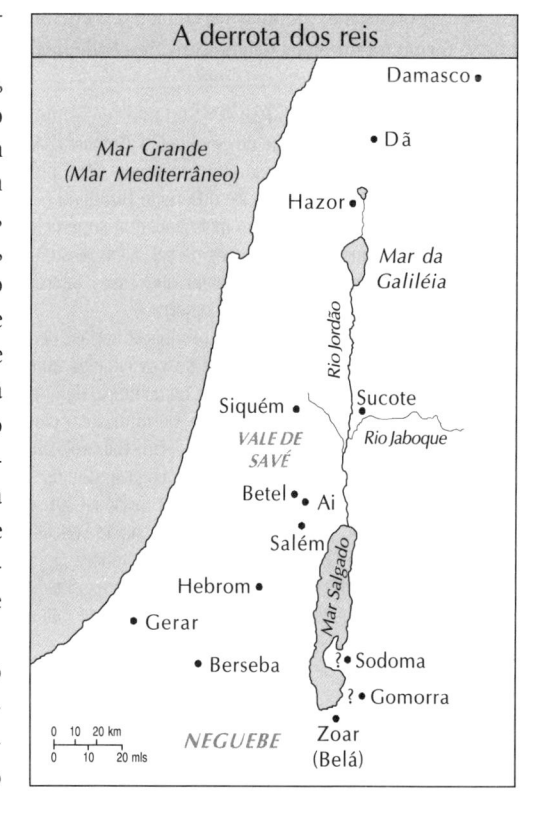

É interessante observar que os árabes, que se consideram descendentes de Ismael, são circuncidados aos 13 anos de idade. Para esse povo, e para outros, a circuncisão serve de rito de passagem da infância para a idade adulta.

Sodoma e Gomorra — Gn 18 e 19

Essas duas cidades eram antros de iniquidade. Estavam localizadas não muito longe de Hebrom, onde residia Abraão, e de Jerusalém, onde residia Melquisedeque. Passaram-se apenas 400 anos desde o Dilúvio, quase ao alcance da memória de algumas pessoas que ainda viviam. Apesar disso, já se haviam esquecido da lição da destruição cataclísmica da raça. E Deus "fez chover do céu fogo e enxofre sobre Sodoma e Gomorra", a fim de reavivar a memória dos homens e advertir da ira de Deus que está reservada aos ímpios — e também, talvez, como prenúncio da condenação final da terra num holocausto de fogo (2Pe 2.5,6; 3.7,10; Ap 8.5,7; 9.17,18; 16.8).

Jesus assemelhou o tempo da Segunda Vinda aos dias de Sodoma (Lc 17.26-32) e aos dias anteriores ao Dilúvio. Trata-se de dois períodos de indescritível maldade. Hoje, com a ganância, a irracionalidade, o crime e os conflitos raciais e religiosos grassando em escala nunca antes conhecida na história, não é preciso muito esforço de imaginação para vermos o fim para onde nos vamos precipitando, apesar de todas as tentativas de homens bons e estadistas para evitá-lo. A menos que advenha um movimento de arrependimento em escala mundial, o dia da condenação poderá não estar muito longe.

Os filhos nascidos às filhas de Ló (v. 37,38) deram início à linhagem dos moabitas e dos amonitas, que se tornaram inimigos figadais dos descendentes de Abraão (1Sm 14.47; 2Cr 20.1).

> NOTA ARQUEOLÓGICA: Sodoma e Gomorra.
> A localização exata de Sodoma e Gomorra, Admá, Zeboim e Zoar (v. Gn 14) é desconhecida. Os estudiosos geralmente têm procurado sítios próximos à extremidade sul do mar Morto, onde o nome "Zoar" foi preservado até o Período Bizantino (séculos IV-VI d.C.). O mar Morto situa-se 396 m abaixo do nível do mar — o ponto mais baixo da superfície terrestre. A área em redor é uma paisagem desolada, com numerosas formações de sal. Além disso, massas negras de betume sobem flutuando até a superfície, e alguns têm afirmado que esses fatores, junto com atividades sísmicas, podem ter levado à destruição de Sodoma e Gomorra.
> Embora tenha havido pesquisas sérias, nenhuma identificação se mostrou inquestionável. Ao que parece, não existem ruínas dessas cidades abaixo da extremidade sul do mar Morto — cujo nível tem baixado em anos recentes —, ao contrário do que alguns estudiosos da Bíblia têm imaginado. Ao longo da extremidade sudeste do mar Morto existem cinco grandes sítios arqueológicos que remontam à baixa Idade do Bronze (3150-2200 a.C.): Bab edh-Dhra, Numeira, Zoar, Feifa e Khanazir. Vários desses sítios tinham fortificações maciças, e alega-se que os sepultamentos referentes à baixa Idade do Bronze nessa região totalizam mais de 500 mil pessoas! Na superfície de vários desses sítios, existe uma substância esponjosa, negra, semelhante ao carvão vegetal, que alguns têm procurado relacionar à destruição de Sodoma e Gomorra. Por enquanto, embora cinco sítios e cinco cidades sejam mencionadas em Gênesis 14, é difícil sustentar que essas sejam as cinco "cidades da planície" mencionadas na Bíblia, visto que, segundo quase todo sistema de cálculo de datas arqueológicas, sua data deve ser anterior à época dos patriarcas.

Gn 20 — Sara e Abimeleque

Embora Hebrom fosse seu principal lugar de residência, Abraão mudava-se de tempos em tempos para vários locais à procura de pasto para seus rebanhos. Em Gerar, cidade filistéia a uns 64 km a oeste de Hebrom, perto da orla marítima, teve outra experiência semelhante à que tivera com o faraó (12.10-20). Sara certamente deve ter sido extremamente bela para atrair a atenção de reis, especialmente se considerarmos sua idade. Isaque e Rebeca tiveram uma experiência semelhante em Gerar com um rei filisteu posterior, também chamado Abimeleque (cap. 26).

Gn 21 — O nascimento de Isaque

Ismael estava com cerca de quinze anos de idade na ocasião (v. 5,8; 16.16). O apóstolo Paulo usou a história desses dois meninos como alegoria da aliança mosaica e da aliança cristã (da velha e da nova aliança; Gl 4.21-31).

Berseba (v. 30,31), onde Abraão, Isaque e Jacó moraram durante boa parte do tempo, ficava no extremo da fronteira sul de Canaã, a uns 32 km a sudoeste de Hebrom e cerca de 240 km do Egito. Era um lugar de "sete poços". Os poços eram propriedades de valor inestimável numa região semi-árida como aquela.

Abraão oferece Isaque — Gn 22

Foi uma prova da fé de Abraão. Observe que Deus não o "tentou". Deus não nos tenta (Tg 1.13), mas sim nos prova para confirmar nossa fé (Êx 20.20) ou para comprovar nossa dedicação a ele (Dt 8.2). Por outro lado, Satanás, sim, nos tenta (1Co 7.5), num esforço para nos levar a cair e para nos separar da vontade de Deus em nossa vida.

Deus prometera que Isaque seria pai de nações (17.16). Aqui, porém, Deus ordena que Isaque seja morto antes de ter filhos. Abraão creu que Deus proporcionaria um sacrifício alternativo ou restituiria a vida a Isaque (Hb 11.19). Não sabemos de que maneira Deus fez chegar a Abraão a referida ordem, mas Abraão não deve ter tido a mínima dúvida de que se tratava da voz de Deus, porque certamente não se teria disposto a executar uma tarefa tão cruel e revoltante sem a plena certeza de que Deus assim ordenara. A idéia originara-se em Deus, não em Abraão.

O sacrifício de Isaque foi uma prefiguração da morte de Cristo. Trata-se de um pai oferecendo seu filho único (Isaque era o "filho único" da promessa, 21.2). O filho ficou morto durante três dias (na mente de Abraão, v. 4). Uma substituição. Um sacrifício real. E isso aconteceu no monte Moriá, o mesmíssimo local onde dois mil anos depois o próprio Filho de Deus foi oferecido. Tratou-se, portanto, de uma prefiguração, já nos tempos do nascimento da nação judaica, do grande acontecimento que ela nasceu para concretizar.

Exterior do túmulo dos Patriarcas, em Hebrom. Segundo a tradição, foi edificado no local da caverna de Macpela. Os enormes muros externos remontam a Herodes, o Grande, e dão uma idéia de qual teria sido a aparência original dos muros externos da área do Templo.

Moriá

Embora não se conheça a localização exata do lugar em que Abraão tentou sacrificar Isaque, o versículo 2 diz que era na "região de Moriá". O autor de Crônicas (2Cr 3.1) mostra que foi no mesmo local ou nas proximidades que Salomão posteriormente construiu o primeiro templo. Hoje uma construção muçulmana, o Domo da Rocha, erigido em 691 d.C., ocupa a parte mais alta da rocha natural daquela área. Esse local preserva as tradições acima, bem como a tradição islâmica de que foi a partir desse mesmo local que Maomé fez sua viagem noturna ao céu.

Gn 23 — A morte de Sara

Em Hebrom, diante do portão da cidade, Abraão comprou a caverna de Macpela a fim de enterrar ali sua esposa, Sara. Hoje, na parte mais antiga de Hebrom, existe uma grande estrutura chamada caverna de Macpela, lugar sagrado para judeus, cristãos e muçulmanos, atualmente inacessível a todos. O exterior da estrutura é composto de grandes pedras herodianas (37-4 a.C.), e dentro desse recinto existem os restos de uma igreja bizantina/cruzada, de uma mesquita e de uma sinagoga. Existem três pares de túmulos honorários (acima do nível do chão): um par em memória de Abraão e de Sara, outro em memória de Isaque e de Rebeca e outro ainda em memória de Jacó e de Lia. As câmaras subterrâneas não foram investigadas de modo completo, e não há relatos a respeito delas, mas os trabalhos em pedra ali visíveis também parecem ser herodianos.

Gn 24 — O noivado de Isaque e Rebeca

Rebeca era prima em segundo grau de Isaque. O propósito de Abraão ao enviar seu servo principal (provavelmente Eliézer de Damasco; v. 15.2) de volta ao povo do próprio Abraão a fim de procurar uma esposa para Isaque era resguardar sua posteridade da idolatria. Se Isaque se tivesse casado com uma moça cananéia, quão diferente poderia ter sido a história de Israel! Que lição para a juventude na questão da escolha do cônjuge!

Gn 25.1-11 — A morte de Abraão

Sara morreu aos 127 anos de idade, e nessa época Abraão estava com 137. Viveu mais 38 anos depois disso, e nesse período casou-se com Quetura. Esta lhe deu seis filhos, dos quais surgiram os midianitas. Quinhentos anos mais tarde, Moisés se casaria com uma mulher midianita (Êx 2.16-21). Em termos gerais, Abraão foi "o maior, o mais puro e o mais venerável dos patriarcas, reverenciado por judeus, muçulmanos e cristãos", amigo de Deus, pai dos fiéis. Generoso e altruísta, porém plenamente humano. Um homem de caráter magnífico, com ilimitada confiança em Deus.

8. A história de Ismael (Gn 25.12-18)

Oitavo documento de Gênesis (v. p. 69). Ismael foi filho de Abraão com Hagar, a serva egípcia de Sara (cap. 16). Os ismaelitas fizeram da Arábia sua moradia e se tornaram conhecidos em geral como árabes. Abraão, portanto, tornou-se pai do atual mundo árabe. A rivalidade entre Isaque e Ismael tem perdurado no decurso dos séculos, no antagonismo existente entre judeus e árabes.

9. A história de Isaque (Gn 25.19 — 35.29)

Nono documento de Gênesis (v. p. 69). Contém a história de Isaque e de Jacó, transmitida por este a seus filhos.

O nascimento de Jacó e de Esaú — Gn 25.19-34

Esaú, o primogênito, seria o herdeiro natural de Isaque e também herdaria as promessas que Deus fizera a Abraão. Deus, porém, conhecendo as qualidades dos dois homens antes de nascerem, escolheu Jacó para ser o transmissor da preciosa herança. Deus deu a entender esse fato à mãe deles (v. 23), e foi dentro dessa estrutura que Jacó fez seu trato com Esaú (v. 31).

O negócio que Jacó fechou com Esaú garantiu-lhe o direito de primogenitura que Deus, desde o início, pretendia que recebesse. O fato de Esaú ter transferido sua primogenitura em troca de uma refeição demonstrou que ele foi "profano" (Hb 12.16), ainda que no cerne da primogenitura existissem as promessas segundo a aliança, que Isaque herdara de Abraão. O detentor do direito de primogenitura, geralmente o filho mais velho, também recebia no mínimo uma porção dupla das propriedades do pai por ocasião da morte deste.

Da linhagem da promessa segundo a aliança foram excluídos todos os filhos de Abraão, menos Isaque. Dos filhos de Isaque, foi excluído Esaú, sendo Jacó o único escolhido. Com Jacó, cessou o processo de triagem, e todos os seus descendentes foram incluídos no povo eleito.

Isaque entre os filisteus — Gn 26

Não há muita informação a respeito da vida de Isaque, a não ser esse incidente com Abimeleque e a contenda por causa dos poços. Isaque herdara a maior parte dos numerosos rebanhos e manadas do pai. Era próspero e pacífico, e sua vida foi destituída de acontecimentos marcantes.

Note que os patriarcas não somente tinham ovelhas, cabritos, camelos e jumentos, mas também participavam de uma vida mais sedentária, pois "Isaque formou lavoura naquela terra e no mesmo ano colheu a cem por um, porque o SENHOR o abençoou" (v. 12).

Isaque nasceu quando Abraão tinha 100 anos de vida, e Sara, 90. Estava com 37 anos quando lhe morreu a mãe, 40 quando se casou, 60 quando nasceu Jacó, 75 quando morreu Abraão, 137 (?) quando Jacó fugiu, 157 (?) quando Jacó voltou e 167 quando José foi vendido. Morreu aos 180 anos, no mesmo ano em que José se tornou governante do Egito. Abraão viveu 175 anos; Isaque, 180; Jacó, 147; José, 110.

A declaração a respeito dos "preceitos, mandamentos, decretos e leis" de Deus parece revelar que os primórdios da Palavra de Deus escrita já existiam nos dias de Abraão.

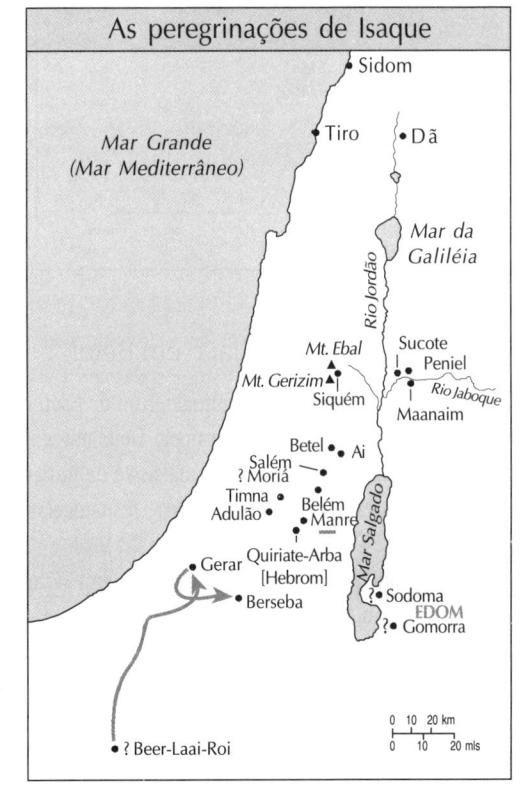

Gn 27 — Jacó obtém a bênção do pai

Jacó já havia comprado de Esaú o direito de primogenitura (25.31-34). Ainda era necessário conseguir que seu pai validasse a transferência, impetrando sobre ele a bênção correspondente. Para isso, empregou meios fraudulentos. Na avaliação da qualidade moral do ato de Jacó, vários fatos devem ser levados em conta: 1) estava executando o plano da própria mãe; 2) desejava o direito de primogenitura, porque era este o canal para a promessa divina de bênçãos para o mundo inteiro; 3) pensava, segundo seu simples entendimento humano, que não havia outra maneira de obtê-lo; 4) Esaú não dava o mínimo valor a esse direito; 5) Jacó pagou caro por sua fraude (v. "Gn 29: A estada de Jacó em Harã"); 6) o próprio Deus, lançando os alicerces de seus planos para o mundo (Rm 9.10-13), fizera a escolha antes de nascerem os meninos (25.23).

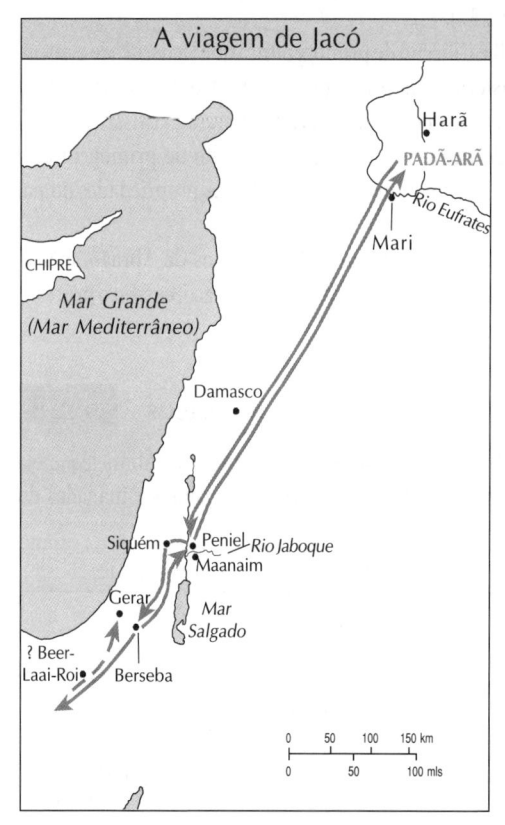

As predições de Isaque (v. 29,40). Por certo, foi Deus quem colocou essas palavras na boca de Isaque, pois realmente se cumpriram. Os descendentes de Jacó de fato alcançaram uma posição dominante entre as nações e, no devido tempo, produziram a pessoa de Cristo. Os descendentes de Esaú, os edomitas, ficaram subservientes a Israel. Em tempos posteriores, livraram-se do jugo de Israel (2Rs 8.20-22), mas por fim desapareceram da história.

Gn 28 — A visão de Jacó em Betel

A transferência do direito de primogenitura de Esáu para Jacó já fora ratificada por Isaque. Na presente ocasião, é ratificada no céu. O próprio Deus assegura a Jacó que dali em diante será ele o portador reconhecido das promessas. A escada serve de indício de que as promessas culminariam em algo que servisse de ligação entre o céu e a terra. Jesus declarou ser ele mesmo essa escada (Jo 1.51) e o único Mediador entre Deus e os homens (1Tm 2.5).

Julga-se que por essa época Jacó estava com 77 anos de idade. Tinha 15 quando Abraão morreu, 84 quando se casou, 90 quando lhe nasceu o filho José, 98 quando regressou a Canaã, 120 quando Isaque morreu, 130 quando foi para o Egito e 147 anos de idade quando morreu.

Passou seus primeiros 77 anos em Canaã, os 20 seguintes em Harã, seguidos por 33 em Canaã e os últimos 17 no Egito.

A estada de Jacó em Harã — Gn 29 e 30

Harã ficava uns 640 km a nordeste de Canaã. Foi onde se criou Rebeca, a mãe de Jacó, e de onde seu avô Abraão migrara muitos anos antes. Labão era tio de Jacó, e este passou vinte anos ali. Foram anos de privações e de sofrimento para Jacó. Foi-lhe impingida com fraude uma esposa que não queria, da mesma forma que ele mesmo lançara mão de uma fraude para obter a bênção do próprio pai. Começara a colher exatamente o que semeara.

A família de Jacó

Jacó tinha duas esposas e duas concubinas, as quais, com exceção de uma, ele não quis, sendo obrigado a aceitar todas elas. Dessas mulheres lhe nasceram doze filhos:

- **De Lia:** Rúben, Simeão, Levi, Judá, Issacar e Zebulom.
- **De Raquel:** José e Benjamim.
- **De Zilpa, serva de Lia:** Gade e Aser.
- **De Bila, serva de Raquel:** Dã e Naftali.

Essa família polígama, desacreditada por muitos fatos vergonhosos, foi aceita por Deus, de modo geral, para dar início às doze tribos que passaram a ser a nação messiânica escolhida por Deus para trazer o Salvador ao mundo. Isso mostra que:

- Deus usa os seres humanos assim como são para servir a seus propósitos. Por assim dizer, Deus faz o melhor que pode com o material humano à disposição.
- Esse fato não comprova que todas as pessoas que Deus usa serão eternamente salvas. A pessoa pode ser utilizada para servir aos propósitos divinos neste mundo sem, contudo, cumprir as condições necessárias para entrar no mundo eterno no dia em que Deus julgar os segredos das pessoas para lhes determinar o destino final (Rm 2.12-16).
- Os autores bíblicos eram sinceros e contavam a verdade. Nenhum outro livro narra com tamanha franqueza os pontos fracos de seus heróis e fatos tão contrários aos ideais que visa promover.

O regresso de Jacó a Canaã — Gn 31—33

Jacó partira de Canaã vinte anos antes, sozinho e de mãos vazias. (A essa altura da história, Isaque ainda vivia; Abraão morrera uns cem anos antes.) Agora, estava de volta como príncipe tribal, rico em rebanhos, manadas e servos. Deus cumprira a promessa feita a Jacó (28.15). As palavras de despedida que Labão dirigiu a Jacó (31.49) contêm a linda impetração de bênção de Mispá: "Que o Senhor nos vigie, a mim e a você, quando estivermos separados um do outro".

Quando Jacó partira de Canaã, anjos lhe haviam desejado uma viagem abençoada (28.12). Agora, em seu regresso, anjos lhe davam as boas-vindas (32.1). Jacó estava tomando posse de sua herança na terra prometida de Canaã. Até ali, Deus o havia acompanhado. Jacó lembrou-se de que Esaú jurara matá-lo (27.41) e orou pedindo que Deus continuasse a lhe dar proteção.

Jacó enviou à sua dianteira um grupo de pacificadores que levaram muitos presentes a seu irmão. Os enviados voltaram trazendo notícias de que Esaú estava chegando para encontrar-se com ele. Ainda sentindo medo, Jacó percebeu que precisava de Deus mais que nunca (32.24-30).

Naquela noite, Deus apareceu em forma de homem a Jacó. Jacó teve vantagem na luta contra "o homem" durante a noite inteira, mas Deus demonstrou ser mais poderoso que ele ao deslocar-lhe com um toque a articulação do quadril. Nessas circunstâncias, Jacó finalmente reconheceu que precisava da bênção divina. Da mesma maneira que Jacó reconheceu a Deus, assim também Deus reconheceu a Jacó ao mudar-lhe o nome para "Israel", que significa "ele luta com Deus".

Depois de Jacó ter tido esse encontro com Deus, viu Esaú aproximar-se com seus homens. Não demorou a se dar conta de que Esaú vinha a ele em paz. O encontro entre eles foi de reconciliação. Foi em paz que se separaram logo depois, e Jacó entrou em Canaã.

Gn 34 — Diná é vingada por Simeão e Levi

Siquém foi o primeiro lugar em que Jacó fez uma parada ao chegar de volta a Canaã. Ali ele comprou um terreno e construiu um altar a Deus, como se planejasse fazer do local sua moradia, pelo menos temporariamente. Mas o ato sanguinário de Simeão e Levi tornou-o detestável a seus vizinhos, e não demorou para seguir adiante até Betel.

Gn 35 — Deus renova a aliança em Betel

Betel foi o lugar em que vinte anos antes, em sua fuga de Canaã, Jacó vira a escada que levava até o céu e Deus o fizera herdeiro das promessas feitas a Abraão. Agora Deus torna a garantir-lhe que aquelas promessas serão cumpridas. Jacó constrói um altar como memorial do lugar em que Deus falara com ele. Posteriormente, enquanto seguiam para Efrata (Belém), Raquel deu à luz Benjamim. Infelizmente ela morreu no parto. Jacó fez um túmulo e a sepultou.

Depois disso, Jacó seguiu adiante, para Hebrom, a residência de Abraão e Isaque. Algum tempo depois de Jacó ter voltado, Isaque morreu, aos 180 anos de idade. Juntos, Jacó e Esaú sepultaram seu pai no túmulo da família.

10. A história de Esaú (Gn 36.1-43)

Décimo documento que compõe Gênesis (v. p. 69). Contém um breve relato da origem dos edomitas.

Esaú tinha um caráter profano e irreligioso; "desprezou" seu direito de primogenitura. Em comparação com Esaú, Jacó tinha melhores condições para ser o pai da nação messiânica de Deus.

(Quanto aos edomitas e à terra de Edom, v. p. 367-8.)

Os **amalequitas** (v. 12) eram uma linhagem dos descendentes de Esaú. Tratava-se de uma tribo nômade, localizada principalmente em torno de Cades, no norte da península do Sinai, mas que perambulava em círculos cada vez mais amplos, até alcançar Judá e pontos distantes a leste. Foram os primeiros a atacar Israel quando este deixou o Egito e durante o período dos juízes.

Jobabe (v. 34) teria sido, conforme pensam alguns, o próprio Jó do livro de mesmo nome. Elifaz e Temã (v. 10,11) são citados nominalmente em Jó. É possível que esse capítulo apresente a ambientação histórica e geográfica de Jó.

11. A história de Jacó (Gn 37.2—50.26)

O décimo primeiro e último documento que constitui o livro de Gênesis contém a história da migração de José e de Israel para o Egito. José, provavelmente mais que qualquer outro patriarca, foi um tipo ou símbolo do povo de Israel, que lutou com Deus e com os homens, mas, com a bênção de Deus, superou todas as circunstâncias. José foi uma fonte de bênção para todas as nações (12.2,3). Por meio de José, a família de Abraão passou a ser uma grande nação no Egito. Esses fatos antecederam o grande êxodo relatado no livro seguinte da Bíblia.

> "Não tenham medo. Estaria eu no lugar de Deus? Vocês planejaram o mal contra mim, mas Deus o tornou em bem, para que hoje fosse preservada a vida de muitos. Por isso, não tenham medo. Eu sustentarei vocês e seus filhos".
> GÊNESIS 50.19-21

José é vendido ao Egito — Gn 37

A **túnica longa** (v. 3) de muitas cores era sinal de favoritismo e possivelmente indicava que Jacó tinha a intenção de tornar José herdeiro do direito de primogenitura.

Rúben, o primogênito de Jacó, seria o herdeiro natural do direito de primogenitura. Foi, porém, desqualificado em virtude de suas relações ilícitas com uma das concubinas de seu pai (35.22; 49.3,4; 1Cr 5.1,2). **Simeão** e **Levi**, segundo e terceiro na linha da sucessão (29.31-35), foram deixados de lado por causa do crime que cometeram em Siquém (34.25-30; 49.5-7). **Judá**, o quarto filho, era o seguinte na linha sucessória, e a família talvez tivesse por certo que se passaria a ele o direito de primogenitura.

Quanto a José, embora fosse o décimo primeiro filho de Jacó, era o primogênito de Raquel. Sendo Raquel a esposa que Jacó mais amava e sendo José seu filho predileto (v. 3), essa túnica provocava suspeitas. Além disso, os sonhos que José teve a respeito de sua primazia (v. 5-10) agravaram ainda a situação.

Parece, portanto, que Judá e José eram rivais entre si no tocante ao direito de primogenitura. Talvez assim fique explicado por que Judá participou ativamente da venda de José como escravo (v. 26,27). A rivalidade entre Judá e José passou aos descendentes deles. As tribos de Judá e de Efraim (filho de José) disputavam entre si a supremacia. Judá assumiu a liderança nos reinados de Davi e de Salomão. Posteriormente, sob a liderança de Efraim, as dez tribos separaram-se (1Rs 12).

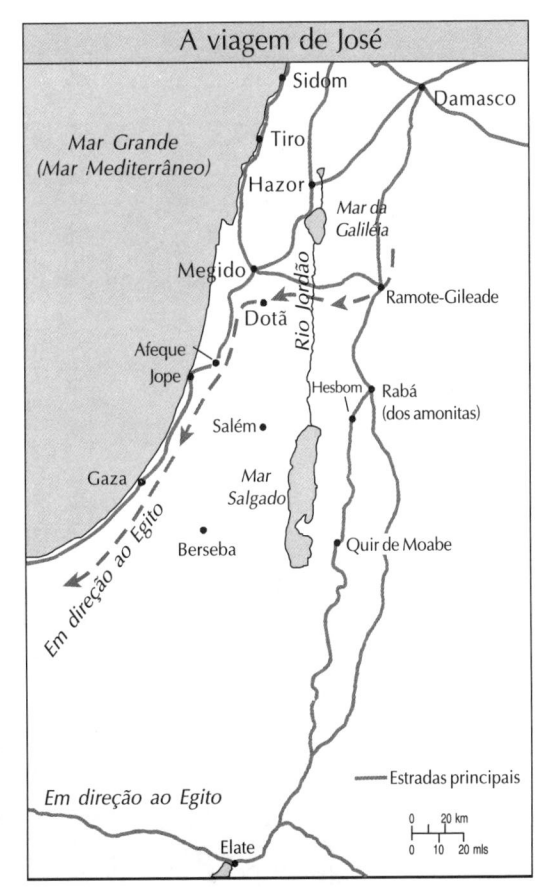

Os filhos de Judá — Gn 38

Esse capítulo foi incluído provavelmente porque Judá era antepassado do Messias, e um dos propósitos do AT era preservar os registros de todas as famílias inseridas na linhagem da sucessão, mesmo que contivessem alguns fatos não muito louváveis.

Gn 39 — José é preso

José era de caráter imaculado, extremamente bem-afeiçoado, com dons excepcionais de liderança e a capacidade de tirar o melhor partido de toda situação desagradável. Nasceu em Harã, 75 anos depois da morte de Abraão, 30 antes da morte de Isaque (quando seu pai estava com cerca de 90 anos de idade) e oito anos antes de voltarem para Canaã. Aos 30 anos de idade, tornou-se governante do Egito. Morreu aos 110.

José conquistou a atenção do faraó quando, como agente de Deus, interpretou os sonhos que esse governante tivera. José deixou claro que as interpretações pertencem a Deus (40.8). A interpretação transmitida por José foi que Deus estava para trazer sete anos de abundância seguidos por sete de fome. Com o sonho, Deus proporcionou ao faraó, que não conhecia a Deus, uma advertência e um plano de provisões para sustentar a população durante todo aquele período. O faraó reconheceu que o favor de Deus repousava sobre José e encarregou-o da administração de toda a terra do Egito.

Essas fotografias da Aldeia Faraônica, no Cairo, mostram o tipo de vida que José e seus descendentes podem ter tido em Gósen nos anos bons, antes de um novo faraó submeter os israelitas a trabalhos forçados nos empreendimentos de construção.

José é feito governador do Egito — Gn 40 e 41

José casou-se com uma filha do sacerdote de Om. Apesar de ter uma esposa pagã e de governar um reino pagão, manteve a fé que sempre teve, desde a infância, no Deus de seus pais, Abraão, Isaque e Jacó.

José revela sua identidade — Gn 42—45

Essa história tem sido considerada uma das mais belas de toda a literatura. O episódio mais tocante da história é quando Judá, que muitos anos antes tomara a iniciativa de vender José como escravo (37.26), agora se oferece como refém para garantir a liberdade de Benjamim (44.18-34).

Gn 46 e 47 — Jacó e a família fixam-se no Egito

Deus planejara que Israel fosse nutrido por algum tempo no Egito, que era a civilização mais adiantada daquele período histórico. Quando Jacó partiu de Canaã, Deus lhe garantiu que seus descendentes para lá voltariam (46.3,4).

Gn 48 e 49 — A bênção e a profecia de Jacó

Parece que Jacó dividiu ao meio o direito de primogenitura, no sentido de designar Judá como canal da promessa messiânica (49.10) e, ao mesmo tempo, de profetizar prestígio nacional a Efraim, filho de José (48.19-22; 49.22-26; 1Cr 5.1,2).

A profecia de Jacó a respeito das doze tribos forma um paralelo notável com a história subseqüente das tribos. "Siló" (v. 10) geralmente é considerado um nome do Messias. A tribo de Judá produziu Davi, e a família de Davi produziu Cristo.

Gn 50 — A morte de Jacó e de José

O corpo de Jacó foi levado de volta a Hebrom para ser sepultado. E José fez seus irmãos jurarem que, quando os israelitas voltassem a Canaã, levariam consigo os ossos dele. Essa crença de que Canaã seria sua pátria não foi esquecida. Quatrocentos anos depois, ao partir em direção a Canaã, os israelitas levaram consigo os ossos de José (Êx 13.19).

O Êxodo: Israel sai do Egito

Êxodo a Deuteronômio

O Egito

O atual Egito tem pouco mais de um milhão de quilômetros quadrados. Entretanto, 96% dessa região é desértica, e 99% da população habita os 4% de terras aproveitáveis, as quais se estendem ao longo do rio Nilo num vale de 3 a 48 km de largura, com uma largura média de 16 km e um comprimento de cerca de 1 206 km. Na região em que o Nilo desemboca no mar Mediterrâneo, e só ali, esse vale se alarga, formando um delta amplo através do qual fluem vários braços do rio. O delta, um triângulo, mede uns 160 km de norte a sul e uns 240 km de leste a oeste, entre Porto Said e Alexandria. É a parte mais fértil do Egito. A terra de Gósen, onde habitavam os israelitas, ficava na parte oriental do delta.

O solo do vale está coberto por um rico depósito negro de aluvião, de incomparável fertilidade, que é renovado todos os anos pelas enchentes do rio Nilo, que sobe, uma vez por ano, uma média de 7,5 m.

Cercada e protegida pelo deserto, desenvolveu-se nesse vale estreito do Nilo uma das primeiras grandes civilizações da história. Em nenhum outro lugar foram tão bem conservados os testemunhos de uma civilização antiga. O clima desértico e seco conservou, durante milhares de anos, materiais que teriam perecido há muito tempo em outros climas. Exemplos desses materiais são o papiro e o couro.

A população do Egito hoje é de cerca de 50 milhões de habitantes; na época do AT ficava entre 1,5 e 5 milhões.

Quando se deu o Êxodo?

Existem duas correntes principais de pensamento a respeito do Êxodo do Egito. A primeira, chamada **teoria da data recuada**, baseia-se numa interpretação literal de 1 Reis 6.1: "Quatrocentos e oitenta anos depois que os israelitas saíram do Egito, no quarto ano do reinado de Salomão em Israel, no mês de zive, o segundo mês, ele começou a construir o templo do Senhor".

Visto que Salomão começou a reinar em 970 a.C., o quarto ano do seu reinado seria 966 a.C. O texto declara que o Êxodo aconteceu 480 anos antes disso. Daí resulta o ano 1446 a.C. como a data aproximada do Êxodo. Se for certa essa teoria, Moisés teria crescido e vivido 40 anos na corte de três reis muito poderosos da XVIII Dinastia: Tutmés I, II e III. (Outros pormenores no tocante aos reis e faraós egípcios encontram-se na próxima seção.) Portanto, é possível — mas sem nenhuma certeza — que Hatchepsute tenha sido a princesa egípcia, referida em Êxodo 2, que adotou Moisés.

A cronologia interna do texto bíblico, ao ser cotejada com a cronologia egípcia, indicaria, portanto, que Moisés fugiu do Egito durante o longo reinado do poderosíssimo Tutmés III e regressou — depois de cuidar das ovelhas de Jetro durante 40 anos — à corte de Amenotepe II, durante cujo reinado conduziu os israelitas para fora do Egito (c. 1446 a.C.).

Os que sustentam a **teoria da data avançada** do Êxodo (c. 1290 a.C.) apontam para Êxodo 1.11: "Estabeleceram, pois, sobre eles chefes de trabalhos forçados, para os oprimir com tarefas pesadas. E assim os israelitas construíram para o faraó as cidades-celeiros de Pitom e Ramessés". Afirmam que o Ramessés aqui mencionado deve ser um dos faraós da XIX Dinastia com esse nome — em geral acredita-se que seja Ramessés II.

Os partidários das diferentes teorias apresentam argumentos e contra-argumentos que se baseiam em fatores originais da cronologia bíblica e egípcia, bem como nos resultados das escavações em Israel e na Jordânia relacionadas com a conquista daquela região pelos israelitas — cerca de 1400 a.C (data recuada) ou cerca de 1250 a.C. (data avançada). Sítios arqueológicos como Jericó, Ai e Hazor figuram com destaque nesse debate, porque a Bíblia diz que essas cidades foram queimadas e destruídas pelos israelitas invasores (v. o livro de Josué).

Todos, no entanto, concordam que Israel já estava na sua própria terra antes do quinto ano de Merneptá (c. 1231 a.C.). Numa estela de Merneptá é mencionado especificamente que Israel já habitava a terra de Canaã.

A data recuada — embora não esteja destituída de problemas — harmoniza-se melhor com os dados bíblicos e também com os extrabíblicos.

Quem foi o faraó do Êxodo?

Segundo os dados bíblicos, Jacó e sua família entraram no Egito por volta de 1876 a.C., que seria durante o reinado de Sesóstris III da XII Dinastia. Os reis da XV e XVI Dinastias eram "hicsos", uma linhagem semítica de conquistadores asiáticos, possivelmente aparentados dos israelitas, cujas invasões partiam da Síria.

É possível que "o novo rei, que nada sabia sobre José" (Êx 1.8), durante cujo reinado teve início a opressão, fosse um dos reis das dinastias dos hicsos. Como membro de uma elite pequena que governava, o rei hicso poderia ter temido que seus súditos mais numerosos fizessem um levante contra ele ("O povo israelita é agora numeroso e mais forte que nós", Êx 1.9). Os hicsos foram expulsos pelo rei Amés da XVIII Dinastia, por volta de 1570 a.C. É possível que, depois de expulsos os hicsos, a opressão dos israelitas chegasse mesmo a aumentar, visto que os hicsos, assim como os israelitas, eram semitas, e sua expulsão resultou numa reação anti-semítica generalizada. Amés, além disso, transformou a Palestina e a Síria em tributárias do Egito.

Amenotepe I (1545 a.C.)

Tutmés I (1529 a.C.). Ufanava-se de governar desde a terceira catarata do Nilo até o rio Eufrates, uns 1 120 km a nordeste do Egito. Primeiro túmulo real escavado na rocha.

Tutmés II (1517 a.C.). Hatchepsute, sua meia-irmã e esposa, era quem realmente governava.

Hatchepsute (1504 a.C.). Filha de Tutmés I. Regente no lugar de Tutmés II e Tutmés III. A primeira grande rainha da história. Uma mulher bastante notável, entre os maiores e mais vigorosos governantes do Egito. Mandou que muitas de suas estátuas a representassem como homem. Estendeu o Império e edificou muitos monumentos, como os dois obeliscos grandiosos de Carnac e o grande templo de Deir el Bahri, adornado com muitas estátuas dela mesma. Tutmés III a odiava, e, quando ela morreu, um de seus primeiros atos foi remover de todos os monumentos o nome dela e destruir todas as suas estátuas. As de Bahri foram despedaçadas, lançadas numa pedreira e cobertas por areias levadas pelo vento.

Tutmés III (1504 a.C.). A rainha Hatchepsute, sua meia-irmã, foi regente durante os primeiros anos de seu reinado, e, embora ele a desprezasse, ela o dominava. Tutmés III começou a reinar sozinho em 1482 a.C. Nesse ano, realizou a primeira de suas dezessete campanhas contra o Levante (região leste do mar Mediterrâneo entre a Grécia e o Egito) e assumiu o controle da área. Reinou sozinho 30 anos, após a morte de Hatchepsute. Foi o maior conquistador da história do Egito. Subjugou a Etiópia e governou as terras até o Eufrates, criando assim um império. Em dezessete ocasiões fez incursões contra a Palestina e a Síria. Acumulou enormes riquezas, ocupou-se de vastos empreendimentos de construção e registrou em detalhes, nos muros e nos monumentos, as suas realizações. Pensa-se que ele possa ter sido um dos opressores de Israel. Nesse caso, a famosa rainha Hatchepsute pode ter sido a filha do faraó que resgatou Moisés das águas e o criou.

Amenotepe II (1453 a.C.). Muitos estudiosos consideram ter sido ele o faraó do Êxodo. Manteve o império fundado por Tutmés III. É interessante que não há conhecimento de que ele tenha realizado campanhas militares na parte posterior de seu reinado — seria por causa da perda de seus carros e tropas no mar Vermelho?

Tutmés IV (1426 a.C.). O carro que montava foi descoberto nas escavações. Sua múmia está atualmente no Cairo.

Amenotepe III (1416 a.C.). Em seu reinado, o Império experimentou sua era de maior esplendor. Fez incursões contra Canaã durante os primeiros anos de reinado. Edificou vastos templos. Durante seus anos e os do seu sucessor, Aquenatem, foram escritos os documentos em cuneiforme descobertos em Tel el-Amarna. Sua múmia está no Cairo.

Aquenatem (1380 a.C.). Em seu reinado, o Egito perdeu o seu império asiático. Procurou estabelecer o culto monoteísta ao Sol.

Tutancâmon (1377 a.C.). Genro de Aquenatem. Restaurou a religião antiga. Foi um dos governantes menos importantes do Egito, no final do período mais brilhante da história da nação. Agora é famoso pelas riquezas fabulosas e a magnificência de seu túmulo, que foi descoberto por Howard Carter em 1922 — trata-se da primeira descoberta de um túmulo de faraó que não tivesse sido saqueado. O ataúde interno, que contém sua múmia, é feito de ouro maciço.

Ramessés II (1304 a.C.). Depois de vários governantes de categoria menor, Ramessés II foi um dos faraós mais grandiosos, embora fosse inferior a Tutmés III e Amenotepe III. Governou durante 67 anos e foi um grande construtor que fazia muita autopromoção, às vezes com plágio — em alguns casos, reivindicou para si o crédito das realizações de seus antecessores. Restabeleceu o Império, desde a Etiópia até o Eufrates, e fez repetidas incursões na Palestina, tomando despojos. Completou o grande vestíbulo de Carnac e outras obras grandiosas, dentre as quais fortificações, canais e templos, construídos por escravos capturados nas guerras ou prisioneiros do sul distante, lado a lado com a classe operária nacional, labutando em turmas nas pedreiras ou nos campos de tijolos ou arrastando enormes blocos de pedra sobre a terra mole. Alguns estudiosos o consideram o faraó do Êxodo (o chamado Êxodo de Data Avançada; v. seção anterior).

Merneptá (1236 a.C.) Em sua estela, menciona ter derrotado Israel — "Israel está devastado, sua descendência não existe" —, o que indica que Israel já estava na terra de Canaã.

Que rota os israelitas seguiram após o Êxodo?

Os livros de Êxodo e Números contêm uma boa quantidade de informações geográficas em sua narrativa do Êxodo e da viagem até a terra de Canaã. Entretanto, muitos dos locais e regiões mencionados permanecem desconhecidos. A razão principal disso é que a população das regiões desérticas ou ermas da península do Sinai, do Neguebe e de partes do sul da Transjordânia era nômade. Sem a continuidade de uma população sedentária, é quase impossível a preservação dos topônimos da Antigüidade.

A outra dificuldade é que os arqueólogos não descobriram restos que possam ser atribuídos aos israelitas naquelas regiões pelas quais viajaram. Era, porém, de esperar essa ausência, visto que um povo nômade, habitando em tendas e usando vasilhames de couro de animais, e não de cerâmica, deixasse para trás poucos restos permanentes.

Por tais motivos, os estudiosos têm opiniões divergentes quanto à localização até mesmo de pontos de referência importantes, como o mar Vermelho e o monte Sinai. Alguém alistou nove propostas diferentes que foram feitas quanto à localização do mar Vermelho (ou mar dos Juncos), incluindo três lagos perto do mar Mediterrâneo, quatro lagos ao longo da linha onde atualmente corre o canal de Suez, bem como o golfo de Suez e o golfo de Elate. Além disso, também existem 12 candidatos diferentes para o monte Sinai: cinco na parte sul da península do Sinai, quatro no norte, um no centro, um em Midiã (Arábia Saudita) e um em Edom (sul da Transjordânia).

Apesar dessas incertezas, é possível aventar umas poucas hipóteses:

1. Depois de partir de Ramessés (Tel el-Dab'a), os israelitas viajaram até Sucote (possivelmente Tel el-Maskhuta, no uádi Tumilat). Para evitar que o povo se desanimasse por causa de conflitos militares, "Deus não o guiou pela rota da terra dos filisteus, embora este fosse o caminho mais curto" (Êx 13.17). Essa rota bem conhecida de Sile até Gaza, atravessando o norte da península do Sinai, era aquela que os faraós Tutmés III e Amenotepe II tinham usado com tanta eficácia em suas freqüentes campanhas contra Canaã, e certamente seria bem guarnecida por tropas egípcias. Parece, portanto, excluída uma rota setentrional para o Êxodo.
2. Visto que os israelitas foram levados a "dar a volta pelo deserto, seguindo o caminho que leva ao mar Vermelho" (Êx 13.18), parece que estavam indo para sudeste em direção ao atual Suez. A localização de Etã ("fortaleza" em egípcio), Migdol ("fortaleza" em semítico), Baal-Zefom e Pi-Hairote é problemática. A hipótese de que Hairote se refere à baixada entre Jebel Geneife e os lagos Amargos é plausível, porém incerta. Etã e Migdol podiam ser quaisquer das várias fortalezas egípcias localizadas perto do atual canal de Suez.
3. Na etapa seguinte da viagem, os israelitas atravessaram o mar Vermelho. Visto que o texto hebraico significa literalmente "mar de Juncos", muitos estudiosos procuram uma localidade no lago/pântano próximo da junção entre os lagos Amargo Grande e Amargo Pequeno como tão plausível quanto qualquer outra. Segundo viajantes do século XIX, as águas naquele local não eram muito profundas, e chegam a mencionar que às vezes sua profundidade diminuía quando mudavam os ventos. Segundo o texto bíblico, o "SENHOR afastou o mar e o tornou em terra seca, com um forte vento oriental" (Êx 14.21).
4. A identificação entre o monte Sinai (Horebe) e Jebel Musa ("monte Moisés") baseia-se numa tradição cristã que remonta ao século IV d.C., 1 750 anos depois do ocorrido. Ali, durante o Período Bizantino (324-640 d.C.), foi estabelecido o Mosteiro de Santa Catarina. Embora os monges ortodoxos gregos de hoje gostem de indicar o local exato em que a Lei foi outorgada, o lugar em que foi levantado o bezerro de ouro, a planície em que os israelitas se acamparam, o ponto em que foi vista a sarça em chamas e assim por diante, a identificação sugerida entre o monte Sinai e Jebel Sin Bisher merece cuidadosa atenção. Sua localização está em conformidade com alguns dos dados bíblicos. Por exemplo: localiza-se a aproximadamente três dias de viagem do Egito (Êx 3.18; 5.3; 8.27), numa junção entre desertos que possui suprimentos razoáveis de água, e é possível que amalequitas tenham guerreado contra Israel pelo controle dessa junção

e das fontes de água (Êx 17). Fica perto do Egito, na estrada que levava diretamente de Midiã ao Egito, e por isso seria uma localização plausível para o episódio da sarça ardente. É possível que Moisés estivesse levando as ovelhas de Jetro ao longo dessa estrada, a fim de aproveitar as águas e as pastagens que se acham na margem oriental do delta do Nilo, quando o Senhor lhe apareceu na sarça em chamas. O texto declara que isso aconteceu perto da montanha na qual Moisés posteriormente adoraria a Deus (Êx 3.1). Sendo razoável tomar por certo que Moisés utilizou o caminho do deserto em sua volta ao Egito, o encontro entre ele e Arão "no monte de Deus" (Êx 4.27) pode muito possivelmente ter ocorrido nesse local.

5. A localização de Mara, onde as águas eram amargas (Êx 15.23), e de Elim, onde havia 12 fontes de água e 70 palmeiras (v. 27), depende de onde localizamos o monte Sinai. Se Jebel Sin Bisher for aceito como o monte Sinai, ficarão plausíveis as identificações de Mara e Elim com Bir Mara ("poço amargo" em árabe) e Ayun Musa ("fonte de Moisés"). Se for mantida a localização mais tradicional do Sinai, em Jebel Musa, também ficarão possíveis as identificações de Mara e Elim com Ein Hawwara e Gharandal.

O Egito e a Bíblia

Segundo o livro de Gênesis, o Egito foi povoado pelos descendentes de Cam (Gn 10.6; Mizraim é um nome antigo do Egito). Abraão passou algum tempo no Egito (Gn 12.10-20) e Jacó também (Gn 46.1—47.12). José foi governante do Egito (Gn 41.41-47). A nação dos hebreus, em seu período inicial, passou 400 anos no Egito. Moisés foi filho adotivo de uma rainha do Egito (Êx 2.1-10) e, em preparação para ser o legislador de Israel, foi instruído em toda a sabedoria e erudição do Egito. Jeremias morreu no Egito. Desde o Cativeiro até a época de Cristo, havia uma considerável população judaica no Egito. A *Septuaginta* (tradução grega do AT) foi produzida no Egito. Jesus passou parte da infância no Egito. O Egito veio a ser um importante centro do cristianismo nos primeiros séculos.

Êxodo

Os 400 anos no Egito
Israel deixa o Egito
Os Dez Mandamentos
O Tabernáculo

> Durante o dia o Senhor ia adiante deles, numa coluna de nuvem, para guiá-los no caminho, e de noite, numa coluna de fogo, para iluminá-los, e assim podiam caminhar de dia e de noite. A coluna de nuvem não se afastava do povo de dia, nem a coluna de fogo, de noite.
> — Êxodo 13.21,22

> Moisés respondeu ao povo: "Não tenham medo. Fiquem firmes e vejam o livramento que o Senhor lhes trará hoje, porque vocês nunca mais verão os egípcios que hoje vêem.
> O Senhor lutará por vocês; tão-somente acalmem-se".
> Disse então o Senhor a Moisés: "Por que você está clamando a mim?
> Diga aos israelitas que sigam avante".
> — Êxodo 14.13-15

O título desse livro é tirado da *Septuaginta*, a antiga tradução grega do AT. A palavra significa "saída" ou "partida". Êxodo é o segundo volume do *Pentateuco* (v. p. 468, 843). A opinião tradicional, sustentada pela maioria dos estudiosos da Bíblia, é que Moisés escreveu a maior parte do *Pentateuco* depois da saída dos israelitas do Egito, durante os 40 anos de peregrinações no deserto.

Êxodo oferece entendimentos a respeito da natureza de Deus, fornecendo também uma teologia fundamental no tocante a quem Deus é, como ele deve ser adorado e quais são suas leis, sua aliança com Israel e seu plano global de redenção. Por meio do êxodo do Egito, dos Dez Mandamentos e das leis registradas no Livro da Aliança, vemos o caráter amoroso e justo de Deus e obtemos maior compreensão da profundidade de sua santidade.

Êx 1   Israel no Egito

Entre a migração de Jacó ao Egito e o Êxodo transcorreu um total de 430 anos (12.40,41). Gênesis chega ao fim com o registro da morte de José, e o livro de Êxodo começa 300 anos mais tarde, com o nascimento de Moisés. Durante esses séculos, os israelitas tinham se tornado muito numerosos (v. 7). Na ocasião do Êxodo, havia 600 mil homens maiores de 20 anos de idade, além de mulheres e crianças (Nm 1.46), e calcula-se que o total dos israelitas giraria em torno de 3 milhões. Para que 70 pessoas se multiplicassem até atingir essa cifra em 430 anos, seria necessário que a população duplicasse a cada 25 anos em média, o que é inteiramente possível. (O crescimento da população dos Estados Unidos durante 400 anos, partindo de relativamente poucos até mais de 250 milhões, torna crível a declaração a respeito do crescimento dos israelitas — e isso ao se levar em conta que a população dos Estados Unidos cresceu em parte devido à imigração.)

Depois da morte de José, uma mudança de dinastia fez dos israelitas uma raça de escravos. Mas os registros das famílias de Abraão, Isaque e Jacó certamente foram levados ao Egito, e durante os longos anos de escravidão os israelitas acalentaram firmemente a promessa de que Canaã um dia seria sua pátria e eles seriam livres.

Produção de tijolos de barro secados ao sol. Esses tijolos deterioravam-se no decurso do tempo. Os tijolos de barro cozidos exigiam mais mão-de-obra, mas tinham maior duração e às vezes eram usados em paredes externas.

Moisés — Êx 2

O livro de Êxodo dá início à história de Moisés. Sua vida e obra são o assunto principal, não somente de Êxodo, mas também de Levítico, Números e Deuteronômio. Moisés destaca-se como um dos maiores homens (talvez o maior de todos) do mundo pré-cristão. Ele tomou uma raça de escravos e, em circunstâncias incrivelmente difíceis, constituiu-a em uma nação poderosa que alterou todo o curso da história.

Moisés era levita — membro da tribo de Levi (v. 1). A irmã que arquitetou o plano de seu livramento foi Miriã (15.20). É possível que seu pai fosse Anrão, e Joquebede, sua mãe (6.20), embora pudessem ter sido ancestrais mais distantes. E que mãe deve ter sido! Gravou tão perfeitamente em Moisés, na sua infância, as tradições de seu povo que nem o esplendor e as tentações do palácio pagão conseguiram erradicar aquelas primeiras impressões. Recebeu a educação mais refinada que o Egito lhe podia proporcionar, mas isso não lhe subiu à cabeça nem o fez perder a fé que tivera desde a infância.

Seus 40 anos no palácio

Acredita-se que Moisés, quando homem já feito, foi designado para exercer elevada função no governo do Egito. Segundo Josefo, ele comandou um exército no sul. Certamente deve ter alcançado poder, reputação e habilidade consideráveis, de outra forma, é improvável que tivesse empreendido a gigantesca tarefa do livramento de Israel, o que (segundo At 7.25) já tinha em mente quando interveio no espancamento de um escravo hebreu por um egípcio (v. 11-15). No entanto, embora tivesse consciência do poder que tinha, ele fracassou, porque o povo não estava pronto para sua liderança — nem o próprio Moisés estava preparado.

Seus 40 anos no deserto

Esses 40 anos, segundo a providência divina, fizeram parte do treinamento de Moisés. A solidão e as condições ásperas do deserto desenvolveram nele as qualidades de resistência que dificilmente teria adquirido no conforto do palácio. Familiarizou-o também com a região por onde conduziria Israel durante 40 anos.

O centro de Midiã (v. 15), país para onde Moisés fugiu, ficava na margem oriental do golfo de Ácaba, embora os midianitas também controlassem as regiões a oeste do golfo e também ao norte. Nos dias de Moisés, eles dominavam as ricas pastagens em redor do Sinai.

Moisés casou-se com uma midianita, Zípora (v. 21), filha de Jetro (também chamado Reuel; 2.18; 3.1). Jetro, como sacerdote de Midiã, deve ter sido o governante. Os midianitas também eram descendentes de Abraão, por parte de Quetura (Gn 25.2) e por certo possuíam tradições a respeito do Deus de Abraão. Moisés tinha dois filhos: Gérson e Eliézer (18.3,4).

Êx 3 e 4   A sarça em chamas

Depois de Moisés ter passado a vida meditando sobre os sofrimentos de seu povo e sobre as antigas promessas de Deus, veio-lhe finalmente, aos 80 anos de idade, a chamada divina para libertar Israel. Moisés, entretanto, já não era o mesmo homem autoconfiante que tinha sido em idade mais jovem. Relutava em ir e apresentava desculpas de todos os tipos. Acabou indo, porém, depois de ter recebido garantias da ajuda divina e de ter sido revestido de poder para operar milagres.

Êx 5   A primeira exigência de Moisés

O faraó foi insolente. Ordenou a seus feitores e capatazes que impusessem fardos ainda mais pesados sobre os israelitas: deviam produzir a mesma quantidade de tijolos que antes, mas agora também teriam de apanhar por conta própria a palha necessária para isso (v. 10-19). Moisés não tardou a perder a boa vontade dos israelitas, que não hesitaram em culpá-lo pelo aumento do nível da opressão. Deus continuou insistindo em que Moisés abordasse o faraó de novo, pedindo a soltura de Israel, e contasse aos israelitas que Deus não se esquecera de sua aliança com os israelitas.

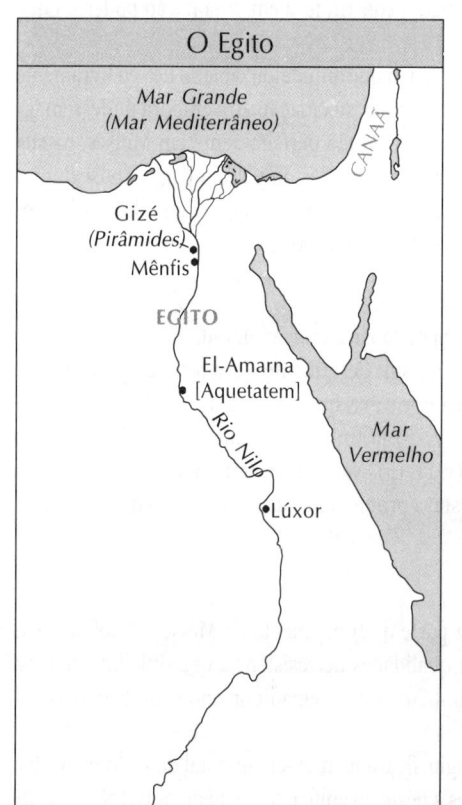

Êx 6   A genealogia de Moisés

Essa é considerada uma genealogia abreviada, que menciona somente os antepassados de maior destaque. Segundo essa genealogia, Moisés era neto de Coate, mas já em seus dias havia 8 600 coatitas (Nm 3.28). Existe, portanto, alguma incerteza quanto à tradução exata do versículo 20.

Êx 7   A primeira das dez pragas

As águas do Nilo foram transformadas em sangue. Os magos do faraó (Janes e Jambres; 2Tm 3.8) imitaram o milagre em escala menor. Seja qual tenha sido a natureza do milagre, os peixes morreram, e o povo não podia beber a água.

Para os egípcios, o Nilo era um deus. Sem o Nilo, o Egito seria um deserto destituído de vida.

As pragas das rãs, dos piolhos e das moscas   Êx 8

A rã representava Heqt, o deus egípcio da ressurreição. Diante da ordem de Moisés, as rãs saíram do Nilo em grande quantidade e encheram as casas. De novo, os magos imitaram o milagre, mas dessa vez o faraó se deixou persuadir e prometeu que deixaria Israel partir. Não demorou, porém, a mudar de idéia.

A terceira praga foi de piolhos. Arão, por ordem de Moisés, feriu com a vara o pó da terra, que se transformou em piolhos (ou mosquitos) que infestaram tanto os homens quanto os animais. Os magos tentaram imitar esse milagre, mas fracassaram — de fato ficaram convictos de que se tratava de uma intervenção divina. Cessaram seus esforços para opor-se a Moisés e aconselharam o faraó a ceder.

A quarta praga consistiu em enxames de moscas que cobriram o povo e encheram as casas dos egípcios. Não houve, entretanto, moscas entre os israelitas.

O faraó, porém, endureceu o coração (v. 15,32). O propósito de Deus era levar o faraó ao arrependimento. Quando, porém, uma pessoa se coloca contra Deus, até mesmo as misericórdias divinas resultam em maior endurecimento.

As dez pragas e os deuses do Egito

As dez pragas visavam aos deuses do Egito, e o propósito era dar provas do poder do Deus de Israel sobre esses deuses. Repetidas vezes se declara que, por meio desses milagres, tanto Israel quanto os egípcios viriam a "saber que o Senhor é Deus" (6.7; 7.5,17; 8.22; 10.2; 14.4,18). Posteriormente, no deserto, o maná e as codornizes tiveram o propósito de demonstrar o mesmo fato (16.6,12).

Nas cinco primeiras pragas, o faraó endureceu o coração por conta própria. Nas cinco últimas, foi Deus quem endureceu o coração dele. Sem essas pragas, Israel nunca teria sido libertado e não teria havido nenhuma nação hebréia.

Praga		Deus(es)
1. O Nilo é transformado em sangue	7.14-25	**Knum**, guardião do Nilo **Hapi**, espírito do Nilo **Osíris**, doador da vida, cuja corrente sangüínea era o Nilo
2. Rãs	8.1-15	**Hect**, deus da ressurreição, que também ajudava parturientes e tinha a forma de rã
3. Piolhos (mosquitos)	8.16-19	
4. Moscas	8.20-32	
5. Morte dos rebanhos	9.1-7	**Hátor**, a deusa-mãe, que tinha a forma de vaca **Ápis**, o deus-touro, personificação viva de Ptá (o deus-criador) e símbolo da fertilidade
6. Feridas purulentas	9.8-12	**Imotepe**, deus da medicina
7. Granizo	9.13-35	**Nute**, deusa do céu **Ísis**, deusa da vida **Sete**, protetor dos plantios
8. Gafanhotos	10.1-20	**Ísis**, deusa da vida **Sete**, protetor dos plantios
9. Trevas	10.21-29	**Rá, Áten, Atum, Hórus**, todos eram algum tipo de deus-sol
10. Morte dos primogênitos	11.1—12.36	O **faraó**, que era considerado um deus **Osíris**, doador da vida

Adaptação de *O Antigo Testamento em quadros*, de John H. Walton (São Paulo: Vida, 2001), p. 85.

Êx 9 — Morte dos rebanhos; feridas purulentas; granizo

A praga que matou os rebanhos do Egito foi um golpe terrível contra os deuses egípcios. O touro era um dos deuses principais. De novo houve distinção entre os egípcios e os israelitas: o gado dos egípcios morreu em vastas quantidades, mas não morreu nem um sequer dos animais pertencentes aos israelitas. "Todos", no versículo 6, refere-se ao gado dos egípcios que foi deixado nos campos. Moisés lhes dera aviso prévio para o dia seguinte (v. 5), de modo que os egípcios tementes a Deus tivessem prazo suficiente para afastar seus rebanhos do perigo. Os versículos de 19 a 21 referem-se às cabeças de gado que sobreviveram.

As feridas purulentas, a sexta praga, afetaram tanto os animais quanto os seres humanos, até os magos, em decorrência das cinzas que Moisés espalhou no ar.

Antes de chegar a sétima praga e de cair o granizo, fez-se novo aviso prévio e misericordioso aos egípcios tementes a Deus, para que recolhessem seu gado em abrigos. Mais uma vez houve distinção entre egípcios e israelitas: não caiu granizo em Gósen.

A essa altura, o povo do Egito havia se convencido (10.7). O aparecimento e desaparecimento repentino das pragas, mediante a palavra de Moisés, e isso em tão vasta escala, foram aceitos como milagres evidentes da parte de Deus. O faraó hesitou, porém, por causa do imenso impacto econômico que a perda da mão-de-obra escrava provocaria — a labuta dos israelitas contribuíra grandemente para a ascensão do Egito ao poder.

Não se sabe a duração do período das dez pragas. O faraó certamente teria matado Moisés se pudesse se atrever a tanto. Entretanto, cada nova praga fazia o prestígio de Moisés aumentar mais e mais (11.3).

Êx 10 — As pragas dos gafanhotos e das trevas

Os gafanhotos foram uma das piores pragas. Chegavam em grandes nuvens e comiam todo o verde. À noite, cobriam a terra, formando camadas com uma espessura de 10 a 12 cm. Ao ser esmagados,

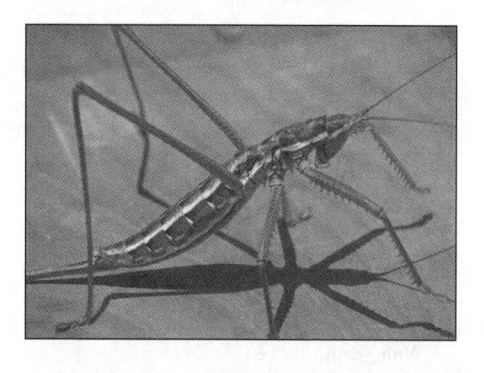

> "[Os gafanhotos] cobriram toda a face da terra de tal forma que ela escureceu. Devoraram tudo o que o granizo tinha deixado: toda a vegetação e todos os frutos das árvores. Não restou nada verde nas árvores nem nas plantas do campo, em toda a terra do Egito." Esse relato de Êxodo 10.15 não é exagero. Um enxame de gafanhotos realmente pode obscurecer o sol e limpar toda uma área de tudo o que é verde em pouquíssimo tempo.

produziam um cheiro insuportável. A mera ameaça de uma praga de gafanhotos levou os oficiais do faraó a implorar-lhe que cedesse (v. 7).

A praga das trevas foi um golpe direto contra Rá, ou Rê, o deus-sol do Egito. Houve trevas de meia-noite no Egito, mas luz onde habitavam os israelitas. O faraó cedeu — mas voltou a mudar de idéia.

Êx 11 e 12 — A morte dos primogênitos do Egito

Por último, foi desferido o golpe final e mais devastador. O faraó cedeu, e Israel partiu.

Os israelitas pediram jóias e roupas aos egípcios (12.35). Tratava-se de presentes em pagamento pelo acúmulo de trabalho escravo durante operações. O próprio Deus ordenara que o povo pedisse essas contribuições (3.21,22; 11.2,3), e os egípcios ficaram muito contentes em atender, porque temiam ao Deus de Moisés (12.33) e o que ele poderia fazer contra eles. Grande porção das riquezas do Egito foi assim transferida para Israel. Parte dela foi utilizada na construção do tabernáculo.

O começo da Páscoa
O cordeiro, o sangue nas laterais e nas vigas superiores das portas, a morte dos primogênitos, o livramento das mãos de um país hostil e a celebração da Festa da Páscoa durante toda a história de Israel — tudo isso foi destinado por Deus para ser um grandioso quadro histórico de Cristo, o Cordeiro pascal, que por seu sangue nos livrou do mundo hostil e da escravidão ao pecado. Outros textos bíblicos referem-se a Jesus como nosso Cordeiro sacrificial:

- "... um cordeiro sem mancha e sem defeito" (1Pe 1.19);
- "Vejam! É o Cordeiro de Deus, que tira o pecado do mundo!" (Jo 1.29);
- "Quando viu Jesus passando, disse: 'Vejam! É o Cordeiro de Deus!'" (Jo 1.36);
- "Pois Cristo, nosso Cordeiro pascal, foi sacrificado" (1Co 5.7);
- "Depois vi um Cordeiro, que parecia ter estado morto..." (Ap 5.6).

Os **pães asmos** deviam ser comidos durante a Festa da Páscoa como lembrança perpétua da pressa dos israelitas ao sair do Egito (12.34).

A consagração dos primogênitos — Êx 13

Os primogênitos dos israelitas deviam ser consagrados a Deus de modo perpétuo, como lembrança da sua redenção mediante a morte dos primogênitos do Egito. Jesus foi consagrado a Deus em conformidade com essa lei, por ser o filho primogênito de Maria (Lc 2.7,22-30).

A **rota para Canaã** que os israelitas seguiram (v. 17) não foi a direta, ao longo do litoral do mar Mediterrâneo, visto que havia guarnições de soldados egípcios ao longo dela, e também porque ela atravessava o território dos filisteus. A rota mais viável era a mais longa, porém menos perigosa, que passava pelo deserto da península do Sinai (v. p. 107-9).

A **coluna de nuvem, de dia, e a coluna de fogo, de noite** (v. 21,22). Ao saírem os israelitas do Egito e começarem a viajar por território hostil, Deus assumiu o cuidado deles, debaixo desse sinal visível de sua orientação e proteção. Nunca essa coluna os abandonou até chegarem à Terra Prometida, 40 anos depois (14.19,24; 33.9,10; 40.34-38; Nm 9.15,23; 10.11).

Atravessando o mar Vermelho — Êx 14

É possível que o local em que atravessaram ficasse perto da localização dos lagos Amargos, que agora fazem parte do canal de Suez. Deus usou um "forte vento oriental" para secar o mar (v. 21). As águas separaram-se e formaram uma "parede de água" em cada lado (v. 22; 15.8). Tudo isso, além da cronometragem da volta das águas no momento certo para livrar os israelitas e destruir os egípcios, somente poderia ter sido possível mediante um ato eficaz e milagroso de Deus. Isso deixou alarmadas as nações vizinhas (15.14-16).

> **A travessia pelo mar**
>
> Na época de Moisés, o braço do golfo de Suez talvez se estendesse mais para o norte que hoje. Nesse caso, o mar teria fluído mais para o norte e coberto as depressões atualmente chamadas "lagos Amargos". Se um vento contínuo (v. 21) empurrasse a água rasa para o norte, para dentro dos lagos Amargos, diminuiria o nível da água a ponto de aparecer uma ponte terrestre — fenômeno comum. As águas ao norte e ao sul passariam então a ser uma "parede" ou "defesa". Não é necessário imaginar montes perpendiculares de água que desafiassem as leis da gravidade — embora não exista a mínima dúvida de que Deus pudesse ter feito exatamente isso. A perseguição feita pelos egípcios subentende que o inimigo não via mais que um fenômeno estranho, porém não totalmente contrário à natureza. Não podiam atacar por nenhum dos dois flancos. Seguiram pela lama marítima, assim exposta, e foram apanhados e envolvidos pela maré quando esta voltou (v. 25) em conseqüência do abrandamento da pressão do vento.

Êx 15   O cântico de Moisés

Esse cântico parece prefigurar as obras mais poderosas por causa das quais os redimidos cantarão louvores durante as eras infindas da eternidade. O livramento que tirou os israelitas do Egito sob a orientação de Moisés foi tão semelhante ao livramento da igreja para fora do mundo, no fim dos tempos, que um dos cânticos triunfantes dos redimidos no livro do Apocalipse é chamado "cântico de Moisés, servo de Deus, e o cântico do Cordeiro" (Ap 15.3).

Êx 16   O maná e as codornizes

Depois de um só mês de viagem, as privações da vida no deserto começaram a prejudicar a boa disposição dos israelitas. Eles começaram a queixar-se, pensando mais naquilo que tinham tido no Egito do que naquilo que Deus lhes daria na Terra Prometida (v. 2,3).

O **maná** consistia em flocos pequenos e redondos e era usado para fazer pães. Tinha gosto de bolo de mel (v. 31). Pode ter sido uma criação direta ou um produto natural multiplicado milagrosamente. Caía junto com o orvalho todas as noites e era parecido com semente de coentro. O maná era moído em moinhos ou amassado no pilão, cozido em panelas, e dele se faziam bolos. Cada pessoa tinha direito a um ômer (cerca de dois litros) por dia. No sexto dia, sempre havia o bastante para o sábado também. O maná começou um mês depois de deixarem o Egito e foi dado diariamente no decurso dos 40 anos no deserto, até atravessarem o Jordão. Foi quando cessou tão repentinamente quanto começara (Nm 11.6-9; Js 5.12). Jesus considerava o maná uma prefiguração dele mesmo (Jo 6.31-58).

As **codornizes** (v. 13) são mencionadas duas vezes apenas: aqui e um ano mais tarde, depois de Israel ter deixado o monte Sinai (Nm 11.31-34). Os israelitas tinham grandes rebanhos de gado (Êx 12.38), que utilizavam como alimento somente de modo limitado. No Egito, os israelitas tinham se alimentado mais com peixe que com carne vermelha.

Êx 17   Água da rocha

Pouco antes disso, Moisés tornara doces as águas de Mara (15.25). Aqui, em Refidim, faz jorrar água de uma rocha. Posteriormente, opera um milagre semelhante em Meribá (Nm 20.1-13); entretanto, age nesse caso de um modo desagradável a Deus. Deus repreende Moisés e Arão e declara que eles não entrarão na Terra Prometida. A batalha contra Amaleque (v. 8-15) é a primeira tentativa, fora do Egito, de se prejudicar a marcha de Israel para Canaã. Por essa razão, Deus ordenou que os amalequitas fossem exterminados (v. 14; Dt 25.17-19).

O monte Sinai

Também chamado Horebe. A península do Sinai tem forma triangular e está situada entre dois braços do mar Vermelho. A margem ocidental tem uns 290 km de comprimento, a oriental, cerca de 210 e a fronteira norte tem uns 240. A parte norte da península é desértica; a parte sul é um "grande aglomerado de montanhas escarpadas e caóticas".

É provável que o nome da região provenha de Sin, o deus-lua da Babilônia. Desde tempos antigos, era conhecida por suas minas de cobre, ferro, ocre e pedras preciosas. Muito tempo antes dos dias de Abraão, os reis do Oriente tinham feito uma estrada em torno das orlas norte e oeste do deserto da Arábia para a região do Sinai.

Existe certa controvérsia a respeito de qual montanha da península seja o monte Sinai. As duas possibilidades mais viáveis são Ras es-Safsafeh e Jebel Musa; ambas estão localizadas numa crista de granito com uns 6 km de extensão. Ras es-Safsafeh (2 020 m) fica na extremidade norte, e Jebel Musa (2 300 m), na extremidade sul. A tradição e a maioria dos estudiosos da atualidade aceitam que Jebel Musa é o monte Sinai; outros preferem Ras es-Safsafeh por haver uma planície considerável ao sopé do monte, na qual os israelitas talvez se tenham acampado. Outro candidato possível (porém menos provável) é Jebel Sin Bisher, uns 80 km a noroeste de Jebel Musa (v. p. 488-9).

No sopé de Jebel Musa fica o mosteiro de Sta. Catarina, onde Friedrich Tischendorf descobriu o famoso manuscrito grego da Bíblia chamado *Códice sinático*, do século IV d.C. (v. p. 849).

Para um povo que nunca conhecera outra paisagem a não ser a região plana de Gósen e do delta do Nilo, o próprio monte Sinai deve ter parecido bastante imponente. Não era de admirar que o povo ficasse aterrorizado quando o Senhor apareceu:

> Ao amanhecer do terceiro dia houve trovões e raios, uma densa nuvem cobriu o monte, e uma trombeta ressoou fortemente. Todos no acampamento tremeram de medo. Moisés levou o povo para fora do acampamento, para encontrar-se com Deus, e eles ficaram ao pé do monte. O monte Sinai estava coberto de fumaça, pois o Senhor tinha descido sobre ele em chamas de fogo. Dele subia fumaça como que de uma fornalha; todo o monte tremia violentamente, e o som da trombeta era cada vez mais forte. Então Moisés falou, e a voz de Deus lhe respondeu (Êx 19.16-19).

Êx 18   O conselho de Jetro

Moisés era inspirado num grau comum a poucos homens, porém foi mediante o conselho desse governante midianita amigo, seu sogro, que conseguiu organizar o povo de modo mais eficiente. Deus emprega conselhos humanos para ajudar até mesmo os grandes!

Êx 19   A voz de Deus no monte Sinai

Eles ficaram no monte Sinai durante cerca de onze meses (v. 1; Nm 10.11). Debaixo de uma tremenda tempestade com trovoadas, acompanhada por terremotos e sons sobrenaturais de trombeta, estando a montanha encimada de chamas aterrorizantes, Deus proferiu os Dez Mandamentos e outorgou sua Lei.

Quinhentos anos mais tarde, nesse mesmo monte, o profeta Eliseu recebeu um indício de que a obra de Deus seria realizada, não por meio do fogo e do terremoto, mas por meio do recado de Deus no "murmúrio de uma brisa suave" (1Rs 19.11,12).

Êx 20   Os Dez Mandamentos

Esses mandamentos foram posteriormente gravados nos dois lados de duas tábuas de pedra, "escritas pelo dedo de Deus". "As tábuas tinham sido feitas por Deus; o que nelas estava gravado fora escrito por Deus" (31.18; 32.15,16). Elas foram conservadas durante séculos na arca da aliança (v. p. 123). Julga-se que podem ter sido destruídas por ocasião da destruição de Jerusalém pelos babilônios (v. p. 216-8).

Os Dez Mandamentos formavam a base da Lei dos hebreus. Quatro deles dizem respeito à nossa atitude para com Deus; os seis outros, à nossa atitude para com o próximo. Jesus condensou todos os dez em dois: "Ame o Senhor, o seu Deus, de todo o seu coração, de toda a sua alma e de todo o seu entendimento" e "Ame o seu próximo como a si mesmo" (Mt 22.37-39; v. Dt 6.5 e Lv 19.18).

A reverência para com Deus é o fundamento dos Dez Mandamentos. Jesus mostrou que considerava essa reverência a qualidade mais básica e essencial do modo pelo qual o ser humano se aproxima de Deus e fez dela a primeira petição do pai-nosso: "Santificado seja o teu nome". É assustador como tantas pessoas blasfemam contra o nome de Deus continuamente em suas conversas diárias e empregam esse santo nome de modo tão leviano e trivial. Surpreende ainda mais como tantos pregadores e cristãos fazem uso do nome de Deus com uma familiaridade superficial, destituída de um mínimo de reverência e temor, como se estivessem em pé de igualdade com Deus.

> Eu sou o Senhor, o teu Deus [...]
> Não terás outros deuses além de mim.
> Não farás para ti nenhum ídolo [...]
> Não tomarás em vão o nome do Senhor, o teu Deus [...]
> Lembra-te do dia de sábado, para santificá-lo [...]
> Honra teu pai e tua mãe [...]
> Não matarás.
> Não adulterarás.
> Não furtarás.
> Não darás falso testemunho contra o teu próximo.
> Não cobiçarás a casa do teu próximo [...] nem coisa alguma que lhe pertença.
> Êxodo 20.2-17

Êx 21—24   O Livro da Aliança

Depois dos Dez Mandamentos, foi esse o primeiro fascículo da Lei para a nação dos hebreus. Essas leis foram escritas em um livro. Em seguida, a aliança que definia o compromisso de obedecer à Lei foi selada com sangue (24.4,7,8).

Essas leis abrangem todos os aspectos da vida diária, desde a bondade para com as viúvas e os órfãos até a pena de morte pelo assassinato e a hospitalidade para com os forasteiros. Embora muitas das leis específicas e

O Êxodo

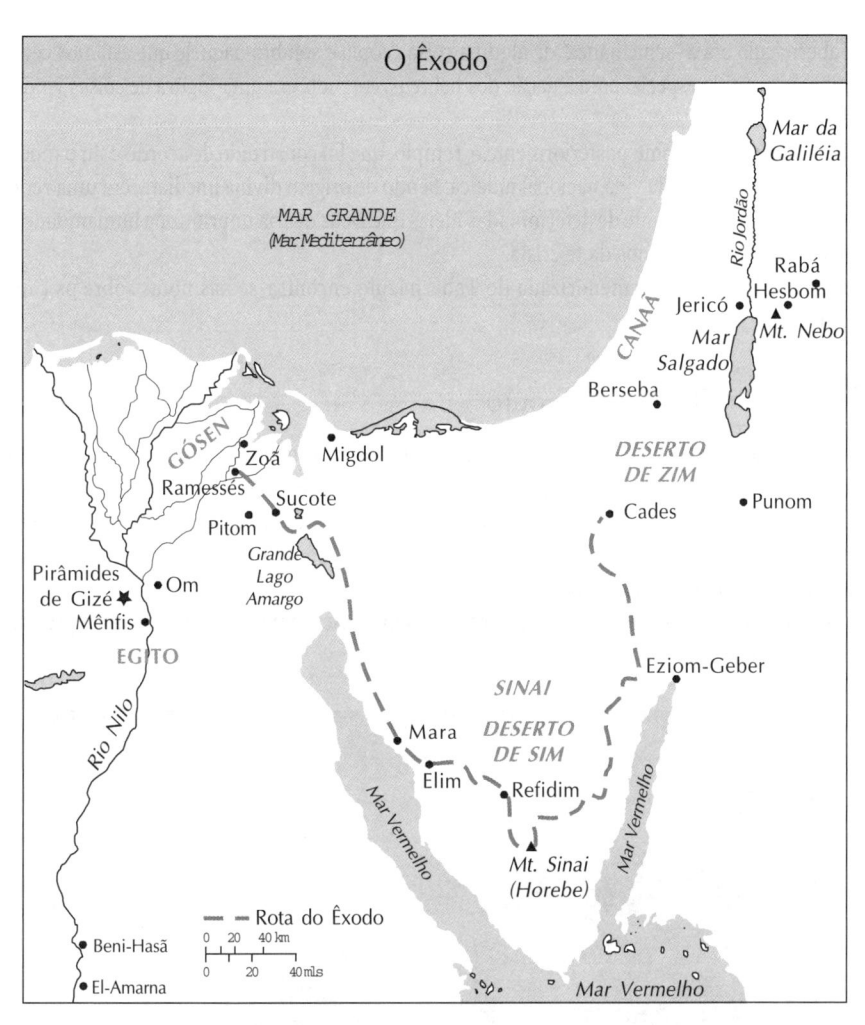

Mapa mostrando a rota do Êxodo, com localidades: Mar da Galiléia, Mar Grande (Mar Mediterrâneo), Rio Jordão, Rabá, Hesbom, Jericó, Mt. Nebo, Canaã, Mar Salgado, Berseba, Deserto de Zim, Cades, Punom, Gósen, Zoã, Migdol, Ramessés, Sucote, Pitom, Pirâmides de Gizé, Om, Mênfis, Egito, Grande Lago Amargo, Eziom-Geber, Sinai, Mara, Deserto de Sim, Elim, Refidim, Mt. Sinai (Horebe), Mar Vermelho, Rio Nilo, Beni-Hasã, El-Amarna. Rota do Êxodo indicada por linha tracejada.

individuais não mais tenham aplicação imediata a nós, os princípios subjacentes a elas certamente se aplicam à nossa vida. A eqüidade, a justiça e a misericórdia são o alicerce da Lei de Israel — fato que se torna muito claro quando a comparamos com as leis das nações circunvizinhas a Israel.

Não cozinhem o cabrito no leite da própria mãe (23.19): várias explicações têm sido apresentadas para esse mandamento incomum; é possível que seja uma advertência contra a adoção de um ritual pagão dos cananeus.

Instruções sobre o Tabernáculo — Êx 25—31

O próprio Deus forneceu a planta, com fartura de detalhes (25.9). Esses detalhes foram registrados duas vezes: primeiro, nos presentes capítulos, nos quais Deus explica como o Tabernáculo devia ser feito; e de novo nos capítulos de 35 a 40, em que são repetidos para mostrar exatamente como foi construído — em conformidade com as instruções de Deus. Nossa mentalidade (ocidental e a moderna) talvez ache desnecessária a repetição, mas ao ouvido dos hebreus refletia a importância e a solenidade do processo de construção (v. tb. Nm 7, em que uma lista de ofertas é repetida doze vezes!).

O Tabernáculo era a "semelhança" de alguma coisa, "cópia e sombra daquele que está nos céus" (Hb 8.5). Tinha um sentido especial para a nação dos hebreus; contudo, era uma "figura de coisas vindouras" (v. Hb 9 e 10).

O Tabernáculo, bem como posteriormente o Templo, que foi construído de acordo com o modelo do Tabernáculo, era o centro da vida nacional judaica. Sendo de origem divina imediata, era uma representação imensamente importante de determinadas idéias que Deus queria imprimir na humanidade, como prefiguração de muitos ensinos da fé cristã.

(Uma descrição mais pormenorizada do Tabernáculo encontra-se nas notas sobre os capítulos de 35 a 40.)

Êx 32 e 33 — O bezerro de ouro

O touro, principal deus do Egito, denominado Ápis, viria posteriormente a ser o deus das dez tribos (1Rs 12.28). Essa apostasia desprezível, tão pouco tempo após Deus ter trovejado da montanha "Não terás outros deuses além de mim" e depois dos milagres maravilhosos no Egito, revela até que ponto os israelitas tinham se afundado na idolatria egípcia. Tratava-se de uma crise que exigia disciplina imediata, e o castigo foi rápido e severo.

A disposição que Moisés revelou de ser riscado do livro escrito por Deus demonstra a grandeza de seu caráter (32.31,32).

A madeira usada no Tabernáculo era de acácia. A acácia é a única árvore que cresce nas regiões desérticas e produz madeira que pode ser empregada em construções. Por ser o clima ali seco e com fortes ventos, essas árvores crescem muito lentamente e levam muitos anos para alcançar a altura máxima de 5 a 8 m. São essas as condições que deixam a madeira de acácia muito durável: mais resistente que o carvalho e não facilmente danificada pelos insetos. A madeira da acácia tem uma bela cor vermelha alaranjada que a torna especialmente adequada para mobiliário e trabalhos de decoração embutida. No Egito, essa madeira era usada na construção de sarcófagos.

Moisés no monte outra vez — Êx 34

Na primeira ocasião, Moisés estivera no monte durante 40 dias e 40 noites (24.18). Agora, volta para passar outros 40 dias e 40 noites ali (v. 2, 28). Da primeira vez, recebeu as duas tábuas, bem como as especificações para o Tabernáculo. Agora, vem receber duas tábuas novas para substituir as originais, que ele mesmo quebrara (32.19).

O rosto de Moisés resplandecia (v. 29,35) porque estivera na presença de Deus. Assim também o rosto de Jesus "brilhou como o sol" quando ele foi transfigurado (Mt 17.2).

Altar com quatro chifres. Esta é uma réplica de um altar encontrado em Berseba. Não fica muito claro o simbolismo dos chifres. Entretanto, os fugitivos (a não ser os condenados por assassínio culposo e doloso, 1Rs 2.28-32) podiam pedir asilo ao tocar nos chifres do altar, num apelo à misericórdia de Deus. Cortar os chifres de um altar deixava-o inútil para propósitos religiosos (Am 3.14).

O Tabernáculo é construído — Êx 35—40

O Tabernáculo ou Tenda do Encontro era um santuário portátil que serviu de local de adoração para os israelitas desde a época das peregrinações no deserto até a edificação do Templo por Salomão. A estrutura propriamente dita tinha somente 4,6 m de altura — menos que um sobrado. No deserto, porém, era a estrutura mais alta do arraial dos israelitas e se destacava acima do mar de tendas como lembrança constante da presença de Deus no centro da nação.

O pátio

O cercado ("pátio") dentro do qual ficava o Tabernáculo propriamente dito tinha 45 x 22 m, ou seja, cerca de um quarto do tamanho de um campo de futebol americano (83 x 46 m). As paredes eram formadas com colunas de bronze equipadas com ganchos de prata, que serviam para pendurar cortinas de linho. A entrada, que ficava no lado oriental, media 9 m de largura e tinha cortinas coloridas de linho azul e vermelho.

O **altar dos holocaustos**. A primeira coisa que se via ao entrar no pátio era o grande altar revestido de bronze: o altar dos holocaustos, no qual eram queimados em sacrifício os animais (ou partes dos animais) trazidos ao Tabernáculo pelos israelitas. O altar media 2,25 m de cada lado e 1,35 m de altura. Era oco, feito de madeira revestida de bronze, com uma grelha por dentro, a meia distância a partir do fundo. A lenha era colocada em cima da grelha, e os animais, em cima da lenha. Na área oca embaixo da grelha, as cinzas e outros restos iam se acumulando, e esse espaço também dava acesso ao oxigênio que entrava por baixo e mantinha aceso o fogo.

O fogo no altar devia queimar de dia e de noite (Lv 6.9); foi aceso por um fogo da parte do próprio Senhor (Lv 9.24). O cheiro associado ao Tabernáculo não era o suave perfume do incenso, mas o cheiro do fogo e da morte — servindo de contínua lembrança de que os seres humanos não têm acesso a Deus a não ser como pecadores redimidos e libertos pela morte alheia: no AT, pela morte dos animais, no NT, pela de Cristo.

A **bacia de bronze**. O segundo elemento do pátio, mais próximo do Tabernáculo propriamente dito, era uma grande bacia de bronze destinada às lavagens. Arão e todos os sacerdotes eram obrigados a lavar as mãos e os pés na água antes de levar um sacrifício ao altar e antes de entrar no Tabernáculo. Ela simbolizava a purificação do pecado, e talvez prefigurasse o batismo cristão. Representava a necessidade de as pessoas serem purificadas antes de se aproximarem do Senhor. Os cristãos, segundo o NT, já foram limpos e purificados pelo sangue derramado por Jesus.

O Tabernáculo

O Tabernáculo propriamente dito consistia em dois aposentos. O primeiro, o Lugar Santo, media 4,5 m de altura e 9 de comprimento. O segundo, o Lugar Santíssimo, tinha exatamente metade desse tamanho: era um cubo que media 4,5 m em todas as direções.

Uma **tenda**, que consistia em três camadas de cobertura, cobria o tabernáculo. A primeira camada era feita de pano de pêlos de cabra. Por cima dessa camada, havia uma cobertura de pele de carneiro tingida de vermelho. A terceira e última camada era feita de couro de texugo ou, possivelmente, de animais marinhos.

Havia nítida progressão na disposição do pátio e do tabernáculo. Os israelitas eram autorizados a levar seus sacrifícios até o altar no pátio, mas além do altar somente os sacerdotes podiam passar, entrando no Lugar Santo (depois de lavar as mãos e os pés). Todavia, ninguém podia entrar no Lugar Santíssimo, lugar da presença especial de Deus, a não ser o sumo sacerdote e, até mesmo ele, só uma vez por ano, no grande Dia da Expiação (v. p. 128).

O Lugar Santo

A primeira coisa que os sacerdotes deviam notar ao entrar no Lugar Santo era o cheiro muito diferente. Os cheiros pungentes provenientes do altar dos holocaustos já tinham ficado para trás, e o suave perfume do incenso enchia esse aposento.

O **altar do incenso**. O altar do incenso era pequeno, nem sequer chegando a um metro de altura e com 50 cm de cada lado. Nesse altar, queimava-se incenso de manhã e de tarde (30.8). Sua fumaça, que subia até o céu, simbolizava a oração — oração diária e regular (v. tb. Ap 8.3-5).

O **candelabro**. Não havia janelas no Tabernáculo, mas por certo as coberturas deixavam entrar alguma luz, visto que as lâmpadas do candelabro deviam ser acesas ao entardecer e mantidas acesas desde então até o amanhecer (27.21; 30.7,8). Era feito de ouro puro, com 1,5 m de altura e 1 m de largura na parte de cima. O formato desse candelabro, com suas sete lâmpadas, é ainda hoje um símbolo comum no judaísmo: a menorá.

A lâmpada acesa simboliza a Palavra de Deus (Sl 119.105; 2Pe 1.19) ou a orientação divina (2Sm 22.29; Sl 18.28).

Os candelabros do templo de Salomão foram feitos segundo o modelo desse candelabro (que pode até ter sido aproveitado nesse templo). Por certo, todos eles estavam entre os tesouros levados para a Babilônia e posteriormente devolvidos (Ed 1.7).

Esta visão panorâmica do Tabernáculo mostra a Tenda do Encontro no interior do pátio. A fumaça do fogo sacrificial subia, e a nuvem da glória de Deus descia e enchia o ambiente. Dessa maneira, a presença do Senhor Altíssimo era revelada a seu povo.

Construída segundo os planos de Deus, a parte dianteira (Lugar Santo) da estrutura, revestida de ouro, era duas vezes mais longa que a parte posterior (Lugar Santíssimo).

O candelabro do Templo de Herodes, nos dias de Jesus, possivelmente era um desses. Foi levado para Roma quando o Templo foi destruído em 70 d.C. e está representado numa escultura no Arco de Tito (v. foto p. 1023). A tradição declara que o candelabro foi posteriormente "depositado respeitosamente na igreja de Jerusalém" em 533 d.C., mas nada mais se sabe a seu respeito.

A **mesa**. Por último, havia uma mesa com 70 cm de altura, 45 cm de largura e 90 cm de comprimento. Nessa mesa, eram colocados 12 pães, um para cada uma das doze tribos de Israel. Esses pães eram substituídos todas as semanas. Representavam a gratidão de Israel pelas provisões dadas por Deus.

O Lugar Santíssimo

O Lugar Santíssimo era o lugar da presença de Deus. Era separado do Lugar Santo por um **véu** que deve ter sido sublimemente belo, em azul, roxo e vermelho, bordado com querubins.

O templo de Salomão e, posteriormente, o templo de Herodes seguiram o padrão do Tabernáculo, e o Lugar Santo e o Lugar Santíssimo continuavam sendo separados entre si por um véu ou cortina, embora a estrutura propriamente dita fosse feita de pedra e de madeira. A cortina do Templo foi rasgada de alto a baixo quando Cristo morreu (Mt 27.51), o que significa que, a partir daquele momento, a porta de acesso à presença de Deus estava aberta a todos.

Um só elemento existia no Lugar Santíssimo: a **arca da aliança**. Tratava-se de uma caixa feita de madeira de acácia, recoberta de ouro puro. Media 1,1 m de comprimento por 70 cm de largura e de altura. A tampa da arca, feita de ouro maciço, era chamada "tampa da expiação" (ou "propiciatório"). Em cada extremidade da tampa havia um querubim, feito de uma só peça com a tampa da expiação. Os querubins ficavam um defronte ao outro, com as asas estendidas, olhando os dois para a tampa da expiação, embaixo. A aparência exata deles só pode ser matéria de especulação.

Dentro da arca havia quatro elementos: as duas tábuas de pedra que Moisés recebera com a inscrição dos Dez Mandamentos, uma vasilha com maná e a vara de Arão (Nm 17.1-11). Serviam de lembrança contínua do que mais importa: a aliança entre Deus e seu povo (as duas tábuas), suas graciosas provisões materiais (o maná) e sua provisão de um meio de acesso a ele mediante o sacerdócio e especificamente mediante o sumo sacerdote (a vara; v. tb. Hb 8).

A arca da aliança provavelmente se perdeu no cativeiro babilônico. Em Apocalipse 11.19, João viu a arca no "santuário". Mas isso foi em visão e certamente não significa que a própria arca física estivesse ali, visto que no céu não haverá templo (Ap 21.22).

Levítico

Leis a respeito dos sacrifícios,
do sacerdócio e das festas sagradas
Leis diversas

> Eu sou o SENHOR que os tirou da terra do Egito para ser o seu Deus;
> por isso, sejam santos, porque eu sou santo.
> — LEVÍTICO 11.45

> Não procurem vingança, nem guardem rancor contra alguém do seu povo,
> mas ame cada um o seu próximo como a si mesmo.
> Eu sou o SENHOR.
> — LEVÍTICO 19.18

O título desse livro provém da *Septuaginta*, a antiga tradução grega do AT. A palavra "Levítico" significa "concernente aos levitas".

Os levitas são todos os pertencentes à tribo de Levi, uma das doze tribos de Israel. Como Deus poupou os primogênitos de Israel na última das pragas contra o Egito (Êx 11.4—12.13), todos os filhos primogênitos e todos os animais primogênitos pertenciam a Deus. Os animais eram sacrificados, ao passo que os homens eram redimidos. Para redimir o primogênito, a família pagava um preço ao sacerdote, em vez de entregá-lo para o serviço do Templo. Deus nomeou os levitas para tomar o lugar dos primogênitos no serviço a Deus. Uma família ou clã dos levitas, a família de Arão, foi separada para o sacerdócio. O restante dos levitas dariam assistência aos sacerdotes. Entre seus deveres estavam o cuidado do Tabernáculo e posteriormente o cuidado do Templo, bem como as funções de mestres, escribas, músicos, oficiais e juízes (v. comentário sobre 1Cr 23).

A tribo de Levi foi a única que não obteve terras depois de os israelitas terem conquistado Canaã. Em contrapartida, receberam 48 cidades, espalhadas por todas as partes do país (Nm 35.7; Js 21.19). Como não receberam terras, não conseguiam sustentar a si mesmos — seu sustento provinha dos dízimos do restante de Israel.

O livro de Levítico contém a maior parte do sistema de leis segundo as quais vivia a nação dos hebreus, leis essas administradas pelo sacerdócio levítico. A maioria dessas leis foi promulgada no monte Sinai, com acréscimos, repetições e explicações ao longo de toda a peregrinação no deserto.

Lv 1—7 — Diferentes tipos de ofertas

Os sacrifícios do Antigo Testamento

Sacrifício	Referências no AT	Elementos	Finalidade
Holocausto	Lv 1; 6.8-13; 8.18-21; 16.24	Touro, carneiro ou ave (pombas ou pombinhos no caso dos pobres); totalmente consumidos; sem defeito	Ato voluntário de adoração; expiação pelos pecados não intencionais em geral; expressão de devoção, dedicação e entrega completa a Deus
Oferta de cereal	Lv 2; 6.14-23	Grãos, farinha fina, azeite, incenso, pães assados (redondos ou achatados), sal; nenhum fermento nem mel; acompanhava o holocausto e a oferta de comunhão (junto com a oferta derramada)	Ato voluntário de adoração; reconhecimento da bondade e providência de Deus; devoção a Deus
Oferta de comunhão	Lv 3; 7.11-34	Qualquer animal sem defeito das manadas ou dos rebanhos; variedade de pães	Ato voluntário de adoração; ações de graças e comunhão (incluía uma refeição comunitária)
Oferta pelo pecado	Lv 4.1—5.13; 6.24-30; 8.14-17; 16.3-22	1. **Novilho:** pelo sumo sacerdote e pela congregação 2. **Bode:** por um líder 3. **Cabra ou cordeiro:** por uma pessoa comum 4. *Rolinha ou pombinho:* pelos pobres 5. **Um jarro da melhor farinha:** pelos muito pobres	Expiação obrigatória por pecado específico não intencional; confissão de pecado; purificação da impureza
Oferta pela culpa	Lv 5.14—6.7; 7.1-6	Carneiro ou cordeiro	Expiação obrigatória por pecado não intencional que requeresse restituição; purificação da impureza; restituição; multa de 20%

Extraído da *Bíblia de estudo* NVI. Usado com permissão

Lv 8 e 9 — A consagração de Arão

Antes da época de Moisés, os sacrifícios eram oferecidos pelos cabeças das famílias. Mas, uma vez organizada a nação, consagra-se um lugar para os sacrifícios, preceitua-se um ritual e cria-se um sacerdócio hereditário em uma cerimônia solene. Foi determinado que Arão fosse o sumo sacerdote, e seu filho primogênito, o sucessor. O sacerdócio era sustentado por dízimos (a décima parte da renda familiar — na forma de dinheiro, gado ou produtos agrícolas) e por partes de alguns sacrifícios. Eles receberam treze cidades (Js 21.13-19).

As **vestes do sumo sacerdote**. Todos os pormenores tinham sido especificados por Deus (Êx 28). Uma túnica azul, com sininhos na bainha.

O **colete sacerdotal**, um tipo de vestimenta sem mangas, consistia em duas peças presas nos ombros, caindo uma na frente e outra nas costas do sumo sacerdote, tendo uma pedra de ônix sobre cada ombro. Cada uma dessas pedras tinha gravados os nomes de seis tribos. Era feito de ouro, azul, roxo, vermelho e de fino linho branco.

O **peitoral** tinha uns 25 cm de cada lado e era feito de ouro, azul, roxo, vermelho e de fino linho branco, em camada dupla, aberto na parte superior, preso com correntes de ouro ao colete sacerdotal, adornado com 12 pedras preciosas, cada qual com o nome de uma tribo. O peitoral continha o Urim e o Tumim, utilizados para descobrir a vontade de Deus. Não sabemos exatamente o que eram, mas eram usados para lançar sortes.

A origem divina do sistema sacrificial

Deus colocou o sistema sacrificial no cerne da vida nacional judaica. Quaisquer que fossem suas aplicações e implicações imediatas para os judeus, o sacrifício perpétuo de animais e o arder perpétuo do fogo dos altares por certo existiam, segundo o desígnio de Deus, para gravar na consciência do povo de Israel a percepção de que eles eram profundamente pecaminosos. Além disso, serviram durante mais de mil anos, como figura que prenunciava o sacrifício de Cristo na cruz, ainda no futuro. O sacerdócio levítico foi ordenado por Deus para ser mediador entre Deus e a nação hebraica, mediante a oferta de animais sacrificiais. Esses sacrifícios, porém, foram cumpridos em Cristo. Sacrifícios de animais já não são necessários. O próprio Cristo é nosso grande Sumo Sacerdote, o único Mediador entre Deus e os seres humanos, como fica muito claro em Hebreus 8—10. Assim, Cristo é tanto nosso Sacrifício quanto nosso Sumo Sacerdote, nosso Mediador.

Nadabe e Abiú — Lv 10

O castigo imediato e terrível de Nadabe e de Abiú serviu de advertência contra o menosprezo para com as ordenanças de Deus. Serve também de advertência a nós e aos líderes da igreja, para não pervertermos o evangelho de Cristo com toda espécie de acréscimos e tradições humanas.

Animais puros e impuros — Lv 11

Já antes do Dilúvio havia a distinção entre animais puros e impuros (Gn 7.2). Por meio de Moisés, essa distinção passou a vigorar como lei divina. Baseava-se de um lado na qualidade sadia do alimento representada por determinados tipos de animais e de outro em considerações religiosas. Tal distinção era um dos sinais de separação entre Israel e as outras nações. Jesus anulou essa distinção (Mc 7.19) e assim declarou "puros" todos os tipos de carne (v. tb. At 10.9-16).

Purificação das mães depois do parto — Lv 12

A impureza das mães não resultava do parto, mas, sim, do sangramento. Não se apresenta nenhuma razão clara por que o período de separação era de 40 dias caso o bebê fosse menino, mas de 80 dias em se tratando de menina.

Lv 13 e 14 — O teste para doenças cutâneas

Esses regulamentos tinham o propósito de controlar a propagação de doenças cutâneas infecciosas, das quais a mais repulsiva e temida era a lepra. A palavra tradicionalmente traduzida por "lepra" abrange ampla gama de sentidos, incluindo a própria lepra, doenças cutâneas em geral e até mesmo o mofo. Por mais primitiva que essa abordagem talvez nos pareça, não há dúvida de que essas medidas singelas salvaram muitas vidas.

Lv 15 — A impureza cerimonial

O elaborado sistema de especificações sobre alguém cerimonialmente impuro e sobre a solução para o caso parece ter tido o propósito de promover o asseio físico (ajudando assim a prevenir enfermidades), bem como o reconhecimento contínuo da participação de Deus em todas as áreas da vida.

"... ame cada um o seu próximo como a si mesmo"

Essa injunção (19.18) é um dos pontos mais sublimes da lei de Moisés. É o segundo grande mandamento citado por Jesus (Mt 22.39; o primeiro grande mandamento — "Ame o Senhor, o seu Deus, de todo o seu coração, de toda a sua alma e de todas as suas forças" — acha-se em Dt 6.5). A lei exigia que as pessoas demonstrassem grande consideração pelos pobres. Os pagamentos por serviços prestados deviam ser entregues no mesmo dia. Não deviam ser cobrados juros ("usura" nas traduções mais antigas refere-se a qualquer tipo de juros). Os necessitados deviam receber empréstimos e presentes. Parte da colheita devia ser deixada nos campos para os pobres. Em todo o AT, dá-se uma ênfase constante à bondade para com as viúvas, os órfãos e os estrangeiros. Os fracos e os pobres são da responsabilidade de todos.

Lv 16 — O Dia da Expiação

O dia anual da expiação (ainda hoje celebrado no judaísmo com modificações e conhecido por seu nome hebraico: *yôm kippûr*) era celebrado no décimo dia do sétimo mês (*tisri*, v. p. 870). Era o dia mais solene do ano. Em cada uma dessas ocasiões, a eliminação do pecado era válida para um só ano (Hb 10.3), mas prenunciava o futuro cancelamento eterno dos pecados (Zc 3.4,8,9; 13.1; Hb 10.14).

Depois de oferecido o bode sacrificial, o sumo sacerdote impunha as mãos sobre a cabeça do bode emissário e confessava sobre ele os pecados do povo. Em seguida, esse bode era enviado ao deserto, levando consigo os pecados do povo. Essa cerimônia foi uma das prefigurações históricas, oferecidas por Deus, da futura expiação do pecado humano por meio da morte de Cristo.

Lv 17 — O modo de sacrificar

A lei exigia a apresentação dos animais sacrificiais à porta do Tabernáculo. Comer sangue era rigorosamente proibido (3.17; 7.26,27; 17.10-16; Gn 9.4; Dt 12.16, 23,25), e essa proibição ainda continua (At 15.29). Uma das razões disso é que o sangue é um símbolo da vida e, como tal, deve ser tratado com respeito. Até os dias de hoje, no judaísmo ortodoxo, qualquer animal destinado para consumo humano deve ser abatido segundo regulamentos muito rigorosos e sob supervisão rabínica para garantir que todo o sangue foi drenado do meio da carne. Somente nesse caso é que se pode vender a carne como *kāsher* ("pura").

Abominações dos cananeus — Lv 18

A razão pela qual algumas dessas coisas, como o incesto, a sodomia e a coabitação sexual com animais, chegam a ser mencionadas, é que se tratava de práticas comuns entre os vizinhos de Israel.

Leis diversas — Lv 19 e 20

Esses capítulos contêm muitas leis diferentes, desde o sábado, passando pela feitiçaria até a bondade para com os forasteiros. A diversidade dessas leis demonstra que Deus se interessa por *todos* os aspectos da vida. Não promulgou essas leis somente para que Israel evitasse a prática do mal, mas também para dizer a Israel o que significava viver como nação escolhida por Deus e como povo que amava a Deus.

O concubinato, a poligamia, o divórcio e a escravidão eram permitidos, mas consideravelmente restringidos (19.20; Êx 21.2-11; Dt 21.15; 24.1-4). A Lei de Moisés soergueu o casamento a um nível muito mais alto que o existente nas nações em redor. A escravidão era atenuada por considerações humanitárias; nunca existiu em grande escala entre os judeus, nem com as crueldades geralmente praticadas no Egito, na Assíria, na Grécia, em Roma e em outras nações. Nenhum israelita podia ser escravo para sempre (v. comentário sobre Lv 25).

A pena de morte no AT

Exigia-se pena de morte no caso de diversos delitos. (A modalidade regular da pena de morte prescrita pela lei hebraica era o apedrejamento.)

- Assassinato (Gn 9.6; Êx 21.12; Dt 19.11-13)
- Seqüestro (Êx 21.16; Dt 24.7)
- Morte por negligência (Êx 21.28,29)
- Agredir ou amaldiçoar pai ou mãe (Êx 21.15-17; Lv 20.9; Dt 21.18-21)
- Idolatria (Lv 20.1-5; Dt 13; 17.2-5)
- Feitiçaria (Êx 22.18)
- Falsa profecia (Dt 18.10,11,20)
- Blasfêmia (Lv 24.15,16)
- Profanação do sábado (Êx 31.14)
- Adultério (Lv 21.10; Dt 22.22)
- Estupro (Dt 22.23-27)
- Promiscuidade (Dt 22.13-21)
- Sodomia (Lv 20.13)
- Bestialidade (Lv 20.15,16)
- Casamentos incestuosos (Lv 20.11,12,14)

A severidade da punição não era arbitrária. Esses pecados eram não somente delitos contra Deus e contra o próximo, mas solapavam e enfraqueciam a malha social e em última análise colocavam em risco a existência do povo de Deus: a nação de Israel.

Sacerdotes e sacrifícios — Lv 21 e 22

Esses capítulos desenvolvem as disposições legais que constam nos capítulos de 1 a 9. Os sacerdotes deviam estar isentos de defeitos físicos e só podiam casar-se com moça virgem. Os animais sacrificiais também deviam estar isentos de defeito e ter um mínimo de oito dias de idade.

Lv 23 e 24 — Festas, leis a respeito do Tabernáculo, blasfêmia

Você encontrará uma descrição das festas de Israel no comentário de Deuteronômio 16.

O candelabro do Tabernáculo devia ficar perpetuamente aceso. Os pães sagrados colocados diante do Senhor (RA, "pães da proposição") deviam ser trocados todos os sábados. A blasfêmia era passível de pena de morte.

Olho por olho (24.19-21). Essa legislação não tinha a intenção de permitir a vingança. Muito pelo contrário: *limitava* drasticamente a vingança ou a retaliação, para que não se ultrapassasse a reparação exigida pela justiça, em vez de permitir um ciclo de retaliação e contra-retaliação que crescesse incontrolavelmente (v. comentários sobre Mt 5.38 e Lc 6.27).

Essas eram as leis de Deus

Algumas das leis do *Pentateuco* têm semelhança com as leis de Hamurábi (v. p. 85-6), a respeito das quais Moisés sem dúvida estava bem informado. E, embora Moisés possivelmente tenha sido influenciado pela sua formação egípcia e pela tradição babilônica, não deixa de repetir, vez após vez: "Assim diz o SENHOR!". Essas leis não foram inventadas por Moisés, nem por um grupo de legisladores; tampouco foram produzidas por um consenso democrático — foram outorgadas a Israel pelo próprio Deus.

Algumas dessas leis talvez pareçam severas. Se pudéssemos, porém, transportar-nos para o mundo e para a época de Moisés, provavelmente não pareceriam tão severas assim. De modo geral, a "Lei de Moisés", por sua insistência na moral do indivíduo e na igualdade entre as pessoas e por sua preocupação com a velhice e a infância, com os escravos e os inimigos e com os animais, a saúde e os alimentos, era muito mais pura, racional, humana e democrática que qualquer forma de legislação da Antiguidade.

A Lei de Moisés foi designada por Deus como o tutor que nos levaria a Cristo (Gl 3.24), porque demonstrava que ninguém tinha a capacidade de cumprir integralmente essa lei. E algumas de suas disposições legais eram ajustes à "dureza de coração de vocês" (Mt 19.8).

A posse da terra

A terra de Canaã foi dividida entre as doze tribos quando os israelitas entraram em Canaã sob o comando de Josué (Js 13—21), e as terras de cada tribo foram divididas entre as famílias. Com determinadas exceções, essas terras não podiam ser vendidas de modo permanente para fora das respectivas famílias.

Qualquer venda de terras equivalia a um arrendamento cuja validade expirava no Ano do Jubileu, quando teriam de ser devolvidas à família original. Essa disposição jurídica, sendo devidamente implementada, era uma garantia de estabilidade social e impedia, em grande medida, a formação de uma classe superior rica, que possuísse muitas terras, em oposição a uma classe inferior destituída de propriedades.

Lv 25 — O Ano Sabático e o Ano do Jubileu

Todo sétimo ano era Ano Sabático. As terras deviam ficar em repouso. Nada de semeadura, nem de colheita, nem de poda das vinhas. Os frutos espontâneos deviam ser deixados para os pobres e para os residentes temporários. Deus prometeu que no sexto ano concederia produtos suficientes para cobrir as necessidades do sétimo ano. As dívidas dos compatriotas judeus deviam ser canceladas.

Todo qüinquagésimo ano era o Ano do Jubileu. Vinha logo após o sétimo ano sabático, de modo que dois anos de repouso se seguiam. Eram canceladas todas as dívidas, libertados os escravos de origem israelita e restituídas as terras que houvessem sido vendidas. (O propósito dessa disposição legal era garantir que as terras de determinada família permanecessem com ela perpetuamente.) Parece que Jesus considerava o Ano do Jubileu um tipo de prefiguração do repouso que ele veio proclamar ao povo de Deus (25.10; Lc 4.19).

Obediência ou desobediência — Lv 26

Esse capítulo de promessas magníficas e de advertências aterradoras é, de modo semelhante a Deuteronômio 28, um dos mais grandiosos da Bíblia.

Votos e dízimos — Lv 27

Os votos eram promessas voluntárias a Deus de realizar para ele algum serviço ou fazer algo de seu agrado, em reconhecimento por algum benefício esperado. Para se transformar em obrigação, o voto devia ser feito oralmente (Dt 23.23). Os israelitas faziam votos especiais ao prometer ou dedicar ao serviço do Templo pessoas, animais, casas, terras da família ou terras compradas por eles. Na maioria dos casos, porém, um valor ou preço equivalente era pago ao sacerdote em prol da pessoa ou coisa dedicada. Depois de pago o respectivo preço, dizia-se que a pessoa ou objeto em questão fora resgatado.

Essa idéia de redenção é levada para o NT em Gálatas 3.13, em que se declara que "Cristo nos redimiu da maldição da Lei quando se tornou maldição em nosso lugar". Em 1 Coríntios 6.19,20, Paulo ensina aos cristãos primitivos: "Acaso não sabem que [...] vocês não são de si mesmos? Vocês foram comprados por alto preço".

> Se vocês seguirem os meus decretos e obedecerem aos meus mandamentos, e os colocarem em prática, eu lhes mandarei chuva na estação certa, e a terra dará a sua colheita e as árvores do campo darão o seu fruto. A debulha prosseguirá até a colheita das uvas, e a colheita das uvas prosseguirá até a época da plantação, e vocês comerão até ficarem satisfeitos e viverão em segurança em sua terra. Estabelecerei paz na terra, e vocês se deitarão, e ninguém os amedrontará.
>
> LEVÍTICO 26.3-6

Uma décima parte dos produtos da terra e do aumento dos rebanhos e das manadas devia ser dada a Deus; é isso que é chamado dízimo (Gn 14.20; 28.22; Lv 27.30-32; Nm 18.21-28; Dt 12.5,6,11,17,18; 14.23,28,29; 26.12).

O número 7 na Lei de Moisés

O número 7 desempenhava um relevante papel simbólico na Lei de Moisés.

- Todo sétimo dia era um sábado.
- Todo sétimo ano era um Ano Sabático.
- Todo sétimo ano sabático (7 x 7) era seguido por um Ano de Jubileu.
- Todo sétimo mês era especialmente santo e tinha três festas.
- Havia sete semanas entre a Páscoa e o Pentecostes.
- A Festa da Páscoa durava 7 dias.
- A Festa dos Tabernáculos durava 7 dias.
- Na Páscoa, 14 (2 x 7) cordeiros eram oferecidos por dia.
- Na Festa dos Tabernáculos, 14 (2 x 7) cordeiros e 70 novilhos eram oferecidos por dia.
- No Pentecoste, 7 cordeiros eram oferecidos.

(V. tb. p. 722.)

Três dízimos são mencionados no AT: o dízimo levítico, o dízimo para as festas e, de três em três anos, o dízimo para os pobres. Alguns acreditam que existia um só dízimo, usado em parte para as festas e em parte, ao terceiro ano, para os pobres. Outros acham que o dízimo para as festas era tirado dos nove décimos que restavam depois de pago o dízimo levítico.

O dízimo já estava em uso muito tempo antes dos dias de Moisés. Abraão e Jacó pagavam dízimos. Entre os judeus, o dízimo destinava-se ao sustento dos levitas, que funcionavam como oficiais cívicos, além de prestarem os serviços religiosos (v. comentário sobre 1Cr 23).

Deus reivindicava para si não somente os dízimos, mas também os filhos primogênitos de todas as famílias (em lugar dos quais aceitou a tribo de Levi), os primogênitos de todos os rebanhos e manadas e os primeiros frutos dos campos. Os primeiros frutos da colheita deviam ser oferecidos na Páscoa, e nenhuma parte desses novos produtos podia ser utilizada antes de ter sido cumprido esse dever (23.14). Os primeiros frutos de um pomar novo (no quarto ano) deviam ser integralmente oferecidos a Deus, e nenhum fruto do pomar podia ser utilizado até que isso fosse feito. A lição fica bem clara: pôr Deus em primeiro lugar na vida.

Números

Os 40 anos no deserto
A peregrinação de Israel à Terra Prometida

> O Senhor te abençoe e te guarde;
> o Senhor faça resplandecer
> o seu rosto sobre ti
> e te conceda graça;
> o Senhor volte para ti o seu rosto e te dê paz.
> — Números 6.24-26

> A ira do Senhor acendeu-se contra Israel, e ele os fez andar errantes no deserto durante quarenta anos, até que passou toda a geração daqueles que lhe tinham desagradado com seu mau procedimento.
> — Números 32.13

No começo de Números, o Senhor está organizando Israel em exército durante a caminhada para estabelecer o reino de Deus na Terra Prometida. Durante a viagem inteira, vemos a rebeldia de Israel, bem como a ira de Deus contra a desobediência do povo. Mas, a despeito dos juízos exercidos por Deus, ele é fiel para levar Israel à Terra Prometida. Repetidas vezes, vemos renovada a graça de Deus.

Nm 1 — O censo

Esse censo, tomado no monte Sinai, revelou a existência de 603 550 homens maiores de 20 anos, sem incluir os levitas (v. 45-47). Outro censo, levantado 38 anos depois, indicou que havia 601 730 homens maiores de 20 anos (v. comentário sobre o cap. 26).

Nm 2—4 — A organização do acampamento

Todos os pormenores foram dispostos com precisão militar. Fazer assim era necessário ao lidar com tão vasta multidão de pessoas. Quando se acampavam, as tribos eram dispostas em localizações específicas em redor do Tabernáculo, e elas também seguiam uma ordem específica de marcha quando viajavam. Essa disposição, como demonstra o diagrama a seguir, permitia uma transição ordeira entre acampar e viajar.

Judá e as tribos do leste marchavam na frente. O Tabernáculo era protegido pelas tribos do sul e do oeste, que ficavam ao sul e ao norte respectivamente, ao passo que as tribos do norte fechavam a retaguarda.

O acampamento das tribos de Israel
Números 2.1-31; Números 10.11-33

Ordem de marcha das tribos

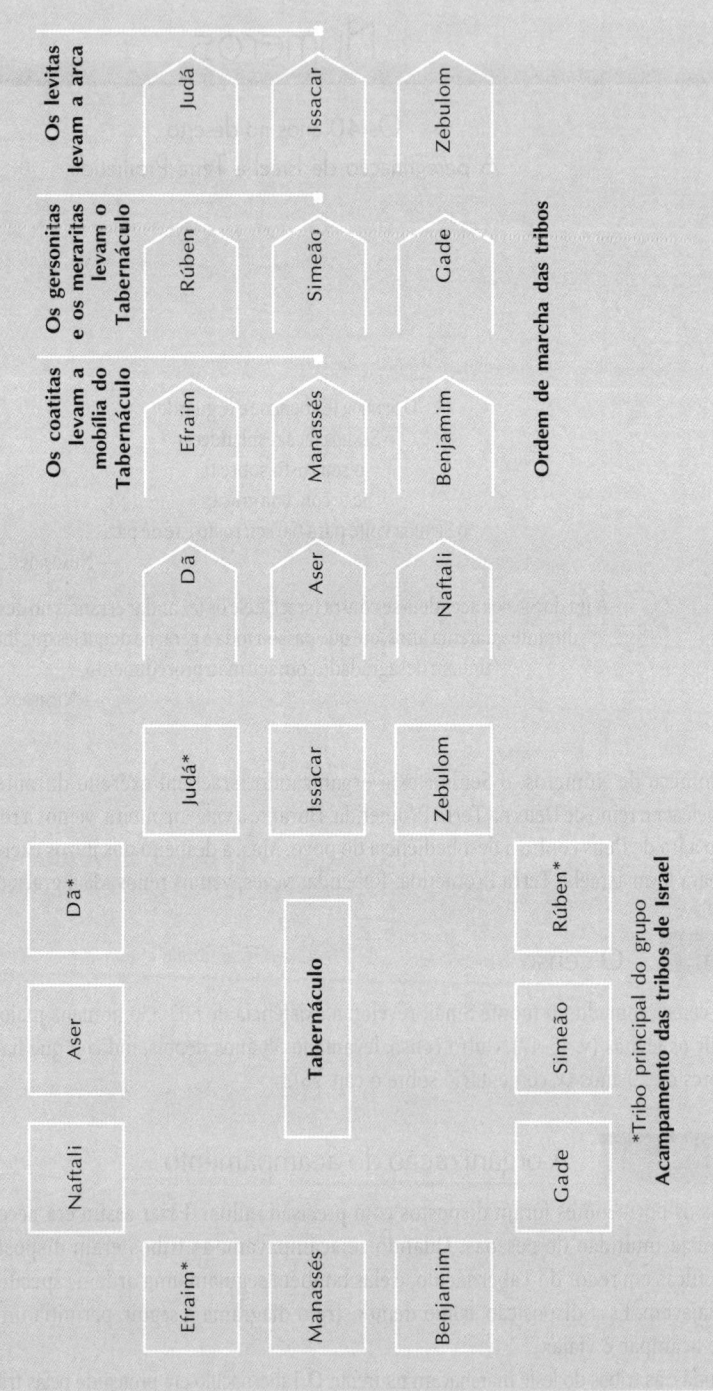

Os coatitas levam a mobília do Tabernáculo
- Efraim
- Manassés
- Benjamim

Os gersonitas e os meraritas levam o Tabernáculo
- Rúben
- Simeão
- Gade

Os levitas levam a arca
- Judá
- Issacar
- Zebulom

Acampamento das tribos de Israel

Norte: Dã*, Aser, Naftali
Leste: Judá*, Issacar, Zebulom
Sul: Rúben*, Simeão, Gade
Oeste: Efraim*, Manassés, Benjamim

Centro: Tabernáculo

*Tribo principal do grupo

Extraído da *Bíblia de estudo NVI*. Usado com permissão.

Leis diversas — Nm 5 e 6

O que se destaca nesses capítulos é a bela bênção sacerdotal (6.24-26). A palavra hebraica *shãlôm* não tem exatamente o mesmo sentido da nossa palavra "paz". Não é mera ausência de guerra ou de conflito (embora esse aspecto esteja incluído) nem uma simples sensação de paz. Mais que isso, significa plenitude, bem-estar, harmonia.

Os preparativos para a viagem — Nm 7—9

As ofertas dos líderes das doze tribos (cap. 7) são todas exatamente iguais. Para nós, repetir uma lista doze vezes parece redundante e enfadonho, mas, para a mentalidade hebraica, realça a solenidade e a seriedade do fato. Além disso, cada tribo, independentemente de tamanho, entregou ofertas idênticas, de modo que nenhuma tribo pudesse posteriormente reivindicar a primazia (quanto à presença de Deus na nuvem [9.15-25], v. comentário sobre Êx 13.21).

Jornada para a Terra Prometida — Nm 10 e 11

O povo permaneceu no monte Sinai durante um ano. Em seguida, a nuvem ergueu-se. Ouviu-se o som das cornetas de prata. Judá marchou na dianteira, e assim se puseram a caminho.

Dentro de três dias, em Taberá, os israelitas começaram a se queixar (10.33; 11.1-3). A especialidade deles era justamente saber reclamar de tudo. Deus enviou codornizes, mas também enviou uma praga (v. comentário sobre Êx 16).

Miriã e Arão opõem-se a Moisés — Nm 12

Antes de o incidente chegar ao fim, a pobre Miriã desejou nunca tê-lo iniciado. Moisés era um homem "muito paciente" (v. 3; "mui manso" na ARA). Que característica admirável de um dos maiores homens de todos os tempos! Jesus, citando Salmos 37.11, disse: "Bem-aventurados os humildes, pois eles receberão a terra por herança" (Mt 5.5; v. 11.29).

A missão de reconhecimento de Canaã — Nm 13 e 14

Moisés planejava ir diretamente do Sinai a Canaã. Foi sem demora até Cades, 240 km ao norte do Sinai e 80 km ao sul de Berseba, que dava acesso a Canaã pelo sul, com a intenção de entrar por ali imediatamente.

Entretanto, o relatório trazido pelos observadores foi desanimador, e o povo recusou-se a seguir em frente. Teriam até mesmo apedrejado Moisés, não fosse a milagrosa intervenção divina. Esse foi o ponto crucial da viagem. Tendo a Terra Prometida já ao alcance dos olhos, recuaram. Para eles, essa oportunidade nunca mais voltou a ser oferecida — Deus não mais podia deixar passar despercebida a rebelião deles. Por causa da desobediência no tocante à conquista de Canaã, esse grupo perdeu o direito de entrar na Terra Prometida. Foram condenados a viver o restante da vida peregrinando pelo deserto. Somente seus filhos experimentariam a alegria que anteriormente fora planejada para os pais. Calebe e Josué, os dois que, tendo feito o reconhecimento da terra, estavam dispostos a prosseguir, foram os únicos dentre os 600 mil homens maiores de 20 anos que sobreviveram até entrar em Canaã.

Nm 15—19 Diversas leis; Corá

Corá, com inveja de Moisés, quis usurpar a posição de liderança. Moisés apelou diretamente a Deus, que não tardou em resolver a questão. A terra se abriu e engoliu os rebeldes.

As aflições de Moisés

Não há dúvida de que Moisés passou por muitas aflições. Mal saíra do Egito, e surgiram os problemas. Os amalequitas atacaram imediatamente, e um ano depois, em Cades, surgiu uma confederação de edomitas, moabitas, amonitas, amorreus e midianitas para impedir o avanço de Israel em direção a Canaã.

Depois, seu próprio povo, que havia sido liberto do Egito e sustentado por milagres maravilhosos, resmungava, queixava-se e se rebelava vezes sem fim. Deram início aos queixumes quando ainda estavam no Egito. Depois, no mar Vermelho, outras reclamações. Mais adiante, de novo, em Mara. Em seguida, a mesma situação no deserto de Zim. Continuaram resmungando, queixando-se e rebelando-se em Refidim, em Taberá, em Meribá. E agora, em Cades, tendo visível diante deles a Terra Prometida, recusaram-se totalmente a avançar, o que deve quase ter partido o coração de Moisés.

Além de tudo isso, Moisés passava por tribulações contínuas provocadas por seus assistentes de confiança. Arão fez o bezerro de ouro no Sinai. Miriã e Arão tentaram usurpar a autoridade dele (cap. 12). Dez dos doze espiões que tinham feito o reconhecimento de Canaã lideraram o povo na recusa em entrar naquele país. O povo estava a ponto de apedrejar Moisés (14.10; Êx 17.4).

E por fim o próprio Moisés não teve permissão de entrar na Terra Prometida — não pôde realizar o sonho vitalício de seu coração.

Não vemos nenhuma possibilidade de ele ter suportado tudo isso sem a graça milagrosa de Deus sobre ele. Quando, porém, nas ribanceiras do rio Jordão, Deus o levou para ver "a terra que prometi sob juramento a Abraão, a Isaque e a Jacó" (32.11), Moisés compreendeu.

Nm 20 A arrancada final para Canaã

Parece ter havido um lapso de 38 anos entre os capítulos 19 e 20, que abrangeu o período entre a primeira chegada a Cades (13.26) e a partida final de Cades para Canaã. No capítulo 33, há uma lista de acampamentos, 40 ao todo, desde o Egito até as campinas de Moabe. Desses acampamentos, dezoito ficavam entre Ritmá e Cades. Julgamos, pela expressão "ficaram em Cades, onde permaneceram muito tempo" (Dt 1.46) e pela menção desses dezoito acampamentos entre a primeira e a segunda chegada a Cades, que essa localidade talvez tenha sido como um tipo de quartel-general ou base central, de onde o povo saía para esses outros acampamentos conforme a orientação divina. Os israelitas talvez tenham permanecido num só lugar durante algum tempo, com seus rebanhos e manadas pastando nas colinas e vales da região, até a mudança seguinte.

O pecado de Moisés, que lhe fez perder o direito de entrar na Terra Prometida, parece ter sido não ter dado o crédito a Deus pelo milagre de tirar água da rocha (v. 12). É possível também que o pecado tenha sido não crer que somente uma palavra pudesse fazer a água jorrar. Ferir duas vezes a rocha com a vara revelou falta de confiança em Deus e falta de respeito para com a santidade divina.

Miriã, Arão e Moisés morreram todos no mesmo ano. Miriã morreu em Cades (v. 1), Arão, no monte Hor (v. 28) e Moisés, no monte Nebo (Dt 32.50; 34.1,5). Miriã estava com cerca de 130 anos, Arão, com 123 e Moisés, o mais jovem deles, com nada mais que 120.

Oásis no deserto do Sinai. Pequenas manchas de verde na vastidão de areia e rocha indicavam a presença de água — mas não necessariamente água suficiente para uma grande nação. Quando Deus deu aos israelitas a água da rocha, não foi simplesmente uma demonstração de seu poder — era uma questão de sobrevivência para seu povo.

De Cades até o Jordão — Nm 21

É possível que a coligação de amalequitas e cananeus imediatamente ao norte de Cades parecesse forte demais para que Israel tentasse seguir a rota direta até Hebrom. Seja como for, Deus tinha outros planos. Os israelitas começaram a marchar para o leste, a fim de subir pela costa oriental do mar Morto, passando pelo território de Edom. Os edomitas (descendentes de Esaú, irmão de Jacó, Gn 25.30), porém, não permitiram a passagem.

Diante disso, Moisés voltou-se para o sul, descendo pelo Arabá, vale desolado que se estende desde o mar Morto até o mar Vermelho, "um deserto vasto e terrível", a fim de fazer um circuito pela rota longa e arriscada que contornava Edom e Moabe, para então seguir rumo ao norte, ao longo das fronteiras da Arábia, até chegar às planícies de Moabe, defronte a Jericó, imediatamente a leste da extremidade norte do mar Morto. Deus proibiu Moisés de causar quaisquer danos aos edomitas, aos moabitas ou aos amonitas, embora tivessem procurado impedir o avanço dos israelitas.

A **serpente de bronze** (21.6-9) é uma prefiguração do evangelho. Da mesma forma que os que foram mordidos pelas serpentes olhavam para a serpente de bronze e eram curados, assim também nós, que fomos feridos pelo pecado, viveremos se olharmos para Jesus (Jo 3.14).

A serpente de bronze foi conservada, mas a certa altura os israelitas fizeram dela um ídolo, chamaram-na Neustã e passaram a queimar incenso diante dela. O rei Ezequias destruiu-a, 700 anos depois de Moisés a ter confeccionado (2Rs 18.4).

A **conquista de Gileade e Basã** (21.21-35). Os amorreus, que tinham passado para o leste do Jordão, atacaram Israel. Moisés tinha se refreado de atacar qualquer nação por cujo território os israelitas haviam marchado. Diante do ataque dos amorreus, porém, os israelitas contra-atacaram e lhes conquistaram a terra. Da mesma forma, Basã atacou em seguida e foi igualmente derrotado. Com isso, a região a leste do Jordão passou a pertencer aos israelitas.

> NOTA ARQUEOLÓGICA: Cades-Barnéia.
> Cades-Barnéia está localizada na fronteira sudoeste da terra de Canaã. A partir dali, os israelitas enviaram homens para fazer o reconhecimento da terra de Canaã e, depois de ter sido proibidos de entrar na terra por falta de fé, parece que os israelitas passaram boa parte dos 38 anos de suas "peregrinações" acampados nos arredores. Cades (Barnéia) é geralmente identificada com uma série de fontes de bom tamanho localizadas na região de Ain Qudeirat e Ain Qudeis. Essa área fica localizada a cerca de 80 km a sudoeste de Berseba. Escavações arqueológicas têm revelado os restos de uma série de fortalezas pequenas, datadas dos séculos x a vi a.C., mas nenhum remanescente físico concreto da época em que os israelitas ali estiveram acampados.

Nm 22—25   Balaão

As profecias de Balaão foram uma predição notável do papel influente que Israel desempenharia na história, por meio de uma "estrela" que surgiria de Jacó (24.17). Embora Deus tivesse usado Balaão para transmitir profecias verídicas, este, em troca de dinheiro, passou a instigar Israel a cometer pecados vergonhosos com mulheres moabitas e midianitas. Por causa disso, Balaão foi morto, e 24 mil israelitas também pereceram (31.8,16; 25.9). E o nome de Balaão passou a ser sinônimo de falsos mestres (2Pe 2.15; Jd 11; Ap 2.14).

Como o deserto pôde sustentar 2,5 milhões de pessoas durante 40 anos?

Somente pelo auxílio eficaz e miraculoso de Deus. Os milagres eram tão contínuos e tão estupendos que a intenção evidente dos registros é demonstrar que não poderiam ter sido operados a não ser pela mão de Deus. Aos que acham difícil crer nesses fatos, respondemos que é mais fácil crer neles exatamente conforme constam do registro que acreditar nas teorias estranhas e fantasiosas que têm sido inventadas com o intuito de desacreditá-los. Os acontecimentos do deserto coadunam-se com a totalidade da narrativa bíblica. Os números registrados podem ter se originado de uma interpretação insatisfatória do texto. Talvez os "milhares" fossem "grupos de clãs". Se for esse o caso, haveria a possibilidade de reduzir os totais sem nenhuma injustiça para com o texto original.

O propósito dos milagres no deserto possivelmente foi:

- Preservar a nação; no plano divino, a nação foi estabelecida para preparar o caminho do Messias vindouro.
- Ensinar a nação, que fora criada na idolatria do Egito, a ter fé no único Deus verdadeiro e dar aos israelitas provas concretas que servissem de lembrança, para todos os tempos, de que se pode confiar em Deus em meio a todas as circunstâncias da vida.
- Inculcar nas nações ao redor, sobretudo nos cananeus, o fato de que o avanço de Israel em direção a Canaã era da vontade de Deus e que teriam de levar em conta que estariam lutando contra Deus, não meramente contra um grupo de pessoas com pouca experiência de guerra.

Independentemente dos vários milagres que a acompanharam, a transplantação de uma nação inteira de uma terra para outra, que também importou em sua manutenção durante 40 anos num deserto, foi, em si mesma, um dos milagres mais estupendos de todas as eras.

Nm 26   O segundo censo

A vida no deserto deve ter sido rigorosa. Dos mais de 600 mil homens maiores de 20 anos registrados no primeiro censo (cap. 1), somente dois sobreviveram. A geração mais jovem, mais resistente por ter enfrentado a vida no deserto, tinha um tipo diferente de homens em comparação com seus pais, que foram escravos recém-libertos da vida austera, porém previsível, das "panelas de carne" (Êx 16.3) do Egito.

Diversos regulamentos e acontecimentos — Nm 27—36

Quanto às festas e ofertas (caps. 28 e 29), v. p. 126, 146-7.

Quanto à colonização do leste do Jordão por duas tribos e meia (cap. 32) e as instruções sobre a divisão da terra (cap. 34), v. comentário sobre Js 13.

Quanto às cidades levíticas (cap. 35), v. comentário sobre Js 21.

Quanto ao calendário judaico, v. p. 870.

Os milagres de Moisés

Embora os milagres sejam uma característica acentuada da Bíblia, não são abundantes em todos os trechos. Os milagres (não incluindo as profecias e respectivos cumprimentos) fazem-se notar, em especial, durante quatro períodos, separados por séculos:

- do Êxodo e da conquista de Canaã (Moisés e Josué);
- da luta contra a idolatria (Elias e Eliseu);
- do cativeiro na Babilônia (Daniel);
- de Jesus e dos apóstolos.

Antes de Jesus, nenhum homem, mais que Moisés, recebera o poder para ser mediador de tantas manifestações estupendas do poder divino: as dez pragas contra o Egito, a travessia do mar Vermelho, a água tomada potável em Mara, a provisão de codornizes no deserto de Sim e em Taberá, o maná suprido diariamente durante 40 anos, os Dez Mandamentos, escritos em pedra pelo dedo de Deus, a conversa de Deus com Moisés face a face, de modo que o rosto deste brilhava — só para citar alguns desses milagres.

Moisés não poderia ter libertado Israel do Egito nem sustentado os israelitas no deserto durante 40 anos sem a ajuda inequívoca e milagrosa de Deus. Entretanto, para Moisés, assim como no caso do apóstolo Paulo, esse sublime privilégio foi acompanhado de sofrimentos quase inacreditáveis.

As peregrinações pelo deserto

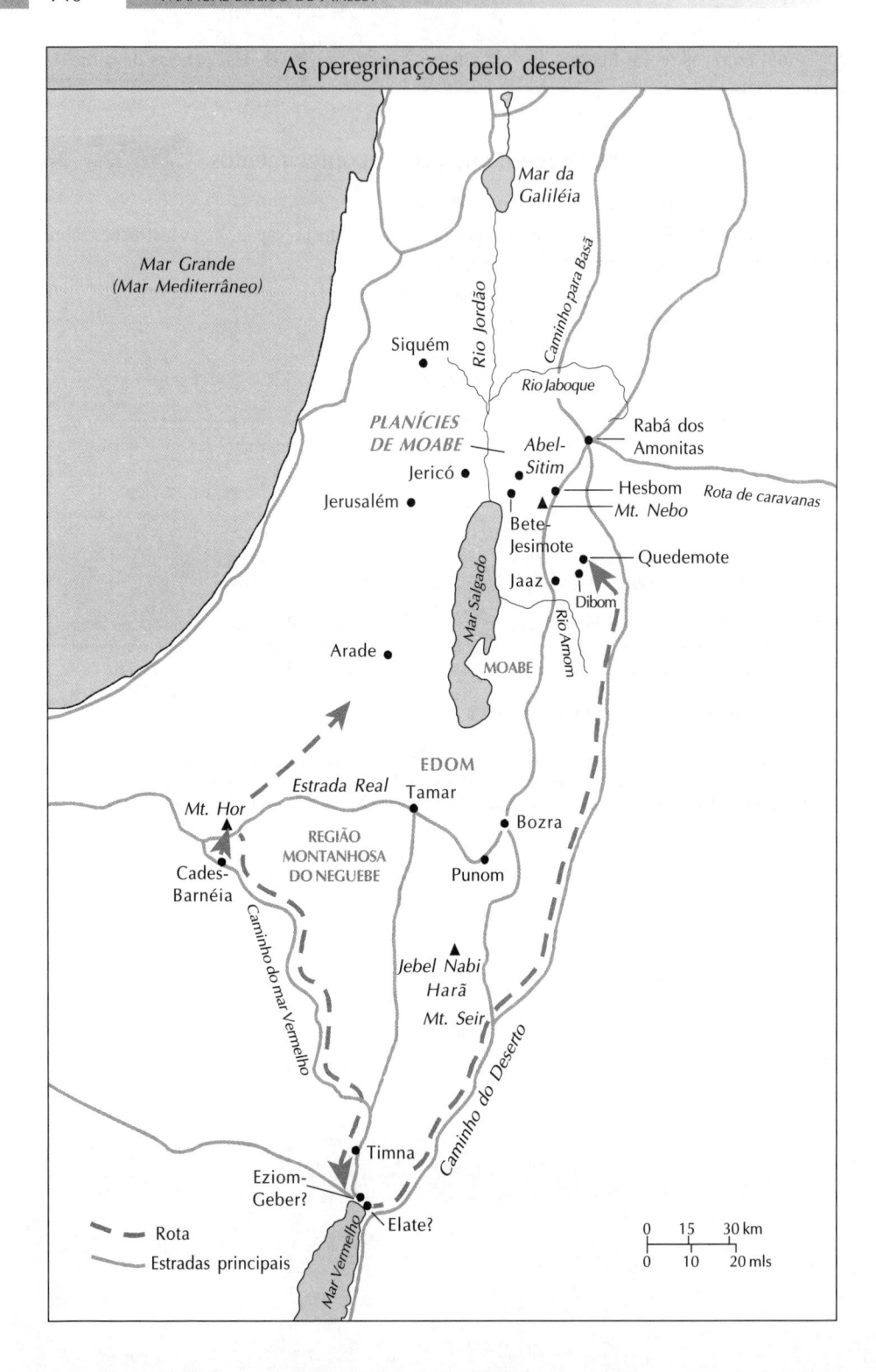

Deuteronômio

Discurso de despedida de Moisés:
Um tratado entre Deus e Israel

> Ame o Senhor, o seu Deus, de todo o seu coração, de toda a
> sua alma e de todas as suas forças.
> — Deuteronômio 6.5
>
> O Deus eterno é o seu refúgio, e para segurá-lo
> estão os braços eternos.
> — Deuteronômio 33.27

O TÍTULO DO LIVRO, "Deuteronômio", provém da *Septuaginta*, tradução da Bíblia para o grego, e significa "segunda lei" ou "repetição da lei". Em Êxodo, Levítico e Números, muitas leis tinham sido dadas aos israelitas. Agora, na fronteira de Canaã, com o povo finalmente disposto a entrar nesse país, essas leis são repassadas com a respectiva exposição, já prevendo a vida sedentária em Canaã — e aplicando-se a essa vida. A linguagem segue a de um tratado formal entre Deus e seu povo (v. p. seguinte).

Muitas partes de Deuteronômio recompensam a leitura, não somente pelo conteúdo, mas também pela maravilhosa eloqüência e beleza da linguagem.

Do Sinai até ao Jordão — Dt 1—3

Um resumo retrospectivo de Números de 1 a 33. Depois de ter completado uma das realizações mais nobres e heróicas de todas as eras, Moisés teve negado o seu último apelo a Deus, pedindo que lhe fosse permitido atravessar o Jordão (3.23-28). Isso aconteceu porque Deus tinha algo melhor para ele, num mundo melhor (v. Hb 11.28-34,39,40).

Apego à Palavra de Deus — Dt 4 e 5

Exortações sinceras para que o povo observe os mandamentos de Deus, os ensine com diligência aos filhos e repudiem totalmente a idolatria — sempre acompanhadas por repetidos lembretes de que a segurança e a prosperidade da nação dependeriam de todos serem leais e obedientes a Deus.

Os Dez Mandamentos (cap. 5) também se acham em Êxodo 20.

Deuteronômio: um tratado entre Deus e Israel

O livro de Deuteronômio é mais que simplesmente uma nova apresentação da lei. Trata-se, na realidade, de um tratado formal entre Deus e o povo de Israel.

A descoberta, em 1906-1907, de cerca de 10 mil tabuinhas na antiga capital dos heteus, Khatussa (Boghaz-koy na atual Turquia) forneceu exemplares de tratados heteus que revelam que Deuteronômio possui todos os elementos contidos nos tratados heteus pertencentes ao segundo milênio a.C., e que até mesmo segue, em grande medida, a mesma seqüência deles, conforme demonstra o gráfico abaixo.

Josué 24 também tem o formato de tratado.

Ordem das seções nos tratados heteus	Descrição	Deuteronômio	Josué 24
Introdução de quem fala	Identifica o autor e o seu direito de proclamar o tratado	1.1-5	v. 1,2
Prólogo histórico	Levantamento do relacionamento entre as partes no passado	1.6—3.29	v. 2-13
Estipulações	Alistamento de obrigações	cap. 4—26	v. 14-25
Declaração a respeito do documento	Armazenamento e instruções para leitura pública	27.2,3	v. 26
Testemunhas	Geralmente define os deuses que serão invocados para testemunhar o juramento	cap. 31 e 32	v. 22,27
Maldições e bênçãos	Como a deidade reagirá diante da obediência ao tratado ou da violação dele	cap. 28	v. 20

Dt 6 — O grande mandamento

Ouça, ó Israel: O Senhor, o nosso Deus, é o único Senhor (v. 4). Esse é o início da confissão de fé judaica (v. 6-9), chamada *Shemá* [sh^{e}ma'] (que em hebraico significa "ouça").

"Ame o Senhor, o seu Deus, de todo o seu coração, de toda a sua alma e de todas as suas forças" (v. 5). Essa injunção é repetida muitas vezes (10.12; 11.1,13,22) e foi enfatizada por Jesus (Mt 22.37), que lhe concedeu uma posição de destaque nos seus ensinos.

Os israelitas não deviam depender somente da instrução pública para manter vivas entre eles as idéias de Deus e o conhecimento dele; deviam ensiná-los em casa, com diligência (6.6-9). Uma vez que eram poucos os livros, e de difícil obtenção, os israelitas deviam transcrever certas partes importantes da lei nos batentes das portas, amarrá-las nos próprios braços e testa e falar constantemente sobre tais preceitos. Embora esse mandamento possivelmente visasse ser uma figura de linguagem, posteriormente deu origem às mezuzás (caixas pequenas, afixadas aos batentes das portas, que continham textos das Escrituras), bem como aos filactérios (recipientes pequenos, presos ao braço e à testa com tirantes, que continham uma citação das Escrituras), que até hoje são usados diariamente pelos judeus ortodoxos.

> Nem só de pão viverá o homem, mas de toda palavra que procede da boca do Senhor.
> DEUTERONÔMIO 8.3

Os cananeus e os ídolos devem ser destruídos — Dt 7

Os israelitas deviam destruir os cananeus e todos os ídolos deles. Não deviam fazer nenhum acordo ou pacto com eles, nem celebrar casamentos mistos com esses povos. Essa separação nítida era necessária para salvar Israel da idolatria com todas as respectivas abominações.

Por trás desses mandamentos rigorosos, existia o amor de Deus a Israel, amor que é declarado em alguns dos mais belos versículos das Escrituras (7.6-11). Não era porque Israel fosse melhor ou mais importante que as outras nações — Deus escolhera Israel simplesmente por seu amor a esse povo.

Relembrando os milagres do deserto — Dt 8

Durante 40 anos, Deus tinha ensinado humildade aos israelitas e os tinha testado — mas também os alimentara com maná, e as roupas deles não se desgastaram nem se lhes incharam os pés (v. 4) — a fim de que aprendessem a confiar em Deus e a viver pela sua Palavra (v. 2-5).

A rebeldia persistente de Israel — Dt 9 e 10

Em três ocasiões seguidas, Deus relembra a Israel que as maneiras maravilhosas como ele lidou com os israelitas não provinham do fato de serem tão justos (9.4-6) — pelo contrário, eles tinham sido um povo rebelde e teimoso durante toda a longa peregrinação.

As bênçãos da obediência — Dt 11

Esse capítulo grandioso é, da mesma forma que os capítulos 6 e 28, um apelo em favor da devoção à Palavra de Deus e da obediência aos mandamentos divinos, sendo que a própria prosperidade da nação dependia dessa obediência, que é inculcada com promessas maravilhosas e com advertências ameaçadoras.

Diversas ordenanças — Dt 12—15

Todos os ídolos tinham obrigatoriamente de ser destruídos. Moisés, criado no viveiro da idolatria egípcia e rodeado durante toda a sua vida por povos idólatras, nunca fez concessões à idolatria. E suas advertências, feitas repetidas vezes, acabaram revelando ter um justo motivo: a idolatria realmente acabou sendo a ruína da nação.

"Alegrar-se" é uma palavra predileta nos Salmos e nas epístolas do NT; note quão freqüentemente essa palavra é empregada em Deuteronômio (12.7,12,18; 14.26; 16.11; 26.11; 32.43; 33.18).

Animais puros e impuros (14.1-21; v. comentário sobre Lv 11).
Dízimos (14.22-29; v. comentário sobre Lv 27).
O ano sabático (15.1-11; v. comentário sobre Lv 25).
A escravidão (15.12-18; v. comentário sobre Lv 19).
As primeiras crias (15.19-23; v. comentário sobre Lv 27).

As festas — Dt 16

Três vezes por ano, todos os israelitas do sexo masculino tinham a obrigação de comparecer diante de Deus: nas festas da Páscoa, das Semanas e das Cabanas. Além dessas três festas, havia outros eventos, sendo que o principal era o Dia da Expiação (*Yom Kipur*). Somente nesse dia, no ano inteiro, é que era permitido ao sumo sacerdote entrar no Lugar Santíssimo (RA, "Santo dos Santos", Lv 16).

As festas de Israel tinham o propósito de manter Deus sempre nos pensamentos do povo e, num nível prático, promover a unidade nacional. Posteriormente, quando as dez tribos do norte separaram-se e formaram o Reino do Norte (Israel), Jeroboão I tomou consciência de que, se seu povo continuasse a adorar ao Deus de Abraão, de Isaque e de Jacó, todos teriam que ir até Jerusalém, no Reino do Sul (Judá), três vezes por ano. Fazer um rompimento total com o Reino do Sul era politicamente essencial para Jeroboão, por isso ele instituiu uma "nova" religião nacional e estabeleceu altares pagãos em Betel e Dã, no sul e no norte de seu reino.

As festas de Israel

- A **Páscoa** e a **Festa dos Pães sem Fermento** eram observadas na primavera e duravam sete dias. Comemoravam o Êxodo, quando Israel foi libertado do Egito. A Páscoa era celebrada no início do ano religioso.
- A **Festa das Semanas**, também chamada Pentecoste, Festa da Colheita ou dos Primeiros Frutos, era observada no qüinquagésimo dia depois da Páscoa, e durava um só dia.
- A **Festa das Cabanas**, também chamada Festa da Colheita ou dos Tabernáculos, era celebrada cinco dias depois do Dia da Expiação e durava sete dias.
- A **Festa das Trombetas** (posteriormente chamada **Rosh Hashaná** ou Dia do Ano-Novo), no primeiro dia do sétimo mês, marcava o início do ano civil (v. comentário sobre Nm 28).
- O **Dia da Expiação** (v. comentário sobre Lv 16).

Dt 17 É predito um rei

Aqui, Deus prediz que Israel terá um rei e acrescenta algumas instruções, bem como algumas advertências (v. 4-20). A monarquia só surgiria vários séculos depois (v. comentário sobre 1Sm 8).

Quando, nos dias de Samuel, os israelitas pediram um rei, Samuel lhes respondeu que, ao pedirem um rei, estavam rejeitando a Deus. Não temos aqui uma contradição. O fato de Deus ter sabido disso de antemão não significa que ele aprovava — era só que, com presciência daquilo que exigiriam, Deus queria ser consultado quando isso acontecesse. Ao repudiar a forma de governo que Deus lhes outorgara — uma teocracia (literalmente: "governo por Deus"; comparar com democracia, "governo pelo povo") — estavam rejeitando ao próprio Deus. Notemos que os reis deviam ser leitores vitalícios da Palavra de Deus (v. 18-20). Que ótima sugestão para os governantes de hoje! Notemos, também, que os reis começaram de imediato a fazer tudo quanto Deus lhes proibira de fazer: multiplicaram para si mesmos mulheres, cavalos e ouro (16,17; 1Rs 10.14-29; 11.1-13).

Dt 18 O profeta semelhante a Moisés

Essa predição (v. 15-19) pode ter contido uma referência secundária à ordem profética como um todo, ou seja, à sucessão dos profetas, tais como Isaías e Joel, que Deus suscitaria para enfrentar emergências na história de Israel. Entretanto, a linguagem dessa predição prenuncia inconfundivelmente um só indivíduo específico: o Messias. É uma das predições mais específicas a respeito de Cristo em todo o Antigo Testamento. O próprio Jesus assim a entendeu (Jo 5.46) e Pedro também (At 3.22).

A nação dos hebreus foi fundada por Deus para ser o meio pelo qual as outras nações, em algum tempo futuro, seriam abençoadas. Aqui temos uma declaração explícita de que o sistema segundo o qual essa nação estava sendo organizada — aquele outorgado através de Moisés, ou seja, a Lei — não seria aquele mediante o qual Israel abençoaria todas as nações. Essa lei seria substituída por outro sistema, outorgado por outro profeta, que conteria a mensagem de Israel a *todas* as nações. O judaísmo seria cumprido pelo evangelho e substituído por este.

Cidades de refúgio — Dt 19

Essas cidades ofereciam direito de asilo aos que tivessem provocado alguma morte acidental — nelas eles estavam a salvo de serem processados, bem como de vingança. Moisés já havia dedicado três dessas cidades a leste do Jordão: Bezer, Ramote e Golã (Dt 4.41-43). Posteriormente, Josué dedicou três cidades de refúgio a oeste do Jordão: Quedes, Siquém e Hebrom. Todas essas cidades de refúgio eram cidades levíticas e estão incluídas nas 48 cidades alocadas aos levitas (Nm 35.6).

Leis sobre a guerra — Dt 20

Os que tivessem acabado de construir uma casa ou de plantar uma vinha, ou estivessem de casamento marcado, ou que estivessem com medo ou acovardados deviam ser dispensados do serviço militar. Os cananeus tinham de ser destruídos, mas as árvores frutíferas deveriam ser poupadas.

Um *nawami*, ou local de sepultamento, no deserto do Sinai. Essas estruturas remontam até 3400-3150 a.C. e, portanto, já estavam com quase dois mil anos de idade quando os israelitas viajaram através dessa região.

Diversas leis — Dt 21—26

Essas leis vão desde questões como expiação pública no caso de homicídio não desvendado (21.1-9) até o destino do filho rebelde (que recuse a disciplina, devendo ser executado, 21.18-21) e a exigência de fazer um parapeito ou balaustrada em torno da cobertura plana da casa (22.8).

Festas e outros dias santos do Antigo Testamento

Nome	Referências no AT	Data no AT	Equivalente Moderno
Sábado	Êx 20.8-11; 31.12-17; Lv 23.3; Dt 5.12-15	Sétimo dia	Igual
Ano Sabático	Êx 23.10,11; Lv 25.1-7	Sétimo ano	Igual
Ano do Jubileu	Lv 25.8-55; 27.17-24; Nm 36.4	50.º ano, depois de 7 x 7 anos	Igual
Páscoa	Êx 12.1-14; Lv 23.5; Nm 9.1-14; 28.16; Dt 16.1-3a,4b-7	14 do primeiro mês (abibe)	mar.-abr.
Pães sem Fermento	Êx 12.15-20; 13.3-10; 23.15; 34.18; Lv 23.6-8; Nm 28.17-25; Dt 16.3b,4a,8	15-21 do primeiro mês (abibe)	mar.-abr.
Primeiros Frutos	Lv 23.9-14	16 do primeiro mês (abibe)	mar.-abr.
Semanas (Pentecoste) (Colheita)	Êx 23.16a; 34.22a; Lv 23.15-21; Nm 28.26-31; Dt 16.9-12	6 do terceiro mês (sivã)	maio-jun.
Trombetas (depois: Rosh Hashaná — Ano-Novo)	Lv 23.23-25; Nm 29.1-6	Sétimo mês (tisri) 1	set.-out.
Dia da Expiação (Yom Kippur)	Lv 16; 26.26-32; Nm 29.7-11	10 do sétimo mês (tisri)	set.-out.
Cabanas (Tabernáculos) (Fim da Colheita)	Êx 23.16b; 34.22b; Lv 23.33-36a,39-43; Nm 29.12-34; Dt 16.13-15; Zc 14.16-19	15-21 do sétimo mês (tisri)	set.-out.
Reunião Sagrada	Lv 23.36b; Nm 29.35-38	22 do sétimo mês (tisri)	set.-out.
Purim	Et 9.18-32	14-15 do 12º. mês (adar)	fev.-mar.

No dia 25 de quisleu (meados de dezembro), Hanukah, a Festa da Dedicação ou Festa das Luzes comemorava a purificação do Templo e do altar no período dos macabeus (165-4 a.C.). Essa festa é

Descrição	Propósito	Referências no NT
Dia de repouso; nenhum trabalho	Repouso para pessoas e animais	Mt 12.1-14; 28.1; Lc 4.16; Jo 5.9; At 13.42; Cl 2.16; Hb 4.1-11
Ano de repouso, campos de pousio	Repouso para a terra	
Dívidas canceladas; liberdade para escravos e servos contratados; terras devolvidas à família que antes as possuía	Ajudar os pobres; estabilizar a sociedade	
Matar e comer um cordeiro com ervas amargas e pães sem fermento, em cada casa	Lembrar como Israel foi libertado do Egito	Mt 26.17; Mc 14.12-26; Jo 2.13; 11.55; 1Co 5.7; Hb 11.28
Comer pães sem fermento; realizar várias assembléias; fazer ofertas designadas	Lembrar que o Senhor tirou os israelitas do Egito apressadamente	Mc 14.1; At 12.3; 1 Co 5.6-8
Apresentar um feixe do início da colheita da cevada como oferta movida; trazer um holocausto e oferta de grãos	Reconhecer a bondade do Senhor na terra	Rm 8.23; 1Co 15.20-23
Festa de alegria; ofertas obrigatórias e voluntárias, incluindo os primeiros frutos da colheita do trigo	Demonstrar alegria e gratidão por ter o Senhor abençoado a colheita	At 2.1-4; 20.16; 1Co 16.8
Uma assembléia num dia de descanso, comemorada com sonidos de trombeta e com sacrifícios	Apresentar Israel diante do Senhor, pedindo o seu favor	
Dia de descanso, jejum, e sacrifícios de expiação pelos sacerdotes e pelo povo, também pelo tabernáculo e pelo altar	Purificar os sacerdotes e o povo de seus pecados e purificar o Lugar Santo	Rm 3.24-26; Hb 9.7; 10.3,19-22
Uma semana de celebração pela colheita; morar em cabanas e oferecer sacrifícios	Comemorar a viagem do Egito até Canaã; dar graças pela produtividade de Canaã	Jo 7.2,37
Dia de convocação, de descanso e de oferecer sacrifícios	Comemorar o encerramento do ciclo das festas	
Dia de alegria, de festas e de dar presentes	Relembrar aos israelitas o livramento nacional dos tempos de Ester	

mencionada pela primeira vez em Jo 10.22. Além disso, as luas novas eram freqüentemente dias especiais de festa (Nm 10.10; 1Cr 23.31; Ed 3.5; Ne 10.33; Sl 81.3; Is 1.13,14; 66.23; Os 5.7; Am 8.5; Cl 2.16).

A variedade dessas leis e as questões grandes e pequenas que abrangem demonstram a solicitude de Deus para com seu povo, bem com seu zelo pela justiça social e a proteção aos fracos — até mesmo uma ave que choca os ovos e cuida dos filhotes é protegida por Deus (22.6,7).

Teríamos um justo motivo para perguntar se a santidade prática refletida nas leis de Deus tem sido melhorada pelas leis "esclarecidas" da atualidade, mais de três mil anos depois.

Dt 27 — A Lei deve ser registrada no monte Ebal

A Lei devia ser registrada em pedras grandes, tão logo os israelitas tivessem atravessado o Jordão. Foi Josué, um dos dois observadores da terra de Canaã que quiseram entrar ali 40 anos antes, e que se tornou o sucessor de Moisés, quem cumpriu a ordem (Js 8.30-32). Num tempo em que os livros eram escassos, costumava-se registrar leis em pedras e levantar essas pedras em diversas cidades, a fim de o povo ficar conhecendo as leis nelas escritas. Assim era feito no Egito e na Babilônia, como, por exemplo, no caso do *Código de Hamurábi* (v. p. 85-6). Moisés ordenou que Israel fizesse assim como sua primeira ação na chegada a Canaã. As pedras deviam ser revestidas de reboco e nelas deviam ser escritas as leis "com bastante clareza" (v. 8).

Dt 28 — A grande profecia a respeito dos judeus

O capítulo 28 é a seção de "maldições e bênçãos" do tratado entre Deus e Israel (v. nota introdutória de Dt). Aqui são apresentadas as conseqüências tanto da obediência quanto da desobediência às "estipulações" da aliança. Esse capítulo é o fundamento da mensagem dos profetas, que repetidas vezes fariam Israel lembrar-se de suas obrigações para com Deus (as quais a nação aceitara voluntariamente), bem como das conseqüências de sua desobediência. Desse capítulo fluem tanto as profecias de condenação iminente, que permeiam boa parte dos escritos proféticos, quanto a promessa da restauração: se o povo de Deus voltar-se a ele, Deus cumprirá sua aliança com os israelitas e os abençoará. Os versículos de 58 a 68 são uma reflexão sombria das realidades dos últimos séculos: a dispersão dos judeus (a Diáspora), sua vida errante, as perseguições incessantes que têm sofrido, o tremor de seu coração e a angústia de sua alma, até mesmo nos dias atuais.

Dt 29 e 30 — A aliança e as advertências finais

As últimas palavras de Moisés ao prever as pavorosas conseqüências da desobediência e da apostasia são: "Vejam que ponho diante de vocês vida e prosperidade, ou morte e destruição" (30.15). Servir a Deus é o caminho da vida; servir aos ídolos leva à morte na certa.

Dt 31 — Josué, o sucessor de Moisés; Moisés escreve a Lei num livro

Quarenta anos antes, Moisés escrevera as palavras de Deus em um livro (Êx 17.14; 24.4,7). Além disso, mantivera uma agenda das etapas de suas jornadas (Nm 33.2). Agora, tendo completado o seu livro, entregou-o aos sacerdotes e levitas, ordenando que fosse lido periodicamente ao povo.

Ensinar constantemente ao povo a Palavra de Deus escrita é o modo mais seguro e eficaz de resguardá-lo da corrupção espiritual. Quando os israelitas davam ouvidos à Palavra de Deus, tudo lhes ia bem. Quando a negligenciavam, passavam por adversidades.

A leitura do Livro de Deus deu ensejo à grande reforma no reinado de Josias (2Rs 23), à renovação liderada por Esdras (Ne 8) — e à Reforma que começou a partir da leitura da Palavra de Deus feita por Lutero. Os livros do NT foram escritos para serem lidos nas igrejas (Cl 4.16; 1Ts 5.27). A Palavra de Deus é o poder de Deus no coração humano. Quem dera que o púlpito nos nossos dias aprendesse, de alguma forma, a se manter em segundo plano e a colocar a Palavra de Deus em primeiro plano!

O monte Nebo

O monte Nebo é o pico mais alto do monte Pisga, 13 km a leste da foz do Jordão. De seu cume podiam ser vistas as regiões montanhosas de Judá, de Efraim e de Manassés. Posteriormente, em algum lugar ali perto, os anjos desceram e levaram Elias para se juntar a Moisés na glória (2Rs 2.11).

A canção de Moisés — Dt 32

Depois que terminou de escrever o livro (31.24), Moisés compôs uma canção para o povo cantar. Ele celebrara com uma canção a libertação do povo da escravidão no Egito (Êx 15) e escrevera outra que nos é conhecida por Salmo 90. Canções populares estão entre os melhores meios de gravar idéias no coração das pessoas — para o bem ou para o mal! Débora e Davi derramavam a sua alma diante de Deus em canções (Jz 5; 2Sm 22). Desde quando começou, e até os dias de hoje, a igreja tem se utilizado desse mesmo meio para perpetuar e divulgar as idéias que ela defende e representa.

As bênçãos de Moisés — Dt 33

Esse capítulo registra a bênção que Moisés impetrou sobre cada uma das tribos, com predições a respeito de cada uma delas. É semelhante à bênção que Jacó impetrou pouco antes de morrer (Gn 49).

A morte de Moisés — Dt 34

"Moisés tinha cento e vinte anos de idade quando morreu; todavia, nem os seus olhos nem o seu vigor tinham se enfraquecido" (v. 7). Com essa idade, subiu ao monte Pisga e, enquanto contemplava a terra prometida, na qual ansiava por entrar, Deus o levou suavemente para um lugar ainda melhor. Num instante, sua alma atravessou o véu e entrou no lar eterno de Deus. O corpo de Moisés foi sepultado por Deus — ninguém sabe onde. Seus restos mortais foram removidos, de modo a nunca serem aproveitados para fins idólatras.

A magnífica estátua de Moisés, feita por Michelangelo, na Catedral de S. Pedro, em Vincoli, Roma. Na arte medieval e renascentista, Moisés era freqüentemente representado com chifres na cabeça, devido a um erro na tradução da Vulgata (em latim) em Êxodo 34.29 ("chifres" em vez de "resplandecia").

Aqui termina a primeira divisão do AT. Esses cinco livros, que constituem a quarta parte do AT e ocupam um espaço quase tão grande quanto o NT, foram todos escritos por um só homem: Moisés. Que homem notável Moisés deve ter sido! Quanta intimidade com Deus! Que obra grandiosa realizou! Que benfeitor da humanidade ele foi! Passou quarenta anos no palácio do faraó, mais 40 anos como refugiado em Midiã e, finalmente, 40 anos como o líder de Israel no deserto. Livrou da servidão uma nação de cerca de 2,5 milhões de pessoas, transplantou-a de um país para outro e organizou para ela um sistema de jurisprudência que tem exercido um impacto duradouro sobre boa parte da civilização do mundo.

> Dure a sua força como os seus dias.
> DEUTERONÔMIO 33.25

A conquista e a colonização de Canaã

Josué a Rute

A CONQUISTA DA terra de Canaã, sob a liderança de Josué, começou em cerca de 1406 a.C., e provavelmente durou entre 10 e 15 anos. Esses eventos são descritos em Josué de 1 a 12. Pouco depois da conquista, ou até mesmo enquanto ainda estava em andamento, territórios foram alocados a cada uma das tribos israelitas. Esse foi o início da colonização da terra de Canaã por Israel, terra que o Senhor prometera a Abraão (e aos seus descendentes) cerca de quinhentos anos antes (Gn 12.1-3 etc.). O Senhor os estava levando ao "monte da tua herança, no lugar [...] que fizeste para a tua habitação, no santuário [...] que as tuas mãos estabeleceram" (Êx 15.17). Nesse país, os israelitas teriam a oportunidade de viver em obediência e adoração ao Deus vivo e verdadeiro. E os levitas, que deviam ensinar ao povo a Lei de Deus, receberam por alocação 48 cidades espalhadas por toda aquela terra (Js 21; 1Cr 6.54-80), de modo que a sua influência piedosa permeasse o povo de Deus.

Apesar disso, os escritores dos livros de Josué e de Juízes tinham plena consciência de que nem todas as regiões da Terra Prometida estavam debaixo do controle israelita (Js 13.1-6; Jz 3.1-3). À medida que tentavam colonizar as terras a elas alocadas, as tribos defrontavam-se com a oposição de povos como os cananeus, os moabitas, os amonitas e os filisteus. O mais grave, porém, era que, em alguns casos, Israel começou a adotar as práticas religiosas pagãs desses povos!

Em algumas ocasiões, a adoração a Baal e a Aserá passou a ser comum entre o povo de Deus, quando os israelitas deixavam de responder com gratidão ao modo gracioso como Deus os tratava. Em resposta à desobediência pecaminosa de Israel, Deus empregava as nações pagãs para oprimir seu povo — como instrumentos do juízo divino. Israel sempre respondia com arrependimento, e então Deus lhe enviava um libertador, um "juiz" (há 12 deles citados nas Escrituras), para livrar a nação. Depois de cada livramento, Israel desfrutava tipicamente de um período de "paz" — ausência de opressão — mas infelizmente Israel (ou algum segmento da nação) recaía no pecado, e o ciclo recomeçava.

Durante o período dos juízes (c. 1390-1050 a.C.), não havia rei em Israel. Idealmente, Israel deveria ser uma "teocracia", ou seja, uma nação cujo governante era o Senhor (Jz 8.23). Segundo parece, durante boa parte do período dos juízes as tribos se reuniam para prestar culto em Silo, uns 32 km ao norte de Jerusalém, por estarem localizados ali o Tabernáculo e a arca da aliança.

No período anterior à conquista de Canaã pelos israelitas, reis egípcios fortes como Tutmés III e Amenotepe II tinham sido ativos em Canaã. Mas as 400 tabuinhas escritas em cuneiforme que foram descobertas em El Amarna indicam que o período da conquista e o imediatamente depois (c. 1400-1350 a.C.) sofreram, em Canaã, influência egípcia mais limitada. E, de fato, durante o período dos juízes, grupos da área do mar Egeu, conhecidos como os "povos marítimos", foram se infiltrando nas regiões ao longo da costa oriental do mar Mediterrâneo, incluindo a terra de Canaã. Entre esses povos, havia os filisteus, que se estabeleceram no sudeste de Canaã, nas cidades de Gaza, Ascalom, Asdode, Ecrom e Gate. Os conflitos militares com os filisteus (liderados por Sansão e Samuel) acabariam levando Israel a desejar a monarquia.

Em meados do período dos juízes, governantes egípcios como Seti I, Ramessés II e outros passaram por Canaã ao marchar para o norte a fim de guerrear contra os reinos de Mitani e dos heteus. Mas, visto que os israelitas não interfeririam com esses movimentos de tropas e que esses avanços passavam geralmente por territórios controlados pelos cananeus e por outros que não eram israelitas, nenhum registro de batalhas entre o Egito e Israel é encontrado no livro de Juízes. Entretanto, o faraó Merneptá declara em um de seus textos que, em conseqüência de uma campanha no seu quinto ano (c. 1231 a.C.), "Israel está devastado, a sua descendência não existe" (*Ancient Near Eastern texts*, p. 378).

No que diz respeito à arqueologia, a era dos juízes (1390-1050 a.C.) é conhecida como a Idade do Bronze Tardio II (1400-1200 a.C.) e a Idade do Ferro I (1200-1000 a.C.). Em termos gerais, parece ter se tratado de um período em que as fortes cidades-estados dos cananeus estavam em declínio quanto ao tamanho e à influência, ao passo que os recém-chegados, tais como os israelitas, estavam obtendo cabeças-de-ponte na região montanhosa e estabelecendo ali sítios e povoamentos de pequeno porte. No decurso desse período e especialmente perto de seu final, os povos vizinhos de Israel (especialmente os amonitas a leste e os filisteus a sudoeste) tornaram-se mais fortes, de modo que a existência física do povo de Deus estava em jogo. Para completar a conquista da terra, que fora iniciada por Josué 400 anos antes, seriam necessárias personalidades tais como Saul e, mais especialmente, Davi.

Josué

A conquista e a colonização de Canaã

> Não deixe de falar as palavras deste Livro da Lei e de meditar nelas de dia e de noite,
> para que você cumpra fielmente tudo o que nele está escrito.
> Só então os seus caminhos prosperarão e você será bem-sucedido.
> — Josué 1.8

> ... escolham hoje a quem irão servir [...] Mas, eu e a minha
> família serviremos ao Senhor.
> — Josué 24.15

Josué, o homem

Josué pertencia à tribo de Efraim (Nm 13.8). Tinha sido assistente pessoal de Moisés durante todos os quarenta anos de peregrinação no deserto. Subiu com Moisés ao monte Sinai (Êx 24.13). Foi um dos doze espiões e, dentre estes, um dos dois que queriam ir adiante e conquistar aquela terra na força do Senhor (Nm 13.8,16). Josefo diz que Josué tinha 85 anos quando se tornou o sucessor de Moisés. Calcula-se que a conquista dos cananeus tenha levado cerca de seis anos. A partir de então, Josué passou o restante de sua vida estabelecendo e governando as doze tribos. Josué foi o responsável por Israel durante cerca de 25 anos. Morreu aos 110 anos de idade e foi sepultado em Timnate-Sera, em Efraim.

> Assim como estive com Moisés, estarei com você; nunca o deixarei, nunca o abandonarei.
> Josué 1.5

Josué foi um grande guerreiro, que disciplinava suas tropas e enviava espiões para fazer reconhecimento — mas também orava e confiava em Deus. Conduziu o povo de Israel para dentro da Terra Prometida, e pode ser considerado um protótipo de seu Sucessor maior, Jesus (a forma grega de "Josué"), que está conduzindo os seus seguidores à "terra prometida" que é o céu.

O livro — Js 1

Esse é um capítulo grandioso. Israel tinha um Livro. Era apenas uma fração de tudo quanto hoje possuímos na Palavra de Deus, mas como era importante! A advertência solene que Deus dirigiu a Josué, que se achava no limiar de uma tarefa gigantesca, era para que ele, com todo o cuidado, se mantivesse fiel às palavras daquele Livro. Josué ouviu e obedeceu, e Deus o honrou com um sucesso fenomenal. Que lição para os líderes das igrejas de hoje!

> **A casa de Raabe no muro (2.15)**
>
> Os arqueólogos descobriram que, em Jericó, havia realmente casas construídas entre os muros interno e externo da cidade (v. nota na p. seguinte).

Js 2 — Os dois espiões e Raabe

Raabe tinha ouvido falar dos milagres que Deus operara em favor de Israel e chegara à convicção de que o Deus de Israel era o Deus verdadeiro (2.10,11). Quando ficou conhecendo os espiões, resolveu, mesmo arriscando a própria vida, lançar sua sorte com Israel e com o Deus de Israel. Raabe e seus familiares foram poupados durante a invasão de Jericó pelos israelitas. Um cordão vermelho, amarrado na janela de sua casa, indicava que esse lar não devia ser molestado. A função desse indicador vermelho era semelhante ao propósito do sangue do cordeiro da Páscoa aplicado aos batentes das portas no Egito, quando morreram os primogênitos egípcios e os primogênitos dos israelitas foram poupados (Êx 12.13,22,23). Raabe pode não ter sido tão má quanto a palavra "prostituta" subentende atualmente. Ela vivia no meio de um povo sem moral. Algumas sacerdotisas da religião cananéia atendiam nos templos como prostitutas. Semelhante profissão era considerada honrosa pelo povo ao qual pertencia — e não desonrosa como hoje o é entre nós.

Raabe casou-se com um israelita chamado Salmom (Mt 1.5). Por intermédio desse casamento, Raabe veio a ser uma ancestral de Boaz (Rt 2—4), de Davi e de Cristo. Seu nome é citado entre os heróis da fé (Hb 11.31).

Js 3 — Atravessando o Jordão

Quando a arca do Senhor, o mais sagrado dos móveis do tabernáculo, que simbolizava o trono do Senhor, chegou à beira da água, o rio "parou de correr e formou uma muralha" em Adã (3.16), 36 km ao norte. Abaixo dessa cidade, a água foi se escoando até deixar o leito pedregoso suficientemente seco para ser atravessado a pé. Em seguida, os levitas levaram a arca por essa passagem adiante do povo de Israel. Deus estava introduzindo seu povo na Terra Prometida!

Perto da cidade de Adã, o Jordão flui entre ribanceiras de barro, de 12 m de altura, sujeitas a deslizamentos. Em 1927, um terremoto provocou o desmoronamento dessas ribanceiras, de tal modo que nenhuma água passou por elas durante 21 horas. É possível que Deus tenha usado semelhantes meios para fazer com que as águas parassem para Josué. Seja como for, foi um grande milagre, que aterrorizou os cananeus, já bastante assustados (5.1).

Mil e quatrocentos anos mais tarde, Jesus foi batizado no mesmo Jordão que Josué e os israelitas atravessaram nessa ocasião.

Js 4 — O memorial de doze pedras

Tratava-se de duas pilhas de pedras memoriais: uma onde a arca tinha parado, no meio do rio (4.9), e outra na ribanceira ocidental, em Gilgal, onde permaneceu por muito tempo. As pedras foram colocadas nesse lugar a fim de que as gerações futuras não se esquecessem do milagre grandioso que foi operado ali.

A primeira Páscoa na Terra Prometida | Js 5

Depois de tão grande espera, os israelitas finalmente estavam na terra prometida, embora ainda lhes faltasse conquistá-la. No quarto dia depois de terem atravessado o Jordão, a primeira coisa que fizeram foi celebrar a Páscoa (4.19; 5.10). No dia seguinte, cessou o maná (5.12), e assim chegou ao fim essa provisão divina especial que durara 40 anos. A partir de então, os israelitas deviam obter suas provisões da própria Terra Prometida. Em seguida, Deus enviou o comandante do seu exército invisível a fim de encorajar Josué na tarefa que estava para empreender (5.13-15).

A queda de Jericó | Js 6

Jericó foi conquistada mediante a intervenção divina direta, para inspirar confiança aos israelitas já no início da conquista de povos mais poderosos que eles. Com a arca do Senhor tomando a dianteira e com as trombetas soando, andaram em redor da cidade durante sete dias. Por cima deles, adejavam as hostes invisíveis do Senhor (5.14), aguardando o momento determinado. E, no sétimo dia, quando as trombetas deram um longo toque e o povo deu um forte grito, os muros tombaram.

Numa profecia assombrosa, foi invocada uma maldição contra quem tentasse reedificar a cidade (v. 26; v. comentário sobre 1Rs 16.34).

Jericó ficava a quase 10 km do Jordão; Gilgal, o quartel-general de Josué, provavelmente ficava a meio caminho entre esses locais. Os muros de Jericó abrangiam uma área de uns quatro hectares. Dentro deles, os habitantes das circunvizinhanças, densamente povoadas, poderiam refugiar-se no caso de um ataque.

A Jericó do NT ficava a uns 1600 m ao sul das ruínas da Jericó do AT. A moderna aldeia de Jericó fica a uns 1600 m a sudeste.

> Jericó deve a sua existência a uma fonte perene e a um oásis; em Deuteronômio 34.3 é chamada a "cidade das Palmeiras". Nos nossos dias, ela se autoproclama, com alguma justificativa, a "cidade mais antiga do mundo". A cidade mais antiga que ocupou o mesmo local remonta ao oitavo milênio a.C. Tinha um muro de arrimo, com pelo menos uma torre com uma escadaria interna.

NOTA ARQUEOLÓGICA: Jericó.
Jericó foi escavada em grande escala no século XX: por Warren, por Sellin e Watzinger, por Garstang, por Kenyon e por uma equipe italiana. Os muros que John Garstang escavou e pensava serem aqueles que caíram diante de Josué revelaram ser realmente, segundo as pesquisas, os muros de uma cidade que existiu cerca de mil anos antes de Josué. Por outro lado, o negativismo de Kathleen Kenyon no tocante à correlação entre os dados bíblicos e os arqueológicos não é tampouco justificado. Bryant Wood, na análise que fez desses dados, levantou algumas hipóteses razoáveis. O nível que os arqueólogos chamam de Cidade IV foi destruído em cerca de 1400 a.C. Essa data concorda bem com a cronologia interna da Bíblia, que colocaria a conquista de Jericó por Josué em cerca de 1406 a.C. A Cidade IV era cercada por um muro interno e um muro externo. A muralha externa era sustentada por uma maciça estrutura inclinada de pedra (muro de retenção). Entre os dois muros, foram descobertas casas da Cidade IV (note a posição da casa de Raabe no muro da cidade; Js 2.15).

Parece que a Cidade IV foi destruída originariamente por um terremoto e, posteriormente, pelo fogo – restos carbonizados, em camadas de um metro ou mais de profundidade, foram achados em vários locais do sítio arqueológico. Entre os escombros foram achados utensílios domésticos, cerâmica e até grãos carbonizados, os quais indicariam que a destruição ocorrera na primavera, pouco depois da ceifa (2.6; 3.15; note que Israel celebrara a Páscoa imediatamente antes da conquista de Jericó, 5.10; cf. 3.15). A descoberta dos grãos indica também que o cerco durara pouco (foram encontradas grandes quantidades de grãos; os textos bíblicos declaram que a cidade foi capturada dentro de sete dias, v. 15), e que os habitantes não tiveram tempo para fugir com seus pertences antes da destruição. Além disso, testes de carbono 14 na matéria orgânica datam a destruição em cerca de 1400 a.C. E, ainda, os escaravelhos (selos) egípcios descobertos nos túmulos da Cidade IV não contêm nomes de faraós que governaram depois de 1400 a.C.

Js 7 e 8 — A destruição de Ai e de Jericó

Imediatamente após a travessia milagrosa do Jordão e a queda milagrosa de Jericó, Israel sofreu uma pavorosa derrota em Ai — e tudo por causa da desobediência de um só homem. Foi um choque terrível para Israel. Serviu de lição disciplinar. Deus estava com os israelitas, mas deixou claro que exigia obediência.

NOTA ARQUEOLÓGICA: Betel e Ai.
Existem evidências arqueológicas que correlacionam a conquista de Jericó e Hazor com os dados bíblicos da conquista feita por Josué. Em contrapartida, a conquista de Ai, descrita em Josué 7 e 8, ainda não foi iluminada por descobertas arqueológicas.

A Ai bíblica é usualmente associada com et-Tell, porque o local topográfico de et-Tell fica perto de Ai pelo que a Bíblia descreve (a leste de Betel, vales e colinas nas posições apropriadas etc.). Entretanto, extensas escavações arqueológicas em et-Tell têm demonstrado que a localidade não era habitada entre cerca de 2300 a.C. e 1100 a.C. Esse fato significa, é lógico, que não se pode tratar da cidade conquistada por Josué cerca de 1400 a.C., visto que ninguém estava morando ali naqueles tempos.

Foram feitas algumas tentativas de identificar outras colinas arqueológicas na região a leste de Betel (que geralmente é identificada com a aldeia de Beitin) com a Ai bíblica, mas até agora ainda não foi feita uma identificação definitiva. Recentemente, um sítio arqueológico de 0,8 hectare, chamado Khirbet el-Makatir, foi sugerido por satisfazer os requisitos textuais, geográficos e, especialmente, arqueológicos para Ai – fica a leste de Betel, tem uma colina e um vale ao norte etc., e tem, segundo parece, os restos de uma pequena fortaleza que data de aproximadamente 1400 a.C., a mesma época da conquista feita por Josué. Entretanto, não será possível ter certeza a respeito dessa identificação até que o perfil arqueológico do sítio esteja completamente substanciado.

A questão da identificação apropriada de Ai está relacionada com a identificação de sua cidade-gêmea Betel. A identificação quase universalmente aceita de Betel com o sítio arqueológico da aldeia árabe de Beitin baseia-se em evidências topográficas, históricas e arqueológicas (limitadas), mas especialmente no fato de o topônimo bíblico Betel ter sido aparentemente conservado no nome Beitin. Todavia, um pequeno número de pesquisadores tem sugerido que Betel deve realmente ser identificada com um sítio maior, arqueologicamente rico, chamado Ras et-Tahuneh, localizado na cidade árabe de el-Birah, imediatamente a leste de Ramalá. Tanto et-Tell quanto Khirbet el-Makatir, os sítios arqueológicos propostos para Ai, ficam a leste de uma linha norte-sul que passa por Beitin ou por Ras et-Tahuneh, desse modo preenchendo o requisito textual de estar a leste de Betel. Mas somente Khirbet el-Makatir possui os restos arqueológicos que datam dos dias de Josué.

Visto que, repetidas vezes, as descobertas têm demonstrado a fidedignidade do texto bíblico, parece melhor esperar que escavações futuras ajudem a responder à questão complexa da identificação de Ai.

Os cananeus e os amorreus

"Canaã" era um dos antigos nomes da terra de Israel (v. suas fronteiras específicas em Nm 34.1-12), e seus habitantes eram freqüentemente chamados "cananeus" no segundo milênio a.C. Num sentido mais restrito, a Bíblia coloca os cananeus no litoral, nos vales e no vale do Jordão. "Amorreu" também é um termo que pode ser usado para referir-se aos antigos habitantes de Israel, mas, num sentido mais especial, pode referir-se a um grupo de pessoas que habitavam na região montanhosa — de cada lado do vale tectônico. Seom, que habitava em Hesbom, a leste do mar Morto, é chamado o "rei dos amorreus" (Nm 21.26).

A Lei é registrada no monte Ebal — Js 8.30-35

Moisés ordenara que assim fosse feito (v. comentário sobre Dt 27). Siquém, no centro do país, ficava entre o monte Ebal e o monte Gerizim, num vale de incomparável beleza. Nesse local, 600 anos antes, Abraão levantara seu primeiro altar no país. E foi exatamente aqui que Josué, numa cerimônia solene, leu o Livro da Lei diante do povo.

A batalha em que o Sol parou — Js 9 e 10

Gibeom, quase 10 km a noroeste de Jerusalém, era uma das maiores cidades do país (10.2). Os gibeonitas, assustados com a queda de Jericó e de Ai, apressaram-se a se oferecer como escravos a Israel. Com isso, os reis de Jerusalém, de Hebrom, de Jarmute, de Láquis e de Eglom ficaram enfurecidos, e todos os cinco marcharam contra Gibeom. Então Josué, cumprindo seu compromisso malpensado com o povo de Gibeom, foi socorrê-lo. Isso deu ensejo à famosa batalha de Gibeom e Bete-Horom, onde o Sol parou durante um dia inteiro. Exatamente o que aconteceu, ou como, não sabemos. Algumas pessoas declaram ter calculado que o calendário perdeu um dia por volta daquela época. Seja como for, de um modo ou de outro, a luz do dia foi milagrosamente prolongada a fim de que a vitória de Josué fosse esmagadora.

NOTA ARQUEOLÓGICA: Láquis e Debir.
Láquis e Debir são citadas nominalmente entre as cidades derrotadas por Josué (10.32,39).
Láquis. Escavações arqueológicas em Tell ed-Duweir indicam que, por ocasião da conquista, Láquis era uma cidade cananéia importante, porém sem fortificações. A falta de um muro defensivo pode ter

facilitado a sua rápida derrota. A Bíblia não chega a descrever a sua conquista e destruição com os mesmos termos que emprega no caso das cidades de Jericó, Ai e Hazor.

Debir (Quiriate-Sefer). A antiga identificação de Debir com Tell Beit Mirsim já não é aceita, visto que, de conformidade com Josué 15.49, Debir deve ser localizada na região montanhosa de Judá, e não na baixada. Conseqüentemente, Debir agora é identificada com Khirbet Rabud (13,6 km a sul-sudoeste de Hebrom, na região montanhosa de Judá), que tem fornecido evidências de ter sido habitada e conquistada na época em que Israel entrou em Canaã (c. de 1400 a.C.).

Js 11   A vitória sobre os reis do Norte

Na batalha de Bete-Horom, onde o Sol parou, Josué rompera o poderio dos reis do Sul. Agora, sua vitória sobre os reis do Norte, em Merom, deu-lhe o domínio sobre a região inteira. A estratégia de Josué foi separar o norte de Canaã do sul conquistando primeiramente o centro, sendo que depois disso seria mais fácil subjugar as duas outras partes.

Os israelitas lutaram com valentia. Foi Deus, porém, quem lhes deu a terra por meio de três milagres estupendos: a travessia do Jordão, a queda de Jericó e o Sol, que ficou parado.

NOTA ARQUEOLÓGICA: Hazor.
Josué "incendiou Hazor" (11.11). Escavações arqueológicas descobriram as cinzas desse incêndio, com cerâmicas evidenciando que ele ocorreu por volta de 1400 a.C.

Há também uma tábua de Amarna, escrita ao faraó em 1380 a.C. pelo emissário egípcio no norte da Palestina, que diz: "Lembre-se ó rei, meu senhor, daquilo que Hazor e seu rei já tiveram de suportar". O único governante em Canaã que é referido como "rei" nas quase quatrocentas tábuas de Amarna é o governante de Hazor. Note também que, na Bíblia, Hazor era chamada "a capital de todos esses reinos" (Js 11.10).

Nessas circunstâncias, a conquista da Palestina por Josué é confirmada por grossas camadas de cinzas, que mostram vestígios da época do próprio Josué em Jericó, Debir e Hazor e confirmam com exatidão as declarações bíblicas.

Esta vista da colina onde ficava Hazor, com os soldados israelenses se aproximando, possivelmente retrate a mesma perspectiva de onde o rei de Hazor observava a aproximação de Josué e os israelitas.

Territórios tribais

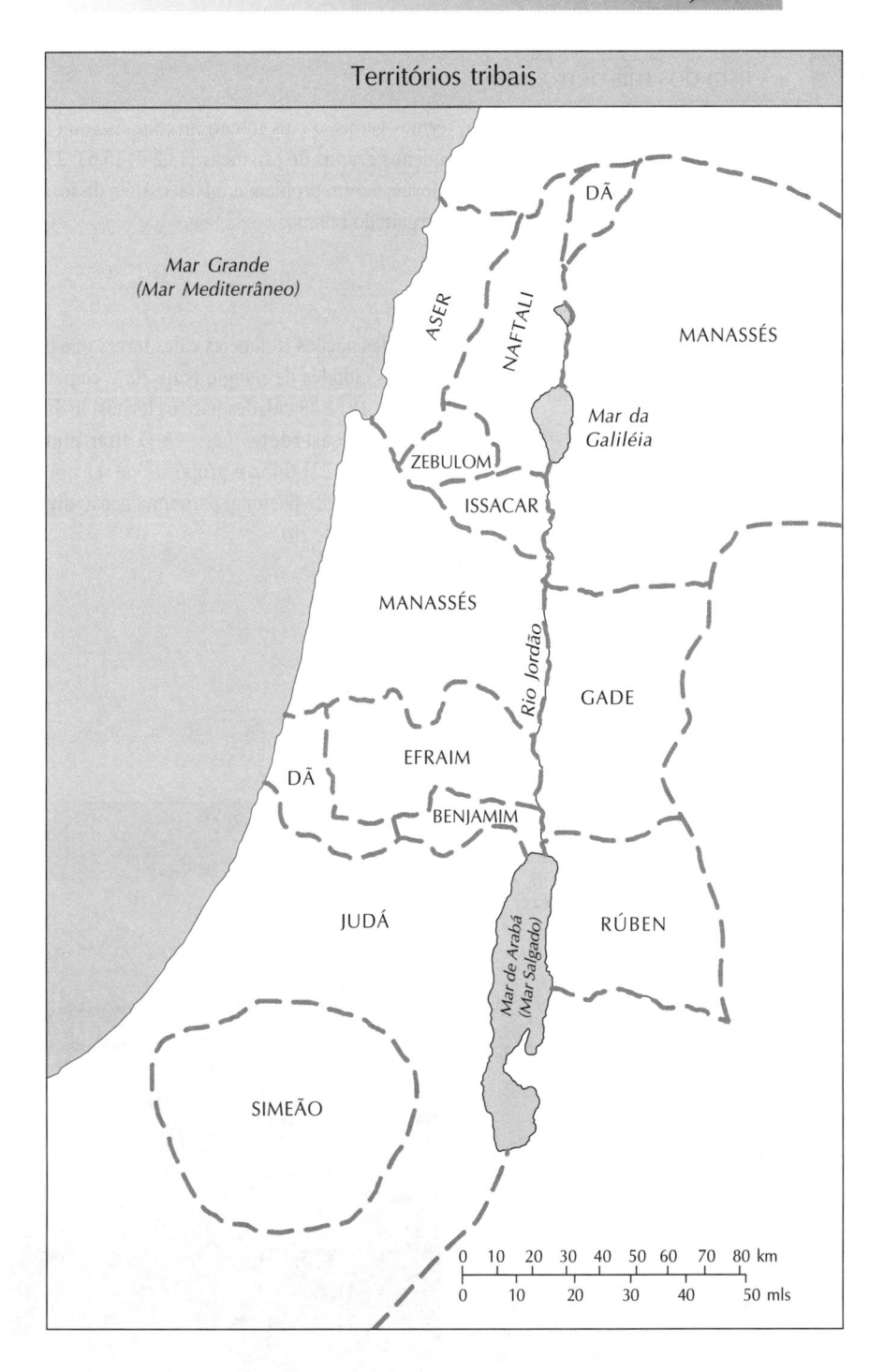

Mar Grande (Mar Mediterrâneo)

DÃ
ASER
NAFTALI
MANASSÉS
Mar da Galiléia
ZEBULOM
ISSACAR
MANASSÉS
Rio Jordão
GADE
EFRAIM
DÃ
BENJAMIM
JUDÁ
Mar de Arabá (Mar Salgado)
RÚBEN
SIMEÃO

0 10 20 30 40 50 60 70 80 km
0 10 20 30 40 50 mls

Js 12 — A lista dos reis derrotados

Trinta e um reis são citados especificamente. Em termos gerais, o país inteiro foi conquistado (10.40; 11.23; 21.43). Entretanto, ainda permaneceram pequenos grupos de cananeus (13.2-7; 15.63; 23.4; Jz 1.2,21,27,29-31,33,35), os quais, depois da morte de Josué, deram problemas a Israel. Além disso, ainda faltava conquistar a terra dos filisteus, a Sidônia e a região do Líbano.

Js 13—22 — A divisão da terra

O mapa da página 159 mostra a localização aproximada das nações cananéias e das terras que foram alocadas a cada uma das doze tribos de Israel. Havia seis cidades de refúgio (cap. 20; v. comentário sobre Dt 19) e 48 cidades para os levitas, incluindo 13 para os sacerdotes (21.19). O altar junto ao Jordão (cap. 22) tinha o propósito de ser um símbolo de unidade nacional para uma nação dividida por um grande rio.

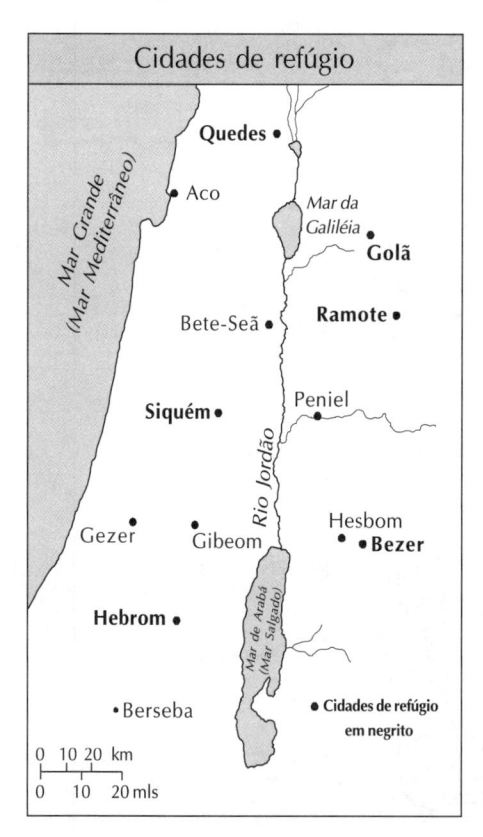

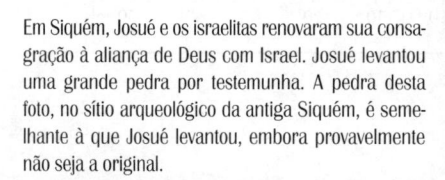

Cidades de refúgio

Quedes • Aco • Mar da Galiléia • Golã • Bete-Seã • Ramote • Siquém • Peniel • Gezer • Gibeom • Hesbom • Bezer • Hebrom • Berseba

Cidades de refúgio em negrito

Em Siquém, Josué e os israelitas renovaram sua consagração à aliança de Deus com Israel. Josué levantou uma grande pedra por testemunha. A pedra desta foto, no sítio arqueológico da antiga Siquém, é semelhante à que Josué levantou, embora provavelmente não seja a original.

O discurso de despedida de Josué — Js 23 e 24

Josué recebera das mãos de Moisés a lei de Deus escrita (1.8). Agora, junta a esta o seu próprio livro (24.26). Josué fez bom uso de documentos escritos, ou "livros", como também Moisés o fizera (v. comentário sobre Dt 31). Ele mandou fazer um levantamento da terra, que foi descrita em um "rolo" (18.9). Leu diante do povo o "livro" de Moisés (8.34). No monte Ebal, "copiou nas pedras" um exemplar da lei (8.32).

A principal mensagem do discurso final de Josué foi um ataque contra a idolatria. A idolatria cananéia combinava de forma tão natural a religião e a livre entrega aos desejos carnais que somente as pessoas de excepcional força de caráter podiam resistir às suas seduções.

Juízes

Os 300 anos de opressão e livramento

> "Mas vocês me abandonaram e prestaram culto a outros deuses.
> Por isso não os livrarei mais. Clamem aos deuses que vocês escolheram.
> Que eles os livrem na hora do aperto!"
> Os israelitas, porém, disseram ao Senhor: "Nós pecamos. Faze conosco o que achares melhor, mas te rogamos, livra-nos agora". Então eles se desfizeram dos deuses estrangeiros que havia entre eles e prestaram culto ao Senhor.
> E ele não pôde mais suportar o sofrimento de Israel.
> — Juízes 10.13-16

O período dos juízes

Depois da morte de Josué, a nação hebraica não tinha um governo central forte. Tratava-se de uma confederação de doze tribos independentes, destituídas de qualquer elemento de unificação, a não ser o próprio Deus. A forma de governo nos dias dos juízes (libertadores) era aquela que se chama "teocracia", ou seja, considerava-se que o próprio Deus era o governante direto da nação. Entretanto, o povo não levava muito a sério o seu Deus — os israelitas recaíam continuamente na idolatria. Vivendo numa condição de anarquia mais grave ou menos grave, afligidos ocasionalmente por guerras civis entre si mesmos e cercados por inimigos que faziam repetidas tentativas de exterminá-los, os hebreus tiveram um desenvolvimento nacional muito lento. Os israelitas não se tornaram uma grande nação a não ser quando foram organizados em um reino nos dias de Samuel e de Davi.

É incerta a duração do período dos juízes. Ao somarmos todos os anos de opressão e os dos juízes individuais, bem como os dos períodos de descanso, chegaríamos ao total de 410 anos (v. quadro na p. seguinte). Algumas dessas cifras, entretanto, talvez coincidam parcialmente entre si. Jefté, que viveu perto do final desse período, referiu-se ao tempo de 300 anos (11.26). Considera-se mesmo que tenha sido, em cifras redondas, cerca de 300 anos, aproximadamente de 1400 a 1100 a.C. O período inteiro, desde o Êxodo até o rei Salomão, que também abrange os 40 anos de peregrinação no deserto, bem como a época de Eli, Samuel, Saul e Davi, dá a soma de 480 anos, que concorda com 1Reis 6.1.

Houve, também, opressões pelos sidônios e pelos maonitas (10.12).

Opressores	Anos de opressão	Juiz	Anos de paz
Mesopotâmios	8	Otoniel, de Debir em Judá	40
Moabitas Amonitas Amalequitas	18	Eúde, de Benjamim	80
Filisteus		Sangar	
Cananeus	20	Débora, de Efraim; Baraque, de Naftali	40
Midianitas Amalequitas	7	Gideão, de Manassés	40
		Abimeleque (usurpador), de Manassés	3
		Tolá, de Issacar	23
		Jair, de Gileade, em Manassés oriental	22
Amonitas	18	Jefté, de Gileade, em Manassés oriental	6
		Ibsã, de Belém, em Judá (?)	7
		Elom, de Zebulom	10
		Abdom, de Efraim	8
Filisteus	40	Sansão, de Dã	20
TOTAL	111		299

A guerra contra os cananeus restantes — Jz 1

Josué destruíra os cananeus em alguns setores do país e mantivera outros em sujeição (Js 10.40,43; 11.23; 13.2-7; 21.43-45; 23.4; 24.18). Depois da sua morte, ainda restaram numerosos cananeus (Jz 1.28-35).

Deus ordenara que Israel destruísse ou expulsasse totalmente os cananeus (Dt 7.2-4). Se Israel tivesse cumprido totalmente essa ordem, teria evitado muitas aflições.

NOTA ARQUEOLÓGICA: Ferro na Palestina.
A Bíblia afirma que a razão por que Israel não conseguia expulsar os cananeus e os filisteus é que esses povos possuíam ferro, ao passo que Israel não o possuía (1.19; 4.3; Js 17.16-18; 1Sm 13.19-22). Foi só depois de Saul e Davi terem rompido o poderio dos filisteus que o ferro passou a ser usado em Israel (2Sm 12.31; 1Cr 22.3; 29.7).

Embora objetos de ferro começassem a aparecer na Palestina aproximadamente na época da chegada dos filisteus, não ficaram mais generalizados senão no século XI a.C. Lanças, enxadas etc., ao se quebrarem, não era descartadas, mas geralmente eram derretidas, e o metal era novamente fundido.

> ### "40 anos" e "40 dias"
>
> Segundo a narrativa, Otoniel, Débora e Baraque e Gideão lideraram Israel por 40 anos cada um; Eúde foi juiz por 40 anos duas vezes. Posteriormente, Eli liderou durante 40 anos. E Saul, Davi e Salomão reinaram 40 anos cada. "Quarenta anos" parece ter sido um número redondo que representava uma geração ou uma conta completa. Semelhantemente, "quarenta dias" é usado como um número redondo para indicar consumação ou plenitude. Note com que freqüência o número 40 é usado em toda a Bíblia:
>
> - Durante o Dilúvio, choveu 40 dias
> - Moisés fugiu aos 40 anos de idade, passou 40 anos em Midiã e ficou no monte Sinai durante 40 dias
> - Israel peregrinou no deserto durante 40 anos
> - Os espiões passaram 40 dias em Canaã
> - Elias jejuou durante 40 dias
> - Nínive recebeu um aviso prévio de 40 dias (Jn 3)
> - Jesus jejuou durante 40 dias (Mt 4.1-11) e passou 40 dias na terra depois da ressurreição

Jz 2 A apostasia depois da morte de Josué

Chegando ao fim aquela geração robusta que fora criada no deserto e que conquistara a terra sob a poderosa liderança de Josué, a nova geração viu-se estabelecida numa terra de fartura e não demorou a cair nos costumes levianos de seus vizinhos idólatras.

O refrão presente em todo o livro

O refrão é: "Cada um fazia o que lhe parecia certo" (17.6; 21.25). Apostatavam repetidas vezes de Deus e caíam na idolatria. Quando assim faziam, Deus entregava Israel nas mãos de opressores estrangeiros. Quando, então, Israel, nos seus sofrimentos e aflições, voltava atrás e clamava a Deus, Deus se compadecia de Israel e suscitava juízes que o livravam de seus inimigos. Enquanto vivia esse juiz, o povo servia a Deus. Mas pouco depois da morte do juiz, o povo abandonava a Deus e voltava aos antigos caminhos.

Gezer foi uma das cidades que os israelitas não conseguiram tomar na conquista de Canaã. Este é o "lugar sagrado" de Gezer, onde eram adorados os ídolos. A cidade acabou sendo capturada na época de Salomão pelo faraó do Egito, que a incendiou, matou seus habitantes e a deu como presente de núpcias a Salomão, que a reedificou (1Rs 9.16,17).

Invariavelmente, enquanto serviam a Deus desfrutavam de bem-estar, mas quando serviam aos ídolos, sofriam. As aflições de Israel eram diretamente provocadas pela sua desobediência. Não se refreavam da idolatria. Não exterminaram os habitantes do país como lhes tinha sido ordenado. E por isso, de tempos em tempos, voltava a luta pelo domínio.

Otoniel, Eúde e Sangar — Jz 3

Otoniel, de Debir, ao sul de Hebrom, livrou Israel dos mesopotâmios, que o invadiram a partir do nordeste.

Eúde livrou Israel dos moabitas, amonitas e amalequitas. A história de como aproveitou o seu canhotismo para matar Eglom, rei de Moabe, é contada com pormenores dramáticos.

Os **moabitas** eram descendentes de Ló. Ocupavam o planalto a leste do mar Morto. O seu deus, Camos, era adorado por meio de sacrifícios humanos. Tiveram repetidas guerras contra Israel.

Os **amonitas** também eram descendentes de Ló. Seu território ficava imediatamente a norte de Moabe, começando a cerca de 48 km a leste do Jordão. O seu deus, chamado Moloque, era adorado mediante a queima de criancinhas.

Moabe e Amom, os ancestrais dessas duas nações, tinham sido fruto de relacionamentos incestuosos (Gn 19.30-38).

Os **amalequitas** eram descendentes de Esaú. Formavam uma tribo nômade, localizada principalmente na parte norte da península do Sinai, mas vagavam em círculos cada vez mais amplos, chegando até mesmo a Judá e a uma distância considerável para o oriente. Foram os primeiros que atacaram Israel depois que os israelitas partiram do Egito. Moisés autorizou sua extinção (Êx 17.8-16). Eles desapareceram da história.

Sangar, de quem pouco se fala, livrou Israel dos filisteus.

Os **filisteus** eram descendentes de Cam. Ocupavam a planície costeira entre a atual Tel Aviv e Gaza, e voltaram a oprimir Israel nos dias de Sansão.

Débora e Baraque — Jz 4 e 5

Débora e Baraque livraram Israel dos cananeus que Josué subjugara, mas que voltaram a se tornar poderosos. Com seus carros de ferro, tinham grande vantagem sobre Israel. Débora é a única juíza. Sua fé e coragem deixaram Baraque envergonhado.

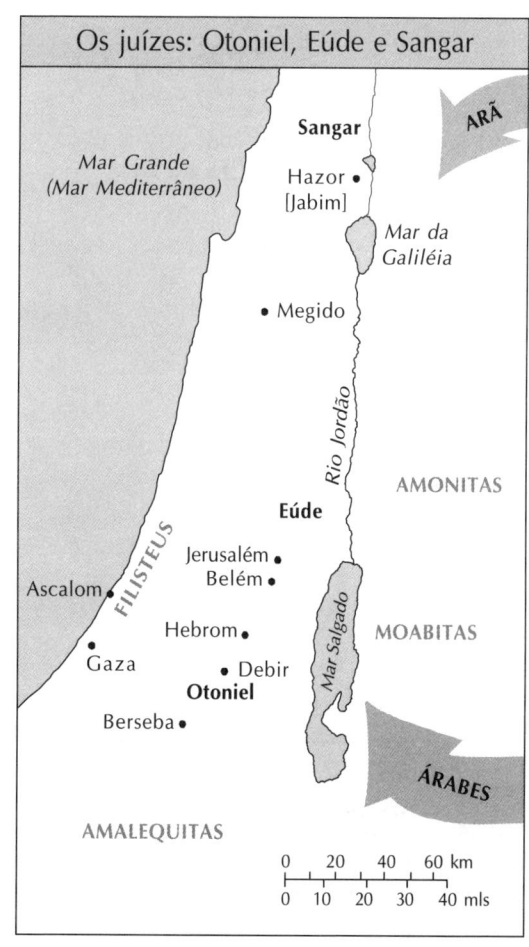

> **NOTA ARQUEOLÓGICA: Reis de Hazor.**
> De novo, o rei de Hazor comandou os governantes cananeus do norte numa batalha contra os israelitas. Jabim parece ter sido um "nome dinástico" usado por alguns dos governantes de Hazor, porque não somente existem pelo menos dois Jabim de Hazor na Bíblia, mas o nome também foi achado numa tábua cuneiforme descoberta na própria cidade de Hazor. Existem evidências arqueológicas de que Hazor foi destruída por volta de 1200 a.C., o que cronologicamente se encaixa muito bem na história de Débora e de Baraque.

Jz 6—8 Gideão

Durante sete anos, midianitas, amalequitas e árabes (6.3; 8.24) tinham enxameado país adentro, sendo tão numerosos que os israelitas buscaram refúgio em cavernas e fizeram covas secretas para esconder seus cereais (6.2-4,11). Gideão, com a ajuda direta de Deus e com um exército de 300 homens armados de tochas escondidas dentro de cântaros, infligiu-lhes uma derrota tão tremenda que os invasores não mais voltaram.

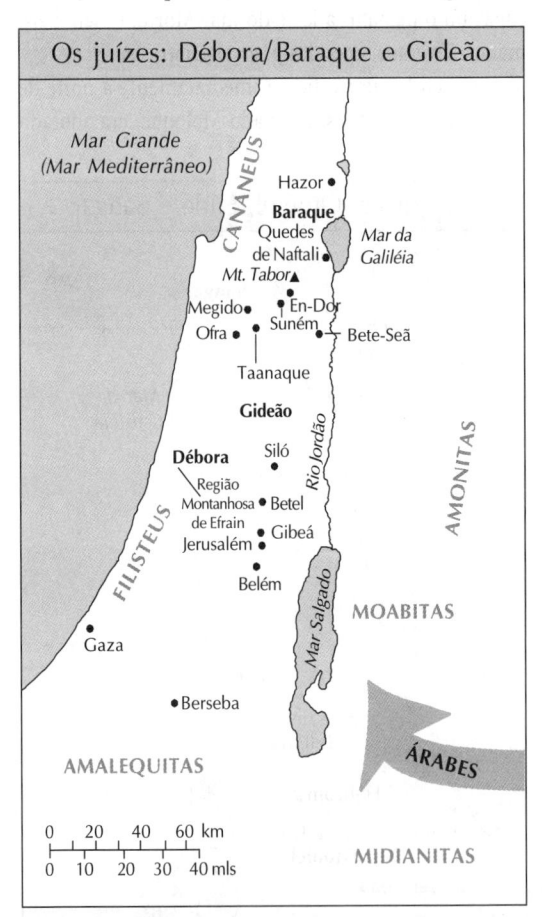

Essa foi a segunda ocasião em que os amalequitas invadiram Israel (v. comentário do cap. 3).

Os **midianitas** eram nômades descendentes de Abraão e de Quetura (Gn 25.1-6). Seu centro principal ficava na Arábia, imediatamente a leste do mar Vermelho, mas percorriam grandes áreas em todas as direções. Moisés vivera entre eles durante 40 anos e se casara com uma midianita (Êx 2.15-21). Foram paulatinamente incorporados aos árabes.

Os **árabes** eram descendentes de Ismael (Gn 16). A Arábia era uma península grande (2 413 km de norte a sul, 1 287 de leste a oeste) que hoje se compõe da Arábia Saudita e do Iêmen. Era um planalto elevado, 150 vezes maior que a Palestina, que descia na direção norte para o deserto da Síria. Era habitada esparsamente por tribos nômades.

Jz 9 Abimeleque

Abimeleque era filho de um pai extraordinário, mas ele mesmo era um homem brutal. Aqui temos uma história típica da eterna luta pelo domínio entre os bandoleiros.

NOTA ARQUEOLÓGICA: Abimeleque destrói Siquém.
Com dinheiro do templo de Baal (v. 4), ele subornou homens para assassinar os próprios irmãos e "destruiu a cidade e espalhou sal sobre ela" (v. 45). Espalhar sal simbolizava a destruição total da cidade e sua infertilidade perpétua (Dt 29.23; Sl 107.34).
    H. Thiersch identificou uma colina (Tell Balatah) próxima da moderna cidade de Nablus como a Siquém da Antigüidade. Essa colina, que mede seis hectares, contém mais de 20 camadas arqueológicas. Foram descobertos restos de uma torre imponente, pertencente ao período da conquista e dos juízes. A última camada que mostra a torre em uso revela uma destruição significativa, por volta de 1100 a.C., aproximadamente na época de Abimeleque.

Tolá, Jair, Jefté, Ibsã, Elom e Abdom — Jz 10—12

Tolá e **Jair** são ambos mencionados como juízes.

Jefté provinha de Mispá, em Gileade, a terra do profeta Elias, no leste de Manassés.

Os **amonitas**, cujo poderio fora rompido por Eúde, um dos juízes anteriores, tinham se fortalecido novamente e estavam saqueando Israel. Deus concedeu a Jefté uma grande vitória sobre os amonitas e libertou Israel. O aspecto lastimável da história de Jefté foi o sacrifício de sua filha como resultado de um voto feito precipitadamente.

Ibsã, **Elom** e **Abdom** são mencionados como juízes.

Sansão — Jz 13—16

Sansão, membro da tribo de Dã, na fronteira dos filisteus, já antes de nascer foi designado por Deus para libertar Israel dos filisteus. Deus o revestiu de força sobre-humana e foram assombrosas as suas proezas — sempre creditadas a Deus. Sansão, entretanto, também tinha suas fraquezas e passou por tragédias.

Sansão é o último dos juízes mencionados no livro dos Juízes. Logo em seguida houve a organização do reino, sob a liderança de Samuel, Saul e Davi.

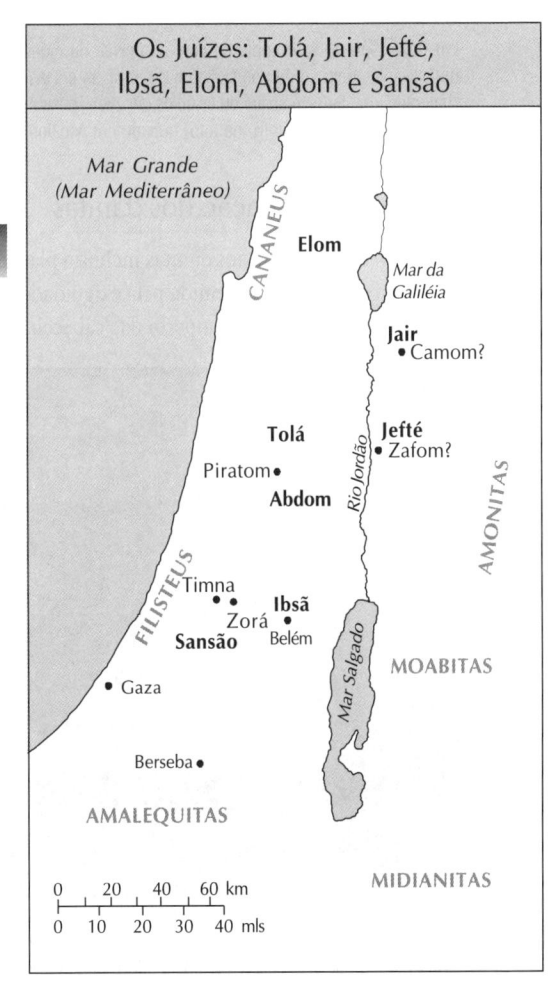

Os Juízes: Tolá, Jair, Jefté, Ibsã, Elom, Abdom e Sansão

Em Gaza, Sansão saiu andando com as portas da cidade nos ombros (Jz 16.3). Foi uma façanha notável, pois nem se deu ao trabalho de abrir as portas, mas as carregou "com tranca e tudo". Os "batentes" que Sansão arrancou eram os gonzos — postes verticais que se encaixavam em soquetes de pedra como este (no centro da foto) achado em Ascalom, outra cidade dos filisteus.

Jz 17 e 18 — A migração dos danitas

O território que foi determinado aos danitas incluía a planície dos filisteus, que os danitas não conseguiram conquistar, e parte da tribo, premida pela exiguidade do espaço, migrou, levando um ídolo furtado, para o norte distante e se estabeleceu perto das cabeceiras do Jordão.

Um relevo do templo mortuário de Ramsés III em Medinet Habu, que fica defronte de Tebas, Lúxor e Carnac, no outro lado do Nilo. O relevo retrata vários cativos, até mesmo um filisteu (primeiro à direita), que pode ser reconhecido pelo adorno característico na sua cabeça.

O ato vergonhoso dos benjamitas — Jz 19—21

Uma narrativa de justiça selvagem por um crime indizivelmente horrível, cujo resultado foi o quase extermínio da tribo de Benjamim.

Heróis da fé

Baraque, Gideão, Jefté e Sansão estão incluídos entre os heróis da fé de Hebreus 11.32. A despeito de certas coisas na vida deles que nos deixam perplexos, eles tiveram fé em Deus.

Milagres no livro dos Juízes

Deus interveio direta e milagrosamente durante o período dos juízes, especialmente nas histórias de Gideão e Sansão. Um anjo apareceu a Gideão, Deus deu um sinal por meio do orvalho na pele de um animal e Gideão derrotou os midianitas com 300 homens. Um anjo apareceu aos pais de Sansão, que nasceu de uma mãe estéril e tinha força sobre-humana.

Tudo isso demonstra que Deus, na sua misericórdia, ainda estava com os olhos postos no seu povo, apesar de os israelitas terem caído na corrupção mais aviltante.

> NOTA ARQUEOLÓGICA: A chegada dos filisteus.
> Existem numerosas evidências da chegada dos filisteus durante o período dos juízes. Formas típicas de cerâmica, templos e outros artefatos foram achados nas cidades filistéias de Asdode, Ecrom e Timna. Foi descoberto um nível de destruição em Hazor, com data de 1200 a.C. Templos e divindades dos cananeus foram achados em Hazor e outros lugares. Todas essas descobertas ajudam a lançar luz sobre o texto bíblico.

Por que existe tal livro na Bíblia?

Trata-se de fatos históricos verídicos. Deus fundara uma nação com a finalidade de preparar o caminho para a vinda do Redentor da raça humana. Deus estava resoluto quanto a manter essa nação. E, a despeito da idolatria e da perversidade da nação, Deus realmente a sustentou. Se não tivesse havido líderes como os juízes (por mais falhas humanas que tivessem) e se Deus não tivesse feito intervenções milagrosas nos tempos de crise, Israel teria sido exterminado.

Esta estela do faraó Merneptá (1224-1214 a.C.) contém a primeira referência extrabíblica conhecida a Israel: "Ascalom foi levada ao cativeiro; Gezer foi capturada; Ianoã foi tornada como que inexistente; Israel está devastado, a sua descendência não existe". Não existe nenhum registro na Bíblia a respeito da campanha de Merneptá contra Israel, mas forçosamente deve ter ocorrido durante o período dos juízes. A estela é de granito negro e tem 2,3 m de altura.

Rute

O início da família messiânica de Davi

> Aonde fores irei, onde ficares ficarei!
> O teu povo será o meu povo e o teu Deus será o meu Deus!
> Onde morreres morrerei, e ali serei sepultada.
> — Rute 1.16,17

> Boaz casou-se com Rute, e ela se tornou sua mulher [...] e o Senhor concedeu que ela engravidasse dele e desse à luz um filho. [...] e lhe deram o nome de Obede. Este foi o pai de Jessé, pai de Davi.
> — Rute 4.13,17

Essa belíssima história de uma mulher extraordinária se segue, assim como a calmaria depois da tormenta, às cenas turbulentas de Juízes. É um retrato agradável e encantador da vida doméstica em tempos de anarquia e aflição.

Mil anos antes, Abraão tinha sido chamado para fundar uma nação com o propósito de trazer à humanidade, em data futura, o Salvador. No pequeno livro de Rute, narra-se como foi constituída, dentro daquela nação, a família na qual nasceria o Salvador. Rute foi bisavó do rei Davi. Daí por diante, o AT gira principalmente em torno da família de Davi. E o NT começa com a genealogia que inicia com Abraão e termina, depois de passar por Boaz e Rute, e por Davi, com Jesus, "que é chamado Cristo", o Messias (Mt 1.1-16).

O tema central do livro de Rute é a redenção. A palavra hebraica traduzida por "redenção" ocorre 23 vezes nesse livro. Rute pode ser considerada um tipo da igreja cristã, ao passo que Boaz, o parente resgatador, é um tipo de Cristo, que é nosso Redentor.

Rt 1   A estada em Moabe

Uma família originária de Belém — Elimeleque e Noemi, com seus dois filhos — foi morar em Moabe por haver fome em Israel. Os moabitas eram descendentes de Ló (Gn 19.37) e, portanto, tinham parentesco distante com os judeus. Entretanto, eram idólatras. O seu deus, Camos, era adorado com sacrifícios de crianças. Os dois filhos casaram-se com moças moabitas. Dez anos mais tarde, depois de terem morrido o pai e os dois filhos, Rute, a viúva de um destes, num ímpeto de devoção supremamente bela (1.16,17), voltou para Belém com Noemi.

Rute a Boaz — Rt 2—4

Em rigorosa obediência à lei dos hebreus, Boaz convida um parente resgatador (não citado pelo nome) que tem o direito preferencial de resgatar as terras de Noemi. Esse parente resgatador sem nome abre mão de seu direito de resgatar as terras quando Boaz lhe faz lembrar que, caso as compre, deverá

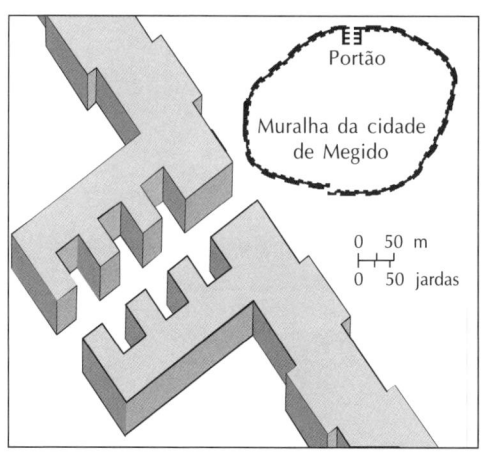

Nas cidades da Antigüidade, o portão — ou porta — servia ao mesmo propósito que o fórum, em tempos posteriores, nas cidades romanas, e as praças públicas, nas cidades européias. Ali as pessoas se encontravam, o rei dava audiências e negócios eram fechados. Eram tempos menos apressados: Boaz ficou esperando pela pessoa com quem precisava lidar até esta aparecer. Em tempos posteriores, quando então as cidades eram fortificadas, o portão da cidade passou a ser uma parte fundamental de sua defesa. Esse portão, em Megido, mostra aposentos de ambos os lados, onde os defensores podiam se esconder.

também herdar a viúva do dono anterior das terras, Noemi, com sua nora viúva, Rute. Boaz, o segundo parente resgatador na ordem de preferência, compra então as terras e também adquire Rute como esposa. Boaz declara essa redenção na presença de dez testemunhas, a fim de que não haja a menor dúvida quanto à integridade de suas ações.

A genealogia de 4.17-22 pode até mesmo ser o motivo principal por que o livro de Rute foi escrito. Ela demonstra que Rute e Boaz tiveram um filho, Obede, que gerou Jessé, que gerou Davi.

Moabe e Belém

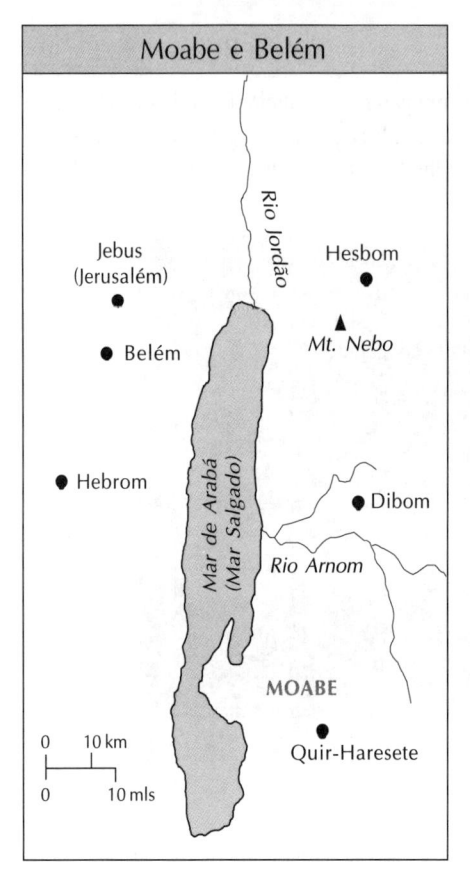

(mapa: Jebus (Jerusalém), Belém, Hebrom, Rio Jordão, Hesbom, Mt. Nebo, Mar de Arabá (Mar Salgado), Dibom, Rio Arnom, MOABE, Quir-Haresete)

Boaz era descendente de Raabe, a prostituta de Jericó (Js 2.1; Mt 1.5; v. comentário sobre Js 2). Portanto, Rute, a bisavó de Davi, era moabita, e seu bisavô, Boaz, era parcialmente cananeu. A família escolhida dentro da nação eleita possuía, portanto, sangue cananeu e moabita em suas veias.

É muito apropriado que justamente *dessa* linhagem de sangue viesse o Messias para todas as nações. Raabe e Rute passaram a fazer parte das promessas e planos de Deus não por nascimento, mas por sua fé em Deus e no seu povo — acompanhada de seu compromisso prático — do mesmo modo que pessoas de todas as nações ainda podem participar das eternas promessas de Deus.

Foi em um campo perto de Belém que Rute respigava. Séculos mais tarde, também em um campo próximo de Belém, anjos anunciaram o nascimento do descendente de Rute, Jesus, diante dos assustados pastores.

A monarquia: Davi, Salomão e o reino dividido

1 Samuel a 2 Crônicas

	Fontes bíblicas para o período dos reinos unificados e dividido	
Período	**Data**	**Passagens bíblicas principais**
Saul	1050-1010 a.C.	1Sm 9—31; 1Cr 8 e 10
Davi	1010-970 a.C.	1Sm 16—1Rs 2; 1Cr 11—29
Salomão	970-931 a.C.	1Rs 1—11; 2Cr 1—9
Reino dividido	931-722 a.C.	1Rs 12—2Rs 17; 2Cr 10—28 Israel levado ao cativeiro pelos assírios em 722 a.C.
Judá sozinho	722-586 a.C.	2Rs 18—25; 2Cr 29—36 Judá levado ao cativeiro pelos babilônios em 586 a.C.

O termo "monarquia" refere-se ao período em que o povo de Deus foi governado por reis terrestres (e, em certa ocasião, por uma rainha, Atalia). O *reino unificado* designa o período em que tanto o agrupamento das tribos do norte quanto o do sul eram unidos, com um só rei. O termo geralmente se refere aos dias de Davi e de Salomão, mas às vezes inclui a monarquia de Saul, que foi imediatamente anterior à de Davi. Na ocasião da morte de Salomão (930 a.C.), o reino dividiu-se em duas partes: a do sul (que incluía Judá, Benjamim e Simeão) e a do norte (as demais tribos). Esse período é conhecido como o *reino dividido*.

A transição do período dos juízes (no qual Deus suscitava e revestia de poder pessoas específicas, visando a propósitos específicos) para o período de uma "monarquia teocrática" (segundo a qual o rei devia reinar sobre Israel como representante de Deus) é descrita em 1 Samuel. São desconhecidas as identidades dos autores inspirados dos livros de Samuel e Reis, e embora tenham existido, sem dúvida alguma, edições bem mais antigas, talvez parciais, desses livros, parece que os dois servem para responder a perguntas que os judeus possivelmente faziam durante o exílio na Babilônia (586—538 a.C.). Esses exilados tinham testemunhado e experimentado recentemente: a derrocada da monarquia davídica (586 a.C.); a captura e queima de Jerusalém e do Templo; a brutalização de suas famílias, amigos e vizinhos; a deportação. A totalidade dessas experiências recentes apresentava um forte contraste com as gloriosas (eternas!) promessas que Deus fizera aos seus ancestrais (por exemplo: Gn 12.1-4; 2Sm 7; Sl 132).

Primeiro livro de Samuel parece estar respondendo à pergunta dos exilados: "Afinal, como foi que obtivemos uma monarquia dinástica?". Nesse livro, o autor descreve o papel de Samuel ao ungir Saul e, posteriormente, Davi, e desenvolve a história de como este subiu ao poder, em contraste com o fim trágico de Saul.

Segundo livro de Samuel parece envolvido com a pergunta: "Quem foi esse Davi, o primeiro rei da sua dinastia, e o que houve nele de tão especial?". Em outras palavras: "Por que devemos nos preocupar tanto com a sorte da dinastia *dele*?". A resposta é, naturalmente, que Deus, mediante seus profetas Samuel e Natã, escolhera Davi e seus sucessores para serem aqueles por meio dos quais Deus governaria seu povo (2Sm 7) — seriam "monarcas teocráticos". Em conexão com essa escolha/promessa havia as promessas correlatas de que Deus "habitaria" em Jerusalém, especificamente no Templo, e que a partir daí ele governaria, protegeria, abençoaria e perdoaria seu povo, se comunicaria com ele e o sustentaria.

A pergunta dos exilados era: "Por que essa desgraça nos aconteceu?". A resposta oferecida nos livros de Samuel e Reis é: "Vocês, seus ancestrais e seus governantes, a despeito de Deus tê-los conclamado ao arrependimento e à reforma de vida, escolheram geralmente o caminho da deslealdade para com Deus e da desobediência às estipulações da *Torá* [= ensino] do Deus vivo". Essa deslealdade ficou em evidência já quando a monarquia estava sendo estabelecida e até mesmo na vida do alegadamente "ideal" rei Davi, assim como na vida dos sucessores de Davi e do povo que eles governaram. Por causa da deslealdade e da desobediência, as maldições da aliança (v. Lv 26 e Dt 28) haviam caído sobre o povo de Deus.

Os livros de **1 e 2 Crônicas** abrangem essencialmente o mesmo período da história de Israel, embora façam remontar os inícios de Israel a Adão. Embora o "cronista" faça uso de matérias tiradas de Samuel e Reis, a perspectiva de 1 e 2 Crônicas é um pouco diferente. A diferença mais importante é que a mensagem de Crônicas foi *endereçada a pessoas que viveram no período pós-exílico* (isto é, algum tempo depois do primeiro retorno, sob a liderança de Sesbazar e Zorobabel, que ocorreu em 538 a.C.; v. p. 247-8). Embora muitos dos que receberam essa mensagem habitassem a Terra Prometida, até mesmo em Jerusalém, e adorassem a Deus no templo reconstruído, estavam bem conscientes de que essa não era a restauração gloriosa que lhes fora anteriormente prometida pelos seus profetas. Estavam, na realidade, vivendo sob o governo dominante de uma potência estrangeira (os persas), não existia rei davídico no trono, a "glória de Deus" não retornara ao templo reedificado e a vida na terra não era o tão desejado "repouso" que fora prometido. A pergunta deles parece ter sido: "Resta algum futuro para nós, para o povo de Deus?".

A resposta do cronista é *sim*. Ele enfatiza que o legado principal da dinastia de Davi foi, na realidade, o Templo com seu respectivo culto (celebrado pelo sacerdócio levítico). Na apresentação feita pelo cronista da história de Israel, o destaque recai sobre Davi como aquele que fez os preparativos para a construção do Templo, sobre Salomão como o construtor propriamente dito e sobre reis piedosos, tais como Josafá, Ezequias e Josias, que instigaram e lideraram reformas religiosas.

Portanto, embora as condições não tivessem chegado a satisfazer o conteúdo total das promessas, a comunidade judaica, pequena e sufocada por lutas, possuía uma grandiosa história e tradição, e seus membros estavam sendo encorajados e seguir os passos mais positivos de reis e gerações piedosos anteriores, enquanto esperavam a restauração divina mais plena da terra, do Templo e do Rei davídico ideal — o Ungido, o Messias.

Por tais razões, livros históricos como Samuel, Reis e Crônicas devem ser lidos, não como mera história política, econômica, militar ou étnica, e sim como uma "reapresentação" da história de Israel (quase na forma de um sermão estendido) dirigida, em primeira instância, aos leitores/ouvintes pertencentes aos períodos exílico e pós-exílico.

Se você for ler um só capítulo dos livros de Samuel, Reis ou Crônicas, não deixe de ler 2 Samuel 9!

O reino dividido em dados resumidos		
	Norte (Israel)	Sul (Judá)
Capitais	Siquém Peniel Tirza Samaria	Jerusalém
Número de reis	19	19 e uma rainha
Dinastias	9	1 (davídica)
Governantes assassinados ou suicidas	8	4 (mais 2 mortos por não-judeus)
Centros de culto	Betel Dã Samaria (e outros)	Jerusalém (e outros)
Destruição dos reinos	722 a.C. pelos assírios	586 a.C. pelos babilônios
Inimigos principais em diferentes ocasiões	Reino do Sul (Judá) Filístia Arameus (Damasco) Edomitas Assírios	Reino do Norte (Israel) Egito (incluindo a Etiópia) Filístia Amonitas Arameus (Damasco) Edomitas Moabitas Assírios Egípcios Babilônios

1 Samuel

Samuel, o último juiz
Saul, o primeiro rei; Davi, o rei escolhido por Deus
(c. 1100-1050 a.C.)

> E longe de mim esteja pecar contra o Senhor, deixando de orar por vocês.
> Também lhes ensinarei o caminho que é bom e direito.
> — 1 Samuel 12.23
>
> O Senhor não vê como o homem: o homem vê a aparência,
> mas o Senhor vê o coração.
> — 1 Samuel 16.7

No AT hebraico, 1 e 2 Samuel formam um só livro chamado Samuel. Os tradutores da *Septuaginta* dividiram essa obra em dois livros chamados "Primeiro e Segundo Livros dos Reinos".

Primeiro Samuel começa com os antecedentes e o nascimento de Samuel. Este começou seu treinamento para o ministério e a liderança quando ainda era um menino, servindo Eli. Posteriormente, a influência de Samuel como profeta, sacerdote e juiz estendeu-se à nação inteira. Samuel ungiu tanto Saul quanto Davi como reis e assim marcou a transição entre o período dos juízes e a monarquia.

Samuel, Reis e Crônicas

A totalidade da história do reino de Israel é contada nos dois livros de Samuel e nos dois livros de Reis. Os livros de Crônicas contam a mesma história.

Em linhas gerais:

- 1 e 2 Samuel = 1 Crônicas
- 1 e 2 Reis = 2 Crônicas (tanto 1 Reis quanto 2 Crônicas começam com Salomão)

As diferenças principais são:

- 1 Crônicas começa com uma genealogia no longo da vida — a partir de Adão —, mas omite as histórias de Samuel e Saul (excetuando-se o suicídio de Saul);
- 2 Crônicas omite inteiramente a história do Reino do Norte.

Autor

É desconhecido o autor do livro de Samuel. Embora Samuel seja o assunto do livro, é improvável que ele o tenha escrito em sua totalidade, visto que a sua morte é registrada em 25.1. A pessoa que escreveu os dois livros de Samuel empregou o Livro de Jasar como uma fonte documentária (2Sm 1.18) e talvez também possa ter tido acesso a outras fontes documentais desse período, tais como os registros históricos do rei Davi (1Cr 27.24) e os registros de Samuel, Natã e Gade (1Cr 29.29).

O cenário do ministério de Samuel

As quatro cidades do circuito judicial e sacerdotal de Samuel

- **Ramá**, cerca de 8 km ao norte de Jerusalém, foi o lugar onde nasceu, sua residência judicial e o local do seu sepultamento (1.19; 7.17; 25.1).
- **Betel**, cerca de 11 km ao norte de Ramá, era o posto de Samuel no norte. Era um dos quatro pontos mais altos do país (os outros são o monte Ebal, Hebrom e Mispá). É magnífica a vista que se descortina de Betel. Ali, 800 anos antes, Jacó vira a escada que chegava aos céus (Gn 28.10-20).

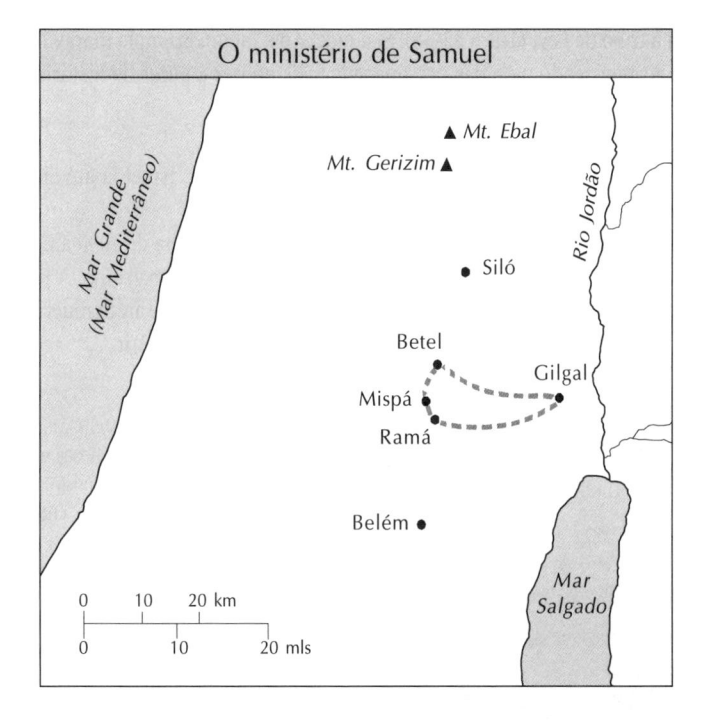

- **Mispá**, 4 km a noroeste de Ramá, era um lugar importante para a reunião das tribos de Israel nos dias de Samuel (7.5-7; 10.17).
- **Gilgal**, cerca de 16 km a leste de Ramá, perto de Jericó, foi o lugar onde os israelitas acamparam depois de atravessar o Jordão sob o comando de Josué e onde este levantara um memorial (Js 4.19-24). Continuava a ser um centro de adoração nos dias de Samuel e de Saul.

Outras cidades

- **Gibeá** (Tell-el-Ful), pouco mais de 3 km ao sul de Ramá, era a capital de Saul.
- **Gibeom**, 4 km a oeste de Ramá, era o lugar em que Saul foi criado, e o monte de Gibeá (13.3) localizava-se a apenas 1,6 km a sudoeste de Gibeom, em Nebi Samwil. Era um importante local

de adoração para as tribos de Israel; posteriormente, o Tabernáculo foi colocado nesse local (2Cr 1.5).
- **Belém**, onde nasceu Davi e, posteriormente, onde também nasceu Jesus, ficava quase 18 km ao sul de Ramá.
- **Siló**, cerca de 24 km ao norte de Ramá, foi o lugar onde permaneceu o Tabernáculo desde o tempo de Josué até o de Samuel, e onde este, ainda criança, ministrava no Tabernáculo.
- **Quiriate-Jearim**, onde a arca da aliança foi guardada depois de ter sido devolvida pelos filisteus, ficava cerca de 14 km a sudoeste de Ramá.
- **Jerusalém**, cerca de 8 km ao sul de Ramá, ainda estava nas mãos dos jebuseus nos dias de Samuel. Posteriormente foi capturada por Davi.

1Sm 1.1—2.11 O nascimento de Samuel

Samuel pertencia à tribo de Levi (1Cr 6.33-38). Sua mãe, Ana, foi um exemplo maravilhoso de maternidade: o seu filho acabou sendo uma das personagens mais nobres e puras da história.

Siló (1.3)

- Josué armou o tabernáculo em Siló (Js 18.1). Todos os anos, Israel ia até Siló a fim de levar sacrifícios (1.3).
- Davi levou a arca da aliança para Jerusalém (2Sm 6.15) por volta de 1000 a.C.
- Jeremias (Jr 7.12-15), em cerca 600 a.C., refere-se a Siló como uma ruína. A implicação dessas passagens é que Siló foi uma cidade importante no período de Josué até Samuel e que, em alguma data anterior a 600 a.C., foi destruída, abandonada e cessou de existir.

NOTA ARQUEOLÓGICA: Siló.
Escavações dinamarquesas e, posteriormente, israelenses em Siló demonstraram que foi um centro de culto a partir de 1650 a.C. Enquanto era ocupada pelos cananeus, era cercada por uma sólida muralha, que em alguns lugares está preservada, com uma altura de 7,6 m. As escavações demonstram que também foi um centro de adoração quando era ocupada pelos israelitas. A especulação de alguns é que o Tabernáculo foi armado em vários terraços cortados na rocha no lado norte da colina. O local foi destruído em 1050 a.C., provavelmente pelos filisteus.

Ruínas de Siló. Imediatamente depois da conquista de Canaã sob a liderança de Josué, o Tabernáculo foi armado em Siló (Js 18.1). Segundo parece, permaneceu ali até os dias de Samuel. O Tabernáculo propriamente dito pode ter sido substituído por uma estrutura mais permanente durante aquele período (1Sm 3.3, "santuário"; 3.15, "portas").

Anunciada a mudança do sacerdócio 1Sm 2.12-36

As palavras proféticas do homem de Deus em 2.31-35 parecem aplicar-se a Samuel, que sucedeu a Eli como juiz e também como sacerdote interino (7.9; 9.11-14), mas também fazem referência a um sacerdócio que durará para sempre (2.35).

Cumpriram-se quando Salomão demitiu Abiatar, da linhagem de Eli, e o substituiu por Zadoque, de outra linhagem (1Rs 2.27; 1Cr 24.3,6). Mas o derradeiro cumprimento dessas palavras acha-se no sacerdócio eterno de Cristo. Nos capítulos de 8 a 10, lemos como Samuel introduziu uma mudança na forma de governo, colocando reis no lugar dos juízes. Na monarquia, os cargos de rei e de sacerdote foram mantidos separados entre si.

Aqui, no v. 35, temos a promessa de um sacerdócio eterno, e em 2 Samuel 7.16 um trono eterno é prometido a Davi. O sacerdócio e o trono eternos prenunciavam o Messias, em quem se fundiram num só — Cristo veio a ser o Sacerdote e o Rei eterno da raça humana. A união temporária dos cargos de juiz e de sacerdote na pessoa de Samuel, durante o período de transição entre os juízes e a monarquia, parece ter sido um tipo de prefiguração histórica da fusão final dos dois ofícios em Cristo. Além disso, Samuel era reconhecido como profeta (3.20), que é o terceiro ofício que Cristo reuniu na sua própria pessoa (v. Dt 18.15, "um profeta como eu"): Rei (Juiz), Sacerdote e Profeta.

Os profetas

A palavra "profeta" ocorre ocasionalmente antes da época de Samuel, como, por exemplo, em Gênesis 20.7 e Êxodo 7.1. Samuel, no entanto, parece ter sido o fundador de uma ordem regular de profetas, com escolas primeiramente em Ramá (1Sm 19.20) e posteriormente em Betel, Jericó e Gilgal (2Rs 2.3,5; 4.38).

O sacerdócio degenerara-se consideravelmente e, quando Samuel organizou a monarquia, deu início a essas escolas, pretendendo, segundo parece, que servissem de fiscalização moral, tanto para os sacerdotes quanto para os reis.

Esses profetas atuaram por um período de aproximadamente 300 anos antes de surgirem os profetas que escreveram os 17 últimos livros do AT. Esses profetas dos tempos mais antigos são chamados "profetas orais", para distingui-los dos profetas escritores ou literários, que escreveram os livros.

Os principais profetas orais que conhecemos são: Samuel, o organizador da monarquia; Natã, o conselheiro de Davi; Aías, o conselheiro de Jeroboão; e Elias e Eliseu, os líderes da grande luta contra o baalismo.

(V. mais sobre os profetas na p. 294-5.)

O chamado profético de Samuel 1Sm 3

Samuel era profeta (3.20). Atuou como sacerdote, oferecendo sacrifícios (7.9). E foi juiz de Israel (7.15-17). Seu circuito incluía Betel, Gilgal e Mispá, mas sua sede ficava em Ramá. Foi o último dos juízes, o primeiro dos profetas e o fundador da monarquia. Sua principal missão foi organizar a monarquia.

A forma de governo exercida pelos juízes fora um fracasso (v. nota introdutória de Jz). Foi por isso que Deus suscitou Samuel para unificar a nação numa monarquia — debaixo do governo de um rei (v. comentário sobre os caps. de 8 a 10).

Os filisteus e a arca

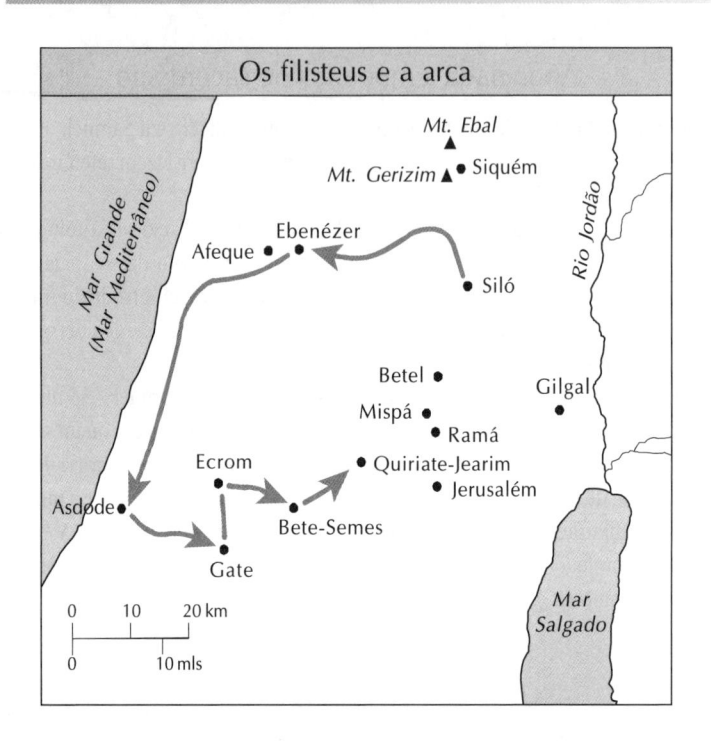

[Mapa mostrando: Mar Grande (Mar Mediterrâneo), Rio Jordão, Mt. Ebal, Mt. Gerizim, Siquém, Afeque, Ebenézer, Siló, Betel, Mispá, Ramá, Gilgal, Quiriate-Jearim, Jerusalém, Ecrom, Asdode, Bete-Semes, Gate, Mar Salgado; escala 0-20 km / 0-10 mls]

1Sm 4—7 Os filisteus tomam a arca

Depois de sua captura pelos filisteus, a arca nunca mais foi levada de volta a Siló, que por isso deixou de ser um lugar de importância. A arca permaneceu nas cidades filistéias durante sete meses, período em que os filisteus sofreram grandes pragas. Tão grandes foram as pragas que os filisteus imploraram que os israelitas aceitassem de volta a arca — e estes a acolheram com júbilo! Ela foi levada para Bete-Semes e depois para Quiriate-Jearim, onde permaneceu durante 20 anos (7.2). Posteriormente, Davi levou a arca para Jerusalém e armou uma tenda para ela (2Sm 6.12; 2Cr 1.4). A arca permaneceu nessa tenda até Salomão edificar o Templo. Nada se sabe da história da arca depois da destruição de Jerusalém pelos babilônios, uns quatrocentos e cinqüenta anos depois.

Depois que a arca saiu de Siló, o Tabernáculo foi transferido, segundo parece, para Nobe (21.1; Mc 2.26) e posteriormente para Gibeom (1Cr 21.29), até que Salomão o colocou no Templo (1Rs 8.4).

Depois da devolução da arca pelos filisteus, Samuel, com a ajuda divina, infligiu aos filisteus uma derrota estrondosa no mesmo local onde haviam capturado a arca (4.1; 7.12).

1Sm 8—10 A organização da monarquia

Antes dessa ocasião, a forma de governo fora a teocracia (v. p. 162). Num mundo de rapinagem que só conhecia a lei da selva, uma nação precisava ser bastante forte para sobreviver. Deus, portanto, acomodando-se aos costumes humanos, permitiu que seu povo, da mesma forma que outros povos, se unificasse debaixo do governo de um rei. O primeiro rei, Saul, foi um fracasso. Mas o segundo, Davi, foi um sucesso magnífico.

NOTA ARQUEOLÓGICA: A casa de Saul em Gibeá.
"Saul também foi para sua casa em Gibeá" (10.26). William F. Albright (1922-1923) descobriu em Gibeá, na camada arqueológica de 1050 a.C., as ruínas da pequena fortaleza que Saul construíra.

Saul como rei 1Sm 11—15

Saul pertencia à tribo de Benjamim, que quase fora aniquilada nos dias dos juízes, e à cidade de Gibeá, onde começara o horrível incidente (v. Jz 19—21).

Alto, de boa aparência e humilde, Saul começou seu reinado com uma vitória brilhante sobre os amonitas. Desapareceram, então, quaisquer dúvidas a respeito da nova monarquia.

Seguiu-se, então, a advertência que Samuel dirigiu à nação e ao rei, para que não se esquecessem de Deus, e essa advertência foi confirmada por uma chuva milagrosa (cap. 12).

O primeiro erro de Saul (cap. 13). Seus sucessos deixaram-no envaidecido em bem pouco tempo. A humildade foi substituída pela soberba. Ele ofereceu sacrifícios, que era função exclusiva dos sacerdotes. Foi esse o primeiro sinal do crescente conceito que Saul desenvolvia sobre a própria importância.

O segundo erro de Saul (cap. 14). A ordem impensada que impôs ao exército para que se abstivesse de alimentos e a sentença de morte, igualmente impensada, que decretou contra Jônatas mostravam ao povo que grande tolo os israelitas tinham como rei.

O terceiro erro de Saul (cap. 15). Dessa vez, Saul desobedeceu deliberadamente a Deus. Por causa disso, teve de ouvir a sentença ameaçadora de Samuel: "Assim como você rejeitou a palavra do Senhor, ele o rejeitou como rei".

Davi ungido rei secretamente 1Sm 16

A unção não podia ter sido realizada abertamente, pois nesse caso Saul teria matado Davi. O propósito de Deus foi dar a Davi oportunidade de receber treinamento para assumir o trono. Ele tomou Davi sob seus cuidados (v. 13).

Davi era de baixa estatura, de tez clara, de belo aspecto, de grande força física e de muitos atrativos pessoais, homem de guerra, prudente no falar, muito corajoso, bom músico e bastante religioso.

Sua fama de músico chegou aos ouvidos do rei Saul, que ainda não sabia que Davi fora ungido para ser o seu sucessor. Davi ficou sendo escudeiro de Saul. Foi assim que Davi chegou a ter íntima associação com o rei e seus conselheiros, de modo que Saul, inconscientemente, ajudou a treinar Davi para suas futuras responsabilidades de rei.

Davi e Golias 1Sm 17

Parece que a primeira permanência de Davi na corte foi apenas temporária e que ele voltou a Belém. Passaram-se alguns anos, e o jovem Davi mudara tanto de aspecto que Saul não o reconheceu (v. 55-58).

Socó, onde Golias estava acampado, ficava quase 23 km a oeste de Belém. Golias media quase três metros de altura. Sua armadura pesava cerca de 54 k, e só a ponta metálica de sua lança, quase 7 k. A disposição de Davi em lutar contra Golias com o uso de um simples cajado e uma funda demonstrava coragem sem precedentes e admirável confiança em Deus. A vitória de Davi emocionou a nação inteira. Tornou-se genro do rei, comandante dos exércitos e popularíssimo herói nacional.

1Sm 18—20   Saul tem inveja de Davi

A popularidade de Davi indispôs Saul contra ele. Saul tentou matá-lo, mas Davi se evadiu e, durante anos, viveu como fugitivo nas montanhas e no deserto.

A amizade de Jônatas por Davi (cap. 20). Jônatas era herdeiro do trono. Sua brilhante vitória contra os filisteus (cap. 14) e sua personalidade nobre eram evidências sólidas de que teria sido digno da realeza. Ficara sabendo, porém, que Deus determinara que Davi fosse rei, e sua graciosa abnegação em abdicar da sucessão ao trono e a dedicação altruísta a Davi, a quem poderia ter odiado como rival, constituem um dos mais nobres exemplos de amizade da história universal. Jônatas teve a iniciativa de fazer uma aliança com Davi, simbolizada mediante a entrega a este de seu próprio manto, túnica, espada, arco e cinturão. Esse ato refletiu o reconhecimento por parte de Jônatas de que Davi o substituiria como sucessor de Saul.

1Sm 21—27   Davi foge da presença de Saul

Davi evadiu-se para os filisteus e entre estes fingiu-se de louco. Pressentindo perigo, fugiu primeiramente para a caverna de Adulão, no oeste de Judá, depois para Moabe e de lá voltou para o sul de Judá, onde ficou em Queila, Zife e Maom. Até então, reunira 600 seguidores. Saul perseguia-o arduamente, mas Davi sempre conseguia escapar. Vários dos salmos foram compostos por Davi nesse período (Sl 18, 52, 54, 57, 59).

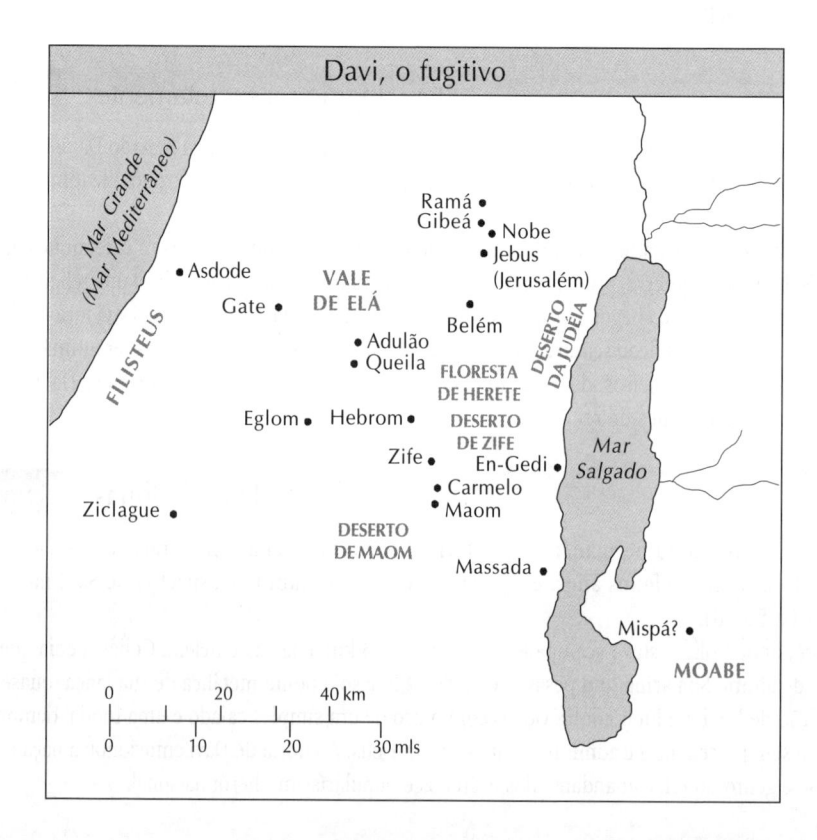

Davi, o fugitivo

Em En-Gedi, Saul achou-se numa armadilha. Davi, porém, recusou-se a praticar o assassinato a fim de subir ao trono, por mais justificável que parecesse, e poupou a vida de Saul. Em outra ocasião, em Zife, Saul reconheceu ter sido um tolo — mas permaneceu na sua tolice.

Samuel morreu, e todo o Israel se reuniu e o pranteou. Foi sepultado em Ramá (25.1).

Em Maom, Davi ficou conhecendo Abigail, mulher que Deus providenciou como modelo de bom comportamento em um casamento infeliz. Acabou sendo esposa de Davi. Este, por fim, refugiou-se de novo entre os filisteus, entre os quais permaneceu até a morte de Saul.

A morte de Saul — 1Sm 28—31

Os filisteus invadiram a terra e se acamparam no monte Gilboa. Um dos governantes filisteus expressara o desejo de que Davi e seus homens fossem à batalha lado a lado com ele. Os demais governantes, porém, não confiavam em Davi. Por isso, Davi teve que voltar para trás, até Ziclague, para guardar, com seus 600 homens, a fronteira sul contra os amalequitas.

Nesse ínterim, Saul estava dominado pelo medo e tentou conseguir, por meio de uma médium de En-Dor, uma entrevista com o espírito de Samuel. Interpretando-se a narrativa de modo simplista, talvez pareça subentendido que o espírito de Samuel apareceu de fato. Existem, entretanto, opiniões divergentes quanto à aparição ter sido genuína ou fraudulenta. O certo é que Saul, em seguida, suicidou-se na batalha. Reinara durante 40 anos (At 13.21).

> NOTA ARQUEOLÓGICA: O destino da cabeça e da armadura de Saul.
> O texto declara, em 31.10, que "expuseram as armas de Saul no templo de Astarote", em Bete-Seã, e 1Crônicas 10.10 declara que "penduraram sua cabeça no templo de Dagom".
> Bete-Seã (Beisan) fica logo a leste do monte Gilboa, na junção entre os vales de Jezreel e do Jordão. O Museu da Universidade da Pensilvânia (1921-1933) descobriu, numa camada arqueológica de Bete-Seã com data do século XI a.C., as ruínas de templos geminados que podem ter sido os mesmos locais onde foram expostas as armas e a cabeça de Saul. No mínimo, as ruínas comprovam que realmente existiam tais templos em Bete-Seã nos dias de Saul.

2 Samuel

O reinado de Davi
(c. 1010-970 a.C.)

> Quando a sua vida chegar ao fim e você descansar
> com os seus antepassados, escolherei um dos seus
> filhos para sucedê-lo, um fruto do seu
> próprio corpo, e eu estabelecerei o reino dele [...]
> Quanto a você, sua dinastia e seu reino permanecerão para sempre
> diante de mim; o seu trono será estabelecido para sempre.
>
> — 2 SAMUEL 7.12,16

O segundo livro de Samuel continua a história de como Deus estabeleceu a monarquia em Israel. Começa com Davi, que veio a ser rei de Judá e, finalmente, de todo o Israel. Fala a respeito do reinado de Davi, que durou 40 anos, e também de suas guerras; da conquista de Jerusalém e da transferência da arca para lá; da promessa divina de um trono eterno; de seu pecado com Bate-Seba; e da perda de seus filhos. O livro chega ao fim com a reflexão de Davi sobre sua vida, no que é talvez seu último testemunho poético.

2Sm 1—6   Davi torna-se rei de todo o Israel

É de utilidade ler 2 Samuel de 1 a 6 e 1 Crônicas de 11 a 16 simultaneamente, visto que tal leitura demonstra claramente a diferença de enfoque entre, por um lado, os livros de Samuel e Reis e, por outro lado, os livros de Crônicas. (Quanto a uma descrição dessas diferenças, v. p. seguinte.)

Tanto 2 Samuel de 1 a 6 quanto 1 Crônicas de 11 a 13 abrangem o período desde a morte de Saul até a promessa divina a Davi. Entretanto, 2 Samuel de 1 a 6 descreve mais prolongadamente a guerra entre a casa de Saul e a casa de Davi e as intrigas envolvidas, ao passo que 1 Crônicas de 11 a 16 passa por alto a guerra contra a casa de Saul e entra em detalhes no tocante aos principais guerreiros e oficiais de Davi. Crônicas também dedica mais atenção à arca da aliança: descreve a devolução da arca pelos filisteus que a tinham capturado (cap. 13), evento esse que é passado por alto em 2 Samuel, e dedica dois capítulos (15 e 16) à transferência da arca para Jerusalém, evento que é descrito num único capítulo (6) em 2 Samuel.

Samuel, Reis e Crônicas

A totalidade da história do reino de Israel é contada nos dois livros de Samuel e nos dois livros de Reis. Os livros de Crônicas contam a mesma história.
Em linhas gerais:

- 1 e 2 Samuel = 1 Crônicas
- 1 e 2 Reis = 2 Crônicas (tanto 1 Reis quanto 2 Crônicas começam com Salomão)

As diferenças principais são:

- 1 Crônicas começa com uma genealogia prolongada — a partir de Adão —, mas omite as histórias de Samuel e de Saul (excetuando-se o suicídio de Saul);
- 2 Crônicas omite inteiramente a história do Reino do Norte.

Jerusalém

NOTA ARQUEOLÓGICA: A fonte de Giom e o sistema de fornecimento de água na Antigüidade.

A única fonte natural de água da cidade de Jerusalém é a fonte de Giom, situada embaixo, no vale de Cedrom. O núcleo mais antigo de Jerusalém desenvolveu-se imediatamente a oeste dessa fonte, numa colina fácil de ser defendida. Foi por causa dessa fonte que a cidade de Jerusalém foi edificada nesse local.

Os túneis, poços e torres na proximidade dessa fonte têm sido estudados cuidadosamente pelos peritos desde o século XIX. Segundo parece, a população pré-israelita construiu torres imponentes para guardar as fontes de água e também ampliou os túneis e poços naturais que iam desde o lado interior da cidade até a fonte. Dessa maneira, durante os tempos de cerco, conseguiam tirar água da fonte sem precisar sair do abrigo das muralhas da cidade. É provável que Joás tenha conduzido as tropas de Davi através desse sistema de túneis e assim conquistado a cidade dos jebuseus: "Quem quiser vencer os jebuseus terá que utilizar a passagem de água para chegar àqueles cegos e aleijados, inimigos de Davi" (2Sm 5.8; cf. tb. 1Cr 11.4-9).

NOTA ARQUEOLÓGICA: Milo.

Palavra usada nas traduções mais antigas e conservada na NVI, que a traduz como "aterro" na nota de rodapé. Kathleen Kenyon e, posteriormente, Yigal Shiloh, nas suas escavações do núcleo mais antigo da Cidade de Davi, descobriram que Jerusalém fora originalmente construída sobre uma série de terraços em níveis ascendentes. Esses terraços, ou terraplenos, eram construídos mediante o levantamento de um muro de retenção e o preenchimento com aterros (heb. *millô*) do lado de dentro. Em seguida, casas e outras estruturas eram construídas sobre o aterro (*millô*). Um dos deveres de um bom rei, a partir dos dias de Davi, era construir "defesas na parte interna da cidade [de Davi] desde o Milo" (2Sm 5.9).

Deus promete a Davi um trono eterno — 2Sm 7

O AT é a história de como Deus se relacionou com a nação judaica, visando ao propósito de abençoar todas as nações em data futura.

À medida que essa história se desdobra, ela explica que o meio de a nação dos hebreus abençoar todas as nações será pela família de Davi. Explica, ainda, que a família de Davi abençoaria o mundo mediante um grande Rei que, em data futura, nasceria nessa família, um Rei que viveria para sempre e estabeleceria um Reino de duração eterna.

NOTA ARQUEOLÓGICA: A inscrição em Dã referente a Davi.

Até recentemente, nenhuma menção a "Davi" tinha sido achada em qualquer texto extrabíblico que remonte ao período do AT. Agora, fragmentos de uma estela lavrada em pedra, comemorando uma vitória, foram achados em Dã – uma das cidades mais ao norte de Israel. Essa estela, com inscrições primorosas, descreve em aramaico a vitória do rei de Arã (Damasco) sobre os reis de Israel e Judá. No meio das linhas inscritas é mencionada "a casa de Davi" – uma clara referência à dinastia davídica cerca de cento e cinqüenta ou duzentos anos depois da morte de Davi.

Este poço de água, em Gibeom, desce uns 10 m e leva a um túnel de 12 m de comprimento. Na extremidade deste, há um depósito de água que talvez seja o açude de Gibeom referido em 2Sm 2.13. Depois da queda de Jericó, os gibeonitas empregaram ardis para levar Josué a assinar um tratado com eles (Js 9 e 10). Foi quando Josué defendeu Gibeom contra os amorreus que o Sol parou sobre a cidade.

2Sm 8—10 As vitórias de Davi

Depois da morte de Saul, Davi ficou sendo rei de Judá. Sete anos mais tarde, tornou-se rei sobre todo o Israel. Estava com 30 anos quando passou a ser rei. Reinou somente sobre Judá durante sete anos e meio, e sobre todo o Israel por mais 33 anos — num total de 40 anos (5.3-5). Morreu aos 70 anos de idade.

Pouco depois de tornar-se rei sobre todo o Israel, Davi fez de Jerusalém a sua capital. Situada numa posição inexpugnável, com vales em três lados, e tendo a tradição de Melquisedeque, o sacerdote do Deus Altíssimo (Gn 14.18; pensa-se que Salém é o nome antigo de Jerusalém — v. Sl 76.2), Davi resolveu fazer dela a capital de sua nação. Capturou a cidade, introduziu nela a arca de Deus e planejou o Templo (caps. 5—7), que seria construído por Salomão, seu filho.

Davi foi muito bem-sucedido nas suas guerras. Subjugou os filisteus, os moabitas, os sírios, os edomitas, os amonitas, os amalequitas e todas as nações em derredor. "O Senhor dava vitórias a Davi em todos os lugares aonde ia" (8.6).

Davi tomou uma nação insignificante e em poucos anos a transformou em um reino poderoso. A sudoeste, o Império Egípcio entrara em declínio. A leste, na Mesopotâmia, os impérios mundiais Assírio e Babilônico ainda não tinham surgido. E aqui, na estrada entre o Egito e a Mesopotâmia, o reino de Israel, tendo Davi como seu rei, passou a ser, quase da noite para o dia, não um império mundial, mas talvez o reino individual mais poderoso do mundo na época.

As promessas

A promessa do rei eterno que viria da parte da família de Davi foi repetida muitas vezes — ao próprio Davi, a Salomão e vez após vez nos Salmos e pelos profetas Amós, Isaías, Miquéias, Jeremias e Zacarias, no decurso de um período de aproximadamente quinhentos anos.

Quando chegou o tempo certo, o anjo Gabriel foi enviado a Nazaré, a Maria, que era da família de Davi, e o anjo disse a ela:

"Não tenha medo; Maria, você foi agraciada por Deus! Você ficará grávida e dará à luz um filho, e lhe porá o nome de Jesus. Ele será grande e será chamado Filho do Altíssimo. O Senhor Deus lhe dará o trono de seu pai Davi, e ele reinará para sempre sobre o povo de Jacó; seu Reino jamais terá fim" (Lc 1.30-33).

Nesse Filho, as promessas feitas a Davi e a respeito dele foram cumpridas.

Davi e Bate-Seba   2Sm 11 e 12

Essa foi a mancha mais hedionda na vida de Davi: adultério mais a instigação ao assassinato com o propósito de encobrir o adultério. Depois, ele ficou quebrantado de remorso. Deus o perdoou, mas decretou contra ele uma sentença terrível: "A espada nunca se afastará da sua família" (12.10) — e não se afastou mesmo! Davi colheu exatamente o que semeara, e ainda com sobras — uma colheita prolongada, dura e amarga. Tamar, filha de Davi, foi violentada pelo irmão dela, Amnom, que, por sua vez, foi assassinado por Absalão, irmão dos dois. Absalão desencadeou uma rebelião contra seu pai Davi e foi morto na luta. As mulheres de Davi foram violadas em público, assim como ele mesmo, às ocultas, violara a esposa de Urias. Assim, o reinado glorioso de Davi foi anuviado por aflições incessantes. Que lição para os que pensam poder pecar, pecar e pecar de novo e ainda sair ilesos!

A despeito de tudo, Davi era o homem segundo o coração de Deus (1Sm 13.14; At 13.22). As reações de Davi revelaram ser ele exatamente isso. Alguns dos salmos (por exemplo: 32 e 51) nasceram dessa experiência amarga.

As aflições de Davi   2Sm 13—21

Absalão sabia, por certo, que Salomão fora escolhido como sucessor de Davi ao trono e por isso fez esse esforço para subtraí-lo de Davi, seu pai. A julgar pelo espaço dedicado à narrativa a respeito de Absalão, esse levante foi uma das coisas mais perturbadoras do reinado de Davi. Envolveu a deserção de alguns de seus conselheiros e partiu seu coração. No fim, porém, Absalão foi morto e Davi foi restaurado ao trono (v. comentário sobre o portão, mencionado em 18.33, na p. 173).

Seguiu-se, então, a rebelião de Seba (cap. 20). A tentativa de Absalão para usurpar o trono provavelmente enfraqueceu a influência que Davi exercia sobre o povo. Por isso, Seba também tentou sua sorte num levante, que não demorou a ser esmagado. Em seguida, os filisteus também voltaram a atrever-se (cap. 21), mas de novo Davi saiu vitorioso.

O cântico de louvor de Davi   2Sm 22

Aqui, assim como em muitos dos salmos, Davi revela sua inabalável confiança em Deus e sua ilimitada gratidão a ele pelo seu cuidado constante.

Os reinos de Saul, Davi e Salomão

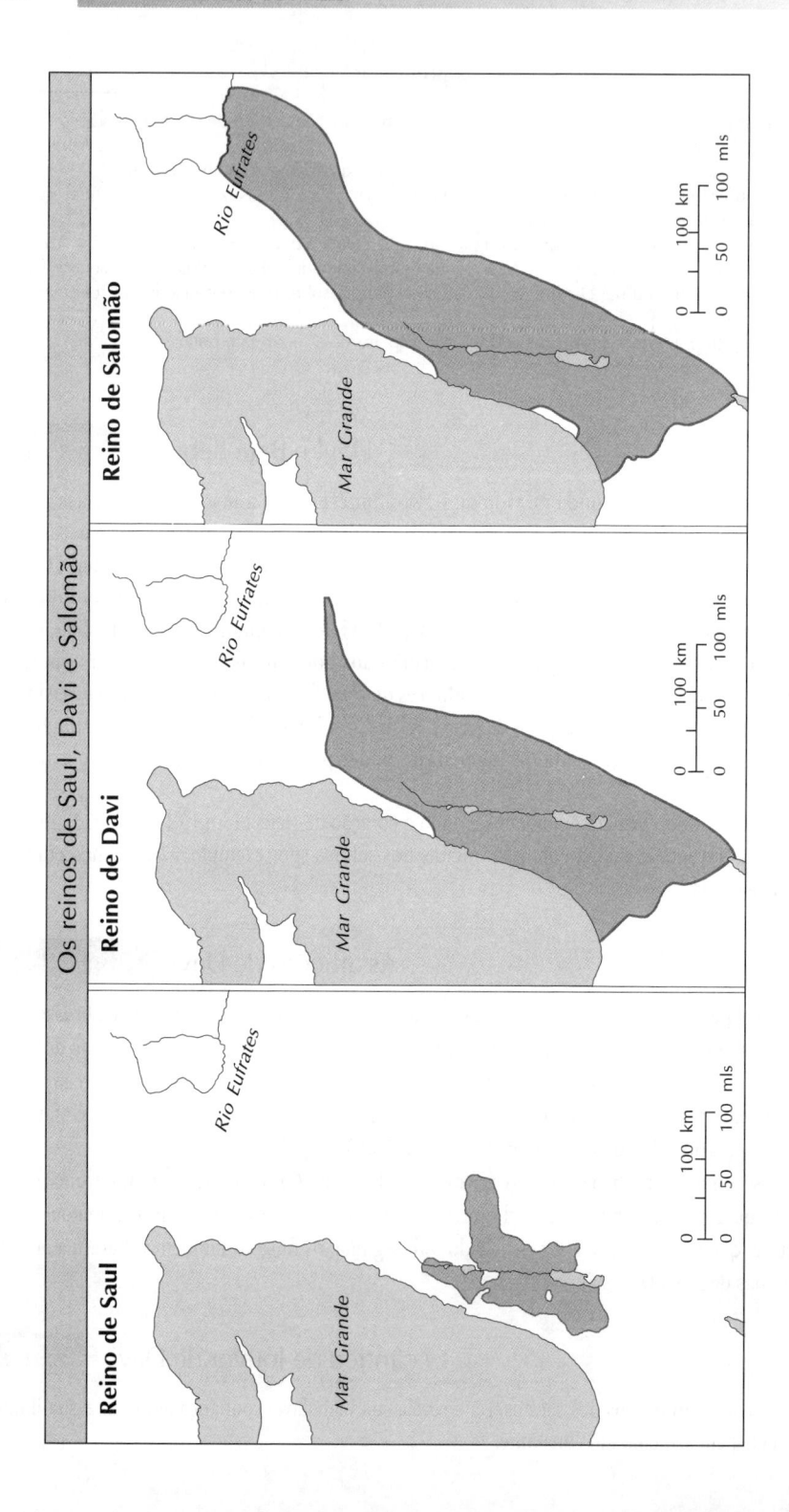

Reino de Saul

Reino de Davi

Reino de Salomão

As últimas palavras de Davi — 2Sm 23

Esse é o último salmo de Davi. Revela que assuntos ocupavam sua atenção no final de sua vida gloriosa, porém conturbada: a justiça do seu reino, os salmos que escrevera, sua devoção à Palavra de Deus e a aliança que Deus lhe outorgara, prometendo-lhe uma dinastia eterna.

O recenseamento do povo — 2Sm 24

É difícil perceber exatamente por que era pecado levantar um censo nacional. O próprio Deus ordenara semelhante censo, tanto no começo quanto no fim dos 40 anos de peregrinação no deserto (Nm 1.2; 26.2). No presente caso, a resolução de Davi em fazer recenseamento do povo talvez indique que aquele que, com tamanha consistência, durante toda a sua vida, confiara implicitamente em Deus, estava começando a confiar na grandeza de seu reino. O recenseamento foi idéia de Satanás (1Cr 21.1). É possível que tenha considerado o recenseamento uma oportunidade para demover Davi de sua confiança em Deus e levar o rei a confiar em si mesmo. Seja como for, Deus considerou esse ato como um pecado passível de castigo.

O recenseamento revelou haver uma população de 1,5 milhão de homens de guerra, excluindo as tribos de Levi e de Benjamim (1Cr 21.5), número que subentendia uma população total de provavelmente 6 a 8 milhões.

Como castigo, Deus enviou a praga. O "Anjo do Senhor" que espalhava a pestilência parou, por ordem de Deus, num lugar próximo de Jerusalém: na eira de Araúna, o jebuseu. Davi comprou a eira de Araúna, de modo que ela se tornou propriedade régia da casa de Davi. Nela, Davi edificou um altar (v. 25) e ali mesmo, posteriormente, Salomão edificou o Templo (2Cr 3.1).

Davi

Considerado de modo global, Davi foi uma personagem grandiosa. Algumas coisas que fez foram muito erradas, mas ele foi um homem notável, mormente quando o consideramos no contexto de sua época e em comparação com outros governantes orientais. Dedicou-se, de coração e alma, a Deus e aos caminhos de Deus. Num mundo de idolatria e numa nação que continuamente apostatava na idolatria, Davi permaneceu firme como uma rocha na sua fidelidade a Deus. Em todas as circunstâncias de sua vida, recorria diretamente a Deus, em oração, em gratidão, em arrependimento ou em louvor. Suas duas realizações grandiosas foram a monarquia e os salmos.

1 Reis

O reinado de Salomão
A divisão e decadência do reino
Elias

> Elias dirigiu-se ao povo e disse: "Até quando vocês vão oscilar para um lado e para o outro?
> Se o Senhor é Deus, sigam-no; mas se Baal é Deus, sigam-no".
> — 1 Reis 18.21

As narrativas paralelas devem ser lidas tanto em 1 Reis quanto em 2 Crônicas, visto que freqüentemente incluem pormenores, e até mesmo eventos, mutualmente complementares.

No AT hebraico, 1 e 2 Reis formam um só livro. Os tradutores da *Septuaginta* dividiram-no em dois volumes. O primeiro livro de Reis começa com a nação dos hebreus na sua glória. O segundo livro de Reis termina com a nação em ruínas. Juntos, abrangem um período de 400 anos, aproximadamente 970-596 a.C. Excetuando-se alguns momentos mais positivos, a história que começa cheia de promessas, com a idade de ouro da história dos hebreus, não demora a se transformar numa história triste de divisão e decadência e termina com a destruição de Jerusalém e com a deportação dos cidadãos do que sobrou do reino — tão poderoso outrora — de Davi e de Salomão.

Samuel, Reis e Crônicas

A totalidade da história do reino de Israel é contada nos dois livros de Samuel e nos dois livros de Reis. Os livros de Crônicas contam a mesma história.

Em linhas gerais:

- 1 e 2 Samuel = 1 Crônicas
- 1 e 2 Reis = 2 Crônicas (tanto 1 Reis quanto 2 Crônicas começam com Salomão)

As diferenças principais são:

- 1 Crônicas começa com uma genealogia prolongada — a partir de Adão —, mas omite as histórias de Samuel e de Saul (excetuando-se o suicídio de Saul);
- 2 Crônicas omite inteiramente a história do Reino do Norte.

Autor

Não se sabe quem foi o autor dos livros de Reis. A tradição judaica declara que foi Jeremias. Seja quem for o autor, faz referências freqüentes aos arquivos nacionais e a outros registros históricos que existiam nos seus dias, tais como os registros históricos de Salomão, os registros históricos dos reis de Judá e os registros históricos dos reis de Israel (1Rs 11.41; 14.19,29; 15.7,23,31; 16.5,14,27 etc.). Segundo parece, havia registros escritos em abundância aos quais o autor tinha acesso — e isso, é claro, sempre sob a orientação do Espírito de Deus.

Salomão torna-se rei — 1Rs 1 e 2

Salomão era filho de Davi e de Bate-Seba, a esposa de Urias (2Sm 11.1 — 12.24). Embora não fosse o herdeiro aparente, foi escolhido por Davi, e aprovado por Deus, para ser o sucessor de Davi (1.30; 1Cr 22.9,10).

O rei Davi foi sepultado na Cidade de Davi (o núcleo de Jerusalém na Antiguidade remota, imediatamente ao sul do Templo), assim como também o foram todos os reis de Judá até Acaz. A abertura maior talvez seja o túmulo de Davi. Não sobrou muita coisa para ver, visto que o sítio arqueológico foi usado amplamente como pedreira durante o período romano.

Parece que Adonias, o quarto filho de Davi, era o herdeiro aparente do trono (2.15,22; 2Sm 3.3,4), porque os três filhos mais velhos (Amnom, Absalão e provavelmente também Quileabe) já estavam mortos. Portanto, enquanto Davi jazia no leito de morte e antes que Salomão fosse formalmente ungido rei, Adonias conspirou para tomar o trono à força. Essa conspiração, entretanto, foi frustrada pelo profeta Natã. Salomão foi generoso no modo de tratar Adonias. Apesar disso, Adonias persistiu no seu esforço para se apoderar do trono, e não demorou muito para também ser executado (1Rs 1.1 — 2.25).

Salomão escolhe a sabedoria — 1Rs 3

Esse evento ocorreu em Gibeom (3.4), onde estavam localizados, naquela época, o Tabernáculo e o altar de bronze (1Cr 21.29), mais de 9 km a noroeste de Jerusalém. Quanto à arca, Davi já a levara até Jerusalém (3.15; 2Sm 6.1-16). Deus convidou Salomão a pedir-lhe o que quisesse. Salomão pediu a sabedoria necessária para governar seu povo. Deus se agradou disso e o recompensou ricamente (v. 10-12) — notável retrato de verdadeira grandeza e de piedade juvenil!

1 Rs 4 — O poder, as riquezas e a sabedoria de Salomão

Salomão herdara o trono do reino mais poderoso então existente. Os tempos eram de paz e de prosperidade. Salomão era dono de vastos empreendimentos comerciais e suas façanhas literárias lhe trouxeram fama. Escreveu 3 000 provérbios, mais de mil cânticos, bem como obras científicas de botânica e de zoologia (v. 32,33). Escreveu os livros bíblicos de Eclesiastes e de Cântico dos Cânticos, bem como a maior parte do livro de Provérbios.

> Dá, pois, ao teu servo um coração cheio de discernimento para governar o teu povo e capaz de distinguir entre o bem e o mal. Pois, quem pode governar este teu grande povo?
> 1 REIS 3.9

1 Rs 5—8 — Salomão constrói o Templo

Salomão começou a construir o Templo no quarto ano de seu reinado. Construiu-o em conformidade com as instruções específicas para a planta, transmitidas por Deus a Davi, pai de Salomão. O Templo ficou pronto em aproximadamente sete anos (v. comentário sobre 2Cr 2—7).

1 Rs 9 e 10 — O esplendor do reino de Salomão

Esses dois capítulos são uma expansão do capítulo 4. Salomão dedicou-se ao comércio e às obras públicas gigantescas. Fechou negócio com o rei de Tiro, que lhe colocou ao serviço sua frota no Mediterrâneo. Salomão tinha uma frota em Eziom-Geber, no golfo de Ácaba, e controlava a rota comercial para o sul, que passava por Edom e chegava até as costas da Arábia, da Índia e da África. Construiu seu império mediante transações comerciais pacíficas.

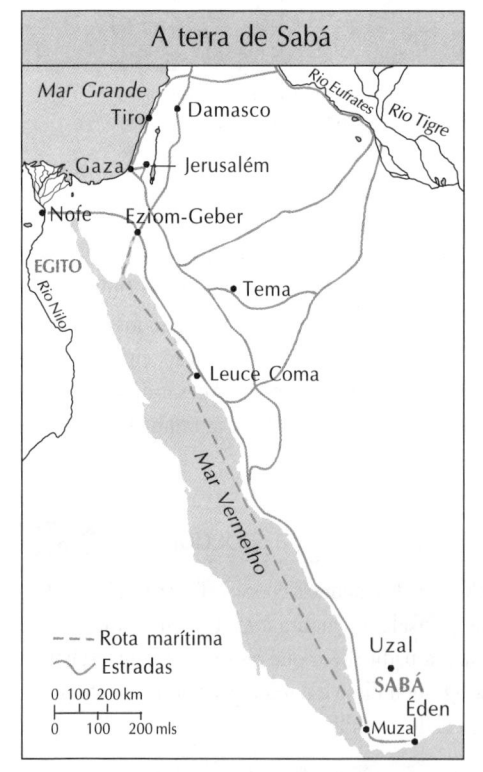

A era de Davi e de Salomão foi a idade de ouro da história dos hebreus. Davi era guerreiro; Salomão era construtor. Davi levantou o reino; Salomão construiu o Templo. No mundo exterior a Israel, ocorria a era de Homero, o início da história da Grécia. O Egito, a Assíria e a Babilônia atravessavam um período de fraqueza. Israel era o reino mais poderoso de todo o antigo Oriente Médio, Jerusalém era uma das cidades mais magníficas, e o Templo, uma das construções mais esplêndidas. As pessoas vinham dos confins da terra para escutar a sabedoria de Salomão e para ver sua glória. A afamada rainha de Sabá exclamou: "Na realidade, não me contaram nem a metade" (10.7).

As receitas anuais de Salomão e seus suprimentos de ouro eram enormes: fez grandes escudos de ouro, e os escudos pequenos também eram de ouro; todos os vasos do palácio eram feitos de ouro, e seu trono era de marfim revestido de ouro. Em Jerusalém, o ouro passou a ser tão corriqueiro quanto as pedras (10.10-22; 2Cr 1.15). Cinco anos depois da morte de Salomão, Sisaque, rei do Egito, levou embora, numa invasão, todo esse ouro (14.25,26; 2Cr 12.2,9-11).

NOTA ARQUEOLÓGICA: O sistema aquático de Megido.
Essa cidade, embora não seja mencionada freqüentemente nas Escrituras, estava situada nos dois lados de uma das grandes rotas comerciais da Antigüidade. Quando o rei egípcio Tutmés III conquistou essa cidade (c. 1482 a.C.), disse que a "captura de Megido era como se fosse a captura de mil cidades" – tão grande era a sua importância. Em Megido, foram descobertos um portão, uma muralha, palácios e armazéns dos tempos de Salomão. Durante os dias do ímpio Acabe, um poço vertical, com 36,5 m de profundidade, foi escavado no lado oeste da colina, e um túnel horizontal com 65,5 m foi escavado em seguida para levar água de fora da cidade para dentro das muralhas, a fim de fornecer água aos seus residentes durante tempos de cerco. No decurso da história, os exércitos do mundo têm procurado controlar esse local estratégico, de modo que seu nome se tornou símbolo da grande batalha final (Ap 16.16), a "batalha de Armagedom" (heb. *har* [monte] *megidôn*).

NOTA ARQUEOLÓGICA: O destino do ouro de Salomão.
Os registros históricos demonstram que Sisaque e seu filho Osorcom doaram 351 toneladas do precioso metal às deidades egípcias. Talvez parte dessa doação consistisse no mesmíssimo ouro que Sisaque tomara de Roboão, filho de Salomão.

As ruínas da cidade de Megido. (Note-se a colina parcial que ainda não foi escavada.) Salomão mandou levantar as muralhas da cidade mediante trabalhos forçados. Posteriormente, o rei Josias enfrentou o faraó Neco do Egito na planície de Megido e ali foi morto (2Cr 35.22). A planície de Megido simboliza o lugar onde será travada a grande batalha do fim, a batalha de Armagedom (Ap 16.16).

NOTA ARQUEOLÓGICA: Os estábulos de Salomão.
Em 10.26,28, o autor fala dos cavalos e carros de Salomão. Megido, juntamente com Gezer e Hazor, é citada como uma das cidades que Salomão fortificou e onde possivelmente abrigava seus carros e cavalos (9.15,19).
O Instituto Oriental escavou, em Megido, estruturas que possivelmente tenham sido os estábulos de Salomão (embora alguns arqueólogos acreditem que as estruturas possam ter sido usadas como depósitos; e alguns realmente atribuem sua data aos tempos de Acabe, e não de Salomão). (v. tb. p. 202)

NOTA ARQUEOLÓGICA: A frota de Salomão em Eziom-Geber.
Salomão construiu uma frota em Eziom-Geber (9.26). Destinava-se ao seu comércio com a Arábia, a Índia e a costa leste da África. Eziom-Geber situava-se na extremidade norte do golfo de Ácaba, no mar Vermelho, embora não seja certa a sua localização exata. Alguns têm sugerido Tell el-Kheleifeh (escavada por Nelson Glueck), ao passo que outros sugerem identificá-la com o ancoradouro insular chamado Jezirat Faraun, 6 km a sudoeste da extremidade norte do mar Vermelho.

O lugar sagrado em Dã, onde o rei Jeroboão colocou um dos bezerros de ouro. (O outro ficava perto da fronteira sul, em Betel, pouco distante de Jerusalém.)

1 Rs 11 — As mulheres e a apostasia de Salomão

O reinado glorioso de Salomão foi empanado por um grande erro: seus casamentos com mulheres de outras nações, que traziam, cada uma, o seu ídolo. Ele teve 700 esposas e 300 concubinas (11.3), fato que faz esse sábio das eras parecer, pelo menos nesse aspecto, nada mais que um insensato vulgar. Muitas dessas mulheres eram filhas de governantes gentios, e Salomão casou-se com elas com o propósito de fazer alianças políticas. Aquele que construíra o Templo de Deus levantou para elas altares pagãos lado a lado com esse santuário. Dessa maneira, a idolatria que Davi suprimira com tanto zelo foi restabelecida no palácio. Assim foi encerrada a era gloriosa inaugurada por Davi, e a nação começou a seguir a estrada da ruína. A apostasia enfatuada da velhice de Salomão é um dos retratos mais desprezíveis existentes na Bíblia. Talvez Deus pretendesse que esse relato servisse de exemplo de quantos danos os luxos e a busca contínua dos prazeres podem causar até aos melhores entre os homens.

A divisão do reino — 1 Rs 12

O reino durara 120 anos: 40 anos com Saul (At 13.21), 40 com Davi (2Sm 5.4) e 40 com Salomão (11.42). Depois da morte de Salomão, o reino foi dividido. Dez tribos formaram o Reino do Norte e levaram consigo o nome "Israel". As duas outras tribos, Judá e Benjamim, formaram o Reino do Sul, chamado "Judá".

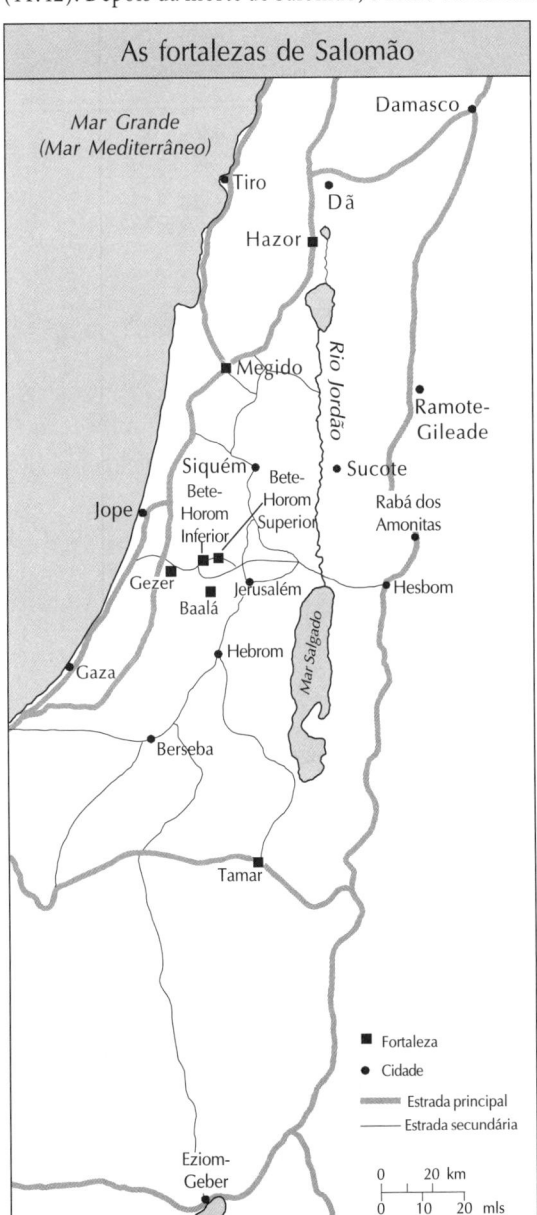

O Reino do Norte durou pouco mais de duzentos anos. Foi destruído pela Assíria em 722 a.C. As dez tribos foram deportadas e desapareceram da história. O Reino do Sul durou quase três séculos e meio. Foi destruído pela Babilônia por volta de 586 a.C.

A separação das dez tribos provinha de Deus (11.11,31; 12.15), como castigo pela apostasia de Salomão e como lição para Judá.

Jeroboão, rei de Israel (931-910 a.C.) — 1 Rs 13 e 14

Jeroboão, encorajado pelo profeta Aías, que lhe transmitiu a promessa do trono das dez tribos e de uma dinastia duradoura, se tão-somente andasse nos caminhos de Deus, foi líder de uma revolta contra Salomão. Diante da tentativa de Salomão para matá-lo, Jeroboão fugiu para a corte de Sisaque, rei do Egito.

Depois da morte de Salomão, Jeroboão voltou e estabeleceu as dez tribos como um reino independente. Desconsiderou, entretanto, a advertência de Aías e instituiu o culto ao bezerro. Deus novamente enviou Aías a Jeroboão, mas dessa vez para avisá-lo de que Israel seria desarraigado da terra e disperso na região além do Eufrates (14.10,15). Essa profecia espantosa, que menciona o nome de Josias 300 anos antes de este nascer (13.2), foi cumprida (2Rs 23.15-18).

Depois da divisão do reino, houve uma guerra prolongada e contínua entre Israel e Judá.

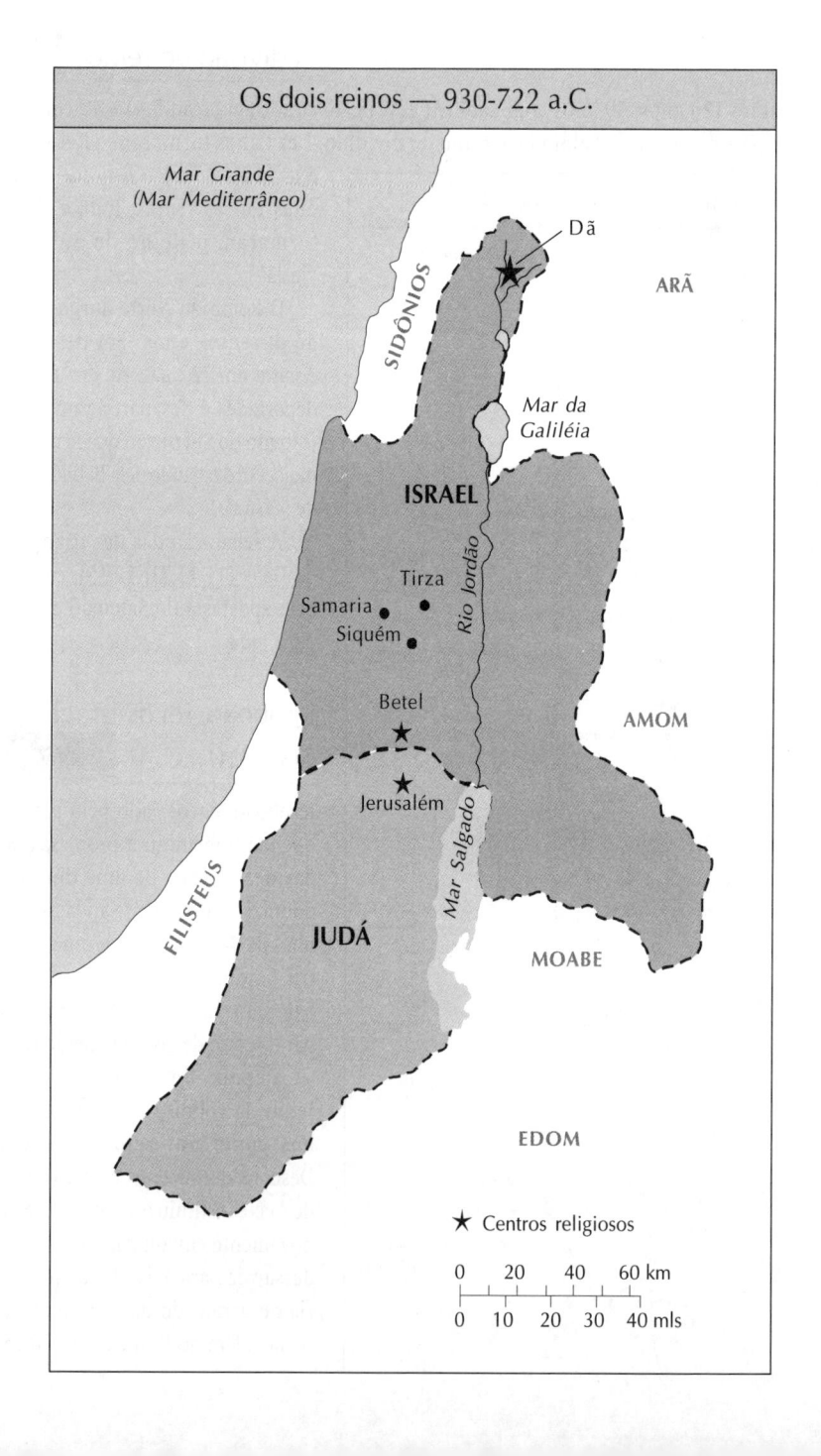

Os dois reinos — 930-722 a.C.

Roboão, rei de Judá (931-913 a.C.) 1Rs 14.21-31

(V. comentário sobre 2Cr 10.)

Abias, rei de Judá (931-911 a.C.) 1Rs 15.1-8

(V. comentário sobre 2Cr 13.)

A religião do Reino do Norte

Jeroboão, o fundador do Reino do Norte, visando ao propósito de manter separados os dois reinos, o do Norte e o do Sul, adotou como religião oficial a adoração aos bezerros no seu reino recém-formado. A adoração a Deus passara a identificar-se com Judá, com Jerusalém e com a família de Davi. Os bezerros chegaram a representar simbolicamente que Israel era independente de Judá, de Jerusalém e da família de Davi. Jeroboão estabeleceu tão solidamente a adoração aos bezerros no Reino do Norte que ela não foi desarraigada de lá senão com a queda do reino. Seus dois centros religiosos principais eram Betel, no sul, e Dã, no norte.

Sempre havia a tendência de os israelitas participarem do culto à divindade cananéia, Baal. Esse culto foi ativamente promovido por Jezabel, mas enfrentou a oposição ativa dos profetas Elias e Eliseu, bem como do rei Jeú. Baal e outras divindades pagãs também eram adorados, de modo intermitente, pelo povo de Judá.

Cada um dos 19 reis do norte aderiu ao culto aos bezerros de ouro. Alguns deles também serviram a Baal. Nem um deles jamais tentou levar o povo de volta para Deus.

A religião do Reino do Sul

Judá, em princípio, adorava a Deus, embora a maioria dos reis de Judá servisse aos ídolos e andasse nos maus caminhos dos reis de Israel. Alguns dos reis de Judá serviam a Deus, e, em algumas ocasiões, houve grandes reformas em Judá. De modo geral, entretanto, Judá, a despeito de ter recebido repetidas advertências, afundou-se cada vez mais nas práticas horríveis da adoração a Baal e de outras religiões cananéias, até não haver mais remédio e Judá ser totalmente conquistada pelos babilônios.

Os Reis de Israel e de Judá — uma cronologia

Reis de Israel		Reis de Judá	
Jeroboão	933–911	Roboão	933-916
Nadabe	911-910	Abias	915-913
Baasa	910-887	Asa	912-872
Elá	887-886		
Zinri	886		
Onri	886-875		
Acabe	875-854	Josafá	874-850
Acazias	855-854	Jeorão	850-843
Jorão	854-843	Acazias	843
Jeú	843-816	Atalia	843-837
Jeoacaz	820-804	Joás	843-803
Jeoás	806-790	Amazias	803-775
Jeroboão II	790-749	Uzias	787-735
Zacarias	748	Jotão	749-734

Reis de Israel		Reis de Judá	
Salum	748		
Menaém	748-738		
Pecaías	738-736	Acaz	741-726
Peca	748-730		
Oséias	730-721	Ezequias	726-697
		Manassés	697-642
		Amom	641-640
		Josias	639-608
		Jeoacaz	608
		Jeoaquim	608-597
		Joaquim	597
		Zedequias	597-586

Extraído da *The mysterious numbers of the Hebrew kings*, de E. R. Tiele (ed. rev., Grand Rapids: Zondervan, 1982).

1Rs 15.9-24 — Asa, rei de Judá (911-870 a.C.)

(V. comentário sobre 2Cr 14.)

1Rs 15.25-32 — Nadabe, rei de Israel (910-909 a.C.)

Nadabe era filho de Jeroboão. Andava nos pecados de seu pai e reinou dois anos apenas, antes de ser assassinado por Baasa, que matou toda a família de Jeroboão.

Os dois reinos — uma visão panorâmica	
O Reino do Norte, Israel, 933-721 a.C.	
Primeiros 50 anos:	Hostilizado por Judá e pela Síria
40 anos seguintes:	Bem próspero sob a dinastia de Onri
40 anos seguintes:	Rebaixado com Jeú e Jeoacaz
50 anos seguintes:	Alcançou sua maior extensão com Jeroboão II
Últimos 30 anos:	Anarquia, ruína e cativeiro
O Reino do Sul, Judá, 931-586 a.C.	
Primeiros 80 anos:	Bem próspero, crescendo em poder
Próximos 70 anos:	Calamidade considerável; introdução do baalismo
50 anos seguintes:	Alcançou sua maior extensão com Uzias
15 anos seguintes:	Com Acaz, começou a pagar tributos à Assíria
30 anos seguintes:	Com Ezequias, recuperou a independência
Últimos 100 anos:	Vassalo da Assíria na maior parte do tempo
Relacionamentos entre os Reinos do Norte e do Sul	
Primeiros 80 anos:	Guerra contínua entre eles
80 anos seguintes:	Paz entre eles
Últimos 50 anos:	Guerra intermitente até o fim

Baasa, rei de Israel (909-886 a.C.) — 1Rs 15.33—16.7

Depois de apoderar-se com violência do trono, Baasa reinou 24 anos. Andou nos caminhos de Jeroboão. Fez guerra contra Judá, que, por sua vez, fez um apelo para que a Assíria atacasse Baasa.

Elá, rei de Israel (886-885 a.C.) — 1Rs 16.8-14

Elá, filho de Baasa, reinou dois anos. Era muito dado à devassidão. Foi assassinado, enquanto estava bêbado, por Zinri, que matou a família inteira.

Zinri, rei de Israel (885 a.C.) — 1Rs 16.15-20

Zinri reinou sete dias. Era um oficial militar que realizou unicamente o extermínio da dinastia de Baasa, de curta duração. Suicidou-se ao atear fogo no seu palácio.

Onri, rei de Israel (885-874 a.C.) — 1Rs 16.21-28

Onri foi escolhido por aclamação para ser rei, e reinou 12 anos. Foi mais iníquo que todos os reis de Israel antes dele. Apesar disso, conquistou tamanha proeminência que, muito tempo após sua morte, Israel continuou sendo chamado "terra de Onri". Fez de Samaria sua capital (Tirza, uns 16 km a leste de Samaria, tinha sido a capital do Reino do Norte até então; 14.17; 15.33).

A destruição de Samaria pelos assírios em 722 a.C. ainda é visível nas ruínas do palácio de Onri e de Acabe em Samaria.

NOTA ARQUEOLÓGICA: Onri.
- A Pedra Moabita (850 a.C.) menciona Onri, rei de Israel.
- Uma inscrição de Hadade-Nirari III (810-782 a.C.) menciona a terra de Israel com o nome "Onri".
- O Obelisco Negro de Salmaneser III (858-824 a.C.) fala do tributo recebido de Jeú, sucessor de Onri.
- Está registrado em 16.24 que Onri construiu Samaria. Uma expedição da Universidade de Harvard descobriu, nas ruínas de Samaria, os alicerces do palácio de Onri, que servem de evidência de que ele estabeleceu ali uma nova capital.

1Rs 16.29—22.40 Acabe, rei de Israel (874-853 a.C.)

Acabe reinou 22 anos. Foi o mais ímpio de todos os reis de Israel. Casou-se com Jezabel, princesa de Sidom, mulher imperiosa, inescrupulosa, vingativa, resoluta na prática do mal, diabólica — um demônio em carne humana. Construiu um templo para Baal em Samaria, mantinha 850 profetas de Baal e de Astarote, matava os profetas de Deus e aboliu o culto ao Senhor (18.13,19). Mais tarde, seu nome foi aplicado a profetisas que procuravam seduzir a igreja para cometer adultério espiritual (Ap 2.20).

NOTA ARQUEOLÓGICA: Acabe.
Embora os escritores bíblicos não apreciassem o ímpio Acabe, os arqueólogos têm descoberto extensas ruínas (palácios, armazéns, fortalezas etc.) em sítios como Hazor, Megido, Jezreel, Samaria e outros lugares. Era, de fato, tão poderoso que, numa batalha contra o influente monarca assírio Salmaneser III, em Qarqar (853 a.C.), forneceu mais carros de guerra (2000) que qualquer outro dos exércitos aliados.

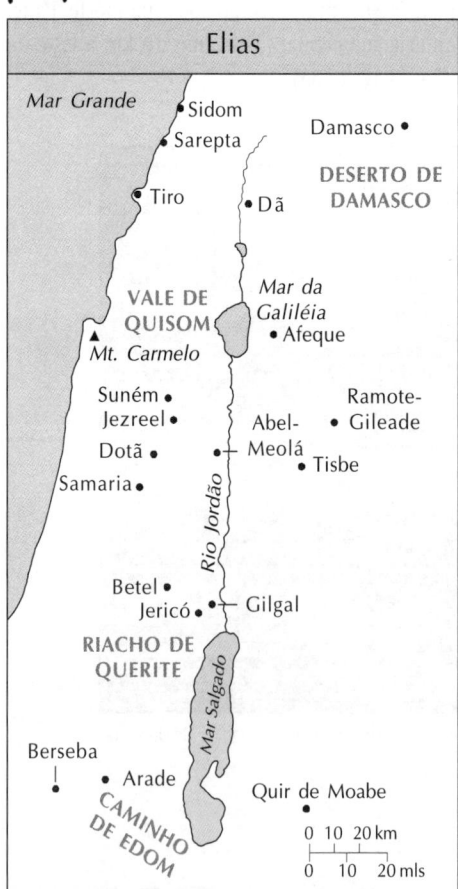

Elias (1Rs 17—2Rs 2)

Seis capítulos são dedicados ao reinado de Acabe, ao passo que a maioria dos reis de Israel recebe cobertura histórica em apenas parte de um só capítulo. A razão disso é que, em grande parte, a história de Acabe é a história de Elias. Elias foi a resposta que Deus deu a Acabe e a Jezabel. Deus enviou Elias com a finalidade de erradicar o baalismo, uma religião cruel.

Os aparecimentos raros, repentinos e breves de Elias, sua coragem indômita e seu zelo ardente, o brilhantismo de seus triunfos, a dramaticidade de sua depressão, a glória com que foi levado aos céus e a tranquila beleza de seu reaparecimento ao lado de Jesus no monte da Transfiguração (Mt 17.3,4; Mc 9.4; Lc 9.30-33) revelam ser ele uma das personagens mais grandiosas que Israel já apresentou.

A seca   1Rs 17 e 18

Deus concedeu a Elias poderes para fechar os céus durante três anos e meio, impedindo que chovesse. No decurso desse período, Elias foi alimentado por corvos perto do riacho de Querite e pela viúva de Sarepta, cujo jarro de farinha e botija de azeite não se esvaziaram.

O risco de fé que Elias assumiu no monte Carmelo foi magnífico. Por certo, Deus teria revelado a Elias, de uma ou de outra maneira, que ele mesmo enviaria o fogo e a chuva. Tudo isso, porém, não impressionou em nada Jezabel.

> NOTA ARQUEOLÓGICA: O culto a Baal.
> Os cananeus e, posteriormente, muitos israelitas e judeus adoravam ao deus das tempestades, Baal — que alegadamente concedia fertilidade à terra. Além disso, adoravam a deusa do sexo, Aserá. Numerosas figurinhas representando a fertilidade foram descobertas nas escavações arqueológicas em Israel. Com base em alguns textos descobertos em Ugarite (uma cidade da Síria), sabemos que o culto dos cananeus podia incluir danças rituais e incisões e cortes feitos no próprio corpo —, exatamente conforme fizeram os 450 profetas de Baal e os 400 profetas de Aserá no monte Carmelo (1Rs 18.25-29).

O murmúrio de uma brisa suave   1Rs 19

Totalmente desanimado, Elias fugiu até o monte Horebe, onde pediu que Deus lhe tirasse a vida (19.4). O ministério de Elias fora um ministério de milagres, de fogo e da espada. Provocara uma seca rigorosa, fora sustentado por corvos e por um jarro de farinha e uma botija de azeite que nunca se acabavam, ressuscitara um morto, fizera descer fogo dos céus, matara os profetas de Baal e trouxera as chuvas de volta à terra.

E Deus lhe ensinou uma lição maravilhosa: Deus não estava no vento, nem no terremoto, nem no fogo, mas no "murmúrio de uma brisa suave" (v. 11,12). Parecia como se Deus lhe quisesse dizer que, embora a força e as demonstrações espetaculares de poder às vezes sejam necessárias, a verdadeira obra de Deus neste mundo não é levada a efeito mediante tais métodos.

Muitos séculos depois, Elias apareceu de novo, no monte da Transfiguração, conversando com Cristo e Moisés a respeito da obra que, finalmente, estava sendo introduzida no mundo: a transformação de vidas humanas de conformidade com a imagem de Deus, mediante o murmúrio suave da voz de Cristo falando aos corações dos homens.

> O SENHOR lhe disse: "Saia e fique no monte, na presença do SENHOR, pois o SENHOR vai passar".
> Então veio um vento fortíssimo que separou os montes e esmigalhou as rochas diante do SENHOR, mas o SENHOR não estava no vento. Depois do vento houve um terremoto, mas o SENHOR não estava no terremoto. Depois do terremoto houve um fogo, mas o SENHOR não estava nele. E depois do fogo houve o murmúrio de uma brisa suave.
> 1 REIS 19.11,12

A morte de Acabe   1Rs 20—22

Acabe encerrou seu reinado com um crime brutal contra Nabote. O rei foi morto em guerra contra a Síria — assim acabou esse homem de caráter desprezível.

> NOTA ARQUEOLÓGICA: Salmaneser e Acabe.
> Uma inscrição dedicada a Salmaneser III (858-824 a.C.) menciona Acabe: "Destruí [...] dois mil carros e dez mil homens de Acabe, rei de Israel".

NOTA ARQUEOLÓGICA: A "casa de marfim" de Acabe.
"O palácio que construiu com revestimento de marfim" (22.39). Uma expedição da Universidade de Harvard em Samaria encontrou ruínas do palácio de Acabe. Espalhados no chão e nos pátios, havia centenas de fragmentos de marfim, com entalhes primorosamente esculpidos. Muitos deles continham desenhos temáticos da Fenícia e/ou do Egito. É provável que tenham sido usados como entalhes nos móveis palacianos dos reis israelitas – ver as "camas de marfim" em Amós 6.4.

1Rs 22.41-50 Josafá, rei de Judá (872-848 a.C.)

(V. comentário sobre 2Cr 17.)

1Rs 22.51-53 Acazias, rei de Israel (853-852 a.C.)

(V. comentário sobre 2Rs 1.)

2 Reis

O reino dividido
Eliseu
O fim dos dois reinos

> Assim diz o SENHOR, Deus de Davi, seu predecessor:
> "Ouvi sua oração e vi suas lágrimas; eu o curarei".
>
> — 2 REIS 20.5

As histórias paralelas devem ser lidas tanto em 2Reis quanto em 2Crônicas, visto que freqüentemente incluem pormenores e até mesmo eventos diferentes.

Os livros de 1 e 2 Reis formavam, originalmente, um só livro. Primeiro Reis conta a história do reino a partir de Salomão, a divisão do reino depois da morte de Salomão e os 80 primeiros anos depois da divisão do reino. Segundo Reis dá continuidade às narrativas paralelas dos dois reinos, Judá e Israel.

A história do Reino do Norte, Israel, continua por outros 130 anos, aproximadamente, até a chegada dos assírios para destruir o reino e deportar o povo de Israel, que como grupo identificável, desaparece para sempre nas brumas da história.

Samuel, Reis e Crônicas

A totalidade da história do reino de Israel é contada nos dois livros de Samuel e nos dois livros de Reis. Os livros de Crônicas contam a mesma história.

Em linhas gerais:

- 1 e 2 Samuel = 1 Crônicas
- 1 e 2 Reis = 2 Crônicas (tanto 1 Reis quanto 2 Crônicas começam com Salomão)

As diferenças principais são:

- 1 Crônicas começa com uma genealogia prolongada — a partir de Adão —, mas omite as histórias de Samuel e de Saul (excetuando-se o suicídio de Saul);
- 2 Crônicas omite inteiramente a história do Reino do Norte.

A história do Reino do Sul, Judá, continua por outros 130 anos depois da queda de Israel, até o reino de Judá ser conquistado pelos babilônios, quando, então, Jerusalém é destruída e o povo de Judá é levado à Babilônia, ao conhecido cativeiro babilônico, de onde alguns voltariam, uns cinqüenta anos mais tarde, para reedificar Jerusalém (Ed; Ne).

O segundo livro de Reis abrange os 12 últimos reis do Reino do Norte e os 16 últimos reis do Reino do Sul (v. comentário sobre 1Rs 12) — um período de uns duzentos e cinqüenta anos, aproximadamente 850-586 a.C.

Elias e Eliseu foram profetas que Deus enviou numa tentativa de salvar o Reino do Norte. O ministério dos dois, tomado em conjunto, durou cerca de setenta e cinco anos no período médio do Reino do Norte (c. 875-800 a.C.), durante os reinados de seis reis: Acabe, Acazias, Jorão, Jeú, Jeoacaz e Joás.

2Rs 1 — Acazias, rei de Israel (853-852 a.C.)

O relato do seu reinado começa já em 1 Reis 22.51. Era co-regente com seu pai Acabe, e tão ímpio quanto este. Reinou dois anos. Aqui temos mais um dos milagres de Elias que envolvem o fogo (v. 9-14).

2Rs 2 — Elias é levado aos céus em um carro de fogo

Elias era natural de Gileade, a terra de Jefté. Filho da solidão agreste dos vales das montanhas, vestia um manto de pele de carneiro ou de pêlos grosseiros de camelos, tendo os cabelos compridos e espessos caindo-lhe pelas costas. Sua missão era expulsar de Israel o baalismo. Seu ministério pode ter durado 25 anos, atravessando os reinados dos ímpios Acabe e Acazias. Tinha diante de si uma tarefa árdua e muito desagradável. Pensava ter fracassado. E, embora desfrutasse de mais intimidade com Deus do que tem sido concedido a muitas pessoas, era tão completamente humano quanto nós: pediu que Deus lhe tirasse a vida. Deus, entretanto, não julgava que Elias tivesse fracassado. Tendo completado seu serviço, Deus enviou uma delegação de carros angelicais para conduzi-lo em triunfo aos céus.

Elias estivera, havia pouco tempo, no monte Horebe, onde Moisés promulgara a lei. Agora, consciente de haver chegado o momento de sua partida, foi diretamente para a região onde Moisés foi sepultado, no monte Nebo (Dt 34.1), como se quisesse estar com Moisés na sua morte.

Elias fora um profeta de fogo. Invocara fogo dos céus no monte Carmelo e invocara fogo para destruir os oficiais de Acazias. Agora, é levado aos céus num carro de fogo. Somente um outro, Enoque, foi levado a Deus sem experimentar a morte (Gn 5.24). É possível que Deus pretendesse que a experiência desses dois homens fosse uma pálida prefiguração do dia alegre em que os carros angelicais descerão para nos acolher a fim de darmos as boas-vindas ao Salvador na sua segunda vinda.

Eliseu (2 Rs 2—13)

Elias, obedecendo às ordens de Deus, ungira Eliseu para ser seu sucessor (1Rs 19.16-21) e o adotara como assistente. Quando Elias foi levado para os céus, seu manto caiu sobre Eliseu, e este começou imediatamente a operar milagres, tal como Elias fizera.

> O profeta respondeu: "Não tenha medo. Aqueles que estão conosco são mais numerosos do que eles."
> E Eliseu orou: "Senhor, abre os olhos dele para que veja".
> Então o Senhor abriu os olhos do rapaz, que olhou e viu as colinas cheias de cavalos de fogo ao redor de Eliseu.
> 2 Reis 6.16,17

Foram divididas as águas do Jordão diante de Eliseu, da mesma maneira que tinham sido divididas diante de Elias (2.8, 14). Foi purificada a fonte em Jericó (2.21). Quarenta e dois meninos em Betel foram despedaçados por ursas (2.24). Foi Deus, e não Eliseu, quem enviou as ursas. Betel era sede do culto a Baal. Segundo parece, os meninos estavam zombando do Deus de Eliseu.

Deus dera a entender a Elias que o fogo e a espada não eram os métodos mediante os quais a obra mais sólida de Deus seria realizada (1Rs 19.12). Entretanto, o fogo e a espada continuavam a ser usados — o baalismo não conseguia compreender nenhuma outra linguagem. Elias ungira Jeú para exterminar o baalismo oficial (1Rs 19.16,17; 2Rs 9.1-10). E Jeú assim o fez, com muita violência (caps. 9 e 10).

Jorão, rei de Israel (852-841 a.C.) 2Rs 3—9

Jorão reinou 12 anos e foi morto por Jeú (9.24). No seu reinado, o rei de Moabe, que pagava tributo a Acabe, rebelou-se (3.4-6).

NOTA ARQUEOLÓGICA: A Pedra Moabita.
O cap. 3 é um relato do esforço feito por Jorão para novamente subjugar Moabe. Mesa (ou Messa), rei de Moabe (2Rs 3.4), fez seu próprio registro dessa rebelião. Descoberta no ano de 1868, em Dibom, Moabe, 50 km a leste do mar Morto, por F. A. Klein, missionário alemão, é uma pedra de basalto negro com 91 cm de altura, 61 cm de largura e 55 cm de espessura, contendo uma inscrição de Mesa. É chamada a Pedra Moabita. Enquanto o Museu de Berlim negociava a compra dessa pedra, a Clermont-Ganneau de Jerusalém tentou tirar dela uma impressão em papel machê — com sucesso parcial.

No ano seguinte, os árabes, acendendo uma fogueira ao redor da pedra e derramando sobre ela água fria, fragmentaram-na a fim de contrariar o governador otomano. Posteriormente, os franceses adquiriram os pedaços e ajuntando-os — com a ajuda de partes da impressão em papel machê — recuperaram a inscrição. Atualmente, a pedra resultante está no Museu do Louvre, em Paris.

Segue-se parte do texto escrito na Pedra Moabita (Camos é o deus de Moabe):

> Eu sou Mesa, filho de Camos, rei de Moabe [...] meu pai reinara trinta anos em Moabe, e eu reinei depois do meu pai...
>
> Quanto a Onri, rei de Israel, humilhou Moabe durante muitos anos, pois Camos estava irado contra seu próprio país [Moabe]. E o filho de [Onri] sucedeu a ele e também disse: "Humilharei a Moabe". No meu tempo, ele falou [assim], mas eu triunfei sobre ele e sua casa, ao passo que Israel pereceu para sempre.

Passa, então, a descrever a captura das cidades de Medeba, Atarote, Nebo e Jaaz. Diz o seguinte a respeito da queda de Nebo:

> E Camos me disse: "Vá, tome Nebo de Israel!". Fui, pois, de noite, e lutei contra ela, desde o raiar do sol até o meio-dia, conquistei-a e matei todos: sete mil homens, meninos, mulheres, meninas e servas, pois os dedicara à destruição em nome de Astar-Camos [o deus].

Os milagres de Eliseu 2Rs 4—7

Eliseu começara seu ministério com milagres, segundo a narrativa do capítulo 2. Seguem-se milagres em rápida sucessão. O suprimento do azeite de uma viúva é aumentado. O filho da sunamita é ressuscitado dentre os mortos. O ensopado envenenado passa a ser comestível. Pães são multiplicados. A lepra de Naamã é curada. Uma cabeça de machado feita de ferro é levada a flutuar. Samaria é libertada pelos carros invisíveis de Deus (7.6). Quase tudo quanto se registra a respeito de Eliseu envolve seus milagres. A maioria dos milagres de Eliseu eram atos de bondade e de misericórdia.

Jesus entendeu a cura de Naamã por Eliseu como uma prefiguração de que o próprio Jesus também seria enviado a outras nações (Lc 4.25-27).

2Rs 8.1-15 — Eliseu unge Hazael

Eliseu ungiu Hazael para suceder a Ben-Hadade, rei da Síria — ou seja, um profeta de Israel ungiu um rei estrangeiro a fim de castigar a nação do profeta. Deus ordenara que assim fosse feito (1Rs 19.15) para castigar Israel pelos seus terríveis pecados (10.32,33).

> NOTA ARQUEOLÓGICA: Ben-Hadade e Hazael.
> O relato de como Hazael se tornou rei da Síria está registrado em 2 Reis 8.7-15. Outro relato também se acha numa inscrição de Salmaneser III, rei da Assíria, que diz: "Derrotei Hadadezer [i.é, Ben-Hadade] de Damasco. Deixei estendidos no chão vinte mil dos seus guerreiros fortes [...] empurrei o restante das suas tropas para dentro do rio Orontes; Hadadezer pereceu. Hazael, um plebeu [lit., filho de ninguém] apoderou-se do trono".

Ressurreições na Bíblia

Na Bíblia são registradas sete ressurreições. Essas sete não incluem a ressurreição de Jesus, a ressurreição suprema, levada a efeito sem instrumentalidade humana, nem o incidente inédito dos ossos de Eliseu (2Rs 13.21).

- Elias: o filho da viúva (1Rs 17)
- Eliseu: o filho da sunamita (2Rs 4)
- Jesus: a filha de Jairo (Mc 5)
- Jesus: o filho da viúva de Naim (Lc 7)
- Jesus: Lázaro (Jo 11)
- Pedro: Dorcas (At 9)
- Paulo: Êutico (At 20)

O ministério de Eliseu

Eliseu iniciou seu ministério no reinado de Jorão (3.1,11), por volta de 850 a.C., e continuou por todo o reinado de Jeú e de Jeoacaz. Morreu no reinado de Jeoás (13.14-20), por volta de 800 a.C.

Era um camponês de Abel-Meolá, no vale do alto Jordão (1Rs 19.16,19). Foi escolhido por Elias, que o preparou para ser profeta (1Rs 19.21; 2Rs 3.11). Ele e Elias eram muito diferentes entre si. Elias era semelhante à tempestade e ao terremoto; Eliseu era mais semelhante ao "murmúrio de uma brisa suave" ou à "voz mansa e delicada". Elias era duro como pederneira; Eliseu, suave, gracioso, diplomata. Elias era homem do deserto e vestia um manto de pelo de camelo; Eliseu morava nas cidades e se vestia como os cidadãos em geral. Apesar disso, foi sobre Eliseu que caiu o manto de Elias (1Rs 19.19; 2Rs 2.13).

Os milagres de Eliseu

Os milagres de Eliseu estão registrados nos capítulos 2 e de 4 a 7. Entre eles, consta uma das sete ressurreições registradas na Bíblia.

Eliseu e seus estudos teológicos

Samuel, segundo concluímos de 1 Samuel 19.20, dera início a uma escola de profetas em Ramá. Eliseu dirigiu escolas semelhantes em Betel, Jericó, Gilgal e outros lugares (2Rs 2.3,5; 4.38; 6.1). Além desses lugares, parece também ter residido em Carmelo, Suném, Dotã e Samaria (2Rs 2.25; 4.10,25; 6.13,32). Deve, por certo, ter sido uma espécie de pastor-profeta-mestre, bem como conselheiro do rei. Seus conselhos eram sempre postos em prática. Não aprovava tudo quanto os reis faziam, mas, em tempos de crise, acorria para socorrê-los.

Eliseu, no Reino do Norte, pode ter sido contemporâneo do profeta Joel, que profetizava no Reino do Sul. É possível que tenha sido mestre de Jonas e de Amós, que eram jovens naquela época.

Elias e Eliseu, na sua vida pessoal e no seu ministério público, parecem ter sido um protótipo ou prefiguração viva de João Batista e de Jesus. João Batista foi chamado de Elias (Mt 11.14), e o ministério de bondade realizado por Jesus foi uma expansão do ministério de Eliseu, que era da mesma natureza. Os dois ilustram o fato de que homens de personalidades totalmente diferentes podem cooperar entre si visando aos mesmos propósitos.

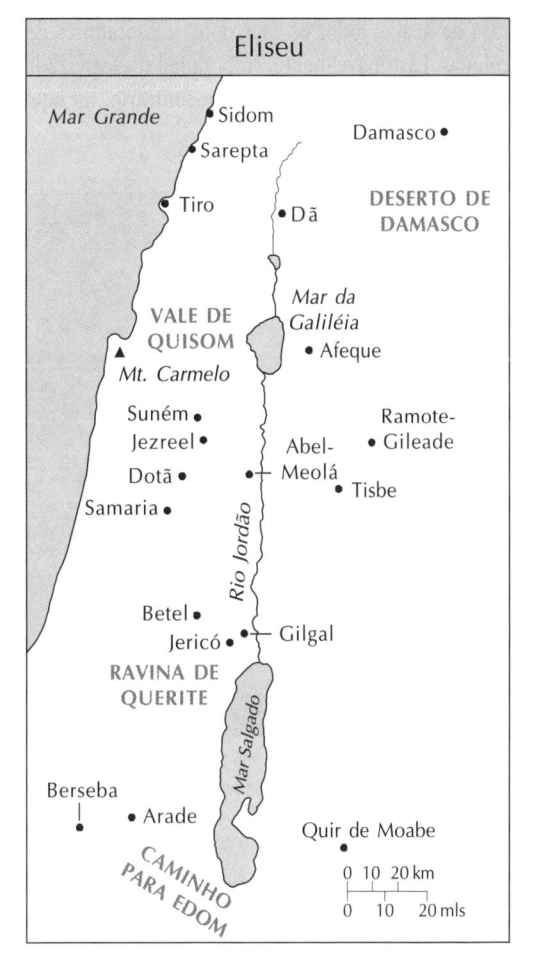

Jeorão, rei de Judá — 2Rs 8.16-24

(V. comentário sobre 2Cr 21.)

Acazias, rei de Judá — 2Rs 8.25-29

(V. comentário sobre 2Cr 22.)

Jeú, rei de Israel (841-814 a.C.) — 2Rs 9 e 10

Jeú reinou 28 anos. Tinha sido oficial da guarda pessoal de Acabe e foi ungido por um profeta para ser rei, a fim de eliminar a casa de Acabe e erradicar o baalismo. Procedeu, sem demora e com muita fúria, a cumprir a tarefa para a qual era bem talhado. Era intrépido, inexorável e impiedoso. Talvez nenhum outro pudesse ter cumprido semelhante tarefa. Matou Jorão, rei de Israel; Jezabel; Acazias, rei de Judá (que era genro de Acabe); os 70 filhos de Acabe; os irmãos de Acazias; todos os amigos e partidários da casa de Acabe; todos os sacerdotes e adoradores de Baal. Também destruiu o templo de Baal e suas colunas. Lastimavelmente, embora Jeú tivesse erradicado o culto a Baal, não fez o mínimo esforço para guardar a Lei de Deus, mas, pelo contrário, fez aquilo que o rei Jeroboão fizera — prestou culto aos bezerros (v. p. 197).

Este relevo na estela (também chamada Obelisco Negro) de Salmaneser III retrata Jeú prostrando-se. O disco alado acima de Jeú representa o deus Assur; a estrela representa a deusa Istar.

Se estranharmos que Deus fez de uma pessoa como Jeú um instrumento divino, devemos tomar consciência de que o baalismo era indizivelmente vil. Deus às vezes emprega como instrumentos homens e nações que estão muito aquém do que deveriam ser para executarem os juízos divinos contra os ímpios.

Enquanto Jeú se ocupava de sua revolução sangrenta em Israel, Hazael, rei da Síria (aquele que fora ungido por Eliseu; 8.1-15), conquistou Gileade e Basã, territórios israelitas a leste do Jordão (10.33). Além disso, Jeú também teve problemas com a Assíria, cujo poderio crescia com sinistra rapidez.

NOTA ARQUEOLÓGICA: Jeú e o Obelisco Negro de Salmaneser.
Em Calá, perto de Nínive, *sir* Austen Henry Layard descobriu, em 1846, um bloco de pedra negra nas ruínas do palácio de Salmaneser, com 2,2 m de altura, coberto de relevos e inscrições que retratavam as façanhas desse rei assírio. Recebeu o nome de Obelisco Negro e acha-se hoje no Museu Britânico (v. foto).
Na segunda linha de cima para baixo há uma personagem ajoelhada aos pés do rei, e acima dele a inscrição: "O tributo de Jeú, filho [sucessor] de Onri. Recebi dele prata, ouro, uma tijela-*saplu* de ouro, um vaso de ouro com base pontiaguda, copos de ouro, baldes de ouro, estanho, um cetro régio..."

NOTA ARQUEOLÓGICA: Jezabel.
Jezabel "pintou os olhos, arrumou o cabelo e ficou olhando de uma janela" (9.30). Nas escavações arqueológicas em todas as partes de Israel têm sido descobertas caixinhas, frascos e vasilhas feitas de marfim, pedra, cerâmica e vidro. Algumas delas eram usadas para preparar cosméticos. Substâncias como o carvão eram usadas para a cor negra; a turquesa, para o verde; e o ocre, para o vermelho.

NOTA ARQUEOLÓGICA: Megido.
Nas extensas escavações feitas em Megido, foram descobertos vários palácios, armazéns (ou estábulos), um portão da cidade, parte da muralha da cidade e um sistema aquático subterrâneo de tamanho considerável que data dos dias de Acabe.

Megido empresta seu nome à área onde se reunirão os exércitos que se opuserem ao povo de Deus e onde será travada a grande e última batalha das eras: Armagedom (*Har Megiddo* monte de Megido; Ap 16.16). Megido estava situada no lado sul do vale de Jezreel, 16 km ao sudoeste de Nazaré, à entrada de uma garganta transversal da cordilheira do Carmelo, na estrada principal entre a Ásia e a África. Ocupava, portanto, uma posição estratégica entre o Eufrates e o Nilo e era o lugar de confrontações entre exércitos vindos do oriente e do ocidente. Tutmés III, que fez do Egito um império mundial, disse: "Megido vale por mil cidades".

Foi em Megido, na Primeira Guerra Mundial, que o general Edmund Henry Allenby (1918) rompeu o poderio do exército turco. Diz-se que mais sangue tem sido derramado ao redor dessa colina que em qualquer outro lugar do mundo.

Atalia, rainha de Judá — 2Rs 11

(V. comentário sobre 2Cr 22.)

Joás, rei de Judá — 2Rs 12

(V. comentário sobre 2Cr 24.)

Túnel de condução de água em Megido, que provavelmente data da época do rei Acabe (séc. IX a.C.). Esse túnel está localizado dentro das muralhas da cidade, o que garante acesso à água no caso de um cerco; desce uns 35 m, e depois se estende por mais 53 m.

2Rs 13.1-9 — Jeoacaz, rei de Israel (814-798 a.C.)

Jeoacaz reinou 17 anos. No seu reinado, Israel foi muito humilhado pelos sírios.

2Rs 13.10-25 — Jeoás, rei de Israel

Jeoás reinou 16 anos. Declarou guerra contra a Síria e retomou as cidades que seu pai perdera. Guerreou também contra Judá e saqueou Jerusalém.

2Rs 14.1-22 — Amazias, rei de Judá

(V. comentário sobre 2Cr 25.)

2Rs 14.23-29 — Jeroboão II, rei de Israel (793-753 a.C.)

Jeroboão II, que reinou 41 anos, continuou as guerras que seu pai, Jeoás, travara contra a Síria e, com a ajuda do profeta Jonas (v. 25), aumentou ao máximo as fronteiras do Reino do Norte. A idolatria e as abomináveis condições sociais do reino de Jeroboão foram desafiadas pelo ministério dos profetas Amós e Oséias.

> **NOTA ARQUEOLÓGICA: Sinete de um servo de Jeroboão.**
> Em 1904, na camada de ruínas correspondente à época de Jeroboão, foi achado em Megido um belo sinete de jaspe com a inscrição: "Pertence a Sema, servo de Jeroboão". Posteriormente, o sinete foi perdido em Istambul.

2Rs 15.1-7 — Azarias, rei de Judá

(V. comentário sobre 2Cr 26.)

2Rs 15.8-12 — Zacarias, rei de Israel (753-752 a.C.)

Zacarias reinou menos seis meses antes de ser assassinado.

Esse fragmento de cerâmica (óstraco) é provavelmente um recibo dos dias de Jeroboão II. A inscrição diz: "No décimo ano, de Azá [uma cidade] para Gadiyau [uma pessoa], um jarro de azeite fino". Fragmentos de cerâmica eram usados para registrar transações e como "papel de anotações". Na Grécia, os óstracos eram empregados em votações. Se alguém fosse expulso de uma cidade pelo voto popular, era posto no ostracismo.

Salum, rei de Israel (752 a.C.) — 2Rs 15.13-15

Salum, que assassinara Zacarias, foi, por sua vez, assassinado por Menaém, depois de ter reinado apenas um mês.

Menaém, rei de Israel (752-742 a.C.) — 2Rs 15.16-22

Menaém, um rei brutal e de sangue frio, reinou dez anos.

> **NOTA ARQUEOLÓGICA**: Menaém.
> Menaém pagou tributo a Pul (= Tiglate-Pileser III), rei da Assíria (v. 19,20). Uma das inscrições de Pul diz: "Recebi tributo de [...] Menaém de Samaria". As inscrições de Pul mencionam também Peca e Oséias de Israel (v. abaixo).

Pecaías, rei de Israel (742-740 a.C.) — 2Rs 15.23-26

Pecaías reinou dois anos antes de ser assassinado da mesma forma que Zacarias e Salum.

Peca, rei de Israel (752-732 a.C.) — 2Rs 15.27-31

Peca reinou 20 anos. Oficial militar poderoso que talvez tenha sido co-regente de Menaém e Pecaías, aliou-se com a Síria e atacou Judá. Judá enviou à Assíria um pedido de socorro. O rei da Assíria apareceu, conquistou tanto Israel quanto a Síria e deportou os habitantes do norte e do leste de Israel. Esse foi chamado o cativeiro galileu (734 a.C.). Do Reino do Norte, só sobrou Samaria. Essa história é contada com mais pormenores em 2 Crônicas e Isaías 7.

> **NOTA ARQUEOLÓGICA**: A deportação.
> O começo da deportação do Reino do Norte por Tiglate-Pileser III (v. 29) é registrado na inscrição de Tiglate-Pileser: "Deportei o povo da terra de Onri [i.e., Israel], juntamente com seus bens, para a Assíria".

Jotão, rei de Judá (750-732 a.C.) — 2Rs 15.32-38

(V. comentário sobre 2Cr 27.)

Acaz, rei de Judá (735-716 a.C.) — 2Reis 16

(V. comentário sobre 2Cr 28.)

Oséias, o último rei de Israel (730-722 a.C.) — 2Rs 17

Oséias reinou nove anos. Pagou tributo ao rei da Assíria, porém fez um tratado secreto com o rei do Egito. Em seguida, vieram os assírios e aplicaram o derradeiro golpe de morte ao Reino do Norte. Samaria caiu e seus habitantes seguiram os demais israelitas ao cativeiro. Os profetas daquela época eram Oséias, Isaías e Miquéias. O Reino do Norte durara uns duzentos anos. Cada um de seus dezenove reis andara nos pecados de Jeroboão, seu fundador. Deus enviara profeta após profeta e juízo após juízo, num esforço para fazer a nação afastar-se de seus pecados. Mas foi tudo em vão. Israel insistia em adorar os ídolos. Não havia mais solução, e Deus removeu Israel de sua terra.

Israel é deportado pela Assíria, 722 a.C.

NOTA ARQUEOLÓGICA: Oséias.
Oséias matou Peca e reinou em seu lugar (15.30). Oséias pagou tributo ao rei da Assíria (17.3).
Uma inscrição de Tiglate-Pileser III diz: "Levei à Assíria, Israel [lit., a terra de Onri] [...] todos os seus habitantes [e] suas posses. Eles derrubaram seu rei Peca, e coloquei Oséias como rei sobre eles. Deles recebi dez talentos de ouro e mil talentos de prata como tributo e os levei à Assíria".

NOTA ARQUEOLÓGICA: O cativeiro de Israel.
O segundo livro de Reis diz: "O rei da Assíria [...] marchou contra Samaria e a sitiou por três anos [...] conquistou Samaria e deportou os israelitas [...] O rei da Assíria trouxe gente da Babilônia [...] e os estabeleceu nas cidades de Samaria" (17.5,6,24).
Uma inscrição de Sargão (v. p. 225, 317) diz: "No meu primeiro ano capturei Samaria. Levei cativas 27 290 pessoas. Estabeleci em Samaria povos de outras terras, que nunca tinham pago tributo".

A Assíria

O Império Assírio destruiu o reino de Israel. Em anos recentes, foram achados registros históricos dos reis assírios, nos quais eles celebram suas próprias façanhas. Nesses registros, aparecem os nomes de dez reis dos hebreus: Onri, Acabe, Jeú, Menaém, Peca, Oséias, Uzias, Acaz, Ezequias e Manassés. Nesses registros, foram achadas muitas declarações que lançam luz sobre as declarações bíblicas.

A capital da Assíria era a grande cidade de Nínive (v. p. 377).

A política da Assíria era deportar para outras terras os povos conquistados, pois assim ficaria destruído o seu sentimento nacionalista e seria mais fácil manter o controle sobre eles.

Os assírios eram grandes guerreiros. Naqueles tempos, a maioria das nações praticava a pilhagem quando lhes era possível, mas a Assíria parece ter sido a pior entre todas elas, pois levantou seu império sobre os despojos pilhados de outras nações. Praticavam incríveis crueldades.

A Assíria foi fundada antes de 2000 a.C. por colonos provenientes da Babilônia e durante muitos séculos ou estava sujeita à Babilônia ou em conflito com ela. Em cerca de 1300 a.C., Salmaneser I sacudiu o jugo da Babilônia e passou a governar a totalidade do vale do Eufrates. Posteriormente, a Assíria entrou em declínio. Tiglate-Pileser I (1115-1076) fez com que a Assíria voltasse a ser um reino grandioso, mas logo se seguiu outro período de declínio. Foi então que surgiu a época brilhante, de 300 anos de duração, na qual a Assíria foi um império mundial, com os reis que estão listados abaixo. Muitos deles desempenharam um papel na história bíblica, e seus nomes aparecem aqui em negrito:

- Assurnasirpal II (884-858 a.C.). Era belicoso e cruel. Fez da Assíria a melhor máquina de guerra do mundo antigo.
- **Salmaneser III** (858-824). O primeiro rei da Assíria a entrar em conflito com Israel. Acabe lutou contra ele. Jeú lhe pagou tributo.
- Período de declínio com Samsi-Hadade V (824-810), Hadade-Nirári III (810-782), Salmaneser IV (782-773), Assur-Dã III (773-754), Assur-Nirári V (754-745).

A deportação para a Assíria

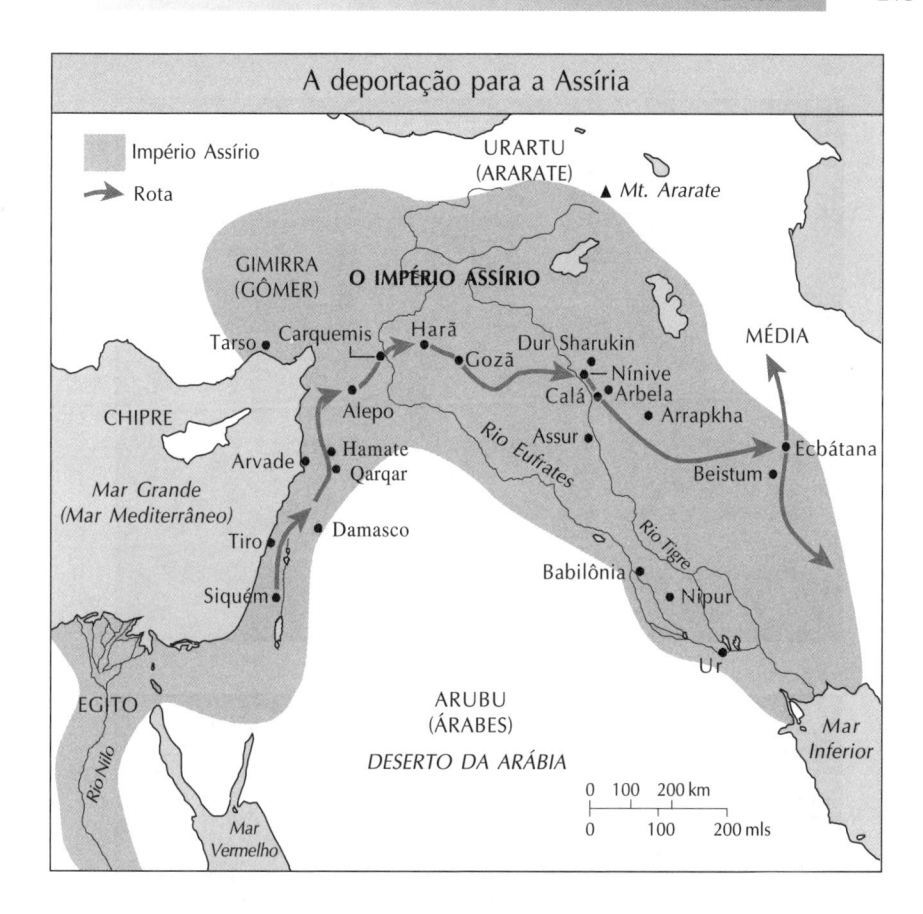

(Mapa mostrando o Império Assírio, com rotas de deportação passando por cidades como Tarso, Carquemis, Harã, Gozã, Dur Sharukin, Nínive, Calá, Arbela, Arrapkha, Ecbátana, Alepo, Arvade, Hamate, Qarqar, Assur, Beistum, Tiro, Damasco, Siquém, Babilônia, Nipur, Ur. Regiões indicadas: URARTU (ARARATE), GIMIRRA (GÔMER), MÉDIA, CHIPRE, EGITO, ARUBU (ÁRABES), DESERTO DA ARÁBIA. Mares: Mar Grande (Mar Mediterrâneo), Mar Vermelho, Mar Inferior. Rios: Nilo, Eufrates, Tigre. Mt. Ararate.)

- **Tiglate-Pileser** III (745-727). Pul era seu nome pessoal. Levou ao cativeiro o norte de Israel.
- **Salmanaser** V (727-722). Cercou Samaria e morreu no cerco em 734 a.C.
- **Sargão** II (721-705). Completou a destruição de Samaria e a deportação de Israel. (Sargão I foi um rei babilônico que viveu 2 mil anos antes.)
- **Senaqueribe** (705-681 a.C.). O mais famoso dos reis assírios. Foi derrotado por um anjo do Senhor. Incendiou a cidade da Babilônia (v. comentário em 2Cr 32).
- **Esar-Hadom** (681-669). Reconstruiu a Babilônia e conquistou o Egito. Um dos maiores dos reis da Assíria.
- **Assurbanipal** (669-633), (ou Osnapar, Ed 4.10, cf. nota de rodapé). Destruiu Tebas (no Egito). Reuniu uma grande biblioteca. Poderoso, cruel, literário.
- O fim do Império Assírio nos reinados de Assur-etil-ilani, Sin-sar-iskun e de Ashur-uballit (633-608). Assediado pelos citas, medos e babilônios, caiu o império brutal.

Os oito últimos reis de Judá, desde Ezequias até Zedequias (716-586 a.C.)   2Rs 18—25

(V. informações sobre esses reis no comentário sobre 2Cr 29—36.)

Estes quatro relevos mostram a soberba e a crueldade dos assírios, bem como seus consideráveis talentos artísticos.

Assurbanipal enfrenta calmamente um leão ferido, o que enfatiza a força e a coragem do rei (à esquerda, em cima).

Flecheiros assírios levando em triunfo a cabeça de seus inimigos (à esquerda, embaixo).

Flecheiros assírios apresentando a cabeça de seus inimigos (talvez juntamente com outras dádivas). Eles levavam muito a sério a "contagem das cabeças" (em cima).

Uma imagem magnífica de um leão mortalmente ferido (embaixo).

A deportação de Judá pela Babilônia, 605 a.C.

2Rs 25 — Zedequias (597-586 a.C.), último rei de Judá

O cativeiro de Judá foi levado a efeito em quatro fases.

- Em **605 a.C.**, Nabucodonosor, rei da Babilônia, derrotou Jeoaquim e levou, para a Babilônia, muitos tesouros do Templo, bem como os filhos das famílias de destaque, com inclusão de Daniel (2Cr 36.6,7; Dn 1.1-3).
- Em **597 a.C.**, Nabucodonosor veio de novo para Jerusalém e levou embora os demais tesouros, bem como o rei Joaquim e 10 mil de seus conselheiros, nobres, oficiais e homens de destaque — foram levados para o cativeiro babilônico (2Rs 24.14-16). Entre os cativos estava o profeta Ezequiel.
- Em **586 a.C.**, os babilônios reapareceram em Jerusalém. Incendiaram a cidade, derrubaram as suas muralhas, vazaram os olhos do rei Zedequias e o levaram acorrentado para a Babilônia, junto com outros 832 cativos. Não sobrou no país senão um resto da classe mais pobre (2Rs 25.8-12; Jr 52.28-30).

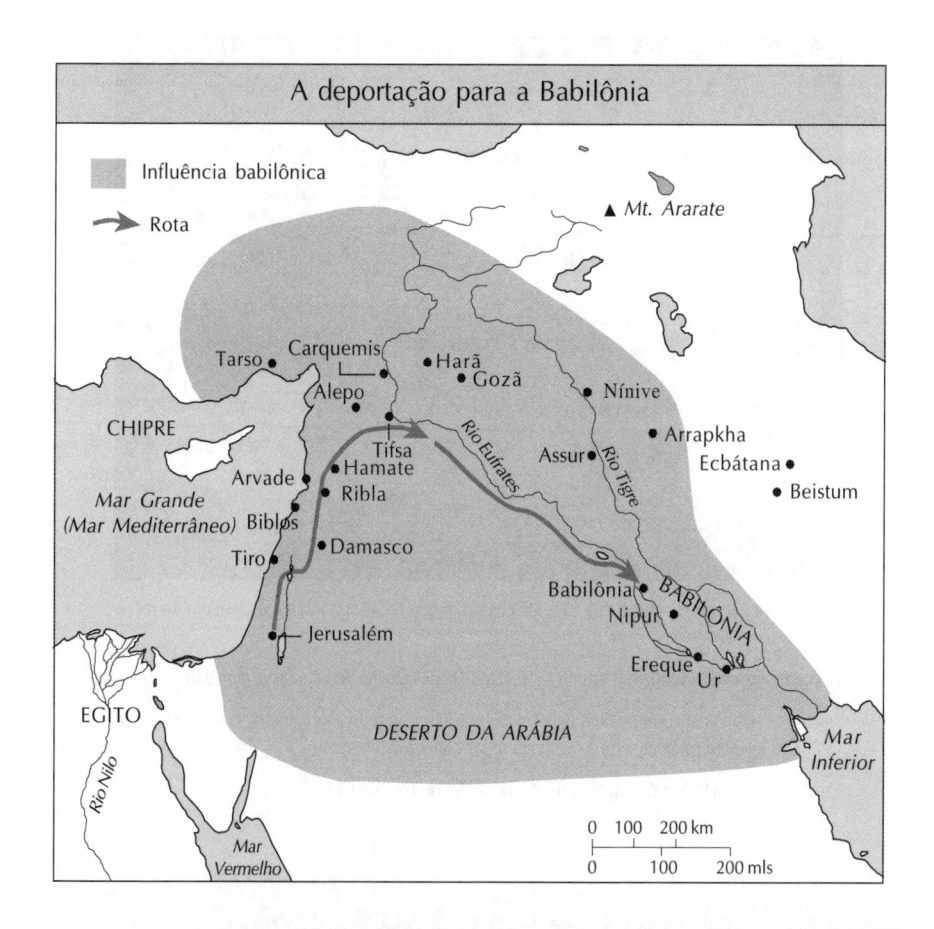

A deportação para a Babilônia

Custou aos babilônios um ano e meio para subjugar Jerusalém. Sitiaram-na no décimo mês do nono ano de Zedequias, e a cidade caiu no quarto mês do décimo primeiro ano de seu reinado. A cidade foi incendiada um mês depois.

Somando tudo, Nabucodonosor levou 20 anos para destruir Jerusalém. Poderia tê-lo feito logo da primeira vez, se assim o desejasse. Mas só queria cobrar tributos. Daniel, levado para a Babilônia por Nabucodonosor no começo desse período, não demorou a se tornar amigo e conselheiro desse rei, e talvez tenha servido de influência para refreá-lo. No fim, foi a persistência de Judá em fazer um tratado com o Egito que forçou Nabucodonosor a riscar Jerusalém do mapa.

- Em **581 a.C.**, cinco anos depois de incendiarem Jerusalém, os babilônios reapareceram mais uma vez e levaram mais 745 cativos (Jr 52.30), mesmo depois de um grupo considerável, incluindo Jeremias, haver fugido para o Egito (Jr 43). A queda de Jerusalém foi acompanhada pelo ministério de três grandes profetas: Jeremias, Ezequiel e Daniel.

O cativeiro de Judá pela Babilônia fora predito cem anos antes por Isaías e por Miquéias (Is 39.6; Mq 4.10). Agora, sendo esse cativeiro um fato consumado, Jeremias predisse que duraria 70 anos (Jr 25.11,12).

Foi esse o fim do reino terrenal de Davi — de 400 anos de duração. No sentido espiritual, foi revivido com o nascimento de Cristo e será consumado em glória na Segunda Vinda.

NOTA ARQUEOLÓGICA: Nabucodonosor.
Nabucodonosor incendiou as cidades de Láquis e de Jerusalém (25.9; Jr 34.7). Níveis de destruição maciça foram achados nas duas cidades. Em Láquis, um fragmento de cerâmica com escrita fala das cidades de Láquis e de Azeca – da mesma maneira que Jeremias 34.7. Em Jerusalém, foram achados sinais de uma grande destruição pelos babilônios nas escavações feitas por Shiloh na antiga Cidade de Davi, bem como por Nahum Avigad no bairro judaico da Cidade Velha (uma torre de defesa, cinzas e pontas de flechas).

A Babilônia

- A Assíria levou Israel para o cativeiro (734-722 a.C.).
- A Babilônia levou Judá para o cativeiro (605-586 a.C.).
- A Assíria ocupava a parte norte do vale Eufrates-Tigre.
- A Babilônia ocupava a parte sul do vale Eufrates-Tigre.
- Nínive era a capital do Império Assírio.
- Babilônia era a capital do Império Babilônico.
- Nínive e Babilônia distavam cerca de 480 km uma da outra (v. mapa na p. anterior).

O antigo Império Babilônico (2000-1600 a.C.)

- Em cerca de 2000 a.C., a Babilônia veio a ser a potência dominante do mundo.
- Tratava-se da era do grande legislador Hamurábi (c. 1800 a.C.; v. p. 85).
- Seguiram-se uns mil anos de lutas intermitentes e posteriormente 250 anos de supremacia assíria (884-605 a.C.; v. p. 212-3).

O novo Império Babilônico (625-539 a.C.)

O novo Império Babilônico (ou Império Neobabilônico) rompeu o poderio da Assíria e, num avanço rápido para o oeste, destruiu Judá e conquistou o Egito. Seus reis foram os seguintes:

- **Nabopolassar** (625-605 a.C.) sacudiu o jugo da Assíria em 625 a.C. e estabeleceu a independência da Babilônia. Com o auxílio de Ciaxares, o Medo, conquistou e destruiu Nínive (612 a.C.). Nabucodonosor, o filho de Nabopolassar, passou a ser comandante dos exércitos de seu pai e em 605 a.C. tornou-se co-regente com seu pai.
- **Nabucodonosor** (605-562 a.C.), o maior de todos os reis da Babilônia, foi um dos monarcas mais poderosos de todos os tempos. Reinou 45 anos. O Império Babilônico foi, em grande medida, uma realização sua. Estendeu o poderio da Babilônia a ponto de abranger a maior parte do mundo então conhecido, e embelezou de modo quase inconcebível a cidade da Babilônia (v. p. 346).

    Foi ele quem levou ao cativeiro os judeus, incluindo Daniel e Ezequiel. Passou a ter Daniel na mais alta estima e fez dele um de seus principais conselheiros. E por certo a influência de Daniel deve ter aliviado as condições de vida dos cativos judeus (v. mais a respeito de Nabucodonosor e da Babilônia na p. 346-7).
- Com os sucessores de Nabucodonosor, o Império Babilônico começou a entrar em declínio: Evil-Merodaque (562-560 a.C.), Neriglissar (559-556 a.C.), Labasi-Marduque (556 a.C.) e Nabonido (556-539 a.C.).
- Belsazar, filho de **Nabonido**, foi co-regente com este durante os últimos poucos anos de seu reinado e, portanto, era a segunda pessoa mais poderosa da Babilônia. Foi por isso que somente pôde oferecer a Daniel a terceira posição em importância no reino (Dn 5.7; quanto à história da mão que escrevia na parede e da queda da Babilônia, v. p. 349).
- A cidade da Babilônia, e com ela a supremacia do Império Babilônico, caiu diante dos medos e dos persas. A supremacia passou à Pérsia em 539 a.C., e duraria até que a Pérsia, por sua vez, fosse conquistada por Alexandre, o Grande, em 331 a.C.

O Império Babilônico durou 70 anos. Os 70 anos do exílio de Judá coincidiram exatamente com os 70 anos durante os quais a Babilônia governava o mundo. O ano em que Ciro, rei da Pérsia, conquistou a Babilônia (539 a.C.) foi o mesmo em que autorizou a volta dos judeus à sua pátria.

A Babilônia, opressora do povo de Deus no Antigo Testamento, tem seu nome registrado no livro do Apocalipse como símbolo das forças do mal que se opõem a Deus (Ap 17).

I Crônicas

Genealogias
O reinado de Davi

Dêem graças ao Senhor, clamem pelo seu nome, divulguem entre as nações o que ele tem feito. Cantem para ele, louvem-no; contem todos os seus atos maravilhosos. Gloriem-se no seu santo nome; alegre-se o coração dos que buscam o Senhor.

— 1 Crônicas 16.8-10

As histórias paralelas devem ser lidas tanto em 1 Crônicas quanto em 1 e 2 Samuel, visto que freqüentemente incluem pormenores e até mesmo eventos complementares entre si.

Autor

Os quatro livros de 1 e 2 Crônicas, Esdras e Neemias eram, originariamente, um só livro ou série de livros. Segundo a tradição judaica, Esdras foi o autor da obra inteira.

O autor, portanto, teve acesso a atas, diários e registros públicos que não subsistiram até os nossos dias. Além disso, teve acesso aos livros do Antigo Testamento escritos antes de sua época. Orientado por Deus, transcreveu as informações apropriadas aos propósitos de sua própria obra. Portanto, nessa parte do Antigo Testamento, 2 Samuel e 1 Crônicas, temos uma narrativa dupla.

Samuel, Reis e Crônicas

A totalidade da história do reino de Israel é contada nos dois livros de Samuel e nos dois livros de Reis. Os livros de Crônicas contam a mesma história.

Em linhas gerais:

- 1 e 2 Samuel = 1 Crônicas
- 1 e 2 Reis = 2 Crônicas (tanto 1 Reis quanto 2 Crônicas começam com Salomão)

As diferenças principais são:

- 1 Crônicas começa com uma genealogia prolongada — a partir de Adão —, mas omite as histórias de Samuel e de Saul (excetuando-se o suicídio de Saul);
- 2 Crônicas omite inteiramente a história do Reino do Norte.

Relevância da dupla narrativa

Por crermos que a Bíblia inteira é a Palavra de Deus e que é para ser usada universalmente, ficamos imaginando se Deus tinha algum propósito especial, além das necessidades imediatas de Esdras ao repovoar o país, quando repassou essa parte da história sagrada.

A repetição significa importância. Esse fato é, no mínimo, uma advertência no sentido de não negligenciarmos essa parte da Bíblia. Embora alguém possa considerar os livros de Reis e Crônicas leitura um pouco árida, eles contêm a história do relacionamento entre Deus e seu povo. Ao lê-los, podemos achar algumas das jóias mais preciosas das Escrituras.

1Cr 1—9 As genealogias

O propósito imediato dessas genealogias parece ser o repovoamento do país em conformidade com os registros públicos. Os que voltaram do cativeiro tinham direito às terras que anteriormente haviam pertencido às suas próprias famílias. No AT, as terras tinham sido alocadas às famílias e não podiam ser alienadas dessas famílias de modo permanente (v. comentário sobre Lv 25).

Fontes dos livros de Crônicas

Referências freqüentes são feitas a outras histórias, registros históricos e arquivos oficiais:

- Os registros históricos do rei Davi (1Cr 27.24)
- Os registros de Samuel, o vidente, os registros de Natã, o profeta, e os registros de Gade, o vidente (1Cr 29.29)
- Os registros históricos de Natã, a profecia de Aías, o silonita, e as visões de Ido, o vidente (2Cr 9.29)
- Os registros históricos de Semaías, o profeta, e de Ido, o vidente (2Cr 12.15)
- Os relatos do profeta Ido (2Cr 13.22)
- Os relatos de Jeú, filho de Hanani, que estão incluídos nos registros históricos dos reis de Israel (2Cr 20.34)
- As anotações dos livros dos reis (2Cr 24.27)
- Os demais eventos do reinado de Uzias são registrados por Isaías (2Cr 26.22)
- A visão do profeta Isaías (2Cr 32.32)
- O livro dos reis de Judá e de Israel (2Cr 32.32)
- Os registros históricos dos videntes (2Cr 33.19)

Da mesma forma, o sacerdócio era hereditário. O sacerdote devia ser sucedido pelo seu filho. Era essa a lei da terra.

A linhagem régia de Davi segue a mesma regra. A mais importante e preciosa de todas as promessas era que o Salvador viria da família de Davi (v. p. 173-5).

> E você prosperará se for cuidadoso em obedecer aos decretos e às leis que o SENHOR deu a Israel por meio de Moisés. Seja forte e corajoso! Não tenha medo nem desanime.
> 1 CRÔNICAS 22.13

Essas genealogias, na sua maioria, são incompletas; há lacunas nessas listas. A linhagem principal, no entanto, consta nelas. É provável que tenham sido compiladas a partir de muitos registros históricos escritos, em tempos passados, em tabuinhas, papiro ou velino e, em parte, copiadas dos livros do AT então existentes.

Esses nove capítulos de genealogias representam o fluir, de geração para geração, de toda a história bíblica antecedente. Não precisam ser lidas tão freqüentemente, com propósitos devocionais, como outras partes das Escrituras. Entretanto, essas genealogias, e outras semelhantes a elas, constituem o arcabouço do AT, aquilo que vincula a Bíblia inteira e lhe fornece o elo que coloca a Bíblia acima do âmbito das lendas e a introduz nas páginas da história genuína.

Davi torna-se rei (1010-970 a.C.) 1Cr 10—12

Os livros de 2 Samuel e 1 Crônicas, excetuando-se as genealogias, são dedicados inteiramente ao reinado de Davi. Entretanto, 1 Crônicas dedica atenção especial à organização do culto no Templo. Escrito depois da volta do cativeiro, 1 Crônicas é, por assim dizer, uma espécie de sermão histórico, baseado em 2 Samuel, com o propósito de encorajar os exilados que voltaram para restaurar o culto no Templo ao seu devido lugar na vida nacional.

Em 2 Samuel de 2 a 4 lemos que Davi foi feito rei sobre Judá depois da morte de Saul e reinou sete anos e meio de sua capital em Hebrom. Durante esse período, houve guerra contra Is-Bosete, filho de Saul. Depois da morte de Is-Bosete, Davi tornou-se rei de todo o Israel.

O primeiro ato de Davi, como rei de todo o Israel, foi conquistar Jerusalém e fazer dela a capital da nação, conforme 2 Samuel 5 narra mais amplamente. Jerusalém tinha uma localização mais centralizada e era praticamente inexpugnável, por estar situada numa montanha, tendo vales nos lados leste, oeste e sul. Durante os 400 anos que decorreram desde Josué até Davi, Israel não conseguira conquistar a cidade, de modo que os jebuseus ainda estavam ali (Js 15.63; 2Sm 5.6-10; 1Cr 11.4,5). Jerusalém passou a ser a Cidade de Davi num sentido muito literal: era sua propriedade pessoal.

> NOTA ARQUEOLÓGICA: A passagem de água.
> A passagem de água (heb. *tsinnôr;* 2Sm 5.8) por onde Joabe e os homens de Davi conseguiram entrar em Jerusalém foi descoberta em 1998 por Ronny Reich e Eli Shukron. Consiste em um grande açude que armazenava água proveniente da fonte de Giom e era guardado por duas torres muito sólidas. Uma passagem secreta subterrânea ia de dentro da cidade até um local onde se podia tirar água do açude — de modo que os residentes da cidade não precisassem aventurar-se fora das muralhas da cidade a fim de buscar água.

> NOTA ARQUEOLÓGICA: A Jerusalém de Davi.
> Na década de 1980, foi descoberta uma estrutura arredondada, feita com degraus de pedra, de cinco andares de altura. Segundo parece, apoiava uma antiga cidadela jebuséia (talvez chamada "Sião"), aquela que Davi conquistou. A cidade de Davi fez uso da muralha maciça que os cananeus tinham edificado por volta de 1800 a.C. A cidade capturada por Davi tinha uns seis hectares de tamanho e abrigava umas duas mil pessoas.

A arca é levada para Jerusalém 1Cr 13—16

A arca havia sido capturada pelos filisteus (1Sm 4.11). Permaneceu com eles por sete meses (1Sm 6.1) antes de ser enviada de volta a Israel a fim de fazer cessar as pragas que tinham acompanhado sua captura e permanência entre os inimigos. Em seguida, permaneceu em Quiriate-Jearim, cerca de 13,5 km a noroeste de Jerusalém, durante 20 anos (1Sm 7.2). Depois de estabelecer Jerusalém como a capital nacional, Davi reuniu todo o Israel a fim de levar a arca para Jerusalém numa grandiosa procissão cerimonial.

Entretanto, o incidente lastimável envolvendo Uzá (13.10) interrompeu a procissão. A morte de Uzá, provocada por seu gesto impulsivo ao segurar a arca (13.9), parece, humanamente falando, um castigo muito severo. Entretanto, só os levitas deviam carregar a arca (15.2,13), e o ato de Uzá foi uma violação direta da Lei (Nm 4.15). Sua morte foi uma advertência no sentido de tomarmos cuidado com as coisas de Deus.

Depois de três meses na casa de Obede-Edom (13.14), que era levita (15.17,18,21,24), a arca foi levada para Jerusalém, em meio a grande regozijo, e colocada numa tenda que Davi mandara fazer (15.1). O Tabernáculo original estava em Gibeom, quase 10 km a noroeste de Jerusalém (21.29).

A poligamia de Davi (14.3) era contra a Lei de Deus. Entretanto, esse era o costume dos reis na Antigüidade, um dos sinais de prestígio e realeza, algo que o povo parecia esperar de seus governantes — costume com que Deus parecia tolerante nos tempos do AT. No entanto, como resultado disso, Davi teve uma farta colheita de problemas familiares (v. comentário sobre 2Sm 13).

1Cr 17 — Davi planeja construir o Templo

Construir o Templo era a idéia de Davi. Deus se satisfazia com uma tenda (v. 4-6), mas aquiesceu, embora não permitisse que Davi edificasse o Templo, porque tinha sido homem de guerra e derramara muito sangue (22.8; 28.3). A tarefa de construir o Templo foi atribuída a Salomão, filho e sucessor de Davi (v. 11-14; 28.6).

1Cr 18—20 — As vitórias de Davi

(V. comentário sobre 2Sm 8.)

1Cr 21 — O recenseamento do povo

(V. comentário sobre 2Sm 24.)

1Cr 22 — Os preparativos de Davi para o Templo

Embora Davi estivesse proibido de construir o Templo pessoalmente, fez os planos para isso e dedicou uma porção considerável de seu reinado para reunir grandes quantidades de ouro, prata e toda espécie de materiais de construção. O valor total somaria, em valores do mercado internacional de hoje, vários bilhões (não milhões) de dólares. Deveria ser "extraordinariamente magnífico, famoso e cheio de esplendor à vista de todas as nações" (22.5). Visava ser a coroa de glória do reino. A incumbência que Davi deu a Salomão e aos líderes de Israel é expandida no capítulo 28.

1Cr 23 — Deveres dos levitas

Já que o Templo teria sua localização permanente em Jerusalém, não haveria mais necessidade de transportar o Tabernáculo (v. 26), de modo que as tarefas dos levitas foram reestruturadas. Alguns deles fiscalizariam o serviço do Templo (v. 4); outros seriam porteiros (v. 5); outros ainda, músicos (v. 5; 15.16); e haveria um coral formado por 4000 levitas. Alguns levitas seriam oficiais e juízes de Israel, longe do Templo, ao passo que outros tratariam dos negócios do rei (23.4; 26.29,32). Parece, portanto, que os deveres dos levitas incluíam tanto o serviço de Deus como um papel de relevância no governo civil.

A organização dos sacerdotes e dos levitas 1Cr 24 e 25

Os sacerdotes foram divididos em 24 grupos para servirem no santuário. Eram oficiais do santuário e também oficiais de Deus (v. 5) e estavam encarregados dos sacrifícios. Suas tarefas, na realidade, cessaram com a vinda de Cristo. Ironicamente, foram sacerdotes levitas que tramaram a crucificação de Cristo (Mt 27.1, 6, 20, 41).

Os levitas estavam assim organizados: alguns serviam como porteiros do Templo, outros se encarregavam da tesouraria, ao passo que outros ainda, de modo especial, eram músicos cujas atividades não cessaram com a vinda de Cristo, mas, pelo contrário, assumiram nova relevância. Davi era um músico magnífico. De toda a sua alma, deleitava-se em fazer os céus ressoarem com cânticos de louvor a Deus (15.27,28; 16.41,42). Os músicos incluíam alguns dos filhos de Asafe; os cabeçalhos dos salmos 50 e 73 a 83 indicam que são salmos de Asafe.

> E acrescentou: "Seja forte e corajoso! Mãos ao trabalho! Não tenha medo nem desanime, pois Deus, o SENHOR, o meu Deus, está com você. Ele não o deixará nem o abandonará até que se termine toda a construção do templo do SENHOR".
> 1 CRÔNICAS 28.20

Líderes do exército, das tribos e da corte 1Cr 27

Davi também promoveu a nomeação de comandantes do exército, de líderes das tribos e de superintendentes da casa real. Esta era, segundo o estilo oriental, muito vasta, com pomares, vinhas, rebanhos, trabalhadores — tudo para garantir o bom atendimento das necessidades do rei.

A última palavra e a oração de Davi 1Cr 28 e 29

As palavras finais de Davi e sua derradeira oração dizem respeito ao Templo. Era esse o grande desejo de seu coração quando sua alma alçou vôo para a casa não feita por mãos humanas. O homem segundo o coração de Deus servira com nobreza sua geração. E que alegria deve ter sido para ele quando se encontrou com aquele que posteriormente assumiu o nome de "Filho de Davi"!

2 Crônicas

O reinado de Salomão
A história de Judá

Se o meu povo, que se chama pelo nome, se humilhar e orar, buscar a minha face e se afastar dos seus maus caminhos, dos céus o ouvirei, perdoarei o seu pecado e curarei a sua terra.
— 2 Crônicas 7.14

As histórias paralelas devem ser lidas tanto em 2 Crônicas quanto em 1 e 2 Reis, visto que freqüentemente se complementam em detalhes e mesmo em acontecimentos diferentes.

2Cr 1—9   O Templo e a glória do reinado de Salomão (970-931 a.C.)

(V. tb. comentários sobre 1Rs 1—11.) Durante 400 anos, Israel tivera apenas uma tenda, o Tabernáculo, como a casa de Deus entre eles, e, segundo parece, Deus ficara satisfeito com isso (2Sm 7.5-7). Entretanto, quando pareceu apropriado aos israelitas que tivessem um templo, Deus quis determinar que tipo de construção deveria ser. Deus deu a Davi a planta e os pormenores por escrito (1Cr 28.19; Êx 25.9): seria magnífico e famoso em todas as partes do mundo (1Cr 22.5).

Samuel, Reis e Crônicas

A totalidade da história do reino de Israel é contada nos dois livros de Samuel e nos dois livros de Reis. Os livros de Crônicas contam a mesma história, freqüentemente com pormenores diferentes. Em linhas gerais:

- 1 e 2 Samuel = 1 Crônicas
- 1 e 2 Reis = 2 Crônicas (tanto 1 Reis quanto 2 Crônicas começam com Salomão)

As diferenças principais são:

- 1 Crônicas começa com uma genealogia prolongada — a partir de Adão — mas omite as histórias de Samuel e de Saul (excetuando-se o suicídio de Saul);
- 2 Crônicas omite inteiramente a história do Reino do Norte.

Davi desejara edificar o Templo, porém não recebeu permissão para tanto, por ser ele um homem de guerra (1Cr 22.8). Deus ajudou Davi nas suas guerras, mas não julgava certo que um homem de guerra edificasse seu santo Templo. De outra forma, as nações conquistadas poderiam sentir amargura contra o Deus de Israel, ao passo que o propósito de Deus era ganhar para si as outras nações por meio dos israelitas, seu povo.

Os templos de Deus

O Tabernáculo. A casa de Deus em Israel, durante 400 anos, foi uma simples tenda. Durante a maior parte do tempo, ficou em Siló (v. comentário sobre Êx 35—40).

O templo de Salomão. Sua glória foi de pouca duração. Foi saqueado cinco anos depois da morte de Salomão e destruído pelos babilônios 340 anos mais tarde, em 586 a.C.

O templo de Zorobabel. Também chamado o Segundo Templo. Construído depois da volta do cativeiro, permaneceu durante 500 anos (v. comentário sobre Ed e Ne).

O templo de Herodes. Foi nesse templo que Cristo entrou. Era uma ampliação do templo de Zorobabel. Construído por Herodes, o Grande, era um edifício realmente magnífico de mármore e ouro, cercado por pátios e pórticos. Foi destruído pelos romanos em 70 d.C. (v. comentário sobre Jo 2.13—25).

O corpo de Cristo. Cristo chamou o seu corpo de "templo" (Jo 2.19-21). Nele, Deus viveu entre os homens. Jesus disse que os templos terrestres não eram necessários para prestarmos culto a Deus (Jo 4.20-24).

A igreja, coletivamente, é um templo de Deus, o lugar de habitação de Deus no mundo (1Co 3.16-19; não há base bíblica para chamar de "templo" o edifício da igreja).

Cada crente, individualmente, é um templo de Deus (1Co 6.19), do qual a grandiosidade do templo de Salomão pode ter sido um tipo.

O templo de Ezequiel (Ez 40—43) não foi, na realidade, um templo, mas uma visão de um futuro templo ideal, restaurado.

O templo no céu. O Tabernáculo era uma representação figurada de alguma coisa no céu (Hb 9.11,24). João viu um templo (Ap 11.19). Posteriormente, Deus e o Cordeiro revelaram ser esse templo (Ap 21.22).

(As **sinagogas** não pertencem a essa lista. Passaram a existir durante o cativeiro babilônico e não eram templos, mas sim casas de ensino e de culto em qualquer comunidade que tivesse uma população judaica suficientemente grande. V. p. 423.)

O Templo foi construído com grandes pedras, vigas e tábuas de cedro e revestido de ouro no seu interior (1Rs 6.14-22; 7.9-12). O ouro, a prata e outros materiais empregados na construção do Templo (29.2-9; 1Cr 22.14-16) somaram cerca de 340 toneladas, o que fez dele, sem dúvida alguma, o edifício mais caro e esplêndido do mundo inteiro naquela época. Toda essa pompa e grandeza deve ter servido a algum propósito, mas seu ouro tornou-se objeto da cobiça de outros reis.

Roboão, rei de Judá (931-913 a.C.) 2Cr 10—12

(Narrado tb. em 1Rs 12—14.) Filho de Salomão, ele reinou 17 anos. No seu reinado, o magnífico reino de Salomão despencou do seu pináculo de glória. Dez das doze tribos separaram-se de seu reino para formar Israel, o Reino do Norte. E Sisaque, rei do Egito, saqueou Jerusalém (12.2-9).

Jerusalém nos reinados de Davi e Salomão

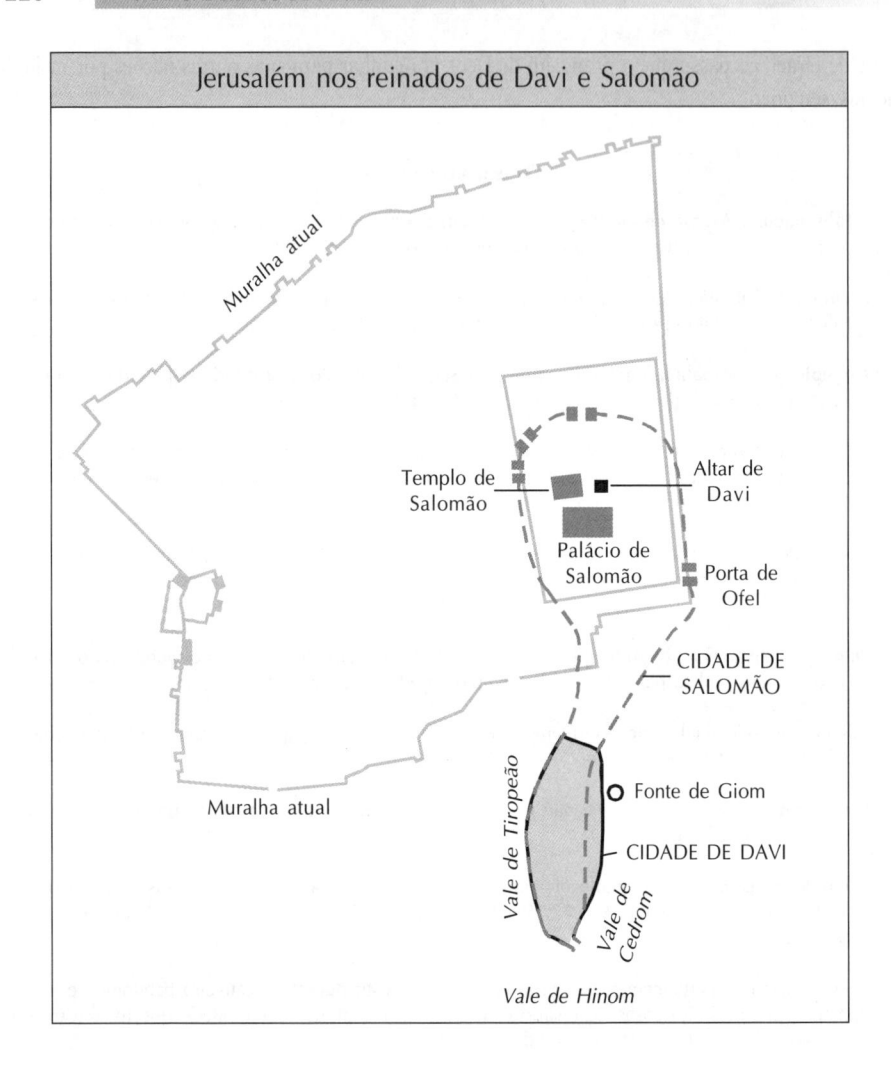

(Mapa: Muralha atual; Templo de Salomão; Altar de Davi; Palácio de Salomão; Porta de Ofel; Cidade de Salomão; Fonte de Giom; Cidade de Davi; Vale de Tiropeão; Vale de Cedrom; Vale de Hinom)

NOTA ARQUEOLÓGICA: Sisaque invade Judá.
O relato que o próprio Sisaque mandou fazer dessa campanha está inscrito no muro sul do grande templo de Amom, em Carnac, onde há um desenho que o representa presenteando 150 "cidades" da Palestina a Amom, o seu deus.
Foi descoberto um fragmento de um monumento que ele levantou em Megido.
Embora Sisaque recebesse tributo de Roboão de Jerusalém, as cidades que conquistou indicam que estava atuante ao norte de Jerusalém, em Israel, e ao sul de Jerusalém, no Neguebe.

2Cr 13 Abias, rei de Judá (913-911 a.C.)

(Narrado tb. em 1Rs 15.1-8.) Abias reinou somente três anos. Era ímpio, assim como seu pai. Mas, na sua batalha contra Jeroboão, rei de Israel, confiou no Senhor e venceu, recuperando algumas cidades do Reino do Norte.

Roboão construiu fortalezas no Neguebe a fim de proteger o acesso ao mar Vermelho. Essas pequenas fortalezas, com uns 46 m de diâmetro, freqüentemente eram construídas à vista umas das outras. Todavia, não foram suficientes para manter à distância Sisaque do Egito.

Asa, rei de Judá (911-870 a.C.) — 2Cr 14—16

(Narrado tb. em 1Rs 15.9-24.) Asa reinou 41 anos. Seu longo reinado coincidiu parcialmente com os reinados de sete reis de Israel, o Reino do Norte. Foi um bom rei e serviu ao Senhor com muito zelo. Uma onda de reformas varreu o país. Asa derrubou os altares dos deuses estrangeiros, os altares idólatras que havia nos montes, as colunas sagradas, as imagens do Sol e os monumentos de Aserá. Chegou até a depor sua avó da posição de rainha-mãe, porque ela adorava um poste sagrado. Governado por Asa, o reino de Judá foi muito próspero.

Josafá, rei de Judá (872-848 a.C.) — 2Cr 17—20

(Narrado tb. em 1Rs 22.41-50.) Reinou 25 anos. Seguiu os passos de seu pai e buscou ao Senhor em todas as coisas. Inaugurou um sistema de instrução pública por meio do envio de sacerdotes e levitas em circuitos regulares, levando o Livro da Lei, a fim de ensinarem o povo. Instalou tribunais de justiça por toda a nação. Mantinha um vasto exército e se tornou tão poderoso que intimidou os vizinhos, até mesmo os filisteus. Mesmo quando fez um tratado malpensado com o rei Acabe de Israel, Deus não deixou de protegê-lo (18.30-32).

Jeorão, rei de Judá (853-841 a.C.) — 2Cr 21

(Narrado tb. em 2Rs 8.16-24.) Jeorão reinou oito anos. Teve um bom pai e um bom avô, mas foi arruinado pelo seu casamento com uma mulher ímpia, Atalia, filha da infame Jezabel (1Rs 18.4,13; 19.1,2; 21; 2Rs 9). No seu reinado, Jerusalém foi saqueada pelos árabes e pelos filisteus. Morreu sem que ninguém ficasse de luto por ele, vitimado por uma horrível doença dos intestinos, talvez uma forma extrema de disenteria, e nem sequer foi sepultado com honrarias régias: "Morreu sem que ninguém o lamentasse, e foi sepultado na Cidade de Davi, mas não nos túmulos dos reis" (21.20).

2Cr 22.1-9 — Acazias, rei de Judá (841 a.C.)

(Narrado tb. em 2Rs 8.25-29.) Acazias reinou um só ano. Era filho de Atalia e neto de Jezabel. Era muito ímpio e foi morto por Jeú (2Rs 9.14-29).

2Cr 22.10—23.21 — Atalia, rainha de Judá (841-835 a.C.)

(Narrado tb. em 2 Rs 11.) Atalia reinou seis anos. Era filha da infame Jezabel e diabólica como sua mãe. Casara-se com Jeorão, rei de Judá, e o arruinou. Foi mãe de Acazias, sucessor de Jeorão no trono de Judá, que foi tão maligno quanto ela. Foi, portanto, rainha por oito anos, e rainha-mãe por um ano, além dos seis anos que governou sozinha — um total de quinze anos. Devota fanática dos baalins, massacrou os próprios netos.

2Cr 24 — Joás, rei de Judá (835-796 a.C.)

(Narrado tb. em 2Rs 11.) Joás reinou 40 anos (que provavelmente incluem os seis anos de Atalia). Era neto de Atalia. Quando Atalia estava assassinando a casa real, Joás, filho de Acazias, foi retirado e escondido no Templo por seis anos. Quando Joás completou sete anos, seu tio, Joiada, sumo sacerdote, planejou a deposição de Atalia e colocou Joás no trono. Joiada era o governante na prática, enquanto viveu. Sob sua tutela, Joás removeu do país o baalismo, reparou o Templo, que Atalia tinha invadido e profanado, e restaurou o culto a Deus.

Joás fez o que era certo enquanto Joiada vivia. Depois da morte de Joiada, no entanto, os líderes de destaque em Judá, que tinham conhecido o culto licencioso a Astarote, convenceram-no a restabelecer os ídolos. Joás chegou a ordenar que Zacarias, filho do mesmo Joiada que o colocara no trono, fosse morto por apedrejamento. Um ano após a morte de Zacarias, os sírios vieram, saquearam Jerusalém e mataram os líderes que tinham persuadido Joás. O próprio Joás foi assassinado em sua cama como vingança pela execução de Zacarias. Foi sepultado sem honrarias reais.

2Cr 25 — Amazias, rei de Judá (796-767 a.C.)

(Narrado tb. e 2Rs 14.1-22.) Amazias reinou 29 anos. Praticou o bem, porém acabou adorando aos deuses dos edomitas. Perdeu uma guerra contra Israel, e Jerusalém foi saqueada pelo rei de Israel. Amazias foi assassinado.

2Cr 26 — Uzias (Azarias), rei de Judá (792-740 a.C.)

(Narrado tb. em 2Rs 15.1-7.) Uzias reinou 52 anos, sendo que durante parte desse tempo pode ter sido co-regente com seu pai, Amazias. Fez o que era reto e firmou-se na busca de Deus. Enquanto buscava a Deus, este o fez prosperar. Tinha um exército enorme, com equipamento notavelmente sofisticado (v. 13-15). Foi vitorioso contra os filisteus, os árabes e os amonitas. No reinado de Uzias, o reino de Judá alcançou sua maior extensão desde a separação das dez tribos em 931 a.C. Mas, por ter se tornado arrogante, Deus o deixou leproso.

NOTA ARQUEOLÓGICA: Uzias.
Por ser leproso, Uzias não foi sepultado nos túmulos dos reis de Judá, mas "num cemitério que pertencia aos reis" (2Cr 26.23). Segundo parece, seus ossos receberam posteriormente novo sepultamento, visto que E. L. Sukenik descobriu em 1931, num mosteiro russo no monte das Oliveiras, uma placa de pedra calcária, medindo 33 por 35 cm, do período do Segundo Templo, inscrita em caracteres hebraicos, com os seguintes dizeres: "Para aqui foram trazidos os ossos de Uzias, rei de Judá. Não abrir!" Entretanto, não foram descobertos os próprios restos mortais do rei.

Jotão, rei de Judá (750-732 a.C.) 2Cr 27

(Narrado tb. em 2Rs 15.32-38.) Jotão reinou dezesseis anos, sendo co-regente com seu pai durante a maior parte desse período. Tornou-se cada vez mais poderoso, pois andava firmemente segundo a vontade do Senhor, da mesma forma que seu pai Uzias o fizera. A lepra de Uzias servira, por certo, como advertência para Jotão.

NOTA ARQUEOLÓGICA: Jotão.
Foi achado um sinete nas escavações em Tell el-Kheleifeh com a inscrição: "Pertence a Jotão".

Acaz, rei de Judá (735-716 a.C.) 2Cr 28

(Narrado tb. em 2Rs 16.) Durante parte desse período, ele foi, segundo parece, co-regente com seu pai — mas era totalmente diferente deste: um jovem rei ímpio que se colocara contra as políticas de seus antecessores. Reintroduziu o culto a Baal e restaurou o culto a Moloque — a ponto de queimar os próprios filhos em sacrifício. Mas nada disso lhe aproveitou. A Síria e Israel o atacaram a partir do norte, os edomitas, a partir do leste, e os filisteus, pelo oeste. Judá pagou muito caro pelos pecados de Acaz.

Ezequias, rei de Judá (716-687 a.C.) 2Cr 29—32

(Narrado tb. em 2Rs 16.) Ezequias reinou 29 anos. Herdou um reino desorganizado e um fardo pesado de dívidas em tributos à Assíria, mas nem por isso deixou de começar o reinado com uma grande reforma. Destruiu os ídolos que Acaz levantara, reabriu e purificou o Templo, e restaurou o culto a Deus. Confiava em Deus, e Deus estava com ele. Foi bem-sucedido e alcançou independência da Assíria. O profeta Isaías era seu conselheiro de confiança.

No décimo quarto ano de Ezequias, Senaqueribe invadiu Judá. Enviou um recado zombeteiro a Ezequias — não em aramaico, o idioma do comércio e da diplomacia, mas em hebraico, a fim de o povo inteiro poder entendê-lo (2Rs 18.17-37). Ezequias lhe pagou tributo.

Durante uma visita de emissários da Babilônia, Ezequias, num gesto de estupidez, mostrou-lhes as riquezas de Jerusalém e do Templo (2Rs 20.12-15), possivelmente com a esperança de fazer um tratado com os babilônios contra os assírios.

Senaqueribe voltou a invadir Judá (701 a.C.). Ezequias reforçou a muralha de Jerusalém, construiu o túnel do aqueduto e fez grandes preparativos militares. Seguiu-se, então, o livramento glorioso feito pelo Anjo do Senhor (2Rs 19.35). Depois dessa vitória, Ezequias passou a desfrutar de muito prestígio e poder.

NOTA ARQUEOLÓGICA: Romã de marfim.
Uma minúscula romã de marfim, pertencente à época de Ezequias, rei de Judá (fins do século VIII a.C.), apareceu no mercado de antiguidades. É provável que tivesse sido originariamente a parte de cima de um

cetro usado pelos sacerdotes israelitas no Primeiro Templo em Jerusalém. A inscrição, em caracteres hebraicos antigos, significa: "Santo para os sacerdotes, pertence ao t[emplo de Iav]é" (a parte em colchetes é uma restauração).

Este detalhe do relevo de Senaqueribe representa seu ataque contra Láquis. Os defensores estão jogando tochas acesas contra as torres de assalto embaixo e contra as escadas usadas para escalar as muralhas. O restante do relevo mostra os atacantes derramando água nas cobertas de couro das torres de assalto, para impedir que peguem fogo.

Prisma hexagonal, feito de barro cozido, no qual Senaqueribe descreve detalhes de suas façanhas. O prisma não passa de 38 cm de altura.

NOTA ARQUEOLÓGICA: O muro de Ezequias.
Ezequias consertou e edificou os muros de Jerusalém (32.5; Is 22.10). O professor Nahum Avigad descobriu um trecho de 61 m de um muro que data do século VIII a.C. (o século de Ezequias), tinha sete metros de espessura e, em alguns lugares, ficou preservado até uma altura de mais de três metros (v. tb. comentário sobre Is 22.10).

NOTA ARQUEOLÓGICA: O túnel de Ezequias e a Inscrição de Siloé.
O túnel através do qual Ezequias trouxe água para dentro da cidade (32.3,4; 2Rs 20.20) já foi descoberto. A fonte de Giom estava situada ao sopé oriental da colina de Ofel (v. mapa na p. seguinte), do outro lado do muro, mas bem perto deste. Os trabalhadores de Ezequias escavaram um túnel através da rocha maciça, por debaixo da colina, numa extensão de 510 m a sudeste da fonte, até o tanque de Siloé, e assim desviaram as águas da fonte de seu curso natural, que as levaria ao ribeiro de Cedrom. O túnel tem uma altura média de quase dois metros e uma largura média de 75 cm. Tem um declive de pouco mais de dois metros. Na saída sul, foi descoberta a Inscrição de Siloé.

A Inscrição de Siloé foi descoberta em 1880 por uns estudantes que brincavam na saída sul do túnel. Essa inscrição, com cinco linhas escritas em hebraico, foi cortada descuidadamente da parede rochosa, enviada a Istambul e agora está conservada em um museu. A inscrição descreve como o túnel foi escavado:

> O túnel foi completamente perfurado. E foi perfurado da seguinte maneira: Enquanto [os canteiros brandiam suas picaretas], cada homem em direção ao seu colega [i.e, de extremidades opostas], e enquanto ainda faltavam três côvados [1,35 m] para serem cortados, [escutou-se] a voz de um homem chamando ao seu colega [...] E, quando o túnel teve sua conexão feita, os canteiros cortavam a rocha,

cada homem em direção ao seu colega, picareta ao encontro de picareta. E as águas fluíram da fonte em direção ao tanque, numa distância de 1200 côvados (540 m), e a altura da rocha acima das cabeças dos canteiros era de 100 côvados [45 m].

NOTA ARQUEOLÓGICA: Senaqueribe invade Judá.
Na invasão de Judá (32.1), Senaqueribe capturou cidades fortificadas de Judá (2Rs 18.13), sitiou Jerusalém (2Rs 18.17), mas voltou sem tomar a cidade (2Rs 19.35,36). O relato que o próprio Senaqueribe fez dessa invasão foi descoberto num prisma de barro que ele mesmo mandou fazer. Uma cópia do prisma acha-se hoje no Museu do Instituto Oriental em Chicago. Senaqueribe diz (citação parcial):

> Quanto a Ezequias, o judeu, não se submeteu ao meu jugo. Sitiei 46 das suas cidades fortes, fortalezas muradas e inúmeras aldeias pequenas nos seus arrebaldes, e [as] conquistei [...] Expulsei de lá 200 150 pessoas, jovens e velhos, homens e mulheres, e cavalos, mulas, jumentos, camelos, gado grande e miúdo sem número, e os considerei como despojo. Quanto ao próprio Ezequias, fiz dele prisioneiro em Jerusalém, sua residência real, como pássaro numa gaiola. Cerquei-o com trincheiras a fim de molestar aqueles que saíam pelo portão de sua cidade [...] Assim reduzi o seu país, mas nem por isso deixei de aumentar o seu tributo.

Embora nenhum rei assírio jamais registrasse em um monumento uma derrota tal como a que o exército de Senaqueribe sofreu diante dos muros de Jerusalém (2Rs 19.35,36), é fato relevante que ele não alegou ter conquistado Jerusalém. Trata-se, realmente, de uma confirmação notável da história bíblica.

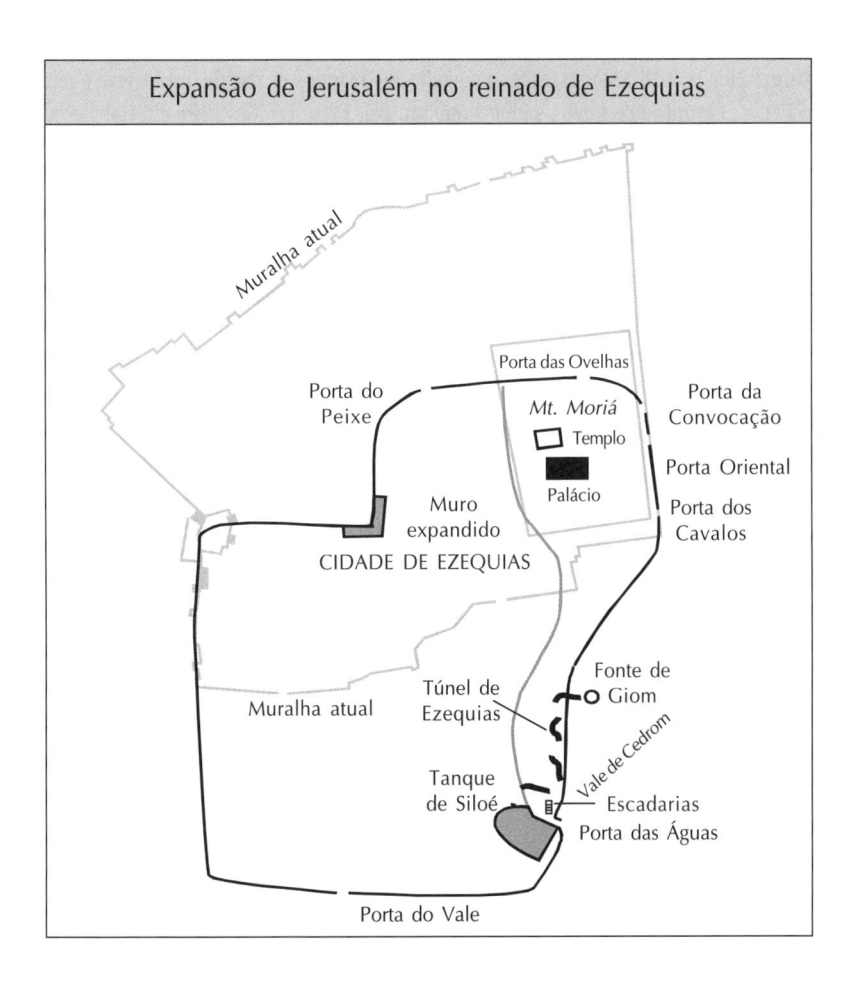

Expansão de Jerusalém no reinado de Ezequias

- Muralha atual
- Porta do Peixe
- Porta das Ovelhas
- Mt. Moriá — Templo
- Porta da Convocação
- Porta Oriental
- Palácio
- Porta dos Cavalos
- Muro expandido
- CIDADE DE EZEQUIAS
- Muralha atual
- Túnel de Ezequias
- Fonte de Giom
- Vale de Cedrom
- Tanque de Siloé
- Escadarias
- Porta das Águas
- Porta do Vale

NOTA ARQUEOLÓGICA: O tributo que Ezequias enviou a Senaqueribe.
A inscrição de Senaqueribe relaciona-se com o relato de 2 Reis 18.14-16, e diz: "O próprio Ezequias, que ficara assoberbado com o esplendor aterrorizante de meu senhorio, e cujas tropas o desertaram, enviou a mim, posteriormente, a Nínive, à minha cidade majestosa, juntamente com 300 talentos de ouro, 800 talentos de prata, pedras preciosas [...] A fim de entregar o tributo e de prestar homenagem como escravo, enviou seu mensageiro [pessoal]".

NOTA ARQUEOLÓGICA: Láquis.
Láquis consta entre as cidades mencionadas por terem sofrido nas mãos de Senaqueribe (32.9). Em Láquis, há uma enorme camada de cinzas, cuja data é atribuída à destruição da cidade pelo fogo por Senaqueribe em 701 a.C. Nas paredes do palácio de Senaqueribe, em Nínive, descoberto por *sir* Austen Henry Layard, um longo relevo esculpido de seu acampamento em Láquis traz esta inscrição: "Senaqueribe, rei do mundo, rei da Assíria, sentou-se no seu trono e passou em revista os despojos trazidos de Láquis".

NOTA ARQUEOLÓGICA: O assassinato de Senaqueribe.
No tocante ao assassinato de Senaqueribe (32.21; 2Rs 19.36,37), uma inscrição assíria diz: "No dia 20 de tebete, Senaqueribe foi morto pelos seus filhos em uma revolta. No dia 18 de sivã, Esar-Hadom, seu filho, subiu ao trono".

2Cr 33.1-20 Manassés, rei de Judá (697-642 a.C.)

(Narrado tb. em 2Rs 21.1-18.) Manassés foi o mais ímpio de todos os reis de Judá, e teve o reinado mais longo — 55 anos. Levantou de novo os ídolos que seu pai, Ezequias, destruíra e restabeleceu o culto a Baal. Queimou os próprios filhos como sacrifício no fogo. Encheu Jerusalém de sangue. A tradição diz que mandou serrar Isaías pelo meio.

NOTA ARQUEOLÓGICA: Manassés.
Uma inscrição do rei Esar-Hadom da Assíria (681-668 a.C.) diz: "Durante minha marcha [ao Egito], 22 reis das terras do mar, das ilhas e de terra firme, servos estes que me pertencem, trouxeram a mim pesadas dádivas e beijaram meus pés". Uma inscrição correlata arrola esses 22 reis, e entre eles consta Manassés, rei de Judá.

2Cr 33.21-25 Amom, rei de Judá (643-641 a.C.)

(Narrado tb. em 2Rs 21.19-25.) Amom reinou dois anos e foi ímpio.

2Cr 34 e 35 Josias, rei de Judá (641-609 a.C.)

(Narrado tb. em 2Rs 22 e 23.) Josias tornou-se rei quando tinha oito anos de idade e reinou 31 anos. Aos 16 anos, começou a buscar ao Deus de Davi e iniciou suas reformas quando completou 20 anos de idade. A descoberta do Livro da Lei, quando Josias estava com 26 anos, deu grande ímpeto às mudanças — a reforma religiosa mais abrangente que Judá conhecera até então. O povo, entretanto, era idólatra de coração. O reinado longo e ímpio de Manassés obliterara quase totalmente o conceito de Deus na mente popular. As reformas de Josias adiaram a condenação de Judá, que rapidamente se aproximava, mas não puderam evitá-la.

A marcha do faraó contra Carquemis (35.20-24) deu o derradeiro golpe contra o Império Assírio, que já se afundava. Josias, como vassalo da Assíria, considerou seu dever atacar o faraó. Assim o fez, em Megido, e foi morto.

Jeoacaz, rei de Judá (609 a.C.) — 2Cr 36.1-4

(Narrado tb. em 2Rs 23.30-34.) Depois de completar três meses de reinado, Jeoacaz foi deposto pelo faraó e levado ao Egito, onde morreu.

Jeoaquim, rei de Judá (609-598 a.C.) — 2Cr 36.5-8

(Narrado tb. em 2Rs 23.34—24.7.) Jeoaquim foi colocado no trono pelo faraó, e reinou onze anos. Depois de três anos, foi subjugado pela Babilônia (Dn 1.1) e serviu ao rei babilônico durante três anos. Em seguida, liderou uma revolta. O rei da Babilônia foi até ele e o amarrou com correntes a fim de levá-lo para a Babilônia (36.6). Mas ele morreu, ou foi morto, antes de poder sair de Jerusalém e recebeu "o enterro de um jumento: arrastado e lançado fora das portas de Jerusalém!" (Jr 22.19; 36.30). Era orgulhoso, cruel e perverso, exatamente o contrário de Josias, seu pai. Em repetidas ocasiões, procurou matar o profeta Jeremias (Jr 26.21; 36.26).

Joaquim (Jeconias), rei de Judá (598-597 a.C.) — 2Cr 36.8-10

(Narrado tb. em 2Rs 24.6-17.) Joaquim reinou três meses antes de ser levado à Babilônia, onde viveu pelo menos 37 anos (2Rs 24.15; 25.27).

NOTA ARQUEOLÓGICA: Joaquim.
Várias asas de jarros para armazenamento, tendo a inscrição feita por sinete "Pertencente a Eliaquim, mordomo de Joaquim", foram descobertas em escavações em Tell Beit Mirsim, Bete-Semes e Ramat Rahel.

Joaquim foi solto da prisão na Babilônia e recebeu provisões regulares da parte do rei da Babilônia (2Rs 25.27-30). Tabuinhas em cuneiforme descobertas na Babilônia também indicam que Joaquim e seus parentes receberam provisões do monarca babilônico.

Zedequias, rei de Judá (597-586 a.C.) — 2Cr 36

(Narrado tb. em 2Rs 24 e 25.) Zedequias foi colocado no trono pelo rei Nabucodonosor da Babilônia, e reinou onze anos. Era um rei fraco. No seu quarto ano, visitou a Babilônia, mas posteriormente se rebelou contra o domínio babilônico. Em seguida, Nabucodonosor foi a Jerusalém, destruiu-a, prendeu Zedequias, vazou-lhe os olhos e o levou acorrentado para a Babilônia, onde morreu na prisão (Jr 52.11).

O povo de Judá foi levado à Babilônia — é o chamado cativeiro babilônico ou exílio na Babilônia.

Esse pareceu ser o fim do reino de Davi (v. comentário sobre 2Rs 25). Depois de chegar ao fim o reino de Judá, Gedalias foi feito governador da região (2Rs 25.22; v. comentário sobre Jr 40).

Alguns dos que ficaram para trás quando a maior parte da população de Judá foi deportada para a Babilônia fugiram para o Egito, levando consigo o profeta Jeremias (2Rs 25.26; v. comentário sobre Jr 42).

Ao contrário do Reino do Norte, que foi deportado para a Assíria e desapareceu do cenário, Judá sobreviveu ao cativeiro babilônico. A proclamação de Ciro, feita quase cinqüenta anos mais tarde, seria o passo inicial para a reconstrução de Jerusalém e do Templo (v. 22; v. comentário sobre Ed 1).

O exílio na Babilônia e o regresso

Esdras a Ester

Esdras, Neemias, Ester

Os livros de Esdras, Neemias e Ester, que abrangem cerca de cem anos (538-432 a.C.), formam a última seção da história do AT. Contam a história da volta dos judeus da Babilônia, da reconstrução do Templo e de Jerusalém, e do restabelecimento da vida nacional dos judeus na sua pátria original.

Os três últimos profetas do AT — Ageu, Zacarias e Malaquias — viveram e trabalharam durante esse mesmo período da volta e da restauração dos judeus.

O exílio (586-538 a.C.)

Com a conquista de Jerusalém pelos babilônios em 586 a.C., o povo de Deus entrou em uma nova fase de sua história. O período de 586 a 538 a.C. é chamado "período exílico", ou "exílio na Babilônia", ou "cativeiro babilônico". "Exílio" significa que um grande número de israelitas e judeus agora estava vivendo fora da Terra Prometida — em "terras estrangeiras".

As deportações dos israelitas tinham realmente começado durante o período dos ataques e da definitiva conquista de Israel por parte dos assírios, em 733 e 722 a.C. (v. p. 212, 332). Depois da batalha de Carquemis (na margem ocidental do Eufrates, na atual fronteira entre a Síria e a Turquia), em 609 a.C., os babilônios substituíram os assírios como a potência mundial. Deus os usou como instrumento de juízo quando deportaram os judeus em 605, 597, 586 e 582 a.C. Além disso, é provável que muitos israelitas e judeus tenham emigrado de livre vontade para a Síria, para o Egito e até mesmo para a Ásia Menor (Turquia), a fim de evitar os brutais ataques dos assírios e dos babilônios — e assim começaram seu "exílio" da Terra Prometida.

Esses deportados certamente faziam várias perguntas a si mesmos. Visto que Deus prometera a terra de Canaã aos descendentes de Abraão *para sempre* — como é que essa terra agora é controlada pelos pagãos, ao passo que nós, o povo de Deus, fomos deportados de lá? Se Deus escolheu a dinastia davídica para governar *para sempre* (2Sm 7) — por que agora não existe um monarca davídico reinante (Sl 89)? Como é que Deus pode permitir que o lugar que ele mesmo escolheu para fazer habitar sua presença (Sl 132; 137) — Jerusalém e o Templo — fique em ruínas e sob o domínio de estrangeiros? A resposta, obviamente, era que os contínuos pecados dos líderes e do povo de Israel e de Judá tinham provocado a condenação divina contra eles: as maldições segundo a aliança, proferidas em Deuteronômio 28 (especialmente os v. 32-37) e em Levítico 26 (v. 33-39), tinham caído sobre eles (v. p. 142).

Exatamente nesse período de questionamento e de exílio foi escrito o livro de Reis — que hoje conhecemos como 1 e 2 Reis —, a fim de demonstrar ao povo como sua desobediência, bem como a de seus antepassados nos 400 anos anteriores, tinha levado à destruição de Jerusalém e do Templo e à lastimável condição da dinastia davídica. O povo de Deus não se arrependera, a despeito das exortações insistentes e persistentes dos profetas de Deus, tais como Elias e Eliseu, a esse respeito.

Regressos do exílio (538, 458 e 444 a.C.)

Deus, entretanto, também prometera que, após o juízo, a restauração se seguiria. E, em 539 a.C. (depois de os persas terem substituído os babilônios como a potência que dominava o mundo), Ciro, o rei da Pérsia, promulgou um decreto que autorizou quaisquer judeus, que assim quisessem, a regressar a Judá e reconstruir o Templo.

Houve, na realidade, três regressos da Babilônia, conforme os registros dos livros de Esdras e Neemias. Depois do primeiro regresso, liderado por Zorobabel, o Templo foi reconstruído. Depois do segundo regresso, com Esdras, e do terceiro, comandado por Neemias, foram reconstruídos os muros de Jerusalém. Os acontecimentos do livro de Ester encaixam-se entre o primeiro e o segundo regresso (entre Ed 6 e 7).

Os três regressos:

538 a.C.	**Zorobabel**
	Com 42 360 judeus, 7 337 servos, 200 cantores, 736 cavalos, 245 mulas, 435 camelos, 6 720 jumentos e 5 400 vasos de ouro e de prata ■ O **Templo é reconstruído** sob a liderança de Zorobabel, o governador, e de Josué, o sacerdote (Ed 3—6) ■ Os profetas Ageu e Zacarias
458 a.C.	**Esdras**
	Com 1 754 homens, 100 talentos de ouro e 750 talentos de prata. Não há registro de terem sido acompanhados por mulheres e crianças. O regresso levou quatro meses.
444 a.C.	**Neemias**
	Neemias, na condição de governador, viaja com uma escolta militar a fim de reconstruir e fortificar Jerusalém, custeado pelo governo ■ Os **muros de Jerusalém são reconstruídos** sob a liderança de Neemias, o governador, e de Esdras, o sacerdote (Ed 7—10; Ne) ■ O profeta Malaquias

O período "pós-exílico" (538-c. 400 a.C.)

O decreto de Ciro, o regresso liderado por Sesbazar em 538 a.C. e a reconstrução do Templo, concluída em 516 a.C., significaram que "tecnicamente" o exílio babilônico estava encerrado. Por isso, o período desde 538 a.C. até cerca de 400 a.C., quando cessou a voz profética com a morte do último dos profetas de Israel, é chamado "período pós-exílico". A verdade é, sem dúvida, que a maioria dos judeus que moravam fora da Terra Prometida não voltou para Judá, pois comunidades judaicas muito grandes floresciam não somente na Babilônia, mas também no Egito, na Síria e na Ásia Menor.

No cenário internacional, a Pérsia governava a região que ia desde o rio Indo, no oriente, até a costa ocidental da Ásia Menor, no mar Egeu. Durante o domínio persa, surgiram muitos novos desdobramentos culturais: as moedas cunhadas passaram a ter uso mais generalizado, o sistema jurídico foi se aprimorando e uma estrada para os correios, desde Susã (perto da antiga Babilônia) até Sardes (perto do litoral do mar Egeu), com cerca de 2 700 km de extensão, ajudava nas comunicações a longa distância. A sorte dos judeus que moravam fora da Judéia era variável. Em geral, a vida no "exílio" (posteriormente chamado mais comumente "diáspora") não era muito ruim — conforme evidenciam os documentos de Murashu, que fornecem pormenores a respeito das atividades comerciais dos judeus — mas ocasionalmente os judeus eram perseguidos — conforme os registros do livro de Ester e dos documentos aramaicos extrabíblicos descobertos em Elefantina, no sul do Egito.

Muitos judeus, tanto dentro quanto fora da terra de Judá, adotaram o idioma aramaico (Ed 4.8—6.18; 7.12-26; e Dn 2.4—7.28 foram escritos em aramaico). É possível que a instituição da sinagoga tivesse suas origens nesse período — afinal de contas, como e onde a pessoa que não mora na Judéia nem em Jerusalém pode adorar a Deus? (Os judeus que moravam em Elefantina tinham até mesmo construído um templo ali no século V a.C.!) Fica evidente que essas comunidades judaicas esparsas tinham seus próprios líderes — note as autoridades mencionadas em Ezequiel (8.1; 14.1; 20.1) — e alguns deles mantinham estreito contato com a liderança judaica em Jerusalém. Uma correspondência aramaica do século V a.C., endereçada aos judeus de Jerusalém, foi descoberta em Elefantina, no sul do Egito.

O Império Persa

A política dos reis assírios e babilônicos consistia em deportar os povos conquistados e dispersá-los por outros países. A política dos reis persas era exatamente o contrário: repatriavam aqueles povos, ou seja, enviavam-nos de volta às respectivas pátrias.

Os reis persas eram mais humanitários que os da Assíria ou da Babilônia. Um dos primeiros atos de Ciro, o primeiro rei persa, um monarca singularmente nobre e justo, foi autorizar a volta dos judeus à própria pátria.

Cinco reis persas desempenharam um papel na história de Judá:

- **Ciro** (539-530 a.C.) conquistou a Babilônia (539 a.C.) e fez da Pérsia um império mundial. Permitiu que os judeus voltassem à sua pátria e assim cumpriu a profecia de Isaías (v. p. 314-5).
- **Cambises** (530-522 a.C.) é, segundo se pensa, o Artaxerxes mencionado em Esdras 4.7,11, 23, que suspendeu as obras do Templo.
- **Dario I** (522-486 a.C.) permitiu que o templo fosse concluído (Ed 6).
- **Xerxes (Assuero)** (485-464 a.C.) é famoso pelas suas guerras contra a Grécia. Ester tornou-se sua esposa (ver p. 247-9), e Mardoqueu, seu primeiro-ministro.
- **Artaxerxes I (Longímano)** (464-423 a.C.) tinha uma disposição muito favorável para com os judeus. Autorizou Neemias, seu copeiro, a reconstruir Jerusalém.

Não existe, hoje, muita matéria escrita que ajude a lançar luz sobre a vida dos que permaneceram na Judéia durante o período do exílio. Entretanto, uma descoberta arqueológica feita em Ketef Hinnom, em Jerusalém, parece indicar certo grau de prosperidade para *alguns*, pelo menos, dos que foram deixados para trás na região pelos babilônios. Devemos lembrar-nos, porém, de que Jerusalém e as cidades em derredor tinham sido devastadas pelos babilônios e que as condições de vida para a maioria daqueles que ainda habitavam ali devem ter sido, forçosamente, menos que ideais.

À medida que o período pós-exílico foi avançando e foram reconstruídos o Templo e depois os muros de Jerusalém, em 516 e 444 a.C. respectivamente, a frágil comunidade judaica era atormentada pelos samaritanos, ao norte, pelos amonitas, a leste, pelos árabes, ao sul, e pelos asdoditas, a oeste. Parece razoável, ainda, tomar por certo que, nesse período em que Judá estava vulnerável, os edomitas, inimigos figadais desde épocas remotas, passaram a ocupar a região montanhosa de Judá, na região ao redor de Hebrom.

O Templo, seu sacerdócio e seu culto certamente eram centros de interesse para a comunidade judaica reconstituída. Foi esse o período durante o qual o livro de Crônicas foi escrito, o que enfatiza que essas instituições eram uma herança importante legada à comunidade pós-exílica. O escritor de Crônicas tinha em mente esse fato quando narrou de novo a história de Israel e por isso ressaltou a conexão que a comunidade tinha com o passado — a ponto de fazer as genealogias remontarem até Abraão e Adão! O escritor enfatizou, ainda, o princípio bíblico de que a obediência normalmente traz bênção, ao passo que a desobediência leva à desgraça; que Israel, como povo de Deus, era uma unidade; e que as atividades dos reis piedosos tinham a aprovação divina. Tudo isso visava incentivar a comunidade incipiente a permanecer unida e fiel a Deus.

Foi a essa comunidade que pessoas como Zorobabel, Ageu, Zacarias, Esdras, Neemias e Malaquias ministraram, procurando transmitir aos judeus a certeza de que Deus não os abandonara. Entretanto, eles pareciam ter consciência do fato de que, embora o exílio tivesse chegado tecnicamente ao fim, a presença de Deus ainda não regressara ao Templo e Deus ainda não livrara seu povo tão completamente como prometera (cf. Is 40—66; Jr 31). Embora tivessem consciência de que o retorno propriamente dito não estava à altura do regresso prometido pelos profetas, eles, como povo de Deus, estavam sendo conclamados a permanecer fiéis a ele — a aguardar o livramento culminante que ainda jazia no futuro.

O fim do Império Persa

Quase um século depois da época de Artaxerxes I (o rei que permitiu que Neemias regressasse a Jerusalém e reconstruísse os seus muros), o último rei persa, Dario III, foi derrotado por Alexandre, o Grande, da Macedônia, na famosa batalha de Arbela, em 331 a.C., perto do local onde Nínive havia existido. O fim do Império Persa marcou o começo da ascensão da Grécia. Pela primeira vez na história, o centro do poderio mundial transferiu-se da Ásia para a Europa. Posteriormente, iria deslocar-se ainda mais para o oeste, para Roma, e para o maior império que o mundo já vira — o Império Romano — do qual os judeus e a sua pátria fizeram parte na época do NT. (Para um resumo da fascinante história de 400 anos desde a época de Neemias até a época de Cristo, v. p. 407-25.)

Esdras

O regresso do cativeiro
A reconstrução do Templo

> Agora eu, o rei Artaxerxes, ordeno a todos os tesoureiros do território situado a oeste do Eufrates que forneçam tudo que lhes solicitar o sacerdote Esdras, escriba da Lei do Deus dos céus [...] Tudo o que o Deus dos céus tenha prescrito, que se faça com presteza para o templo do Deus dos céus, para que a sua ira não venha contra o império do rei e dos seus descendentes.
> — Esdras 7.21-23

Segundo as tradições judaicas persistentes, Esdras foi o autor dos livros de 1 e 2 Crônicas, Esdras e Neemias. Assim, os quatro livros eram originalmente uma só obra (v. p. 219; alguns pensam que o próprio Neemias escreveu o livro de Neemias).

Esdras era sacerdote, bisneto do sacerdote Hilquias, que, 160 anos antes, orientara a reforma feita pelo rei Josias (Ed 1.1; 2Rs 22.8), e um descendente muito digno de seu famoso ancestral. Viajou da Babilônia para Jerusalém em 457 a.C., 80 anos depois do primeiro regresso dos judeus com Zorobabel e 13 anos antes da chegada de Neemias.

Ed 1 — A proclamação de Ciro

Os dois versículos finais de 2 Crônicas são idênticos aos dois primeiros de Esdras, provavelmente porque Crônicas e Esdras eram originalmente um só livro. Essa proclamação, que permitia que os judeus regressassem para Jerusalém, foi promulgada pouco tempo depois de Daniel ter interpretado a escrita feita por uma mão na parede, que declarava que a Babilônia seria conquistada pela Pérsia — o que aconteceu naquela mesma noite (Dn 5.25-31).

É provável que Daniel tenha mostrado a Ciro as profecias que foram assim cumpridas (Jr 25.11,12; 29.10), bem como as profecias de Isaías, que 200 anos antes chamara Ciro pelo nome e declarara que, no seu reinado, os judeus regressariam e reconstruiriam Jerusalém (Is 44.26-28; 45.1,13). Não admira que Ciro tivesse o Deus dos judeus na mais alta estima! (v. 3).

Ed 2 — O registro dos que regressaram

Em conformidade com os versículos 64 e 65, o total de 42 360 judeus regressou, sem incluir os servos. Entretanto, ao somarmos todos os números dessa lista, ela fica 11 000 aquém do total acima. Pensa-se que essas 11 mil pessoas representavam os exilados provenientes de outras tribos que não a de Judá. Efraim e Manassés são mencionadas em 1 Crônicas 9.3. Israel é mencionado nominalmente em Esdras 10.25. A expressão "os demais israelitas" ou "todos os israelitas" é empregada com referência aos que regressaram, e doze novilhos e doze bodes, representando as doze tribos, foram sacrificados (2.70; 6.17; 8.35). Esse fato dá a impressão de que os exilados de Judá que regressavam, na sua viagem à pátria original, acolheram pelo caminho alguns membros de outras tribos. Isso nos ajuda a entender como, na época do NT, os judeus ainda eram referidos como as doze tribos (Lc 22.30; At 26.7).

Lançados os alicerces do Templo — Ed 3

No sétimo mês do primeiro ano de seu regresso, os israelitas levantaram o altar e observaram a Festa das Cabanas, em jubilosas ações de graças a Deus. No segundo mês do ano seguinte, quando foram lançados os alicerces do Templo, fizeram ressoar os céus com seus gritos de louvor e de gratidão. Entretanto, os homens mais idosos, que tinham visto o primeiro templo, choraram em voz alta, porque o novo templo era insignificante comparado ao de Salomão.

Zorobabel (v. 2), o governador (Ag 1.1), era neto do rei Joaquim, que fora deportado para a Babilônia (1Cr 3.17-19). Ele teria sido rei, se tivesse continuado a existir a monarquia. Com magnífica cortesia, Ciro nomeou-o governador de Judá.

As obras são interrompidas — Ed 4

À medida que progrediam as obras do Templo e do muro (v. 16), os povos aos quais as terras dos judeus tinham sido dadas, bem como os vizinhos dos judeus, começaram a levantar objeções e, mediante intimidações e intrigas, conseguiram suspender os trabalhos durante quinze anos, até o reinado de Dario I.

O Templo é concluído — Ed 5 e 6

A estela do rei Assurbanipal, da Assíria, no Museu Britânico.

Dario I tratou os judeus com simpatia e, no seu segundo ano (520 a.C.), 16 anos depois de os judeus terem recebido licença para voltar à sua pátria, foram retomadas as obras do Templo, com o encorajamento dos profetas Ageu e Zacarias. Pouco depois, foi promulgado o decreto de Dario ordenando que o Templo fosse concluído e que as verbas necessárias para as obras fossem tiradas do tesouro real. Dentro de quatro anos, o Templo estava pronto, e foi dedicado em meio a muito regozijo.

A famosa inscrição de Beistum, que forneceu a chave do idioma babilônico antigo (v. p. 58), foi feita por ordem desse mesmo Dario.

Os três regressos

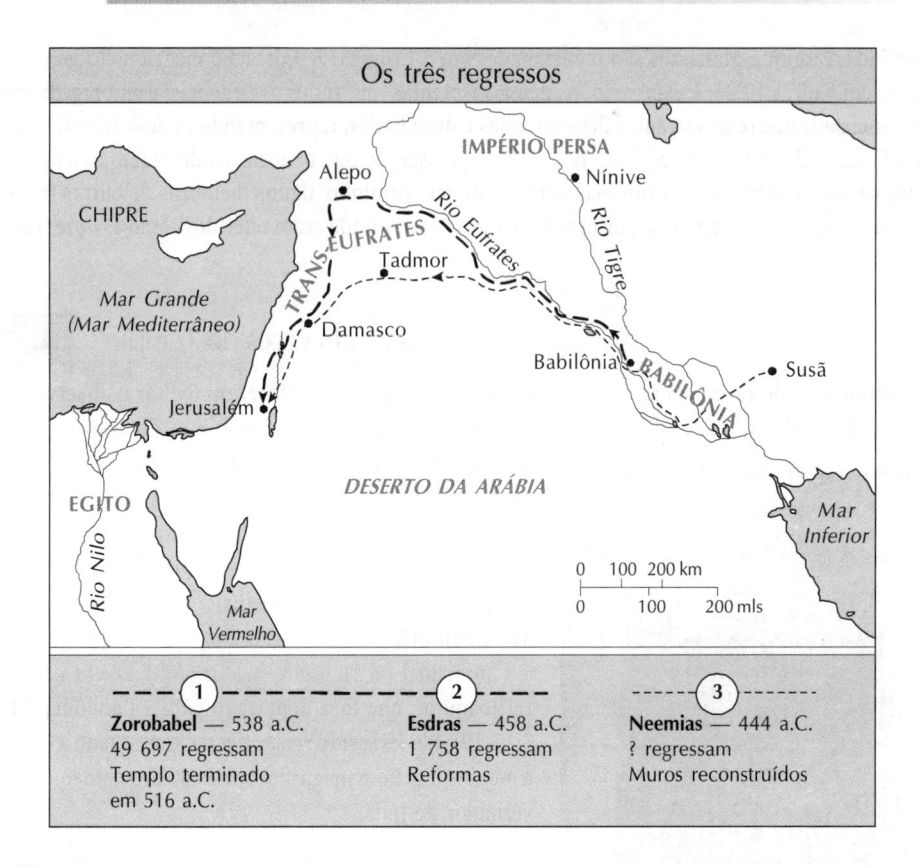

1 — **Zorobabel** — 538 a.C.
49 697 regressam
Templo terminado em 516 a.C.

2 — **Esdras** — 458 a.C.
1 758 regressam
Reformas

3 — **Neemias** — 444 a.C.
? regressam
Muros reconstruídos

Ed 7 e 8 — A viagem de Esdras a Jerusalém

Entre os capítulos 6 e 7 existe um intervalo de aproximadamente 60 anos. O Templo foi concluído em 515 a.C., e Esdras chegou a Jerusalém em 458 a.C., no reinado de Artaxerxes I, que era enteado da rainha Ester. O sacerdote Esdras veio para ensinar a Judá a Lei de Deus, para embelezar o Templo e para restaurar o culto no Templo.

Ed 9 e 10 — Casamentos mistos

Quando Esdras chegou a Jerusalém, encontrou uma situação que lhe entristeceu o coração. O povo, os sacerdotes, os levitas e os líderes tinham feito casamentos mistos em grande número com seus vizinhos idólatras — coisa que Deus repetidas vezes proibira que os judeus praticassem. Na realidade, fora exatamente isso que levara os judeus à idolatria em tempos passados, a ponto de terem de ser levados ao cativeiro. Deus lhes enviara profeta após profeta e castigo após castigo, e finalmente recorreu ao cativeiro, que quase acabou com a própria existência da nação.

Agora, um remanescente reduzido voltara à pátria — e o povo já retornava ao seu antigo pecado de promover casamentos mistos com povos idólatras. As providências que Esdras tomou a fim de livrar os judeus das mulheres gentias talvez pareçam drásticas, mas surtiram efeito.

Esdras ajudou nas reformas adicionais que estão registradas no livro de Neemias. A tradição o considera o iniciador do culto das sinagogas e presidente da Grande Sinagoga.

A Grande Sinagoga era um concílio composto de 120 membros, que, segundo se diz, foi organizado por Neemias por volta de 410 a.C., tendo Esdras como presidente. Seu propósito era a reconstrução da vida religiosa dos cativos repatriados. Pensa-se que a Grande Sinagoga governou esses judeus até cerca de 275 a.C., e que desempenhou um papel importante no sentido de reunir, agrupar e restaurar os livros canônicos do AT.

Neemias

Reedificados os muros de Jerusalém

> Quando todos os nossos inimigos souberam disso, todas as nações vizinhas ficaram atemorizadas e com o orgulho ferido, pois perceberam que essa obra havia sido executada com a ajuda de nosso Deus.
> — Neemias 6.16
>
> Não se entristeçam, porque a alegria do Senhor os fortalecerá.
> — Neemias 8.10

Quando Neemias foi para Jerusalém, em 444 a.C., Esdras já estava ali havia 14 anos. Mas Esdras era um sacerdote, que ensinava religião ao povo. Neemias, entretanto, veio como governador civil, com autoridade da parte do rei da Pérsia para reconstruir os muros de Jerusalém e fazer dela uma cidade fortificada, tal como tinha sido. A essa altura, os judeus já estavam de volta à pátria havia quase cem anos, mas pouco progresso haviam feito além de reconstruir o Templo — aliás, bastante insignificante —, isso porque, todas as vezes que começavam a levantar os muros, seus vizinhos mais poderosos os faziam parar por meio de intimidação ou com ordens obtidas da corte persa por meio de intrigas.

Ne 1 e 2   A viagem de Neemias a Jerusalém

Alguns trechos do livro estão escritos na primeira pessoa: trata-se de citações diretas dos relatórios oficiais de Neemias.

Neemias era um homem de oração, patriotismo, ação, coragem e perseverança. Orar era sempre o primeiro ímpeto que sentia diante dos problemas (1.4; 2.4; 4.4,9; 6.9,14). Dedicou quatro meses à oração antes de fazer seu pedido ao rei (1.1; 2.1).

Neemias era copeiro do rei Artaxerxes (1.11; 2.1) — portanto, um oficial importante, de confiança. Artaxerxes I era rei da Pérsia (464-423 a.C.). Era filho de Xerxes e, portanto, enteado da rainha Ester, a judia.

Ester tornou-se rainha da Pérsia cerca de sessenta anos depois de os judeus terem regressado para Jerusalém. Esse fato forçosamente deu aos judeus muito prestígio na corte da Pérsia. É bem provável que, quando tanto Esdras como Neemias foram a Jerusalém, Ester ainda vivesse e fosse uma personagem influente no palácio. Nossa opinião é que foi graças a Ester que Artaxerxes teve benevolência para com os judeus e se interessou pela reconstrução de Jerusalém.

Consertadas as portas — Ne 3

NOTA ARQUEOLÓGICA: A Jerusalém de Neemias.
As ruínas do "muro Largo" (3.8), da "porta do Vale" (3.13), do "tanque de Siloé" (3.15) e da "porta da Fonte" (2.14) foram achadas no decurso das escavações arqueológicas em Jerusalém. A cidade que Neemias fortificou era, na realidade, um pouco menor que aquela que os babilônios tinham destruído. Era até mesmo menor que a Jerusalém de Salomão – não mais que 86 hectares. A Jerusalém de Neemias estava inteiramente limitada a algumas porções da colina oriental, onde existira a Cidade de Davi original.

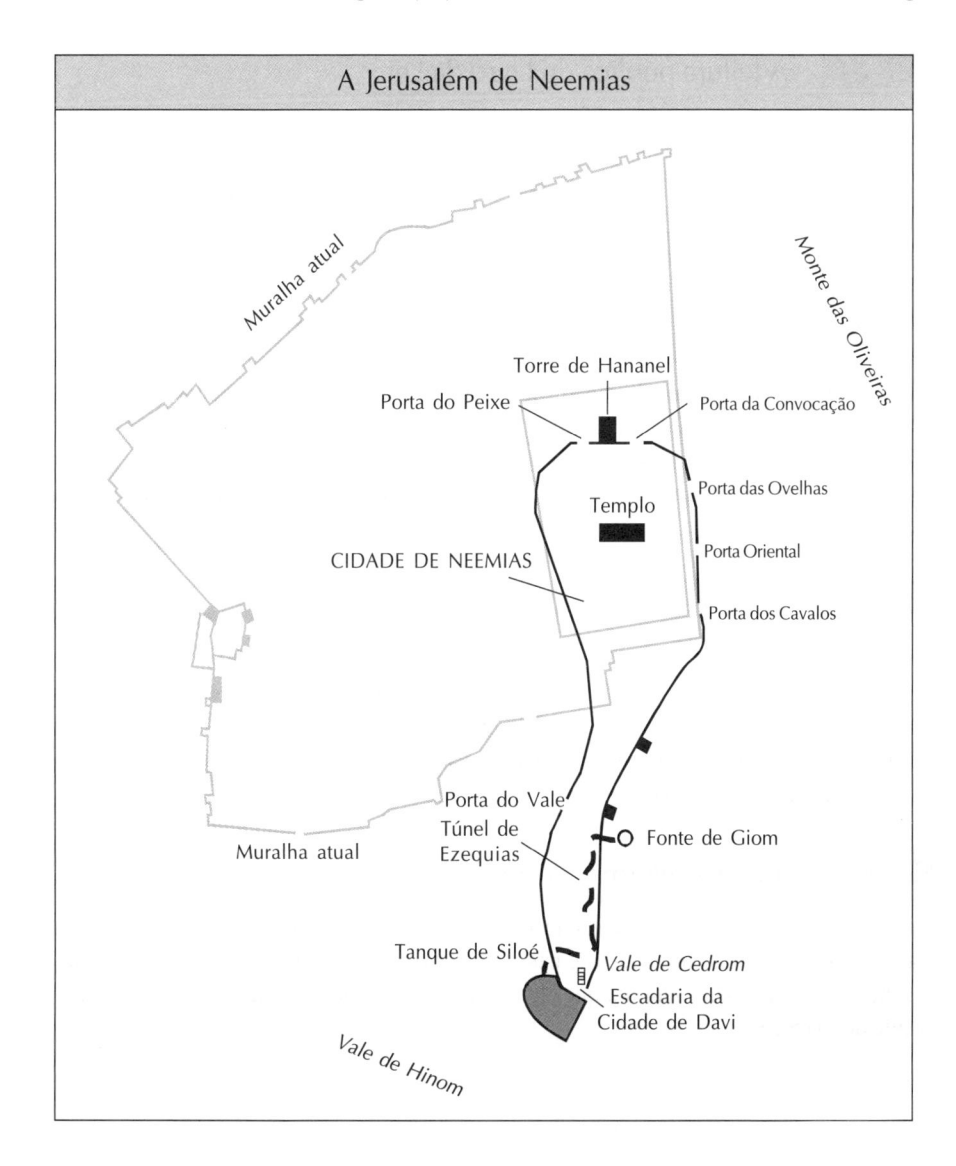

A Jerusalém de Neemias

- Muralha atual
- Monte das Oliveiras
- Torre de Hananel
- Porta do Peixe
- Porta da Convocação
- Porta das Ovelhas
- Templo
- CIDADE DE NEEMIAS
- Porta Oriental
- Porta dos Cavalos
- Porta do Vale
- Túnel de Ezequias
- Muralha atual
- Fonte de Giom
- Tanque de Siloé
- Vale de Cedrom
- Escadaria da Cidade de Davi
- Vale de Hinom

Ne 4—6   Construído o muro

Inimigos antigos dos judeus — os moabitas, amonitas, asdoditas, árabes e os samaritanos recém-importados que agora possuíam a terra — fizeram oposição astuta e amarga contra a reconstrução dos muros de Jerusalém. Mobilizaram seus exércitos e marcharam contra Jerusalém. Neemias, porém, com fé em Deus, armou e dispôs seus homens estrategicamente e levou a obra adiante sem interrupção, de dia e de noite. E, a despeito de todos os obstáculos, o muro foi terminado em 52 dias. Quase um século e meio depois de sua destruição em 586 a.C., Jerusalém voltou a ser uma cidade fortificada.

Ne 7 e 8   A leitura pública do Livro da Lei

Depois de construído o muro, Neemias e Esdras congregaram o povo a fim de organizar a vida nacional. O capítulo 7 é quase idêntico a Esdras 2: registra a relação dos que regressaram com Zorobabel quase um século antes. Havia determinadas questões de ordem genealógica a serem atendidas.

Em seguida, durante sete dias, desde o raiar do sol até o meio-dia, Esdras e os instrutores levitas abriam o Livro da Lei e o interpretavam e explicavam, a fim de que o povo entendesse o que estava sendo lido. Essa leitura e exposição pública do Livro de Deus ocasionou uma grande onda de arrependimento entre o povo, um grande reavivamento e uma aliança solene no sentido de observarem a Lei, conforme registram os capítulos 9 e 10.

Deve ser observado que foi a descoberta do Livro da Lei que deu origem à grande reforma de Josias (2 Rs 22). Foi a redescoberta da Bíblia por Martinho Lutero que levou à Reforma e trouxe liberdade religiosa ao mundo moderno. A fraqueza de muitas igrejas em nossos dias é que negligenciam a própria Bíblia que professam seguir — a grande necessidade do púlpito hoje é a simples pregação expositiva da Bíblia.

Ne 9—12   O acordo. A dedicação dos muros

O povo, profundamente arrependido e com fervorosa sinceridade, faz um acordo: "Em vista disso tudo, estamos fazendo um acordo, por escrito, e assinado por nossos líderes, nossos levitas e nossos sacerdotes". Eles assumiram a responsabilidade de andar na Lei de Deus (9.38; 10.29). Os muros foram dedicados, uma décima parte da população foi trazida para a cidade a fim de habitar ali e foram organizados o culto no Templo e o governo civil.

Ne 13   As últimas reformas de Neemias

Os últimos atos de Neemias registrados no seu livro envolvem reformas no tocante aos dízimos, ao sábado e aos casamentos entre judeus e não-judeus. Neemias foi governador de Judá durante doze anos, no mínimo (5.14). Josefo diz que ele viveu até uma idade avançada e governou Judá pelo restante de sua vida.

Ester

Os judeus são livrados do aniquilamento

> Vá reunir todos os judeus que estão em Susã, e jejuem em meu favor. Não comam nem bebam durante três dias e três noites. Eu e as minhas criadas jejuaremos como vocês. Depois disso irei ao rei, ainda que seja contra a lei. Se eu tiver que morrer, morrerei.
>
> — Ester 4.16

No cânon, esse livro vem depois do livro de Neemias, mas os eventos que descreve aconteceram uns trinta anos antes de Neemias.

- O primeiro grupo de judeus voltou a Jerusalém em 538 a.C. Vinte anos depois, o Templo teve sua reconstrução concluída (Ed 1—6).
- A história de Ester desenrolou-se uns quarenta anos depois de o Templo ter sido reconstruído. Ela tornou-se rainha da Pérsia em 478 a.C. e salvou os judeus de serem massacrados em 473 a.C.
- Quinze anos depois de a rainha Ester ter livrado os judeus, Esdras foi para Jerusalém (458 a.C.), e 13 anos depois Neemias reconstruiu os muros de Jerusalém.

Parece que Ester possibilitou a obra de Neemias. O casamento dela com o rei forçosamente deve ter emprestado aos judeus grande prestígio. É impossível adivinhar o que poderia ter acontecido à nação dos hebreus se Ester não tivesse entrado em cena. Não fosse ela, Jerusalém talvez nunca fosse reconstruída e a história a ser contada a todas as eras futuras poderia ter sido bem diferente.

O livro de Ester não é simplesmente uma história com uma lição moral. Ele diz respeito a um evento histórico importantíssimo: descreve como a nação dos hebreus foi livrada do aniquilamento nos tempos que se seguiram ao cativeiro babilônico. Se a nação dos hebreus tivesse sido aniquilada 500 anos antes de trazer Cristo ao mundo, a diferença na história universal teria sido completa: sem a nação dos hebreus, não haveria Messias; sem Messias, o mundo estaria perdido. Essa belíssima moça judaica de épocas passadas não deixou de desempenhar seu papel na preparação do caminho para a vinda do Salvador do mundo — embora ela mesma não tivesse consciência disso.

A rainha Vasti é deposta — Et 1

Assuero era outro nome de Xerxes, que governou a Pérsia de 486 até 464 a.C., sendo um dos monarcas mais ilustres do mundo antigo. A grande festa descrita nesse capítulo, conforme revelam inscrições persas da época, foi celebrada em preparação para a sua afamada expedição contra a Grécia, durante a qual travou as batalhas de Termópilas e de Salamina (480 a.C.). Parece que o rei depôs Vasti em 483 a.C., antes de partir, e que se casou com Ester em 478 a.C., depois que voltou de sua expedição contra a Grécia (1.3; 2.16).

> NOTA ARQUEOLÓGICA: O palácio de Susã.
> Susã, cerca de 320 km a leste da cidade de Babilônia, era a residência de inverno dos reis persas. Seu sítio arqueológico foi identificado por W. K. Loftus (1852), que descobriu uma inscrição de Artaxerxes II (404-359 a.C.): "Meu antepassado Dario construiu este palácio em tempos passados. Foi incendiado no reinado de meu avô [Artaxerxes I]. Eu o reconstruí".
> O referido palácio foi residência de Dario, que autorizou a reconstrução do Templo; de Xerxes, marido de Ester; e de Artaxerxes I, que autorizou Neemias a reconstruir Jerusalém. Susã foi o lugar em que Daniel teve sua visão (Dn 8). As ruínas de Susã acham-se espalhadas por uma área de 40 hectares, e o sítio arqueológico está sendo escavado há mais de 100 anos (excluindo-se os períodos das guerras mundiais). Segundo os dados fornecidos por essas escavações, fica claro que o autor do livro de Ester estava bem familiarizado com a cidade. O palácio real propriamente dito media um hectare inteiro e possuía toda uma série de pátios, residências, aposentos auxiliares e uma sala de audiência.

Et 2 — Ester torna-se rainha

Assuero (Xerxes) morreu treze anos mais tarde. Por certo, Ester continuou vivendo durante boa parte do reinado de seu enteado, Artaxerxes. Como rainha-mãe, talvez tenha sido uma pessoa de influência nos dias de Esdras e de Neemias.

Et 3—7 — O decreto de Hamã

O decreto conclamava à matança dos judeus em todas as províncias (3.12,13). Foi promulgado no décimo segundo ano do rei (3.7), quando Ester já tinha completado cinco anos como rainha. O lamento dela — "Não sou chamada à presença do rei há mais de trinta dias" — talvez indique que Ester já não era a última novidade para o rei. Por isso, Ester arriscou-se muito ao convidar o rei para o seu banquete.

Quando, porém, o rei viu Ester de novo, sua reação demonstrou que ela ainda o agradava (5.3), embora já a tivesse como esposa por cinco anos. Ele aceitou o convite dela.

O resultado final foi o enforcamento de Hamã, e seu cargo foi entregue a Mardoqueu, primo de Ester.

O nome de Deus não é mencionado no livro de Ester, talvez por ter sido copiado de registros históricos persas. Entretanto, o cuidado providencial de Deus por seu povo em nenhum outro lugar fica mais evidente.

> NOTA ARQUEOLÓGICA: Mardoqueu.
> Uma pessoa com o nome de Marduka, cujo nome foi achado em uma tábua cuneiforme em Borsipa, no sul do Iraque, foi, segundo parece, um ministro na corte persa em Susã, e pode ter sido o Mardoqueu bíblico.

Et 8 e 9 — O livramento. A festa do Purim

Visto que não existia a possibilidade de alterar um decreto promulgado por um rei persa (8.8; Dn 6.15), era irreversível o decreto que ordenava o massacre dos judeus. Entretanto, Ester persuadiu o rei a

Ester em Susã

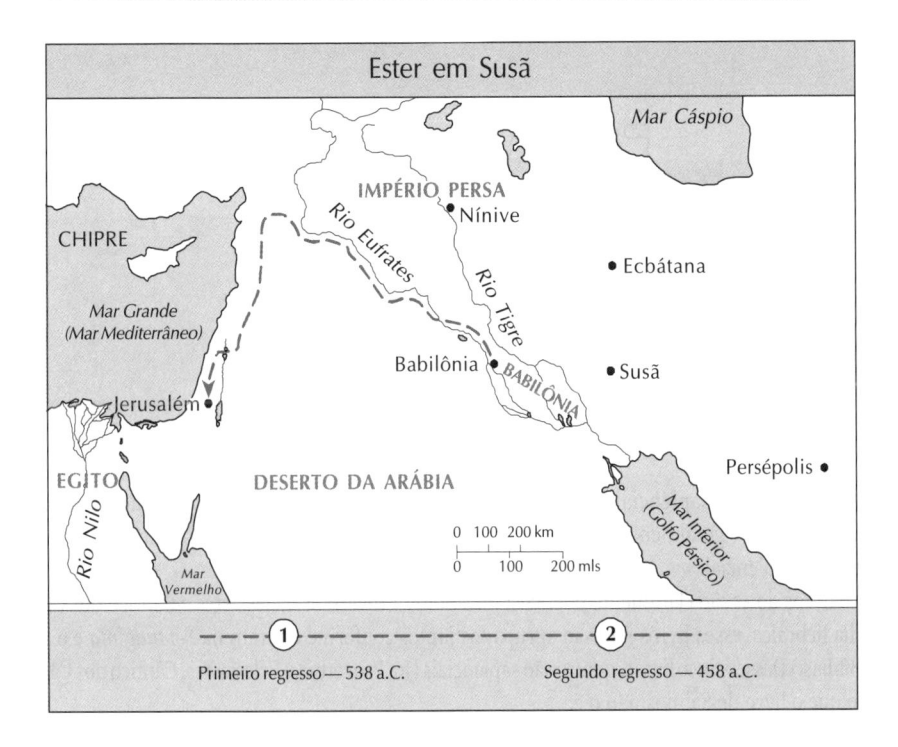

(Mapa: Império Persa, mostrando Chipre, Mar Grande (Mar Mediterrâneo), Jerusalém, Egito, Rio Nilo, Mar Vermelho, Deserto da Arábia, Nínive, Rio Eufrates, Rio Tigre, Babilônia, Susã, Ecbátana, Mar Cáspio, Persépolis, Mar Inferior (Golfo Pérsico). Escala: 0-200 km / 0-200 mls)

1 — Primeiro regresso — 538 a.C.
2 — Segundo regresso — 458 a.C.

promulgar outro decreto, que autorizava os judeus a resistir e matar todos quantos os atacassem. E assim os judeus fizeram. Dessa forma, Ester preservou a raça judaica do aniquilamento. Foi essa a origem da Festa do Purim, que os judeus ainda observam. Ester não era somente belíssima, mas também sábia. Nós a admiramos por seu patriotismo, coragem e diplomacia.

Essa história nos mostra como o favor de Deus pode levar à revogação da lei civil. Mostra-nos também como Deus usa seus servos fiéis para influenciar e dirigir uma autoridade ímpia. Que grande consolo é esse fato num mundo onde dominam tantos líderes ímpios! Devemos orar em favor dos servidores públicos piedosos de tal maneira que o plano de Deus possa ser cumprido por meio deles, da mesma maneira que aconteceu com Ester.

A grandeza de Mardoqueu — Et 10

Mardoqueu tornou-se cada vez mais poderoso. Ocupava a segunda posição na hierarquia depois do rei da Pérsia (9.4; 10.3). Seus atos de poder e sua grandeza foram escritos pormenorizadamente nos registros oficiais dos reis da Média e da Pérsia. Isso aconteceu no reinado de Xerxes, poderoso imperador do Império Persa. O primeiro ministro de Xerxes era um judeu; sua esposa predileta era uma judia — Mardoqueu e Ester, o cérebro e o coração do palácio! Tudo isso preparou o caminho para a obra de Esdras e de Neemias. Assim como no caso de José no Egito e Daniel na Babilônia, também no presente caso Deus usou Mardoqueu e Ester na Pérsia.

Poesia e sabedoria

Jó a Cântico dos Cânticos

A POESIA E A literatura sapiencial (de sabedoria) do AT têm um estreito relacionamento entre si. A literatura sapiencial é geralmente poética na sua forma, mas o inverso não é o caso: nem toda poesia do AT é literatura sapiencial.

Cinco livros do AT são claramente poéticos: Jó, Salmos, Provérbios, Eclesiastes e Cântico dos Cânticos. (Na Bíblia hebraica, esses livros não são agrupados juntos conforme o foram na *Septuaginta* e o são nas nossas Bíblias.) Desses cinco livros, quatro são sapienciais (Jó, Provérbios, Eclesiastes, Cântico dos Cânticos), ao passo que o livro de Salmos não o é.

1. A poesia

É possível que um terço do AT seja constituído de poesia. A razão por que essa declaração fica um pouco vaga é que às vezes é difícil determinar onde termina a prosa hebraica e começa a poesia.

Uns poucos livros do AT estão essencialmente destituídos de poesia: Levítico, Rute, Esdras, Neemias, Ageu e Malaquias — mas mesmo nesses livros, alguma forma poética ocasional consegue se introduzir.

E alguns livros não são poéticos, mas contêm poemas, tais como Gênesis 49, Êxodo 15, Deuteronômio 33 e Juízes 5.

Características da poesia hebraica

Em português, a poesia geralmente tem rima. A poesia hebraica, não. Em vez disso, essa poesia possui duas características que podem ser facilmente reconhecidas, mesmo numa tradução em português: a linguagem figurada e o paralelismo.

A linguagem figurada e as metáforas

- Talvez o exemplo mais conhecido seja "O SENHOR é o meu pastor" (Sl 23.1; metáfora).
- Outro exemplo é: "Mas eu sou *como* uma oliveira que floresce na casa de Deus" (Sl 52.8; símile).
- Existe exagero que visa ao efeito literário: "Com o teu auxílio posso atacar uma tropa; com o meu Deus posso transpor muralhas" (Sl 18.29; hipérbole).
- A poesia hebraica também fala com freqüência a respeito de coisas inanimadas como se estivessem com vida: "Batam palmas os rios, e juntos cantem de alegria os montes" (Sl 98.8; personificação).

O paralelismo

O paralelismo envolve uma relação de pensamento entre duas ou mais linhas. Pode ser considerado um "ritmo de pensamento". Por exemplo:

- "Pois o SENHOR aprova o caminho dos justos, mas o caminho dos ímpios leva à destruição!" (Sl 1.6; a segunda linha declara o inverso da primeira).
- "Pois como os céus se elevam acima da terra, assim é grande o seu amor para com os que o temem" (Sl 103.11; a primeira linha é um símile, a segunda é o significado literal: paralelismo emblemático).
- "Confie no SENHOR e faça o bem; assim você habitará na terra e desfrutará segurança" (Sl 37.3; a segunda linha completa o pensamento da primeira: paralelismo sintético ou culminante).
- "SENHOR, quem habitará no teu santuário? Quem poderá morar no teu santo monte?" (Sl 15.1; ambas as linhas expressam o mesmo pensamento em palavras diferentes: paralelismo sinonímico).

Outras características

- A poesia hebraica também usa refrãos, como, por exemplo, nos salmos 42 e 43, onde o refrão é achado três vezes: "Por que você está assim tão triste, ó minha alma? Por que está assim tão perturbada dentro de mim? Ponha a sua esperança em Deus! Pois ainda o louvarei; ele é o meu Salvador e o meu Deus".
- Às vezes, a mesma declaração é feita tanto no começo quanto no fim do poema, como, por exemplo, no salmo 118, que começa e termina com as palavras: "Dêem graças ao SENHOR porque ele é bom; o seu amor dura para sempre".
- Por fim, há o emprego de padrões acrósticos, nos quais a primeira linha de um salmo ou poema (por exemplo, no livro de Lamentações) começa com a primeira letra do alfabeto, a segunda linha ou estrofe, com a segunda letra do alfabeto, e assim por diante. Um exemplo disso é o salmo 119; em muitas Bíblias, consta o nome da letra hebraica que inicia cada estrofe (álef, bêt etc.).

2. A literatura sapiencial

A palavra hebraica que significa sabedoria tem um sentido muito mais amplo que a palavra "sabedoria" em português. Inclui, por exemplo, perícia no feitio das coisas, de modo semelhante ao nosso conceito de artesanato (Êx 31.3; Jr 9.17).

Em hebraico, sabedoria inclui a disposição e a capacidade de perceber corretamente o mundo criado em todos os seus aspectos e de ter um relacionamento correto com ele. Deus criou o mundo de determinada maneira, e a sabedoria importa em viver de acordo com a estrutura básica do Universo.

A literatura sapiencial é *poética* na forma, mas *prática* no conteúdo. Não procura comunicar conhecimentos factuais ou abstratos, mas, sim, ensinar habilidades práticas para o viver. A literatura sapiencial, portanto, é o "manual de instruções para a vida" registrado no Antigo Testamento.

Jeremias 18.18 demonstra até que ponto a sabedoria era considerada importante. É mencionada lado a lado com a Lei e os Profetas: "Não cessará o ensino da lei pelo sacerdote nem o conselho do sábio nem a mensagem do profeta".

Os livros de Provérbios, Eclesiastes, Jó, Cântico dos Cânticos e alguns dos salmos, tais como os salmos 1 e 119, são tradicionalmente considerados literatura sapiencial.

- **Jó** é sabedoria porque trata da questão central da fé e do sofrimento.
- **Eclesiastes** é sabedoria porque adverte contra o cinismo e dirige o leitor à fé singela em Deus.
- **Cântico dos Cânticos** é sabedoria porque descreve a intimidade do amor conjugal humano.

No NT, a epístola de Tiago lembra a literatura sapiencial do AT.

Tipos de declarações sapienciais

Alguns dos tipos mais relevantes de declarações sapienciais são:

- **Aforismos.** Trata-se daquilo que geralmente consideramos um "provérbio"; um dito breve e cheio de significado que tem validade geral, como o nosso dito popular "Prevenir é melhor que remediar". Boa parte do livro de Provérbios, a partir do capítulo 10, consiste em aforismos.
- **Instrução.** Trata-se de considerações mais longas e estilizadas a respeito da sabedoria, tais como Provérbios 1.8 a 9.18.
- **Ditados do tipo "é melhor".** Melhor é A com B que C com D. Por exemplo: "É melhor ter pouco com retidão do que muito com injustiça" (Pv 16.8).
- **Disputa** (controvérsia verbal). O melhor exemplo é o livro de Jó.

Jó

O problema do sofrimento

> Aceitaremos o bem dado por Deus, e não o mal?
> — Jó 2.10
>
> Eu sei que o meu Redentor vive,
> e que no fim se levantará
> sobre a terra.
> E depois que o meu corpo
> estiver destruído e sem carne,
> verei a Deus.
> — Jó 19.25,26

Jó é o primeiro dos chamados livros poéticos ou sapienciais, um grupo de cinco livros que também inclui Salmos, Provérbios, Eclesiastes e Cântico dos Cânticos. É um livro magnífico que lida com o problema do sofrimento: se Deus é bom e justo, por que as pessoas sofrem?

O cenário do livro

Pensa-se que a terra de Uz (1.1) ficava ao longo da fronteira entre a Palestina e a Arábia e se estendia de Edom, ao norte, em direção ao rio Eufrates, a leste, ladeando a rota das caravanas entre a Babilônia e o Egito.

Jó

Num pós-escrito ao livro de Jó, a *Septuaginta*, seguindo tradições antigas, identificou Jó com Jobabe, o segundo rei de Edom (Gn 36.33). Certos nomes e locais mencionados no livro parecem atribuir-lhe um contexto geográfico entre os descendentes de Esaú (v. comentário sobre o cap. 2). O livro exala a atmosfera de tempos muito primitivos e parece ter seu contexto entre as antigas tribos descendentes de Abraão, ao longo da fronteira norte da Arábia, em tempos aproximadamente contemporâneos com a permanência de Israel no Egito.

O autor do livro

Nada se sabe a respeito do autor do livro. A antiga tradição judaica atribuía o livro a Moisés. Podemos especular que, enquanto Moisés esteve no deserto de Midiã (Êx 2.15), que fazia fronteira com o país dos edomitas, pode facilmente ter ouvido a história de Jó da parte dos descendentes do patriarca. Visto que

Jó era descendente de Abraão, Moisés teria a maior naturalidade em reconhecer que Jó estava dentro do círculo da revelação divina. Os críticos modernos atribuem ao livro de Jó uma data bem posterior, mas, afinal das contas, é o conteúdo do livro que importa, e não nossas conjeturas a respeito de sua origem.

A natureza do livro

Jó pode ser chamado um poema histórico, ou seja, um poema baseado num evento que realmente aconteceu. Jó era um homem de importância e famoso na sua parte do mundo. De repente, em um só dia, foi esmagado por várias calamidades assoberbantes. Suas grandes manadas de camelos foram roubadas, e os que guardavam os camelos foram mortos por um bando de saqueadores caldeus. Ao mesmo tempo, seus rebanhos de gado também foram roubados, e os que os guardavam foram mortos por um bando de saqueadores sabeus, e suas 7 mil ovelhas e os servos que as pastoreavam foram mortos por uma tempestade. Para completar, seus dez filhos foram todos mortos por um ciclone e o próprio Jó foi acometido por uma enfermidade horrenda e dolorosa.

A triste sorte de Jó passou a ser conhecida nos recantos mais longínquos, e durante meses Jó foi tema de conversas em todos os lugares (7.3). O livro contém algumas das coisas que Jó, seus amigos e Deus disseram ou escreveram.

O assunto do livro

O livro de Jó trata do problema do sofrimento humano. Desde os tempos mais remotos, as pessoas têm se preocupado com as terríveis desigualdades e injustiças da vida: como um Deus bom pôde fazer um mundo como este, onde existem tantos sofrimentos? A verdade é que Deus fez um mundo bom e perfeito (Gn 1.31). Criou o homem e a mulher e os colocou no Jardim do Éden, onde desfrutavam de um relacionamento perfeito com Deus — todas as necessidades humanas eram atendidas, e eles eram grandemente abençoados. Infelizmente, o casal deu ouvidos à conversa enganadora de Satanás: "Deus sabe que, no dia em que dele comerem, seus olhos se abrirão, e vocês, como Deus, serão conhecedores do bem e do mal". A desobediência de Adão e Eva separou-os, junto com a totalidade da raça humana por nascer, do mundo bom e perfeito que Deus havia feito para seu povo. Por causa de seu pecado, todas as pessoas agora nascem num mundo de sofrimento.

Felizmente, Deus tinha um plano para reconciliar consigo mesmo o homem e a mulher, de modo que a raça humana pudesse, de novo, estar livre dos sofrimentos.

Jó tinha bem poucos conhecimentos acerca de Deus. A maior parte da Palavra de Deus ainda não tinha sido escrita. Jó, com a "ajuda" dos amigos, está tentando interpretar seus sofrimentos sem possuir o "conhecimento" de Deus (38.1; 42.1-3). Gastar tempo com os amigos, na tentativa de determinar a causa desse sofrimento, não beneficia Jó em nada — pelo contrário, prolonga seu sofrimento. Por fim, Jó cessa de falar e começa a escutar a Deus. Jó recebe "conhecimento" ou revelação de Deus como o Criador onipotente. Com essa revelação, Jó reconhece que Deus pode fazer todas as coisas (42.2). A partir de então, ele consegue focalizar sua atenção na realidade de Deus, inspiradora de reverente temor, em vez de fixá-la nos seus sofrimentos. Jó se arrepende, e Deus o livra dos sofrimentos. Em seguida, Deus manda Jó fazer uma oração de intercessão pelos seus amigos. Jó é obediente a Deus e ora em favor deles. Depois da oração feita por Jó, Deus restaura o bem-estar de Jó. Deus até mesmo duplica a fortuna que Jó possuía e abençoa a parte posterior de sua vida mais que a anterior.

No fim, termina a batalha de Jó contra Satanás, e Deus lhe restaura a sorte. Deus não permite que soframos sem razão. Às vezes, a causa do sofrimento talvez fique oculta ao nosso entendimento, como parte do mistério dos divinos propósitos de Deus (v. Is 55.8,9). Devemos, entretanto, confiar nele e sempre nos voltar para ele, até mesmo em tempos de sofrimento. Que testemunho poderoso é, diante do mundo, quando o crente, em meio ao sofrimento, não fica cheio de ira ou de ressentimento contra Deus! Sabemos que Deus nos ama e somente pratica o que é certo.

A estrutura do livro

À parte a introdução (caps. 1 e 2) e a conclusão ou epílogo (42.7-17), o livro de Jó consiste em discursos feitos por Jó, pelos amigos deste e, por último, pelo próprio Deus.

Os três amigos de Jó — Elifaz, Bildade e Zofar — revezam-se na tentativa de explicar a Jó por que ele está sofrendo, e Jó por sua vez responde a cada um deles. Continuam assim durante três ciclos (caps. 4— 14; 15—21; 22—26). Nos dois primeiros ciclos, todos os três amigos tomam a palavra; no terceiro ciclo, somente Elifaz e Bildade falam, ao passo que Zofar guarda silêncio — já considera Jó um caso perdido!

Depois disso, Jó faz um discurso prolongado, no qual clama por vindicação, pois está convicto de que não há justa causa para seu sofrimento (caps. 29—31). Em seguida, um quarto amigo, Eliú, toma a palavra e adverte Jó de que não deve pôr a culpa em Deus (caps. 32—37). Por fim, o próprio Deus se dirige a Jó — discurso que forma alguns dos capítulos mais majestosos de toda a Bíblia (38.1—42.6). Jó se arrepende, e Deus o abençoa ainda mais que antes.

Jó, seus amigos e o problema do sofrimento

Ao lermos o livro de Jó do começo ao fim, devemos nos lembrar de que Jó nunca soube *por que* sofria — nem qual seria o desfecho. Os dois primeiros capítulos de Jó nos explicam por que isso aconteceu e deixam claro que a causa de seus sofrimentos não era algum castigo por pecados, mas, sim, a provação de sua fé — Deus tinha plena confiança de que Jó seria aprovado. Entretanto, embora nós, leitores do livro de Jó, saibamos desse desfecho, o próprio Jó nada sabia.

Prólogo — a provação de Jó　Jó 1 e 2

O livro começa com um relato a respeito de Jó, um chefe patriarcal do deserto — que naqueles dias seria chamado de príncipe ou rei — dono de imensas riquezas e influência e famoso pela sua integridade, piedade e benevolência: um homem bom que sofreu reveses pavorosos surgidos de modo tão repentino e esmagador que deixaram pasmos todos quantos ouviram falar a respeito.

Satanás acusou Jó de ter segundas intenções ao ser um homem bom — de ser um mercenário que assim agia por interesses materiais. Deus, então, permitiu que Satanás submetesse à prova semelhante acusação. Jó saiu-se vitorioso na provação e, no fim, foi abençoado como nunca antes.

> Saí nu do ventre da minha mãe, e nu partirei. O Senhor o deu, o Senhor o levou; louvado seja o nome do Senhor.
>
> Jó 1.21

A enfermidade de Jó (2.7) era, segundo se pensa, uma forma de lepra, talvez com complicações de elefantíase, uma das doenças mais horríveis e dolorosas que se conheciam no mundo oriental.

Os amigos de Jó

Três amigos aproximaram-se para consolar Jó nos seus sofrimentos. Por sete dias e sete noites, o desempenho deles foi excelente: simplesmente se sentaram com Jó. "Depois os três se assentaram no chão com ele, durante sete dias e sete noites. Ninguém lhe disse uma palavra, pois viam como era grande o seu sofrimento" (2.13).

- **Elifaz, de Temã** (2.11), era descendente de Esaú (Gn 36.11) e, portanto, edomita.
- **Bildade, de Suá**, era descendente de Abraão e Quetura (Gn 25.2).
- **Zofar, de Naamate**, era de origem e localidade desconhecidas. Todos os três eram provavelmente chefes tribais nômades.
- Um quarto amigo, que não entra em cena senão depois de os outros três terem cessado de falar, é **Eliú, de Buz** (32.2), descendente de Naor, irmão de Abraão (Gn 22.21).

Nas conversações que se seguem, Jó fala nove vezes; Elifaz e Bildade, três; Zofar, duas; Eliú, uma; e Deus, num desfecho final majestoso, uma só vez.

Todos os três amigos procuram explicar que existe — *forçosamente* — uma conexão entre os sofrimentos atuais de Jó e sua vida pregressa. Estão procurando um relacionamento lógico, de causa e efeito, entre eles. Todos os argumentos deles podem ser reduzidos a isso:

a. Jó está sofrendo.
b. Deus é justo e não permitiria que uma pessoa sofresse sem causa.
c. Portanto, Jó deve ter feito alguma coisa ruim para merecer esse sofrimento.

Antes de os amigos chegarem, Jó se recusa a culpar a Deus: "O Senhor o deu, o Senhor o levou; louvado seja o nome do Senhor" (1.21); e: "Aceitaremos o bem dado por Deus, e não o mal?" (2.10).

Entretanto, quanto mais Jó se defende da lógica dos amigos, tanto mais adota a abordagem deles, e assim desenvolve seu próprio argumento:

a. Estou sofrendo.
b. Sei que nada fiz para merecer esse sofrimento.
c. A conclusão lógica seria, pois, que Deus deve ser injusto.

Entretanto, Jó nunca chega ao ponto de tirar essa conclusão; somente chega a dizer:

c. Portanto, Deus precisa fornecer alguma explicação.

Cada um dos três amigos baseia suas acusações em argumentos diferentes.

- Elifaz **apela à experiência e à observação**: "Reflita agora: Qual foi o inocente que chegou a perecer? Onde os íntegros sofreram destruição? Pelo que tenho observado, quem cultiva o mal e semeia maldade, isso também colherá" (4.7,8).
- Bildade **apela à tradição**: "Pergunte às gerações anteriores e veja o que os seus pais aprenderam, pois nós nascemos ontem e não sabemos nada. Nossos dias na terra não passam de uma sombra. Acaso eles não o instruirão, não lhe falarão? Não proferirão palavras vindas do entendimento?" (8.8-10).
- Zofar fala com arrogância, como que sabendo exatamente o que Deus pensa — ele **apela ao próprio conceito de Deus**: "Ah, se Deus lhe falasse, se abrisse os lábios contra você e lhe revelasse os segredos da sabedoria! Pois a verdadeira sabedoria é complexa. Fique sabendo que Deus esqueceu alguns dos seus pecados" (11.5,6). Ironicamente, quando Deus finalmente fala *mesmo*, não é para condenar Jó, mas para condenar Zofar e os amigos deste (42.7-9).

A resposta final que Jó recebe não é filosófica nem lógica. É uma apresentação majestosa feita pelo próprio Deus, declarando quem Deus é (38.1—42.6) — e é essa a única resposta satisfatória para o problema do sofrimento humano. Ela não responde às perguntas que nossa mente lógica levanta, mas satisfaz nosso coração: "Eu sei que o meu Redentor vive, e que no fim se levantará sobre a terra. E depois que o meu corpo estiver destruído e sem carne, verei a Deus" (19.25,26).

A lição sublime do livro como um todo é que Jó, mediante seu sofrimento, acaba vendo Deus na sua majestade e grandeza como nunca o vira antes. Essa é a recompensa verdadeira. O fato de Jó também ser abundantemente recompensado com maior prosperidade e bem-aventurança que antes quase parece um mero epílogo (42.12-16).

O queixume de Jó — Jó 3

Jó deseja nunca ter nascido e anseia pela morte.

O primeiro ciclo de discursos — Jó 4—14

Capítulos 4 e 5. Elifaz fala. Aconselha Jó a voltar-se para Deus (5.8) e sugere que, se Jó tão-somente se arrependesse, suas aflições desapareceriam (5.17-27).

Capítulos 6 e 7. A resposta de Jó. Jó se sente decepcionado com os amigos. Anseia por comiseração, e não por repreensões pungentes (6.14-30). Parece aturdido. Sabe muito bem que não é um ímpio, mas seu corpo está "coberto de vermes" (7.5). Não consegue mesmo entender o que aconteceu: ainda que tivesse cometido pecado, certamente não era tão grave a ponto de merecer um castigo tão terrível. Gostaria que Deus o deixasse morrer (6.9).

Capítulo 8. Bildade fala. Insiste que, sendo Deus justo, as aflições de Jó devem forçosamente ser uma evidência de que ele é ímpio — se Jó tão-somente voltar-se para Deus, tudo lhe irá bem.

Capítulos 9 e 10. A resposta de Jó. Jó insiste em que não é culpado (10.7) e que Deus envia infortúnios aos inculpáveis tanto quanto aos ímpios (9.22). Queixa-se amargamente e expressa, de novo, o desejo de nunca haver nascido (10.18-22).

Capítulo 11. Zofar fala. De modo grosseiro e arrogante, diz que Jó recebeu menor castigo que o merecido (v. 6) e insiste em que, se Jó deixar de lado os pecados, seus sofrimentos irão passar e serão esquecidos, e a segurança, a prosperidade e a felicidade irão retornar (v. 13-19).

Capítulos 12—14. A resposta de Jó. Ele ironiza as palavras acusadoras deles: "Sem dúvida vocês são o povo, e a sabedoria morrerá com vocês! Mas eu tenho a mesma capacidade de pensar que vocês têm; não sou inferior a vocês. Quem não sabe dessas coisas?" (12.2,3). Eles estão simplesmente declarando (e reafirmando) a sabedoria convencional, mas esta não é aplicável ao caso!

> Embora ele me mate, ainda assim esperarei nele.
> Jó 13.15

Jó diz: "Mas desejo falar ao Todo-poderoso e defender a minha causa diante de Deus. Vocês, porém, me difamam com mentiras; todos vocês são médicos que de nada valem!" (13.3,4). Diz a eles em linguagem bem clara que se calem: "Se tão-somente ficassem calados, mostrariam sabedoria" (13.5; v. 13).

Jó pede que Deus fale e lhe declare o que fez de errado (13.20-23).

O segundo ciclo de discursos — Jó 15—21

Capítulo 15. O segundo discurso de Elifaz. O debate fica acalorado. Sua ironia fica contundente (v. 2-13). Os olhos de Jó faíscam (v. 12).

Capítulos 16 e 17. A resposta de Jó. Jó diz que, se eles estivessem na sua situação, ele poderia condená-los "com belos discursos". A diferença é que, no caso, "a minha boca procuraria encorajá-los; a consolação dos meus lábios lhes daria alívio" (16.4,5). Somente os que sofrem podem realmente sentir compaixão pelos sofrimentos do próximo — assim como Cristo compreende nossos sofrimentos e deles participa. Jó se sente desesperado: "Quem poderá ver alguma esperança para mim?" (17.15).

Capítulo 18. O segundo discurso de Bildade. Num acesso de ira, ele brada a Jó: "Ah, você, que se dilacera de ira!" (v. 4). E, tomando por certa a iniqüidade de Jó, procura assustá-lo e levá-lo ao arrependimento pela descrição da terrível perdição dos ímpios.

Capítulo 19. A resposta de Jó. Seus amigos o detestam (v. 19); sua esposa o acha repugnante (v. 17); as crianças riem dele (v. 18); ele implora que seus amigos lhe ofereçam alguma compaixão: "Misericórdia, meus amigos! Misericórdia! Pois a mão de Deus me feriu. Por que vocês me perseguem como Deus o faz? Nunca irão saciar-se da minha carne?" (v. 21,22).

Então, de repente, falando a partir das profundezas do desespero, assim como um raio de sol penetra por uma fenda das nuvens, Jó irrompe numa das mais sublimes expressões de fé já pronunciadas: "Eu sei que o meu Redentor vive, e que no fim se levantará sobre a terra. E depois que o meu corpo estiver destruído e sem carne, verei a Deus. Eu o verei com os meus próprios olhos; eu mesmo, e não outro! Como anseia no meu peito o coração!" (v. 25-27).

Capítulo 20. O segundo discurso de Zofar. Zofar se sente ofendido pelas palavras de Jó. Tomando por certo que Jó é culpado, empreende pintar um quadro da deplorável sorte reservada para os ímpios.

Capítulo 21. A resposta de Jó. Jó concorda que os ímpios acabam sofrendo no fim — mas, entrementes, parece que estão passando muito bem. Chegam a ver uma boa velhice, seu poder se aumenta e seus lares estão seguros e livres do medo (v. 7-9). A prosperidade dos ímpios subverte o argumento dos amigos — não parece haver nenhuma conexão necessária entre o sofrimento e a iniqüidade! (v. 34). O sofrimento parece ser uma ferramenta que Satanás usa para enganar os justos. Os ímpios já são almas perdidas — Satanás não teria motivo para desperdiçar tempo com eles. O seu modo de vida egocêntrico vai mantê-los no partido de Satanás sem que ele precise gastar mais esforços com eles.

> Mas ele conhece o caminho por onde ando; se me puser à prova, aparecerei como o ouro.
> Jó 23.10

Jó 22—26 O terceiro ciclo de discursos

Capítulo 22. O terceiro discurso de Elifaz. Ele faz pressões cada vez mais fortes contra Jó, por causa da suposta iniqüidade deste, alegando, em especial, que Jó tem tratado mal os pobres.

Capítulos 23 e 24. A resposta de Jó. Mais uma vez, Jó reafirma sua inocência: "Não me afastei dos mandamentos dos seus lábios; dei mais valor às palavras de sua boca do que ao meu pão de cada dia" (23.12). Essas palavras demonstram que Jó não baseia as declarações de sua inocência nos próprios sentimentos, mas, ao contrário, aquilata a si mesmo segundo as palavras do próprio Deus — o que torna cada vez mais difícil entender por que Deus não oferece a Jó nenhum tipo de explicação.

Capítulo 25. O terceiro discurso de Bildade. É um discurso breviíssimo. Chegaram a um beco sem saída. Nenhuma parte quer se dar por vencida, e o debate vai se desvanecendo. Zofar nem sequer se dá o trabalho de falar pela terceira vez.

Capítulos 26 e 27. A resposta de Jó. Jó declara seu dilema em termos tão francos quanto consegue. Por um lado: "Nunca darei razão a vocês! Minha integridade não negarei jamais, até a morte" (27.5). Por outro lado: "Este é o destino que Deus determinou para o ímpio" (27.13) — a perdição; não existirão mais na terra, e tudo quando possuem passará a outros. Aqui ficam o argumento de Jó e o dos amigos, lado a lado, ambos sem solução.

Interlúdio sobre a sabedoria — Jó 28

O capítulo 28 interrompe não somente o fluxo, mas também o tom do argumento de Jó. Esse capítulo é muito semelhante ao livro de Provérbios — uma consideração da questão de onde se pode achar a sabedoria.

Jó pede vindicação — Jó 29—31

O tom desses capítulos é diferente dos capítulos anteriores. Jó já não está no calor do debate. Parece mais humilde e mais triste que zangado. Mas continua pedindo vindicação.

Contrasta a prosperidade, felicidade, honra, respeito, bondade e utilidade passados (cap. 29) com seus sofrimentos presentes (cap. 30). Em seguida, pede, em tom cansado, que *se* ele fez alguma das coisas que constam nas acusações dos três amigos, que Deus lhe conte de que se trata (cap. 31). E, com esse discurso mais ou menos resignado, Jó finalmente fica sem recursos para dizer mais nada — e é a essa altura que pode começar a escutar a Deus.

O discurso de Eliú — Jó 32—37

Jó reduzira os três amigos ao silêncio. Eliú estava zangado com eles, por terem acusado Jó falsamente. E estava zangado com Jó porque, à medida que o debate se delongava, Jó parecia cada vez mais resoluto na tentativa de justificar a si mesmo, mais que a Deus. Agora, chegou a vez de Eliú ensinar algumas coisas a todos eles.

Eliú indica, corretamente, que Jó está chegando muito perto de acusar a Deus de ser injusto. Eliú prepara o caminho para o discurso que Deus dirigirá a Jó. E, no fim, Deus fica zangado com os três primeiros amigos, mas não com Eliú.

Deus fala — Jó 38—41

Em toda a Bíblia, esses são alguns dos capítulos que mais inspiram reverente temor. Deus fala com Jó, mas não com respostas às perguntas que Jó estivera lançando contra ele. Ao contrário, Deus inverte a situação: É *Deus* quem postula as perguntas; pedindo que Jó responda a *ele*. Deus demonstra seu poder e majestade a Jó e pede que Jó se lembre desses fatos e de quem Deus é. Ele pergunta a Jó se este é alguma coisa em comparação com a grandeza de Deus.

Jó fica sem palavras e confessa que não tem resposta para oferecer (40.4,5). Deus continua, até que, no fim, Jó se arrepende. Jó, o homem que pensava conhecer a Deus, passa agora a dizer: "Meus ouvidos já tinham ouvido a teu respeito, mas agora os meus olhos te viram. Por isso menosprezo a mim mesmo e me arrependo no pó e na cinza" (42.5,6). Mediante o sofrimento, Jó passa de uma compreensão limitada de Deus para uma experiência transformadora da grandeza, da majestade e do poder de Deus — mas também para uma experiência do amor de Deus, visto que Deus dá a Jó uma resposta pessoal a uma pergunta muito real e difícil. Mas é uma resposta que surge somente depois de Jó esgotar seus recursos verbais, pois só então é que ele a pode escutar.

Jó 42.7-17   Epílogo — Jó é restaurado

Depois de Jó se arrepender, Deus ordena que ele ore pelos seus amigos. Depois de Jó orar, Deus o torna novamente próspero e lhe dá duas vezes mais do que possuía antes de seu sofrimento (42.10). Jó passara vitoriosamente por suas provações, e Deus lhe abençoou a velhice com recompensas generosas (42.12-17).

    A obediência de Jó, ao orar pelos seus amigos, marca um ponto crucial na sua vida. A experiência pela qual passou parece nos conclamar a orar por todos aqueles que nos causam sofrimentos.

Salmos

Hinário e livro de orações de Israel

> Por que você está assim tão triste, ó minha alma?
> Por que está assim tão perturbada dentro de mim?
> Ponha a sua esperança em Deus!
> Pois ainda o louvarei;
> ele é o meu Salvador e o meu Deus.
> — Salmos 42.11

Autoria dos salmos

Nos títulos ou cabeçalhos de Salmos, 72 salmos são atribuídos a Davi, 12 a Asafe, 11 aos filhos de Corá, 2 a Salomão (72, 127), 1 a Moisés (90) e 1 a Etã (89); 50 dos salmos são anônimos.

É possível que alguns dos salmos anônimos tenham sido escritos pelo autor do salmo imediatamente anterior, de modo que um só título se aplique a ambos. Davi, por certo, deve ter sido o autor de alguns desses salmos anônimos.

Mesmo assim, os títulos não são indicação precisa da autoria, visto que "de", "a" e "para" são a mesma preposição em hebraico. Um salmo "de" Davi pode ser um que ele mesmo escreveu, mas também pode ter sido escrito "para" Davi ou dedicado "a" Davi.

Entretanto, os títulos são de grande antigüidade, e a suposição mais natural é que indiquem autoria. Alguns críticos modernos têm feito um esforço desesperado para interpretar os títulos de uma maneira que exclua Davi da autoria dos salmos. Existem, entretanto, todos os motivos para aceitar, e nenhum motivo substancial para questionar, que o livro dos Salmos é, em grande medida, obra de Davi. O Novo Testamento assim reconhece.

Referimo-nos, portanto, ao livro dos Salmos como sendo de Davi porque foi ele o seu principal escritor ou compilador. (Da mesma forma, referimo-nos ao livro de Provérbios como de Salomão, embora nem todos tenham sido escritos por ele.) Aceita-se, de modo geral, que alguns poucos salmos já existiam antes da época de Davi e formavam o núcleo de um hinário para o culto divino. Davi aumentou consideravelmente esse agrupamento de salmos, houve acréscimos ao longo das gerações e pensa-se que foi completado, na sua forma atual, por Esdras.

Davi era um guerreiro muito corajoso, um gênio militar e um estadista brilhante que conduziu sua nação até o pináculo do poder. Era, também, poeta e músico, e amava a Deus de todo o coração.

A criação de Salmos foi realmente uma realização mais importante de Davi que a criação do reino. O livro de Salmos é um dos monumentos mais nobres de todos os tempos e já sobreviveu por mais de 2 000 anos ao reino original de Davi.

Em Salmos, o verdadeiro caráter de Davi é retratado e o povo de Deus geralmente vê um retrato bastante fiel de si mesmo, de suas lutas, seus pecados, suas tristezas, suas aspirações, suas alegrias e suas vitórias.

Davi tem merecido, por causa de seus salmos, a gratidão perpétua de milhões e milhões dos redimidos de Deus.

Jesus apreciava muito o livro dos Salmos. Disse que muitas coisas em Salmos referiam-se a ele (Lc 24.44). Tornaram-se tão integralmente parte de Jesus que, quando ele agonizava na cruz, citou trechos deles (22.1; Mt 27.46; cf. 31.5; Lc 23.46).

Das 283 citações do AT no NT, 116 (mais de 40%) são extraídas de Salmos.

Divisão de Salmos

Desde os tempos mais remotos, o livro de Salmos tem sido dividido em cinco livros. Essa divisão já se acha na Bíblia hebraica e na *Septuaginta*, talvez seguindo o modelo dos cinco livros do Pentateuco. Dentro dos cinco livros de Salmos, existem outros grupos secundários.

Os salmos foram escritos para ser cantados

A Bíblia está repleta de cânticos — cânticos como ato de adoração, cânticos como expressão de gratidão e até mesmo cânticos para expressar tristeza e lamentação.

- Na aurora da Criação, "as estrelas matutinas juntas cantavam e todos os anjos se regozijavam" (Jó 38.7).
- Moisés cantava e ensinou o povo a cantar (Êx 15; Dt 32).
- Israel cantou na viagem à terra prometida (Nm 21.17).
- Débora e Baraque cantavam louvores a Deus (Jz 5).

	As cinco divisões do livro de Salmos	
	Grupos menores de Salmos	*Notas*
Primeiro Livro	Salmos 1—41	[nenhum grupo]	
Segundo Livro	Salmos 42—72	Salmos dos coraítas, 42—49 56—60	Mi*k*tām é termo provavelmente musical ou literário
Terceiro Livro	Salmos 73—89	Salmos de Asafe, 73—83	
Quarto Livro	Salmos 90—106	[nenhum grupo]	
Quinto Livro	Salmos 107—150	Salmos hálel, 113—118 Cânticos de peregrinação, 120—134 Salmos de ações de graças, 135—139 Salmos pedindo proteção, 140—143 Salmos de aleluia, 146—150	Hālēl = louvor Halelû-yâ = louvem ao SENHOR

- Davi cantava de todo o coração (Sl 104.33).
- Os cantores de Ezequias cantavam as palavras de Davi (2Cr 29.28-30).
- Dois coros cantaram quando foram concluídos os muros de Jerusalém (Ne 12.42).
- Jesus e os discípulos cantaram na Última Ceia (Mt 26.30).
- Paulo e Silas cantaram na prisão (At 16.25).
- Nos céus, milhões de anjos cantam, e toda a criação redimida acompanhará o estribilho (Ap 5.11-13). Nos céus, todas as pessoas cantarão e nunca se cansarão de cantar.

Anotações litúrgicas e musicais nos salmos

O significado de vários termos hebraicos empregados nos títulos dos salmos não fica claro. Por exemplo, *miktām* ("poema epigráfico" — Sl 16, 56—60) e *maśkîl* ("poema" — Sl 32 e outros). Esses termos são de grande antiguidade, anteriores à *Septuaginta*.

A palavra *selâ* ocorre 71 vezes em Salmos; aparece nos intervalos em alguns salmos, além de surgir no fim. Pode ser um marcador musical, mas seu significado não fica claro. Talvez "pausa".

Idéias dominantes em Salmos

Confiança é a idéia principal do livro, sendo repetida muitíssimas vezes. Para Davi, seja qual tenha sido a ocasião, de júbilo ou de terror, a confiança o impulsionava diretamente a Deus. Apesar das próprias falhas, Davi realmente vivia em Deus.

O **louvor** sempre estava nos seus lábios. Davi sempre estava pedindo alguma coisa da parte de Deus e sempre lhe agradecendo de toda a sua alma por atender às suas orações.

Regozijo é outra palavra predileta. Davi nunca deixava que suas aflições incessantes ofuscassem seu regozijo em Deus. Ele exclama inúmeras vezes: "Cantem" ou "Gritem de alegria". Salmos é um livro de devoção a Deus.

Amor leal, amor inabalável ocorre centenas de vezes. Davi falava freqüentemente da justiça, da retidão e da ira de Deus, mas sempre voltava ao seu amor inabalável.

Instrumentos musicais

Os israelitas tinham instrumentos de cordas (harpa e lira), instrumentos de sopro (flauta, corneta, trombeta) e instrumentos de percussão (tamborim e címbalos). Davi tinha uma orquestra de 4 000 instrumentistas e lhes fornecia os instrumentos (1Cr 23.5).

- **Harpa:** A harpa parece ter sido um instrumento vertical, angular, maior no tamanho que a lira, com mais volume de som e menos agudez de diapasão.
- **Lira:** É geralmente aceito que a lira era uma cítara retangular de dez cordas.
- **Flauta transversal:** A flauta pastoril era feita de taquaras, sendo usada tanto para entretenimento quanto para acalmar as ovelhas.
- **Flauta:** A flauta (ḥālî) de duas palhetas é o equivalente bíblico do moderno oboé.
- **Trombeta:** A trombeta, ou *shôfār*, era originariamente um chifre de carneiro sem embocadura. Era usada principalmente como instrumento para transmitir sinais nas cerimônias tanto religiosas quanto seculares.
- **Corneta:** Josefo, o historiador judeu, descreveu a corneta como um tubo reto, "com pouco menor que um côvado [45 cm] de comprimento", com embocadura larga e terminando em abertura tipo sino.
- **Tamborim:** O tamborim era um tambor pequeno, feito com um aro de madeira e, provavelmente, dois couros, sem nenhum acréscimo de sininhos, que o tamborim moderno possui.
- **Címbalo:** O único instrumento de percussão na orquestra do Templo era o címbalo. No salmo 150, são mencionados dois tipos de címbalos. Os címbalos sonoros, maiores, eram tocados com as duas mãos. Os címbalos ressonantes eram muito menores e eram tocados com uma só mão — esses címbalos eram fixados no polegar e no dedo médio.

Salmos messiânicos

Muitos salmos, escritos mil anos antes de Cristo, contêm declarações que são totalmente inaplicáveis a qualquer pessoa da história universal, senão a Jesus Cristo. Esses são chamados salmos messiânicos. (A palavra grega *Cristo* é o mesmo que a palavra hebraica *Messias*.) Algumas referências a Davi parecem prenunciar o grande Rei vindouro, da família de Davi. Além das passagens que são claramente messiânicas, existem muitas expressões que parecem ser prefigurações veladas do Messias.

Os salmos mais claramente messiânicos são:

Salmo 2:   A divindade e o reino universal do Messias
Salmo 8:   Por intermédio do Messias, a raça humana deve governar a criação
Salmo 16:   A ressurreição do Messias dentre os mortos
Salmo 22:   Seus sofrimentos
Salmo 45:   Sua noiva real e seu trono eterno
Salmo 69:   Seu sofrimento
Salmo 72:   A glória e a eternidade de seu Reino
Salmo 89:   Deus jura que o trono do Messias será eterno
Salmo 110:   O Rei e Sacerdote eterno
Salmo 118:   Será rejeitado pelos líderes de sua nação
Salmo 132:   Herdeiro eterno do trono de Davi

**Declarações em Salmos que o
NT apresenta explicitamente
como referências a Cristo**

- "Tu és meu filho; eu hoje te gerei" (2.7; At 13.33).
- "Sob os seus pés tudo puseste" (8.6; Hb 2.6-10).
- "Porque tu não me abandonarás no sepulcro, nem permitirás que o teu santo sofra decomposição" (16.10; At 2.27)
- "Meu Deus! Meu Deus! Por que me abandonaste?" (22.1; Mt 27.46).
- "Recorra ao Senhor! Que o Senhor o liberte! Que ele o livre, já que lhe quer bem!" (22.8; Mt 27.43).
- "Perfuraram minhas mãos e meus pés" (22.16; Jo 20.25).
- "Dividiram as minhas roupas entre si, e tiraram sortes pelas minhas vestes" (22.18; Jo 19.24).
- "Aqui estou! [...] Tenho grande alegria em fazer a tua vontade, ó meu Deus" (40.7,8; Hb 10.7).
- "Até o meu melhor amigo, em quem eu confiava e que partilhava do meu pão, voltou-se contra mim" (41.9; Jo 13.18).
- "O teu trono, ó Deus, subsiste para todo o sempre" (41.9; Jo 13.18).
- "O zelo pela tua casa me consome" (69.9; Jo 2.17).
- "Puseram fel na minha comida e para matar-me a sede deram-me vinagre" (69.21; Mt 27.34,48).
- "... e outro ocupe o seu lugar" (109.8; At 1.20).
- "O Senhor disse ao meu Senhor: 'Senta-te à minha direita até que eu faça dos teus inimigos um estrado para os teus pés'" (110.1; Mt 22.44).
- "O Senhor jurou e não se arrependerá: 'Tu és sacerdote para sempre, segundo a ordem de Melquisedeque'" (110.4; Hb 7.17).
- "A pedra que os construtores rejeitaram tornou-se a pedra angular" (118.22; Mt 21.42).
- "Bendito é o que vem em nome do Senhor" (118.26; Mt 21.9).

(V. tb. comentários sobre 2Sm 7 e Mt 2.22.)

Primeiro Livro: Salmos 1—41

O deleite na Palavra de Deus — Sl 1

O livro dos Salmos começa com uma exaltação da Palavra de Deus. Se Davi amava tanto as poucas escrituras que constituíam a Palavra de Deus naquela época, quanto mais nós hoje devemos amar essa mesma Palavra, que agora possuímos em forma completa! (Outros salmos que exaltam a Palavra de Deus são o 19 e o 119.)

Notemos, ainda, que o livro dos Salmos começa com uma bem-aventurança ou beatitude, assim como o Sermão do Monte (Mt 5.3-12). Suas primeiras palavras são: "Como é feliz".

Seguem-se algumas das "Bem-aventuranças" de Davi nos Salmos:

- "Como é feliz aquele [...] [cuja] satisfação está na lei do Senhor" (1.1,2).
- "Como são felizes todos os que nele se refugiam!" (2.12).
- "Como é feliz aquele que tem suas transgressões perdoadas" (32.1).
- "Como é feliz a nação que tem o Senhor como Deus" (33.12).
- "Como é feliz o homem que nele se refugia!" (34.8).
- "Como é feliz aquele que se interessa pelo pobre!" (41.1).
- "Como são felizes os que habitam em tua casa" (84.4).
- "Como são felizes os que em ti encontram sua força" (84.5).
- "Como é feliz o homem a quem disciplinas, Senhor" (94.12).
- "Como é feliz o homem que teme o Senhor" (112.1).
- "Como são felizes os que obedecem aos seus estatutos e de todo o coração o buscam!" (119.2).

Um hino do Messias vindouro — Sl 2

Esse é o primeiro dos salmos messiânicos (v. p. anterior). Fala da divindade do Messias e de seu Reino universal (v. 8).

Davi confia em Deus — Sl 3

Escrito durante a rebelião de Absalão (2Sm 15). Um exemplo muito notável de serena confiança em tempos de muitas provações. Davi podia dormir porque "é o Senhor que me sustém".

Uma oração vespertina — Sl 4

Outro hino de confiança, enquanto Davi se preparava para dormir, por assim dizer, no colo de Deus. Fala da confiança em Deus (v. 5), da alegria do coração (v. 7), da paz de espírito (v. 8), da comunhão com Deus nas nossas meditações do fim do dia (v. 4), da confiança no cuidado divino (v. 8).

Uma oração matutina — Sl 5

Davi, assediado por inimigos traiçoeiros, ora e grita de alegria, confiante de que Deus o protegerá. Por certo Davi tinha muitos inimigos. Refere-se a eles repetidas vezes. Muitos dos salmos mais magníficos de Davi foram fruto de seus sofrimentos.

Sl 6 — O clamor de um coração partido

Numa ocasião de enfermidade, angústia, humilhação e repreensão da parte dos inimigos, possivelmente por causa do pecado de Davi com Bate-Seba (2Sm 11). Esse é o primeiro dos salmos penitenciais (v. comentário sobre o salmo 32).

Sl 7 — Outra oração pedindo proteção

Passando por grave perigo, Davi protesta sua retidão (v. comentário sobre o salmo 32). Cuxe, no título, pode ter sido um dos oficiais de Saul que saíram no encalço de Davi (v. comentário sobre o salmo 54).

Sl 8 — O homem, a coroa da Criação

Haverá louvores em âmbito mundial quando o Messias reinar triunfante (Hb 2.6-9). Jesus citou o versículo 2 como referência a um incidente de sua vida (Mt 21.16).

Sl 9 — Ações de graças pelas vitórias alcançadas

Vitórias contra os inimigos, nacionais e individuais. Deus se senta como rei, para todo o sempre. Reconheçam as nações que não passam de seres humanos, de simples criaturas. Louvem a Deus e confiem nele.

Esse salmo, junto com o salmo 10, forma um acróstico: as letras iniciais dos versículos sucessivos seguem a ordem do alfabeto hebraico. É possível que esse estilo fosse usado como artifício para ajudar a memória. Outros salmos acrósticos são os salmos 25, 34, 37, 111, 112, 119 e 145.

Sl 10 — Oração de Davi pedindo socorro

Davi ora, pedindo socorro diante da iniquidade, da opressão e do roubo, ao que parece dentro de seu próprio reino. Davi se preocupava muito com a impiedade, especialmente quando se tratava de desafios contra o próprio Deus. Para Davi, assim como para outros escritores bíblicos, só existiam dois tipos de pessoas: os justos e os ímpios — embora muitas pessoas procurem ser as duas coisas ao mesmo tempo.

Sl 11—13 — Predomina a iniquidade

Os ímpios andam por toda a parte. Davi sente-se oprimido por seus inimigos iníquos, quase até o ponto da morte. Nem por isso deixa de confiar em Deus, e canta de alegria. Salmos como este parecem pertencer ao período em que Davi estava se escondendo de Saul (1Sm 18—26).

Sl 14 — A pecaminosidade universal

Esse salmo é quase idêntico ao 53. É citado em Romanos 3.10-12. Aqui, os incrédulos são chamados de tolos: a iniquidade generalizada demonstra como as pessoas são tolas. Pois tão certamente como Deus existe, haverá um dia de prestação de contas, que será de condenação para os ímpios. Mas, entre esses ímpios, vive o povo de Deus, para o qual o Dia do Juízo será um dia de vindicação.

Cidadãos verdadeiros de Sião — Sl 15

Os cidadãos verdadeiros de Sião são retos, sinceros, justos e honestos. Thomas Jefferson chamava esse salmo de "o retrato de um autêntico cavalheiro".

A ressurreição do Messias — Sl 16

Parece que Davi está falando a respeito de si mesmo; entretanto, também passam por seus lábios palavras a respeito do Rei davídico futuro (v. 10), que são citadas no NT como predição da ressurreição de Jesus (At 2.27). Os versículos 8 e 11 são especialmente magníficos.

Uma oração por proteção — Sl 17

Acabrunhado pelos inimigos, Davi apela a Deus. Proclama a própria inocência e confia em Deus. Cercado por pessoas que amam este mundo, Davi se apega ao mundo do porvir (v. 14,15).

Hino de ações de graças de Davi — Sl 18

Davi escreveu esse salmo depois de passar muitos anos fugindo de Saul e depois de tornar-se rei e de ter consolidado firmemente o seu reino. Atribui tudo isso a Deus, sua Rocha, sua Fortaleza, seu Libertador, seu Rochedo, seu Refúgio, seu Escudo, seu Poder, sua Torre Alta. Um dos mais belos salmos.

O cabeça de nações (v. 43-45) é título só parcialmente aplicável a Davi, pois aponta para além da sua época, para o trono do descendente maior de Davi: Cristo, o Messias. Esse salmo está repetido em 2 Samuel 22.

A natureza e a Palavra — Sl 19

A maravilha e glória da criação e a perfeição e poder da Palavra de Deus. O Deus da natureza é revelado à humanidade mediante a Palavra escrita. Esses pensamentos a respeito da Palavra de Deus são expandidos amplamente no salmo 119. A oração final (v. 13 e 14) é uma das mais belas da Bíblia inteira. A Palavra de Deus é perfeita, digna de confiança e verdadeira. Ela dá alegria e é mais doce que o mel.

Um cântico de confiança — Sl 20

Parece tratar-se de um hino de batalha, cantado enquanto se hasteavam as bandeiras militares, com uma oração pedindo vitória quando Davi entrava na batalha. Ele confiava não nos carros e nos cavalos (v. 7), mas no Senhor.

Agradecimento pela vitória — Sl 21

A vitória na batalha, que fora pedida no salmo 20, agora é motivo de ação de graças a Deus. Refere-se a Davi, mas também parece conter um indício messiânico na sua referência à natureza eterna do reinado do Rei (v. 4).

Sl 22 — O salmo da crucificação

Trata-se de um brado de angústia da parte de Davi. Entretanto, embora tivesse sido escrito 1 000 anos antes dos dias de Jesus, é uma descrição tão vívida da crucificação de Cristo que poderíamos pensar que o autor estava pessoalmente presente ao pé da cruz: as palavras de Jesus ao morrer (v. 1), os escárnios dos seus inimigos (v. 7 e 8), suas mãos e pés traspassados (v. 16), suas roupas divididas entre os algozes (v. 18). Algumas dessas declarações não são aplicáveis a Davi nem a qualquer acontecimento conhecido da história, mas tão-somente à crucificação de Jesus.

Sl 23 — O salmo do pastor

Um dos capítulos mais amados do AT. É possível que Davi tenha composto esse salmo enquanto ainda era menino-pastor, vigiando os rebanhos do pai no mesmíssimo campo onde, 1 000 anos depois, o coro angelical anunciou o nascimento de Jesus.

Sl 24 — A chegada do Rei em Sião

Esse salmo talvez tenha sido escrito quando a arca da aliança foi introduzida em Jerusalém (2Sm 6.12-15). É possível que o cantemos na segunda vinda de Jesus, quando vier o Rei da glória.

Sl 25 — Oração de uma alma oprimida pelo pecado

Davi passava por períodos de depressão provocados por seus pecados e aflições. Aqui estão registradas muitas petições que faríamos bem em adotar como nossas. Leia freqüentemente esse salmo.

Sl 26 — Davi protesta sua integridade

Esse salmo é muito diferente do anterior. Davi fala de modo positivo e enfático a respeito de sua integridade. (v. comentário sobre o salmo 32).

Sl 27 — Devoção à casa de Deus

Deus era a força da vida de Davi. Sem vacilação, Davi confiava no Senhor. Gostava muito de cantar, de orar e de esperar no Senhor.

Sl 28 — Uma oração

Uma oração agradecendo de antemão a resposta divina. Davi não possuía esperança, senão em Deus. Dependia de Deus e nele se regozijava.

Sl 29 — A voz de Deus

A voz de Deus na tempestade, que às vezes é assustadora. A figura de linguagem é sugestiva de acontecimentos aterradores e cataclísmicos, até mesmo do fim do mundo.

Dedicação do palácio de Davi — Sl 30

Escrito depois de Davi ter conquistado Jerusalém e feito dela a sua capital (2Sm 5.11; 7.2). Davi estivera freqüentemente à beira da morte, mas Deus o preservara. Por isso, cantaria e louvaria a Deus para sempre.

Cântico de confiança — Sl 31

Davi, passando constantemente por perigos, aflições, mágoas ou humilhações, sempre confiava implicitamente em Deus. As palavras de Jesus, ao morrer, foram uma citação desse salmo (v. 5; Lc 23.46).

Salmo de arrependimento — Sl 32

Esse salmo foi ocasionado, por certo, pelo pecado que Davi cometera com Bate-Seba (2Sm 11 e 12). Ele não consegue achar palavras para expressar como se sente envergonhado e humilhado. Este, porém, é o mesmo Davi que repetidas vezes asseverava a própria retidão (Sl 7.3,8; 17.1-5; 18.20-24; 26.1-12).

Como podemos reconciliar esses aspectos paradoxais da vida de Davi? 1) É possível que as declarações a respeito da retidão de Davi tivessem sido feitas antes de ele cometer aquele terrível pecado. 2) Na maior parte de suas atividades, Davi era justo. 3) Mais importante: há uma enorme diferença entre um pecado de fraqueza e o pecado deliberado e habitual. Uma pessoa virtuosa pode cair no pecado, mas, em geral, ser boa. O remorso de Davi demonstra ser essa a sua situação — bem diferente daquela dos ímpios que deliberada e propositadamente desprezam todas as regras da decência (v. comentário sobre 2Sm 11).

Conta-se que Agostinho mandou escrever esse salmo na parede do seu quarto, defronte à sua cama, e que o lia incessantemente, chorando durante a leitura.

Outros salmos de arrependimento são os salmos 6, 25, 38, 51, 102, 130, 143.

Salmo de alegria e de louvor — Sl 33

Davi fala em uma "nova canção" (v. 3; as mesmas palavras se acham em 40.3; 96.1; 98.1; 144.9). Existem canções antigas que nunca envelhecem. Mas, para o povo de Deus que está palmilhando a estrada da vida, cada vez mais surgem novos livramentos e novas alegrias, que acrescentam nova relevância aos hinos conhecidos. No fim, todos esses tipos de canções espirituais serão acrescentados às novas explosões de regozijo no raiar das glórias do céu (Ap 5.9; 14.3).

Gratidão de Davi pelo livramento — Sl 34

Em toda e qualquer tribulação, Davi recorria diretamente a Deus em oração e depois de cada livramento voltava imediatamente a Deus com gratidão e louvor. Que coisa gloriosa é, dessa maneira, *viver em Deus*. Como isso deve agradar a Deus! Alguém disse: "Agradeça a Deus pela luz das estrelas, e ele lhe dará a luz da lua; agradeça a ele pela luz da lua, e ele lhe dará a luz do sol; agradeça a ele pela luz do sol, e ele, dentro em breve, o levará para onde ele mesmo é a Luz".

Um salmo imprecatório — Sl 35

Nesse salmo, Davi pede que Deus intervenha para ajudá-lo contra os inimigos. Deus, porém, parece estar longe e manter silêncio (v. 22 e 23). O que torna a situação mais difícil para Davi suportar é que os que procuram matá-lo são inimigos sem causa: odeiam-no sem motivo (v. 19). Essa não foi uma experiência isolada (v. 38.19; 69.4; 109.3; 119.78,86,161; Lm 3.52). Jesus aplicou esse mesmo pensamento a si mesmo em João 15.25: "Mas isto aconteceu para se cumprir o que está escrito na Lei deles: 'Odiaram-me sem razão'".

Sl 36 e 37   Confiança em Deus

Salmo 36. A iniqüidade das pessoas é contrastada com a misericórdia e a fidelidade de Deus.

Salmo 37. Esse é um dos salmos mais amados. Davi, sempre estranhando o fato de que a iniqüidade parece prevalecer, declara aqui sua filosofia de como devemos viver entre os ímpios: praticar o bem, confiar em Deus e não se entregar às preocupações.

Sl 38   Salmo de amarga angústia

Esse é um dos salmos de arrependimento (v. comentário sobre o salmo 32). Parece que Davi sofria de uma doença repugnante, provocada pelo seu pecado, que levava até mesmo seus amigos mais íntimos e seus parentes mais próximos a ficarem longe dele. Seus inimigos, em contrapartida, tinham se tornado cada vez mais numerosos e cada vez mais ousados contra ele. Isso demonstra como o "homem segundo o coração de Deus" (At 13.22) às vezes descia até as profundezas da tristeza e da humilhação por causa do pecado.

Sl 39   A fragilidade e inutilidade da vida

Jedutum (também mencionado nos títulos dos salmos 62 e 77) era um dos três líderes de música de Davi; os outros dois eram Asafe e Hemã (1Cr 16.37-42). Além disso, ele era vidente do rei, conforme 2 Crônicas 35.15.

Sl 40   Louvor por um grande livramento

A Lei de Deus estava no seu coração (v. 8), porém Davi ficava totalmente esmagado pelos seus pecados (v. 12). A última parte desse salmo é idêntica ao salmo 70. Parece haver uma referência messiânica no presente salmo (v. 7,8; cf. Hb 10.5-7).

Sl 41   Louvor pelo livramento

Esse salmo, segundo se pensa, pertence à ocasião em que Absalão, filho de Davi, tentou usurpar o trono (2Sm 15) — justamente quando a doença de Davi (v. 3-8) oferecia oportunidade para a conspiração ser tramada. O melhor amigo de confiança (v. 9) forçosamente teria sido Aitofel, o Judas Iscariotes do AT (2Sm 15.12; Jo 13.18).

Os salmos de vingança

Existem sete salmos em que o salmista invoca o castigo divino sobre seus inimigos, e isso de modo inconfundível (salmos 6, 35, 59, 69, 83, 109 e 137). Por exemplo:

> Seja a sua vida curta [...]
> Fiquem órfãos os seus filhos
> e a sua esposa, viúva.
> Vivam os seus filhos vagando como mendigos,
> e saiam rebuscando o pão longe de suas casas em ruínas.
> Que um credor se aposse
> de todos os seus bens,
> e estranhos saqueiem o fruto do seu trabalho.
> Que ninguém o trate com bondade
> nem tenha misericórdia dos seus filhos órfãos.
> Sejam exterminados os seus descendentes
> e desapareçam os seus nomes
> na geração seguinte.
> Que o SENHOR se lembre da iniqüidade dos seus antepassados,
> e não se apague o pecado de sua mãe.
>
> — SALMOS 109.8-14

Esses salmos também são chamados salmos imprecatórios, porque o salmista derrama imprecações (maldições) contra seus inimigos. Quatorze outros salmos incluem uma oração imprecatória (por exemplo: 3.7; 5.10; 7.14-16). A expressão de ódio e o desejo de vindicação também se acham nas orações de Jeremias (Jr 11.18-20; 15.15-18; 17.18; 18.19-23; 20.11,12) e de Neemias (Ne 6.14; 13.29).

O que faremos desses salmos que parecem contradizer frontalmente o mandamento de Jesus no sentido de amarmos os nossos inimigos (Lc 6.27,28)? Algumas pessoas simplesmente os desconsideram. Acham que o AT prega a lei e a vingança, ao passo que o NT ensina o amor a Deus e ao próximo. Portanto, semelhantes salmos não desempenham nenhum papel na vida cristã.

Esquecem-se, entretanto, que Jesus adotou os dois grandes mandamentos ("Ame o Senhor, o seu Deus de todo o seu coração [...] alma e [...] entendimento [...] ame o seu próximo como a si mesmo", Mt 22.37-39) diretamente do AT (Dt 6.5; Lv 19.18). E o seu mandamento no sentido de amarmos os nossos inimigos também se acha no AT : "Não se alegre quando o seu inimigo cair, nem exulte o seu coração quando ele tropeçar [...] Se o seu inimigo tiver fome, dê-lhe de comer; se tiver sede, dê-lhe de beber" (Pv 24.17; 25.21).

Além disso, "olho por olho, dente por dente" (Êx 21.24) não é uma legalização da vingança — que é o que muitas pessoas supõem. Pelo contrário, limita aos que foram lesados o direito de compensação por danos reais, e não de ressarcimentos punitivos. É uma lei humanitária, que visa impedir um círculo vicioso de vingança em escala cada vez maior.

O AT já contém em si os ensinos principais de Jesus — e fica claro que o NT não ensina somente "doçura e luz". Jesus condenou Corazim e Cafarnaum (Mt 11.21-24) e criticou severamente os líderes dos judeus e a incredulidade dos judeus em geral (Mt 7.23 [cf. Sl 6.8]; Mc 11.14; 12.9). Os apóstolos também falaram palavras contundentes contra os hereges e os malfeitores (1Co 5.5; Gl 1.8,9; 5.12; 2Tm 4.14 [cf. Sl 62.12]; 2Pe 2; 2Jo 7-11; Jd 3-16).

O fato é que *tanto* no AT quanto no Novo vemos esse mandamento de amar, *bem como* a exigência de odiar o mal.

O que aflige o leitor no caso dos salmos imprecatórios é o fato de serem tão *concretos*. "Deus odeia o pecado, mas ama o pecador" era um dito tão verídico para o AT quanto o é para nós hoje. No AT, porém, o pecado e o mal não são vistos como abstrações; antes, eles existem nas suas manifestações concretas — ações específicas por pessoas específicas.

No AT, o povo de Deus, a nação de Israel, é uma realidade concreta. A nação habita em um lugar específico, na Terra Prometida. O Templo é um lugar específico onde Deus está presente. E, acima de tudo, o Deus de Israel é conhecido por meio de seus atos concretos na história, sendo o mais notável dentre eles o Êxodo do Egito. E, assim como a presença de Deus é reconhecida mediante seus atos concretos na história, *também a iniqüidade é reconhecida por meio de suas manifestações concretas.*

Na Oração Dominical (ou pai-nosso), pedimos: "Livra-nos do mal" (ou "Livra-nos do Maligno"). Os salmistas fazem o mesmo pedido, mas de forma mais concreta: livra-nos do mal livrando-nos das *pessoas más*. No NT, a iniqüidade e o pecado se opõem ao Reino de Deus. No AT, a iniqüidade e o pecado se opõem ao reino de Israel, o povo de Deus. Mas, nos dois casos, o pecado e o mal são um ataque contra o próprio Deus, por se oporem a tudo quanto é mais querido ao coração divino.

Os salmos imprecatórios servem de lembrança constante de que o mal não é uma abstração, mas, sim, a realidade nua e crua da vida diária. Esses salmos nos lembram que Deus odeia o mal, não tanto na forma abstrata quanto nas ações (ou falta de ação) das pessoas — quer sejam elas incrédulas, quer sejam membros do próprio povo de Deus. (Note quão freqüentemente os salmistas clamam pelo perdão dos próprios pecados!)

Segundo Livro: Salmos 42—72

Sl 42 e 43 — Sede da casa de Deus

Esses dois salmos formam um só poema que descreve o anseio pela casa de Deus, sentido por alguém que estava exilado na região de Hermom, a leste do Jordão (42.6), entre um povo ímpio e hostil.

Os coraítas, mencionados nos títulos dos salmos 42 a 49, 84, 85, 87 e 88, eram uma família de levitas que Davi organizou numa associação profissional (1Cr 6.31-48; 9.19,22,33).

Sl 44 — Um brado de desespero

Um brado de desespero em tempos de desgraça nacional, quando, segundo parece, o exército de Israel tinha sido derrotado de modo esmagador.

Sl 45 — Cântico de casamento de um rei

O salmista deixa de falar ao rei para dirigir-se a Deus, que está assentado em um trono eterno. Esse salmo pode referir-se parcialmente a Davi ou a Salomão. Mas algumas de suas declarações são totalmente inaplicáveis a ambos — e a todo e qualquer outro soberano humano. Parece seguramente ser um cântico do Messias, um prenúncio das bodas do Cordeiro (Ap 19.7).

Sl 46 — Cântico de guerra de Sião

Nesse salmo baseia-se o famoso hino de Lutero "Castelo forte", o cântico da Reforma.

Sl 47 e 48 — Deus reina

Deus é Rei. Sião é a cidade de Deus. Esse Deus é o nosso Deus para sempre. Deus está no trono — que a terra se regozije!

A inutilidade das riquezas — Sl 49 e 50

Deus é dono da terra e de tudo o que existe dentro dela e na sua superfície. Ao darmos algo a Deus, estamos meramente devolvendo aquilo que já pertence a ele. Esses salmos, que falam como é vã a vida, visto que a morte sobrevém a todos, são semelhantes ao salmo 39.

Oração por misericórdia — Sl 51

Um salmo de arrependimento (v. comentário sobre o salmo 32), escrito na seqüência do pecado que Davi cometeu com Bate-Seba (2Sm 11 e 12). "Cria em mim um coração puro" (v. 10) é uma oração que todos nós faríamos bem em repetir constantemente.

Davi confia em Deus — Sl 52

A confiança de Davi em Deus faz um contraste com a jactância ímpia de seu inimigo Doegue (1Sm 21.7; 22.9). Davi está confiante de que será livrado.

A pecaminosidade universal dos homens — Sl 53

Esse salmo é semelhante ao 14. É citado em Romanos 3.10-12. Não se sabe o que significa o termo *māḥălath* no título, embora provavelmente seja um termo musical ou literário. "Poema" traduz o termo *maskîl*, que aparece transcrito em algumas versões.

Davi clama a Deus — Sl 54

Escrito quando os zifeus contaram a Saul onde Davi estava escondido (1Sm 26). Outros salmos compostos enquanto Davi fugia de Saul são os salmos 7 (?), 34, 52, 54, 56, 57, 59, 63(?) e 142.

Traídos por amigos — Sl 55

Assim como o salmo 41, esse também parece pertencer à época de Absalão e referir-se especificamente a Aitofel (v. 12-14; 2Sm 15.12,13). É o prenúncio de como Judas Iscariotes trairia Jesus. Davi confia em Deus.

Oração por livramento — Sl 56

Assim como no salmo 34, Davi ora para ser libertado dos filisteus (1Sm 21.10-15). Davi esgota totalmente seus recursos, até o ponto de fingir insanidade mental. Mesmo então, orava e confiava em Deus quanto aos resultados. O salmo 34 é seu cântico de gratidão por ter podido escapar.

Oração de Davi — Sl 57

Davi fez essa oração na caverna de Adulão, quando se escondia de Saul (1Sm 22.1; 24.1; 26.1). Seu coração firmava-se na confiança em Deus.

Sl 58 — A destruição dos ímpios

O dia da retribuição deles é certo. Davi se queixava muito do predomínio da iniqüidade. E repetia, vez após vez, que a maldade não dá lucro — em longo prazo. E essa verdade permanece até agora.

Sl 59 — Outra das orações de Davi

A oração de Davi quando Saul enviou soldados para lhe armarem uma emboscada em casa e matá-lo (1Sm 19.10-17). Mas novamente Davi confiou em Deus. Outro poema valioso.

Sl 60 — Salmo de desânimo

Escrito na ocasião em que a guerra contra os sírios e os edomitas (2Sm 8.3-14) não ia bem. Outros salmos em tempos de reveses nacionais são os salmos 44, 74, 79 e 108. A oração de Davi foi respondida (2Sm 8.14).

Sl 61 — Hino de confiança

Oração feita, segundo parece, quando Davi estava longe de casa em alguma expedição distante (v. 2) ou possivelmente quando se deu a rebelião de Absalão.

Sl 62 — Poema de devoção fervorosa

Devoção a Deus e confiança inabalável nele. Davi passava por muitas tribulações, mas nunca deixou de confiar em Deus.

Sl 63 — Um hino no deserto

Davi tem sede de Deus. Esse salmo parece pertencer ao período em que Davi estava no deserto de En-Gedi (1Sm 24), fugindo de Absalão, mas confiante de que seria restaurado.

Sl 64 — Oração pedindo proteção

Essa oração pede proteção contra as conspirações dos inimigos secretos. Davi confia que, com a ajuda de Deus, triunfará.

Sl 65 — Cântico do mar e da colheita

Deus coroa o ano com fartura. A terra exulta de alegria com suas safras abundantes.

Sl 66 — Cântico de ações de graças nacionais

Louvem a Deus, temam a Deus, cantem, regozijem-se — Deus mantém os olhos sobre as nações!

Salmo missionário — Sl 67

Antecipa as boas novas do evangelho que alcançarão os confins da terra. Que as nações cantem de alegria!

Marcha de batalha — Sl 68

A marcha militar dos exércitos vitoriosos de Deus. Esse salmo tem sido o predileto de muitos em tempos de perseguição.

Salmo de sofrimento — Sl 69

Assim como o salmo 22, esse salmo fornece relances dos sofrimentos do Messias. É citado no NT (v. 4, 9, 21, 22, 25; Jo 2.17; 15.25; 19.28-30; At 1.20; Rm 11.9; 15.3).

Um grito urgente por socorro — Sl 70

Deus nunca deixou Davi desamparado. O crente se alegra em Deus em tempos de perseguição. Quase igual à última parte do salmo 40.

Salmo da velhice — Sl 71

Retrospecto de uma vida de confiança, cercada por aflições e inimigos em todo o caminho, mas sem a mínima diminuição de seu regozijo em Deus.

A glória e a grandeza do reinado do Messias — Sl 72

Esse é um dos salmos de Salomão (o outro é o 127). O reino de Salomão estava no auge de sua glória. Seria possível pensar que esse salmo foi, pelo menos em parte, uma descrição de seu reino pacífico e glorioso. Algumas de suas declarações, entretanto, bem como seu teor geral, só podem se aludidas ao reino de Jesus, que é maior do que Salomão (v. tb. p. 398-400).

Terceiro Livro: Salmos 73—89

A prosperidade dos ímpios — Sl 73

A solução do problema da prosperidade dos ímpios é o seguinte: considere o destino final deles. Esse é um dos salmos de Asafe (os outros são 50, 74—83). Asafe era regente de cânticos de Davi (1Cr 15.16-20; 16.5). Os coros de Ezequias cantavam os salmos de Asafe (2Cr 29.30).

Desgraça nacional — Sl 74

Jerusalém estava em ruínas (v. 3, 6,7). Esse salmo pode referir-se à ocasião da invasão de Sisaque (1Rs 14.25) ou ao cativeiro babilônico.

Sl 75 — Deus é juiz

A certa destruição dos ímpios e o triunfo garantido dos justos, no dia em que a terra for dissolvida.

Sl 76 — Graças por uma grande vitória

Esse salmo parece referir-se à destruição do exército de Senaqueribe pelo anjo de Deus em Jerusalém (2Rs 19.35).

Sl 77 e 78 — Salmos históricos

Passam em revista as obras maravilhosas de Deus ao lidar com Israel. O contraste entre as obras poderosas de Deus e a infidelidade e a desobediência habituais de Israel.

Sl 79 e 80 — Desgraça em âmbito nacional

Assim como o salmo 74, esses salmos pertencem a um período de grande desgraça, tal como a invasão de Sisaque (1Rs 14.25), a queda do Reino do Norte ou o cativeiro babilônico.

Sl 81 e 82 — A inconstância de Israel

As aflições de Israel são causadas pelos próprios israelitas, que voltaram as costas para Deus. Se tivessem tão-somente dado ouvidos a Deus, as coisas teriam sido diferentes. Os juízes injustos também são culpados, pois se esqueceram de suas responsabilidades para com o supremo Juiz.

Sl 83 — Oração pedindo proteção

Oração por livramento de uma conspiração de nações aliadas: edomitas, árabes, moabitas, amonitas, amalequitas, filisteus e outros.

Sl 84 — A casa de Deus

A bem-aventurança da devoção à casa de Deus. "Melhor é um dia nos teus átrios [do Templo] do que mil noutro lugar" (v. 10). O que importa é ficar perto de Deus — e isso também vale para a igreja.

Sl 85 e 86 — Gratidão e apelo por misericórdia

Gratidão pelo retorno do cativeiro e uma oração pela restauração da terra e por um futuro melhor. É também uma oração que pede misericórdia: embora o salmista seja piedoso, não deixa de precisar do perdão.

Sl 87 — Sião

O amor de Deus a Sião. O que se diz aqui a respeito de Sião pertence mais propriamente à igreja. Nosso nascimento em Sião (nosso novo nascimento no povo de Deus) é registrado no céu (v. 6).

Um sofredor vitalício — Sl 88

Oração de alguém confinado ao leito de sofrimento, com uma enfermidade prolongada e terrível. Um dos salmos mais tristes.

O juramento de Deus — Sl 89

A promessa solene de Deus de que o trono de Davi será para sempre. Um salmo magnífico. Etã, no título, era um dos regentes de cânticos de Davi (1Cr 15.17).

Quarto Livro: Salmos 90—106

A eternidade de Deus — Sl 90

A eternidade de Deus e a brevidade da vida humana. Visto que esse é um salmo de Moisés, que viveu 400 anos antes de Davi, pode ser o primeiro salmo que foi composto. Moisés também escreveu outros cânticos (Êx 15; Dt 32). A tradição rabínica também atribui a Moisés os dez salmos seguintes (91—100).

Hino de confiança — Sl 91

Um dos salmos mais amados. É magnífico! Promessas notáveis de segurança feitas àqueles que confiam em Deus. Leia-o freqüentemente.

Hino de louvor no dia de descanso — Sl 92

Esse hino parece lembrar o sétimo dia da Criação e antecipar o eterno repouso nos céus. Os ímpios perecerão, os justos florescerão.

A majestade de Deus — Sl 93 e 94

A majestade de Deus e a destruição dos ímpios. O poder, a santidade e a eternidade do trono de Deus. Deus, desde a eternidade passada, reina para toda a eternidade futura. Neste mundo, predomina a iniqüidade, mas no fim prevalecerá a justiça de Deus: a perdição dos ímpios é certa. Esse é um dos temas mais freqüentes das Escrituras.

A soberania de Deus — Sl 95—97

Continuando a idéia do salmo 93, esses são chamados "salmos teocráticos" porque se relacionam com a soberania e o governo de Deus (teocracia = "governo de Deus"; compare com democracia = "governo pelo povo"), com indícios do domínio real do Messias vindouro.

Salmo 95. Cantem! Regozijem-se! Deus é Rei; ajoelhemo-nos diante dele. Nós somos o seu povo. Escutemos sua voz. Os versículos de 7 a 11 são citados em Hebreus 3.7-11 como palavras do Espírito Santo.

Salmo 96. Cantem! Sejam alegres! Sejam gratos! Louvem a Deus! Será um dia de triunfo para o povo de Deus quando ele vier julgar o mundo. Que os céus se alegrem e a terra exulte! O Dia do Juízo está para chegar!

Salmo 97. O Senhor vem. A terra estremece. Um hino de coroação que se refere, possivelmente, à primeira e à segunda vinda de Cristo.

Sl 98 — Cântico de alegria jubilosa

Visto ser esse um cântico novo (v. 1), talvez seja um daqueles que se cantam nos céus (Ap 5.9-14). (V. tb. comentário sobre o salmo 33.)

Sl 99 e 100 — Deus reina — adorem-no

Salmo 99. Deus reina. Deus é santo, que as nações tremam! Deus ama a justiça e a retidão. Ele atende às orações.

Salmo 100. Louvem a Deus! Seu amor leal é eterno, e sua fidelidade permanece por todas as gerações.

Sl 101 — Um salmo para governantes

É possível que esse salmo tenha sido escrito quando Davi subiu ao trono. Declara os princípios nos quais basearia seu reinado.

Sl 102 — Uma oração de arrependimento

Escrito em momentos de terrível aflição, humilhação e opróbrio (v. comentário sobre o salmo 32). A eternidade de Deus (v. 25-27) é citada em Hebreus 1.10-12 e ali aplicada a Cristo.

Sl 103 — Salmo da misericórdia de Deus

Esse salmo, que, segundo se supõe, foi escrito na velhice de Davi, resume o relacionamento de Deus com ele. Um dos salmos mais amados.

Sl 104 — Salmo da natureza

Deus, criador e mantenedor de todo o mundo. Esse salmo nos faz lembrar as palavras de Jesus: "Não se vendem dois pardais por uma moedinha? Contudo, nenhum deles cai no chão sem o consentimento do Pai de vocês" (Mt 10.29).

Sl 105 e 106 — Dois salmos históricos

Um resumo poético da história de Israel, que focaliza de modo especial como Israel foi milagrosamente libertado do Egito.

Quinto Livro: Salmos 107—150

O amor e a justiça infalíveis de Deus — Sl 107—109

Salmo 107. As maravilhas do amor de Deus ao lidar com seu povo e ao dispor das obras da natureza.
Salmo 108. Esse salmo parece ser um dos cânticos de guerra de Davi. É quase idêntico a algumas partes dos salmos 57 e 60.
Salmo 109. Vingança contra os adversários de Deus. Um dos salmos de maldição (v. comentário sobre o salmo 35). No NT, o versículo 8 é aplicado a Judas Iscariotes, que traiu Jesus.

O Reino do Rei vindouro — Sl 110

Esse salmo não pode referir-se a nenhuma pessoa da história a não ser Cristo. Entretanto, foi escrito mil anos antes de Cristo (v. 1,4). É citado no NT com referência a Cristo (Mt 22.44; At 2.34; Hb 1.13; 5.6).

Cânticos de louvor — Sl 111 e 112

Salmo 111. A majestade, honra, retidão, amor leal, justiça, fidelidade, verdade, santidade e eternidade de Deus.
Salmo 112. A bem-aventurança daqueles que temem a Deus e que são justos, misericordiosos, graciosos e generosos com os pobres, que amam os caminhos de Deus e a sua Palavra, e cujo coração se apega a Deus. Deles é a bem-aventurança eterna.

Os salmos *Hālel* — Sl 113—118

Hālel significa louvor. Os salmos *hālel* eram cantados pelas famílias, na noite da Páscoa: os salmos 113 e 114 no início da refeição, os de 115 a 118 no final da refeição. Esses foram, por certo, os hinos que Jesus e seus discípulos cantaram na Última Ceia (Mt 26.30).
Salmo 113. Um cântico de louvor. Começa e termina com "Aleluia", que significa "louvem a Deus".
Salmo 114. Um cântico do Êxodo, que relembra as maravilhas e milagres que acompanharam Israel quando este foi liberto do Egito, bem como o início da Páscoa.
Salmo 115. O Senhor é o único Deus. Seu povo é abençoado, ou seja, aqueles que confiam em Deus, e não nos deuses das nações. Os ídolos não podem ser mais inteligentes que aqueles que os fabricaram. Nosso Deus é o único Deus — onde estão os deuses das nações? Nosso Deus nos abençoará, e nós bendiremos o seu nome por todo o sempre.
Salmo 116. Um cântico de gratidão a Deus pelo livramento da morte e da tentação e pelas numerosas respostas à oração. Um dos melhores salmos.
Salmo 117. Uma intimação para as nações aceitarem ao Senhor. Citado nesse sentido em Romanos 15.11. Esse é o capítulo que fica exatamente no meio da Bíblia — e também é o capítulo mais curto. Entretanto, contém a essência de Salmos.
Salmo 118. Esse foi o hino de despedida que Jesus cantou com seus discípulos quando saiu do cenáculo onde celebrara a Páscoa, a caminho do Getsêmani e do Calvário (Mt 26.30). Parte desse hino era uma predição da rejeição de Jesus (v. 22,26; Mt 21.9,42).

Sl 119 — As glórias da Palavra de Deus

Com 176 versículos, esse é o capítulo mais longo da Bíblia. Cada versículo menciona a Palavra de Deus com um ou outro dos seguintes nomes (pela ordem em que aparecem): caminhos, lei, estatutos, preceitos, decretos, mandamentos, ordenanças, palavra e testemunhos, excetuando-se os versículos 90, 121, 122 e 132.

É um salmo acróstico ou alfabético. Tem 22 estrofes, sendo que cada uma delas começa com uma letra do alfabeto hebraico, em seqüência. Além disso, cada estrofe possui oito linhas, e cada uma dessas linhas, dentro de determinada estrofe, começa com a mesma letra (v. comentário sobre o salmo 9).

Sl 120—134 — Cânticos de peregrinação

Também chamados cânticos "dos degraus" ou "das subidas". Acredita-se que eram destinados a ser cantados sem instrumentos, pelos peregrinos que subiam às festas religiosas em Jerusalém. As estradas que partiam de todas as direções até Jerusalém subiam, realmente, morro acima (v. p. 51), daí "subir para Jerusalém" e cânticos "das subidas". Ou podem ter sido cantados enquanto se subiam os 15 degraus que levavam ao pátio dos homens no Templo.

Salmo 120. Uma oração por proteção, feita por alguém que habitava entre pessoas enganosas e traiçoeiras, longe de Sião.

Salmo 121. Os peregrinos podem ter cantado esse hino ao terem a primeira visão dos montes que cercavam Jerusalém.

Salmo 122. Pode ter sido o hino que os peregrinos cantavam ao se aproximar da porta do Templo, já adentrados nos muros da cidade.

Salmo 123. Esse hino pode ter sido cantado dentro dos pátios do Templo, quando os peregrinos levantavam os olhos a Deus, pedindo, em oração, sua misericórdia.

Salmo 124. Um hino de gratidão e louvor por repetidos livramentos nacionais em tempos de terrível perigo.

Salmo 125. Um hino de confiança. Assim como os montes cercam Jerusalém, também Deus cerca seu povo de cuidados.

Salmo 126. Um cântico de gratidão pelo regresso do cativeiro. Ao povo parecia-lhe que estava sonhando. (V. o Salmo 137.)

Salmo 127. Parece uma combinação de dois poemas: um a respeito da edificação do Templo, outro a respeito da edificação da família. Esse é um dos dois salmos de Salomão (o outro é o salmo 72).

Salmo 128. Um cântico de casamento. Uma continuação da segunda metade do salmo 127. As famílias piedosas são a base da prosperidade nacional.

Salmo 129. Israel ora pela derrota dos inimigos que o têm acossado, geração após geração.

Salmo 130. Mantendo nossos olhos firmes em Deus. Um clamor por misericórdia. Esse é um dos salmos penitenciais (v. comentário sobre o salmo 32.)

Salmo 131. Um salmo de humilde confiança em Deus, como uma criança. O salmista tem sua alma acalmada e aquietada em Deus, como a criancinha no colo da mãe.

Salmo 132. Uma reafirmação poética da promessa inviolável que Deus fez a Davi a respeito de uma dinastia eterna.

Salmos 133 e 134. Um salmo de amor fraternal e de vida eterna e um salmo a respeito dos levitas que fazem o plantão noturno no Templo.

O pico do monte Hermom, coberto de neve. Num clima seco, a umidade, qualquer que seja sua forma, é uma bênção: "É como o orvalho do Hermom quando desce sobre os montes de Sião. Ali o SENHOR concede a bênção da vida para sempre" (Sl 133.3).

Salmos de gratidão — Sl 135—139

Salmo 135. Cântico de louvor pelas obras portentosas de Deus na natureza e na história.

Salmo 136. Parece ser uma expansão do salmo 135, a respeito das obras portentosas de Deus na Criação e de seu relacionamento com Israel, com arranjo para o cântico antifônico. Em cada versículo ocorre: "O seu amor dura para sempre". É chamado salmo *hālel* ("de louvor"); era cantado no início da Páscoa, um dos cânticos prediletos do Templo (1Cr 16.41; 2Cr 7.3; 20.21; Ed 3.11).

Salmo 137. Salmo de cativeiro, cantado por exilados num país estrangeiro que ansiavam pela pátria. Esperam retribuição certa para aqueles que os levaram cativos. Esse não é um salmo de gratidão. Sua contrapartida é o salmo 126, escrito depois de voltarem da Babilônia, que transborda de gratidão.

Salmo 138. Cântico de gratidão, escrito, segundo parece, por ocasião de alguma resposta notável à oração.

Salmo 139. A presença universal de Deus e seu conhecimento infinito. Ele conhece todos os nossos pensamentos, palavras e ações — dele nada pode ser escondido. Os versículos 23 e 24 formam uma das orações mais necessárias de toda a Bíblia.

Orações por proteção — Sl 140—143

Salmo 140. Davi tinha muitos inimigos — e esse fato o forçava a ficar sempre mais perto de Deus. A derradeira destruição dos ímpios.

Salmo 141. Outra oração de Davi, pedindo proteção contra a influência do pecado.

Salmo 142. Uma das orações feitas por Davi em tempos anteriores, enquanto se escondia de Saul numa caverna (1Sm 22.1; 24.3).

Salmo 143. Davi, arrependido, clama por ajuda e orientação, possivelmente quando estava sendo perseguido por Absalão, seu filho (2Sm 17 e 18).

Sl 144 e 145 — Cânticos de louvor

Salmo 144. Um dos cânticos de guerra de Davi. Seu exército talvez tenha entoado hinos desse tipo ao avançar para a frente de batalha.

Salmo 145. É possível que Davi tenha mandado seu exército cantar um hino desse tipo depois de uma batalha, em gratidão pela vitória.

Sl 146—150 — Salmos de aleluia

Esses cinco últimos salmos são chamado salmos de aleluia, visto que cada um deles começa e termina com "Aleluia!" — que significa "louvem ao Senhor". Essa mesma palavra também ocorre freqüentemente em outros salmos.

A grande explosão de "aleluias" que leva o livro de Salmos ao seu encerramento culminante repercute até o fim da própria Bíblia e é ecoada nos coros celestiais dos redimidos (Ap 19.1,3,4,6).

Salmo 146. Deus reina. Louvarei a Deus enquanto eu viver.

Salmo 147. Que toda a criação louve a Deus! Louvem a Deus com gratidão! Que Israel e Sião louvem a Deus!

Salmo 148. Que os anjos louvem a Deus! Que o Sol, a Lua e as estrelas louvem a Deus! Que os céus clamem: "Aleluia!".

Salmo 149. Que os santos louvem a Deus! Que cantem de alegria! Que Sião se regozije! Aleluia!

Salmo 150. Aleluia! Louvem a Deus com trombetas e com harpas! Tudo o que tem vida louve ao Senhor! Aleluia!

Provérbios

Ditos sábios sobre os assuntos práticos da vida diária

> Confie no Senhor de todo o seu coração
> e não se apóie em seu próprio entendimento;
> reconheça o Senhor em todos os seus caminhos,
> e ele endireitará as suas veredas.
> Não seja sábio aos seus próprios olhos;
> tema o Senhor e evite o mal.
> — Provérbios 3.5-7

> O temor do Senhor é o princípio da sabedoria,
> e o conhecimento do Santo é entendimento.
> — Provérbios 9.10

Assim como o livro dos Salmos e o *Pentateuco*, Provérbios está dividido em cinco partes: o caminho da sabedoria, de Salomão (caps. 1—9); a coletânea principal dos provérbios de Salomão (caps. 10—24); a coletânea dos provérbios de Salomão feita por Ezequias (caps. 25—29); as palavras de Agur (cap. 30); e as palavras do rei Lemuel (cap. 31).

A maioria dos provérbios, portanto, são atribuídos a Salomão. Salomão parece ser, no livro de Provérbios, aquilo que Davi é no livro dos Salmos: o autor principal. A diferença é que Salmos é um livro devocional, ao passo que Provérbios é um livro de ética prática.

Salomão

Quando Salomão era moço, tinha uma paixão empolgante pelo conhecimento e pela sabedoria (1Rs 3.9-12). Passou a ser o prodígio literário de sua época. Suas realizações intelectuais eram a maravilha de todos aqueles tempos. Dos confins da terra, vinham reis para escutá-lo. Dava preleções sobre botânica e zoologia. Era cientista, governante político, homem de negócios com vastos empreendimentos, poeta, moralista e pregador (v. comentários sobre 1Rs 4, 9 e 10).

O que é um provérbio?

O provérbio é um ditado breve e popular que expressa uma verdade geral ("É melhor prevenir do que remediar"). A maior parte do livro de Provérbios consiste em provérbios sem conexão entre si. Mas a palavra hebraica traduzida por "provérbio" também pode incluir exortações mais longas e com mútua conexão, como se lê no capítulo 2. A maioria dos provérbios nesse livro expressa um contraste ("Muitos são os planos no coração do homem, mas o que prevalece é o propósito do Senhor", 19.21) ou uma declaração acompanhada de pormenores ou conseqüências ("Ouça conselhos e aceite instruções, e acabará sendo sábio", 19.20). Muitos provérbios empregam linguagem figurada ("As palavras agradáveis são como um favo de mel, são doces para a alma e trazem cura para os ossos", 16.24).

O propósito primário dos provérbios é didático, sobretudo para os jovens — declarações compactas e práticas que se fixam facilmente na memória. Abrangem uma vasta gama de assuntos: a sabedoria, a justiça, o temor a Deus, o conhecimento, a moralidade, a castidade, a diligência, o domínio próprio, a confiança em Deus, o emprego correto do dinheiro, a consideração pelos pobres, o controle da língua, a bondade para com os inimigos, a escolha dos companheiros, o treinamento das crianças, a honestidade, a preguiça, a falta de ocupação, a justiça, a solicitude, a boa disposição de ânimo, o bom senso e outros.

O livro de Provérbios e a experiência

Esse livro visa inculcar virtudes nas quais a Bíblia insiste do começo ao fim. Muitíssimas vezes, em todas as partes da Bíblia, Deus nos oferece uma grande quantidade de instruções quanto à maneira como ele quer que vivamos, de modo que não haja desculpa para não atingirmos o alvo.

Os ensinos do livro de Provérbios não são expressos com as palavras "Assim diz o Senhor", como acontece na Lei de Moisés, onde as mesmas coisas são ensinadas como mandamento direto de Deus. Ao contrário, eles nos são oferecidos como fruto da experiência de um homem que experimentou e provou quase tudo aquilo em que os seres humanos se envolvem. Moisés dissera: "Esses são os mandamentos de Deus". Aqui, Salomão diz: "A experiência demonstra que Deus nos tem mandado fazer as coisas que são melhores para nós — a essência da sabedoria humana acha-se no cumprimento dos mandamentos de Deus". O livro de Provérbios é como um manual do fabricante, com instruções para a vida humana. O manual do fabricante explica o que precisa ser feito para evitar problemas graves, mas não é garantia de que nada nunca apresentará defeito.

Deus, no longo registro da revelação de si mesmo e de sua vontade, recorreu, segundo parece, a todos os métodos possíveis para nos convencer — não somente por mandamentos e por preceitos, mas também pelo seu exemplo — de que vale a pena viver segundo a vontade dele.

A fama de Salomão servia de caixa acústica que fazia sua voz ressoar até os confins da terra, e fez dele um exemplo, diante do mundo inteiro, de como são sábias as idéias de Deus.

O livro de Provérbios tem sido chamado o melhor guia para o sucesso que um jovem poderá seguir.

Existe também um elemento secundário de humor em Provérbios, especialmente nas imagens evocadas por alguns dos provérbios: "Até o insensato passará por sábio, se ficar quieto, e, se contiver a língua, parecerá que tem discernimento" (17.28). "Melhor é viver num canto sob o telhado do que repartir a casa com uma mulher briguenta" (21.9). Há também uma descrição muito viva dos efeitos do álcool em demasia (23.31-35).

Pv 1—9 Os provérbios de Salomão (livro 1)

Capítulo 1. O objetivo do livro. Promover a sabedoria, a disciplina, o entendimento, a sensatez, a justiça, o direito, o que é correto, a prudência, o conhecimento, o bom senso, o discernimento, a orientação, provérbios, parábolas, ditados e enigmas. Que palavras esplêndidas! A sabedoria (palavra que aparece

41 vezes no livro) é mais que o conhecimento e o entendimento: inclui a habilidade em viver uma vida moralmente sadia. Pode, também, incluir as habilidades envolvidas numa arte ou ofício (em Êx. 31.3, por exemplo, "destreza" é a mesma palavra: também significa "sabedoria").

O ponto de partida é o temor a Deus (v. 7); a seguir, prestar atenção à instrução recebida dos pais (v. 8,9) e evitar más companhias (v. 10,19). A sabedoria exclama em voz alta as suas advertências, mas se elas forem desconsideradas, as conseqüências serão bastante graves (v. 20-33).

Capítulo 2. A sabedoria deve ser buscada com toda a sinceridade de coração. O lugar certo para achá-la é a Palavra de Deus (v. 6). Segue-se, então, uma advertência contra a mulher imoral, advertência que é freqüentemente repetida. Ao passo que a sabedoria é personificada em Provérbios como uma mulher pura e moralmente bela, a mulher imoral, a pervertida, é o inverso da sabedoria — é a personificação da insensatez.

Capítulo 3. Um capítulo sublime e belo: a bondade, a verdade, a vida longa, a paz, a confiança em Deus, honrar a Deus com as posses materiais, o bem-estar, a segurança, a felicidade, a bem-aventurança.

Capítulo 4. A sabedoria é a coisa principal — é suprema. Por isso, obtenha sabedoria! A vereda do justo brilha cada vez mais, mas o caminho dos ímpios fica cada vez mais escuro.

Capítulo 5. A alegria e a lealdade no casamento. Advertência contra o amor impuro. Salomão tinha muitas mulheres, mas aconselhou contra isso. Parece ter achado preferível o sistema de uma só esposa (v. 18,19). Os capítulos de 5 a 7 falam a respeito de mulheres imorais. A quantidade de espaço que Salomão dedica a elas dá a entender que naquela época deve ter havido muitas mulheres desse tipo (Ec 7.28). No pano de fundo, sempre há a imagem da sabedoria dada por Deus, que leva a uma vida moral (personificada na esposa da juventude), e a imagem da busca da insensatez, que leva à desgraça (personificada na mulher imoral).

Capítulo 6. Advertências contra obrigações comerciais questionáveis, contra a preguiça, a hipocrisia astuta, a altivez, a falsidade, a provocação de contendas, a desconsideração para com os pais e o amor ilegítimo.

Capítulo 7. Advertência contra a adúltera cujo marido está ausente de casa. Mais uma vez, uma advertência contra a insensatez e contra a traição à sabedoria.

Capítulos 8 e 9. A sabedoria, personificada uma mulher, convida todos a compartilharem da fartura de seu banquete, em contraste com as mulheres voluptuosas e sedutoras que clamam aos inexperientes que passam: "A água roubada é doce, e o pão que se come escondido é saboroso!" (9.13-18).

Os provérbios de Salomão (livro 2) — Pv 10—24

Capítulo 10. Contrastes sucintos entre os sábios e os insensatos, entre os justos e os ímpios, entre os diligentes e os preguiçosos, entre os ricos e os pobres.

Capítulo 11. Práticas comerciais desonestas ("balanças desonestas") são uma abominação diante de Deus. Uma mulher bonita, porém indiscreta, é como uma jóia em focinho de porco. A pessoa generosa prosperará.

> É melhor ter pouco com o temor do SENHOR do que grande riqueza com inquietação.
> PROVÉRBIOS 15.16

Capítulo 12. A mulher digna é a glória do marido. Os lábios mentirosos são abominação diante de Deus. Os diligentes receberão bênçãos preciosas. Nenhum mal atinge os justos.

Capítulo 13. Quem vigia a própria boca também guarda a própria vida. A esperança adiada é desgosto do coração. O caminho do transgressor é penoso. Ande com sábios, e você também será sábio.

Arando a terra: "O preguiçoso não ara a terra na estação própria; mas na época da colheita procura, e não acha nada" (Pv 20.4).

Capítulo 14. Quem tem pavio curto fará tolices. Quem é tardio em irar-se é pessoa de ampla compreensão. O temor a Deus é fonte da vida. A tranqüilidade de coração dá vida ao corpo. Quem oprime os pobres revela desprezo àquele que os criou.

Capítulo 15. A resposta calma desvia a fúria. O falar amável é árvore de vida. A oração do justo agrada a Deus. O filho sábio dá alegria ao seu pai.

Capítulo 16. As pessoas fazem planos, mas Deus lhes dirige os passos. O orgulho vem antes da destruição. O cabelo grisalho é uma coroa de esplendor e se obtém mediante uma vida justa.

Capítulo 17. O filho tolo é tristeza para o seu pai. O coração bem-disposto é remédio eficiente. Até o insensato, ao ficar quieto e conter a língua, passará por sábio.

Capítulo 18. A conversa do tolo é a sua desgraça. A língua tem poder sobre a vida e a morte. A humildade antecede a honra. Quem encontra uma esposa encontra algo excelente.

Capítulo 19. A esposa prudente vem do Senhor. Quem trata bem os pobres empresta ao Senhor, e ele o recompensará. Muitos são os planos no coração do homem, mas o que prevalece é o propósito do Senhor.

Capítulo 20. O vinho é zombador. É uma honra dar fim a contendas, mas todos os insensatos se envolvem nelas. Os lábios que transmitem conhecimento são uma rara preciosidade. Pesos adulterados e medidas falsificadas são coisas que o Senhor detesta.

Capítulo 21. Melhor é viver num canto sob o telhado do que repartir a casa com mulher briguenta. Quem fecha os ouvidos ao clamor dos pobres também clamará e não terá resposta. Quem é cuidadoso no que fala evita muito sofrimento. Prepara-se o cavalo para a batalha, mas Deus é quem dá a vitória.

Capítulo 22. A boa reputação vale mais que grandes riquezas. Instrua a criança no caminho que deve seguir, e mesmo quando envelhecer não se desviará dele. Quem é generoso será abençoado. Você já observou um homem habilidoso em seu trabalho? Será promovido ao serviço real.

Capítulo 23. Não esgote suas forças tentando ficar rico. Não evite disciplinar uma criança. Ouça seu pai, que o gerou; não despreze sua mãe quando ela envelhecer. Que eles se alegrem em você! Uma descrição satírica dos efeitos da bebida em demasia (v. 29-35).

Capítulo 24. Com muitos conselheiros se obtém a vitória. Passei pelo campo do preguiçoso; o chão estava coberto de ervas daninhas e de espinheiros. A resposta sincera é como beijo nos lábios. Dormir um pouco, descansar mais um pouco, e a pobreza lhe virá como assaltante.

> Se o seu inimigo tiver fome, dê-lhe de comer; se tiver sede, dê-lhe de beber.
> PROVÉRBIOS 25.21

Os provérbios de Salomão (livro 3) — Pv 25—29

Esse grupo de provérbios de Salomão (caps. 25—29) foi, segundo se declara aqui, compilado pelos funcionários do rei Ezequias (25.1). Ezequias viveu mais de duzentos anos depois de Salomão. É possível que o manuscrito original de Salomão tivesse se desgastado, e um elemento básico do movimento de reforma liderado por Ezequias foi a renovação do interesse pela Palavra de Deus (2Rs 18).

Capítulo 25. A palavra proferida no tempo certo é como frutas de ouro incrustadas numa escultura de prata. Se o seu inimigo tiver fome, dê-lhe de comer; se tiver sede, dê-lhe de beber; e Deus recompensará você (v. Lc 6.35).

Coelhos da rocha estão entre os quatro seres da terra descritos em Provérbios 30.24-28 como "pequenos, e, no entanto, muito sábios".

Capítulo 26. Você conhece alguém que se julga sábio? Há mais esperança para o insensato do que para ele. A língua mentirosa odeia aqueles a quem fere.

Capítulo 27. Não se gabe do dia de amanhã, pois você não sabe o que este ou aquele dia poderá trazer (v. Mt 6.34). Mais provérbios a respeito dos insensatos.

Capítulos 28 e 29. Quem fecha os olhos para não ver os pobres sofrerá muitas maldições. O tolo dá vazão à sua ira, mas o sábio domina-se. Mais discursos contra os tolos.

Ditados de Agur — Pv 30

Não se sabe quem era Agur — talvez um amigo de Salomão. Salomão gostou tanto desses provérbios que achou que valia a pena incluí-los no seu próprio livro.

Pv 31 — Ditados do rei Lemuel

Conselhos de uma mãe, dirigidos a um rei. É possível que Lemuel fosse outro nome de Salomão. Nesse caso, Bate-Seba teria sido a mãe que lhe ensinou esse belo poema.

Poucas mães têm criado filhos tão magníficos. Quando Salomão era jovem, seu caráter era tão esplêndido como qualquer outro na história universal. Na sua velhice, porém, ele realmente se afastou do que lhe fora ensinado — de modo contrário ao seu provérbio (22.6). Esse capítulo tem mais que ver com mães que com reis.

O livro de Provérbios termina com um sublime poema acróstico que celebra a esposa exemplar: "Uma esposa exemplar; feliz quem a encontrar! É muito mais valiosa que os rubis".

Eclesiastes

A vida terrena é destituída de sentido

"Que grande inutilidade!",
diz o mestre.
"Que grande inutilidade!
Nada faz sentido!"

— Eclesiastes 1.2

Vaidade de vaidades, diz o Pregador; vaidade de vaidades, tudo é vaidade.

— Eclesiastes 1.2 (ara)

Salomão, o autor desse livro, foi, no seu tempo, o rei mais famoso e poderoso do mundo inteiro, notável pela sua sabedoria, suas riquezas e suas realizações literárias (v. comentários sobre 1Rs 4 e 9 e 10).

"Inutilidade! Inutilidade! Nada faz sentido!"

Esse é o tema do livro. Encerra também uma tentativa de oferecer uma resposta filosófica no tocante a como melhor viver num mundo em que tudo parece estar destituído de sentido. O livro contém muita coisa de beleza sublime e de sabedoria transcendente. Mas é radicalmente diferente de Salmos: sua disposição de ânimo predominante é de profunda melancolia.

Davi, o pai de Salomão, na sua luta prolongada e penosa para edificar o reino, sempre exclamava: "Regozijem-se!", "Gritem de alegria!", "Cantem!", "Louvem a Deus!". Salomão, sentado em segurança e paz no trono que Davi levantara, possuía honrarias, esplendor, poder e vivia em luxo fabuloso. Era o único homem no mundo inteiro que todos teriam considerado feliz. Apesar disso, seu refrão incessante era: "Nada faz sentido!". E esse livro, produto da velhice de Salomão, deixa a nítida impressão de que Salomão não era um homem feliz. Ocorre 37 vezes a palavra que significa "inutilidade" ou "sem sentido".

A eternidade

Eternidade (3.11) talvez sugira o pensamento principal do livro: Deus "pôs no coração do homem o anseio pela eternidade". Nas mais íntimas profundezas de nossa natureza temos o anseio pelas coisas eternas. Naqueles tempos antigos, porém, Deus ainda não revelara muita coisa a respeito das coisas eternas.

Em vários trechos do at, há indícios e vislumbres da vida futura, e Salomão parece ter tido algumas vagas noções a respeito. Mas foi

> Para tudo há uma ocasião certa; há um tempo para cada propósito debaixo do céu.
>
> Eclesiastes 3.1

Cristo quem trouxe à luz a vida e a imortalidade (2Tm 1.10). Cristo, na sua ressurreição dentre os mortos, deu ao mundo uma demonstração concreta da vida além-túmulo. E Salomão, que viveu quase mil anos antes de Cristo, não poderia mesmo ter tido, a respeito da vida futura, a mesma confiança segura que Cristo posteriormente deu ao mundo.

Salomão, entretanto, desfrutara de tudo quanto havia de melhor na vida terrena. O mínimo capricho tinha de ser satisfeito de imediato. Parece ter feito da busca aos prazeres o maior empreendimento de sua vida. E esse livro, que é o resultado da experiência de Salomão, é repassado de uma nota de indizível dramaticidade: "Tudo é inútil, é correr atrás do vento!".

Os falsamente chamados colossos de Memnom – são, na realidade, estátuas do faraó Amenófis III do Egito – estão sozinhos na planície, sem nada para guardar. O templo que antigamente existia atrás deles já se foi, há muito tempo: uma ilustração apropriada da falta de sentido, em última análise, do poder e da glória.

Como um livro assim pode ser a Palavra de Deus?

Deus está por trás da produção desse livro. Nem todas as idéias de Salomão eram idéias de Deus (v. comentário sobre 1Rs 11). Mas as lições gerais e evidentes por si mesmas que existem no livro são da parte de Deus. Foi Deus quem deu a Salomão a sabedoria, bem como oportunidades incomparáveis para que explorasse todos os aspectos da vida terrena. E, depois de muitas pesquisas e experimentação, Salomão chegou à conclusão de que, de modo geral, a raça humana encontrava na vida pouca felicidade estável, e no seu próprio coração sentia um anseio inexprimível por alguma coisa além de seu próprio alcance. Dessa forma, esse livro é um tipo de clamor da humanidade pedindo um Salvador.

Agora que já se ouviu tudo, aqui está a conclusão: Tema a Deus e obedeça aos seus mandamentos, pois isso é o essencial para o homem.
ECLESIASTES 12.13

Com o advento de Cristo, o clamor foi atendido. Desapareceu a inutilidade da vida. A vida já não está sem sentido, mas, sim, repleta de alegria e de paz. Jesus nunca considerou a vida destituída de sentido. Falou, isso sim, de sua alegria, até mesmo à sombra da cruz. "Alegria" é uma das palavras-chave do NT. Em Cristo, a raça humana achou o anseio de todos os tempos: a vida — plena, abundante, jubilosa, gloriosa.

Tudo é vaidade — Ec 1—4

Num mundo em que tudo passa, sem conseguir satisfazer ninguém, Salomão dispôs-se a responder à pergunta: "Qual a solução do problema da vida num mundo como este?" O mundo é de monotonia interminável. Salomão sentia que a vida era inútil e sem sentido, da mesma forma que suas grandes realizações eram vazias e inúteis. Até mesmo a sabedoria, que Salomão procurara com tanta diligência e à qual atribuía tanto valor, acabou decepcionando. As ocupações e os prazeres da raça humana, todos eles, pareciam-lhe não passar de uma corrida atrás do vento. E a situação era, ainda, agravada pelas iniqüidade e crueldade das pessoas.

Miscelânea de provérbios — Ec 5—10

A forma de literatura predileta de Salomão eram os provérbios. Nesses capítulos, ele intercala provérbios com várias observações relacionadas com o tema geral do livro. Em 7.27,28 talvez haja uma referência indireta à experiência que Salomão teve com suas 700 esposas e 300 concubinas (1Rs 11.1-11). Poderíamos imaginar, tomando por base 7.26-28, que ele havia tido alguma dificuldade em manter na linha as mulheres infiéis de sua corte.

A resposta de Salomão — Ec 11 e 12

A resposta à pergunta do próprio Salomão ("O que podemos fazer num mundo em que nada faz sentido?") está dispersa por todo o livro e é sintetizada no final: coma, beba, alegre-se, pratique o bem, conviva alegremente com sua esposa, faça com compromisso sério tudo quanto suas mãos acharem para fazer e, acima de tudo, tema a Deus e mantenha em vista o Dia do Juízo. Apesar de todos os seus queixumes a respeito da natureza da Criação, Salomão não tinha dúvidas quanto à existência do Criador e quanto à justiça divina. Deus é mencionado, no mínimo, 40 vezes nesse livro — mais freqüentemente que a inutilidade ou a falta de sentido!

Cântico dos Cânticos

Elogio ao amor conjugal

> Veja! O inverno passou;
> acabaram-se as chuvas e já se foram.
> Aparecem flores na terra,
> e chegou o tempo de cantar;
> já se ouve em nossa terra
> o arrulhar dos pombos.
> A figueira produz os primeiros frutos;
> as vinhas florescem e espalham sua fragrância.
> Levante-se, venha, minha querida;
> minha bela, venha comigo.
>
> — Cântico dos Cânticos 2.11-13

O Cântico dos Cânticos trata do amor, num ambiente de primavera florida, com metáforas e figuras de linguagem orientais em profusão, que demonstram o gosto que Salomão sentia pela natureza, pelos jardins, pelas campinas, pelas vinhas, pelos pomares e pelos rebanhos (1Rs 4.33).

É chamado o Cântico dos Cânticos, possivelmente como indicação de que Salomão o considerava o mais maravilhoso dos 1 005 cânticos que escreveu (1Rs 4.32). Alguns acham que foi escrito para celebrar seu casamento com sua esposa predileta.

Um poema

Os estudiosos, familiarizados com a estrutura da poesia hebraica, consideram esse livro uma composição sublime. (Quanto à poesia hebraica, v. p. 248-9). Mas as transições bruscas de um interlocutor para outro e de um local para outro, sem nenhuma explicação das freqüentes mudanças dos cenários e dos participantes, deixam o leitor em dificuldades para seguir a trama. No texto hebraico, a mudança de um interlocutor para outro é indicada pelo gênero; em algumas de nossas Bíblias, por um espaçamento adicional.

Os interlocutores

Parece claro que os interlocutores são:

- A noiva, chamada Sulamita (6.13)
- O rei
- Um coro de mulheres do palácio, chamadas "filhas de Jerusalém"

O harém de Salomão, a essa altura, ainda era relativamente pequeno — 60 esposas, 80 concubinas e virgens inumeráveis na lista de espera (6.8). Posteriormente, chegou a abrigar 700 esposas e 300 concubinas (v. comentário sobre 1Rs 11.3).

A noiva

Uma opinião muito corriqueira, e provavelmente a melhor, é que Sulamita era Abisague de Suném, a mulher mais bela de todo o país, que atendeu a Davi nos seus últimos dias (1Rs 1.1-4) e que certamente se tornou esposa de Salomão, visto que seu casamento com outro poderia ter sido uma ameaça para o trono (1Rs 2.17,22).

Interpretações

À primeira vista, esse poema é um cântico de louvor às alegrias da vida conjugal. Sua essência acha-se nas expressões ternas e dedicadas dos deleites íntimos do amor nupcial. Ainda que não fosse mais que isso, não deixaria de ser digno de ocupar um lugar na Palavra de Deus, pois o casamento foi ordenado por Deus (Gn 2.24). Além disso, a felicidade e o bem-estar dos seres humanos dependem, em grande medida, das atitudes mútuas e corretas no relacionamento íntimo da vida conjugal.

Todavia, tanto os judeus quanto os cristãos têm visto nesse poema significados mais profundos. Os judeus o liam na Páscoa, como uma alegoria que se referia ao Êxodo, quando Deus tomou Israel para si mesmo como sua noiva. O amor de Deus por Israel, portanto, seria exemplificado aqui no amor espontâneo de um grande rei por uma jovem de origem humilde. No AT, Israel é descrito como a esposa de Deus (Jr 3.1; Ez 16 e 23).

Os cristãos geralmente o consideram um cântico sobre Cristo e a igreja. No NT, a igreja é chamada a noiva de Cristo (Mt 9.15; 25.1; Jo 3.29; 2Co 11.2; Ef 5.23; Ap 19.7; 21.2; 22.17). Segundo essa opinião, o casamento humano é uma contraparte e antegosto do relacionamento entre Cristo e sua igreja.

Como poderia um homem que tinha um harém de 1 000 mulheres ter por alguma delas um amor que merecesse ser um retrato do amor de Cristo pela igreja? Vários dos santos do AT eram polígamos. Embora a Lei de Deus fosse contrária a isso desde o princípio, conforme Cristo afirmou de modo tão claro, parece que na época do AT Deus condescendeu, em certa medida, com os costumes que prevaleciam. Os reis geralmente tinham muitas esposas. Era uma das prerrogativas e símbolos da condição social da realeza. E o grande afeto que Salomão tinha por essa belíssima moça parece ter sido genuíno e inconfundível. Além disso, ele era rei na família que iria produzir o Messias. E não parece impróprio que seu casamento prefigure, em certo sentido, o casamento eterno do Messias com sua noiva. As alegrias desse cântico, em certo sentido, chegarão ao seu ponto culminante nas aleluias do banquete de casamento do Cordeiro (Ap 19.6-9).

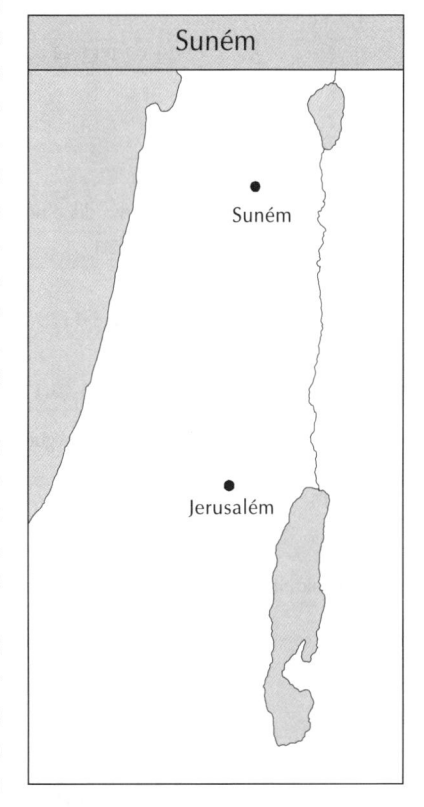

Esboço do poema

Nem sempre é fácil saber quem está falando. O esboço que se segue é consistente com o conteúdo do livro, mas outros esboços também são viáveis. (É proveitoso marcar na Bíblia quais versículos são falados por qual dos três interlocutores, de modo que o poema possa ser lido por inteiro sem interrupções.)

O rei	A noiva (a Sulamita)	Coro de mulheres palacianas
Capítulo 1: A noiva expressa seu amor pelo rei, e o rei, por sua noiva.		
	1.2-4a	
		1.4b ("Estamos alegres...")
	1.4c-7 ("Com toda a razão...")	
		1.8
1.9-11		
	1.12-14	
1.15		
	1.16	
1.17		
Capítulos 2 e 3: A noiva pensa dia e noite no rei.		
	2.1	
2.2		
	2.3-13	
2.14,15		
	2.16—3.11	
Capítulo 4: O rei também não consegue deixar de ficar pensando em sua noiva, que o convida para o seu jardim de deleites conjugais.		
4.1-15		
	4.16	
Capítulo 5: A noiva lembra-se do deleite de sua união e fica quase assoberbada por seu amor ao rei.		
5.1a		
		5.1b ("Comam, amigos...")
	5.2-8	
		5.9
	5.10-16	
Capítulo 6.1—7.9a: O rei corresponde à expressão de amor feita pela noiva; a satisfação da noiva.		
		6.1
	6.2,3	
6.4-9		
		6.10

6.11,12		
		6.13a
6.13b—7.9a ("Por que vocês querem contemplar...?")		

Capítulo 7.9b—8.14: A frustração da noiva porque o costume social e os deveres oficiais do rei limitam o tempo que ela pode passar com ele. A expressão final de amor e de compromisso.

	7.9b—8.4	
	("... vinho que flui...")	
		8.5a
	8.5b-7 ("Debaixo da macieira...")	
	8.10-12	
8.13		
	8.14	

Os profetas

Isaías a Malaquias

ORIGINARIAMENTE, o termo "profeta" era aplicado a pessoas que exerciam liderança militar e judicial relevante — por exemplo, Moisés (Dt 18.15) e Débora (Jz 4.4). Também era aplicado a pessoas que tinham experiências extáticas de contato com Deus (Nm 11.24-29; 1Sm 19.20-24; 2Rs 3.15) e a pessoas que eram protegidas por Deus de modo especial (Abraão, Gn 20.7; v. tb. Sl 105.15).

Durante a monarquia, os profetas passaram a ser conselheiros dos reis (1Sm 22.5; Is 37.1-4; Jr 37.16,17). Em algumas ocasiões, houve muitos profetas ao mesmo tempo: nos dias de Acabe, havia 400 deles (1Rs 22.6).

Os primeiros profetas importantes (Samuel, Elias, Eliseu) não deixaram obras escritas que tivessem sido conservadas. Aconselhavam o rei e, se necessário, se opunham a ele (Elias e Acabe), mas foram os profetas posteriores, que escreveram, que se destacam mais claramente como a voz de Deus fazendo frente à desobediência do povo. Não somente se dirigiam ao rei, mas também à nação inteira.

Os profetas de Israel foram chamados por Deus para trazer o povo de volta a ele. O ofício de profeta não era hereditário — ao contrário do ofício de sacerdote ou de rei. Os profetas eram escolhidos dentre muitas profissões diferentes, e o chamado não era um convite, mas sim uma nomeação divina (v. Am 7.15).

Os profetas e a aliança

Os profetas não eram simplesmente pregadores. Eles eram a voz das alianças que Deus fez com Abraão (Gn 12 e 15), com Israel no monte Sinai (Êx 24) e com Davi (2Sm 7).

Essas alianças eram, com efeito, tratados com obrigações mútuas e com uma declaração nítida do que aconteceria se o povo observasse as estipulações da aliança e do que aconteceria se o povo as desconsiderasse. Deuteronômio 28 delineia as maldições que resultariam da desobediência e as bênçãos que resultariam da obediência. (Deuteronômio segue o formato dos tratados heteus; v. p. 142.)

Assim, quando os profetas advertem a respeito das desgraças que sobrevirão a Israel ou a Judá por causa da desobediência, estão dizendo que as advertências feitas em conformidade com a aliança, centenas de anos antes, estão para se cumprir. Da mesma forma, visto que a aliança também especifica bênçãos como recompensa pela obediência, os profetas podem prometer bênçãos, caso o povo se volte para Deus. O futuro, portanto, depende de modo "contingente" da resposta do povo à mensagem dos profetas — até que se chegue a um ponto sem possibilidade de retorno.

Mesmo assim, porém, os profetas podem prometer bênçãos futuras. Deus fez a aliança porque amava Israel. É por isso que Deus será fiel à aliança, mesmo se Israel não o for — até mesmo oferecerá condições mais generosas que as da aliança antiga, ao substituí-la pela Nova Aliança. Esta será escrita no coração das pessoas, mais que em tábuas de pedra (v. as promessas magníficas de Jr 30 e 31, especialmente 31.31-37).

Os profetas são, portanto, a consciência espiritual da nação. São nomeados para fazer os reis, os sacerdotes e o povo se lembrarem de suas obrigações diante de Deus e do próximo.

Houve muitos profetas em Israel que nunca escreveram ou não tiveram seus escritos preservados. Parece, também, ter existido uma ordem de profetas com escolas próprias (v. p. 179). Os profetas cujos escritos ainda possuímos (e os dois grandes profetas a respeito dos quais lemos nos livros de Reis e de Crônicas: Elias e Eliseu) tinham nítida consciência de estarem falando em nome do Senhor. A introdução solene, constantemente reiterada, à sua mensagem é: "Assim diz o Senhor" ou "Veio a mim a palavra do Senhor".

Os falsos profetas que, segundo parece, eram bem numerosos, lembravam as promessas de bênçãos na aliança e ofereciam ao povo a garantia de que Deus nunca deixaria que seu templo, ou Jerusalém, sua cidade, ou Israel, o seu povo, fossem destruídos. Esqueciam-se, de modo conveniente para eles, de que a aliança também explicava detalhadamente a maldição que a desobediência traria sobre o povo e sobre a terra. Esqueciam-se, também, de que o fundamento da aliança não eram os rituais religiosos, mas o amor de Deus pelo seu povo e o de seu povo para com ele. Rituais religiosos só seriam relevantes se expressassem uma atitude do íntimo. Deus consegue passar muito bem sem um templo e sem os respectivos sacrifícios — mas, no seu amor, deseja grandemente o amor de seu povo.

Quando os profetas levantavam a voz em favor da justiça e defendiam o bem-estar dos pobres, não era por terem chegado a uma visão mais esclarecida que a de seus contemporâneos. Tratava-se, ao contrário, de um apelo à antiga aliança, da qual a justiça e o bem-estar social eram parte essencial, como, por exemplo, o cuidado pelas viúvas e órfãos, pelos pobres e pelos forasteiros, bem como as disposições legais do Ano do Jubileu, que (se fossem cumpridas) impossibilitariam que qualquer família caísse permanentemente na pobreza, sem terras.

Os profetas de Israel e de Judá

O gráfico da próxima página demonstra que os profetas primitivos e os primeiros profetas escritores dirigiram-se a Israel (o Reino do Norte), que deixou de existir em 722 a.C., quando os assírios destruíram Samaria. A partir de Isaías, os profetas se dirigiram a Judá, o Reino do Sul.

(Observe-se que as datas são aproximadas. Em especial, são incertas as datas de Obadias e de Joel.)

Profecias dirigidas a:		Judá	Israel	Nínive	Babilônia	Cativos de Judá	Edom
Primeiros profetas							
Samuel (1Sm)	1050-1000 a.C.	✓					
Elias (1Rs 17—2Rs 2)	875-848 a.C.		✓				
Eliseu (1Rs 19; 2Rs 2—13)	848-797 a.C.		✓				
Micaías (1Rs 22)	849 a.C.		✓				
Período assírio							
Jonas	770 a.C.			✓			
Amós	760 a.C.		✓				
Oséias	760-730 a.C.		✓				
Isaías	740-700 a.C.	✓					
Miquéias	737-690 a.C.	✓					
Período babilônico							
Naum	650 a.C.			✓			
Habacuque	630 a.C.	✓					
Sofonias	627 a.C.	✓					
Jeremias	627-580 a.C.	✓					
Daniel	605-530 a.C.					✓	
Ezequiel	593-570 a.C.					✓	
Período persa							
Ageu	520 a.C.	✓					
Zacarias	520-518 a.C.	✓					
Joel	500 a.C.	✓					
Obadias	500 a.C.						✓
Malaquias	443 a.C.	✓					

Baseado em *O Antigo Testamento em quadros*, de John H. Walton (São Paulo: Vida, 2001).

Isaías

O profeta messiânico

> Santo, santo, santo
> é o Senhor dos Exércitos,
> a terra inteira está cheia da sua glória.
> — Isaías 6.3
>
> Tu, Senhor, guardarás em perfeita paz
> aquele cujo propósito está firme,
> porque em ti confia.
> — Isaías 26.3
>
> Levante-se, refulja!
> Porque chegou a sua luz,
> e a glória do Senhor raia sobre você.
> — Isaías 60.1

(V. um resumo das profecias de Isaías a respeito do Messias na p. 314.)

Isaías é chamado o profeta messiânico porque estava completamente imbuído da idéia de que seu povo seria uma nação mediante a qual, em algum dia futuro, viria da parte de Deus uma bênção portentosa e maravilhosa para todas as nações: o Messias que Deus enviaria e que traria paz, justiça e cura ao mundo inteiro. Ele focalizava continuamente sua atenção no dia em que seria realizada essa obra grande e maravilhosa.

O NT diz que Isaías "viu a glória de Jesus e falou sobre ele" (Jo 12.41).

Isaías, o homem

Isaías era um profeta do Reino do Sul, Judá, na época em que o Reino do Norte, Israel, acabara de ser destruído pelos assírios.

Isaías viveu durante os reinados de Uzias, Jotão, Acaz e Ezequias. Deus o vocacionou no ano em que o rei Uzias morreu, mas pode ter recebido algumas de suas visões antes disso (v. comentário sobre 6.1). Segundo a tradição judaica, Isaías foi executado pelo rei Manassés. Podemos com alguma certeza situar seu ministério ativo entre 740 e 700 a.C., aproximadamente.

A tradição rabínica registra que o pai de Isaías, Amoz (não o mesmo que Amós, o profeta), era irmão do rei Amazias. Nesse caso, Isaías seria um primo-irmão do rei Uzias e neto do rei Joás, sendo, portanto, um palaciano com sangue real.

Isaías escreveu outros livros, que não nos foram preservados: os "acontecimentos do reinado de Uzias" (2Cr 26.22) e "o livro dos reis de Judá e de Israel" (2Cr 32.32). Isaías é citado no NT mais que qualquer outro profeta. Que mente brilhante ele possuía! Em algumas de suas rapsódias, ele alcança alturas que nem Shakespeare, Milton ou Homero puderam igualar.

A tradição judaica (*A ascensão de Isaías*) declara que ele foi serrado ao meio no reinado de Manassés, de Judá. Hebreus 11.37 ("serrados ao meio") talvez seja uma referência à morte de Isaías.

O contexto assírio do ministério de Isaías

O Império Assírio tinha estado em expansão nos 150 anos anteriores aos dias de Isaías. Já em 840 a.C., Israel, no reinado de Jeú, começara a pagar tributo à Assíria. Quando Isaías ainda era moço (734 a.C.), a Assíria levou ao cativeiro a população da parte norte de Israel. Treze anos depois (721 a.C.), Samaria caiu, e o restante de Israel foi levado ao exílio. Então, poucos anos mais tarde, o rei Senaqueribe da Assíria invadiu Judá, destruiu 46 cidades muradas e levou consigo 200 000 cativos. Por fim, em 701 a.C., sendo Isaías já idoso, os assírios foram mantidos fora dos muros de Jerusalém por um anjo de Deus (2Cr 32.21). Sendo assim, Isaías passou toda a sua vida à sombra das ameaças da Assíria, e ele mesmo foi testemunha da ruína de toda a nação nas mãos dos assírios — restando apenas Jerusalém.

> O lobo viverá com o cordeiro, o leopardo se deitará com o bode, o bezerro, o leão e o novilho gordo pastarão juntos; e uma criança os guiará [...] Ninguém fará nenhum mal, nem destruirá coisa alguma em todo o meu santo monte, pois a terra se encherá do conhecimento do Senhor como as águas cobrem o mar.
> Isaías 11.6,9

NOTA ARQUEOLÓGICA: O rolo de Isaías.

Até onde sabemos, todos os exemplares originais dos livros da Bíblia foram perdidos. A Bíblia que hoje temos foi feita de cópias de cópias. Até a invenção da imprensa, em 1454 d.C., essas cópias eram feitas à mão.

Os livros do AT foram escritos em hebraico (uns pequenos trechos em aramaico). Os livros do NT foram escritos em grego. Os manuscritos mais antigos que temos da Bíblia inteira datam dos séculos IV e V d.C. São escritos em grego e contêm, quanto ao AT, a *Septuaginta* – uma tradução grega do AT hebraico feita no século III a.C. (V. p. 425, 842).

Os manuscritos hebraicos mais antigos que conhecemos dos livros do AT foram feitos por volta de 900 d.C. Baseia-se neles o que é chamado *Texto massorético,* e a partir deste foram feitas as traduções em português dos livros do AT. O *Texto massorético* proveio de uma comparação de todos os manuscritos, transcritos de cópias anteriores por muitas linhagens diferentes de escribas. Entre esses manuscritos, existem variações tão pequenas que os hebraístas concordam geralmente entre si no sentido de que o texto bíblico, conforme atualmente o temos, é essencialmente idêntico ao dos próprios livros originais.

Posteriormente, em 1947, em Ain Fashkha, quase 12 km ao sul de Jericó e 1,6 km a oeste do mar Morto, alguns beduínos, enquanto levavam mercadorias do vale do Jordão até Belém, tiveram que procurar uma cabra perdida num uádi (leito de riacho ou rio) que deságua no mar Morto. Ao fazê-lo, eles depararam com uma caverna parcialmente desmoronada, na qual descobriram vários jarros danificados, de dentro dos quais projetavam-se extremidades de rolos. Os beduínos arrancaram os rolos e os passaram adiante ao Sírio-de-Mosteiro Ortodoxo de São Marcos, em Jerusalém, que os entregou às Escolas Americanas de Pesquisas Orientais. Esses rolos, e outros tantos que posteriormente foram descobertos na mesma vizinhança de Qumran, são conhecidos por rolos do mar Morto.

Um desses rolos foi identificado como o livro de Isaías, um exemplar escrito há 2 000 anos – 1000 anos mais antigo que qualquer manuscrito conhecido de qualquer livro do AT hebraico. Trata-se de um rolo escrito em hebraico, usando letras antigas, com quase oito metros de comprimento, composto de folhas de 25 por 38 cm costuradas umas às outras. Foi feito no século II a.C.

Esse rolo e outros tantos tinham originalmente sido lacrados em jarros de barro. Segundo parece, faziam parte de uma biblioteca judaica que alguém escondera nessa caverna isolada em tempos de perigo, talvez durante a conquista da Judéia pelos romanos.

Os estudiosos bíblicos concluíram que as cópias do livro de Isaías nos rolos do mar Morto são essencialmente idênticas ao livro de Isaías nas nossas Bíblias – trata-se de uma voz proveniente de 2000 anos atrás que vem confirmar a integridade de nossa Bíblia. Ao todo, 22 cópias manuscritas do livro de Isaías foram achadas em Qumran, embora nem todas estejam em perfeito estado de conservação.

A grande realização da vida de Isaías

A maior realização de Isaías ocorreu quando Jerusalém foi libertada dos assírios. Foi mediante as orações de Isaías, os conselhos dados por ele ao rei Ezequias e a intervenção milagrosa direta de Deus que o temido exército assírio foi despachado de volta, em desordem, após ter cercado os muros de Jerusalém (v. caps. 36 e 37). Senaqueribe, rei da Assíria, viveu 20 anos depois disso, mas nunca mais marchou contra Jerusalém.

Reis contemporâneos em Judá		
Uzias	792-740 a.C.	Rei bom; reinado longo e bem-sucedido
Jotão	740-732	Rei bom; co-regente de Uzias na maior parte de seu reinado
Acaz	735-716	Muito ímpio (v. comentário sobre 2Cr 28)
Ezequias	716-687	Rei bom (v. comentário sobre 2Cr 29)
Manassés	697-643	Muito ímpio (v. comentário sobre 2Cr 33)
Reis contemporâneos em Israel		
Jeroboão II	793-753 a.C.	Reinado longo, próspero, porém idólatra
Zacarias	753-752	Assassinado
Salum	752	Assassinado
Menaém	752-742	Extremamente brutal
Pecaías	742-740	Assassinado por Peca
Peca	752-732	No reinado de Peca, a parte norte de Israel foi levada ao cativeiro (734 a.C.)
Oséias	732-722	O último rei de Israel; Samaria caiu em 721 a.C.

A pavorosa impiedade de Judá   Is 1

Essa espantosa acusação formal parece pertencer ao período mediano do reinado de Ezequias, após a queda do Reino do Norte, quando os assírios tinham invadido Judá e levado embora boa parte de sua população, de modo que só Jerusalém sobrou (v. 7-9). As reformas de Ezequias mal haviam arranhado a superfície da vida deteriorada do povo. O temido furacão assírio estava se aproximando cada vez mais.

Esse fato, porém, não impressionava ninguém. A nação infectada e doentia, em vez de se purificar no íntimo, dedicava uma atenção ainda mais meticulosa à máscara que usava: a devoção aos cultos religiosos. A denúncia contundente de Isaías contra essa religiosidade hipócrita (v. 10-17) nos faz lembrar a condenação impiedosa que Jesus dirigiu aos escribas e fariseus (Mt 23). A lição é que fazer uma exibição fingida de religiosidade não ajuda "Sodoma" em nada (v. 10). Somente o arrependimento e a obediência genuínos poderão salvá-los (v. 16-23). Logo em seguida, Isaías desvia a atenção desse quadro repugnante e se volta para o dia da purificação e redenção de Sião, quando os ímpios serão deixados a arder como um carvalho ressequido (v. 24-31).

Is 2—4 Uma visão prévia da era cristã

Esses três capítulos parecem ser uma ampliação do pensamento final do capítulo 1. Tratam da glória futura de Sião, em contraste com o juízo divino contra os ímpios. A alusão aos ídolos e aos costumes estrangeiros (2.6-9) talvez situe essa visão no reinado de Acaz. A paz descrita pode também servir de profecia das condições da Nova Jerusalém depois da segunda vinda de Cristo e da condenação dos ímpios (Ap 21).

Sião será o centro da civilização mundial, numa era de paz universal e eterna (2.2-4). Essas palavras de magnífico otimismo foram proferidas numa ocasião em que Jerusalém era verdadeira latrina de imundícia. Sejam quais, quando e onde forem esses tempos de bem-aventurança, serão a herança do povo de Deus, da qual serão excluídos os ímpios (v. 11.6-9).

O juízo vindouro contra os idólatras (2.5-22). O futuro imediato reserva sofrimento e exílio para Judá (3.1-15) — até mesmo para as senhoras sofisticadas de Jerusalém (3.16-26). Sua experiência será semelhante à das damas luxuosas de Samaria, descritas em Amós 4.1-3.

Sete mulheres agarrarão um homem (4.1), porque a maioria dos homens terão sido mortos na guerra.

O "Renovo" vindouro (4.2-6). Essa é a primeira alusão de Isaías ao Messias vindouro. "O Renovo" seria um rebento novo que brotaria do toco da árvore caída de Davi (11.1; 53.2; Jr 23.5; 33.15; Zc 3.8; 6.12). Seria ele quem purificaria Sião de todas as suas imundícias e a transformaria em bênção para o mundo.

Is 5 A canção da vinha

Uma espécie de cântico fúnebre. A vinha de Deus — a sua nação — depois de recebido os mais excepcionais cuidados por muitos séculos, revela ser infrutífera e decepcionante, e por isso será abandonada. A parábola da vinha proferida por Jesus (Mt 21.33-45) parece ser um eco dessa parábola. Os pecados que Isaías aqui condena em especial são a ganância, a injustiça e a embriaguez. As grandes propriedades dos ricos, acumuladas graças ao dinheiro roubado dos pobres, não demorariam a se tornar terrenos baldios no ermo.

Um **pote** (v. 10) varia entre 20 e 40 litros, um **barril** entre 200 e 400 litros e uma **arroba** é apenas a décima parte desse barril. A colheita, portanto, nem sequer cobre as despesas com sementes.

Se prendem à iniqüidade (v. 18) como se o pecado e a iniqüidade fossem suas posses da mais alta estima; zombam da idéia de que Deus os castigará.

Uma nação distante (v. 25-30): as nações poderosas são como cachorrinhos mansos para Deus — ele assobia e elas vêm correndo — os assírios, no próprio tempo de Isaías; os babilônios que, 100 anos depois, destruíram Jerusalém; e os romanos que, em 70 d.C., desferiram o golpe mortal contra a existência nacional judaica.

O chamado de Isaías — Is 6

Existem divergências de opinião a respeito da data dessa visão — se é anterior às visões registradas nos cinco primeiros capítulos. As datas mencionadas no livro seguem uma seqüência cronológica geral, mas não necessariamente em todas as circunstâncias. Isaías, mais tarde na sua vida, provavelmente reorganizou os registros das visões que anotara nos vários períodos de seu longo ministério, orientado, parcialmente, pela seqüência dos pensamentos, de modo que alguns capítulos possam talvez pertencer a uma data anterior a alguns dos capítulos anteriores.

Além disso, as opiniões sobre esse capítulo variam: trata-se do chamado inicial de Isaías ou de uma conclamação a alguma missão específica? A declaração em 1.1 indica que alguma parte do ministério de Isaías foi realizada nos dias de Uzias, ao passo que o chamado aqui registrado veio no ano em que morreu esse rei. Esse fato talvez deixe subentendido que Isaías já teria feito pregações antes disso e que o presente chamado era a autorização divina para seu ministério no futuro.

A tarefa específica que Isaías foi chamado a realizar parece, à primeira vista, ter sido levar a efeito o derradeiro endurecimento da nação, de modo a tornar certa sua destruição (v. 9,10). O propósito de Deus não seria, obviamente, endurecer a nação, mas, pelo contrário, levá-la ao arrependimento a fim de salvá-la da destruição. Esse fato é ilustrado com clareza no ministério de Jonas: quando ele proclamou a destruição de Nínive, a cidade inteira foi levada a se arrepender. O ministério inteiro de Isaías — com suas visões maravilhosas e tendo por ponto culminante um dos milagres mais estupendos de todos os tempos — era, por assim dizer, como se Deus agitasse com urgência uma bandeira vermelha, sinalizando para a nação interromper sua corrida louca até o precipício da destruição. Quando, porém, uma nação se coloca contra Deus, até mesmo a maravilhosa misericórdia divina só resulta em maior endurecimento.

Até quando? (v. 11): durante quanto tempo continuará esse processo de endurecimento? A resposta é desoladora: até que a terra fique arruinada e sem habitantes (v. 11,12).

Um **décimo** (v. 13): um restante será deixado, mas também será destruído. Essa profecia foi feita em 735 a.C. Dentro de um ano, a região do norte de Israel foi conquistada pelos assírios, e sua população foi levada ao cativeiro. Dentro de 14 anos, todo o restante do Reino do Norte, Israel, tinha caído (721 a.C.) e só restou Judá (aproximadamente "um décimo"). Mais de 100 anos depois, Judá também foi destituído (586 a.C.).

O menino "Emanuel" — Is 7

A ocasião dessa profecia foi a invasão de Judá pelos reis da Síria e de Israel. De início, eles fizeram ataques separados contra Judá (2Cr 28.5,6), seguidos por um ataque em conjunto (2Rs 16.5). Seu objetivo era substituir Acaz por outro rei (v. 6). Acaz pediu socorro ao rei da Assíria (2Rs 16.7). O rei da Assíria atendeu e invadiu a Síria e a região norte de Israel, levando as respectivas populações para o exílio em 734 a.C. (2Rs 15.29; 16.9).

Foi na fase inicial desse ataque siro-israelita contra Jerusalém que Isaías deu a Acaz a certeza de que o ataque fracassaria: a Síria e Israel seriam destruídos, e Judá seria preservado. Os **65 anos** (v. 8), segundo se pensa, abrangem o período desde a primeira deportação de Israel (734 a.C.) até a nova colonização da região com estrangeiros trazidos por Esar-Hadom, por volta de 670 a.C. (2Rs 17.24; Ed 4.2).

A virgem e seu filho Emanuel (v. 10-16). O assunto é mencionado como um "sinal" destinado a dar a Acaz a certeza de que haveria um livramento dentro de um curto prazo. Um sinal é um milagre que é operado como comprovação da verdade. Não é citado o nome da virgem, mas a referência diz respeito a alguma coisa muito incomum que não recebe mais explicações, mas que aconteceria no futuro imediato na família de Davi (na casa do próprio Acaz). É o caso de se colocar em um só quadro eventos pertencentes ao futuro imediato e também ao futuro distante, conforme fazem tão freqüentemente os profetas.

> Porque um menino nos nasceu, um filho nos foi dado, e o governo está sobre os seus ombros. E ele será chamado Maravilhoso Conselheiro, Deus Poderoso, Pai Eterno, Príncipe da Paz. Ele estenderá o seu domínio, e haverá paz sem fim.
> ISAÍAS 9.6,7

O caráter real do menino, conforme se indica em 8.8, bem como o contexto, identificam-no com o menino chamado "Maravilhoso Conselheiro, Deus Poderoso, Pai Eterno, Príncipe da Paz" em 9.6,7, que não pode ser outra pessoa senão o Messias futuro. Assim o texto é citado em Mateus 1.23. Dessa maneira, enquanto Isaías está falando com Acaz no tocante a sinais na própria família do rei — a casa de Davi — Deus projeta na mente do profeta o retrato de um sinal ainda maior, que surgirá na família de Davi: o nascimento virginal do próprio e ainda maior Filho de Davi.

Judá será devastado pela Assíria (v. 17-25) — pela mesma Assíria que, no momento, estava ajudando Judá contra Israel e a Síria. Tudo isso aconteceu durante a vida de Isaías. Somente Jerusalém restou.

Is 8 "Maher-Shalal-Hash-Baz"

Três meninos são mencionados em associação com a invasão de Judá pela Síria e por Israel: um deles na família de Davi, com o nome de Emanuel (7.13,14), e dois na família do próprio Isaías, chamados Sear-Jasube (7.3) e Maher-Shalal-Hash-Baz (8.1-4).

Sear-Jasube significa "um remanescente voltará". Isaías, prevendo que Judá seria levado ao cativeiro babilônico, mais de cem anos antes do acontecido, vislumbra um remanescente livrado de lá e dá ao seu filho esse nome promissor. Aquele remanescente e seu futuro glorioso são o tema principal do livro de Isaías.

Maher-Shalal-Hash-Baz significa "rapidamente até os despojos, agilmente até a pilhagem" — isto é, a Síria e Israel serão rapidamente destruídos. Isaías, ao dar ao seu filho um nome que transmite a idéia de rápido livramento, enfatiza aquilo que já predissera em 7.4,7,16. E assim aconteceu, sem mais demora. Depois disso, os assírios vitoriosos expandiram a invasão e continuaram até inundar Judá (v. 8), só sendo contidos pela intervenção direta de Deus (37.36).

Sendo assim, os nomes dos filhos de Isaías refletem o âmago de sua pregação diária: o livramento no presente, o exílio ou cativeiro vindouro e a glória futura.

As aflições e trevas do Exílio (v. 9-22). Isaías é instruído a escrever a profecia e a preservá-la como ponto de referência no dia em que for cumprida (v. 16).

Is 9 O menino maravilhoso

O contexto histórico dessa visão sublime foi a queda de Israel, que Isaías acabara de predizer nos capítulos 7 e 8. Zebulom e Naftali (v. 1), ou seja, a Galiléia, foi a primeira região a ser conquistada pelos assírios (2Rs 15.29). Entretanto, essa mesma região, em futuro distante, receberia a alta honraria de dar ao mundo o Redentor da humanidade, o Rei dos séculos. Em 2.2-4, Isaías vê o futuro reino universal de Sião; em 4.2-6, ele vê o próprio Rei (Jo 12.41); em 7.14, é predito o nascimento virginal do Rei; e aqui, em 9.6,7, Isaías fala, em tons cadenciados e majestosos, da divindade desse Rei e da eternidade de seu trono.

A impenitência persistente de Samaria (9.8—10.4). Isaías, fiel ao seu estilo de saltar, de repente, para trás e para a frente, entre o seu próprio tempo e os tempos futuros, volta abruptamente as suas vistas em direção a Samaria. Muitos dos habitantes da região da Galiléia tinham sido levados ao cativeiro em 734 a.C., mas Samaria resistiu até 721 a.C. As presentes linhas parecem pertencer aos 13 anos do período interino, quando aqueles que haviam restado ainda persistiam nas provocações tanto a Deus quanto aos assírios. Trata-se de um poema de quatro estrofes — uma advertência quanto ao destino reservado para Samaria.

Os assírios avançam — Is 10.5-34

Esse trecho foi escrito depois da queda de Samaria (v. 11), como desafio contra os assírios jactanciosos que invadiam Judá, chegando até as portas de Jerusalém. As cidades citadas nos versículos de 28 a 32 ficavam imediatamente ao norte de Jerusalém. Deus usara os assírios para castigar Israel, mas aqui os adverte de que não devem superestimar a própria força (v. 15) e lhes promete uma derrota humilhante (v. 26), semelhante à derrota dos midianitas por Gideão (Jz 7.19-25) e à derrota dos egípcios no mar Vermelho (Êx 14). Sargão, um ano depois de ter destruído Samaria, voltou-se para o sul, invadiu Judá (720 a.C.), capturou algumas cidades filistéias e derrotou o exército egípcio. Em 713 a.C., o exército de Sargão novamente invadiu Judá, a Filístia, Edom e Moabe, e em 701 a.C. um grande exército assírio invadiu a terra outra vez — e nessa ocasião Deus cumpriu sua promessa e desferiu contra os assírios um golpe tão repentino e violento que nunca mais marcharam contra Jerusalém (37.36).

O "ramo" e seu Reino — Is 11 e 12

Esses capítulos são uma ampliação de 2.2-4, 4.2-6, 7.14 e 9.1-7. Aqui Isaías, depois de predizer a ruína do exército assírio, mais uma vez volta os olhos repentinamente para o futuro muito distante e nos oferece um dos quadros mais gloriosos, em todas as Escrituras, do mundo vindouro. Um mundo sem guerras, governado por um Rei justo e benévolo da descendência davídica, composto dos remidos de todas as nações, junto com o remanescente restaurado de Judá. Não sabemos se tal coisa poderá um dia acontecer no nosso mundo de carne e de sangue ou se acontecerá nas eras "além do véu". Mas que esses tempos chegarão, fica tão claro como o amanhecer. O mesmo assunto é retomado em 25.6. O capítulo 12 é um cântico de louvor pelo dia do triunfo, um hino que Deus colocou na boca de Isaías e que pertence ao hinário do céu, que todos nós cantaremos ao chegar ali, quando tiverem desaparecido todos os elementos de discórdia.

A queda da Babilônia — Is 13.1—14.27

No tempo de Isaías, a Assíria era a potência dominadora do mundo, ao passo que a Babilônia estava sujeita à Assíria. A Babilônia teve sua ascensão à condição de potência mundial dominante em 605 a.C. e sua queda diante dos medos e dos persas em 539 a.C. Isaías, portanto, estava celebrando a queda da Babilônia mais de 100 anos antes de sua ascensão. É por isso que os críticos modernos alegam que essas palavras não podem ser de Isaías, mas, forçosamente, de algum profeta posterior, escritas depois do acontecimento. Entretanto, declara-se especificamente que são palavras de Isaías (13.1).

O esplendor que a Babilônia alcançou um século depois de Isaías, para tornar-se a cidade-rainha do mundo pré-cristão, "a jóia dos reinos" (13.19), "a cidade dourada" (14.4, ARC), é vislumbrado aqui de modo tão nítido como se Isaías tivesse estado ali. A ênfase da profecia, porém, recai sobre a queda da Babilônia, retratada com tamanhos pormenores que nos enche de reverente temor e profunda admiração. Os medos, que nos dias de Isaías eram um povo quase desconhecido, são nominalmente citados como os destruidores da Babilônia (13.17-19).

O ponto principal da profecia é este: a Babilônia vencerá a Assíria (14.25) e a Média vencerá a Babilônia (13.17), e esta desaparecerá para todo o sempre (13.19-22; 14.22,23; quanto ao cumprimento dessa predição espantosa, v. comentário sobre 2Rs 25).

A questão de interesse especial era que a queda da Babilônia importaria na soltura dos cativos ou exilados (14.1-4). Um ano depois da queda da Babilônia, Ciro, o rei medo-persa, emitiu o decreto que autorizou a volta dos judeus para sua pátria (Ed 1.1).

Cem anos depois de Isaías, após a Babilônia ter alcançado o poder supremo e estar demolindo Jerusalém, Jeremias retomaria o brado de Isaías, pedindo retribuição (v. Jr 50 e 51).

A Babilônia, como opressora dos judeus, tornou-se símbolo e o equivalente de uma potência do NT que escravizaria os habitantes da terra (Ap 17—19).

Is 14.28-32   A Filístia

A **cobra** (v. 29) provavelmente significa Tiglate-Pileser, que conquistara certas cidades filistéias e que morrera somente um ano antes de Acaz (v. 28). A "víbora", mais peçonhenta, e a "serpente veloz" eram Sargão e Senaqueribe, que completaram a desolação da Filístia. **Emissários** (v. 32) eram provavelmente embaixadores filisteus que pediam a ajuda de Jerusalém contra os assírios. (Outras condenações dos filisteus acham-se em Jr 47; Am 1.6-8; Sf 2.4-7; Zc 9.5-7.)

Is 15 e 16   Moabe

Moabe era um planalto ondulado, de ricas pastagens, a leste do mar Morto. Os moabitas eram descendentes de Ló (Gn 19.37) e, portanto, uma nação com laços de parentesco com os judeus. Essa foi uma das predições anteriores de Isaías, e agora é repetida dando um aviso prévio de três anos (16.14). As cidades referidas foram pilhadas por Tiglate-Pileser III em 732 a.C., por Sargão II em 713 a.C. e por Senaqueribe em 701 a.C. Não fica claro a qual desses três reis Isaías se refere. Isaías, porém, aconselha os moabitas que seria vantajoso para eles renovar sua lealdade à casa de Davi (16.1-5). Ao mencionar a casa de Davi, um retrato do Messias futuro entra no seu campo de visão (v. 5). Na árvore genealógica da família de Davi, havia Rute, uma moabita (Rt 4.17-22). (Quanto a outras profecias a respeito de Moabe, v. Jr 48; Am 2.1-3; Sf 2.8-11.)

Is 17   Damasco

Uma continuação do pensamento do capítulo 7, provavelmente escrita aproximadamente na mesma data, durante o ataque siro-israelita contra Judá (734 a.C.) e cumprida pouco depois, nas invasões de Tiglate-Pileser e Sargão. É dirigida também contra Israel (v. 3,4), por ter feito um tratado com Damasco.

As nações em Isaías 13—23

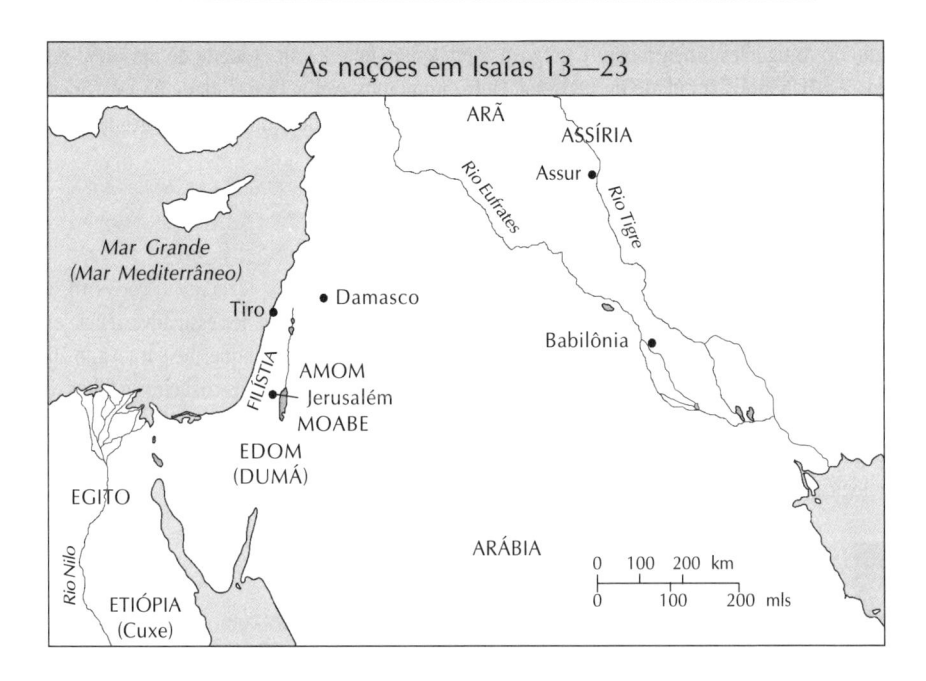

[Mapa mostrando: Mar Grande (Mar Mediterrâneo), Tiro, Damasco, Arã, Assíria, Assur, Rio Eufrates, Rio Tigre, Babilônia, Filístia, Amom, Jerusalém, Moabe, Edom (Dumá), Egito, Rio Nilo, Etiópia (Cuxe), Arábia]

Olharão para aquele que os fez (v. 7): o remanescente deixado no Reino do Norte voltou para o Senhor, conforme indica 2 Crônicas 34.9. Isaías termina com uma visão da derrota total dos assírios depois da vitória contra a Síria e Israel (v. 12-14; especialmente o v. 14, que parece ser uma referência específica a 37.36).

Etiópia — Is 18

Etiópia (ou Cuxe) era o sul do Egito, cujo rei poderoso daquele tempo governava todo o Egito. Essa não é uma profecia de condenação, mas, ao contrário, parece referir-se ao alvoroço entre os cuxitas e ao recrutamento militar entre eles diante do avanço do exército de Senaqueribe contra Judá, pois a queda deste deixaria o caminho aberto para os assírios continuarem a marcha e invadirem o Egito (v. 1-3). O livramento milagroso de Jerusalém (v. 4-6; 37.36) é o motivo para a mensagem de gratidão da parte de Cuxe pela destruição do exército assírio (v. 7; v. 2Cr 32.23).

Egito — Is 19

Um período de anarquia e de conflitos internos (v. 1-4). Isso começou de fato por volta da ocasião da morte de Isaías. O **senhor cruel** (v. 4) é o rei assírio, Esar-Hadom, que, pouco depois da morte de Isaías, subjugou o Egito (670 a.C.).

O declínio e desintegração do Egito são preditos aqui (v. 5-17). Tudo isso veio a acontecer (v. Jr 46; Ez 29).

O Egito e a Assíria aceitarão a religião de Judá (v. 18-25). Depois do exílio na Babilônia, muitos judeus permaneceram no vale do Eufrates e grande número deles se estabeleceu no Egito. Alexandria, a segunda cidade mais importante do mundo no tempo de Jesus, tinha uma população judaica relevante. A tradução do Antigo Testamento para o grego, a *Septuaginta*, foi feita ali. "Cidade do Sol" deve ser uma referência a Heliópolis, a cidade do deus-sol. Outro nome possível aqui é "Cidade da Destruição" (as palavras "sol" e "destruição" são quase idênticas em hebraico). Foi destruída por Nabucodonosor (v. Jr 43.12,13).

Is 20   Egito e Etiópia

A advertência que Isaías fez, de que essas nações seriam derrotadas e levadas ao cativeiro, visava dissuadir Judá de confiar no Egito para obter ajuda contra a Assíria. Isaías fez essa advertência em 711 a.C. A predição foi cumprida 11 anos depois. Os registros históricos de Senaqueribe para o ano 701 a.C. dizem: "Lutei contra os reis do Egito, consegui a sua derrota e capturei vivos os cocheiros e filhos do rei". Esar-Hadom arruinou ainda mais o Egito (v. comentário sobre 19.1-4).

Sargão (ou Sargom, v. 1): essa era a única alusão conhecida ao nome de Sargão, até que as escavações arqueológicas do século XIX o revelaram como um dos maiores reis assírios.

Is 21   Babilônia, Edom e Arábia

A Babilônia (v. 1-10), cercada por um vasto sistema de diques e canais, era como se fosse uma cidade no mar. Aqui é proclamada a sua queda, em linguagem pitoresca. A menção de Elão e da Média (v. 2) refere-se à conquista da Babilônia por Ciro (539 a.C.; v. comentários sobre os caps. 13 e 14).

Dumá (v. 11,12) era o nome de um distrito ao sul de Edom. Aqui, o nome representa o próprio Edom, do qual Seir era o distrito central.

A **Arábia** (v. 13-17) refere-se ao deserto entre Edom e a Babilônia. Dedã, Temá e Quedar eram lugares onde habitavam as principais tribos árabes. Trata-se de uma predição de que sofreriam um golpe tremendo dentro de um ano — e Sargão realmente invadiu a Arábia em 715 a.C.

Is 22   Jerusalém

Jerusalém é referida como o "vale da Visão" porque a colina em que se situava era cercada por vales, com montanhas mais altas por trás, e porque era o lugar onde Deus se revelava. Jerusalém é repreendida por ter se entregado a luxúrias insensatas, mesmo enquanto o exército assírio a cercava. As defesas da cidade (v. 9-11; 2Cr 32.3-5) incluíram tudo, menos conversão a Deus.

A demissão de Sebna, administrador do palácio (v. 15-25), pode ter sido porque ele, como oficial da casa de Davi, era líder da conduta frívola da cidade diante de tão grave perigo. A elevação de Eliaquim ("Deus levanta") ao cargo de administrador talvez tenha implicações messiânicas (v. 22-25).

> NOTA ARQUEOLÓGICA: O muro de Ezequias.
> No bairro judaico de Jerusalém, o professor Naum Avigad descobriu as ruínas de um muro enorme (a parte ainda conservada tem mais de 60m de comprimento, 6,5 de espessura e 3 de altura). Esse muro foi edificado em cima de casas que tinham sido destruídas — conforme 22.10 diz a respeito de Ezequias: "[Vocês] contaram as casas de Jerusalém e derrubaram algumas para fortalecer os muros".

> NOTA ARQUEOLÓGICA: O túmulo de Sebna.
> O túmulo do Sebna que é mencionado nos versículos de 15 a 25 talvez seja aquele que foi achado a leste do núcleo central de Jerusalém por Charles Clermont-Ganneau em 1870. A inscrição nesse túmulo, situado

na aldeia de Silwan, conforme a tradução do professsor Avigad, diz (com a ajuda de restauração): "Esse é [o túmulo de Sebna] – *yahu* que é o administrador do palácio [...] Maldito o homem que abrir isso". O mesmo título: "administrador do palácio" é usado a respeito de Sebna em Isaías 22.15.

Tiro — Is 23

Tiro havia sido, por séculos, o centro marítimo do comércio mundial. Implantara colônias por todas as regiões litorâneas do Mediterrâneo. O trigo do Egito era um dos principais artigos de seu comércio. Sofreu terrivelmente nas mãos dos assírios, que pouco tempo antes tinham estendido seu domínio sobre a Babilônia (v. 13). Aqui estão preditas a derrota de Tiro, sua condição de cidade esquecida durante 70 anos e sua restauração futura (v. 14-18). Pensa-se que essa profecia se refira à sua subjugação por Nabucodonoso (v. comentário sobre Ez 26—28).

Convulsões mundiais — Is 24

Essa visão parece relacionar-se com o mesmo período que Jesus previu em Mateus 24. Delineia as calamidades terríveis em razão das quais a terra, com todas as suas castas, ocupações e distinções sociais, deixará de existir. Assim como disse Jeremias a respeito da Babilônia, que ela se "afundará para não mais se erguer" (Jr 51.64), também Isaías diz aqui a respeito da terra (v. 20). Ele parece estar predizendo a destruição da terra, que é descrita mais detalhadamente em 2 Pedro 3.7,10-13 e Apocalipse 20. Posteriormente, Isaías olha mais para o além, para os "novos céus e nova terra" (65.17—66.24; Ap 21.1).

A abolição da morte — Is 25

Aqui, Isaías se transportou para além do colapso dos mundos, para os tempos dos novos céus e da nova terra, e coloca na boca dos redimidos um cântico de louvor a Deus pelas suas obras maravilhosas. Além disso, ele descreve uma festa com fartas iguarias para todos os povos (v. 6) e o mais maravilhoso de todos os eventos — a destruição da morte para sempre, quando Deus enxugará as lágrimas de todos os rostos (v. 8). Alguns interpretam esses versículos como uma referência à morte e ressurreição de Jesus. Há quem diga que se trata da festa do casamento do Cordeiro (Ap 19.7-9; Mt 22.4) e que, depois da festa, a besta e o falso profeta serão lançados no lago de fogo — que é a segunda morte (Ap 20.14).

Como indício adicional de que Isaías fala de um evento ainda futuro, ele descreve um acontecimento que "enxugará as lágrimas de todo rosto". Sabemos que Isaías não está se referindo à morte e ressurreição de Jesus, porque hoje ainda experimentamos sofrimento e lágrimas na terra. Portanto, Isaías deve estar descrevendo um evento futuro, conforme João nos diz em Apocalipse 21 que viveremos com Cristo na Nova Jerusalém e que "[Deus] enxugará dos seus olhos toda lágrima. Não haverá mais morte, nem tristeza, nem choro, nem dor, pois a antiga ordem já passou" (Ap 21.4).

A menção de Moabe (v. 10) ilustra o hábito mental de Isaías, que faz transição abrupta entre a glória futura e as circunstâncias locais do momento. A ruína de Moabe, rival constante e inimigo periódico de Judá, talvez seja registrada aqui como condenação típica dos inimigos de Sião em geral.

Cântico de confiança e triunfo — Is 26

Continuação do cântico do capítulo anterior. A "cidade forte" (v. 1), tendo a salvação divina por proteção, forma um contraste com a "cidade altiva" (v. 5), a fortaleza dos ímpios. O versículo mais grandioso desse capítulo é o 19: a ressurreição do povo de Deus. "A terra mostrará o sangue derramado sobre ela" (v. 21) no Dia do Juízo, quando terminará o longo reinado de impiedade dos homens.

Is 27 — A revivificação da vinha do Senhor

Em 5.1-7, Isaías entoou o cântico fúnebre da vinha de Deus. Aqui, trata-se do cântico jubiloso da vinha voltando à vida. Israel florescerá de novo e será frutífero. Deus matará Leviatã e a serpente aquática (v. 1), que possivelmente simbolizam a Assíria e o Egito (v. tb. v. 12). A serpente aquática é uma referência a Satanás (v. tb. a "antiga serpente" em Ap 20). Deus enviará castigos punitivos contra Judá (v. 7-11), mas, no fim, todo o Israel de Deus será reunido para cultuar a Deus em Jerusalém (v. 12,13).

Naquele dia (v. 1,2,12,13): Isaías emprega essa frase nada menos que 43 vezes no livro, sendo que 42 delas estão nos primeiros 31 capítulos (profecias do futuro mais imediato). Quase poderíamos dizer que "naquele dia" é o assunto do livro, referindo-se a datas no tempo de Isaías e no futuro.

Is 28 — Condenação de Samaria e de Jerusalém

Isaías, voltando para os seus dias, adverte severamente o povo, que se entregava à licenciosidade sensual, de que a calamidade era iminente, assim como fizera no capítulo 22. Essa advertência, segundo parece, foi feita antes da queda de Samaria em 721 a.C.

Magnífica beleza (v. 1): Samaria, capital do Reino do Norte, situava-se numa colina bem contornada, num vale produtivo e belo, e era coroada de palácios e jardins luxuosos.

Poderoso e forte (v. 2): o poderio assírio, que conquistou Samaria depois de um cerco de três anos, mas que foi repelido de diante das portas de Jerusalém (v. 6).

Os foliões zombeteiros diziam que as advertências de Isaías eram infantis (v. 9,10). A resposta de Isaías (v. 11-13) foi que acabariam achando a escravidão na Assíria tão monótona como as advertências do próprio profeta. Ezequias era um bom rei, mas muitos do nobres poderosos no governo zombavam tanto de Isaías quanto do próprio Senhor (v. 14-22) e confiavam no próprio poder e também no do Egito.

Um pacto com a morte (v. 15): a jactância zombeteira quanto à própria segurança.

A **pedra angular** (v. 16) é a promessa que Deus fez a Davi. É nela que deveriam ter confiado. Trata-se de uma profecia messiânica. Isaías se refere várias vezes a Cristo como uma rocha ou pedra angular (v. 8.14; 17.10).

Juízo e **justiça** (v. 17) serão os padrões que Deus empregará para julgar seu povo. O **granizo** está freqüentemente associado com o juízo divino (v. 2; 30.30; 32.19; Ez 38.22; Ap 8.7; 11.19). É interessante notar que o apedrejamento era a forma usual de castigo preceituada pela lei dos hebreus. Era a penalidade pela blasfêmia (Lv 24.16), pela idolatria (Dt 13.6-10), pela profanação do sábado (Nm 15.32-36), pelos sacrifícios humanos (Lv 20.2) e pelo ocultismo (Lv 20.27).

A **obra estranha** de Deus (v. 21) é castigar seu povo por meio da espada de estrangeiros. O sentido global dos versículos de 23 a 29 parece ser que para todas as coisas há um tempo e um prazo: Deus faz o que é necessário no momento apropriado. Ele semeia e ele colhe, e seu povo deve prestar mais atenção a ele, em vez de pressupor que Deus sempre protegerá os seus, independentemente do que fazem.

O cerco iminente de Jerusalém — Is 29

Ariel (v. 1) é um nome de Jerusalém que significa "Leão de Deus", que corajosamente mantém o exército assírio à distância. O exército sitiante, composto de soldados de muitas nações, seria repentinamente destroçado (v. 5-8), conforme realmente aconteceu pouco tempo depois (37.36). A cegueira de Sião para com o seu Deus: seus cidadãos prestam culto da boca para fora (v. 9-16), mas substituem a Palavra de Deus pelos mandamentos dos homens.

Maravilha e mais maravilha (v. 14) refere-se ao livramento milagroso de Jerusalém (37.36). O campo fértil e a floresta trocarão de lugares entre si (v. 17-24). Essa linguagem difícil pode ser um indício do dia futuro em que os gentios seriam enxertados no povo de Deus (Rm 11).

Judá e sua dependência em relação ao Egito — Is 30

Caravanas, levando ricos presentes enviados de Jerusalém, vão atravessando o Neguebe, o deserto do sul, infestado de feras, para buscar o favor do Egito (v. 6,7). Judá irá para o exílio (v. 8-17), e o Egito de nada lhe aproveitará. Anote-se num livro que Judá será arruinado, de sorte que as gerações futuras possam averiguar que assim foi predito. E assim aconteceu cem anos mais tarde, sendo a Babilônia o instrumento dessa destruição. Dentro de bem pouco tempo, o exército assírio foi afugentado em debandada (37.36), e um século depois o Império Assírio foi destruído.

Deus promete livramento — Is 31

Isaías assevera sua confiança no desenlace triunfal da crise entre Sião e a Assíria (37.36). Esse evento vindouro parece ser o contexto histórico de quase todos os versículos desse capítulo.

O reinado do Messias — Is 32

Enquanto Isaías pensa nas conseqüências jubilosas do livramento de Sião das mãos do exército assírio e no prestígio vastamente aumentado do reinado de Ezequias que disso resultou, aparece no horizonte distante de sua visão um quadro do Rei davídico futuro — aquele que foi indicado por todas as profecias do AT e em direção a quem avançava toda a história do AT. No reinado justo e bendito desse Rei, todas as pessoas e coisas serão reveladas conforme realmente são e serão chamadas pelos nomes certos para defini-las. Difícil é perceber a conexão entre os versículos de 1 a 8 e o discurso de Isaías às "mulheres sossegadas" (v. 9-15). Deve ter havido, decerto, um grupo de mulheres influentes na corte que, ímpias, tinham se colocado contra tudo quanto Isaías representava (3.12,16-26). Nesse contexto, o sentido de suas palavras parece ser que haveria um período de perturbações entre a derrota do exército assírio e o advento do Messias.

A **floresta** (v. 19) é o exército assírio. A **cidade** é Nínive ou possivelmente as forças centralizadas do mal nos últimos dias. **Semeando perto das águas** (v. 20): continuando com perseverança a cumprir as tarefas do dia-a-dia, como expressão de confiança em Deus, enquanto esperam tempos felizes de prosperidade renovada.

Imediatamente antes da batalha — Is 33

Os capítulos de 28 a 33 pertencem aos dias aterrorizantes do cerco de Jerusalém pelos assírios, conforme a narrativa dos capítulos 36 e 37. O exército de Senaqueribe estava pilhando cidades e devastando os campos (v. 8,9). O povo estava em pânico (v. 13,14). Em plena situação de crise, Isaías vai circulando com calma, garantindo ao povo que Deus deixará o inimigo tomado de terror e que os invasores fugirão, deixando para trás os despojos das cidades que tinham saqueado (v. 3,4). O próprio Deus protege Jerusalém, como um ribeiro que corre em redor da cidade e que afundará os navios do inimigo, já em desintegração (v. 21-23; v. caps. 36 e 37).

Is 34 — A ira de Deus contra as nações

Assim como o capítulo 24, o presente capítulo parece ser uma visão dos tempos do fim. Edom é citado como uma exemplificação típica da ira de Deus. Tendo sido populoso e fértil, passa a ser uma das regiões mais desoladas da terra, habitada principalmente por animais selvagens, aves e répteis (v. 10-15; v. notas sobre Ob). Isaías desafia as eras futuras a observar suas palavras a respeito de Edom (v. 16,17).

Is 35 — A alegria dos redimidos

Um dos capítulos mais magníficos da Bíblia. Um poema de beleza rara e sublime. Apresenta um retrato dos últimos tempos, quando a igreja, depois de ter sofrido durante muito tempo, finalmente brilhará com todo o fulgor de sua glória celestial. Os exilados, viajando pela estrada (v. 8-10), servem de prefiguração maravilhosa dos redimidos a caminho de sua habitação com Deus.

Is 36 e 37 — O exército assírio é destroçado

Essa derrota do exército assírio é registrada três vezes: aqui, em 2 Reis 18 e 19 e em 2 Crônicas 32. É um dos milagres mais assombrosos de todo o AT. Numa só noite, o exército assírio é destruído pela intervenção divina direta (37.36). Foi esse o desfecho grandioso que Isaías garantira repetidas vezes: 10.24-34; 17.12-14; 29.5-8,14; 30.27-33; 31.4-9; 33.3,4, 21-23; 38.6.

Senaqueribe invadiu Judá em 701 a.C. Ele se jacta de ter capturado 46 cidades muradas fortes e de ter encurralado Ezequias em Jerusalém "como pássaro numa gaiola". Entretanto, os textos de Senaqueribe não falam da captura de Jerusalém, e, realmente, parece que Deus respondeu a oração de Ezequias, porque Senaqueribe, depois de terem sido mortos 185 000 de seus soldados, voltou à Assíria, e assim Jerusalém foi poupada. Outra ocasião em que os exércitos mais poderosos do mundo serão convocados para lutar contra o povo de Deus é profetizada em Apocalipse 16.14, 19.19 e 20.8. De novo, Deus os destruirá num só instante, assim como destruiu o exército assírio.

Is 38 e 39 — A doença de Ezequias. Os enviados da Babilônia

A doença de Ezequias ocorreu por volta de 703 a.C., 15 anos antes de sua morte (38.5). Ainda estava no futuro o livramento de Jerusalém das mãos dos assírios (38.6). A recuperação milagrosa da saúde de Ezequias despertara a curiosidade na Babilônia (38.7,8; 2Cr 32.3). A visita que os enviados babilônicos fizeram a Jerusalém certamente despertou as suspeitas de Senaqueribe e talvez tenha apressado a nova invasão feita por ele.

Passagens magníficas do futuro: Isaías 40—66

Isaías passou sua vida debaixo da sombra ameaçadora do Império Assírio. Os assírios tinham destruído a região norte de Israel em 733 a.C. e o restante do Reino do Norte, incluindo Samaria, em 722 a.C. Tinham invadido Judá em 712 a.C. e, até 701 a.C., tinham conquistado a totalidade de Judá, menos Jerusalém. No decurso de todos esses anos, Isaías tinha predito, com perseverança, que Jerusalém resistiria. E resistiu mesmo. Essa foi a grande realização da vida de Isaías. Deus preservara a cidade do profeta justamente quando a sua destruição parecia certa. Agora, porém, passada a crise com a Assíria, Isaías, que já profetizara que Jerusalém seria posteriormente tomada pela Babilônia (39.6,7), toma por certo que o exílio babilônico é um fato consumado e, por previsão profética, já toma posição ao lado dos exilados. Algumas de suas visões eram tão nítidas que nelas ele fala a respeito do futuro como se já fosse um fato histórico passado.

Dois Isaías?

Em parte alguma do próprio livro de Isaías, nem em qualquer outro trecho da Bíblia, nem sequer na tradição judaica ou cristã, existe a mínima menção ou sugestão da existência de dois autores. A hipótese de um "segundo Isaías" (Deutero-Isaías) foi uma invenção da crítica bíblica moderna. O livro de Isaías, tanto na nossa Bíblia quanto nos dias de Jesus, é *um só* livro, e não dois. Não é nenhuma colcha de retalhos, mas, sim, é caracterizado pela unidade de seu pensamento, apresentado em uma linguagem sublime que faz com que esse livro seja uma das obras mais grandiosas que já foram escritas. Só existiu um único Isaías, e, críticos à parte, este é o livro dele.

Vozes de consolação — Is 40

Algumas dessas frases parecem ser vozes de anjos, que clamam a Isaías ou uns aos outros, exultando por causa das coisas maravilhosas reservadas para o povo de Deus, depois de ter passado a longa noite de sofrimentos. O advento de Cristo é o assunto dos versículos de 1 a 11. Os versículos de 3 a 5 são citados em todos os quatro evangelhos como referência ao início do ministério de Cristo na terra (Mt 3.3; Mc 1.3; Lc 3.4-6; Jo 1.23). A declaração, nesse contexto, de que a Palavra de Deus permanece para sempre (v. 6-8) significa que as promessas proféticas de Deus não falharão: há certeza a respeito de Cristo e do céu. O poder infinito de Deus e a eterna juventude daqueles que nele confiam formam o conteúdo dos versículos de 12 a 31. É um capítulo grandioso.

> Como pastor ele cuida de seu rebanho, com o braço ajunta os cordeiros e os carrega no colo; conduz com cuidado as ovelhas que amamentam suas crias.
> Isaías 40.11

Ciro assume o poder — Is 41

Ciro não é mencionado aqui nominalmente, mas o seu nome surge mais tarde em 44.28 e 45.1, e, sem possibilidade de engano, é "o que vem do oriente" (v. 2), também referido assim: "Despertei um homem, e do norte ele vem" (v. 25; os exércitos provenientes do oriente sempre entravam na Palestina pelo norte, visto que eram obrigados a seguir pelo vale do rio Eufrates). Isaías morreu 150 anos antes dos dias de Ciro, mas aqui nos oferece uma visão da rápida conquista do mundo por esse rei. Suas vitórias são atribuídas à providência de Deus (v. 4). Deus promete a Israel proteção (v. 8-20) e depois desafia os deuses das nações a demonstrarem a capacidade de predizer o futuro (v. 21-29; v. comentário do cap. 44).

Is 42 — O servo do SENHOR

Outra visão do Messias vindouro e da sua obra (v. 1-17); é citada nesse sentido em Mateus 12.17-21. Mas nos versículos de 18 a 25, o servo do Senhor é Israel, que teve que receber correção em repetidas ocasiões por ter deixado de seguir a Deus.

Is 43 — Deus cuida de Israel

Deus formara essa nação para ele mesmo. Israel tinha sido consistentemente desobediente, mas não deixara de ser a nação de Deus, e, em meio a todos os pecados e sofrimentos dela, Deus operaria para demonstrar ao mundo inteiro que somente ele é Deus, e nenhum outro.

Is 44 e 45 — Ciro

Esses dois capítulos são uma predição do regresso de Israel, que sairia do exílio com autorização de Ciro. Aqui há ênfase especial no poder exclusivo de Deus para predizer o futuro. Ciro, rei da Pérsia, reinou em 539-530 a.C. Consentiu que os judeus regressassem a Jerusalém e promulgou um decreto que autorizou a reconstrução do Templo (2Cr 36.22,23; Ed 1.1-4). Isaías profetizou em 745-695 a.C., mais de 150 anos antes dos dias de Ciro. Nem por isso deixa de chamá-lo pelo nome e de predizer que ele reconstruirá o Templo — o qual, nos dias de Isaías, ainda nem sequer tinha sido destruído.

A mensagem principal desses dois capítulos é que a superioridade de Deus sobre os ídolos é comprovada pela capacidade que ele possui de predizer o futuro, idéia que ocorre repetidas vezes no decurso dos capítulos de 40 a 48 (41.21-24; 42.8,9; 43.9-13; 44.6-8; 45.20,21; 46.9-11; 48.3-7). Chamar Ciro pelo nome, muito tempo antes do nascimento, é citado como exemplo do poder de Deus para conhecer (e dirigir) o futuro (45.4-6). Se essa não fosse uma predição específica, nem sequer faria sentido algum no contexto em que é usada. Os críticos que atribuem a autoria desses capítulos a um escritor pós-exílico têm conceitos bastante estranhos de unidade contextual.

Uma das principais convicções de Isaías era que a profecia preditiva é evidência do caráter divino de sua origem. Ele gostava muito de ridicularizar os ídolos e os idólatras — esses deuses que as nações adoram nem conseguem fazer o que os seres humanos sabem fazer: não conseguem ver, nem falar, nem ouvir. Em contrapartida — como diz Isaías —, o nosso Deus, a quem nosso povo adora, não somente consegue fazer tudo quanto os seres humanos sabem fazer como também é poderoso para fazer coisas que eles *não podem* realizar, tal como predizer as coisas futuras. Isaías, portanto, convida as nações a realizarem uma conferência, na qual todas elas possam apresentar os seus deuses com fins de mútua comparação, e pergunta se alguma nação possui na sua literatura predições antigas de eventos que ocorreram posteriormente. Isaías dá a entender: na nossa literatura nacional, que remonta até a Antigüidade distante, temos uma fonte contínua de predições de eventos que posteriormente vieram a acontecer exatamente como anunciados.

Is 46—48 — A queda da Babilônia

Deus declara: "Eu sou Deus, e não há nenhum outro [...] Desde o início faço conhecido o fim, desde tempos remotos, o que ainda virá" (46.9,10). Desde os primeiros capítulos de Gênesis, a Palavra de

Deus desvenda a história inteira. Além da dolorosa tragédia da Queda do homem no Jardim do Éden, Deus vê a celebração jubilosa registrada em Apocalipse 21 e 22. E em Apocalipse 22.13, Deus declara: "Eu sou o Alfa e o Ômega, o Primeiro e o Último, o Princípio e o Fim".

É uma continuação dos capítulos 13 e 14. Os muitos ídolos, feiticeiros e astrólogos da Babilônia não serviriam de nada contra os exércitos de Ciro (47.12-15). Pelo contrário, as imagens de ouro de seus deuses tão celebrados, impotentes para salvar não somente a sua cidade como também a si mesmas, seriam levadas como despojo em animais de carga e carroças (46.1,2). Isaías reitera, mais uma vez, o poder exclusivo e incomparável que Deus possui, de predizer e controlar o curso da história. É uma reiteração da predição da conquista da Babilônia por Ciro e do livramento dos judeus.

O ou **amado do Senhor** (48.14), isto é, Ciro, que era um monarca singularmente nobre e justo.

O servo do Senhor — Is 49 e 50

Nos capítulos anteriores (40—48), uma idéia predominante era que as predições do futuro, feitas por Deus, são evidência de sua divindade.

Nos capítulos de 49 a 55, os pensamentos giram em torno do servo de Deus. Em algumas passagens, o servo parece ser a nação de Israel, e em outras, o Messias, em quem Israel seria personificado. As passagens fundem-se tão harmoniosamente entre si que só o contexto deve indicar qual é o sujeito de cada uma.

Trata-se de uma retomada de pensamentos que estavam se acumulando (41.8; 42.1,19; 43.10; 44.1,2, 21; 49.3-6; 52.13; 53.11).

Esses capítulos parecem ser um solilóquio do servo intercalado com respostas provenientes de Deus, sendo o assunto principal da obra do servo levar a Deus todas as nações do mundo.

A redenção e a restauração de Sião — Is 51 e 52

Israel será libertado dos sofrimentos do exílio, e isso de modo tão certo como as demais obras portentosas que Deus já realizara no passado. Essa libertação faz parte do plano eterno de Deus, a saber, edificar, a partir de um só casal, Abraão e Sara (51.2), um mundo redimido de glória sem fim (51.6). O capítulo 52 é um cântico do dia triunfal de Sião.

O servo do Senhor é homem de dores — Is 53

Um dos capítulos mais amados da Bíblia. É um retrato do Salvador sofredor. Começa em 52.13 e é tão vívido nos seus pormenores que quase imaginaríamos Isaías presente ao pé da cruz. A cena está tão nítida na sua mente que ele fala com os verbos no tempo passado, como se tudo já houvesse acontecido. Porém, o fato é que essa profecia foi escrita sete séculos antes da morte de Cristo no Calvário. Não há a mínima possibilidade de aplicar essa descrição a qualquer outra pessoa da história, a não ser Jesus Cristo.

Resumo das predições de Isaías

Cumpridas durante a vida de Isaías

- Judá será liberto da Síria e de Israel (7.4-7,16)
- A Síria e Israel serão destruídos pela Assíria (8.4; 17.1-14)
- A Síria invadirá Judá (8.7,8)
- Os filisteus serão subjugados (14.28-32)
- Moabe será saqueado (15 e 16)
- O Egito e a Etiópia serão conquistados pela Assíria (20.4)
- A Arábia será pilhada (21.13-17)
- Tiro será subjugada (23.1-12)
- Jerusalém será libertada da Assíria (v. comentário sobre o cap. 36)
- A vida de Ezequias será prolongada por mais quinze anos (38.5)

Cumpridas depois do tempo de Isaías

- O cativeiro babilônico (39.5-7)
- A Babilônia será conquistada por Ciro (46.11)
- E pelos medos e elamitas (13.17; 21.2; 48.14)
- A desolação perpétua da Babilônia (13.20-22)
- Ciro é chamado pelo nome (44.28; 45.1,4)
- A conquista do mundo por Ciro (41.2,3)
- Ciro libertará os cativos (45.13)
- Ciro reconstruirá Jerusalém (44.28; 45.13)
- Israel será restaurado (27.12,13; 48.20; 51.14)
- A religião de Israel penetrará no Egito e na Assíria (19.18-25)
- A religião de Israel se propagará no mundo inteiro (27.2-6)
- O cativeiro e a restauração de Tiro (23.13-18)
- A desolação perpétua de Edom (34.5-17)

A respeito do Messias

- Seu advento (40.3-5)
- Seu nascimento virginal (7.14)
- A Galiléia será o palco de seu ministério (9.1,2)
- Sua divindade e a eternidade de seu trono (9.6,7)
- Seus sofrimentos (53)
- Morreria com os ímpios (53.9)
- Seria sepultado com o rico (53.9)
- O poderio e a mansidão de seu Reino (40.10,11)
- A justiça e as bênçãos de seu reinado (32.1-8; 61.1-3)
- Seu domínio sobre os gentios (2.2,3; 42.1,6; 49.6; 55.4,5; 56.6; 60.3-5)
- Sua grande influência (49.7,23)
- Os ídolos desaparecerão (2.18)
- Virá a existir um lugar sem guerras (2.4; 65.25)
- A terra será destruída (24; 26.21; 34.1-4)
- A morte será destruída (25.8; 26.19)
- O povo de Deus será chamado por um nome novo (62.2; 65.15)
- Serão criados novos céus e nova terra (65.17; 66.22)
- Haverá separação eterna entre os justos e os ímpios (66.15,22-24)

Is 54 e 55 — A vasta expansão de Sião

O Servo de Deus, em virtude de seus sofrimentos, rejuvenescerá Sião e a levará para a frente e para cima, às alturas da glória sem fim. O capítulo 55 é o convite do servo, dirigido ao mundo inteiro, para que participe de seu Reino e de suas bênçãos.

Os pecados da época de Isaías — Is 56—59

Os pecados da época de Isaías — a profanação do sábado, a glutonaria dos líderes de Israel, a idolatria generalizada com práticas imorais, a prática meticulosa do jejum como máscara para encobrir injustiças clamorosas —, todos eles receberão a justa retribuição.

O redentor de Sião — Is 60—62

Um cântico da era messiânica, começando em 59.20, que retrata uma era de evangelização mundial e passa para a glória eterna dos céus. O capítulo 60 é um dos mais grandiosos da Bíblia. Descreve como os gentios irão bendizer Sião. Jesus citou 61.1-3 com referência a si mesmo (Lc 4.18).

Sião será chamada por um **novo nome** (62.2), e os servos de Deus receberão **outro nome** (65.15). Antes do advento de Cristo, o povo de Deus era chamado de "judeu" ou "hebreu". A partir daí, passou a ser chamado cristão. Mas "outro nome" pode também referir-se a uma nova identidade ou natureza, e não meramente a algum rótulo novo. Em Apocalipse 21.2, João descreve um dos momentos sublimes da sua visão: "Vi a Cidade Santa, a nova Jerusalém, que descia dos céus, da parte de Deus, preparada como uma noiva adornada para o seu marido". Essa mesma linguagem figurada do casamento é usada por Isaías (62.5).

Diante de Deus, os remidos são como **esplêndida coroa** (62.3). Embora a igreja visível tenha sido corrompida nas mãos das pessoas e freqüentemente tenha sido tudo menos uma "esplêndida coroa", esse título continua pertencendo ao grupo dos santos fiéis de Deus. Por toda a eternidade, eles serão o deleite e a alegria de Deus (v. 3-5).

A oração dos exilados — Is 63 e 64

Parece difícil entender por que Edom é mencionado aqui (63.1-6). O restante desses dois capítulos, excetuando-se os seis primeiros versículos, tem a natureza de uma oração a Deus para que liberte Israel do exílio. Os edomitas, inimigos de Judá desde tempos remotos, tinham se aliado com os babilônios na destruição de Jerusalém (v. notas sobre Ob), e a referência aqui talvez seja um símbolo de todos os inimigos do povo de Deus. O guerreiro manchado de sangue, pisoteando Edom na sua ira, "poderoso para salvar" Sião (63.1), é idêntico ao Redentor de Sião nos três capítulos anteriores. Essa linguagem parece ser a base para as figuras empregadas para a vinda do Senhor em Apocalipse 14 e 19.11-16.

Os novos céus e a nova terra — Is 65 e 66

Esses dois capítulos são a resposta de Deus à oração dos exilados nos dois capítulos anteriores. A oração será atendida. O remanescente fiel será restaurado (65.8-10). Nações de fora serão trazidas ao aprisco (65.1; 66.8). Todos serão chamados por um novo nome (65.15). Herdarão novos céus e nova terra (65.17; 66.22). Os fiéis e os desobedientes ficarão separados para sempre, com bem-aventurança eterna para os justos e castigo eterno para os demais (66.22-24). O próprio Jesus endossou essas palavras (Mc 9.48). O recado final de Pedro aos cristãos era manter os olhos fitos nos novos céus e na nova terra (2Pe 3.10-14). A Bíblia chega ao seu clímax numa visão magnífica dos novos céus e da nova terra em Apocalipse 21 e 22, que é uma expansão da visão em Isaías 66. Fica claro que, na vida eterna com Deus, não será necessário nenhum templo nem sacrifício (66.1-4), porque "agora o tabernáculo de Deus está com os homens, com os quais ele viverá" (Ap 21.3).

Jeremias

O esforço final de Deus para salvar Jerusalém

> Não há bálsamo em Gileade?
> Não há médico?
> Por que será, então,
> que não há sinal de cura
> para a ferida do meu povo?
> — Jeremias 8.22
>
> O coração é mais enganoso
> que qualquer outra coisa
> e sua doença é incurável.
> Quem é capaz de compreendê-lo?
> — Jeremias 17.9

(Sobre os últimos reis de Judá, v. p. 233.)

Jeremias viveu cerca de cem anos depois do profeta Isaías. Isaías salvara Jerusalém da Assíria. Jeremias tentou salvar Jerusalém da Babilônia, mas fracassou.

Jeremias viveu num período terrível de 40 anos. Foi chamado para ser profeta em 626 a.C. Vinte anos depois, em 605 a.C., Jerusalém foi parcialmente destruída. Ficou ainda mais arruinada em 597 a.C. e finalmente foi incendiada e arrasada até o chão em 586 a.C. Jeremias viveu o fim da monarquia, a derradeira agonia da nação de Judá. Foi um vulto patético e solitário, sendo, da parte de Deus, o derradeiro apelo à Cidade Santa, que se apegara desesperada e fanaticamente aos ídolos. Jeremias bradava que, se tão-somente os judeus se arrependessem, Deus os salvaria da Babilônia.

Assim como a Assíria servira de contexto histórico para o ministério de Isaías, 150 anos antes, também a Babilônia foi o ambiente histórico do ministério de Jeremias.

> "Estão chegando os dias,"
> declara o Senhor,
> "quando farei uma nova aliança
> com a comunidade de Israel
> e com a comunidade de Judá [...]
> Porei a minha lei no íntimo deles
> e a escreverei nos seus corações.
> Serei o Deus deles,
> e eles serão o meu povo...
> Porque eu lhes perdoarei a maldade e não
> me lembrarei mais dos seus pecados."
> Jeremias 31.31,33,34

A situação interna

O Reino do Norte, Israel, tinha caído, da mesma forma que boa parte de Judá, o Reino do Sul, que tinha sofrido repetidos reveses, até que Jerusalém fosse tudo quanto sobrasse daquilo que tinha sido o grande reinado de Davi e de Salomão. Mas nem por isso o povo de Jerusalém prestou atenção às advertências contínuas dos profetas. Pelo contrário, ficou cada vez mais endurecido na idolatria e na iniqüidade. A hora da perdição da nação estava prestes a soar.

A situação internacional

Estava havendo uma luta triangular pela supremacia mundial, e os três litigantes eram a Assíria, a Babilônia e o Egito. Durante 300 anos, a Assíria, no norte do vale do Eufrates, tendo Nínive como capital, governara o mundo; agora, porém, ia se enfraquecendo. A Babilônia, no sul do vale do Eufrates, estava se tornando poderosa. O Egito, no vale do Nilo, que 1 000 anos antes tinha sido uma potência mundial, estava voltando a ser ambicioso. Por volta da metade do ministério de Jeremias, a Babilônia venceu a competição. Ela rompeu a força da Assíria (610 a.C.) e, poucos anos mais tarde, esmagou o Egito na batalha de Carquemis (605 a.C.). Durante 70 anos, a Babilônia governou o mundo — os mesmos 70 anos do exílio (ou cativeiro babilônico) do povo judeu.

A mensagem de Jeremias

Desde o início de seu ministério, Jeremias insistiu em que a Babilônia seria a vencedora — e isso 20 anos antes de a questão ter sido decidida. Em meio a todas as queixas incessantes e amargas contra a iniqüidade de Judá, as seguintes idéias voltam repetidas vezes à tona:

1. Judá será destruído pela vitoriosa Babilônia.
2. Se Judá deixar sua iniqüidade, Deus usará meios para livrá-lo de ser destruído pelos babilônios.
3. Posteriormente, quando já não parecia haver a mínima esperança do arrependimento de Judá, veio um recado de esperança renovada: se Judá, mesmo só como expediente político, se submeter à Babilônia, será poupado.
4. Judá será destruído, mas ainda se recuperará, e futuramente terá domínio mundial.
5. A Babilônia, destruidora de Judá, será destruída, por sua vez, e nunca mais se levantará.

A ousadia de Jeremias

Jeremias, sem cessar, aconselhou Jerusalém a se render ao rei da Babilônia, tanto assim que seus inimigos o acusaram de ser traidor. Nabucodonosor recompensou-o por ter aconselhado assim o povo: o rei não somente lhe poupou a vida como também lhe ofereceu qualquer honraria que quisesse aceitar, até mesmo um cargo na corte da Babilônia (39.12). Jeremias, entretanto, clamou repetidas vezes em voz alta que o rei da Babilônia estava cometendo um crime hediondo ao destruir o povo de Deus e que, por causa desse crime, a própria Babilônia seria destruída e abandonada para sempre (v. caps. 50 e 51).

Cronologia do livro de Jeremias

Algumas das mensagens de Jeremias são datadas. Acham-se datas nos seguintes versículos:

- No reinado de Josias: 1.2; 3.6.
- No reinado de Jeoaquim: 22.18; 25.1; 26.1; 35.1; 36.1; 45.1.
- No reinado de Zedequias: 21.1; 24.1,8; 27.3,12; 28.1; 29.3; 32.1; 34.2; 37.1; 38.5; 39.1; 49.34; 51.59.
- No Egito: 43.7,8; 44.1.

Essa demonstração deixa bem claro que o livro de Jeremias não está disposto em ordem cronológica. Algumas mensagens de tempos posteriores aparecem perto do início do livro, e algumas das primeiras mensagens aparecem posteriormente no livro. Essas mensagens foram entregues oralmente, e talvez repetidas vezes, por muitos anos, possivelmente antes de Jeremias começar a escrevê-las. Escrever semelhante livro foi tarefa longa e laboriosa. O pergaminho, feito de peles de ovelhas ou de cabras, era caro e de difícil obtenção. Eram feitos longos rolos de pergaminho, enrolados em torno de uma vara. Esse fato talvez explique a falta de ordem no livro de Jeremias. Depois de registrar por escrito um incidente ou discurso, viria à tona algum outro pronunciamento que tinha sido feito em tempos anteriores, e Jeremias o anotava — sem data em alguns casos — e assim preenchia o pergaminho à medida que o desenrolava.

Profetas contemporâneos

- **Jeremias** foi o mais notável da brilhante constelação de profetas que girava em torno da destruição de Jerusalém.
- **Ezequiel**, seu colega de sacerdócio, um tanto mais moço que ele, pregou, entre os cativos na Babilônia, as mesmas coisas que Jeremias pregava em Jerusalém.
- **Daniel**, de sangue real, mantinha a mesma linha de pregação no palácio de Nabucodonosor.
- **Habacuque** e **Sofonias** ajudaram Jeremias em Jerusalém.
- **Naum**, ao mesmo tempo, predisse a queda de Nínive.
- **Obadias**, ao mesmo tempo, predisse a ruína de Edom.

Jr 1 O chamado de Jeremias

Jeremias foi chamado para uma tarefa difícil e ingrata. Assim como Moisés (Êx 3.11; 4.10), ele relutou em aceitar a responsabilidade. Recebeu o chamado quando ainda era "muito jovem", provavelmente com uns vinte anos de idade.

Anatote (v. 1, hoje Anata), onde morava, ficava uns 4 km a nordeste de Jerusalém.

A **panela fervendo** (v. 13) simboliza o exército babilônico. A primeira mensagem que Jeremias tinha de anunciar era que Jerusalém seria destruída pela Babilônia (v. 14).

Reis de Judá contemporâneos		
Manassés	(698-644 a.C.)	Reinou 55 anos. Muito iníquo (v. comentário sobre 2Cr 33). Jeremias nasceu no seu reinado.
Amom	(643-640 a.C.)	Reinou dois anos. O governo longo e iníquo de seu pai, Manassés, selara a condenação de Judá.
Josias	(640-609 a.C.)	Reinou 31 anos. Rei bom, com quem houve uma reforma de grande vulto. Jeremias começou seu ministério no décimo terceiro ano de Josias. Entretanto, a reforma só surtiu efeitos externos: os cidadãos continuaram sendo idólatras de coração.
Jeoacaz	(609 a.C.)	Reinou três meses. Foi levado ao Egito.
Jeoaquim	(609-598 a.C.)	Reinou onze anos. Apoiava abertamente a idolatria. Com atrevimento, desafiou ao próprio Deus e foi inimigo figadal de Jeremias.
Joaquim	(598-597 a.C.)	Reinou três meses. Foi levado para a Babilônia.
Zedequias	(597-586 a.C.)	Reinou onze anos. Um pouco amigo de Jeremias, mas foi rei fraco, um fantoche nas mãos de seus oficiais iníquos.

A apostasia de Israel `Jr 2`

Numa repreensão veemente pela idolatria desavergonhada, Israel é assemelhado a uma mulher que abandona o marido e se transforma em prostituta.

Judá é pior que Israel `Jr 3`

No capítulo 2, "Israel" significa a nação inteira. No capítulo 13, refere-se ao Reino do Norte, que 300 anos antes havia se separado de Judá e que havia sido levado pelos assírios 100 anos antes dessa exortação. Judá, fechando os olhos diante da relevância da queda da Assíria, não somente se recusava a se arrepender como também, sob o domínio do reinado iníquo de Manassés, se afundava cada vez mais nas profundezas da depravação. É predita a reunificação de Judá e Israel (v. 17,18; tb. 50.4,5; Os 1.11). Novamente, a metáfora de uma esposa adúltera (v. 20).

Cronologia de época de Jeremias	
628 a.C.	Josias inicia as reformas (v. comentário sobre 2Cr 34).
626 a.C.	Jeremias é chamado por Deus.
622 a.C.	O Livro da Lei é achado. Grande reforma de Josias (2Rs 22 e 23).
609 a.C.	Josias é morto em Megido pelo faraó.
612 a.C.	Nínive é destruída pela Babilônia.
605 a.C.	Judá é subjugado pela Babilônia. O primeiro cativeiro.
605 a.C.	Batalha de Carquemis: a Babilônia esmaga o Egito.
597 a.C.	Joaquim é levado preso.
593 a.C. (?)	Zedequias visita a Babilônia.
587 a.C.	Jerusalém é incendiada. O fim temporário do reino de Davi.

A desolação iminente de Judá `Jr 4`

Esse capítulo descreve o avanço dos exércitos babilônicos que destruíram Jerusalém (605-586 a.C.). Durante algum tempo, pensou-se que Judá sofreu uma invasão pelos citas pouco antes da invasão babilônica. Entretanto, as passagens de Jeremias que se referem ao inimigo "do norte" harmonizam-se muito melhor com aquilo que se sabe a respeito dos babilônios que com os citas selvagens da região do Cáucaso: a referência a "uma nação muito antiga e invencível" (5.15); o emprego de "carros de guerra" (4.13); a captura das "cidades de Judá" (4.16; 6.6); sua formação bélica em fileiras regulares (6.23); sua predileção por Jerusalém (4.30). Os babilônios realmente avançaram pelo norte para invadir Judá (v. mapa na p. 240).

A depravação universal de Judá `Jr 5`

Se tivesse havido um só homem justo, Deus teria poupado a cidade (v. 1). Eles se entregam ao sexo promíscuo como se fossem animais (v. 7,8). Zombam das advertências do profeta (v. 12). Seu estilo de vida é de fraude, engano, opressão e roubo (v. 26-28). O povo na verdade *ama* a podridão religiosa e política em que vive (v. 30,31; quanto aos falsos profetas [v. 30], v. comentário sobre o cap. 23).

Jr 6   Destruição proveniente do norte

Vívida descrição profética da destruição de Jerusalém pelos invasores babilônicos (v. 22-26), que se tornou uma realidade horrível nos dias do próprio Jeremias. Repetidas vezes (v. 16-19) ele adverte, com insistência patética, que o arrependimento é a última oportunidade possível de o povo escapar à ruína.

Jr 7   O arrependimento é a única esperança

Esse é um dos comoventes apelos de Jeremias ao arrependimento, tendo por base a promessa assombrosa de Deus de que se tão-somente o povo prestasse ouvidos ao seu Deus, Jerusalém nunca cairia (v. 5-7). Apesar de todas as práticas abomináveis (v. 9,31) e embora tivessem colocado ídolos no Templo (v. 30), eles ainda mantinham algum respeito supersticioso pelo Templo e seus cultos. Pareciam pensar que, acontecesse o que acontecesse, Deus não deixaria Jerusalém ser destruída, porque o seu Templo ali estava (v. 4,10).

A **Rainha dos Céus** (v. 18) é Astarote, a principal divindade feminina de Canaã. O culto que lhe prestavam era acompanhado das formas mais degradantes de imoralidade.

O **vale de Ben-Hinom** (v. 31,32) é o vale no lado sul de Jerusalém. Era usado como depósito de lixo e também como o lugar no qual crianças eram queimadas como sacrifício ao deus Moloque. (A partir do nome vale de Hinom — *gê'-hinnom* em hebraico — foi posteriormente derivado o nome grego *geenna*, que, no NT, se refere ao inferno.)

Jr 8   "Passou a época da colheita"

Plenamente consciente da futilidade dos apelos e repreensões, Jeremias fala na desolação iminente de Judá como se já tivesse acontecido (v. 20). A insistência dos falsos profetas (v. 10,11) em que Jerusalém já não passava perigo, constituía-se num dos problemas mais difíceis para Jeremias (v. comentário sobre o cap. 23).

Jr 9   O profeta de coração partido

Jeremias, homem de dores, no meio de um povo entregue a tudo quanto era vil (8.6; 9.2-9), chorava dia e noite ao pensar na retribuição terrível e iminente. O profeta circulava entre o povo rogando, implorando, persuadindo, ameaçando, suplicando que abandonassem a iniqüidade. Mas tudo em vão.

Jr 10   O Senhor, o Deus verdadeiro

Parece que a ameaça da invasão babilônica incitou o povo de Judá a uma grande atividade na manufatura de ídolos — como se os ídolos pudessem livrá-los. Esse fato deu ocasião para que Jeremias os lembrasse que o que faziam, longe de ajudá-los, era, na realidade, um agravamento dos pecados já horripilantes contra Deus.

A aliança violada — Jr 11

Esse capítulo parece pertencer ao período de reação que se seguiu à grande reforma de Josias (narrada em 2Rs 23), quando o povo havia restaurado os ídolos. A reação popular contra a repreensão de Jeremias foi tramar a morte dele (9.21).

A queixa de Jeremias — Jr 12

Contrastando os próprios sofrimentos com a aparente prosperidade daqueles contra os quais pregava e que ridicularizavam as ameaças (v. 4), Jeremias se queixa dos caminhos de Deus. No entanto, não há segurança na prosperidade — os oponentes de Jeremias serão desarraigados (v. 14). Em seguida, Deus dá a promessa da restauração futura (v. 15-17).

O cinto podre — Jr 13

Jeremias fez uso considerável de símbolos na sua pregação (v. comentário sobre o cap. 19). O cinto de linho provavelmente era ricamente adornado, uma peça que se destacava na roupa de Jeremias quando o profeta circulava pelas ruas de Jerusalém. Posteriormente, apodrecido, esfarrapado e sujo, serviu de novo para atrair a atenção popular — mas por motivos diferentes. Cada vez que as multidões curiosas se aglomeravam em redor do profeta, ele tinha a oportunidade de explicar-lhes que Judá, com a qual o Senhor tinha se vestido a fim de andar entre as pessoas e que antes tinha sido bela e gloriosa, da mesma forma que o cinto de Jeremias se tornaria imprestável e não seria útil para nada senão para ser jogada no lixo.

A intercessão de Jeremias — Jr 14 e 15

Uma seca prolongada destituíra a terra de gêneros alimentícios. O coração de Jeremias sentia dor ao ver os compatriotas sofrerem, muito embora eles mesmos o odiassem, o ridicularizassem e zombassem dele. A intercessão que fez diante de Deus em favor deles fica tão próxima do espírito de Cristo que melhor não se acha em todo o Antigo Testamento.

Jeremias é proibido de casar-se — Jr 16

Em alguns casos, a vida doméstica dos profetas era citada como reforço da mensagem que pregavam. Isaías e Oséias eram casados e deram aos filhos nomes que eram expressão de suas mensagens principais. Deus ordenou que Jeremias ficasse solteiro, como exemplo histórico-simbólico de suas insistentes predições de um iminente morticínio sangrento: de que adiantaria ter uma família só para ser chacinada na horrorosa carnificina que em breve seria desencadeada contra os habitantes de Judá? De novo, Deus promete a restauração futura (v. 14,15).

O pecado de Judá é indelével — Jr 17

A ruína de Judá é inevitável. Entretanto, se oferece repetidas vezes aos judeus a promessa de que, se tão-somente se voltarem para Deus, Jerusalém permanecerá para sempre (v. 24,25).

Jr 18   O barro do oleiro

Uma ilustração muito apropriada do poder de Deus para alterar o destino de uma nação. Jeremias a empregou como base de mais um apelo à nação iníqua para que ela emendasse seus caminhos. Mas, novamente, foi tudo em vão.

Jr 19   O vaso de barro

Pode ter sido um vaso ou uma jarra de lavra primorosa. Espatifá-lo na presença dos líderes de Jerusalém foi um modo impressionante de proclamar a ruína iminente da cidade.

Alguns outros símbolos que Jeremias empregou a fim de atrair a atenção do povo para sua pregação foram: o cinto podre (cap. 13), a abstinência do casamento (cap. 16), o barro do oleiro (cap. 18), o jugo com cordas e madeiras (cap. 27) e a compra de um campo (cap. 32).

Jr 20   Jeremias é preso

Jeremias, depois de seu encontro com os líderes no vale de Hinom, onde quebrara solenemente o vaso de barro, foi até o Templo e começou a pregar a mesma mensagem ao povo congregado ali. Por causa disso, Pasur, filho do mais alto funcionário do Templo, mandou prendê-lo.

O **tronco** (v. 2) pode ter consistido em uma armação de madeira na qual os pés, o pescoço e as mãos eram presos de tal maneira que o corpo inteiro era mantido numa posição distorcida e dolorosa. Essa tortura levou Jeremias a irromper em queixas contra Deus (v. 7-18).

Jr 21   Começa o cerco de Jerusalém

Cronologicamente, esse capítulo pertence aos dias finais da vida de Jeremias. O rei Zedequias, apavorado diante dos avanços do exército babilônio contra a cidade, roga que Jeremias interceda diante de Deus. Jeremias aconselha Zedequias a entregar a cidade aos babilônios a fim de salvar a vida dos habitantes.

Jr 22   Advertência ao rei Jeoaquim

Rei de Judá, no versículo 2, provavelmente refere-se a Zedequias (v. 21.3,7; cf. v. 3 com 21.12), o último rei de Judá, cujos antecessores são mencionados, na sua devida seqüência, mais adiante no mesmo capítulo (Josias, v. 10*a*,15*b*,16; Jeoacaz/ Salum, v. 10*b*-12; Jeoaquim, v. 13-15*a*,17-19; Joaquim/ Conias, v. 24-30).

Joaquim tinha filhos (1Cr 3.17; Mt 1.12), mas seria como se não os tivesse — visto que esses filhos nunca subiriam ao trono (v. 30). Ele e seu tio Zedequias foram os últimos reis terrenos a se assentar no trono de Davi. Foi o fim da monarquia temporal de Judá. Entretanto, da linhagem de Zedequias descenderia Cristo, o Messias.

Jr 23   Falsos profetas

Repreensão severa contra os líderes do povo de Deus. A condenação mordaz dos reis davídicos, pronunciada por Jeremias, fornece o ambiente histórico de uma visão do Messias davídico vindouro (v. 5-8; v. comentário sobre o cap. 33). Quanto aos falsos profetas, eram o maior empecilho à aceitação da pregação de Jeremias. Tomavam o nome Deus em vão ao apresentar mensagens que eram deles próprios: "Jeremias está mentindo. Nós somos profetas de Deus, e Deus nos tem garantido a segurança de Jerusalém".

As duas cestas de figos — Jr 24

Os figos bons representavam os melhores cidadãos, que tinham sido levados à Babilônia no cativeiro de Joaquim (597 a.C.) e também em data anterior, incluindo Ezequiel e Daniel. Os figos ruins representavam os cidadãos que foram deixados em Jerusalém, e estes pretendiam resistir aos babilônios com a ajuda do Egito (2Rs 24.10-20).

Predição dos 70 anos de cativeiro — Jr 25

Essas palavras foram ditas na parte inicial do reinado de Jeoaquim (v. 1), por volta de 604 a.C. É notável que se prediz a duração exata do domínio babilônico (v. 11-14; 29.10; 2Cr 36.21; Ed 1.1; Dn 9.2; Zc 7.5). Uma profecia espantosa. Não havia a mínima possibilidade de Jeremias saber disso, a não ser por revelação direta da parte de Deus.

Jeremias é julgado pelos oficiais de Judá — Jr 26

Os acusadores eram os sacerdotes e os falsos profetas. Entretanto, Jeremias tinha amigos entre os oficiais, entre os quais se destacou Aicam, que o livrou da morte certa. No entanto, um dos colegas de Jeremias, o profeta Urias, não foi livrado assim (v. 20-24).

Um jugo com cordas e madeira — Jr 27 e 28

Jeremias colocou no próprio pescoço um jugo do tipo que era colocado nos bois e perambulou pela cidade, dizendo: "Assim a Babilônia colocará jugo no pescoço deste povo". Um dos falsos profetas, Hananias, com insolência descarada, quebrou o jugo simbólico de Jeremias (28.10) e, como castigo, morreu dentro de dois meses (28.1,17).

A carta de Jeremias aos exilados — Jr 29

Escrita depois de Joaquim e a elite do povo terem sido levados à Babilônia. Jeremias os aconselha a serem cativos pacíficos e obedientes e lhes promete que voltarão à pátria depois de 70 anos (v. 10). Mesmo assim, dentro da própria Babilônia, os falsos profetas continuam a lutar contra Jeremias (v. 21-32).

Um cântico de restauração — Jr 30 e 31

Esse cântico profetiza restauração tanto para Israel quanto para Judá e inclui prenúncios messiânicos. Foi Deus quem mandou registrar por escrito essas palavras (v. 2), a fim de que, posteriormente, depois de terem acontecido os eventos profetizados nesse cântico, pudessem ser comparados com as profecias escritas de antemão.

A **nova aliança** (31.31-34). O AT é a história de como Deus tratou com a nação dos hebreus, em conformidade com a aliança outorgada no monte Sinai. Trata-se de uma predição bem específica de que a aliança mosaica seria substituída por outra aliança. A substituição da aliança mosaica pela nova aliança em Cristo é o tema principal da epístola aos Hebreus.

Jr 32 — Jeremias compra um campo

Esse incidente ocorreu no ano anterior à queda de Jerusalém. Dentro de pouco tempo, a cidade seria incendiada e Judá seria devastada. Em meio à desolação e desespero daqueles tempos, Deus mandou Jeremias comprar um campo, numa cerimônia com testemunhas, e arquivar a escritura de posse de modo bem seguro, a fim de enfatizar a predição de que os cativos voltariam e as terras tornariam a ser cultivadas.

Jr 33 — "O Renovo"

A maioria dos 20 reis davídicos que reinaram sobre Judá 400 anos entre Davi e o exílio babilônico foram muito maus. Bem poucos deles foram dignos do nome de Davi. Nos capítulos 22 e 23, Jeremias censura severamente essa dinastia real à qual Deus outorgara a promessa de um trono eterno. Aqui, no capítulo 33, o profeta repete, com explicações mais pormenorizadas, a profecia a respeito do grande Rei, "o Renovo", em quem seria cumprida a referida promessa.

Jr 34 — Zedequias dá liberdade aos escravos

Durante o cerco de Jerusalém, o rei Zedequias proclamou a liberdade de todos os escravos. Com isso, certamente queria conquistar o favor de Deus; mas não fez valer a proclamação.

> NOTA ARQUEOLÓGICA: As "cartas de Láquis".
> Jeremias 34.7 menciona o cerco de Láquis e Azeca pelo rei da Babilônia. Fragmentos de 21 cartas, escritas durante esse cerco e enviadas de um posto avançado de Láquis ao capitão da guarda que defendia a própria cidade de Láquis, foram descobertos em 1935.
> Essas cartas foram escritas imediatamente antes de Nabucodonosor lançar a ofensiva final, que consistiu em acender fogueiras junto às muralhas da cidade. As cartas foram encontradas num depósito de cinzas e carvão, no piso da sala da guarda.
> Em uma das cartas, a sentinela do posto avançado declarou estar "procurando ver sinais de Láquis" e que "não conseguia enxergar nenhum sinal de Azeca" (é possível que já tivesse sido conquistada).
> Evidentemente, a carta indica que alguém da região montanhosa estava tentando ver sinalizações por meio de fogueiras partindo de Láquis ou de Azeca para indicar o avanço dos babilônios. Existe um lugar apropriado para semelhante posto de observação a poucos quilômetros a leste de Láquis, na orla oeste da região montanhosa.

Jr 35 — O bom exemplo dos recabitas

Os recabitas eram uma tribo de descendentes de Recabe que são mencionados já na época de Moisés (1Cr 2.55; Nm 10.29-32; Jz 1.16). Tinham permanecido fiéis à ordem dada pelo seu ancestral no sentido de não beberem vinho (2Rs 10.15,23) e Jeremias os apresentou como contraste contundente com os cidadãos desobedientes de Jerusalém.

O rei queima o livro de Jeremias — Jr 36

Nessa ocasião, Jeremias já profetizava havia 23 anos, desde o décimo terceiro ano de Josias até o quarto ano de Jeoaquim. Agora, Deus lhe ordena registrar todas essas profecias em um livro, a fim de que sejam lidas diante do povo, visto que o próprio Jeremias está preso, sem poder falar pessoalmente ao povo (v. 5). Escrever o livro levou mais de um ano (v. 1,9). Sua leitura causou profunda impressão em alguns dos oficiais, porém o rei, descarada e desafiadoramente, queimou o livro. Depois, Jeremias voltou a escrever de novo o livro inteiro.

Jeremias na prisão — Jr 37 e 38

Durante o cerco, numa ocasião em que os babilônios tinham se retirado temporariamente, Jeremias tentou sair de Jerusalém a fim de voltar para casa em Anatote — isso provavelmente por causa da escassez de alimentos na capital. Considerando que o profeta tinha aconselhado com persistência que Jerusalém se rendesse aos babilônios, seus inimigos achavam que ele estava pretendendo juntar-se aos babilônios. Por isso, foi encarcerado sob suspeita de ser um traidor que promovia os interesses dos babilônios. Zedequias era simpático a Jeremias, mas não passava de um rei fraco.

Jerusalém é incendiada — Jr 39

Esse evento também é narrado no capítulo 52, bem como em 2 Reis 25 (v. comentário) e em 2 Crônicas 36. Nabucodonosor, sabendo que Jeremias, durante toda a sua vida ativa de profeta, tinha aconselhado que Jerusalém se submetesse aos babilônios, ofereceu a Jeremias qualquer honraria que quisesse aceitar, até mesmo um cargo na corte real da Babilônia (11-14; 40.1-6).

Gedalias é nomeado governador — Jr 40 e 41

Gedalias, a quem Nabucodonosor nomeou governador de Judá, era filho de Aicam, amigo de Jeremias (40.5; 26.24). Dentro de três meses, porém, foi assassinado (39.2; 41.1,2).

NOTA ARQUEOLÓGICA: O sinete de Gedalias.
Em 1935, na camada de cinzas que restou depois de Nabucodonosor ter incendiado Láquis e no meio das "cartas de Láquis", foi descoberto um sinete com esta inscrição: "Pertence a Gedalias, mordomo do palácio".

NOTA ARQUEOLÓGICA: O sinete de Jazanias.
Mencionado em Jeremias 40.8 e 2Reis 25.23, Jazanias era um dos capitães do exército de Gedalias. Em 1932, nas ruínas de Mispá, sede do governo de Gedalias (Jr 40.6), foi descoberto um sinete primoroso de ágata, tendo a representação de um galo de briga, com a inscrição: "Pertence a Jazanias, servo do rei".

A partida para o Egito — Jr 42 e 43

O remanescente do povo, temendo que Nabucodonosor tomasse vingança pelo assassinato de Gedalias, fugiu para o Egito, embora Deus tivesse advertido explicitamente que fazer assim levaria à extinção do grupo. Levaram Jeremias com eles.

NOTA ARQUEOLÓGICA: Tafnes.

O sítio arqueológico de Tafnes (43.8-13) foi identificado a uns 16 km a oeste do canal de Suez. Era uma cidade-fortaleza na fronteira norte do baixo Egito que guardava a estrada para a Síria. Em 1886, *sir* Flinders Petrie descobriu as ruínas de um grande castelo, diante do qual havia uma "grande plataforma aberta de alvenaria", que pode ter sido o próprio lugar em que Jeremias enterrou as "pedras grandes" (43.9).

Os registros históricos de Nabucodonosor declaram que ele realmente invadiu o Egito em 568 a.C., ou seja, 18 anos depois de Jeremias ter profetizado que ele assim o faria (43.10).

Nessas circunstâncias, os descendentes de Abraão voltaram para o Egito como um remanescente derrotado e desesperançado, quase novecentos anos depois de terem sido libertados do Egito pela poderosa mão de Deus, no Êxodo.

Jr 44 O derradeiro apelo de Jeremias

Esse último esforço para induzir o povo a abandonar a idolatria fracassou. Os ouvintes eram rebeldes.

Rainha dos Céus (v. 17) era o título babilônico de Istar, cujo culto incluía atos de imoralidade. As mulheres justificavam-se mediante o consentimento dos respectivos maridos, necessário para que os votos religiosos das mulheres tivessem validade (v. 15,19).

Não se sabe como e onde morreu Jeremias. Uma tradição declara que foi apedrejado até a morte no Egito. Outra diz que ele foi levado do Egito para a Babilônia por Nabucodonosor, com Baruque, seu secretário, e ali morreu.

Jr 45 Baruque

Baruque, secretário (escriba) de Jeremias, era um homem de destaque, com grandes ambições (v. 5). Era notória a influência que exercia sobre Jeremias (43.3). Ele é exortado a lembrar-se de que o reconhecimento terreno oferece apenas uma ilusão de valor pessoal — desaparece junto com as pessoas que oferecem semelhantes elogios.

Jr 46 O Egito

Uma descrição da derrota do exército do Egito em Carquemis (605 a.C.), no período intermediário da vida de Jeremias (v. 1-12), e uma profecia posterior segundo a qual Nabucodonosor invadiria o Egito (v. 13-26; v. 43.8-13, do qual os presentes versículos são uma ampliação). Mais de um século antes, Isaías profetizara as invasões do Egito pelos assírios (v. comentários sobre Is 18—20). Ezequiel também profetizou a respeito do Egito (Ez 19—32).

Jr 47 Os filisteus

Essa profecia, que prediz a devastação da Filístia pela Babilônia, foi cumprida 20 anos depois, quando Nabucodonosor conquistou Judá. Outros profetas que falaram a respeito dos filisteus, e contra eles, foram Isaías (14.28-32), Amós (1.6-8), Ezequiel (25.15-17), Sofonias (2.4-7) e Zacarias (9.1-7).

A profecia de Jeremias a respeito de Mênfis (46.19) se cumpriu. Quase tudo quanto resta da cidade de Mênfis, no Egito, outrora grandiosa, consiste em uma esfinge de alabastro e uma estátua gigante (bastante desgastada) do faraó Ramsés II.

Moabe — Jr 48

Um quadro da devastação iminente de Moabe. Embora Moabe tivesse ajudado Nabucodonosor contra Judá, foi posteriormente devastado pelo mesmo rei da Babilônia (582 a.C.). Durante muitos séculos, a região de Moabe tem permanecido desolada e com poucos habitantes, embora as ruínas de suas muitas cidades dêem testemunho de uma população numerosa nos tempos antigos. Sua restauração (v. 47) e a de Amom (49.6) podem ter se cumprido quando foram absorvidos na raça árabe em geral — e houve árabes presentes no Pentecoste, quando o evangelho foi proclamado ao mundo pela primeira vez (At 2.11). Outro significado possível é que a região ainda voltará a ser próspera. Outras profecias sobre Moabe são Isaías 15 e 16, Ezequiel 25.8-11, Amós 2.1-3 e Sofonias 2.8-11.

Jr 49 — Amom, Edom, Síria, Hazor, Elão

Uma predição de que Nabucodonosor conquistaria essas nações — o que ele realmente fez (quanto a Amom, v. comentário sobre Ez 25.1-11; quanto a Edom, v. notas sobre Ob).

Jr 50 e 51 — Predição da queda da Babilônia

Aqui estão preditas a queda e a destruição permanente da Babilônia, conforme Isaías predissera anteriormente (Is 13.17-22) em linguagem condizente com a grandiosidade do tema (51.37-43). Os medos, encabeçando uma coalizão de nações, são citados nominalmente como os conquistadores (50.9; 51.11, 27,28). Esses dois capítulos, que declaravam a perdição da Babilônia, foram copiados num livro separado, que foi enviado à Babilônia por uma delegação encabeçada pelo rei Zedequias, sete anos antes de Nabucodonosor incendiar Jerusalém (51.59-64). O livro devia ser lido em público e então, numa cerimônia solene, afundado no Eufrates, com estas palavras: "Assim Babilônia afundará para não mais se erguer".

Jr 52 — O cativeiro de Judá

(V. comentário sobre 2Rs 24 e 25.)

> **NOTA ARQUEOLÓGICA: Sinetes e bulas pessoais.**
> O sinete era um dispositivo no qual era gravada uma figura ou um nome, de modo que, ao ser aplicado com pressão sobre uma substância mole como o barro ou a cera, deixasse uma impressão permanente ao endurecer-se a substância. A impressão feita por um sinete é chamada *bula*. Alguns sinetes tinham superfície plana, e outros eram cilíndricos, sendo rolados na cera ou barro.
> Os sinetes era usados como marca de autenticação nas cartas e documentos oficiais (1Rs 21.8; Et 3.12); como meio de lacrar um documento, livro ou aposento para evitar invasão indevida (do mesmo modo como lacramos documentos jurídicos ou o cenário de um crime; Jr 32.14); como comprovação da autoridade delegada (Et 3.10; 8.2); e como marca oficial do proprietário, como, por exemplo, nas asas ou tampas de jarras.
> "Sinete" (e o verbo "selar") também é usado de modo figurado — por exemplo: em Deuteronômio 32.34; Romanos 4.11; 15.28; 1 Coríntios 9.2; Efésios 1.13; 4.30; Apocalipse 5.1; 7.2-4; 10.4.
> Foram descobertos numerosos sinetes e bulas cuja data remonta à era do Antigo Testamento; alguns deles de fato pertenceram a pessoas mencionadas no AT.
> - O sinete de Serias (ou Seraías), filho de Nerias, a quem Jeremias ordenou que levasse à Babilônia uma cópia das profecias de Jeremias a respeito da própria Babilônia (Jr 51.59-64), existe, segundo se sabe, numa coleção particular. A inscrição diz: "Pertence a Serias, [filho de] Nerias".
> - Foi achada uma impressão do sinete que de fato pertenceu ao escriba de Jeremias, Baruque. A inscrição na bula contém uma forma mais extensa ("Berequias") do nome Baruque. A inscrição diz: "Pertence a Berequias, filho de Nerias, o escriba" (v. Jr 32.12; 34.1-7; caps. 36 e 45).
> - Foi descoberta uma impressão do sinete da própria pessoa que recebeu a ordem de prender Baruque e Jeremias. A inscrição diz: "Pertence a Jerameel, filho do rei" — conforme Jeremias 36.26: "Em vez disso, o rei ordenou a Jerameel, filho do rei [...] que prendessem o escriba Baruque e o profeta Jeremias. Mas o Senhor os tinha escondido".
> - Uma impressão do sinete de "Gemarias, filho do secretário Safã" (Jr 36.10), aquele na sala de quem Baruque leu diante do povo as palavras de Jeremias registradas no livro, foi descoberta por Yigal Shiloh em suas escavações na Cidade de Davi. A impressão diz: "Pertence a Gemarias, filho de Safã".

- Uma impressão de sinete pertencente ao início do século vi a.C. foi descoberta em Tell el-Umeiri, na Jordânia, a leste do mar Morto. A impressão diz: "Pertence a Milkom'ur, servo de Baalyasha". Esse Baalyasha deve provavelmente ser identificado com "Baalis, rei dos amonitas", mencionado em Jeremias 40.14.
- Recentemente veio a lume o próprio sinete original de "Ba'alis, rei dos amonitas" — sendo esse o próprio rei que tramou o assassinato de Gedalias (Jr 40.13—41.2).

Lamentações

Lamento pela devastação de Jerusalém

> Graças ao grande amor do Senhor
> é que não somos consumidos,
> pois as suas misericórdias são inesgotáveis.
> Renovam-se cada manhã;
> grande é a sua fidelidade!
> O Senhor é bom para com aqueles
> cuja esperança está nele,
> para com aqueles que o buscam;
> é bom esperar tranqüilo
> pela salvação do Senhor.
> — Lamentações 3.22,23,25,26

Esse pequeno livro é a lamentação de Jeremias sobre a cidade que, empenhando seus melhores esforços, tentara salvar. Mesmo assim, ele não deixa de expressar, em meio à tristeza, a convicção de que Jerusalém irá ressurgir das antigas ruínas (3.21,31,32). E, na realidade, Jerusalém levantou-se de novo e emprestou seu nome à capital de um mundo remido de eterna glória: a Nova Jerusalém (Hb 12.22; Ap 21.2).

Um apêndice ao livro de Jeremias

O último capítulo do livro de Jeremias deve ser lido como introdução ao livro de Lamentações. A *Septuaginta* acrescenta esta introdução: "E aconteceu que, depois de Israel ter sido levado ao cativeiro e Jerusalém ter sido devastada, Jeremias sentou-se, chorando, e lamentou essa lamentação sobre Jerusalém, e disse..."

Ao contrário de nossas bíblias, porém, o AT hebraico não coloca Lamentações imediatamente depois de Jeremias, e sim em um grupo de livros chamados $k^e tûvîm$ ou Escritos, aos quais pertencem Cântico dos Cânticos, Rute, Lamentações, Eclesiastes e Ester. Eram registrados em rolos diferentes, porque eram lidos em festas diferentes. Até o dia de hoje, o livro de Lamentações é lido publicamente nas sinagogas do mundo inteiro, em todos os locais onde existem judeus, no nono dia do quarto mês, o dia de jejum que lembra a queda do Templo (Jr 52.6).

Um acróstico

O livro consiste em cinco poemas, dos quais quatro são acrósticos — ou seja, cada versículo começa com uma letra diferente do alfabeto hebraico, na devida ordem alfabética. Essa era uma forma predileta de poesia hebraica, adotada, como auxílio para a memória. Nos capítulos 1, 2 e 4, cada letra introduz um novo versículo, totalizando 22 versículos por capítulo, assim como o alfabeto hebraico tem 22 letras. O capítulo 3 tem três versículos para cada letra e assim totaliza 66 versículos. O capítulo 5 tem 22 versículos, mas não na ordem alfabética (v. tb. "Poesia e sabedoria", p. 248).

Seu uso imediato

Esse livro deve ter sido redigido no período de três meses entre a destruição de Jerusalém e a partida dos sobreviventes para o Egito (Jr 39.2; 41.1,18; 43.7). Durante esse período, a sede do governo estava em Mispá (Jr 40.8). É provável que várias cópias tenham sido feitas, algumas levadas para o Egito e outras enviadas à Babilônia para os exilados memorizarem e cantarem.

Sião ficou deserta — Lm 1

Não é fácil definir o tema individual de cada capítulo. As mesmas idéias, em linguagem diferente, percorrem todos os capítulos: os horrores do cerco e das ruínas devastadas, e tudo isso como resultado dos pecados de Sião. Jeremias, aturdido, estonteado e de coração partido, chora com mágoa inconsolável. A ênfase do presente capítulo recai sobre o povo, que, pelos pecados, trouxe a catástrofe sobre si mesmo (v. 5,8,9,14,18,20,22).

A ira de Deus — Lm 2

A devastação de Jerusalém é atribuída à ira de Deus (v. 1-4,6,21,22). Jerusalém, situada numa montanha e cercada por montanhas ainda mais altas, era, pela sua localização, a mais bela cidade então conhecida, "a perfeição da beleza" (v. 15), mesmo em comparação com a Babilônia, Nínive, Tebas e Mênfis, edificadas em planícies fluviais. Além do mais, era a cidade que recebia cuidados especiais de Deus, por ele escolhida para uma missão incomparável — ser o meio principal usado por Deus para tratar com o povo. Era a cidade mais favorecida e altamente privilegiada do mundo inteiro, amada por Deus de modo excepcional, debaixo da sua proteção especial. Além disso, era tão bem fortificada que geralmente se acreditava que fosse inexpugnável (4.12). Entretanto, a cidade de Deus se tornara pior que Sodoma (4.6). O ensino de que o Deus de amor também é um Deus de ira é declarado e ilustrado repetidas vezes em toda a Bíblia.

O grande pesar de Jeremias — Lm 3

Nesse capítulo, Jeremias parece estar se queixando de que Deus ignorou-o e as suas orações (v. 8): "Tu te escondeste atrás de uma nuvem para que nenhuma oração chegasse a ti" (v. 44). Apesar de seus queixumes, Jeremias justifica a Deus, reconhecendo que os cidadãos de Jerusalém mereciam castigo pior (v. 22). O ponto alto do livro acha-se nos versículos 21 a 39.

Os sofrimentos durante o cerco — Lm 4 e 5

Jeremias não conseguia desviar os pensamentos dos horrores do cerco, do choro das crianças que morriam de fome (2.11,12,19; 4.4), das mulheres que coziam os próprios bebês como alimento (2.20; 4.10).

Entretanto, a despeito dos horríveis sofrimentos, Jerusalém não aprendeu a lição. Depois do Exílio, a cidade foi reconstruída e, nos dias de Jesus, voltou a ser uma cidade grandiosa e bela. Apesar disso, crucificaram o Filho de Deus e, não muito tempo depois, foi extirpada pelos exércitos de Roma, em 70 d.C. (v. comentário sobre Hb 13).

Ezequiel

A queda de Jerusalém
Juízos sobre as nações vizinhas
A restauração de Israel

Quando eu disser a um ímpio que ele vai morrer, e você não o advertir nem lhe falar para dissuadi-lo dos seus maus caminhos para salvar a vida dele, aquele ímpio morrerá por sua iniqüidade; mas para mim você será responsável pela morte dele. Se, porém, você advertir o ímpio e ele não se desviar de sua impiedade ou dos seus maus caminhos, ele morrerá por sua iniqüidade, mas você estará livre dessa culpa.
— Ezequiel 3.18,19

Ezequiel foi um profeta do cativeiro (ou exílio) babilônico. Ele foi levado para a Babilônia em 597 a.C., onze anos antes de Jerusalém ser destruída e o Reino do Sul, Judá, deixar de existir.

O Reino do Norte, Israel, fora levado ao exílio pelos assírios 120 anos antes. Esse acontecimento consistira em três etapas, das quais a última, em especial, devia ter servido de advertência a Judá:

734 a.C.	A Galiléia e o norte e o leste de Israel são invadidos por Tiglate-Pileser.
722 a.C.	Samaria e o restante de Israel são conquistados por Sargão.
701 a.C.	Duzentos mil dos habitantes de Judá são levados ao exílio por Senaqueribe.

O exílio babilônico de Judá aconteceu em três etapas:

605 a.C.	Alguns cativos, incluindo Daniel, são levados à Babilônia.
597 a.C.	Mais cativos, incluindo Ezequiel, são levados à Babilônia.
586 a.C.	Jerusalém é incendiada.

O exílio na Babilônia durou 70 anos, de 605 a 535 a.C. Ezequiel ficou na Babilônia de 597 até pelo menos 570 a.C.

Ezequiel e Daniel

Quando Ezequiel chegou à Babilônia, Daniel completara nove anos ali e já conquistara muita fama (14.14,20). Daniel residia e trabalhava no palácio, e Ezequiel, no campo.

Ezequiel e Jeremias

Jeremias era o mais velho dos dois. É possível que Ezequiel tenha sido seu aluno. Ezequiel pregava entre os exilados as mesmas coisas que Jeremias pregava em Jerusalém: a certeza de que Judá seria castigado pelos seus pecados.

Ezequiel e o Apocalipse

Algumas das visões de Ezequiel reaparecem no Apocalipse:

- Os querubins (Ez 1; Ap 4)
- Gogue e Magogue (Ez 38; Ap 20)
- Comer o livro (Ez 3; Ap 10)
- A Nova Jerusalém (Ez 40—48; Ap 21)
- O rio da água da vida (Ez 47; Ap 22)

"Saberão que eu sou o SENHOR"

Essa expressão é uma nota dominante do livro. Ocorre 62 vezes, em 27 dos 48 capítulos (**6.**7,10,14; **7.**4, 9,27; **11.**10,12; **12.**15,16,20; **13.**9,14,21; **14.**8; **15.**7; **16.**62; **17.**21,24; **20.**12,20,26,38,42,44; **21.**5; **22.**16,22; **23.**49; **24.**24,27; **25.**5,7,11,17; **26.**6; **28.**22,23,24,26; **29.**6,9,16,21; **30.**8,19,25,26; **32.**15; **33.**29; **34.**27,30; **35.**4,9,12,15; **36.**11,23,36,38; **37.**6,13,14,28; **38.**16,23; **39.**6,7,22,23,28).

Segundo parece, a missão de Ezequiel era explicar por que Deus causou ou permitiu o cativeiro de Judá. Foi por causa das abominações indescritíveis que o povo cometera — abominações que já haviam levado outras nações ao extermínio. No caso de Judá, porém, tratava-se de um castigo que visava à sua correção: por meio do castigo, eles viriam a saber que Deus é mesmo Deus. E assim aconteceu. O cativeiro babilônico curou os judeus da idolatria.

A cronologia do livro de Ezequiel

O acontecimento central em redor do qual gira esse livro é a destruição de Jerusalém, que ocorreu em 586 a.C. As profecias de Ezequiel começaram seis anos antes dessa data e continuaram por mais 16 anos a partir de então, totalizando um período de 22 anos. Antes da queda de Jerusalém, Ezequiel esteve constantemente predizendo a certeza dessa queda (caps. 1—24). A partir de então, as profecias trataram da derrocada das nações vizinhas (caps. 25—32) e do restabelecimento e futuro glorioso de Israel (caps. 33—48).

Suas visões, com pequenas exceções, são apresentadas em seqüência cronológica. Os anos são contados a partir da data do cativeiro do rei Joaquim, em 597 a.C.

O **trigésimo ano** (1.1), que era o mesmo que o **quinto ano** do exílio do rei Joaquim (1.2), deve ter sido, segundo se pensa, o trigésimo ano da vida de Ezequiel — a idade em que os levitas começam o serviço sagrado (Nm 4.3; Jesus e João Batista igualmente começaram seus respectivos ministérios aos 30 anos de idade). Alternativamente, pode ter sido o trigésimo ano do calendário babilônico, contado a partir do ano em que Nabopolassar conquistou para a Babilônia a independência em relação a Assíria (625 a.C.).

As datas das visões de Ezequiel são as seguintes:

Cap. 1.2	5.º ano	4.º mês	5.º dia	31/7/593 a.C.	Primeira visão
Cap. 8.1	6.º ano	6.º mês	5.º dia	17/9/592 a.C.	Transportado para Jerusalém
Cap. 20.1	7.º ano	5.º mês	10.º dia	14/8/591 a.C.	História de Israel
Cap. 24.1	9.º ano	10.º mês	10.º dia	15/1/588 a.C.	O cerco começa (2Rs 25.1)

O cerco de Jerusalém começou no nono ano, no décimo mês, no décimo dia.

Cap. 26.1	11.º ano		1.º dia	23/4/587- 13/4/586 a.C.	Contra Tiro
Cap. 29.1	10.º ano	10.º mês	12.º dia	7/1/587 a.C.	Contra o Egito
Cap. 29.17	27.º ano	1.º mês	1.º dia	26/4/571 a.C.	O Egito em troca de Tiro
Cap. 30.20	11.º ano	1.º mês	7.º dia	29/4/587 a.C.	Contra o faraó
Cap. 31.1	12.º ano	12.º mês	1.º dia	21/6/585 a.C.	Contra o faraó

Jerusalém caiu no décimo primeiro ano, no quarto mês, no nono dia.

Cap. 32.1	12.º ano	12.º mês	1.º dia	3/3/585 a.C.	Lamentação sobre o faraó
Cap. 32.17	12.º ano		15.º dia	13/4/586- 1/4/585 a.C.	O Egito morreu
Cap. 33.21	12.º ano	10.º mês	5.º dia	585 a.C.	Chega o primeiro fugitivo
Cap. 40.1	25.º ano	1.º (?) mês	10.º dia	573 a.C.	Visão do futuro

Visto que Ezequiel é tão meticuloso em registrar as datas das visões, a ponto de anotar o dia exato, pode-se tomar por certo que toda matéria que segue determinada data pertence àquela mesma data, até que seja mencionada a data seguinte.

Ez 1.1-3   A terra de Ezequiel e sua época

Ezequiel foi levado cativo com o rei Joaquim (597 a.C.) e fala do "nosso exílio" (33.21; 40.1). Tinha uma esposa (24.15-18) e um lar (8.1). Morava à beira do rio Quebar, o grande canal navegável que começava no rio Eufrates, ao norte da Babilônia, e atravessava Nipur antes de voltar ao Eufrates. Nipur, uns 80 km a sudeste da Babilônia, era Calné, uma das cidades que Ninrode construíra (Gn 10.10). Parece que Tel-Abibe era a cidade onde Ezequiel morava (3.15,24), e pensa-se que ficava perto de Nipur.

As condições de vida dos judeus no exílio babilônico eram relativamente amenas. Foram colocados numa localização específica — Tel-Abibe —, mas parece que tinham permissão para viajar livremente pelo país e para se ocupar do comércio. Eram considerados mais colonos que escravos.

Filho do homem é o tratamento que Ezequiel recebe em 90 ocasiões. Em Daniel 7.13, esse título é usado com referência ao Messias. Era com essa expressão que Jesus freqüentemente se referia a si próprio (v. comentário sobre Jo 1.14).

Visões e ações simbólicas caracterizam o livro de Ezequiel. Algumas das ações simbólicas foram acompanhadas de sofrimentos pessoais dolorosos. Ele teve de manter-se em silêncio durante um período prolongado (3.26; 24.27; 33.22). Teve que ficar deitado de lado, numa só posição, durante mais de um ano (4.5,6). Foi obrigado a comer alimentos cozidos sobre esterco de gado (4.15). E a sua esposa, a quem amava com ternura ("o prazer dos seus olhos") foi tirada dele repentinamente, mas Ezequiel foi proibido de prantear a sua morte (24.16-18).

A visão que Ezequiel teve de Deus — Ez 1.4-28

Os "seres viventes" são identificados como querubins (10.20). Cada um deles ficava no meio de cada lado de um quadrado, sendo que suas asas estendidas se tocavam nos ângulos desse quadrado. Cada querubim tinha quatro rostos: o rosto de homem, que olhava para fora do quadrado; à direita dele, o rosto de leão; à esquerda dele, o rosto de boi; no fundo, olhando para o centro do quadrado, o rosto de águia. Havia quatro rodas imensas em movimento, uma ao lado de cada querubim (10.6). As rodas "reluziam como o berilo" (v. 16), e seus aros estavam cheios de olhos ao redor. Esse ser vivente quádruplo ia e vinha como relâmpago, com ruído estrondoso semelhante ao de muitas águas.

Acima dos seres viventes havia uma abóbada de cristal e, acima da abóbada, um trono de safira azul. A visão inteira tinha como ambiente uma grande nuvem de tempestade, com relâmpagos de fogo em espiral. Foi nessa forma que Deus se revelou a Ezequiel. Significava a glória, o poder, a onisciência, a onipresença, a onipotência, a soberania, a majestade e a santidade de Deus.

Querubins guardavam o acesso à árvore da vida (Gn 3.24). Figuras de querubins foram colocadas sobre a arca da aliança (Êx 25.18-20) e bordadas na cortina do tabernáculo (Êx 26.31). Querubins foram reproduzidos em madeira de oliveira no Templo (1Rs 6.23,29; 2Cr 3.14). Eles fazem parte do pensamento bíblico desde o princípio, como atendentes angelicais de Deus. No Apocalipse (4.6,7; 5.6; 6.1,6; 7.11; 14.3; 15.7; 19.4), têm íntima ligação com o desenrolar dos derradeiros acontecimentos na terra.

A comissão de Ezequiel — Ez 2 e 3

Ezequiel é advertido, desde o início, de que está sendo chamado para uma vida de adversidades e sofrimentos. Deus lhe entrega a mensagem na forma de um rolo e ordena-lhe que o coma (assim também aconteceu com o apóstolo João em Ap 10.9). Na sua boca, o livro era "doce", o que parece significar que ele sentiu grande alegria em ser nomeado mensageiro de Deus, embora a mensagem fosse de pesar. Comer o rolo, quer literalmente, quer apenas em visão, significava assimilar inteiramente o seu conteúdo, de modo que a mensagem se tornasse parte do próprio profeta. Segundo parece, em 3.17-21, Deus tornou Ezequiel responsável pelo destino da nação, e o profeta só ficaria livre da culpa se declarasse com fidelidade a mensagem de Deus. Deus o avisou, ainda, que às vezes o obrigaria a guardar silêncio (3.26; 24.27; 33.22). Assim, Ezequiel tomaria o cuidado de falar, não as suas idéias, mas somente aquilo que Deus lhe ordenara.

Ez 4—7 O cerco simbólico de Jerusalém

A mensagem inicial de Ezequiel aos exilados, que esperavam um rápido regresso a Jerusalém, consistiu nessa advertência, fartamente ilustrada, de que Jerusalém estava para ser destruída, de que em breve iriam receber mais exilados e de que o exílio duraria pelo menos 40 anos. O número 40 pode ser um número arredondado para denotar uma geração. A essa altura (592 a.C.), alguns dos cativos já haviam passado 13 anos ali. Depois de mais seis anos, Jerusalém foi incendiada. A partir dessa ocasião, o cativeiro durou mais 50 anos: 586-536 a.C.

Embora o significado básico dessa seção esteja claro, os números têm servido de base para muitas explicações. Certas coisas ficam claras: cada dia representava um ano e os anos significavam um período durante o qual o povo de Deus receberia disciplina. Alguns entendem que os números se referem à duração da permanência de Israel no Egito (390 anos) e da peregrinação no deserto (40 anos). Esses números, portanto, seriam simbólicos, e não literais, como advertência de um tempo de cativeiro *semelhante* àquele no Egito, mas não necessariamente com a mesma duração.

Normalmente, os números seriam tomados por períodos de tempo separados em dois intervalos distintos e sucessivos. O ponto de referência que Ezequiel empregou para propósitos cronológicos foi a deportação do rei Joaquim em 597 a.C. Esse, portanto, pareceria ser o ponto de partida natural para a medição dos períodos de tempo envolvidos nesses versículos. Os 430 anos denotariam o castigo infligido aos cidadãos de Israel e de Judá pelas potências conquistadoras, desde a deportação de Joaquim, seu rei reconhecido, até o início da rebelião dos macabeus em 167 a.C. Durante o período dos macabeus, os judeus voltaram a governar Judá. Embora essa seja uma solução possível, devemos evitar o dogmatismo no tocante a esses números.

Como símbolo da fome que haveria em Jerusalém, Ezequiel vivia de pães cozidos sobre esterco. No decurso de todo o cerco, ele ficou deitado de um só lado, quer de modo contínuo, quer durante a maior parte de cada dia, fato que, junto com a alimentação escassa que lhe era permitido comer diariamente, envolvia grande desconforto.

Capítulo 5. Findo o cerco, Ezequiel recebe ordens, como mais um símbolo do triste destino dos habitantes de Jerusalém, de raspar os cabelos, queimar uma parte deles e espalhar aos ventos o restante.

Capítulos 6 e 7. Um tipo de canto fúnebre sobre a destruição e desolação da terra de Israel. A lição principal é que os judeus, mediante esse castigo, viriam a reconhecer que Deus é Deus mesmo.

Ez 8—11 A viagem de Ezequiel a Jerusalém em uma visão

Em setembro de 592 a.C., um ano e dois meses após seu chamado, Ezequiel foi transportado a Jerusalém em uma visão, e ali Deus lhe mostrou as idolatrias abomináveis que estavam sendo praticadas no Templo. O "ídolo que provoca o ciúme" (8.3) era provavelmente Aserá, uma deusa cananéia da fertilidade. A adoração secreta aos animais (8.10) era provavelmente um culto egípcio. Era dirigido por Jazanias (v. 11), cujo pai, Safã, tinha sido um dos líderes da reforma de Josias (2Rs 22.8) e cujos irmãos, Aicam e Gemarias, eram amigos íntimos de Jeremias (Jr 26.24; 36.10,25), mesmo quando o próprio profeta clamava horrorizado contra semelhante sacrilégio.

Aqui (no v. 14) temos a única referência bíblica a **Tamuz**, o deus babilônio da fertilidade. É possível que as mulheres de Jerusalém estivessem chorando sua suposta morte, que na opinião delas causava o definhar anual da vegetação. A data dessa visão foi no mês que posteriormente veio a ser chamado, no calendário hebreu, tamuz, que varia entre agosto e setembro no nosso calendário (v. p. 870).

Conseqüentemente, o reino outrora poderoso de Judá, a despeito de ter recebido uma advertência após a outra e um castigo após o outro e de estar agora reduzido quase ao ponto da extinção, afundava-se cada vez mais na infâmia da idolatria — na imundícia que Deus não mais podia tolerar.

Capítulo 9. Visão da matança dos idólatras em Jerusalém, da qual foram livrados os fiéis que tinham na testa o sinal do anjo escriba (v. 3,4; semelhante a Ap 14.1, onde os 144 000 têm o nome do Pai marcado na testa).

Capítulo 10. Reaparecem os querubins do capítulo 1, mas dessa vez para supervisionar a destruição e a matança em Jerusalém.

Capítulo 11. Uma visão da restauração futura dos exilados — humilhados, purificados e curados da idolatria (v. 10,12).

Ezequiel, cumprida a missão em Jerusalém, é levado de volta para casa, a fim de contar aos exilados tudo quanto tinha visto (8.1; 11.25).

Ezequiel leva seus pertences de mudança — Ez 12

Outra ação simbólica, para enfatizar o exílio iminente de Jerusalém. Aqui temos uma profecia, com minúcias assombrosas, da triste sorte de Zedequias: sua fuga secreta, sua captura e sua remoção para a Babilônia sem a ver (v. 10,12,13). Cinco anos mais tarde, assim aconteceu: Zedequias tentou fugir secretamente, foi capturado, foram-lhe vazados os olhos e foi levado à Babilônia (Jr 52.7-11).

Falsos profetas — Ez 13

Existiam muitos falsos profetas, tanto em Jerusalém quanto entre os exilados. Os berloques (v. 18) e os véus (v. 18,21) teriam sido usados em algum tipo de ritual mágico. A Bíblia evita descrições explícitas do ocultismo.

Os consultantes hipócritas — Ez 14

A resposta de Deus, dada a uma delegação de amantes da idolatria, não consiste em palavras, mas na destruição rápida e terrível da nação idólatra de Israel. É possível que fosse por amor a Daniel que Nabucodonosor estivesse poupando Jerusalém (v. 14), mas ela não seria poupada por mais tempo.

A parábola da videira inútil — Ez 15

Uma videira que não produz frutos é totalmente inútil, visto que a madeira não serve para nada, senão como combustível. Da mesma maneira, Jerusalém já não prestava para mais nada, senão para ser queimada.

A alegoria da esposa infiel — Ez 16

Esse capítulo é um retrato explícito e vívido da idolatria de Israel, com o emprego da figura de uma esposa amada pelo marido, que fez dela uma rainha e a cumulou de sedas, de vestes de luxo e de todas as coisas belas. Só que ela se prostituiu com todos os que passaram por perto, tornando-se ainda mais iníqua que Sodoma e Samaria (v. Jr 1 e 2).

Ez 17 — A parábola das duas águias

A primeira águia (v. 3) era o rei da Babilônia. O "broto mais alto" (v. 4) era Joaquim, que foi levado à Babilônia (2Rs 24.11-16) seis anos antes de essa parábola ter sido falada. A "semente da terra" (v. 5,13) era Zedequias (2Rs 24.17).

A outra águia (v. 7) era o rei do Egito, para quem Zedequias se voltou, buscando ajuda. Por causa dessa traição, Zedequias seria levado à Babilônia para ali ser castigado e morrer (v. 13-21; trata-se da repetição do que Ezequiel profetizara anteriormente, 12.10-16). Assim aconteceu cinco anos depois (2Rs 25.6,7). O "renovo tenro" (v. 22-24), que Deus posteriormente plantaria na família real restaurada de Davi, cumpriu-se no Messias.

Ez 18 — "Aquele que pecar é que morrerá"

Muito se diz nos profetas sobre o fato de que o exílio de Israel foi o resultado dos pecados acumulados das gerações anteriores. Agora, porém, a geração do Exílio, não se lembrando de que eram "piores que seus pais," estava querendo lançar *toda* a culpa nos antepassados. A mensagem desse capítulo é que Deus julga cada pessoa com base na conduta individual e pessoal. É um apelo veemente para os ímpios se arrependerem (v. 30-32).

Ez 19 — Lamento pela queda do trono de Davi

Na linguagem figurada de uma leoa, a família de Davi, outrora grandiosa e poderosa, agora foi derrubada. O primeiro filhote (v. 3) era Jeoacaz (Salum), que foi levado ao Egito (2Rs 23.31-34). O segundo filhote (v. 5) era Joaquim ou Zedequias — ambos foram levados à Babilônia (1Rs 24.8—25.7).

Ez 20 — Histórico das idolatrias de Israel

Israel, geração após geração, vinha se chafurdando na imundície da idolatria. Note, porém, a profecia da restauração (v. tb. o cap. 37).

Ez 21 — A espada da Babilônia

A espada está prestes a ser empunhada contra Jerusalém e Amom.

O sul (20.46) é a terra de Judá.

Enquanto não vier aquele a quem ela pertence por direito (21.27): "ela" é a coroa de Zedequias, que não passará para seus filhos (v. 25-27). Será o fim da monarquia davídica até a vinda do Messias (34.23,24; 37.24; Jr 23.5,6).

Ez 22 — Os pecados de Jerusalém

Repetidas vezes Ezequiel cita explicitamente os pecados de Jerusalém: ela se contamina com ídolos, derrama sangue, profana o sábado, pratica a extorsão e o adultério promíscuo; os príncipes, sacerdotes e profetas são cobiçosos de lucros desonestos.

Oolá e Oolibá — Ez 23

Duas irmãs, insaciáveis na obscenidade, servem de parábola da idolatria de Israel. Oolá é Samaria, e Oolibá, Jerusalém. Ambas envelheceram no adultério. Repetidas vezes a intimidade conjugal é citada para representar o relacionamento entre Deus e seu povo (v. comentário sobre o cap. 16). A promiscuidade sexual era, por certo, generalizada naquele período (16.32; 18.6,11,15; 22.11; 23.43; Jr 5.7,8; 7.9; 9.2; 23.10,14; 29.23).

A panela — Ez 24

A panela simboliza a destruição de Jerusalém, que está bastante iminente. A ferrugem na panela representa os assassinatos e as imoralidades da cidade.

A morte da esposa de Ezequiel (v. 15-24) ocorreu no dia em que começou o cerco de Jerusalém (v. 1,18; 2Rs 25.1). Era um sinal dado aos exilados, para maior tristeza deles, de que sua amada Jerusalém estava para ser tirada deles. Ezequiel foi obrigado a manter silêncio até que chegassem notícias da queda da cidade — três anos mais tarde (v. 27; 33.21,22).

Amom, Moabe, Edom e Filístia — Ez 25

Essas quatro nações eram as vizinhas mais próximas de Judá, que se regozijaram com a destruição de Judá pela Babilônia. Aqui, Ezequiel prediz para elas destruição igual — assim como profetizara Jeremias (Jr 27.1-7). Nabucodonosor subjugou os filisteus na ocasião em que conquistou Judá e, quatro anos depois, invadiu Amom, Moabe e Edom.

Tiro. Visões de 586 a.C. — Ez 26—28

Essas visões da perdição de Tiro foram dadas a Ezequiel no mesmo ano em que Jerusalém foi tomada, ou seja, no décimo primeiro ano (26.1).

Capítulo 26. Uma profecia do cerco feito por Nabucodonosor e da desolação permanente de Tiro. No ano seguinte, em 585 a.C., Nabucodonosor cercou Tiro. Levou 13 anos para conquistar a cidade.

Tiro, localizada a quase 20 km ao norte da fronteira entre Israel e o Líbano, era uma cidade dupla: parte dela foi construída numa ilha e parte no continente, numa planície fértil e bem irrigada, no sopé ocidental da cordilheira do Líbano. Era a grande potência marítima do mundo antigo e alcançou o auge da glória entre os séculos XII e VI a.C., quando possuía colônias nas costas norte e oeste da África, na Espanha e na Bretanha. Tiro controlava o comércio do Mediterrâneo — as mercadorias de todas as nações passavam pelo seu porto. Era cidade de renome pelo esplendor e pelas riquezas fabulosas.

Depois de conquistada por Nabucodonosor, Tiro deixou de ser uma potência independente. Foi posteriormente subjugada pelos persas e mais tarde por Alexandre, o Grande (332 a.C.). Nunca mais recuperou a antiga glória e tem sido por séculos "uma rocha nua [...] um local propício para estender redes de pesca" (26.4,5,14), cumprimento espantoso da profecia de Ezequiel de que "jamais será reconstruída" (26.14,21; 27.36; 28.19).

Capítulo 27. Tiro, senhora do Mediterrâneo, é retratada sob a figura de um navio majestoso, de beleza incomparável, carregado das mercadorias e tesouros das nações, mas que está prestes a ser afundado.

As nações em Ezequiel 25—32

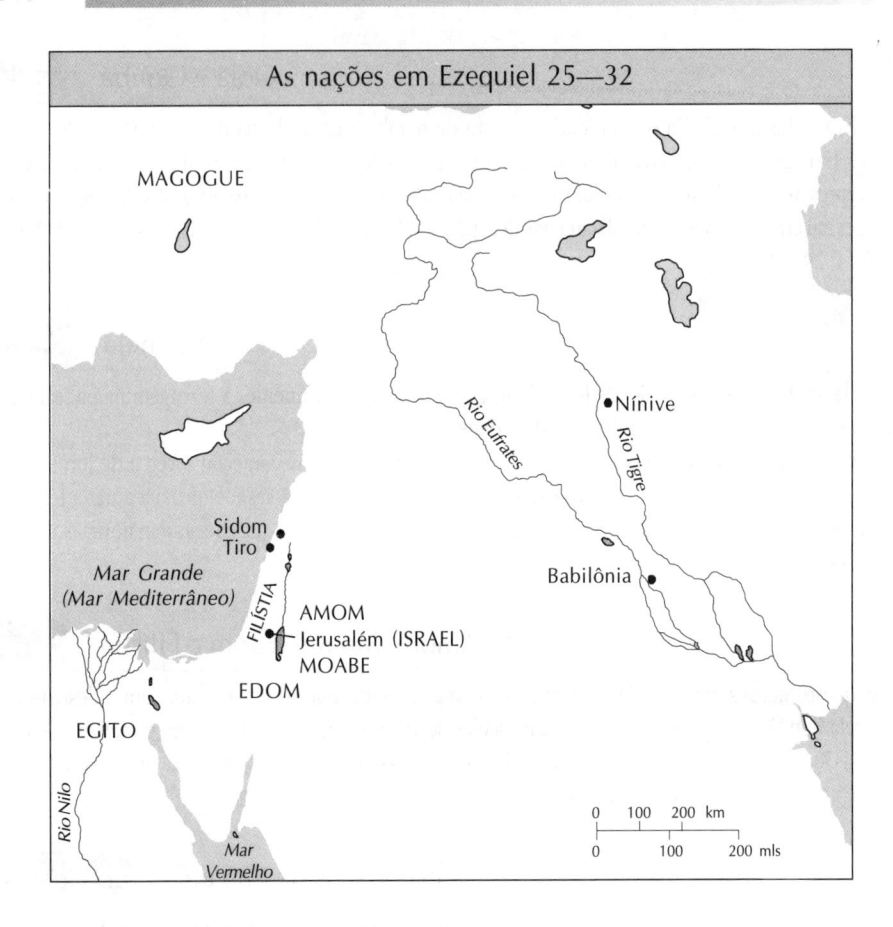

(mapa: MAGOGUE, Nínive, Sidom, Tiro, Mar Grande (Mar Mediterrâneo), FILÍSTIA, AMOM, Jerusalém (ISRAEL), MOABE, EDOM, EGITO, Rio Nilo, Mar Vermelho, Rio Eufrates, Rio Tigre, Babilônia)

Capítulo 28.1-19. Derrubada do orgulhoso rei de Tiro, o qual, no trono de sua ilha inacessível e inexpugnável, não levava a sério qualquer ameaça à sua segurança.

Capítulo 28.20-24. A derrota de Sidom, 32 km ao norte de Tiro. Foi tomada por Nabucodonosor quando conquistou Tiro.

Capítulo 28.25,26. A restauração de Israel, depois de terem desaparecido as nações vizinhas hostis.

Ez 29—32 O Egito: seis visões

Seis visões que predizem a invasão do Egito por Nabucodonosor e a redução permanente do Egito a uma condição de importância secundária. Nabucodonosor invadiu e despojou o Egito em 568 a.C. O Egito nunca chegou a reconquistar toda a glória anterior (29.15).

Primeira visão (29.1-16). Janeiro de 587 a.C., 18 meses antes da queda de Jerusalém. Assim como Tiro foi representada por um navio no capítulo 27, nessa visão o Egito é representado por um crocodilo, monarca do Nilo e um dos deuses do Egito.

Os 40 anos do cativeiro e desolação do Egito (v. 11,12): passaram-se quase quarenta anos desde a conquista do Egito por Nabucodonosor até a ascensão da Pérsia (536 a.C.), sob cujo governo todos os povos cativos tiveram permissão de voltar às respectivas pátrias.

Segunda visão (29.17—30.19). Abril de 571 a.C., 16 anos depois da queda de Jerusalém. Essa visão, concedida muitos anos depois das outras cinco visões e na véspera de Nabucodonosor marchar sobre o Egito, é encaixada aqui por se tratar do mesmo assunto das demais. Nabucodonosor e seu exército não obtiveram nenhuma recompensa material em troca da campanha contra Tiro (29.18); Nabucodonosor, servo de Deus no castigo das nações, sitiara Tiro 13 anos (o cerco terminou em 573 a.C.). Levando-se em conta a duração do cerco, os despojos foram decepcionantes porque muitíssimos habitantes já tinham fugido levando consigo as riquezas. Mas agora ele vai receber no Egito a recompensa desejada (v. 20). "Não haverá mais príncipe no Egito" (30.13), isto é, nenhum governante nativo de importância.

Terceira visão (30.20-26). Abril de 587 a.C., 15 meses antes da queda de Jerusalém. "Quebrei" (v. 21) provavelmente se refira à derrota do exército do faraó (Jr 37.5-9).

Quarta visão (cap. 31). Junho de 587 a.C., 13 meses antes da queda de Jerusalém. O Egito é advertido a lembrar-se do destino da Assíria, que era mais poderosa que o Egito, mas sucumbira à Babilônia.

Quinta visão (32.1-16). Março de 585 a.C., oito meses depois da queda de Jerusalém. Uma lamentação sobre o Egito, que em breve seria esmagado pela Babilônia.

Sexta visão (32.17-32). Março de 585 a.C., oito meses depois da queda de Jerusalém. Um quadro do Egito e de seus companheiros no reino dos mortos.

A notícia da queda de Jerusalém — Ez 33

A notícia chegou aos exilados um ano e meio depois da queda da cidade (v. cronologia na p. 332). Ezequiel mantivera silêncio desde o dia em que começara o cerco — durante três anos, portanto (24.1, 26,27; 32.22). As visões contra Tiro e o Egito, registradas nos capítulos de 26 a 31, a maior parte das quais recebida durante o referido período de três anos, com certeza devem ter sido transmitidas por escrito, e não proferidas audivelmente.

A primeira declaração que Ezequiel fez, depois de receber notícias da queda, foi que os ímpios que restaram em Jerusalém seriam exterminados (v. 23-29). Cinco anos mais tarde, Nabucodonosor levou mais 745 cativos (Jr 52.30).

Segue-se, então, uma observação a respeito da popularidade de Ezequiel com os exilados (v. 30-33), que achavam encantadoras suas palavras, mas continuavam na impenitência.

Acusação contra os pastores de Israel — Ez 34

A culpa pelo cativeiro de Israel é lançada diretamente na conta dos reis e dos sacerdotes gananciosos e cruéis que tinham explorado o povo e o desviado da religião. Dentro desse contexto histórico, Ezequiel recebe uma visão do futuro Pastor do povo de Deus — o Messias vindouro (v. 15,23,24), debaixo de cujos cuidados eles nunca mais sofrerão — "haverá chuvas de bênçãos" (v. 26).

A condenação de Edom — Ez 35

Depois de serem removidos os habitantes de Judá, Edom enxergou uma oportunidade para tomar posse da terra (v. 10; 36.2,5). Três anos depois, porém, a mesma calamidade recaiu sobre o próprio Edom (v. nota sobre Ob).

Ez 36 — A terra de Israel será reabitada

Desolada agora, virá a ser, no futuro, semelhante ao jardim do Éden (v. 35), povoada pelos remanescentes arrependidos de Judá e de Israel (v. 10,31). Assim acontecerá para a glória do nome do próprio Deus (v. 22,32).

Ez 37 — A visão dos ossos secos

Essa visão prediz a ressurreição nacional do Israel disperso, seu retorno à pátria original e a reunificação de Judá e Israel sob o governo de um rei eterno chamado "Davi" (v. 24-26). É uma predição nítida da conversão dos judeus a Cristo, conforme Paulo também predisse em Romanos 11.15,25,26.

> Porei o meu Espírito em vocês e vocês viverão, e eu os estabelecerei em sua própria terra. Então vocês saberão que eu, o SENHOR, falei, e fiz. Palavra do SENHOR.
> EZEQUIEL 37.14

A visão abrange "toda a nação de Israel" (v. 11), tanto Judá, o Reino do Sul, quanto Israel, o Reino do Norte. O regresso de Judá é narrado em Esdras e Neemias, onde não se menciona o retorno de exilados de Israel. Entretanto, os que regressaram do cativeiro são chamados "Israel" (Ed 9.1; 10.5; Ne 9.2; 11.3).

Existem diferenças de opinião quanto à porcentagem dessa linguagem a ser interpretada literalmente, como uma referência direta aos judeus, e à parte que talvez seja um prenúncio da nova aliança no seu aspecto universal (v. 26-28). Nem sempre é fácil estabelecer uma nítida distinção entre o que deve ser entendido de modo literal e o que deve ser entendido de modo figurado. Por exemplo, parece que a grande batalha de Gogue e Magogue, nos capítulos 38 e 39, que ainda jaz no futuro, não poderia ser travada literalmente com arcos e flechas, bastões de guerra e lanças (39.9).

Davi (37.24) não é o Davi histórico e real, e sim o Messias. O termo "Israel" no NT, embora seja normalmente aplicado aos judeus, às vezes é aplicado aos cristãos (Gl 6.16), e se verifica que os gentios eram incluídos nesse sentido da palavra (Rm 2.28,29; 4.13-16; Gl 3.7-9,29; Fp 3.3). Dessa forma, essa visão de uma terra que torna a ser habitada e de uma nação revivificada e glorificada, sem deixar de levar em conta o significado literal óbvio, talvez seja também a prefiguração de uma terra regenerada, da mesma forma que o livro do Apocalipse retrata o céu mediante a figura simbólica de uma esplêndida cidade terrestre (Ap 21). As profecias bíblicas a respeito do futuro eram freqüentemente ilustradas com coisas então existentes. Nossa opinião é que, em trechos bíblicos como esse, pode existir um significado literal junto com um significado figurado, assim como em Mateus 24 algumas das palavras de Jesus parecem referir-se tanto à destruição de Jerusalém quanto ao fim do mundo, sendo que um significado serve como ilustração do outro.

O Messias ocupa uma posição central nas visões que Ezequiel teve a respeito do futuro de Israel. O profeta chama o Messias de "o líder" ou "o príncipe" (34.23,24; 37.24,25; 44.3; 45.7; 46.16-18; 48.21).

Ez 38 e 39 — Gogue e Magogue

Muita coisa tem sido escrita (e especulada) a respeito do significado profético de Gogue e Magogue. **Gogue**, segundo parece, é um líder ou rei cujo nome aparece somente aqui e em Apocalipse 20.8. Foram feitas tentativas de identificar Gogue com governantes históricos, tais como Giges, rei da Lídia (c. 660 a.C.). É possível que o nome tenha sido deliberadamente deixado em aberto para representar um inimigo (ainda não revelado) do povo de Deus. No livro do Apocalipse, os nomes "Gogue e

Magogue" são usados para representar todas as nações no ataque final e furioso de Satanás contra o povo de Deus (Ap 20.7-10).

Em 39.6, **Magogue** parece ser o nome de um povo. Visto, porém, que o prefixo hebraico *ma* pode significar "lugar de", é possível que Magogue aqui signifique simplesmente "terra de Gogue". Os israelitas, desde que entraram em Canaã, experimentaram hostilidades da parte de outros povos semíticos. A coalizão que Ezequiel prefigura incluirá nações descendentes de Jafé, e estas exercerão a liderança.

O "príncipe maior" é, segundo parece, um supremo comandante militar. (Uma tradução alternativa seria "príncipe de Rôs"; caso fosse correta, Rôs seria o nome de um povo ou local desconhecido. Não existe evidência do antigo Oriente Médio de que tenha existido, em alguma ocasião, um país com o nome de Rôs. Alguns têm imaginado que Rôs teria alguma relação com a Rússia, por causa da semelhança de som entre os dois nomes. Porém, a palavra "Rússia" remonta aos fins do século XI d.C. — mais de 1 500 anos depois dos dias de Ezequiel.)

Magogue, um descendente de Jafé (Gn 10.2), é identificado por Josefo (*Antig.* 1.123) como a terra dos citas, região montanhosa em torno dos mares Negro e Cáspio. Essa opinião é geralmente aceita.

Meseque e **Tubal** eram filhos de Jafé (v. Gn 10.2; 1Cr 1.5) e provavelmente devem ser localizados no leste da Ásia Menor (cf. 27.13; 32.26). Assim, Gogue é uma pessoa da região de Magogue, e é o principal governante (ou príncipe) das regiões geográficas de Meseque e Tubal. Essas regiões ou países parecem ter sua localização geral ao sul dos mares Negro e Cáspio, onde estão hoje a Rússia, a Turquia e o Irã.

Assim como nos dias dos assírios e babilônios, o ataque principal viria, de novo, do norte, mas em confederação com os povos provenientes do oriente. Com a ajuda de Deus, haverá derrota tão esmagadora dos atacantes que suas armas fornecerão combustível durante sete anos (39.9) e o sepultamento dos mortos levará sete meses (39.12).

O Templo reconstruído — Ez 40—48

Em abril de 572 a.C., na ocasião da Páscoa, 14 anos depois da destruição de Jerusalém, Ezequiel faz a sua segunda viagem (em visão) a Jerusalém. A primeira viagem visionária fora feita 19 anos antes (8.1,3), numa missão que anunciava a condenação da cidade. Essa segunda viagem numa visão se destina a transmitir especificações para a reconstrução de Jerusalém e trata, em grande medida, dos pormenores do novo templo.

Essa visão não foi cumprida quando os exilados regressaram da Babilônia. Fica bem claro que é uma predição da era messiânica. Alguns a interpretam de modo literal, no sentido de as doze tribos voltarem futuramente a habitar a terra de Israel e serem distribuídas conforme a presente indicação de o Templo ser reconstruído praticamente de acordo com todos os pormenores aqui especificados e de haver sacrifícios de animais. Chamam-no "templo do Milênio".

Outros a interpretam de modo figurado e a entendem como previsão metafórica da totalidade da era cristã, lavrada na linguagem de uma nação revivificada, restaurada e glorificada.

Esse templo da visão de Ezequiel, com seus átrios e com a disposição de suas partes e de seus utensílios, segue grosso modo (porém com muitas variações secundárias) a planta geral do templo de Salomão.

Deus habitaria "para sempre" nesse templo (43.7). Dificilmente se poderia dizer isso no tocante a um templo literal, material. Deve, forçosamente, ser uma representação figurada de alguma coisa, visto que Jesus, em João 4.21-24, anulou o culto do Templo e visto que não haverá templo no céu (Ap 21.22).

Ofertas e sacrifícios (45.9—46.24). Fica-se a imaginar como poderão existir sacrifícios no reinado do "príncipe". A epístola aos Hebreus declara explicitamente que os sacrifícios foram cumpridos e abolidos na morte de Cristo, "de uma vez para sempre". Aqueles que acham que esse templo é realmente um "templo do Milênio" consideram que esses sacrifícios de animais deverão ser oferecidos pela nação judaica enquanto ela ainda não for convertida ou que esses sacrifícios comemorarão a morte de Cristo.

O rio vivificante (47.1-12). Esse é um dos trechos mais sublimes de Ezequiel. Joel e Zacarias também falaram desse rio (Jl 3.18; Zc 14.8). Parece ser uma figura do "rio da água da vida" no céu (Ap 22.1,2). Seja qual for a aplicação específica ou exata que essas águas tiverem, certamente se pode entender, sem qualquer distorção de sentido, que são uma bela ilustração das influências benignas de Cristo, que procedem de Jerusalém e de lá fluem numa correnteza cada vez mais ampla e mais profunda até alcançar o mundo inteiro, abençoando as nações com suas qualidades vivificantes, continuando até as eternidades do céu.

A porta oriental do Templo será fechada, a não ser para o "príncipe" (44.1-3).

A área sagrada, reservada para a cidade, o Templo, os sacerdotes e os levitas, devia ficar no centro aproximado daquela terra, ladeada pelas terras do "príncipe" (45.1-8).

As fronteiras da terra e a localização das tribos (47.13—48.29). A terra não era tão grande quanto os domínios de Davi. Em termos aproximados, ocupava a metade sul da costa oriental do Mediterrâneo, tendo uns 644 km de norte a sul, com uma largura média de aproximadamente 160 km de leste a oeste. As tribos não ficam na disposição original, mas seguem as respectivas posições aqui indicadas.

A cidade (48.30-35) tem 12 km de cada lado (= 144 km^2). O traçado é, em parte, o da Nova Jerusalém (Ap 21). A cidade é a habitação de Deus (v. 35).

Daniel

O profeta-estadista hebreu na Babilônia

Se formos atirados na fornalha em chamas, o Deus a quem prestamos culto pode livrar-nos, e ele nos livrará das tuas mãos, ó rei. Mas, se ele não nos livrar, saiba, ó rei, que não prestaremos culto aos teus deuses nem adoraremos a imagem de ouro que mandaste erguer.
— Daniel 3.17,18

Quando [...] tiraram [Daniel] da cova, viram que não havia nele nenhum ferimento, pois ele tinha confiado no seu Deus.
— Daniel 6.23

Quando ainda jovem, Daniel foi transportado à Babilônia, onde viveu todo o período do cativeiro babilônico, e por vezes ocupou altos cargos nos impérios babilônico e persa.

O livro de Daniel

O livro propriamente dito apresenta Daniel como seu autor (7.1,28; 8.2; 9.2; 10.1,2; 12.4,5). Sua autenticidade foi sancionada por Cristo (Mt 24.15) e aceita pelos judeus e pelos cristãos primitivos. O conceito tradicional de que o livro é um documento histórico verdadeiro que remonta aos dias do próprio Daniel persistiu unanimemente entre os estudiosos cristãos e judaicos até o aparecimento da crítica moderna. Os críticos, em nome da erudição moderna, consideram como fato consumado que o livro foi escrito por um autor desconhecido que viveu 400 anos depois de Daniel, que tomou para si o nome de Daniel e impingiu seu próprio escrito como a obra autêntica de um herói que morrera séculos antes. Como, porém, poderíamos imaginar que Deus fosse participante de semelhante impostura? Suspeitamos que o verdadeiro ponto crucial da tentativa de desacreditar o livro de Daniel seja a falta de disposição de aceitar os milagres maravilhosos e as profecias assombrosas que estão registrados nesse livro.

O livro de Daniel, assim como o restante do AT, está escrito em hebraico — excetuando-se a seção de 2.4 a 7.28, que está escrita em aramaico (antigamente chamado caldaico). O aramaico era o idioma comercial e diplomático daqueles tempos. É o que se poderia esperar de um livro escrito para judeus que habitassem entre os babilônios, sobretudo quando esse livro continha cópias de documentos babilônicos oficiais na própria língua babilônica, na qual foram originalmente redigidos (v. p. 58).

Muitos consideram que esse livro é geralmente histórico na sua natureza nos capítulos de 1 a 6 e apocalíptico (revelatório) ou profético nos capítulos de 7 a 12. Há semelhanças entre certos eventos e visões descritos em Daniel e aqueles que são apresentados no livro do Apocalipse.

Dn 1 — Daniel

Daniel estava no primeiro grupo de cativos levados de Jerusalém para a Babilônia (605 a.C.). Era de sangue real ou nobre (v. 3). Josefo diz que Daniel e seus três amigos tinham parentesco com o rei Zedequias, o que lhes dava fácil acesso ao palácio da Babilônia. Eram jovens de boa aparência, talentosos, que recebiam cuidados especiais de Deus e por ele foram treinados para dar testemunho de seu nome naquela corte pagã, que governava o mundo daquele tempo. Os alimentos e o vinho da realeza (v. 8), dos quais recusavam provar, teriam sido alimentos já apresentados como oferendas diante dos ídolos babilônicos ou comidas proibidas segundo as leis alimentícias de Moisés.

A ascensão meteórica de Daniel à fama mundial é indicada em Ezequiel 14.14,20 e 28.3, escrito apenas 15 anos depois, enquanto Daniel ainda era bastante jovem. Que homem notável! Não se desviava em nada de suas convicções religiosas, mas, ao mesmo tempo, era tão leal ao rei idólatra que este lhe confiou os negócios do império.

A cidade da Babilônia

Babilônia, o cenário do ministério de Daniel, era, talvez, a cidade mais magnífica do mundo antigo. Situada no berço da raça humana, fora edificada ao redor da torre de Babel (Gn 11.9) e era a residência predileta dos reis babilônios, assírios e persas e até mesmo de Alexandre, que tinha planos para embelezá-la ainda mais, porém morreu antes de poder concretizá-los.

Cidade que ocupou um lugar de destaque em toda a era pré-cristã, Babilônia foi levada ao apogeu de seu poder e glória nos dias do profeta Daniel pelo rei Nabucodonosor, que, durante seu reinado de 45 anos, nunca se cansou de edificar e embelezar seus palácios e templos.

Foi capturada pelos medos e pelos persas (Dn 5), mas continuou a ser uma cidade importante no decurso do período persa. Depois de Alexandre, o Grande, a cidade da Babilônia entrou em declínio. Na época de Cristo, sua supremacia política e comercial já havia desaparecido, e não demorou para a maior parte dessa cidade, tão poderosa outrora, estar em ruínas. Seus tijolos foram usados para levantar a cidade de Bagdá e para reparos nos canais. Por séculos, tem sido um aglomerado de colinas, refúgio para os animais do deserto. É um cumprimento notável de profecias. Continua desabitada, excetuando-se uma pequena aldeia no canto sudoeste.

As ruínas da Babilônia servem de reflexão assustadora a respeito da profecia de Isaías: "Nunca mais será repovoada nem habitada, de geração em geração; o árabe não armará ali a sua tenda e o pastor não fará descansar ali o seu rebanho. Mas as criaturas do deserto lá estarão, e as suas casas se encherão de chacais; nela habitarão corujas e saltarão bodes selvagens. As hienas uivarão em suas fortalezas, e os chacais em seus luxuosos palácios" (Is 13.20-22; v. Jr 51.37-43).

Os Jardins Suspensos

Os Jardins Suspensos eram a construção mais espetacular da Babilônia, sendo considerados uma das Sete Maravilhas do mundo antigo. Nabucodonosor mandou construir esses jardins dentro dos muros de seu palácio, a fim de aliviar a saudade que sua esposa meda Amitis sentia da Média, que era um país montanhoso e tosco, muito diferente das planícies sem acidentes geográficos que cercavam a Babilônia.

O nível mais baixo do jardim era montado em cima de arcos que tinham 24,4 m de altura. Por cima desse nível, foi construído outro nível, recuado, de três metros de altura, e ainda outro por cima deste, com recuo adicional. É possível que tenha havido seis níveis ao todo, criando-se uma escadaria gigante com 43 m de altura. Os terraços eram revestidos de chumbo, betume e caniços, a fim de ficarem à prova d'água, e depois eram enchidos de solo fértil. Nos terraços, Nabucodonosor plantou árvores, arbustos e flores, de modo que o conjunto tivesse a aparência da encosta de uma bela montanha.

Os terraços eram irrigados pelo Eufrates. Uma série de encanamentos levava a água do rio até uma cisterna subterrânea. Ao lado da cisterna havia uma torre estreita que alcançava o terraço superior e que continha uma corrente contínua de baldes de água que eram mantidos em movimento dia e noite, sem cessar, por escravos que operavam uma esteira com os pés. Os Jardins Suspensos ainda existiam 200 anos depois de Nabucodonosor, quando Alexandre, o Grande, capturou a cidade.

A estátua no sonho de Nabucodonosor — Dn 2

Esse evento ocorreu no segundo ano do reinado de Nabucodonosor como governante único, o que significa que Daniel ainda era jovem e que fazia apenas três anos que estava na Babilônia.

Quanto aos quatro Impérios mundiais, preditos aqui como parte do sonho de Nabucodonosor, geralmente se entende que eram o Babilônico (cabeça de ouro puro), o Persa (peito e braços de prata), o Grego (ventre e quadris de bronze) e o Romano (pernas de ferro e pés e dedos em parte de barro e em parte de ferro). Desde os dias de Daniel até ao advento de Cristo, o mundo foi governado por esses quatro impérios, exatamente como Daniel predisse. Nos dias do Império Romano, Cristo apareceu e estabeleceu um reino que começou como um grão de mostarda, passou por muitas adversidades, mas se tornará um reino universal e eterno, que desabrochará em toda a sua glória na Segunda Vinda do Senhor.

Os críticos que atribuem ao livro de Daniel uma data da época dos macabeus, a fim de fazê-lo referir-se a eventos passados em vez de ser uma predição de eventos então futuros, sentem-se obrigados a colocar todos os quatro impérios antes da alegada data de composição do livro — que seria anterior à revolta dos macabeus. Para isso, dizem que o Império Persa eram dois impérios, o Medo e o Persa, e assim declaram que o Império Grego era o quarto. Depois da queda da Babilônia, porém, não havia um império medo e um império persa, separadamente. Querer que os fatos pareçam assim não passa de um esforço de distorcer as verdades da história a fim de tentar substanciar uma mera teoria. Os medos e os persas se constituíam em um só império, governado pelos reis persas. Dario, o medo, foi apenas um vice-rei, que governou pouco tempo até que Ciro, o persa, chegasse à Babilônia.

É muito mais provável que o reino dividido se referisse ao Império Romano, que se seguiu após o Império Grego. O Império Romano dividiu-se em um império ocidental e um império oriental (Bizâncio) no século IV a.C. e nunca foi conquistado, mas se desfez devido à desintegração e à corrupção internas.

Além do mais, nada aconteceu no período dos macabeus que correspondesse à "pedra que se soltou de uma montanha, sem auxílio de mãos" (2.44,45). Esses versículos aludem a um quinto reino — o Reino eterno de Deus, que nunca será destruído, que não será deixado para outro povo e que levará ao fim todos os demais reinos.

A profecia dos quatro reinos é desenvolvida com figuras diferentes no capítulo 7 (os quatro animais), no capítulo 8 (o carneiro e o bode), no capítulo 9 (as setenta semanas) e no capítulo 11 (os conflitos entre os reis do norte e os reis do sul; v. nas p. 41, 43-4 uma visão panorâmica desses quatro reinos).

A fornalha de fogo — Dn 3

Segundo a *Septuaginta*, esse incidente ocorreu no décimo oitavo ano do reinado de Nabucodonosor, depois de Daniel e seus três amigos já terem passado cerca de vinte anos na Babilônia. Foi em 586 a.C., no mesmo ano em que Nabucodonosor queimou Jerusalém.

Assim como, muitos anos antes, Deus revelara a Daniel o sonho de Nabucodonosor e a respectiva interpretação, também agora Deus coloca no coração desses três homens a firme resolução de serem leais a ele — e então ele entra com eles no fogo, não somente para lhes honrar a fé como também para demonstrar aos dignitários reunidos do extenso império o poder do Deus de Jerusalém sobre os tão aplaudidos deuses da Babilônia. Assim, Deus se manifestou pela segunda vez no palácio do poderoso império e, pela segunda vez, o poderoso Nabucodonosor curvou-se diante de Deus e o proclamou até as mais distantes fronteiras do império como o Deus verdadeiro.

O Império Babilônico

O Império Babilônico governou o antigo Oriente Médio por dois períodos, separados por quase mil anos.

O Império Babilônico Antigo (2000-1600 a.C.)
- Por volta de 2000 a.C., a Babilônia passou a ser a potência dominante do mundo.
- Tratava-se da era do grande legislador Hamurábi (c. 1800 a.C.)
- Seguiram-se 1000 anos de lutas intermitentes, seguidos por 250 anos de supremacia assíria (884-605 a.C.).

O Império Neobabilônico (625-539 a.C.)
O Império neobabilônico rompeu o poderio da Assíria e, no seu avanço rápido para o oeste, destruiu Judá e conquistou o Egito. Seus reis foram:

- **Nabopolassar** (625-605 a.C.), que sacudiu o jugo da Assíria em 625 a.C. e estabeleceu a independência da Babilônia. Com a ajuda de Ciaxares, o Medo, conquistou e destruiu Nínive (612 a.C.). Seu filho, Nabucodonosor, veio a ser comandante dos exércitos do pai e em 605 a.C. tornou-se co-regente com o pai.
- **Nabucodonosor** (605-562 a.C.), o maior de todos os reis babilônicos, foi um dos mais poderosos monarcas de todos os tempos (v. abaixo).
- **Nabonido** teve como co-regente pelos últimos anos do reinado seu filho Belsazar, e este, portanto, era a segunda pessoa mais poderosa da Babilônia. Foi por isso que só pôde oferecer a Daniel a terceira posição em importância no reino como recompensa pela interpretação da escrita na parede (Dn 5.7; quanto à história da escrita na parede e da queda da Babilônia, v. p. seguinte).
- A cidade da Babilônia — e, com ela, o Império Babilônico foi conquistada pelos medos e pelos persas. A supremacia passou à Pérsia em 539 a.C. e haveria de durar até a Pérsia ser conquistada por Alexandre, o Grande, em 331 a.C.

O Império Babilônico durou 70 anos. Os 70 anos do exílio de Judá coincidiram exatamente com os 70 anos durante os quais a Babilônia governou o mundo. O ano em que Ciro, rei da Pérsia, conquistou a Babilônia (539 a.C.) foi o mesmo ano em que autorizou o regresso dos judeus à pátria deles.

A Babilônia, opressora do povo de Deus no AT, reaparece no livro do Apocalipse como a personificação das forças do mal que se opõem a Deus (Ap 17).

Nabucodonosor

Daniel era conselheiro do rei Nabucodonosor, o gênio do Império Neobabilônico e quem realmente o levantou. Dos 70 anos da existência desse império, ele o governou 44 anos.

Nabopolassar, pai de Nabucodonosor e vice-rei da Babilônia, sacudiu o jugo assírio em 626 a.C. e governou a cidade de 626 a 605 a.C.

Em 605 a.C., Nabucodonosor foi colocado no comando dos exércitos de seu pai. Invadindo os países do oeste, arrebatou ao Egito o domínio da Palestina (605 a.C.) e levou para a Babilônia alguns judeus cativos, estando entre eles o próprio Daniel.

Naquele mesmo ano, passou a ser co-regente com o pai. Um ano mais tarde, já estava governando sozinho. Revelou ser um dos monarcas mais poderosos de todos os tempos.

Em 605 a.C., abateu o poderio do Egito na famosa batalha de Carquemis. Foi nesse mesmo ano que Nabucodonosor tomou Jerusalém e deportou várias pessoas de alta posição, estando entre elas o jovem Daniel, bem como Hananias, Misael e Azarias (1.1,6).

Em 597 a.C., esmagou uma rebelião na Palestina e levou o rei Joaquim e muitos cativos para a Babilônia, estando entre eles o profeta Ezequiel.

Em 586 a.C., incendiou Jerusalém e levou mais cativos. Durante 13 anos seu exército sitiou a cidade de Tiro (585-573 a.C.).

Por volta de 582 a.C., invadiu e saqueou Moabe, Amom, Edom e o Líbano, e em 581 levou ainda outros cativos de Judá. Em 572, invadiu e saqueou o Egito. Morreu em 562 a.C.

Daniel exerceu poderosa influência sobre ele, e três vezes Nabucodonosor chamou "Deus" ao Deus de Daniel (2.47; 3.29; 4.34).

A loucura de Nabucodonosor e sua recuperação — Dn 4

Essa é a história de outro sonho de Nabucodonosor interpretado por Daniel que se realizou. Nabucodonosor foi acometido de uma doença mental que o levou a se considerar um animal e a procurar agir como tal, vagueando entre os animais dos parques do palácio. Pela terceira vez, Nabucodonosor curvou-se diante de Deus, cujo poder o rei proclamou ao mundo inteiro.

Acréscimos ao livro de Daniel

A versão do livro de Daniel na *Septuaginta* (bem como em outras versões em grego) inclui, dentre outros acréscimos, entre 3.23 e 3.24, uma seção que contém uma oração de Azarias (o nome hebraico de Abede-Nego; 1.7) e um cântico dos três homens na fornalha em chamas. Incorporou uma tradição popular, mas nunca foi considerada parte da Bíblia hebraica. Ainda se acha entre os apócrifos em algumas bíblias protestantes e como parte integrante do livro de Daniel nas versões bíblicas católicas romanas (quanto aos apócrifos, v. p. 854-6).

O banquete de Belsazar — Dn 5

Esse banquete foi realizado na noite da queda da Babilônia. Fazia 70 anos que Daniel estava na Babilônia, e já era bem velho. Segundo parece, já não ocupava lugar de destaque na corte, pois foi necessário que a rainha trouxesse Daniel à atenção de Belsazar (v. 10,12).

A inscrição na parede (v. 25-28). É assim que os historiadores antigos Xenofonte, Heródoto e Beroso relatam a queda da Babilônia: "Ciro desviou o Eufrates para outro leito e, guiado por dois desertores, marchou para dentro da cidade pelo leito que secara, enquanto os babilônios faziam bebedeiras numa festa dos seus deuses".

Existem inscrições que declaram que o exército persa, comandado por Gobrias, conquistou a Babilônia sem nenhuma batalha, que ele matou o filho do rei e que Ciro entrou posteriormente.

O rei Belsazar

Até 1853 d.C., nenhuma menção de Belsazar tinha sido achada nos registros históricos babilônicos. Sabia-se que Nabonido (556-539 a.C.) era o último rei da Babilônia. Para os críticos, esse fato era considerado como evidência de que o livro de Daniel não era histórico. Entretanto, em 1853 foi descoberta uma inscrição na pedra angular de um templo construído por Nabonido, em Ur, com os seguintes dizeres: "Não peque eu, Nabonido, rei da Babilônia, contra ti. E que a reverência por ti habite no coração de Belsazar, meu filho primogênito e predileto".

Sabe-se por meio de outras inscrições que Nabonido passava boa parte de seu tempo fora da Babilônia (em Temã, no norte da Arábia), que Belsazar comandava o exército e o governo como co-regente do seu pai e que foi ele quem se rendeu a Ciro. Esse fato explica por que fazer de Daniel "o terceiro em importância no governo do reino" era a honraria mais exaltada que Belsazar podia outorgar (5.16,29).

Daniel na cova dos leões — Dn 6

Daniel fora alto oficial do Império Babilônico no reinado de Nabucodonosor, e, embora Daniel já fosse muito idoso, provavelmente com mais de noventa anos de idade, Dario, o conquistador da Babilônia, imediatamente o colocou como líder do governo na Babilônia. Isso talvez porque Daniel acabara de predizer a vitória dos medos (5.28). Que elogio à sabedoria, integridade e eqüidade de Daniel! Não deixou, porém, de ser inabalável na devoção pessoal ao próprio Deus (v. 10). Quanta fé e coragem!

Dn 7 — Os quatro animais

Trata-se de uma continuação da profecia do capítulo 2, que foi proferida 60 anos antes: quatro impérios mundiais e depois o Reino de Deus. No capítulo 2, aqueles são representados por uma estátua com cabeça de ouro, peito e braços de prata, ventre e quadris de bronze e pés de ferro e de barro — sendo a estátua esmigalhada por uma pedra. No capítulo 7, esses mesmos impérios mundiais são representados por um leão, um urso, um leopardo e um animal aterrorizante. O quarto animal talvez corresponda também à imagem da besta com sete cabeças e dez chifres de Apocalipse 13.

A imagem do capítulo 2 talvez seja de uma perspectiva humana — os reinos são percebidos como um guerreiro poderoso — ao passo que as imagens transmitidas a Daniel no capítulo 8 talvez sejam conforme Deus percebe esses reinos — os reinos, que acabarão sendo todos conquistados, são vistos como feras vorazes.

Geralmente se entende que esses impérios mundiais são a Babilônia, a Pérsia, a Grécia e Roma (v. comentário sobre o cap. 2) e que representam o período desde Daniel até o fim da era da igreja (a segunda vinda de Cristo).

Dario, o Medo

A identificação de Dario, o Medo, não está totalmente fora de dúvida. Talvez seja outro nome de Gubaru (ou Gobrias), que é referido nas inscrições babilônicas como o governador que Ciro encarregou dos territórios babilônicos recém-conquistados. Ou talvez "Dario, o Medo", tenha sido o nome que Ciro adotou como rei da Babilônia. ("Os reinados de Dario e de Ciro", em 6.28, seria traduzido, portanto, como "o reinado de Dario, ou seja, o reinado de Ciro"; v. um fenômeno semelhante em 1Cr 5.26.)

Os "dez chifres" do quarto animal (v. 24), que talvez correspondam aos dez dedos dos pés da estátua em 2.41,42, são interpretados como os dez reis ou reinados nos quais o Império Romano foi dividido ou que foram estabelecidos e autorizados pelo Império Romano. Profeticamente, os dez chifres podem referir-se a uma confederação de dez nações que se formará nos últimos dias. Alguns acreditam que essa confederação poderá surgir na região geográfica que antes era abrangida pelo Império Romano antigo (este, ao contrário dos três reinos anteriores a ele, nunca foi conquistado ou destruído, mas caiu mediante a corrupção interna).

O "outro chifre" (v. 8,20,24,25), que subiu entre os dez chifres, talvez seja uma potência mundial que não era uma das dez potências originais e pode se referir ao anticristo (Ap 13). A imagem de três chifres arrancados pelo "chifre pequeno" (v. 7,8) parece predizer um líder mundial que dominará três dos dez reis, sendo que haverá, em seguida, uma grande opressão. Esse líder mundial acaba sendo condenado, morto e lançado no fogo (v. 11).

Note que o animal descrito em Daniel 7 corresponde à besta de Apocalipse 13, mas as características são mencionadas na ordem inversa (leão, urso e leopardo em Daniel). Talvez a explicação disso seja que Daniel, no seu sonho, estava antecipando o final dos tempos, ao passo que João, tendo sido transportado para o futuro, teve a oportunidade de ver os tempos do fim e, dessa perspectiva, olhar os eventos históricos que levaram aos tempos do fim.

Os milagres no livro de Daniel

Coisas maravilhosas são contadas nesse livro. Aos que acham difícil crer nelas, respondemos: tenhamos em mente que, por mil anos, Deus tinha preparado a nação dos hebreus para que ela cumprisse o propósito de estabelecer, num mundo de nações idólatras, a idéia de que Deus é Deus. Agora, a nação de Deus tinha sido destruída por uma nação idólatra. Do ponto de vista do mundo inteiro, tratava-se de evidência nítida de que os deuses da Babilônia eram mais poderosos que o Deus dos judeus. Tratava-se de uma crise na luta de Deus contra a idolatria. Nunca houve momento mais crítico que o exílio babilônico, o qual exigiu de Deus fazer alguma coisa para demonstrar que ele era Deus. Teria sido estranho, isso sim, se nada fora do comum tivesse acontecido. Por mais dificuldade que alguém tenha para acreditar nesses milagres, mais difícil ainda teria sido acreditar no restante da narrativa de Daniel sem eles.

Pelo menos os judeus, que desde o início da história da nação sempre haviam caído na idolatria, chegaram finalmente, no exílio babilônico, a ficar convictos de que seu Deus era o Deus verdadeiro. Além disso, esses milagres exerceram poderosa influência tanto sobre Nabucodonosor quanto sobre Dario (3.29; 6.26).

No versículo 13, Daniel descreve "um filho de homem". Essa é a primeira referência a Cristo, o Messias, como o "filho do homem" — título que Jesus usava com referência a si mesmo. O "filho do homem" receberá autoridade, glória e poder soberano. Todas as nações e pessoas de todas as línguas adorarão a ele, e seu domínio nunca terá fim. Esse relato forma um paralelo com a descrição do "Cordeiro", em Apocalipse 14.

O carneiro e o bode — Dn 8

Esse capítulo contém mais predições a respeito do segundo e do terceiro impérios mundiais, referidos nos capítulos 2 e 7, ou seja, os impérios Persa e Grego.

O Império Persa, representado em 7.5 como um urso devorador, é apresentado aqui como um carneiro de dois chifres (v. 3,4), visto que o império era uma coalizão de medos e persas.

O Império Grego foi retratado em 7.6 como um leopardo com quatro cabeças. Aqui é retratado como um bode veloz com um grande chifre, avançando furiosamente a partir do oeste. O chifre enorme é quebrado e substituído por quatro chifres.

O grande chifre era Alexandre, o Grande, que abateu o Império Persa em 331 a.C. Essa profecia foi escrita em 539 a.C., 200 anos antes de seu cumprimento. É uma predição notável de uma guerra entre dois impérios mundiais, nenhum dos quais tinha surgido no cenário mundial na data em que a predição foi feita.

Quatro chifres (v. 8,21,22) e quatro cabeças (7.6) são os quatro reinos nos quais foi dividido o império de Alexandre (v. comentário sobre o cap. 11).

O chifre pequeno (v. 9), que saiu de um dos quatro chifres, é entendido, por consenso geral, como uma referência a Antíoco Epifânio (175-163 a.C.), da divisão síria do Império Grego, que fez um esforço resoluto no sentido de exterminar a religião judaica (v. comentário sobre 11.21-35). Entretanto, a frase repetida "tempo do fim" (v. 17,19) talvez signifique que, lado a lado com a imagem de Antíoco no futuro menos distante, pode ter havido, no pano de fundo distante, a silhueta sinistra de um destruidor muito mais terrível (v. 26), que lançaria sua sombra escura sobre os dias finais da história universal, do qual Antíoco foi um precursor simbólico.

Períodos de tempo no livro de Daniel

"Um tempo, tempos e meio tempo"
- Denota a duração do chifre diferente do quarto animal (7.25).
- Denota o período desde Daniel até o tempo do fim (12.6,7).
- É usado em Apocalipse 12.14 como idêntico a 42 meses e a 1 260 dias (Ap 11.2,3; 12.6,14; 13.5), o período de tempo durante o qual a Cidade Santa foi pisoteada, as duas testemunhas profetizaram, a mulher ficou no deserto e a besta revivificada ocupou o trono.

A palavra "tempo" na expressão "um tempo, tempos e meio tempo" é geralmente entendida no sentido de um ano; a frase significa, portanto, três anos e meio, ou 42 meses, ou 1260 dias.

Alguns entendem que se trata de três anos e meio literais. Outros, seguindo a interpretação de um dia representar um ano (Nm 14.34; Ez 4.6), entendem que se trata de um período de 1 260 anos. Ainda outros consideram esses números não como definições de limites de tempo ou de períodos, mas como símbolos: 7 é o símbolo de inteireza, ao passo que 3,5, que é metade de 7, representa uma quantidade incompleta — ou seja, o reinado da iniquidade será apenas temporário.

2 300 tardes e manhãs (8.14) é o período durante o qual o santuário foi pisoteado pelo pequeno chifre do terceiro animal. Significa 2 300 dias, ou 2 300 metades de dias, ou seja, 1 150 dias; 2 300 dias é quase o dobro de três anos e meio, ao passo que 1 150 dias é um pouco menos que três anos e meio.

1 290 dias (12.11) é a duração do "sacrilégio terrível," desde o seu início até o tempo do fim.

1 335 dias (12.12) parece ser uma extensão de 45 dias além do período de 1 290 dias, culminando na bem-aventurança final.

70 semanas (9.24) é o período que vai desde o decreto para reconstruir Jerusalém até o advento do Messias. Incluía "sete semanas" de tempos difíceis (9.25) e uma semana na qual o Ungido seria morto (9.26,27).

Esses períodos de tempo são usados em estreita conexão com a expressão "sacrilégio terrível", estabelecido pelo pequeno chifre do terceiro animal (8.13; 11.31). Esse "sacrilégio" também segue a morte do Messias (9.27) e é o ponto de partida para contar os 1 290 dias (12.11). Jesus cita essa expressão, na forma "abominação da desolação", como referência à destruição iminente de Jerusalém pelo exército romano (Mt 24.15), num discurso que harmoniza profecias "em curto prazo" com profecias que envolvem o fim do mundo.

Tempos difíceis (9.25,27) refere-se às sete semanas do início do período de 70 semanas e à semana final desse período. **Um tempo de angústia como nunca houve desde o início das nações** (12.1) é predito para o "tempo do fim" (12.4,9,13); Jesus cita essa expressão como uma referência tanto à destruição de Jerusalém quanto ao fim do mundo (Mt 24.21).

A profanação do Templo por Antíoco (v. p. 410) durou três anos e meio (168-165 a.C.). A guerra dos romanos contra Jerusalém durou três anos e meio (67-70 d.C.).

Achamos que nenhuma interpretação única e exclusiva pode esgotar o significado desses períodos de tempo profetizados por Daniel. É possível que tenham significado literal, bem como também, em certa medida, figurado e simbólico. É possível que tenham seu cumprimento primário em um dos eventos históricos, um cumprimento secundário em ainda outros eventos e seu cumprimento ulterior no tempo do fim. A profanação do Templo por Antíoco e a destruição do Templo por Tito podem ser precursoras e símbolos da grande tribulação nos dias do anticristo.

Não devemos ficar muito decepcionados se não conseguirmos ter certeza de que entendemos tudo isso, visto que o próprio Daniel percebeu que estava além de sua compreensão (8.27).

Dn 9 As 70 semanas ou 70 "setes"

O cativeiro babilônico, que então se aproximava do fim, já durara 70 anos. Aqui, o anjo informa Daniel de que ainda faltavam "setenta setes" até o advento do Messias (v. 24). A palavra que significa literalmente "sete" é geralmente traduzida por "semana" aqui.

Entende-se, por consenso geral, que as 70 semanas se referem a 70 semanas de anos, ou seja, 70 x 7 anos = 490 anos. O exílio durara 70 anos. O período entre o exílio e a vinda do Messias duraria sete vezes tanto.

O número sete e ciclos de sete algumas vezes têm significados simbólicos, mas os fatos concretos dessa profecia são bem assombrosos:

A data a partir da qual deviam ser contadas as setenta semanas era o decreto para a reconstrução de Jerusalém (v. 25). Nesse sentido, foram promulgados três decretos pelos reis persas (539 a.C., 458 a.C. e 444 a.C.; v. notas sobre Esdras). Destes, o principal foi o de 458 a.C.

As setenta semanas subdividem-se em 7 + 62 + 1 semanas (v. 25,27). É difícil enxergar a aplicação das sete semanas, mas as 69 semanas (62 + 7) perfazem 483 dias, os quais, segundo a teoria comumente aceita de que um dia representa um ano (Ez 4.6), importam em 483 anos.

Esses 483 anos representam o período que transcorre desde a promulgação do decreto para reconstruir Jerusalém até o advento do Ungido (v. 25). O ano do decreto da reconstrução de Jerusalém foi 458 a.C. Decorridos 483 anos depois de 458 a.C., chegamos ao ano 26 d.C., o ano exato em que Jesus foi batizado e começou o seu ministério público. Trata-se de um cumprimento notável da profecia de Daniel, que predisse o ano exato.

Além disso, três anos e meio depois (ou seja, "no meio da semana"), o Ungido foi morto. Ele expiou as culpas e trouxe a justiça eterna (v. 24,26,27). Dessa forma, Daniel não somente predisse a data em que o Messias surgiria, como também a duração de seu ministério público e sua morte expiatória pelo pecado humano.

Alguns pensam que a segunda metade da 70.ª semana foi completada nos poucos anos depois da morte e ressurreição de Cristo. Outros acreditam que o cumprimento da 70.ª semana teve sua contagem suspensa na ocasião da morte e da ressurreição de Cristo, e permanecerá suspensa enquanto Israel estiver disperso. Nesse caso, portanto, a segunda metade da última semana pertenceria ao tempo do fim.

Ainda outra opinião é que existe um intervalo indeterminado entre a 69.ª semana e a 70.ª. Alguns acreditam que a 70.ª semana começará na segunda vinda de Cristo e no arrebatamento da igreja. Essa ocasião, portanto, marcaria o início do período de sete anos que também é chamado o período da Grande Tribulação. Segundo essa opinião, o "chifre pequeno" mencionado no capítulo 8 terá sua ascensão ao poder no referido período e fará um pacto de sete anos com os judeus (Israel). Esse pacto seria, então, violado depois de três anos e meio e os três anos e meio restantes representariam um período de muita guerra e destruição, levando à grande batalha final do Armagedom (v. Ap 7.14 no tocante ao período da Tribulação).

Anjos das nações — Dn 10

Essa visão, a última (caps. 10—12), foi concedida dois anos depois de os judeus terem voltado à Palestina (534 a.C.). Deus levantou o véu e mostrou a Daniel algumas das realidades do mundo invisível — conflitos em andamento entre inteligências sobre-humanas, boas e más, no seu esforço para controlar os movimentos das nações. Alguns desses seres procuravam proteger o povo de Deus. Miguel era o anjo da guarda de Israel (v. 13,21). Um anjo, cujo nome não foi mencionado, falou com Daniel. A Grécia tinha o seu anjo (v. 20), assim como também a Pérsia (v. 13,20).

Parece que Deus estava mostrando a Daniel algumas de suas agências secretas em operação para levar a efeito o regresso de Israel. Foi um anjo que ajudou Dario (11.1). No capítulo 10, os anjos são representados no seu envolvimento com o destino de Israel; no Apocalipse, estão envolvidos com o destino da igreja. Em Apocalipse 12.7-9, Miguel e seus anjos estão guerreando contra Satanás e seus demônios. De acordo com Efésios 6.12, as potestades do mundo invisível são os principais inimigos contra os quais os cristãos têm de lutar. Houve muita atividade dos anjos quando Jesus nasceu. O próprio Jesus acreditava em anjos (v. comentário sobre Mt 4.11).

Dn 11 — Reis do norte e reis do sul

Os capítulos 2, 7, 8, 9 e 11 contêm predições a respeito de quatro impérios e dos eventos desde os tempos de Daniel até o fim da era da igreja. Alguns sustentam que essas predições se referem a potências mundiais e eventos posteriores, desde o arrebatamento até o fim, sendo que todas essas coisas culminarão com a batalha em Armagedom (Ap 16.13-16).

Segue-se um esboço geral da história mundial abrangida pelas profecias de Daniel:

- Império Babilônico (605-539 a.C.)
- Império Persa (539-332 a.C.)
- Império Grego, com suas quatro divisões (331-146 a.C.)
- Guerras entre os reis gregos da Síria e do Egito (323-146 a.C.)
- Antíoco Epifânio, profanação de Jerusalém (175-163 a.C.)
- Império Romano (146 a.C.- 400 d.C.)
- Ministério público de Cristo (26-30 d.C.)
- Destruição de Jerusalém pelo exército romano (70 d.C.)
- Perturbações mundiais e a ressurreição, no "tempo do fim".

Essas predições são progressivas nas suas explicações dos pormenores envolvidos. No capítulo 2, temos uma declaração genérica no sentido de que, desde os dias de Daniel até os dias do Messias, haveria quatro impérios mundiais. O capítulo 7 oferece pormenores do quarto império. No capítulo 8, achamos pormenores do segundo e terceiro impérios e, no capítulo 11, ainda mais pormenores do terceiro império.

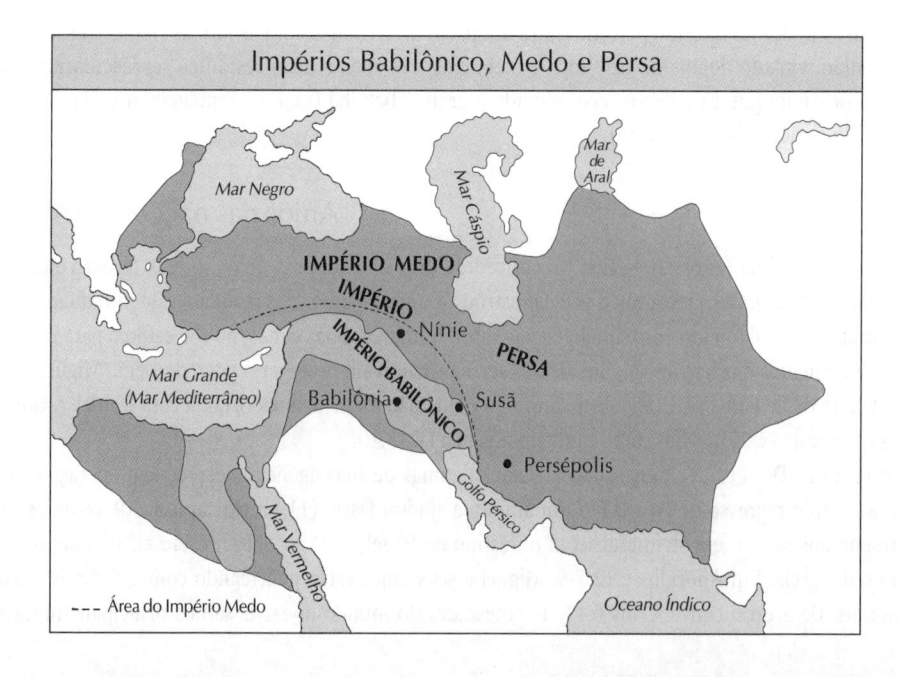

Impérios Babilônico, Medo e Persa

Imediatamente após a morte de Alexandre, o Grande, em 331 a.C., o Império Grego — o terceiro império — foi dividido entre seus generais em quatro regiões: a Grécia, a Ásia Menor, a Síria e o Egito. No capítulo 11, os reis da Síria são chamados "reis do Norte". Os reis do Egito são chamados "reis do Sul". As predições de Daniel a respeito dos movimentos desses reis foram feitas 200 anos antes de existir um Império Grego e quase quatrocentos anos antes de existirem esses reis. A descrição minuciosa que Daniel fez das atividades desses reis constitui um paralelo extraordinário entre uma predição e os fatos subseqüentes da história. O capítulo 11 é a história, escrita de antemão e por predição, do período entre os dois Testamentos. Segue abaixo um resumo dos eventos que correspondem aos versículos nos quais foram preditos (v. uma tabela panorâmica do período entre o AT e o NT nas p. 407-25).

Três reis na Pérsia (v. 2): Cambises, Gaumata e Dario I. O quarto foi Xerxes, o mais rico e poderoso dos reis persas; invadiu a Grécia, mas foi derrotado em Salamina (480 a.C.).

O rei guerreiro (v. 3,4): Alexandre, o Grande, e a divisão de seu reino em quatro — Grécia, Ásia Menor, Síria e Egito.

O rei do sul (v. 5): Ptolomeu I Soter do Egito; **um dos seus príncipes**, Selêuco I Nicator, antes um oficial de Ptolomeu I, passou a ser rei da Síria e o mais poderoso dos sucessores de Alexandre.

Filha (v. 6): Berenice, filha de Ptolomeu II, foi dada em casamento a Antíoco II e foi assassinada.

Alguém da linhagem dela (v. 7): Ptolomeu III, irmão de Berenice, invadiu a Síria em represália e obteve grande vitória (8).

Dois **filhos** (v. 10): Selêuco III e Antíoco III.

Versículos de 11 a 19: Ptolomeu IV derrotou Antíoco III com grandes perdas, na batalha de Ráfia, perto do Egito, em 217 a.C. Antíoco III, depois de 14 anos, voltou com um grande exército contra o Egito (v. 13). Os judeus ajudaram Antíoco (v. 14). Antíoco derrotou as forças do Egito (v. 15). Antíoco conquistou a Palestina (v. 16). Antíoco deu sua filha Cleópatra, em aliança traiçoeira de casamento, a Ptolomeu V, esperando obter o controle do Egito por meio dela; ela, porém, foi leal ao marido (v. 17). Depois disso, Antíoco invadiu a Ásia Menor e a Grécia e foi derrotado pelo exército romano em Magnésia, em 190 a.C. (v. 18,19). Voltou à sua pátria e foi assassinado.

Um ser desprezível (v. 21-35): Antíoco IV Epifânio. Não sendo o herdeiro legítimo, apoderou-se do trono mediante traição (v. 21). Conseguiu o domínio do Egito, em parte pela força e em parte por astúcia traiçoeira (v. 22-25). Ptolomeu VI, filho de Cleópatra e sobrinho de Antíoco, foi derrotado pela traição dos próprios súditos (v. 26). Usando o disfarce da amizade, Antíoco e Ptolomeu competiram um com o outro em suas traições (v. 27). Regressando do Egito, Antíoco atacou Jerusalém, matou 80 mil judeus, levou 40 mil como prisioneiros e vendeu outros 40 mil como escravos (v. 28). Antíoco invadiu o Egito de novo, mas a esquadra romana o obrigou a bater em retirada (v. 29). Descontou sua ira contra Jerusalém e profanou o Templo (v. 30,31). Nisso foi ajudado por judeus apóstatas (v. 32). Os versículos de 36 a 45 podem referir-se tanto a Antíoco Epifânio quanto ao anticristo.

O tempo do fim — Dn 12

Daniel encerra as profecias a respeito dos tempos e dos acontecimentos da história universal ao dar um salto para o desenlace final (v. 4,9,13), quando, então, haverá tempos de angústia como nunca antes (v. 1), e depois a ressurreição dos mortos e a glória eterna dos santos (v. 2,3).

Um tempo de angústias como nunca houve desde o início das nações (v. 1) não deixa de ser aplicável à nossa geração: torturas, sofrimentos e a morte de populações inteiras — o genocídio — por ditadores demoníacos, talvez não mais intensas que as atrocidades perpetradas por Antíoco, Tito e os imperadores romanos, mas em escala sem paralelo em toda a história anterior.

Muitos irão por todo lado em busca de maior conhecimento (v. 4) será uma característica do tempo do fim. Essas palavras também se aplicam à nossa geração como a nenhuma outra: meios de transporte e de comunicações em massa numa escala nunca antes sequer sonhada.

Resumo das profecias de Daniel

- A estátua: quatro reinos e depois o reino eterno de Deus (cap. 2)
- A loucura de Nabucodonosor e sua recuperação (cap. 4)
- A queda da Babilônia e a ascensão do Império Persa (cap. 5)
- O "quarto" império, seus "dez chifres" e "outro chifre" (cap. 7)
- O Império Grego e seus "quatro chifres" (cap. 8)
- As 70 semanas: o período entre Daniel e o Messias (cap. 9)
- As aflições da Terra Santa durante o período entre os Testamentos (cap. 11)
- Sinais do tempo do fim (cap. 12)

As bombas nucleares, a guerra biológica, o terrorismo — tais coisas nos levam a pensar que talvez estejamos vivendo no período que Jesus descreveu como cenário de sua segunda vinda: "Haverá sinais no sol, na lua e nas estrelas. Na terra, as nações estarão em angústia e perplexidade com o bramido e a agitação do mar. Os homens desmaiarão de terror, apreensivos com o que estará sobrevindo ao mundo" (Lc 21.25,26).

Oséias

Idolatria, perversidade, cativeiro e restauração de Israel

> Contudo os israelitas ainda serão como a areia da praia, que não se pode medir nem contar. No lugar onde se dizia a eles: "Vocês não são meu povo", eles serão chamados "filhos do Deus vivo".
> — Oséias 1.10

> Eles semeiam vento
> e colhem tempestade.
> Talo sem espiga;
> que não produz farinha.
> Ainda que produzisse trigo,
> estrangeiros o devorariam.
> — Oséias 8.7

Oséias foi o único dos profetas escritores que pertenceu ao Reino do Norte, Israel. Ele fala do nome do respectivo rei como "nosso" rei (7.5). O nome "Oséias" significa "salvação". Sua mensagem foi dirigida primariamente ao Reino do Norte, com referências ocasionais a Judá, o Reino do Sul.

Data

A julgar pelos nomes dos reis mencionados em 1.1, Oséias deve ter profetizado 38 anos, no mínimo, embora quase nada se saiba a seu respeito a não ser o que se lê nesse livro. No entanto, visto que sua atividade profética é datada com referência a vários reis de Judá, o livro provavelmente foi escrito em Judá depois da queda da capital do norte, Samaria (722-721 a.C.) — idéia essa que é sugerida pelas referências a Judá em todas as partes do livro.

Oséias iniciou seu ministério quando Israel, no reinado de Jeroboão II (793-753 a.C.), estava no apogeu de seu poder. A partir de então, Oséias passou a ser testemunha da rápida desintegração e queda do Reino do Norte, que desceu do ponto mais alto até a queda total em menos de trinta anos:

- Jeroboão II (793-753). Um reinado de grande prosperidade.
- Zacarias (753-752). Reinou seis meses; assassinado por Salum.
- Salum (752). Reinou um só mês; assassinado por Menaém.
- Manaém (752-742). Incrivelmente cruel; fantoche da Assíria.
- Pecaías (742-740). Assassinado por Peca.

- Peca (752-732). Assassinado por Oséias.
- Oséias (732-722). Queda de Samaria (721). Fim do Reino do Norte.

Os reis do Reino do Sul, durante cujos reinados Oséias profetizou (1.1), foram:

- Uzias (792-740), um rei bom.
- Jotão (750-732), um rei bom.
- Acaz (735-716), um rei muito ímpio.
- Ezequias (716-687), um rei bom, durante cujo reinado caiu Samaria.

O profeta Oséias foi um contemporâneo mais jovem do profeta Amós e um contemporâneo mais velho dos profetas Isaías e Miquéias.

A situação

Cerca de duzentos anos antes do tempo de Oséias, as dez tribos haviam se separado e estabelecido um reino independente, tendo o bezerro de ouro como seu deus nacional oficial. Nesses dois séculos, Deus enviara os profetas Elias, Eliseu, Jonas e Amós. Agora, Deus enviou Oséias.

Oséias viu diante de si uma desordem tal que não se vê pior em qualquer outra parte da Bíblia. A degradação do povo era incrível. Apesar disso, Oséias labutou incessantemente para deixar os israelitas perceberem que Deus ainda os amava.

Os 1—3   A esposa e os filhos de Oséias

Israel, a "noiva" de Deus (Ez 16.8-15), abandonara a Deus e se entregara à adoração de outros deuses, que era o adultério espiritual. Agora, Deus ordena que Oséias tome uma esposa adúltera (1.2). A implicação simples e natural da linguagem é que se tratou de uma experiência real na vida de Oséias, e a interpretação geralmente aceita é que Oséias, um profeta de Deus, verdadeiramente recebeu ordem de casar-se com uma mulher impura, para simbolizar o amor de Deus pela nação desobediente que era Israel. (Ou é possível que fosse uma mulher que, se era casta no princípio, posteriormente se revelou infiel e se amasiou com algum outro homem que pudesse melhor satisfazer seu gosto pela luxúria, 2.5.) O culto idólatra do país era tão amplamente acompanhado de práticas imorais (4.11-14) que era difícil para uma mulher ser casta, e a prostituição prevalecia.

Parte da linguagem aplica-se simplesmente à família de Oséias, outra parte, figuradamente, à nação e outra parte ainda a ambas, havendo alternância entre o sentido literal e o figurado. "Suas frases batem com o ritmo das pulsações de um coração ferido."

A reconciliação entre Oséias e sua mulher (3.1-5). Oséias ainda amava a esposa e a comprou de volta da escravidão (3.1,2), porém lhe exigiu que permanecesse por algum tempo sem privilégios conjugais, como figura profética do fato de Israel permanecer "muitos dias sem rei [...] sem sacrifício" antes de seu futuro regresso ao seu Deus e a Davi, seu rei (3.3,4).

Os filhos de Oséias. Não somente o casamento de Oséias foi uma ilustração daquilo que pregava, como também os nomes de seus filhos proclamavam as principais mensagens da vida do profeta.

Jezreel (1.4,5), seu primogênito, recebeu o nome da cidade onde Jeú cometeu sangrenta brutalidade (2Rs 10.1-14). O vale de Jezreel era o antigo campo de batalha no qual o reino estava para entrar em colapso. Ao dar ao filho o nome de Jezreel, Oséias estava dizendo ao rei e à nação: "Chegou a hora da retribuição e do castigo".

Lo-Ruama (1.6), o nome da filha, significava "não amada". O amor misericordioso de Deus por Israel chegara ao fim, embora houvesse mais oportunidade para Judá (v. 7).
Lo-Ami (1.9), o nome da terceira criança, significava "Não meu povo".
Oséias passa, então, a repetir os dois nomes sem o prefixo "Lo" ("não") e diz Ami, "meu povo", e Ruama, "minha amada", antevendo o período em que Israel voltaria a ser o povo de Deus. Num jogo de palavras, ele prediz um dia em que outras nações seriam chamadas o povo de Deus (1.10), versículo que Paulo cita como apoio à mensagem de que o Evangelho será ampliado para também incluir os gentios (Rm 9.25).

A acusação formal contra Israel — Os 4

A idolatria é que dá origem aos crimes horríveis (v. 1-3). Os sacerdotes alimentam-se dos pecados do povo (v. 4-10). As jovens são prostitutas, mulheres casadas acolhem outros homens, os homens freqüentam meretrizes (v. 11-14). Judá (v. 15) não se afundara na idolatria tão profundamente quanto Israel, e foi poupada por mais uns cem anos depois da destruição de Israel. Efraim (v. 17), a maior e mais central das tribos do norte, é um nome aplicado à totalidade do Reino do Norte.
Bete-Áven (v. 15) é outro nome de Betel, o principal centro de idolatria no Reino do Norte.

Julgamento contra Israel — Os 5

Os sacerdotes, o rei e o povo são "rebeldes" contra Deus (v. 1-3). Estão mergulhados no pecado e se orgulham disso. "Suas ações não lhes permitem voltar para o seu Deus" — uma declaração terrível da possibilidade de uma rejeição irreversível da parte de Deus (v. 4,5).
Filhos ilegítimos (v. 7), com homens que não eram seus respectivos maridos.
Decidiu ir atrás de ídolos (v. 11), resultado da decisão do rei Jeroboão I, que resolveu criar, visando a propósitos políticos, uma forma de idolatria que concorresse com a adoração a Deus em Jerusalém (1Rs 12.26-33), quando estabeleceu o Reino do Norte.

Israel impenitente — Os 6 e 7

Ao terceiro dia (6.2) significa, provavelmente, que Israel seria restaurado depois de um prazo bastante breve. Geralmente se entende que há aqui uma alusão profética à ressurreição de Jesus, o Messias, no terceiro dia. Gileade (6.8) e Siquém (6.9) eram duas das principais cidades do Reino do Norte, sendo particularmente horríveis como centros de vício e de violência.
Todos eles se esquentam como um forno, e devoram os seus governantes (7.7; v. 4) refere-se, provavelmente, ao período de ardente licenciosidade e violência durante o qual quatro de seus reis foram assassinados em rápida sucessão — e isso enquanto Oséias falava como profeta.
Um bolo que não foi virado (7.8) fica com um lado carbonizado e o outro cru — impróprio para ser comido.
Cinza [...] pelo seu cabelo (7.9) é sintoma do fim que se aproxima.

"Eles semeiam vento e colhem tempestade" — Os 8

Eles instituíram reis sem o meu consentimento (v. 4): Deus designara a família de Davi para governar o seu povo. As dez tribos tinham se rebelado e estabelecido para si uma linhagem diferente de reis.
Vendeu-se para os seus amantes (v. 9): Israel namorara a Assíria, pagando tributos.

Os 9 e 10 — O castigo de Israel

Voltará para o Egito (9.3): não literalmente, mas para uma escravidão na Assíria semelhante àquela no Egito — embora muitos judeus, depois do cativeiro, realmente tenham se estabelecido no Egito.

O profeta é considerado um tolo (9.7) — trata-se da opinião que Oséias tem dos falsos profetas, ou, mais provavelmente, da opinião que o povo tem de Oséias.

Eles mergulharam na corrupção (9.9), assim como nos dias de Gibeá, onde certa mulher foi estuprada toda a noite por um grupo de homens (Jz 19.24-26).

Peregrinos entre as nações (9.17): as peregrinações começaram quando Oséias ainda vivia e têm continuado com persistência implacável, no decurso dos séculos, para os judeus mais que para qualquer outra nação.

O **ídolo em forma de bezerro de Bete-Áven** [Betel] (10.5) será despedaçado (8.6), e espinheiros e abrolhos crescerão sobre os seus altares (10.8).

Salmã (10.14) provavelmente é Salmaneser v.

Os 11.1-11 — O amor de Deus por Israel

Do Egito chamei (v. 1): essas palavras são citadas em Mateus 2.15 como uma referência à fuga dos pais de Jesus para o Egito. Assim como a nação messiânica, na sua infância, foi chamada por Deus para sair do Egito, também o próprio Messias, na sua infância, foi chamado para sair de lá.

O meu povo está decidido a desviar-se de mim (v. 7), mas o coração de Deus ainda anseia com compaixão pelos seus (8-11).

Os 11.12—12.14 — O pecado de Israel

A Assíria e o Egito (v. 1): a diplomacia mentirosa de Israel, que assinava pactos secretos tanto com a Assíria quanto com o Egito a fim de colocar esses países um contra o outro em favor de Israel, resultaria em calamidade.

Betel (v. 4), o centro de sua abominável idolatria, foi o mesmo local em que Jacó, antepassado deles, dedicara sua vida a Deus (Gn 28.13-15).

Os 13 — A ira do Senhor contra Israel

Tornou-se culpado da adoração a Baal (v. 1): ao culto ao bezerro, instituído por Jeroboão I, acrescentaram o culto a Baal, no reinado de Acabe (1Rs 16.30-33), e assim provocaram a morte da nação.

Os 14 — Israel voltará para Deus

A noiva desobediente do Senhor voltará ao seu esposo e de novo corresponderá ao seu amor, assim como nos dias de sua juventude (2.14-20).

Joel

O dia vindouro do juízo
Promessa do derramamento do Espírito Santo

> E, depois disso,
> derramarei do meu Espírito
> sobre todos os povos.
> Os seus filhos e as suas filhas
> profetizarão, os velhos terão sonhos,
> os jovens terão visões.
> Até sobre os servos e as servas
> derramarei do meu Espírito naqueles dias.
> Mostrarei maravilhas no céu e na terra:
> sangue, fogo e nuvens de fumaça.
> O sol se transformará em trevas,
> e a lua em sangue,
> antes que venha o grande e temível
> dia do SENHOR.
> E todo aquele que invocar
> o nome do SENHOR será salvo.
> — JOEL 2.28-32

O livro de Joel, assim como o de Sofonias, diz respeito ao juízo vindouro. Assim como o Apocalipse, prediz a colheita da terra (3.13,14; Ap 14.15,16). Apresenta também uma predição da era do evangelho e do correspondente derramamento do Espírito Santo.

Data

Não há indicação no livro de Joel quanto à data da composição. Geralmente é considerado um dos mais antigos dos profetas de Judá, da época de Joás (c. 830 a.C.) ou possivelmente do reinado de Uzias (c. 750 a.C.).

A praga de gafanhotos — Jl 1.1—2.27

O país fora devastado por uma fome pavorosa, provocada por uma praga de gafanhotos sem precedentes, seguida por uma seca prolongada. Esse tipo de gafanhoto é um inseto muito grande. Os quatro nomes diferentes empregados em 1.4 indicam diferentes espécies de gafanhotos ou etapas diferentes do seu crescimento. Grandes nuvens de gafanhotos, que escureciam o sol, enxameavam na terra e devoravam tudo quanto havia de verde e faziam o povo ficar de joelhos em oração a Deus. Deus ouviu os clamores do povo, afastou os gafanhotos e prometeu uma era de prosperidade. Esses gafanhotos sugerem aqueles mencionados em Apocalipse 9.1-11 e talvez até mesmo os prenunciem.

Jl 2.38—3.21   O dia do Senhor se aproxima

Em Atos 2.17-21, Pedro cita Joel 2.28-32 como predição e explicação daquilo que aconteceu no Dia de Pentecostes, em Jerusalém. Portanto, Deus determinou que o presente trecho fosse uma figura profética da era do evangelho. Seria um dia de juízo para as nações (3.1-12). Joel expressa semelhante juízo em relação às nações de seu tempo que eram inimigas de Judá: os sidônios, os filisteus, os egípcios e os edomitas (3.4,19).

Entretanto, significava mais do que isso. A grande batalha do vale de Josafá (tradicionalmente identificado como o vale de Cedrom, no lado leste de Jerusalém; 3.9-12) é mencionada em linguagem apocalíptica: a colheita está madura (v. 13), o dia do Senhor vem no vale da Decisão (v. 14), o Senhor rugirá de Sião [Jerusalém] (v. 16), a terra e o céu tremerão (v. 16) e uma fonte fluirá da casa do Senhor (v. 18) — e tudo isso é uma continuação do pensamento de 2.28-32, que Pedro aplicou à era do Espírito Santo. Esse trecho, portanto, visto globalmente, parece ser uma figura da era cristã, na qual a Palavra de Deus, expressa no evangelho de Cristo e levada à totalidade da raça humana mediante as influências graciosas do Espírito Santo, serviria de foice para ceifar uma grande colheita de almas.

Amós

O juízo divino contra Israel
A glória futura do reino de Davi

> Prepare-se para encontrar-se com o seu Deus, ó Israel.
> Aquele que forma os montes, cria o vento
> e revela os seus pensamentos ao homem,
> aquele que transforma a alvorada em trevas
> e pisa as montanhas da terra;
> Senhor, Deus dos Exércitos, é o seu nome.
> — Amós 4.12,13

Amós era um profeta de Judá, o Reino do Sul, que teve uma mensagem para Israel, o Reino do Norte, nos reinados de Uzias, rei de Judá (792-740 a.C.), e de Jeroboão II, rei de Israel (793-753 a.C.; 1.1).

Data

Essa profecia parece ter sido anunciada numa visita a Betel (7.10-14), cerca de trinta anos antes da queda de Israel.

Segundo Josefo, o terremoto (1.1) ocorreu na ocasião em que Uzias foi ferido de lepra (2Cr 26.16-21). Nesse caso, a profecia de Amós pode ser situada por volta de 750 a.C.

O reinado de Jeroboão II tinha sido muito bem-sucedido. O reino fora consideravelmente ampliado (2Rs 14.23-29). Israel estava no auge da prosperidade, mas era desavergonhado na idolatria e cheirava a podridão moral. Era uma terra de falsos juramentos, furtos, injustiças, opressão, roubo, adultérios e homicídios.

Fazia uns duzentos anos que as dez tribos tinham estabelecido o Reino do Norte, tendo como religião o culto aos bezerros (1Rs 12.25-33). Durante parte desse período, o culto a Baal também tinha sido adotado, e ainda grassavam muitas das práticas abomináveis da idolatria cananéia. Deus já enviara os profetas Elias, Eliseu e Jonas, mas tudo em vão. Israel, empedernido na idolatria e na perversidade, já estava correndo a todo vapor para a própria ruína quando Deus enviou Amós e Oséias, num derradeiro esforço para frear a nação na louca arremetida para a morte.

Contemporâneos de Amós

Os profetas do AT não trabalhavam totalmente isolados uns dos outros. Houve profetas no período dos reinos do Norte e do Sul que falaram, mas não deixaram suas palavras por escrito. Foram somente os profetas chamados escritores que nos deixaram registros. Alguns dos profetas escritores podem ter se conhecido mutuamente, embora não tenhamos evidências nesse sentido.

Podemos especular que Amós, quando menino, possa ter conhecido Jonas e tê-lo ouvido contar da visita que fizera a Nínive. Também pode ter conhecido Eliseu e ouvido falar a respeito de sua associação com Elias. Jonas e Elias estavam para se retirar do palco dos acontecimentos quando Amós chegou. Joel também pode ter sido contemporâneo de Amós ou antecessor próximo. A praga de gafanhotos à qual Amós se refere (4.9) pode ter sido a mesma que Joel descreveu. É possível que Oséias estivesse em Betel por ocasião da visita de Amós. Oséias era o mais jovem dos dois e pode ter continuado a obra depois de Amós ter voltado para Judá. Quando Amós encerrava sua obra, Isaías e Miquéias estavam começando a deles.

Am 1 e 2 — Condenação de Israel e de nações vizinhas

Amós começa com uma condenação geral de toda a região: Síria, Filístia, Fenícia, Edom, Amom, Moabe, Judá e Israel — oito nações ao todo. Chama cada uma dessas nações ao juízo, empregando a mesma fórmula, **por três transgressões de [...] e ainda mais por quatro**, e especifica seus pecados particulares. Passa então a concentrar a atenção em Israel.

Exílio é uma das palavras fundamentais do livro de Amós (1.5,15; 5.5,27; 6.7; 7.9,17). Dentro de 30 anos, essas predições foram cumpridas e Israel foi direto do apogeu do poder para a destruição e o exílio.

Tecoa (1.1), onde morava Amós, ficava 16 km a sudoeste de Jerusalém e a 8 km de Belém, numa elevação de 890 metros à margem das pastagens que davam vista para o desolado deserto da Judéia. Hoje em dia, Amós seria chamado um leigo, por não ser nem sacerdote nem profeta profissional, mas um boiadeiro que também cuidava de sicômoros (7.14). Esse tipo de sicômoro produzia um figo de qualidade inferior, sendo um híbrido entre uma figueira e uma amoreira.

O **terremoto** (1.1) deve ter sido muito forte, pois ainda era lembrado 200 anos depois (Zc 14.5), sendo assemelhado de modo sinistro ao Dia do Juízo divino (Ap 16.18).

Am 3 — Os palácios luxuosos de Samaria

Samaria, a capital do Reino do Norte, estava situada numa colina com 100 m de altura, num vale de incomparável beleza cercado de montes por três lados. A cidade era tão inexpugnável quanto era bela. Suas residências, todas palacetes, tinham sido construídas às custas dos pobres (2.6,7; 3.10; 5.11; 8.4-7), com uma insensibilidade que chocaria até mesmo os egípcios e os filisteus pagãos (3.9,10).

Betel (v. 14), onde Amós falava (7.13), era um dos centros religiosos do Reino do Norte. Ficava 19 km ao norte de Jerusalém, e foi ali que Jeroboão I levantara um bezerro para ser adorado (1Rs 12.25-33; o outro bezerro de ouro foi levantado em Dã, no norte), que ainda lá se encontrava (Os 13.2). A esse centro corrompido de idolatria chegou Amós, levando a derradeira advertência da parte de Deus.

"Prepare-se para encontrar-se com o seu Deus" — Am 4

As damas mimadas de Samaria (v. 1-3) viviam uma vida fácil, satisfazendo suntuosamente suas vontades com ganhos ilícitos extorquidos dos pobres.

Vacas de Basã (v. 1) eram animais cevados, mimados até serem levados para a matança. Dentro de poucos anos, essas mulheres seriam levadas **com ganchos** (v. 2). Os assírios, sem exagero, levavam seus cativos com cordas fixadas a anzóis que atravessavam os lábios do presos.

Ironicamente, os israelitas eram impiedosos na sua crueldade, contudo intensamente religiosos (v. 4,5). Que sátira contra a religião!

Os esforços repetidos de Deus por salvar os israelitas tinham sido em vão. Chegara a hora de a nação se encontrar com o seu Deus (v. 6-13).

O dia do Senhor — Am 5

Um lamento sobre a queda de Israel (v. 1-3), outro apelo para que a nação volte para Deus (v. 4-9) e mais uma condenação aos seus caminhos ímpios (v. 10-27). Os versículos de 18 a 26 parecem indicar que os israelitas estavam dispostos a voltar a oferecer sacrifícios a Deus, e não ao bezerro. Entretanto, o que Amós queria não era que o povo oferecesse sacrifícios, mas que houvesse uma reforma no coração de cada um, uma mudança radical na maneira de viver.

O cativeiro — Am 6

Repetidas vezes Amós contrasta a vida fácil de volúpia, o luxo dos palácios e o senso de segurança dos líderes e dos ricos com os sofrimentos intoleráveis que estão para lhes sobrevir.

Três visões de destruição — Am 7

Os **gafanhotos** simbolizam a destruição da terra. Amós intercedeu, e Deus se compadeceu (v. 1-3).

O **fogo** é outro símbolo da destruição vindoura. De novo Amós intercedeu e de novo Deus se compadeceu (v. 4-6).

O **prumo** indica que a cidade está sendo medida para a destruição. Duas vezes Deus já se compadecera — mas não o faria mais. Castigara e perdoara repetidas vezes. O caso da nação era desesperador (v. 7-9).

Não se sabe quanto tempo Amós passou em Betel. Mas as repetidas censuras e advertências tiveram forte impacto sobre a terra (v. 10). **O sacerdote de Betel, Amazias**, denunciou Amós diante de Jeroboão II, dizendo que Amós estava "tramando uma conspiração" (v. 10-17). Amós, entretanto, ficou cada vez mais ousado e disse a Amazias que o próprio sacerdote iria para o cativeiro.

O cesto de frutas maduras — Am 8

Esse é mais um símbolo de que o reino pecaminoso estava maduro para a ruína. E Amós reitera as causas: a ganância, a desonestidade e a crueldade impiedosa para com os pobres. A Bíblia, repetidas vezes e com o emprego de muitas figuras de linguagem, deixa claro que não existe nenhum meio possível de escapar das conseqüências do pecado persistente.

Am 9 — A glória futura do reino de Davi

Mais uma predição do exílio (v. 1-8). Dentro de 30 anos, a profecia foi cumprida, e o reino apóstata cessou de existir.

O trono restaurado de Davi (v. 8-15). Uma visão profética sempre reiterada de dias radiantes depois da escuridão. Amós morava perto de Belém, a cidade de Davi. Sentiu profundamente as dez tribos terem renunciado ao trono davídico que Deus ordenara para seu povo e terem recusado com obstinação, por 200 anos, voltar ao aprisco.

A palavra final de Deus é esta: em dias futuros, o reino de Davi, por eles desprezado, será recuperado e governará, não somente aquela única nação, mas também um mundo de nações, na glória eterna.

Obadias

A condenação de Edom

> E o reino será do Senhor.
> — Obadias 21

Os edomitas

Edom era uma cadeia rochosa de montes ao sul do mar Morto, que se estendia por uns 160 km de norte a sul e por cerca de 32 km de leste a oeste. Era bem irrigada, com pastagens abundantes. Sua capital, Sela (Es-Sela, agora mais conhecida como Petra), estava esculpida no alto de um penhasco perpendicular, num lugar bem recuado entre os desfiladeiros montanhosos, dando vistas para um vale de extraordinária beleza. Os edomitas podiam sair nas expedições de ataque e depois recuar para as fortalezas inexpugnáveis nas alturas dos desfiladeiros rochosos.

Os edomitas eram descendentes de Esaú, mas sempre foram inimigos rancorosos dos judeus e perpetuaram a inimizade entre Esaú e Jacó (Gn 25.23; 27.41). Recusaram passagem a Moisés (Nm 20.14-21) e sempre estavam dispostos a ajudar um exército que atacasse Israel.

Data

A profecia de Obadias foi ocasionada por um saque de Jerusalém do qual os edomitas participaram. Historicamente, houve quatro saques de Jerusalém:

1. No reinado de Jeorão, 853-841 a.C. (2Cr 21.8,16,17; Am 1.6)
2. No reinado de Amazias, 806-767 a.C. (2Cr 25.11,12,23,24)
3. No reinado de Acaz, 735-716 a.C. (2Cr 28.16-21)
4. No reinado de Zedequias, 597-586 a.C. (2Cr 36.11-21; Sl 137.7)

Existem diferentes opiniões a respeito de qual dessas quatro incursões foi a ocasião da profecia de Obadias. Visto que a destruição de Judá é mencionada (v. 11,12), a profecia é geralmente fixada no reinado de Zedequias, quando Jerusalém foi incendiada pelos babilônios (586 a.C.).

Outros textos bíblicos que prenunciam a perdição de Edom são Isaías 34.5-15; Jeremias 49.7-22; Ezequiel 25.12-14; 35.1-15; Amós 1.11,12.

O cumprimento da profecia

Obadias predisse que os edomitas seriam destruídos para sempre, como se nunca tivessem existido (v. 10,16,18), e que um remanescente de Judá seria salvo — o reino do Deus de Judá ainda prevaleceria (v. 17,9,21).

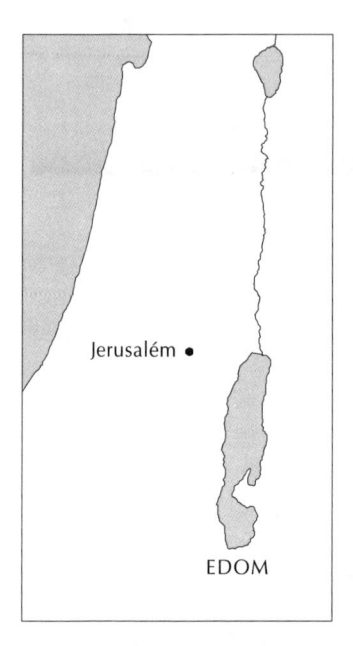

O fim do reino edomita pode ter resultado das campanhas militares do governante neobabilônico Nabonido, em alguma data posterior a 552 a.C. Os nabateus apoderaram-se do território de Edom. Os poucos edomitas sobreviventes ficaram confinados a uma região no sul da Judéia, onde, por quatro séculos, continuaram a existir como inimigos ativos dos judeus. Em 126 a.C., foram subjugados por João Hircano, um dos governantes macabeus (v. p. 410), sendo assimilados pelo estado judaico. Quando a Palestina foi conquistada pelos romanos em 63 a.C., os Herodes, que eram uma família edomita (iduméia), foram colocados como governantes de Judá. Foi o último triunfo dos edomitas. Com a destruição de Jerusalém em 70 d.C., desapareceram da história.

Jonas

O recado de misericórdia para Nínive

> Jonas entrou na cidade e a percorreu durante um dia, proclamando: "Daqui a quarenta dias Nínive será destruída". Os ninivitas creram em Deus [...] Tendo em vista o que eles fizeram e como abandonaram os seus maus caminhos, Deus se arrependeu e não os destruiu como tinha ameaçado [...] Jonas, porém, ficou profundamente descontente com isso e enfureceu-se.
> — Jonas 3.4,5,10; 4.1

> Mas o Senhor lhe disse: "...Nínive tem mais de cento e vinte mil pessoas que não sabem nem distinguir a mão direita da esquerda, além de muitos rebanhos. Não deveria eu ter pena dessa grande cidade?".
> — Jonas 4.10,11

Nínive era a capital do Império Assírio, que dominou o antigo Oriente Médio cerca de trezentos anos (900-605 a.C.). Começou sua ascensão ao poder aproximadamente no tempo da divisão do reino hebraico no final do reinado de Salomão. Pouco a pouco, absorveu e destruiu Israel, o Reino do Norte.

Foi nessas circunstâncias que Jonas, cujo nome significa "pombo", foi chamado por Deus para ser mensageiro. Sua mensagem prolongaria a vida da nação inimiga que já estava em via de exterminar Israel, o Reino do Norte, a própria nação de Jonas. Não admira que Jonas fugisse na direção oposta — estava com receio patriótico da máquina militar, brutal e implacável que estava fechando o cerco contra o povo de Deus.

Jonas era natural de Gate-Héfer. Viveu no reinado de Jeroboão II (793-753 a.C.) e ajudou a recuperar parte dos territórios perdidos por Israel (2Rs 14.25). Jonas, portanto, era estadista além de profeta. Sua missão a Nínive pode ter sido considerada uma traição por alguns.

Esse livro é histórico?

Por causa da história do grande peixe, as mentes incrédulas repudiam o livro de Jonas e não o aceitam como fato histórico. Dizem que é ficção, ou alegoria, ou parábola, ou poema escrito em prosa. Jesus inconfundivelmente o considerava fato histórico (Mt 12.39-41). Seria necessário torcer consideravelmente as palavras de Jesus para alegar que ele disse o contrário. Jesus se referiu a esse fato como um "sinal" de sua ressurreição. Colocou na mesma categoria o peixe, o arrependimento dos ninivitas, a sua ressurreição e o Dia do Juízo. Fica bem claro que Jesus falava de realidades quando mencionava sua ressurreição e o Dia do Juízo. Portanto, Jesus aceitou a história de Jonas, e para nós, os crentes, isso resolve a questão. Cremos que tudo ocorreu realmente, do modo como é registrado; que o próprio Jonas, sob a orientação do Espírito de Deus, escreveu o livro, sem nenhuma tentativa de desculpar-se pelo seu comportamento indigno; e que esse livro, ainda sob a orientação do mesmo Espírito, foi colocado entre as Sagradas Escrituras no Templo, como parte da revelação que Deus fazia de si mesmo, passo a passo.

O peixe. Essa palavra significa um "grande peixe" ou "monstro marinho", e não uma "baleia". Foram descobertos muitos "monstros marinhos" com tamanho suficiente para engolir uma pessoa inteira. Entretanto, a lição dessa história é que se trata de um milagre, um atestado divino da missão de Jonas a Nínive. Não houvesse tão assombroso milagre, os ninivitas teriam dado pouca atenção a Jonas (Lc 11.30).

O propósito de Deus ao enviar Jonas a Nínive

- Acima de tudo, segundo parece, a intenção de Deus foi dar a entender ao seu povo que ele também se interessava pelas nações gentias. Israel tinha ciúmes de seu relacionamento privilegiado com Deus e relutava em aceitar a compaixão que o Senhor tinha pelos gentios.
- Pode ter adiado a destruição de Israel, visto que a "violência" foi uma das coisas das quais os ninivitas se arrependeram (3.8).
- Jonas residia em Gate-Héfer (2Rs 14.25), perto de Nazaré, onde haveria de viver Jesus, de quem Jonas era um "sinal".
- Jesus citou o livramento de Jonas como uma imagem profética de sua ressurreição ao "terceiro" dia (Mt 12.40).
- Jope, onde Jonas embarcou para não pregar a outra nação, foi o lugar exato escolhido por Deus, 800 anos depois, para enviar Pedro a fim de que fossem alcançadas pessoas de outras nações (At 10).

Portanto, em seu todo, a história de Jonas é um grandioso quadro histórico da ressurreição do Messias e de sua missão a todas as nações. (O outro profeta que falou contra Nínive foi Naum; v. p. 376.)

Reis assírios que se envolveram com Israel

- Salmaneser III (858-824 a.C.). Começou a reduzir as fronteiras de Israel (2Rs 17.3,4)
- Adade-Nirari III (810-782). Recebeu tributo de Israel. Visita de Jonas.
- Tiglate-Pileser III (745-727). Deportou a maior parte do norte de Israel, o Reino do Norte.
- Salmaneser V (727-722). Cercou Samaria.
- Sargão II (721-705). Deportou o restante de Israel (v. Isaías).
- Senaqueribe (704-681). Invadiu Judá (v. Isaías).
- Esar-Hadom (681-669). Muito poderoso.
- Assurbanipal (668-626). Poderosíssimo e brutal (v. Naum?).

Seguiram-se dois reis fracos (626-607), e o gigantesco império caiu em 605 a.C.

Jn 1   A fuga de Jonas

Társis (v. 3) era, segundo se pensa, Tartesso, uma colônia fenícia de mineração no sudoeste da Espanha, perto de Gibraltar. Jonas se dirigia à extremidade ocidental mais distante do mundo então conhecido.

A oração de Jonas — Jn 2

Decerto, Jonas tinha o hábito de orar nas palavras de Salmos, que são tão semelhantes a essa bela oração. Seu lançamento de volta à terra pode ter ocorrido perto de Jope e talvez tenha sido testemunhado por muitos.

Jope é o único porto natural entre a baía de Aco (perto da atual Haifa) e a fronteira egípcia. Hoje, fica difícil imaginar Jope como o local de onde Jonas partiu numa viagem marítima arriscada, em desobediência a Deus, por se recusar a ajudar os inimigos de sua pátria.

O arrependimento de Nínive — Jn 3.5-9

Jonas, nas pregações em Nínive, certamente contou a experiência com o peixe, fazendo-se acompanhar por testemunhas que comprovassem a história. Falando em nome do Deus da nação que os ninivitas haviam começado a saquear, foi levado a sério por eles, que ficaram aterrorizados.

A decepção de Jonas — Jn 3.10—4.4

Jonas fora para lá não para levar os ninivitas ao arrependimento, mas para anunciar a condenação deles. Deus, entretanto, ficou contente com o arrependimento dos ninivitas e lhes adiou o castigo, para maior desgosto de Jonas (v. notas em Naum).

O amor de Deus por toda a criação — Jn 4.5-11

Jonas se sentiu zangado porque Deus tratou Nínive, a inimiga de Israel, com compaixão. Deus queria que o profeta compreendesse sua compaixão pelos gentios, de modo que preparou uma situação que o ajudaria a perceber o amor divino pela criação. Deus fez uma planta crescer sobre o lugar onde Jonas estava sentado. Ele gostou da proteção que a planta oferecia contra o sol. No dia seguinte, Deus deixou a planta secar, e Jonas ficou bastante desgostoso com a perda. Deus deixou claro que o profeta estava aflito pela perda de uma simples planta, na qual nada havia investido. Deus usou essa situação a fim de ilustrar para Jonas o quanto ele lastima quaisquer danos à sua criação, até mesmo às pessoas e aos animais de Nínive.

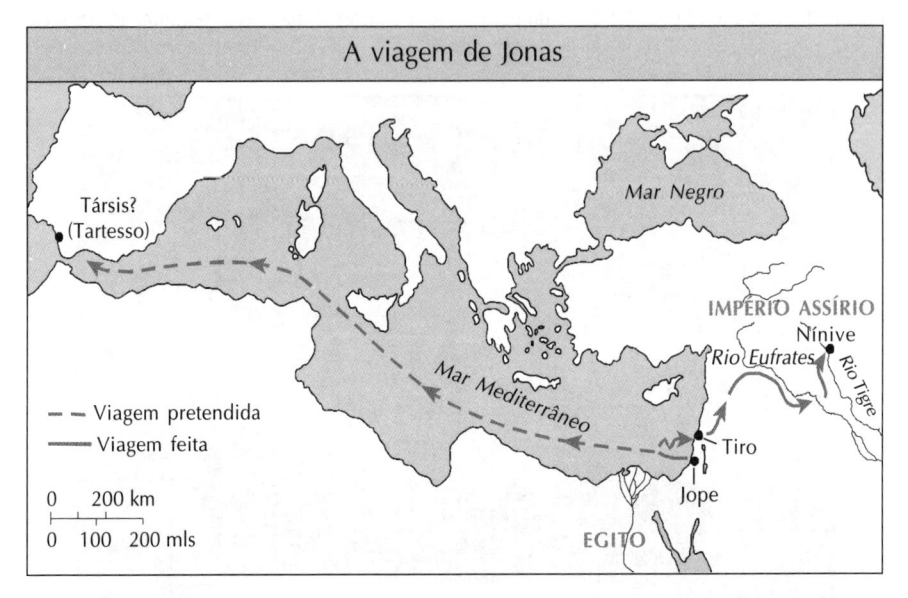

A viagem de Jonas

- - - Viagem pretendida
— Viagem feita

Miquéias

A queda iminente de Israel e de Judá
O Messias nascerá em Belém

> Mas tu, Belém-Efrata,
> embora pequena entre os clãs de Judá,
> de ti virá para mim
> aquele que será o governante sobre Israel.
> Suas origens estão no passado distante,
> em tempos antigos.
> — Miquéias 5.2

Miquéias profetizou em Judá, o Reino do Sul, nos reinados de Jotão, Acaz e Ezequias. Jotão e Ezequias foram reis bons; Acaz foi extremamente perverso. Miquéias, portanto, testemunhou a apostasia do governo, bem como sua recuperação. Morava em Moresete, na fronteira dos filisteus, perto de Gate, 48 km a sudoeste de Jerusalém. Foi contemporâneo dos profetas Isaías e Oséias.

A mensagem de Miquéias foi dirigida tanto a Israel quanto a Judá, sendo endereçada primariamente às respectivas capitais, Samaria e Jerusalém. As três idéias principais da mensagem de Miquéias são os pecados de Samaria e de Jerusalém, a destruição dessas cidades e a futura restauração. Essas três idéias ficam misturadas entre si no livro, com transições abruptas entre a desolação presente e a glória futura.

Samaria é condenada — Mq 1

Samaria era a capital do Reino do Norte, cujos governantes eram diretamente culpados pela corrupção nacional tão difundida (v. 5). A partir de sua apostasia de Deus, 200 anos antes (1Rs 12), esses governantes tinham adotado o culto aos bezerros e a adoração a Baal, bem como outros ídolos cananeus, sírios e assírios e suas práticas idólatras. Deus lhes enviara Elias, Eliseu e Amós (1Rs 17—2Rs 2; 2Rs 3—13) a fim de fazê-los abandonar os ídolos. Mas tudo em vão. Já estavam prontos para receber o golpe mortal. Miquéias viveu até ver cumpridas suas palavras (v. 6). Em 734 a.C., os assírios deportaram toda a parte norte de Israel, e em 722 a própria Samaria veio a ser "um monte de entulho".

Os locais citados nos versículos de 10 a 15 ficavam nos contrafortes do oeste de Judá, a região natal de Miquéias. Acabaram sendo devastados por Senaqueribe da Assíria na campanha de 701 a.C., na qual ele alega ter destruído 46 cidades fortes e muradas de Judá — incluindo, provavelmente, aquelas que Miquéias menciona aqui.

Mq 2 e 3 — A brutalidade dos governantes

As classes governantes, além de serem idólatras (1.5-7), eram impiedosas no modo de tratar os pobres: confiscavam-lhes os campos e até mesmo as roupas e expulsavam de casa mulheres com crianças pequenas. Para cúmulo de tudo isso, seus sacerdotes eram vaticinadores, apoiavam essas práticas injustas e cruéis e usavam o nome do Senhor como talismã: "O Senhor está no meio de nós. Nenhuma desgraça nos acontecerá" (3.11). Miquéias, tendo mencionado o cativeiro (1.16), agora retrata abruptamente a restauração dos israelitas, com Deus marchando diante deles (2.12,13).

Mq 3 — Jerusalém também é repreendida

Miquéias continua repreendendo os líderes de Israel pela crueldade arbitrária e desumana das classes governantes. Jerusalém, porém, é tão perversa quanto Samaria (v. 10), sobretudo os líderes religiosos (v. 5-7,11). Em seguida, Miquéias declara a condenação de Jerusalém (v. 12), assim como antes predissera a queda de Samaria (1.6).

Torre de vigia numa vinha de Judá: "Quanto a você, ó torre do rebanho, ó fortaleza da cidade de Sião, o antigo domínio lhe será restaurado; a realeza voltará para a cidade de Jerusalém" (Mq 4.8).

Mq 4 — O reino universal de Sião

Miquéias agora muda abruptamente para a visão de um mundo sem guerras, feliz, próspero, temente a Deus, tendo Sião à frente. Que contraste! Miquéias 4.1-3 é igual a Isaías 2.2-4 — palavras sublimes e grandiosas, dignas de repetição.

De repente, em meio a essa expressão entusiástica a respeito do futuro, o profeta regressa ao seu tempo conturbado e à condenação de Jerusalém que acabara de mencionar (3.12) e proclama que o povo será levado para o cativeiro na Babilônia (4.10). É uma profecia estarrecedora. Na ocasião em que Miquéias profetizava, a Assíria estava conquistando todas as nações que estavam ao seu alcance. Isso aconteceu 100 anos antes da ascensão do Império Babilônico. No entanto, Jerusalém sobreviveu aos violentos ataques assírios e à própria Assíria, que foi conquistada pela Babilônia — que iria destruir Jerusalém em 586 a.C. e deportar seus habitantes para a Babilônia.

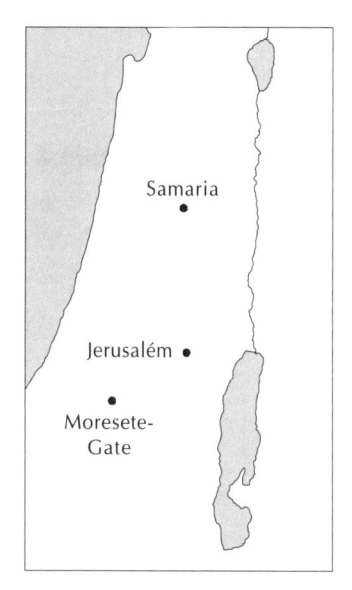

O futuro rei de Sião — Mq 5

Um governante proveniente de Belém ficará à frente de Sião. Em 4.1-8, Miquéias descreve o futuro glorioso; em 4.9,10, volta ao exílio; em 4.11,12, retrocede a uma data anterior, ao seu tempo, a fim de descrever o cerco de Jerusalém pelos assírios em 4.13, há de novo um grande avanço para o futuro.

Em seguida, em 5.1, Miquéias volta ao cerco de Jerusalém. É esse o contexto para o aparecimento do libertador proveniente de Belém (v. 2-5). Nos dias do próprio Miquéias, isso se referia à libertação do jugo da Assíria (v. 5,6). Além do horizonte, entretanto, numa distância menos visível, surgiu o vulto majestoso do Rei messiânico vindouro, cujo advento veio desde a eternidade ("Suas origens estão no passado distante, em tempos antigos", v. 2), passando por Belém. O livramento de Sião das mãos dos assírios, por meio do anjo de Deus (2Rs 19.35; 2Cr 32.21; Is 37.35), foi, em certos aspectos, a prefiguração de um livramento futuro ainda maior pelo Salvador de toda a humanidade. Muitas predições de Cristo no AT ficaram ofuscadas pelo fato de serem vistas através das situações históricas da época do próprio profeta, mas mesmo assim foram suficientemente claras para não haver engano quanto ao seu cumprimento. Sem dúvida alguma, o Rei eterno proveniente de Belém (v. 2) deve ser identificado com o Menino Maravilhoso de Isaías 9.6,7. Esse é o único lugar do AT onde se declara especificamente que Cristo nasceria em Belém (v. comentário sobre Mt 2.22).

A acusação do Senhor contra Israel — Mq 6

De novo, os pecados do tempo de Miquéias: ingratidão a Deus, hipocrisia religiosa, desonestidade, idolatria — e castigo certo.

O triunfo final de Sião — Mq 7

Miquéias lamenta a traição, a violência e a sede de sangue então reinantes. Promete que haverá castigo, porém encerra seu livro com uma visão do futuro, quando Deus reinará com seu povo e as promessas feitas a Abraão serão, enfim, plenamente cumpridas.

Naum

A condenação de Nínive

> Quem pode resistir à sua indignação?
> Quem pode suportar o despertar de sua ira?
> O seu furor se derrama como fogo,
> e as rochas se despedaçam diante dele.
> — Naum 1.6
>
> O Senhor é bom,
> um refúgio em tempos de angústia.
> Ele protege os que nele confiam.
> — Naum 1.7

Dois dos chamados profetas menores falaram exclusivamente a Nínive, a capital do Império Assírio, e a respeito dela.

- **Jonas**, por volta de 770 a.C., entregou uma mensagem de misericórdia à grande cidade.
- **Naum**, 120 anos depois (650 a.C.), entregou uma mensagem de condenação.
- **Sofonias**, contemporâneo de Naum, também predisse a destruição de Nínive.
- Além disso, **Isaías**, que ministrou num período intermediário entre Jonas e Naum, predisse a queda dos assírios (Is 10).

Juntos, eles ilustram o modo de Deus tratar com as nações: prolongando o dia da graça, mas no fim enviando castigos pelos pecados.

O profeta Naum

Pouca coisa se sabe a respeito de Naum, cujo nome significa "consolo". É identificado como habitante de Elcós. Desde o século XVI, uma tradição árabe tem identificado Elcós com Al Ovosh, uma aldeia perto da moderna Mossul, no Iraque. Escritores bizantinos, no entanto — incluindo Eusébio e Jerônimo —, entendiam que Naum residiu em alguma parte da Galiléia. Muitos têm especulado que a Cafarnaum ("Cidade de Naum") do NT era o local de sua residência, mas não existe comprovação disso nem existem ali quaisquer ruínas do século VII a.C.

A data de Naum

O próprio livro indica o período ao qual pertence. Tebas (nome hebraico: *no' 'amôn*) já tinha caído (3.8-10; 663 a.C.). A queda de Nínive, que ocorreu em 612 a.C., ainda estava no futuro. Portanto, Naum escreveu entre 663 e 612 a.C.

Naum retrata Nínive no auge da glória. As tribulações dessa cidade começaram com a invasão dos citas (626 a.C.), e talvez seja uma conjectura razoável situar a presente profecia pouco antes dessa invasão (entre 630 e 624 a.C., portanto) — assim Naum seria contemporâneo de Sofonias, que também predisse a ruína de Nínive em linguagem notavelmente vívida (Sf 2.13-15). (V. tb. Jn, p. 371-4.)

A ruína total de Nínive — Na 1—3

Em todos esses três capítulos, em uma linguagem falada em parte *a respeito de* Nínive e em parte *a* Nínive, a destruição da cidade é predita com pormenores assombrosamente explícitos.

O fato de que Deus é "muito paciente" (1.3) pode ter sido mencionado como um lembrete da visita que Jonas fizera a Nínive anos antes. A ira de Deus (1.2-8), em toda a Bíblia, é o inverso de sua misericórdia.

A queda da "cidade sangüinária" (3.1) seria uma notícia de imenso júbilo para o mundo que ela esmagara de modo tão impiedoso, especialmente no caso de Judá.

Os numerosos canais protetores ao longo da parte externa dos muros davam a Nínive a aparência de um "açude [com] águas" (2.8).

Sofonias predisse a queda de Nínive com as seguintes palavras: "Essa é a cidade que exultava, vivendo despreocupada, e dizia para si mesma: 'Eu, e mais ninguém!' Que ruínas sobraram! Uma toca de animais selvagens! Todos os que passam por ela zombam e sacodem os punhos" (Sf 2.15).

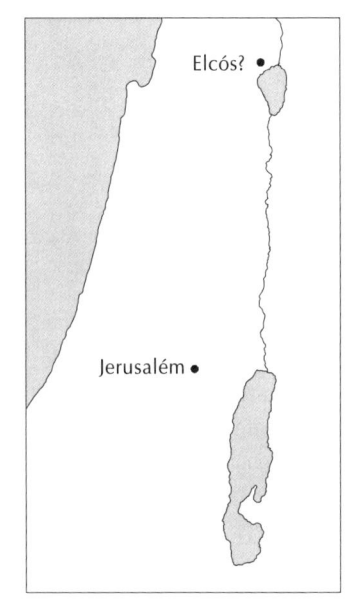

Habacuque

A invasão de Judá e a condenação dos caldeus

> O justo viverá pela sua fidelidade.
> — HABACUQUE 2.4
>
> A terra se encherá do conhecimento
> da glória do SENHOR,
> como as águas enchem o mar.
> — HABACUQUE 2.14

Essa profecia pertence ao período entre 625 e 606 a.C. Sua data é provavelmente em torno de 607 a.C., no início do reinado de Jeoaquim. Os caldeus (babilônios) investiam na direção do oeste (1.6), mas ainda não haviam alcançado Judá (3.16).

A cronologia do período:

641-601 a.C.	A grande reforma do rei Josias; o profeta Sofonias.
625 a.C.	A Babilônia declara-se independente da Assíria.
612 a.C.	Os babilônios destroem Nínive.
609 a.C.	Jeoacaz reina três meses; é levado para o Egito.
609-598 a.C.	Jeoaquim, rei muito perverso; o profeta Habacuque (?).
605 a.C.	Os babilônios invadem Judá e levam cativos.
597 a.C.	Joaquim reina três meses e é levado para a Babilônia.
597-586 a.C.	Zedequias, rei fraco e perverso, é levado para a Babilônia.
586 a.C.	Jerusalém é incendiada; a terra é assolada.

Hc 1.1-11 — A queixa de Habacuque

Essa profecia é uma queixa dirigida a Deus pelo fato de ele permitir que sua nação seja destruída por causa de iniqüidades, mas por uma nação que é ainda mais iníqua que ela mesma. Habacuque não conseguia ver justiça nisso. Deus lhe responde que ele realmente tem um propósito nas conquistas aterrorizantes dos exércitos caldeus.

A segunda queixa de Habacuque — Hc 1.12—2.20

Reconhecendo que Judá merece correção e castigo pelos seus pecados, Habacuque pede mais esclarecimentos. A resposta de Deus é que os babilônios, embriagados com o sangue das nações, serão destruídos por sua vez — e que o povo de Deus ainda encherá a terra.

A oração de Habacuque — Hc 3

Uma petição para que Deus volte a operar maravilhas, conforme fizera no passado. Mesmo assim, Habacuque fala com sublime resignação e confiança na segurança eterna do povo de Deus (16-19). A lição do livro é: "O justo viverá pela sua fidelidade" (2.4). Essa fidelidade inclui a capacidade de se sentir tão seguro a respeito de Deus que, não importando quão tenebrosas sejam as circunstâncias, não haja dúvida nenhuma quanto ao desfecho. Para o povo de Deus, há um futuro glorioso. Ainda que esteja no futuro distante, é absolutamente certo. Portanto, no meio da melancolia e do desespero, Habacuque pôde ser um otimista de primeira grandeza.

Sofonias

O grande dia de Deus está próximo

> Cante, ó cidade de Sião;
> exulte, ó Israel!
> Alegre-se, regozije-se de todo o coração,
> ó cidade de Jerusalém!
> O Senhor anulou a sentença contra você,
> ele fez retroceder os seus inimigos.
> O Senhor, o Rei de Israel, está em seu meio;
> nunca mais você temerá perigo algum.
>
> — Sofonias 3.14,15

Sofonias, que profetizou nos dias do rei Josias (1.1), era trineto do rei Ezequias (1.1), o que significa que também era parente do rei Josias (641-609 a.C.). Josias, que subiu ao trono depois do longo e perverso reinado de Manassés, que durou 55 anos, levou a efeito uma grande reforma (v. comentário sobre 2Cr 34), da qual o profeta Sofonias foi um ativo participante.

Portanto, essa profecia foi anunciada poucos anos antes de soar a hora da condenação de Judá: em 586 a.C., os babilônios destruíram Jerusalém e levaram o povo de Judá para a Babilônia.

Sf 1.1—2.3 Um dia de ira iminente para Judá

O Dia do Juízo — chamado "o Dia do Senhor, o grande dia do Senhor, o dia da ira do Senhor" — é mencionado repetidas vezes (1.7-10,14-16,18; 2.2,3; 3.8). Será um dia de terror e está para sobrevir a Judá e às nações vizinhas. Trata-se de uma referência inconfundível à invasão pela Babilônia e ao cativeiro de Judá, acontecimentos que se seguiram 20 anos depois dessa profecia. Por fim, pode também ser uma espécie de retrato simbólico das catástrofes que ocorrerão no tempo do fim, simbolizadas mais plenamente no livro do Apocalipse.

Moloque

Moloque (1.5) é o deus mais identificado com os amonitas. A fim de agradar a algumas de suas esposas, Salomão introduziu em Israel o culto a Moloque (1Rs 11.7). A adoração a Moloque envolvia sacrifícios de criancinhas. Na época do rei Manassés, e a partir de então, o local principal para a adoração a Moloque ficava no vale de Ben-Hinom (2Cr 33.6), cujo nome hebraico (*gê'-hinnom*) foi posteriormente usado como nome grego para o inferno (*geenna*) por causa das iniquidades ali cometidas.

Um dia de ira para as nações — Sf 2.4—3.8

Gaza, Asealom, Asdode e Ecrom (2.4) eram cidades dos filisteus. **Queretitas** (2.5) é outro nome dos filisteus. **Etíopes** (2.12): no tempo de Sofonias, uma dinastia etíope governava o Egito.

Dentro de 20 anos, todas essas terras — a Filístia, Moabe, Amom, a Etiópia, bem como a Assíria, o terror do mundo inteiro, com sua orgulhosa capital Nínive — ficariam esmagadas e devastadas debaixo do calcanhar da Babilônia.

As nações se reúnem, e Deus derrama sobre elas sua ira (3.8); isso também pode prenunciar o juízo divino derramado na forma das sete taças da ira de Deus sobre a terra em Apocalipse 16.1. Nesse mesmo texto (3.8), Deus declara que o mundo inteiro será consumido pelo fogo. Talvez se trate de uma predição do lago de fogo (Ap 20.14) no qual serão lançados todos os ímpios, deixando a terra purificada conforme a descrição de Apocalipse 20 e 21.

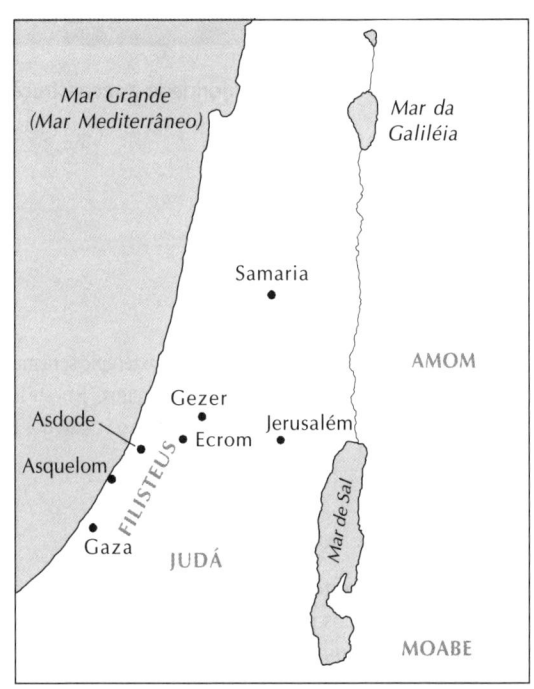

Serão purificados os lábios dos povos — Sf 3.9-20

A calmaria depois da tempestade. Três vezes o profeta fala num remanescente que será salvo (2.3,7; 3.12,13) e duas vezes fala no seu regresso do cativeiro (2.7; 3.20). Então, o Senhor "purificará os lábios dos povos" a fim de que todos adorem a Deus — tanto os povos vizinhos quanto os povos que ficam distantes. Lábios puros são lábios que falam a verdade e adoram com toda a sinceridade. Aqui temos a predição de uma revelação completa e perfeita de Deus. Como resultado dessa revelação, convertidos dentre todas as nações serão trazidos a Deus, jubilosos e com alegres cânticos de redenção, de modo que todo o planeta ressoará com os louvores do povo de Deus.

Essas passagens parecem predizer o reino milenar de Cristo (Ap 20.4-6) na terra, depois da Tribulação. Depois desse período de paz, segue-se o juízo divino final de Satanás e dos habitantes da terra. No final grandioso e glorioso, Deus nos apresentará um novo céu e uma nova terra de pureza, onde Deus habitará com seu povo (Ap 21 e 22).

Ageu

Prioridade à reconstrução do Templo

> "A glória deste novo templo será maior do que a do antigo",
> diz o Senhor dos Exércitos. "E neste lugar estabelecerei a paz",
> declara o Senhor dos Exércitos.
> — Ageu 2.9

Ageu, Zacarias, Malaquias

Esses três profetas pertencem ao período posterior ao regresso do cativeiro babilônico (e é por isso que também são chamados profetas pós-exílicos). A história desse período é contada nos livros de Esdras, Neemias e Ester (v. comentários sobre Ed).

Ageu e Zacarias conclamaram o povo a completar a reconstrução do Templo, que já havia começado, mas ainda não fora acabada (520-516 a.C.). Acredita-se que Malaquias tenha estado associado a Neemias, quase cem anos depois, na reconstrução dos muros de Jerusalém.

As datas das mensagens registradas de Zacarias são mais bem correlacionadas com as de Ageu e com outros eventos históricos conforme mostrados na tabela da p. seguinte.

Ageu e seu livro

É possível que Ageu fosse um ancião que tivesse visto o primeiro Templo (2.3). Seu livro consiste em quatro breves dissertações: 1.1-11 (seguida por uma resposta de Zorobabel e do povo, 1.12-15); 2.1-9; 2.10-19; 2.20-23.

A situação

Judá fora conquistado, Jerusalém queimada, o Templo demolido e o povo deportado para a Babilônia (605-586 a.C., conforme é narrado em 2Rs 24 e 25). Depois de 70 anos de cativeiro, cerca de cinquenta mil judeus haviam regressado à sua pátria, autorizados pelo edito do rei Ciro (538 a.C.), e começado a reedificar o Templo. Entretanto, pouco depois de terem lançado os alicerces, a obra foi interrompida pelos vizinhos inimigos.

Nada mais foi feito durante 15 anos. Entrementes, um novo rei, Dario, subira ao trono da Pérsia. Estava favoravelmente disposto para com os judeus. E, incentivada pela pregação de Ageu e de Zacarias, a obra foi reiniciada, e o Templo foi concluído em quatro anos (520-516 a.C.). Entretanto, Jerusalém continuou a ser uma cidade sem muros: esses muros não foram construídos senão 70 anos depois, sob a liderança de Neemias.

Começam as obras do Templo `Ag 1`

Quinze anos antes, tinham sido lançados os alicerces do Templo (Ed 3.10), porém nada mais fora feito a partir de então. O povo perdera o interesse. Deus, falando por meio de Ageu, informa os judeus de que esse desinteresse havia sido a razão das fracas colheitas. Um dos ensinos mais insistentes do AT é que a adversidade nacional se deve à desobediência a Deus em escala nacional.

A mensagem de Ageu surtiu efeito imediato. O povo a aceitou como palavra de Deus e, dentro de menos de um mês, as obras no Templo estavam em andamento.

538 a.C.		50 mil judeus, sob a liderança de Zorobabel, regressam a Jerusalém.
536 a.C.		No 7.º mês, constroem o altar e oferecem sacrifícios.
535 a.C.		No 2.º mês, as obras do Templo começam e são interrompidas.
	29/8	1.ª mensagem de Ageu (Ag 1.1-11; Ed 5.1).
	21/9	Retomada a construção do Templo (Ag 1.12-15; Ed 5.2). A reconstrução parece ter sido obstruída de 536 até cerca de 530 (Ed 4.1-5), e as obras cessaram totalmente desde cerca de 530 até 520 (Ed 4.24).
	17/10	2.ª mensagem de Ageu (Ag 2.1-9).
	out./nov.	Início da pregação de Zacarias (Zc 1.1-6).
	18/12	3.ª mensagem de Ageu (Ag 2.10-19).
	18/12	4.ª mensagem de Ageu (Ag 2.20-23).
519-518 a.C.		Carta de Tatenai a Dario a respeito da reconstrução do Templo (Ed 5.3—6.14). Deve ter havido algum lapso de tempo entre o reinício da construção e o aparecimento de Tatenai.
519 a.C.	15/2	As oito visões noturnas de Zacarias (Zc 1.7—6.8).
	16/2 (?)	Josué é coroado (Zc 6.9-15).
518 a.C.	7/12	Exortação ao arrependimento, promessa de bênçãos (Zc 7 e 8).
516 a.C.	12/3	Dedicação do Templo (Ed 6.15-18).
Depois de 480(?) a.C.		Profecia final de Zacarias (Zc 9—14).
458 a.C.		Esdras chega em Jerusalém e realiza certas reformas.
444 a.C.		Neemias reconstrói o muro. Período de Malaquias.

A glória futura da casa de Deus `Ag 2`

Dentro de mais outro mês, os alicerces antigos tinham sido desentulhados o suficiente para revelar os contornos do edifício. Foi então que Ageu se adiantou com sua visão do futuro do templo, cuja glória seria tão grande que o próprio templo de Salomão ficaria ofuscado e reduzido à insignificância em comparação com ele.

Essa é uma visão distintamente messiânica. A atenção de Ageu fixava-se no templo que ele estava ajudando Zorobabel a construir. Suas palavras, porém, eram palavras de Deus, e, na mente de Deus, num sentido talvez mais profundo do que o próprio Ageu tinha consciência, havia outro templo, ainda futuro, do qual o templo de Salomão e o templo de Zorobabel eram pálidas figuras. Esse templo divino seria a igreja, edificada não com pedras, mas com as almas dos redimidos (1Co 3.16,17; 2Co 6.16; Ef 2.21). É esse o templo ao qual Ageu se refere.

Farei tremer o céu e a terra (v. 6,7). Embora essas palavras possam ter se referido de modo mais imediato a reviravoltas políticas, são citadas em Hebreus 12.26 como uma referência ao juízo das nações na segunda vinda de Cristo.

O desejado de todas as nações (v. 7) pode referir-se ao Messias. Também pode referir-se a pessoas ("os altamente estimados, os líderes") ou a artigos de valor ("tesouros"), tais como a contribuição do rei Dario para o Templo (Ed 6.8).

Era pleno inverno (v. 10). A terra ainda não tivera tempo de produzir as colheitas. O povo, entretanto, se animara e pusera mãos à obra da construção da casa de Deus. E Deus prometeu que, doravante, haveria certeza das colheitas. Como sabemos que as promessas de Deus são válidas para todos os tempos, há aplicação prática nesses versículos. Se construirmos tão-somente as nossas casas (vivendo uma vida egocêntrica), nossa colheita na vida será limitada. Se, porém, fizermos da construção da casa de Deus (a edificação da igreja, o corpo de Cristo) a nossa prioridade, todas as demais coisas nos serão acrescentadas, e nossa colheita será grande.

Ageu termina com uma visão da coroação de Zorobabel, que representava a família de Davi (v. comentário sobre Zc 4).

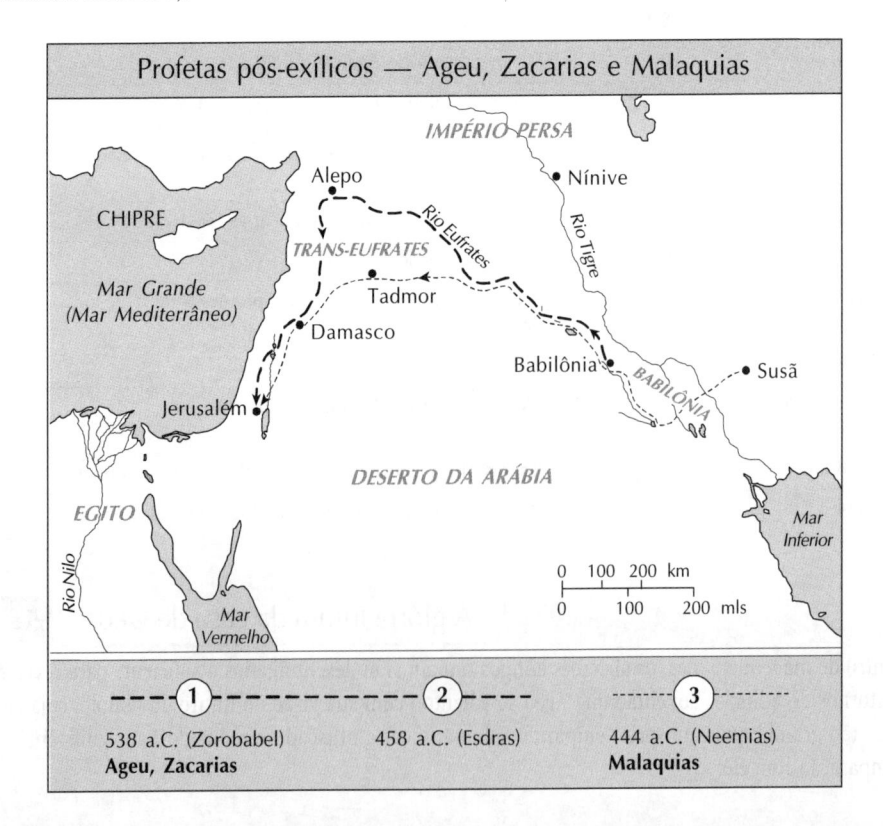

Profetas pós-exílicos — Ageu, Zacarias e Malaquias

538 a.C. (Zorobabel) — **Ageu, Zacarias**
458 a.C. (Esdras)
444 a.C. (Neemias) — **Malaquias**

Zacarias

Reconstruindo o Templo
Visões do Messias vindouro e de seu Reino universal

> Assim diz o Senhor dos Exércitos: "Administrem a verdadeira justiça, mostrem misericórdia e compaixão uns para com os outros. Não oprimam a viúva e o órfão, nem o estrangeiro e o necessitado. Nem tramem maldades uns contra os outros".
> — Zacarias 7.9,10
>
> Alegre-se muito, cidade de Sião!
> Exulte, Jerusalém!
> Eis que o seu rei vem a você,
>   justo e vitorioso,
> humilde e montado num jumento,
>   um jumentinho, cria de jumenta.
> — Zacarias 9.9

Zacarias foi contemporâneo de Ageu. Ambos ministraram no período imediatamente após o primeiro regresso do exílio babilônico, quando o Templo estava sendo reconstruído (v. p. 235). Embora aparentemente Ageu já fosse idoso, parece que Zacarias era jovem, por ser neto de Ido, que voltara a Jerusalém 16 anos antes (Ne 12.4,16).

Ageu tinha começado a pregar havia dois meses, e as obras do Templo já haviam começado, quando Zacarias iniciou o seu ministério. Todo o ministério de Ageu durou pouco mais de quatro meses, segundo os registros de seu livro; o ministério de Zacarias durou cerca de dois anos. Sem dúvida, porém, eles estiveram à disposição todo o período de quatro anos da reconstrução do Templo, exortanto e ajudando.

O livro de Zacarias é consideravelmente maior que o de Ageu. Está repleto de vislumbres do Messias e menciona muitos pormenores da vida e obra de Cristo.

O cativeiro devido à desobediência — Zc 1.1-6

Essa mensagem inicial de Zacarias foi dada entre a segunda e a terceira mensagens de Ageu (Ag 2, entre os v. 9 e 10), quando as obras tinham progredido por pouco mais de um mês e a aparência do templo, pouco imponente e com falta de esplendor, desanimava o povo. Algumas pessoas tinham idade suficiente para lembrar-se do templo de Salomão, que fora destruído mais de 50 anos antes. Aqueles que haviam nascido na Babilônia tinham ouvido seus pais contarem a respeito daquele templo e de sua beleza, e é bem possível que tivessem formado dele um quadro mental ainda mais grandioso que a realidade.

Zacarias adverte contra a tendência crescente que se evidencia entre o povo de voltar aos caminhos dos antepassados desobedientes, que foram a causa primária da situação lastimável em que Jerusalém se achava. Em seguida, passa a encorajar a todos com as visões que Deus lhe concedera de um futuro magnífico.

Zc 1.7-17 — A visão dos cavalos

O único indício nos seis primeiros capítulos quanto à data das visões acha-se em 1.7, ocasião em que as obras do Templo estavam em andamento havia uns cinco meses. Assim, tomamos por certo que as visões se seguiram uma após a outra, em rápida sucessão, e que foram todas registradas de imediato.

As mensagens de Deus por meio dos profetas geralmente vinham pela atuação direta do Espírito de Deus na mente deles. Aqui, entretanto, são dadas mediante um anjo, que mantém uma conversa com o profeta.

A visão dos cavalos significa que o mundo inteiro desfrutava de paz debaixo da mão de ferro do Império Persa, cujo rei, Dario, estava favoravelmente disposto para com os judeus e decretara que o Templo fosse construído. Essa visão termina proclamando que Jerusalém voltará a ser uma cidade grande e próspera (v. comentário sobre o cap. 2).

Zc 1.18-21 — A visão de quatro chifres e de quatro artesãos

Os quatro chifres representam as nações que tinham destruído Judá e Israel. Os quatro artesãos representam aqueles que, da parte de Deus, destruiriam aquelas nações. Era uma maneira figurada de dizer que as potências mundiais então dominantes seriam abatidas e que Judá voltaria a ser exaltada. Deus continua soberano no trono, mesmo que seu povo esteja temporariamente vencido. Esses versículos ajudam a esclarecer a interpretação de Apocalipse 13.1 e 17.12, onde "chifres" também são usados para simbolizar nações.

Zc 2 — A visão da corda de medir

Esse capítulo grandioso prevê uma Jerusalém tão populosa, próspera e segura que transbordará dos seus muros, visto que o próprio Deus é a sua proteção. As obras do Templo, já em andamento havia cinco meses, progrediam bem, e o povo certamente já planejava a reconstrução dos muros de Jerusalém, mas estes não foram construídos senão 75 anos mais tarde. Mesmo assim, os planos de reconstrução serviram de contexto para a presente visão do dia em que "muitas nações" se unirão ao Deus dos judeus e passarão a ser seu povo.

Zc 3 — A visão do sumo sacerdote Josué

Uma previsão da obra expiatória de Cristo. O sumo sacerdote Josué está vestido de roupas impuras, que simbolizam a pecaminosidade do povo. As roupas impuras de Josué são tiradas dele, e isso significa que os pecados do povo são perdoados e que essas pessoas são aceitas por Deus. É um retrato do tempo em que os pecados da humanidade serão removidos "num único dia" (v. 9), quando o "Renovo" vindouro da família de Davi (o Messias; v. 8; 6.12) for "traspassado" (12.10) e "uma fonte jorrará [...] para purificá-los do pecado" (13.1; v. comentários sobre 13.1-9).

O candelabro e as duas oliveiras — Zc 4

O que se diz aqui aplica-se diretamente a Zorobabel e ao Templo, que ele estava construindo. Há, entretanto, uma referência inconfundível a um templo posterior, mais glorioso, a ser construído por um descendente de Zorobabel chamado o Renovo. É uma exortação para termos coragem nos dias de pequenos começos, mantendo os olhos fitos na grandeza do fim. O candelabro representa simbolicamente a casa de Deus ou as qualidades iluminadoras da casa de Deus. O candelabro ficava no Tabernáculo e também no Templo. Em Apocalipse 1.20, o candelabro representa a igreja. As duas oliveiras, segundo parece, representam Josué e Zorobabel. No capítulo 3, a visão era especialmente para Josué; aqui, é especialmente para Zorobabel. As figuras aqui empregadas são transportadas para a visão das "duas testemunhas" em Apocalipse 11. Alguns acreditam que as testemunhas representam Moisés e Elias.

O pergaminho que voa — Zc 5.1-4

Uma folha semelhante a um mapa de parede aberto, com 9 m de comprimento por 4,5 de largura, inscrita com maldições contra o furto e o falso juramento, paira sobre a terra; ela remove o pecado por meio da destruição dos pecadores.

O cesto que voa — Zc 5.5-10

Outra representação da remoção do pecado. Um cesto, com a aparência daqueles usados para a semeadura de cerca de 21 litros de sementes (é chamado efa, uma medida hebraica), com uma mulher dentro, está sendo levado para fora do país por duas outras mulheres. Embora aqui o pecado seja representado por uma mulher, também é por mulheres que ele é removido (v. 9). Haveria aqui algum indício profético de que o Renovo futuro, o Messias que removeria num só dia os pecados do povo (3.8,9), seria introduzido no mundo por uma mulher, sem a intervenção de homem algum? A linguagem figurada aqui é um pouco semelhante à do bode emissário de Levítico 16, sobre cuja cabeça os pecados do povo eram colocados e então levados para o deserto.

As quatro carruagens — Zc 6.1-8

As carruagens são mensageiras dos juízos de Deus que patrulham a terra e executam os decretos de Deus contra os inimigos de Israel. Trata-se de uma ampliação do pensamento da visão dos chifres e dos artesãos (1.18-21).

A coroa de Josué — Zc 6.9-15

Trata-se de um ato de simbolismo profético que desenvolve a visão do Renovo (3.8,9) e a visão a respeito de Zorobabel (4.6-9).

O Renovo (v. 12) é o nome do Messias vindouro, da família de Davi (Is 4.2; 11.1,10; Jr 23.5,6; 33.15-17; Ap 5.5; 22.16).

Zorobabel, o governador, era neto do rei Joaquim, que fora deportado para a Babilônia e, portanto, era herdeiro do trono de Davi. O que se diz aqui a respeito de Zorobabel refere-se em parte a ele mesmo pessoalmente e em parte à sua família — ou seja, a família de Davi — e mais especificamente ao grande representante da família de Davi, o Messias vindouro.

À família de Davi, Deus atribuíra a tarefa (entre outras) de construir a casa de Deus. Ao próprio Davi, Deus dera as plantas e especificações do Templo, escritas pela sua mão (1Cr 28.11,19), e foi em conformidade com essas especificações que Salomão, filho de Davi, edificou o Templo (2Cr 2—7), a construção mais magnífica do mundo inteiro naquela época. Agora (520-516 a.C.), Zorobabel, descendente de Davi, estava ocupado na reconstrução desse templo. Recebeu a certeza de que conseguiria concluí-lo (4.6-9), junto com indícios misteriosos de outro templo a ser construído pelo Renovo, com a ajuda de "gente de longe" (6.12-15).

O Renovo seria da família de Zorobabel (de Davi), da descendência real (da tribo de Judá). No presente texto, porém, é Josué, o sumo sacerdote (da tribo de Levi), quem é coroado e representado como o Renovo, sentado no trono de Davi (6.12,13). Parece que se trata de uma fusão simbólica, no Messias vindouro, entre os dois ofícios — rei e sacerdote.

Zc 7 e 8 — Perguntas a respeito do jejum

Havia 70 anos, o povo vinha jejuando no quarto, quinto, sétimo e décimo mês (8.19) como sinal de luto pela destruição do Templo. Agora, parecia que não iria demorar para terem de novo um templo, e surgiu a pergunta sobre a necessidade da continuação desses jejuns. Respondendo, Zacarias lhes lembra que tinham tido justo motivo para os jejuns, penitenciando-se pela desobediência no passado, com os sofrimentos daí resultantes. Agora, porém, esses jejuns não passavam de hipocrisia, mero fingimento externo, um modo de exibir santidade própria, e as festas religiosas visavam ao prazer pessoal.

Em seguida, mantendo o costume profético de alternar cenas de aflição presente e glória futura, Zacarias traça um quadro da era em que os jejuns serão festas jubilosas (8.19).

Os judeus, que tinham sido uma nação poderosa, com tradições antigas, e que declaravam que tinham sido designados por Deus para serem o povo líder do mundo inteiro, agora não passavam de um remanescente irrelevante e desprezado, que só existiam na sua pátria mediante a permissão dos reis persas. Zacarias esforçou-se por encorajar o povo mediante repetidas declarações de que a situação não ficaria assim para sempre: dentro em breve, o poderoso império que então governava o mundo seria desfeito, e o povo de Deus ainda teria a sua vez.

O quadro pintado por Zacarias de uma Sião próspera e pacífica, com suas ruas cheias de meninos e meninas, idosos e idosas, todos felizes (8.3-5), de uma Sião como ponto central da civilização mundial, onde todas as nações da terra virão aprender sobre o Deus dos judeus (8.22,23), também se acha em outros trechos do livro (1.17; 2.4,11; 14.8,16).

Zc 9—11 — Os juízos divinos sobre as nações vizinhas

Os capítulos de 9 a 14 contêm coisas que se referem claramente à conquista de Alexandre, o Grande, e suas conseqüências, que ocorreram 200 anos depois da época de Zacarias.

O **capítulo 9** parece ser uma previsão de luta de Judá contra a Grécia. Alexandre, o Grande, quando invadiu a Palestina, em 332 a.C., devastou as cidades mencionadas nominalmente nos versículos de 1 a 7, na ordem exata em que são citadas aqui, mas poupou Jerusalém (v. 8). Os versículos de 13 a 17 parecem referir-se à continuação da luta de Judá contra os ptolomeus e selêucidas gregos até o período dos macabeus (v. p. 410). No decurso da história, e até mesmo hoje, Judá (Israel) continua lutando contra os vizinhos.

Um quadro do Rei vindouro de Sião (9.9,10) é colocado aqui no contexto de cenas da luta feroz de Judá contra a Grécia. O versículo 9 é citado no NT com referência à entrada triunfal de Cristo em Jerusalém (Mt 21.5; Jo 12.15). No mesmo fôlego (v. 10), o profeta avança dramaticamente para o dia do triunfo final — dá um vislumbre do início do reino do Messias e também um vislumbre do final triunfante desse reino.

O **capítulo 10** é uma previsão da plena restauração do povo disperso de Deus. Nos dias de Zacarias, somente um pequeno restante havia voltado.

O **capítulo 11** é uma parábola sobre pastores. O rebanho de Deus tinha sido dispersado e chacinado porque os pastores haviam sido falsos. Na acusação formal contra os falsos pastores, há um quadro da rejeição do Bom Pastor por eles (v. 12,13). O contexto talvez não nos levasse a associar esse texto bíblico com Judas Iscariotes ao trair Cristo se o Novo Testamento não o tivesse citado nesse sentido (Mt 26.15; 27.9,10). O fato de ele ser assim citado é uma chave para a intenção de Deus nessa passagem. A rejeição ao seu verdadeiro Pastor foi acompanhada pela quebra das duas varas chamadas Favor e União — ou seja, a aliança do cuidado protetor de Deus e a reunificação deles na sua terra. Quando nos desviamos do nosso relacionamento com Deus, retiramo-nos do cuidado protetor de Deus e deixamos de alcançar a nossa terra de promessas e bênçãos.

Depois disso, eles são entregues nas mãos do pastor insensato (v. 15-17). Pensa-se que aqui se alude à destruição de Jerusalém pelos romanos, pouco depois da morte de Cristo, e à conseqüente dispersão dos judeus (a Diáspora); ou pode se tratar da personificação de toda a lista dos que perseguem os judeus, desde o período dos macabeus até o tempo da besta de Apocalipse 13.

Visão do futuro de Israel — Zc 12—14

Os capítulos de 9 a 11 são chamados uma "advertência" (mensagem proveniente de Deus) a respeito das nações vizinhas (9.1); os capítulos de 12 a 14 são chamados uma "advertência" a respeito de Israel (12.1). As duas seções têm bastante semelhança entre si. Ambas são uma expansão e a continuação de idéias presentes nas visões dos oito primeiros capítulos, sendo que as mesmas idéias voltam a ocorrer repetidas vezes em linguagem diferente.

A luta vindoura entre Judá e todas as nações (12.1-6). A descrição dessa luta é continuada em 14.1-8. Alguns consideram que essa linguagem é uma representação figurada da luta entre Deus e as nações ao longo de toda a era cristã. Outros a aplicam simplesmente ao tempo do fim.

O pranto na família de Davi (12.7—13.9). Evidentemente, os pensamentos aqui centralizam-se na família de Davi. Embora a linguagem seja difícil, ela claramente retrata algum tipo de tragédia que ocorre na família de Davi, uma ocasião de grande tristeza, quando algum membro importante da família teria sido morto (13.7), suas mãos seriam traspassadas (12.10; 13.6) e jorraria uma fonte para a purificação do pecado (13.1). Assim aconteceria no dia em que "a família de Davi será como Deus" (12.8). Somente um membro da família de Davi era Deus: Jesus. Esse fato identifica a pessoa aqui referida com o "Renovo" (3.8), que "removerá o pecado desta terra num único dia" (3.9), que "construirá o templo do Senhor" (6.12) e governará de mar a mar (v. tb. comentário sobre 6.9-15). É uma previsão espantosamente detalhada da morte de Jesus. Não tem a mínima aplicação a qualquer outra pessoa de quem se tenha notícia. Sendo assim, a morte do Renovo na família de Davi seria a origem do poder de Deus contra as nações (12.2-4) e sua eficácia seria demonstrada na posterior remoção da face da terra de todos os ídolos e falsos profetas (13.2-5).

A luta de Judá contra as nações (14.1,2; (v. comentário sobre 12.1-6).

A vitória de Deus e seu reinado universal (14.3-21). Trata-se da grandiosa consumação dos sonhos proféticos, do dia da volta do Senhor e da inauguração de seu Reino eterno. Alguns estudiosos pensam que os versículos de 4 a 8 significam que Jesus, na Segunda Vinda, terá seu trono exatamente no monte das Oliveiras, que o monte será realmente fendido, que as águas fluirão verdadeiramente para o leste e para o oeste a partir de Jerusalém e que Jerusalém será de fato o centro das peregrinações das nações — conforme delineado nos versículos de 10 a 21. Outros entendem essa linguagem como uma representação figurada dos novos céus e da nova terra, empregando a figura de um reino terrestre benigno, próspero e todo-poderoso, assim como Apocalipse 21 descreve o céu com a linguagem de uma magnífica cidade terrestre.

Resumo das profecias de Zacarias a respeito de Cristo

- Sua morte expiatória para a remoção do pecado (3.8,9; 13.1)
- Como construtor da casa de Deus (6.12)
- Seu reinado universal como Rei e Sacerdote (6.13; 9.10)
- Sua entrada triunfal (9.9, citada em Mt 21.5; Jo 12.15)
- Traído por 30 moedas de prata (11.12, citado em Mt 27.9,10)
- Sua divindade (12.8)
- Suas mãos traspassadas (12.10; 13.6, citado em Jo 19.37)
- O Pastor ferido (13.7, citado em Mt 26.31; Mc 14.27)

Aqui temos declarações inconfundíveis, que não somente prevêem, em linguagem específica, as grandes doutrinas a respeito do Messias vindouro, sua morte para expiar o pecado humano, sua divindade e seu reinado universal, como também mencionam incidentes detalhados de sua vida, tais como sua entrada em Jerusalém montado num jumentinho e a traição que sofreria por 30 moedas de prata.

Malaquias

A última mensagem do AT
a uma nação desobediente

> "Vejam, eu enviarei o meu mensageiro, que preparará o caminho diante de mim. E então, de repente, o Senhor que vocês buscam virá para o seu templo; o mensageiro da aliança, aquele que vocês desejam, virá", diz o Senhor dos Exércitos. Mas quem suportará o dia da sua vinda? Quem ficará de pé quando ele aparecer? Porque ele será como o fogo do ourives e como o sabão do lavandeiro.
> — Malaquias 3.1,2

Não se sabe a data exata de Malaquias. Geralmente aceita-se que viveu quase cem anos depois de Ageu e Zacarias e que cooperou com Esdras e Neemias nas reformas. Uma estimativa da data seria 450-400 a.C.

A situação

Um remanescente regressara do cativeiro em 538 a.C. Orientados pelo ministério profético de Ageu e de Zacarias, tinham reconstruído o Templo (520-516 a.C.). Sessenta anos mais tarde (458 a.C.), Esdras veio ajudar a restabelecer a nação e 14 anos depois disso (444 a.C.), Neemias veio reconstruir os muros.

No tempo de Malaquias, portanto, os judeus já haviam passado cem anos na sua pátria após o retorno da Babilônia; o exílio já os curara da idolatria, mas ainda tendiam a negligenciar o Templo de Deus. Os sacerdotes tinham se tornado relapsos e corrompidos, os sacrifícios eram de qualidade inferior e os dízimos eram negligenciados. Os judeus tinham recaído na antiga prática dos casamentos mistos com os vizinhos idólatras (v. comentário sobre Ed 9).

Foi assim que os judeus, favorecidos por Deus acima de todas as demais nações, tinham se acomodado a um estado mental letárgico, aguardando a vinda do Messias prometido. Esse, segundo pensavam, restauraria a nação à sua glória histórica do tempo do rei Davi. Malaquias assegurou-lhes que o Messias viria mesmo, mas que, para eles, isso envolveria castigo, e não glória.

Desprezo pelos sacrifícios no Templo — Ml 1

Os versículos 2 e 3 são citados em Romanos 9.10-13 e aplicados à escolha que Deus fez de Jacó, em vez de Esaú (Gn 25.22-34). No contexto imediato, Malaquias se refere mais especificamente às duas nações que descenderam de Jacó e Esaú: os israelitas e os edomitas. Ambas tinham sido destruídas pelos babilônios. Israel fora restaurado, mas Edom continuava devastado.

As ofertas apresentadas pelos judeus, de animais enfermos e defeituosos, que não teriam ousado oferecer ao seu governador (v. 8), eram uma ofensa contra Deus. Em contraste com isso, Malaquias vislumbra o dia em que Deus, que é assim ofendido pela sua nação, será honrado por todas as demais nações do mundo (v. 11).

Ml 2   Casamentos com vizinhos estrangeiros

Os sacerdotes, a quem Deus ordenara que dirigissem o povo na retidão (v. 5-7), eram responsáveis por essa situação deplorável. Haviam se tornado tão vis, mercenários e corruptos que a própria palavra "sacerdote" se tornara desprezível entre o povo.

A frouxidão moral no casamento (v. 10-16). Os judeus se divorciavam de suas esposas a fim de se casar com mulheres não-judias. Tratava-se de um pecado duplo, com efeitos desastrosos na criação correta dos filhos.

O ceticismo estava na raiz da indiferença religiosa e da baixa moralidade. Os judeus, notando que as nações ímpias eram mais prósperas, diziam: "É inútil servir a Deus" (v. comentário sobre 3.13-18).

Ml 3.1-6   O dia vindouro do Senhor

A resposta de Malaquias ao ceticismo dos judeus é que o futuro Dia do Juízo será a resposta à zombaria deles e demonstrará se, na realidade, vale a pena servir a Deus (v. 5; v. o comentário sobre 3.13-18).

Ml 3.7-12   Os dízimos

Mais uma mudança abrupta de assunto. Sonegar os dízimos é chamado "roubar a Deus". Segundo a Lei, a décima parte de tudo quanto a pessoa recebia pertencia a Deus, e a pessoa não tinha o direito de tocar nessa parte, da mesma forma que não teria direito aos bens alheios. Note a promessa de prosperidade que Deus faz ao dizimista fiel e o desafio para verificar se essa promessa é cumprida.

A entrega do dízimo

Muito se discute na igreja de nossos dias se o dízimo é uma exigência obrigatória para os cristãos do NT. Alguns classificam o dízimo como uma lei do AT que foi superada pelo evangelho e que, portanto, deixou de ser obrigatória para a igreja do NT. Entretanto, o NT deixa claro que Jesus é um sacerdote "segundo a ordem de Melquisedeque" (Sl 110.4; Hb 5.6-10; 6.20—7.28). Deus nos conta bem pouca coisa a respeito de Melquisedeque — só revela que era um sacerdote e rei justo que abençoou Abrão em nome do Deus altíssimo e recebeu dízimos de Abrão (Gn 14.18-20). Que Melquisedeque era uma prefiguração de Jesus é fato geralmente aceito entre os cristãos. Seria muito aconselhável que a igreja do NT considerasse a prática do dízimo, pois é grande a bênção prometida por Deus!

Ml 3.13-18   Outra vez o ceticismo nacional

Os judeus não acreditavam na promessa de Deus a respeito dos dízimos. Achavam um desperdício oferecer a Deus dinheiro e esforços. A resposta de Malaquias foi: "Esperem para ver" — o desfecho revelaria se os fatos eram assim (v. 16,17). Essa belíssima passagem retrata os fiéis, por poucos que fossem, em tempos de apostasia geral, e Deus registrando seus nomes para serem reconhecidos "naquele dia".

O dia vindouro do Senhor — Ml 4

Quatro vezes Malaquias se volta para o futuro "Dia do SENHOR" (1.11; 3.1-6,16-18; 4.1-6). Chama-o "o dia" (3.2,17; 4.1,3,5). Parece referir-se à totalidade da era cristã, com aplicação especial ao tempo do fim.

As palavras finais do Antigo Testamento

- **A exortação final:** Lembrem-se da Lei de Moisés, que lhe dei! (v. 4).
- **A predição final:** Elias introduzirá "o Dia do SENHOR" (v. 5). E ele o fez, 400 anos mais tarde, na pessoa de João Batista (Mt 3.1-12; 11.14). Esse texto talvez seja também uma predição da segunda vinda de Cristo no dia do juízo final. Haveria aqui também uma predição de Elias como uma das duas testemunhas de Apocalipse 11?
- **A promessa final:** O amor entre pais e filhos (v. 6; citado em Lc 1.17), uma referência simbólica à promessa do amor de Deus ao seu povo.
- **A palavra final:** "Maldição" (a última palavra do texto em hebraico e em português) significa que seria desesperador o destino da raça humana se o Senhor deixasse de vir.
- E assim termina o AT. Quatrocentos anos mais tarde, o NT começa com as palavras: "Registro da genealogia de Jesus Cristo [o Messias]" (Mt 1.1).

O Messias no Antigo Testamento

Prenúncios e predições
do Messias vindouro

"Messias" é a palavra hebraica que significa "Ungido" (em grego, *Cristo*). A unção era comum no antigo Oriente Médio; envolvia a aplicação de azeite a uma pessoa (ou, ocasionalmente, a um objeto). Havia três tipos de unção no AT: a comum, a medicinal e a sagrada.

- **A unção comum** com óleos aromáticos era (Rt 3.3; Sl 104.15; Pv 27.9). Era suspensa em períodos de luto (2Sm 14.2; Dn 10.3; Mt 6.17). Os visitantes eram ungidos como sinal de respeito (Sl 23.5; Lc 7.46). Pela unção, os mortos eram preparados para o sepultamento (Mc 14.8; 16.1).
- **A unção médica** — não necessariamente com azeite — era costumeira para enfermos e feridos (Is 1.6; Lc 10.34). Os discípulos de Jesus ungiam com azeite (Mc 6.13; Tg 5.14).
- O propósito da **unção sagrada** era dedicar a Deus algum objeto ou pessoa. Dessa maneira, foram ungidos a pedra que Jacó usou como travesseiro em Betel (Gn 28.18) e o Tabernáculo com seus móveis (Êx 30.22-29).

Mais importante aqui é a unção dos **profetas** (1Rs 19.16; 1Cr 16.22), dos **sacerdotes** (Êx 28.41; 29.7; Lv 8.12,30) e dos **reis** (1Sm 9.16; 10.1; 16.1,12,13; 2Sm 2.7; 1Rs 1.34; 19.16). O azeite simbolizava o Espírito Santo, revestindo-os de poder para uma obra específica no serviço de Deus. Por isso, "o ungido do Senhor" era designação comum para o rei (1Sm 12.3; Lm 4.20).

O AT indica um Redentor vindouro que é chamado o Ungido (Messias) em duas ocasiões (Sl 2.2; Dn 9.25,26). A expectativa do Messias vindouro já se generalizara antes do tempo de Jesus.

O NT demonstra que Jesus é o Messias esperado. Foi ungido com o Espírito Santo por ocasião de seu batismo (Jo 1.32,33), como demonstração de que realmente era o Messias (Lc 4.18, 21; At 9.22; 17.2,3; 18.5,28). É por isso que Jesus recebe o título de "Cristo", palavra grega que significa "Ungido". Jesus, o Messias — Jesus Cristo — é ungido para ser profeta, sacerdote e rei, tudo ao mesmo tempo (Melquisedeque, Moisés e Davi; v. abaixo Gn 14.18-20; Dt 18.15-19; 2Sm 7.16).

Seguem-se alguns dos prenúncios e predições mais notáveis a respeito de Jesus que se acham em todo o AT.

Pentateuco (Gênesis a Deuteronômio)

Gênesis 3.15. O descendente da mulher

> Porei inimizade entre você e a mulher, entre a sua descendência e o descendente dela; este lhe ferirá a cabeça, e você lhe ferirá o calcanhar.

Parece tratar-se de uma declaração de que, a despeito do pecado de Adão e de Eva, Deus está resoluto no sentido de levar a bom termo a criação da raça humana. Assim como a Queda foi desencadeada por meio de uma mulher, outra mulher desempenhará papel essencial na redenção. Será "o descendente da mulher", isto é, nascido de mulher sem a intervenção de um homem. Parece ser um primeiro indício do nascimento virginal de Cristo, visto que só houve um descendente de Eva que nasceu de uma mulher sem a participação um homem.

Gênesis 4.3-5. A oferta de Abel

> Passado algum tempo, Caim trouxe do fruto da terra uma oferta ao Senhor. Abel, por sua vez, trouxe as partes gordas das primeiras crias do seu rebanho. O Senhor aceitou com agrado Abel e sua oferta, mas não aceitou Caim e sua oferta.

Parece tratar-se da instituição dos sacrifícios de sangue, bem no início, como condição prévia para os seres humanos serem aceitos por Deus. É um indício que ocupa lugar no começo de uma longa lista de imagens e predições da morte expiatória de Cristo pelo pecado humano.

Gênesis 12.3; 18.18; 22.18. O chamado de Abraão

> Por meio de você todos os povos da terra serão abençoados.

Aqui temos a declaração clara e nítida, feita a Abraão e repetida três vezes, de que por meio dele Deus estava fundando uma nação com o propósito específico de abençoar, por intermédio dela, todas as nações do mundo. Era essa a nação mediante a qual viria o Messias.

Gênesis 14.18-20. Melquisedeque

> Então Melquisedeque, rei de Salém e sacerdote do Deus Altíssimo, trouxe pão e vinho e abençoou Abrão, dizendo: "Bendito seja Abrão pelo Deus Altíssimo, Criador dos céus e da terra. E bendito seja o Deus Altíssimo, que entregou seus inimigos em suas mãos". E Abrão lhe deu o dízimo de tudo.

Em Salmos 110.4 está escrito a respeito do Messias vindouro: "Tu és sacerdote para sempre, segundo a ordem de Melquisedeque". Em Hebreus 7, Melquisedeque, como rei-sacerdote, é considerado prefiguração de Jesus.

Melquisedeque, portanto, prenuncia a pessoa vindoura que era o propósito por trás da formação do povo de Abraão — o Messias, o Salvador da raça humana. Pouca coisa se sabe a respeito de Melquisedeque, além de ser ele um rei-sacerdote que impetrava bênçãos e recebia dízimos. Melquisedeque residia em Salém (Jerusalém), na mesma cidade em que Jesus foi crucificado. E o pão e o vinho são um maravilhoso retrato primitivo da Ceia do Senhor e de tudo quanto ela significa!

Gênesis 22.1-19. Abraão oferece Isaque

Vemos um pai oferecendo o filho, que, durante três dias, foi tido por morto na mente do pai (22.4); um sacrifício vicário (22.13); no monte Moriá (22.2), o mesmo lugar em que Abraão pagara dízimos a Melquisedeque (14.18; Salém fica no monte Moriá), o mesmo lugar em que Jesus foi crucificado.

Assim como Melquisedeque foi um prenúncio da *pessoa* que a nação de Abraão traria ao mundo, assim também esse sacrifício parece ser um prenúncio do *evento* da vida daquela Pessoa por meio da qual Deus faria a sua obra. Que retrato apropriado da morte e ressurreição de Cristo!

Gênesis 26.4; 28.14. A promessa repetida

Por meio da sua descendência todos os povos da terra serão abençoados.

A mesma promessa que fora feita três vezes a Abraão aqui é repetida a Isaque, e depois a Jacó.

Gênesis 49.10,11. "Aquele a quem pertence o cetro" (Siló)

O cetro não se apartará de Judá, nem o bastão de comando de seus descendentes, até que venha aquele a quem ele pertence, e a ele as nações obedecerão [...] lavará no vinho as suas roupas, no sangue das uvas, as suas vestimentas.

Aqui temos a primeira predição clara e nítida de que surgiria, na nação da Abraão, aquele que governaria todas as nações (heb. *Shîloh*, "aquele a quem pertence"). Seria a pessoa prenunciada em Melquisedeque. Apareceria na tribo de Judá. Suas roupas lavadas no sangue das uvas talvez sejam uma figura da crucificação.

Êxodo 12. A instituição da Páscoa

Israel foi libertado do Egito mediante a morte dos primogênitos do Egito. O Senhor poupou os primogênitos nas casas dos israelitas que haviam sido marcadas com o sangue de um cordeiro. Essa festa devia ser observada anualmente por todas as gerações. Veio a ser a principal festa de Israel, observada em memória de seu livramento.

A Páscoa foi celebrada durante 1 400 anos como a festa principal da nação hebraica. A intenção inconfundível de Deus era prenunciar, assim, o evento básico da redenção da humanidade: a morte de Cristo, o Cordeiro de Deus. Este morreu na cruz numa Páscoa, trazendo livramento eterno do pecado a todos quantos fossem marcados com seu sangue, assim como a primeira Páscoa trouxe a Israel o livramento do Egito. Ela demonstra o quanto Deus estava pensando na obra de Cristo, muito tempo antes de seu advento.

Levítico 16. O Dia da Expiação

O Dia da Expiação era celebrado uma vez por ano. Envolvia dois bodes. Um era sacrificado como oferta pelo pecado. O sumo sacerdote impunha as mãos sobre o outro, chamado bode emissário, confessando o pecado do povo. Depois, o bode era levado ao deserto, onde era solto.

Esse sacrifício, e todo o sistema dos sacrifícios levíticos, tão intrínsecos à vida dos hebreus, são prenúncios claros e históricos da morte expiatória do Messias vindouro.

Números 21.6-9. A serpente de bronze

Então o Senhor enviou serpentes venenosas que morderam o povo, e muitos morreram. O povo foi a Moisés e disse: "Pecamos quando falamos contra o Senhor e contra você. Ore pedindo ao Senhor que tire as serpentes do meio de nós". E Moisés orou pelo povo.

O Senhor disse a Moisés: "Faça uma serpente e coloque-a no alto de um poste; quem for mordido e olhar para ela viverá". Moisés fez então uma serpente de bronze e a colocou num poste. Quando alguém era mordido por uma serpente e olhava para a serpente de bronze, permanecia vivo.

Assim aconteceu no deserto, depois do Êxodo, a caminho para a Terra Prometida. Jesus entendeu que se tratava de uma figura dele mesmo sendo levantado na cruz (Jo 3.14). A humanidade, picada pelo pecado no Jardim do Éden, pode olhar para Jesus e viver.

Números 24.17,19. A estrela

> Uma estrela surgirá de Jacó; um cetro se levantará de Israel [...] De Jacó sairá o governo; ele destruirá os sobreviventes das cidades.

Outra previsão específica de uma pessoa, um notável governante: segundo parece, trata-se da mesma pessoa referida como "aquele a quem pertence o cetro" em Gênesis 49.10, que governará as nações.

Deuteronômio 18.15-19. Um profeta semelhante a Moisés

> O Senhor, o seu Deus, levantará do meio de seus próprios irmãos um profeta como eu; ouçam-no. Pois foi isso que pediram ao Senhor, o seu Deus, em Horebe, no dia em que se reuniram, quando disseram: "Não queremos ouvir a voz do Senhor, do nosso Deus, nem ver o seu grande fogo, se não morreremos!"
> O Senhor me disse: "Eles têm razão! Levantarei do meio dos seus irmãos um profeta como você; porei minhas palavras na sua boca, e ele lhes dirá tudo o que eu lhe ordenar. Se alguém não ouvir as minhas palavras, que o profeta falará em meu nome, eu mesmo lhe pedirei contas".

Deus levantaria um profeta semelhante a Moisés, por meio de quem Deus falaria à raça humana.

Desse modo, nos cinco primeiros livros do AT há uma predição específica, repetida cinco vezes, de que a nação dos hebreus foi estabelecida com o propósito único e definido de abençoar todas as nações.

Esses livros também contêm predições específicas de que haveria uma só pessoa por intermédio de quem a nação cumpriria a sua missão. E existem vários indícios a respeito da natureza da obra dessa pessoa, especialmente a sua morte sacrificial. Dessa forma, algumas das principais características da vida de Cristo foram delineadas, em linhas razoavelmente nítidas, cerca de 1 400 anos antes do advento de Cristo.

Demais livros históricos (Josué a Ester)

Josué

Esse livro parece não conter nenhuma predição direta do Messias, embora o próprio Josué seja considerado, em certo sentido, uma prefiguração de Jesus. Os nomes são idênticos: "Jesus" é a forma grega do nome hebraico "Josué". Assim como Josué conduziu Israel à Terra Prometida, também Jesus conduzirá o seu povo até ao céu.

Rute 4.17

> E lhe deram o nome de Obede. Este foi o pai de Jessé, pai de Davi.

Rute foi bisavó de Davi. Boaz provinha de Belém e era o parente resgatador que adquiriu Rute para ser sua esposa. Boaz é um tipo (prefiguração) de Cristo, o qual nasceu 1 100 anos depois em Belém. Cristo também era um parente resgatador, visto que pagou o preço, com seu sangue, para adquirir a igreja (freqüentemente referida como a noiva de Cristo).

1 Samuel 16. Davi

Davi é ungido rei de Israel. A partir dessa ocasião, Davi é a personagem central da história do AT. As profecias messiânicas mais específicas e mais abundantes acumulam-se ao redor de seu nome.

Abraão foi o fundador da nação messiânica, e Davi foi o fundador da família messiânica dentro daquela nação.

2 Samuel 7.16. Davi recebe a promessa de um trono eterno

O seu trono será estabelecido para sempre.

Aqui começa uma longa série de promessas no sentido de que a família de Davi reinará para sempre sobre o povo de Deus.

Essa promessa é repetida muitíssimas vezes no restante do AT, com acúmulo cada vez maior de pormenores e explicações específicas: a promessa terá seu cumprimento ulterior num único grande Rei, que viverá para sempre e estabelecerá um Reino de duração eterna.

Esse Rei eterno é, segundo parece, a mesma pessoa antes referida como sacerdote segundo a ordem de Melquisedeque, "aquele a quem pertence o cetro", a Estrela e o Profeta semelhante a Moisés.

1 Reis 9.5. A promessa é repetida a Salomão

Firmarei para sempre sobre Israel o seu trono.

A promessa é repetida muitas vezes a Davi e a Salomão.

Entretanto, os livros de Reis e de Crônicas relatam a história da queda do reino de Davi e do exílio da nação dos hebreus e, segundo parece, reduzem a nada a promessa do trono eterno feita por Deus à família de Davi.

Entretanto, no período abrangido por esses livros, muitos profetas afirmaram em alto e bom tom que a promessa ainda seria cumprida.

Os livros de Esdras, Neemias e Ester contam a história do regresso da nação caída e dispersa dos hebreus, sem predições messiânicas diretas. O restabelecimento da nação na sua terra não deixou, porém, de ser um antecedente necessário para o cumprimento das promessas a respeito do trono de Davi.

Livros poéticos (Jó a Cântico dos Cânticos)

Jó 19.25-27. "Meu Redentor vive"

O livro de Jó é uma consideração do problema do sofrimento, sem muita aplicação, até onde podemos ver, à missão messiânica da nação dos hebreus — a não ser na explosão exultante de fé, por parte de Jó: "Eu sei que o meu Redentor vive, e que no fim se levantará sobre a terra".

Salmos

O livro de Salmos, escrito em boa parte pelo próprio Davi, está repleto de predições e prefigurações do Rei eterno que surgiria da família de Davi. Algumas delas podem referir-se ao próprio Davi, mas num sentido bastante limitado e secundário. No todo, porém, não são aplicáveis a nenhuma personagem histórica, senão ao próprio Cristo — escritas mil anos antes de seu advento.

Salmo 2. O Ungido do Senhor

Os reis da terra tomam posição e os governantes conspiram unidos contra o Senhor e contra o seu ungido [...] Eu mesmo estabeleci o meu rei em Sião, no meu santo monte [...] Tu és meu filho [...] te darei as nações como herança [...] Beijem o filho [...] Como são felizes todos os que nele se refugiam! (v. 2,6-8,12)

Parece que isso significa que o Rei eterno surgiria na família de Davi. Uma declaração bem positiva da sua divindade, de seu reino universal e da bem-aventurança daqueles que nele confiam.

Salmos 16.10. Sua ressurreição

Tu não me abandonarás no sepulcro, nem permitirás que o teu santo sofra decomposição.

Essas palavras são citadas em Atos 2.27,31, com referência à ressurreição de Cristo. Já tinha havido muitos indícios da morte futura do Messias. Aqui, temos uma predição bem nítida de sua vitória sobre a morte e da vida para sempre.

Salmo 22. O retrato profético da crucificação

Meu Deus! Meu Deus! Por que me abandonaste? (v. 1)

Até mesmo as palavras que disse ao morrer são preditas (Mt 27.46).

Caçoam de mim todos os que me vêem; balançando a cabeça, lançam insultos contra mim, dizendo: "Recorra ao Senhor! Que o Senhor o liberte! Que ele o livre, já que lhe quer bem!" (v. 7,8)

A zombaria dos inimigos, nas suas palavras exatas (Mt 27.43).

Perfuraram minhas mãos e meus pés. (v. 16)

Assim é indicada a crucificação como a maneira de sua morte (Jo 20.20,25).

Dividiram as minhas roupas entre si, e tiraram sortes pelas minhas vestes. (v. 18)

Até mesmo esse pormenor é predito (Mt 27.35).

A que mais pode ser referir tudo isso, senão à crucificação de Jesus? Entretanto, foi escrito 1 000 anos antes de acontecer.

Salmos 41.9. Será traído por um amigo

Até o meu melhor amigo, em quem eu confiava e que partilhava do meu pão, voltou-se contra mim.

Segundo parece, Davi está se referindo ao seu amigo Aitofel (2Sm 15.12). Jesus, porém, citou esse texto como um prenúncio da maneira como Judas Iscariotes o trairia (Jo 13.18-27; Lc 22.47,48).

Salmo 45. O reinado do Ungido de Deus

Deus, o teu Deus, escolheu-te dentre os teus companheiros ungindo-te com óleo de alegria. (v. 7)
O teu trono, ó Deus, subsiste para todo o sempre. (v. 6)
Na tua majestade cavalga vitoriosamente. (v. 4)
Perpetuarei a tua lembrança por todas as gerações; por isso as nações te louvarão para todo o sempre. (v. 17)

Aqui está retratado o reinado glorioso de um rei que tem o nome de Deus e que está assentado num trono eterno. Não pode se referir a nenhum outro, senão ao Rei eterno que descenderia da família de Davi. É um cântico do casamento de Cristo com sua noiva, a igreja.

Salmos 69.21. Fel e vinagre

Puseram fel na minha comida e para matar-me a sede deram-me vinagre.

Outro incidente nos sofrimentos do Messias vindouro (Mt 27.34,48).

Salmo 72. Seu reinado glorioso

Floresçam os justos nos dias do rei. (v. 7)
Governe ele de mar a mar e desde o rio Eufrates até os confins da terra. (v. 8)
Inclinem-se diante dele todos os reis, e sirvam-no todas as nações. (v. 11)
Bendito seja o seu glorioso nome para sempre; encha-se toda a terra da sua glória. (v. 19)

Esse salmo parece ter sido, em parte, uma descrição do reinado de Salomão. Mas algumas de suas declarações, bem como o seu teor geral, com certeza se referem ao Rei que será maior que Salomão.

Salmos 78.2. Falará em parábolas

Em parábolas abrirei a minha boca.

Outro pormenor da vida do Messias: seu método de ensinar por parábolas. Esse versículo é citado em Mateus 13.34,35.

Salmo 89. A eternidade do trono de Davi

Fiz aliança com o meu escolhido, jurei ao meu servo Davi. (v. 3)
Estabelecerei a tua linhagem para sempre e firmarei o teu trono por todas as gerações. (v. 4)
Também o nomearei meu primogênito, o mais exaltado dos reis da terra. (v. 27)
A minha aliança com ele jamais se quebrará. (v. 28)
De uma vez para sempre jurei pela minha santidade, e não mentirei a Davi [...] o seu trono [...] será estabelecido para sempre. (v. 35-37)

O juramento de Deus, repetido em muitas ocasiões, é que o trono de Davi será eterno, com o Primogênito de Deus nele entronizado.

Salmo 110. O Messias será rei e sacerdote

O Senhor disse ao meu Senhor: "Senta-te à minha direita até que eu faça dos teus inimigos um estrado para os teus pés". (v. 1)
Tu és sacerdote para sempre, segundo a ordem de Melquisedeque. (v. 4)

O eterno domínio e o sacerdócio eterno do Rei vindouro. Jesus citou essas palavras com referência a si mesmo em Mateus 22.44.

Salmos 118.22. O Messias será rejeitado pelas autoridades

A pedra que os construtores rejeitaram tornou-se a pedra angular.

Jesus citou essas palavras com referência a si mesmo em Mateus 21.42-44.

Os profetas (Isaías a Malaquias)

Isaías 2.2-4. A visão magnífica da era messiânica

Nos últimos dias o monte do templo do Senhor será estabelecido como o principal [...] e todas as nações correrão para ele. Virão muitos povos e dirão: "Venham, subamos [...] ao templo do Deus de Jacó, para que ele nos ensine os seus caminhos, e assim andaremos em suas veredas". Pois a lei sairá de Sião, de Jerusalém virá a palavra do Senhor. Ele julgará entre as nações e resolverá contendas de muitos povos. Eles farão de suas espadas arados, e de suas lanças, foices. Uma nação não mais pegará em armas para atacar outra nação, e jamais tornarão a preparar-se para a guerra.

Isaías é preeminente como livro de profecias messiânicas no AT. Sua linguagem é incomparável em toda a literatura quando ele chega ao êxtase no tocante às glórias do reinado do Messias vindouro.

Isaías 4.2,5,6. O Renovo do SENHOR

Naquele dia o Renovo do SENHOR será belo e glorioso [...] o SENHOR criará sobre todo o monte Sião e sobre aqueles que se reunirem ali uma nuvem de dia e um clarão de fogo de noite. A glória tudo cobrirá e será um abrigo e sombra para o calor do dia, refúgio e esconderijo contra a tempestade e a chuva.

O Messias é representado aqui como um renovo brotando do toco da árvore da família de Davi, que se torna um guia e refúgio para o seu povo. (V. comentário sobre Is 11.1-10.)

Isaías 7.13,14. Emanuel

Ouçam agora, descendentes de Davi! [...] a virgem ficará grávida e dará à luz um filho, e o chamará Emanuel.

Parece tratar-se de alguém que será chamado Emanuel e que nascerá na família de Davi. Refere-se, segundo parece, à mesma pessoa que o Renovo de 4.2 e 11.1 e o Filho Maravilhoso de 9.6. A divindade do menino é subentendida no nome Emanuel, que significa "Deus conosco". Portanto, aqui estão preditos o nascimento virginal do Messias e a sua divindade. O texto é citado em Mateus 1.23 com referência a Jesus.

Isaías 9.1,2,6,7. O Menino Maravilhoso

Galiléia [...] O povo que caminhava em trevas viu uma grande luz [...] Porque um menino nos nasceu, um filho nos foi dado, e o governo está sobre os seus ombros. E ele será chamado Maravilhoso Conselheiro, Deus Poderoso, Pai Eterno, Príncipe da Paz. Ele estenderá o seu domínio, e haverá paz sem fim sobre o trono de Davi e sobre o seu reino, estabelecido e mantido com justiça e retidão, desde agora e para sempre.

Esse menino é, inconfundivelmente, o Rei eterno prometido à família de Davi (2Sm 7.16). É a mesma pessoa referida séculos antes como "aquele a quem pertence o cetro", a Estrela e o Profeta semelhante a Moisés. Aqui é enfatizada a sua divindade. Seu ministério será na Galiléia. No todo, uma previsão muito exata do advento e da obra de Jesus.

Isaías 11.1-10. O reinado do Renovo

Um ramo surgirá do tronco de Jessé, e das suas raízes brotará um renovo. (v. 1)

Trata-se de um renovo que brota do toco da árvore da família de Deus — o Messias.

O Espírito do SENHOR repousará sobre ele, o Espírito que dá sabedoria e entendimento. (v. 2)
Naquele dia as nações buscarão a Raiz de Jessé, que será como uma bandeira para os povos. (v. 10)
Com suas palavras, como se fossem um cajado, ferirá a terra. (v. 4)
O lobo viverá com o cordeiro, o leopardo se deitará com o bode, o bezerro, o leão e novilho gordo pastarão juntos; e uma criança os guiará. A vaca se alimentará com o urso, seus filhotes se deitarão juntos, e o leão comerá palha como o boi. (v. 6,7)
Ninguém fará nenhum mal, nem destruirá coisa alguma em todo o meu santo monte, pois a terra se encherá do conhecimento do SENHOR como as águas cobrem o mar. (v. 9)

Uma descrição magnífica da paz universal do mundo futuro, no reinado do Messias vindouro.

Isaías 25.6-9; 26.1,19. A ressurreição dos mortos

Neste monte o SENHOR dos Exércitos [...] destruirá a morte para sempre. O Soberano, o SENHOR enxugará as lágrimas de todo rosto. (25.6, 8)
Naquele dia [...] os teus mortos viverão; seus corpos ressuscitarão [...] a terra dará à luz os seus mortos. (26.1, 19)

Uma previsão tanto da ressurreição de Jesus no monte Sião quanto de uma ressurreição geral dos mortos.

Isaías 35.5,6. Os milagres do Messias

Então se abrirão os olhos dos cegos e se destaparão os ouvidos dos surdos. Então os coxos saltarão como o cervo, e a língua do mudo cantará de alegria.

Uma descrição exata do ministério de milagres de Jesus.

Isaías 35.8-10. A estrada do Messias

E ali haverá uma grande estrada, um caminho que será chamado Caminho de Santidade e os que o SENHOR resgatou voltarão. Entrarão em Sião com cantos de alegria; duradoura alegria coroará sua cabeça. Júbilo e alegria se apoderarão deles, e a tristeza e o suspiro fugirão.

Santidade, felicidade, cânticos, júbilo! — nunca mais haverá tristeza ou lágrimas para os súditos do Messias vindouro.

Isaías 40.5,10,11. A ternura do Messias

A glória do SENHOR será revelada, e, juntos, todos a verão [...] O Soberano, o SENHOR, vem com poder! Com seu braço forte ele governa [...] Como pastor ele cuida de seu rebanho, com o braço ajunta os cordeiros e os carrega no colo; conduz com cuidados as ovelhas que amamentam suas crias.

Outra previsão da glória de Jesus, de seu poder e de sua ternura para com os fracos de seu rebanho.

Isaías 42.1-11. Os gentios

Eis meu servo [...] Eu o guardarei e farei de você um mediador para o povo e uma luz para os gentios [...] Em sua lei as ilhas porão sua esperança [...] Cantem ao SENHOR um novo cântico, seu louvor desde os confins da terra. (v. 1,6,4,10)

O Rei vindouro de Israel reinará também sobre os gentios, e estes encherão a terra inteira com cânticos de louvor e de alegria.

Isaías 53. Os sofrimentos do Messias

Quem creu em nossa mensagem? E a quem foi revelado o braço do SENHOR? [...] Foi desprezado e rejeitado pelos homens, um homem de dores e experimentado no sofrimento [...] Certamente ele tomou sobre si as nossas enfermidades e sobre si levou as nossas doenças [...] Mas ele foi transpassado por causa das nossas trangressões, foi esmagado por causa de nossas iniqüidades; o castigo que nos trouxe paz estava sobre ele, e pelas suas feridas fomos curados. Todos nós, tal qual ovelhas, nos desviamos, cada um de nós se voltou para o seu próprio caminho; e o SENHOR fez cair sobre ele a iniqüidade de todos nós. Ele foi oprimido e afligido, e, contudo, não abriu a sua boca; como um cordeiro foi levado para o matadouro [...] Contudo, foi da vontade do SENHOR esmagá-lo e fazê-lo sofrer [...] Pelo seu conhecimento meu servo justo justificará a muitos, e levará a iniqüidade deles [...] porquanto ele derramou sua vida até a morte.

A característica mais notável das profecias a respeito do Rei vindouro é que ele haveria de sofrer. Esse fato foi sugerido no sacrifício de Abel e na oferta que Abraão fez de Isaque. Foi vividamente prenunciado na instituição da Páscoa e no Dia da Expiação, celebrado anualmente. Alguns dos pormenores de seus sofrimentos são descritos no salmo 22. E aqui, em Isaías 53, são acrescentados um pormenor após outro, o que torna mais completo o quadro.

Nos capítulos 54, 55, 60 e 61, o Rei sofredor enche a terra de cânticos de alegria.

Isaías 60. Será a luz do mundo

Olhe! A escuridão cobre a terra. (v. 2)
Levante-se, refulja! Porque chegou a sua luz, e a glória do Senhor raia sobre você. (v. 1)
O Senhor será a sua luz, para sempre, e os seus dias de tristeza terão fim. (v. 20)

No NT, Jesus é chamado, repetidas vezes, a luz do mundo.

Isaías 62.2; 65.15. Um novo nome

Você será chamada por um novo nome. (62.2)
Mas aos seus servos dará outro nome. (65.15)

No tempo do AT, os servos de Deus eram chamados israelitas. A partir dos dias de Cristo, têm sido chamados cristãos.

Jeremias 23.5,6. O Renovo

"Dias virão", declara o Senhor, "em que levantarei para Davi um Renovo justo, um rei [...] e este é o nome pelo qual será chamado: O Senhor é a Nossa Justiça."

Isaías 4 e 11 mencionam o Rei vindouro em termos de um renovo da família de Davi. Aqui, Jeremias repete aquele nome e assevera sua divindade.

Ezequiel 37.24,25. O líder da casa de Davi

O meu servo Davi será rei sobre eles, e todos eles terão um só pastor. Seguirão as minhas leis e terão o cuidado de obedecer aos meus decretos. Viverão na terra que dei ao meu servo Jacó, a terra onde os seus antepassados viveram. Eles e os seus filhos e os filhos de seus filhos viverão ali para sempre, e o meu servo Davi será o seu líder para sempre.

Uma visão gloriosa do cumprimento final da promessa feita por Deus a Davi. Não somente será o Messias, descendente de Davi, um bom pastor para o seu povo, como também os seus súditos viverão segundo as leis de Deus num reino de paz.

Ezequiel 47.1-12. O rio vivificante

Vi água saindo de debaixo da soleira do templo e indo para o leste [...] O homem foi para o lado leste com uma linha de medir na mão, e, enquanto ia, mediu quinhentos metros e levou-me pela água, que batia no tornozelo. Ele mediu mais quinhentos metros e levou-me pela água, que chegava ao joelho. Mediu mais quinhentos e levou-me pela água, que batia na cintura. Mediu mais quinhentos, mas agora era um rio que eu não conseguia atravessar, porque a água havia aumentado e era tão profunda que só se podia atravessar a nado; era um rio que não se podia atravessar andando [...] Ele me disse: "Esta água flui na direção [...] [do] Mar. Quando deságua no Mar, a água ali é saneada. Por onde passar o rio haverá todo tipo de animais e de peixes [...] Árvores frutíferas de toda espécie crescerão em ambas as margens do rio. Suas folhas não murcharão e os seus frutos não cairão [...] Seus frutos servirão de comida, e suas folhas de remédio".

Ao descrever o reinado do Príncipe, Ezequiel apresenta um quadro de beleza transcendente do impacto vivificante da presença de Deus, com a imagem de um rio que flui, a partir do Templo, para o mundo inteiro.

Daniel 2. Os quatro reinos

Na época desses reis, o Deus dos céus estabelecerá um reino que jamais será destruído e que nunca será dominado por nenhum outro povo. Destruirá todos os reinos daqueles reis e os exterminará, mas esse reino durará para sempre. (v. 44)

No decurso de quase seiscentos anos, desde Daniel até Cristo, houve quatro impérios mundiais: a Babilônia, a Pérsia, a Grécia e Roma. Eles são descritos com exatidão na linguagem figurada do segundo capítulo de Daniel. Em Daniel 7, os mesmos quatro impérios são descritos com mais exatidão. Foi nos dias do Império Romano que Cristo surgiu.

Oséias 1.10. Os gentios serão incluídos

No lugar onde se dizia a eles: "Vocês não são meu povo", eles serão chamados "filhos do Deus vivo".

Aqui, Oséias repete o que já havia sido dito em inúmeras ocasiões, que o reino do Messias incluirá todas as nações.

Oséias 11.1. Do Egito

Do Egito chamei o meu filho.

É uma maneira de dizer que parte da infância do Messias seria passada no Egito (Mt 2.15).

Joel 2.28,32; 3.13,14. A era do evangelho

Derramarei do meu Espírito sobre todos os povos [...] E todo aquele que invocar o nome do Senhor será salvo [...] Lancem a foice, pois a colheita está madura. [...] Multidões, multidões, no vale da Decisão!

O Messias instituirá uma era de evangelização mundial sob a liderança do Espírito Santo (At 2.16-21).

Amós 9.11-14. O trono caído de Davi será levantado

Trarei de volta Israel, o meu povo exilado; eles reconstruirão as cidades em ruínas e nelas viverão. (v. 14) Naquele dia levantarei a tenda caída de Davi [...] para que o meu povo conquiste o remanescente de Edom e todas as nações que me pertencem. (v. 11, 12)

Israel será restaurado, da mesma forma que a dinastia de Davi, na pessoa do Messias (Cristo). Mas o governo do Messias não será limitado exclusivamente a Israel — incluirá também os gentios (v. At 15.12-21).

Jonas 1.17. Um sinal para Nínive

Jonas ficou três dias e três noites dentro do peixe.

Jesus interpretou esse fato como prefiguração de sua morte e ressurreição — um sinal para o mundo inteiro (Mt 12.40).

Miquéias 5.2-5. O Messias nascerá em Belém

> Mas tu, Belém [...] de ti virá para mim aquele que será o governante sobre Israel. Suas origens estão no passado distante, em tempos antigos [...] pois a grandeza dele alcançará os confins da terra. Ele será a sua paz.

Parece claro que Miquéias se refere ao Rei tão freqüentemente mencionado antes.

Sofonias 3.9. Lábios purificados

> Então purificarei os lábios dos povos, para que todos eles invoquem o nome do Senhor e o sirvam de comum acordo.

Isto é, as pessoas conhecerão e servirão a Deus, purificadas pelo evangelho de Cristo.

Ageu 2.6,7. O desejado de todas as nações

> Dentro de pouco tempo [...] as nações [...] trarão para cá os seus tesouros, e encherei este templo de glória.

A nota de rodapé da NVI complementa: A Vulgata e algumas outras traduções dizem "é o desejado de todas as nações virá". Esse será o dia da coroação do Filho de Davi, tipificado aqui em Zorobabel (2.23).

Zacarias

> Trarei o meu servo, o Renovo. (3.8)
> Exulte, Jerusalém! Eis que o seu rei vem a você [...] humilde e montado num jumento. (9.9)
> Naquele dia [...] a família de Davi será como Deus. (12.8)
> Removerei o pecado desta terra num único dia. (3.9)
> Então eles me pagaram trinta moedas de prata [...] Por isso [...] as atirei no templo do Senhor, para o oleiro. (11.12,13)
> Olharão para mim, aquele a quem traspassaram. (12.10)
> Naquele dia uma fonte jorrará [...] para purificá-los do pecado e da impureza. (13.1)

Não se sabe com certeza se o próprio Zacarias entendia o significado exato de todas essas profecias, das quais algumas se referem a eventos muito específicos na vida de Jesus (v. 1Pe 1.10-12). Hoje, porém, olhando do presente para o passado, conseguimos ver como essas profecias foram cumpridas em Jesus.

Malaquias 3.1; 4.5. Uma previsão de João Batista

> Vejam, eu enviarei o meu mensageiro, que preparará o caminho diante de mim [...] o profeta Elias antes do grande e temível dia do Senhor.

Em Mateus 11.7-14, Jesus, falando a respeito de João Batista, cita esse texto de Malaquias e declara expressamente que se refere a João Batista.

Os 400 anos entre os Testamentos

Os 400 anos entre os Testamentos

O MUNDO DO NT é muito diferente do AT. As mudanças que ocorreram no decurso de quatro séculos afetaram todas as áreas da vida. Muitas dessas mudanças têm correlação entre si.

Mudanças políticas e culturais

- Os *romanos* agora dominam a Palestina, em vez dos persas.
- Agora são o pensamento e a cultura dos gregos (*helenismo*) que ameaçam desviar o povo de Deus, em vez dos deuses dos cananeus como Baal e Moloque.

Mudanças geográficas

- A Palestina está dividida nas regiões da *Judéia*, *Galiléia* e *Samaria*; no lado oriental do rio Jordão estão *Peréia* e *Decápolis*. Além disso, passaram a existir comunidades judaicas (algumas de tamanho considerável) em algumas das principais cidades do Império Romano, tendo cada comunidade as suas sinagogas. Essas comunidades são chamadas coletivamente *Diáspora* ou Dispersão.

Mudanças religiosas

- **Partidos religiosos:** Os partidos dos *fariseus* e dos *saduceus* (bem como os partidos políticos dos *zelotes* e dos *herodianos*) não existiam no Antigo Testamento.
- **Funcionários religiosos:** *Mestres da lei* ("escribas") e *rabinos* (professores) desempenham um papel de importância. Os *principais sacerdotes*, como um grupo com identidade própria, não se acham no AT.
- **Instituições religiosas:** O *Templo* e toda a respectiva área foram transformados, tomando-se por base a estrutura modesta construída pelos judeus que regressaram do exílio na Babilônia, em um complexo magnífico. Além disso, cada cidade agora tem uma *sinagoga*, um lugar para prestar culto e para estudar a Palavra de Deus.

Idioma e escritos

- O idioma comum na Palestina já não é o *hebraico*, mas o *aramaico*. O idioma do comércio e das comunicações em todo o Império Romano é o *grego*.

- Essas mudanças de idioma exigiram traduções da Bíblia hebraica (nosso AT): a **Septuaginta**, uma tradução para o grego, e os *targuns*, paráfrases em aramaico.

Examinaremos cada um deles com mais pormenores.

A. Quatro séculos de mudanças políticas

1. O período persa, 430-332 a.C.

A história do AT termina por volta de 430 a.C., com o profeta Malaquias. Os babilônios, que tinham destruído Jerusalém em 586 a.C., foram conquistados pelos medos e persas. O rei persa, Ciro, permitiu que os judeus regressassem a Jerusalém em 536 a.C. Sob a liderança de Esdras e Neemias, o Templo e os muros da cidade foram reconstruídos. Portanto, no fim do AT, Judá era uma província persa.

Não se sabe muita coisa a respeito da história judaica nesse período — somente que o domínio persa foi, na maior parte, brando e tolerante. (Quanto aos reis persas desse período, v. p. 236.)

2. O período grego, 331-167 a.C.

Até esse tempo, as grandes potências mundiais tinham estado na Ásia e na África. Mas avultava ameaçador no horizonte ocidental o poder da Grécia, em plena ascensão.

Os primórios da história da Grécia estão envolvidos em mitos. Acredita-se que tiveram início por volta do século XII a.C., a época do livro dos Juízes. A Guerra de Tróia, imortalizada na *Ilíada* e na *Odisséia* de Homero, foi travada em torno de 1000 a.C. — no tempo de Davi e de Salomão.

O início da história da Grécia propriamente dito geralmente tem sido contado a partir da primeira Olimpíada, em 776 a.C. (poucos anos antes da fundação da cidade de Roma que, segundo a tradição, ocorreu em 753 a.C.). A cultura e a arte gregas foram extraordinariamente originais e criativas (ao contrário da arte romana posterior, que era muito mais rústica e imitativa). A cultura grega alcançou o apogeu na cidade de Atenas no século V a.C., a Idade de Ouro da Grécia. A esse período pertenceram os grandes estadistas, filósofos e dramaturgos (v. p. 592-3).

Alexandre, o Grande, era filho do rei Filipe da Macedônia, no norte da Grécia. Em 336 a.C., aos 20 anos de idade, assumiu o comando do exército grego e avançou impetuosamente contra os países que tinham estado sob o domínio do Egito, da Assíria, da Babilônia e da Pérsia. Já em 331 a.C., o mundo inteiro jazia aos seus pés.

Quando Alexandre invadiu a Palestina em 332 a.C., tratou os judeus com grande consideração, poupou Jerusalém e lhes ofereceu incentivos para se estabelecerem em Alexandria, no Egito. Fundou cidades gregas em todos os domínios que conquistou, com o intuito de disseminar a cultura e o idioma gregos em todas as partes do mundo. Depois de um breve reinado, morreu em 323 a.C., aos 33 anos de idade. Seu império não perdurou, mas o seu sonho, sim: o idioma e a cultura gregos (o helenismo) dominariam o mundo por muitos séculos (v. adiante, na p. 417).

Sob o domínio egípcio (os ptolomeus)

Depois da morte de Alexandre, o Grande, seu império foi dividido entre quatro de seus generais. A Palestina ficava entre a Síria e o Egito, os dois segmentos orientais do império. A Síria foi destinada a Selêuco (que passou a ser o primeiro da dinastia selêucida), e o Egito, a Ptolomeu (o primeiro dos ptolomeus). A Palestina foi dominada primeiramente pela Síria, mas pouco depois passou para o Egito (301 a.C.) e permaneceu debaixo do controle egípcio até 198 a.C.

Sob o governo dos ptolomeus, a condição dos judeus foi em geral pacífica. Nesse período, Alexandria, no Egito, veio a ser um centro influente do judaísmo.

Sob o domínio sírio (os selêucidas)

O rei Antíoco, o Grande, da Síria, retomou a Palestina, em 198 a.C., que assim passou de volta aos reis da Síria, os selêucidas. Inicialmente, os selêucidas foram tolerantes com os judeus, mas essa situação não tardou a se alterar.

Antíoco IV Epifânio (175-164 a.C.) ficou frustrado porque os judeus se recusaram a abrir mão de sua religião e de sua identidade. Passou a ser violentamente rancoroso contra eles e fez um esforço furioso e resoluto para exterminar os judeus e sua religião. Devastou Jerusalém (168 a.C.) e profanou o Templo ao sacrificar no altar um porco (animal cerimonialmente impuro segundo a Lei de Moisés). Em seguida, levantou um altar a Zeus — o principal deus dos gregos, chamado Júpiter pelos romanos —, proibiu o culto no Templo, proibiu a circuncisão sob pena de morte, vendeu milhares de famílias judaicas à escravidão, destruiu todos os exemplares das Escrituras que pudessem ser achados, trucidou qualquer pessoa que fosse descoberta na posse das Escrituras e recorreu a todas as torturas concebíveis a fim de forçar os judeus a renunciarem sua religião. Essa situação deu ocasião a uma das façanhas mais heróicas da história — a revolta dos macabeus.

3. Um século de independência (o período macabeu, 167-163 a.C.)

Esse período é chamado macabeu ou asmoneu. Matatias, sacerdote de intenso patriotismo e de coragem ilimitada, ficou enfurecido com a tentativa feita por Antíoco Epifânio no sentido de destruir os

Os tanques de Salomão, perto de Belém. Esse é um dos três tanques construídos em níveis diferentes. Um aqueduto conduzia a água dos tanques até Jerusalém, que ficava a uma distância de 72 km. Trata-se de uma notável façanha de engenheira, pois a queda do nível da água entre os dois locais é de somente 90 m. A obra data provavelmente do período hasmoneu ou macabeu (século II a.C.), embora a tradição diga que foi construída por Salomão.

judeus e sua religião. Reuniu um grupo de judeus leais e levantou o estandarte da revolta. Teve cinco filhos heróicos e guerreiros: Judas, Jônatas, Simão, João e Eleazar.

Matatias morreu em 166 a.C., sendo sucedido por seu filho Judas, um guerreiro de notável gênio militar. Ele venccu batalha após batalha em circunstâncias simplesmente inacreditáveis e impossíveis. Capturou Jerusalém em 165 a.C. e purificou e rededicou o Templo. Essa foi a origem do *Hanukah*, que significa Festa da Dedicação (também chamada Festa das Luzes). Judas uniu em si mesmo a autoridade sacerdotal e civil, e assim estabeleceu a linhagem dos governantes sacerdotais asmoneus que, durante os 100 anos que se seguiram, governaram a Judéia independente. Foram eles: Matatias (167-166 a.C.); Judas, seu filho (166-161); Jônatas, irmão de Judas (161-144); Simão, irmão de Jônatas (144-135); João Hircano (135-106), filho de Jônatas; e Aristóbulo e seus filhos (106-63), que foram indignos do nome dos macabeus.

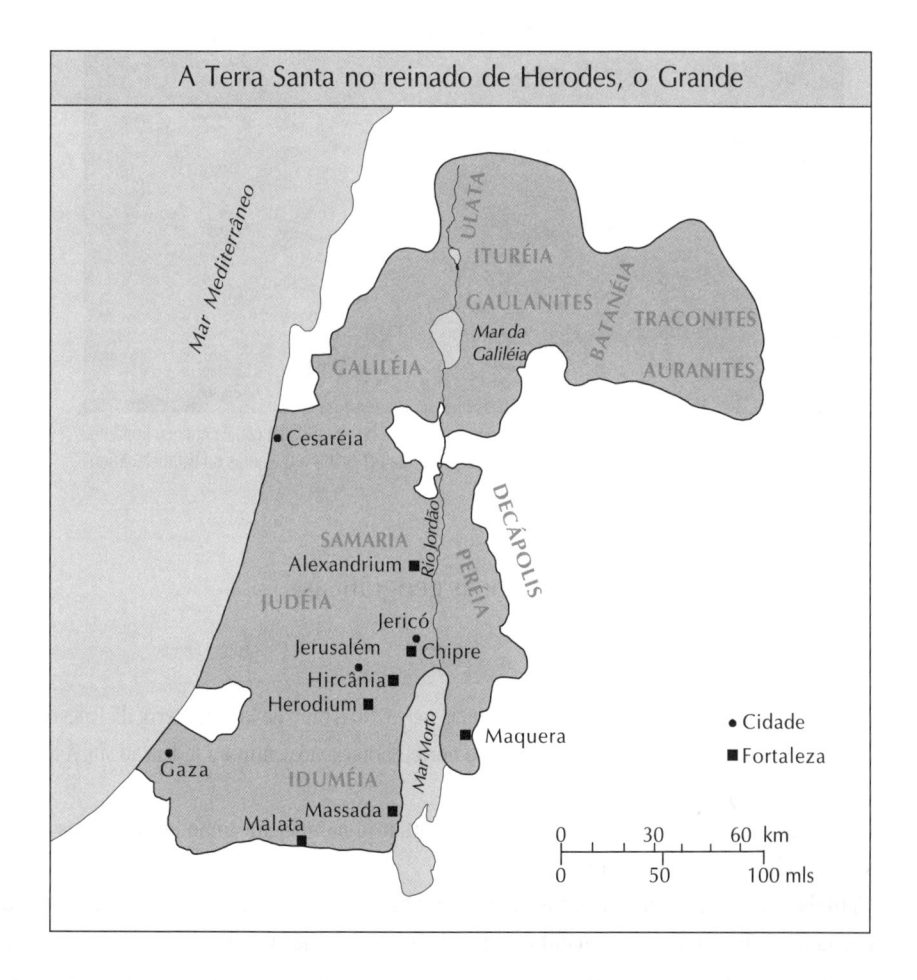

A Terra Santa no reinado de Herodes, o Grande

4. O período romano (63 a.C.-636 d.C.)

Dois rivais que aspiravam ao cargo de sumo sacerdote apelaram igualmente a Roma, pedindo apoio. O general romano Pompeu chegou em 63 a.C. e resolveu solucionar a disputa, tornando a Palestina uma parte do Império Romano. Antípater, um idumeu (edomita, descendente de Esaú), foi nomeado governante da Judéia. Foi sucedido pelo seu filho, Herodes, o Grande, que foi rei da Judéia de 37 a 4 a.C. Herodes era um político astuto que conseguiu conquistar o favor dos judeus. Um dos meios que empregou para isso foi reconstruir e expandir o Templo com beleza espetacular. Era, porém, brutal e cruel. Mandou matar a primeira esposa, Mariana, e também, posteriormente, três de seus próprios filhos. Esse é o Herodes que governava a Judéia quando Jesus nasceu, e foi ele quem mandou matar os meninos de Belém (v. p. 464; quanto à família herodiana, ver p. 865-6).

Sepulturas dos macabeus em Modin, o local onde começou a revolta judaica contra Antíoco Epifânio; essa revolta resultou no último estado judaico independente (166-163 a.C.) antes do estabelecimento do Estado de Israel, em 1948.

B. Mudanças geográficas

1. A Palestina

No fim do período do AT, a Palestina era uma província persa. No tempo de Cristo, a terra da Palestina era dividida em três regiões ou províncias: a Galiléia ao norte, Samaria no centro e a Judéia ao sul. A leste do rio Jordão estavam Peréia e Decápolis.

A história desempenhou um papel de grande importância na maneira como os habitantes dessas regiões se consideravam mutuamente.

A **Galiléia** é uma região de aproximadamente 80 por 48 km. Era uma região fértil, atravessada por importantes rotas comerciais. Quando o reino de Davi e Salomão foi dividido, o Reino do Norte, que se separou, consistia num território aproximadamente equivalente ao que o NT chama Galiléia e Samaria. Quando o Reino do Norte foi conquistado pelos assírios em 722 a.C., a população foi deportada para a Assíria e, no seu lugar, imigrantes pagãos foram trazidos para colonizar a região. É por isso que a região é mencionada como "Galiléia dos gentios" (Is 9.1; Mt 4.15).

É possível que o ambiente não-judaico pudesse ter tido um impacto negativo sobre o culto dos judeus e as respectivas práticas religiosas entre os galileus, que eram facilmente identificados pelo sotaque e pelo dialeto (Mt 26.73). Os habitantes da Judéia desprezavam os galileus, conforme demonstra a pergunta de Natanael: "Nazaré? Pode vir alguma coisa boa de lá?" (Jo 1.46), bem como a idéia de que nenhum profeta poderia surgir da Galiléia (Jo 7.52). Foi ali, porém, que Jesus passou a maior parte do seu ministério.

Samaria era um pouco menor que a Galiléia. A cidade de Samaria foi destruída pelos assírios em 722 a.C., e seus habitantes foram deportados. Nos dias de Jesus, a população de Samaria, assim como a da Galiléia, consistia numa mistura de israelitas que, de alguma maneira, tinham conseguido evitar a deportação e de novos imigrantes de origem não-israelita. Os samaritanos desenvolveram um tipo próprio de adoração a Iavé, baseado exclusivamente nos cinco livros de Moisés, e construíram um templo no monte Gerizim. (Ainda hoje existem samaritanos, que celebram a Páscoa no monte Gerizim, perto das ruínas de seu templo.)

Quando os judeus regressaram sob a liderança de Esdras e Neemias, os samaritanos queriam participar da reconstrução do Templo, mas foram repudiados. Aproximadamente naquela mesma época, um grupo de dissidentes judeus partiram de Jerusalém e foram residir em Samaria. Tudo isso levou a um rompimento religioso e político permanente entre os judeus e os samaritanos. Os judeus evitavam viajar através de Samaria a não ser que não houvesse outra saída, e é fácil subestimar quão extraordinária foi a viagem de Jesus ao passar por Samaria (Jo 4.1-42) e quão fortes foram as emoções conflitantes geradas pela parábola do Bom Samaritano (Lc 10.30-37).

A **Judéia** equivalia, aproximadamente, ao território do antigo reino de Judá (Judéia é a forma latinizada de Judá). Tinha cerca de 88 por 88 km de área, embora as fronteiras nunca tenham sido fixadas com precisão. Depois da morte de Herodes, seu filho Arquelau passou a ser o governante, mas foi banido pelos romanos, que anexaram a Judéia à província da Síria. A Judéia ficou debaixo do domínio direto de Roma até 37 d.C., quando Herodes Agripa I tornou-se o rei da Judéia.

Decápolis (lit., "dez cidades") era um grupo de dez cidades fundadas pelos gregos em conseqüência das conquistas de Alexandre, o Grande. Desfrutavam de considerável independência sob a proteção de Roma. Perto de Gadara, uma das referidas cidades, Jesus permitiu que os demônios passassem para uma manada de porcos (Mc 5.1-20). Jesus passou a desfrutar de popularidade em Decápolis (Mt 4.24,25; Mc 7.31-37).

A **Peréia** era o pequeno território a leste do rio Jordão, oposto a Samaria e à Judéia. Sua população era basicamente judaica. Nos

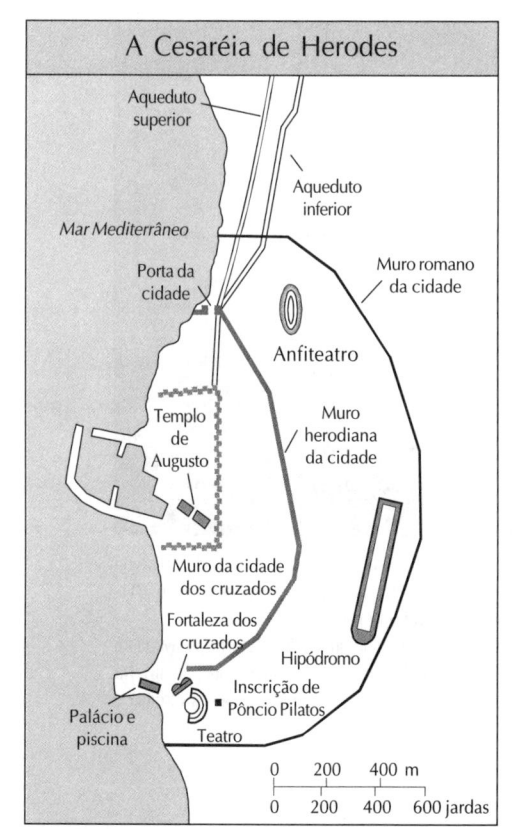

Herodes, o Grande, era um construtor quase compulsivo. Além de Cesaréia (v. p. 415, 598-9) e do Templo de Jerusalém, ele construiu vários palácios-fortalezas, entre os quais estava Massada (v. p. 811-2), Maquera, onde João Batista foi decapitado, e o Herodion ou Herodium.
Esse palácio foi construído à vista de Jerusalém, embutido no topo de uma colina. A terra escavada foi acrescentada ao exterior da colina para lhe dar a aparência de um vulcão (no alto desta página). Na planície abaixo, Herodes construiu outro grande palácio, um grande tanque (no alto, à direita) e residências para seus funcionários.

Na vista aérea, pode-se ver com clareza a planta do palácio, com quatro torres e muros duplos (embaixo à esquerda). Dentro da fortaleza (acima), Herodes deve ter se sentido seguro, visto que lá existia uma única entrada, com uma escadaria com 200 degraus de mármore branco.

O programa de construção de Herodes

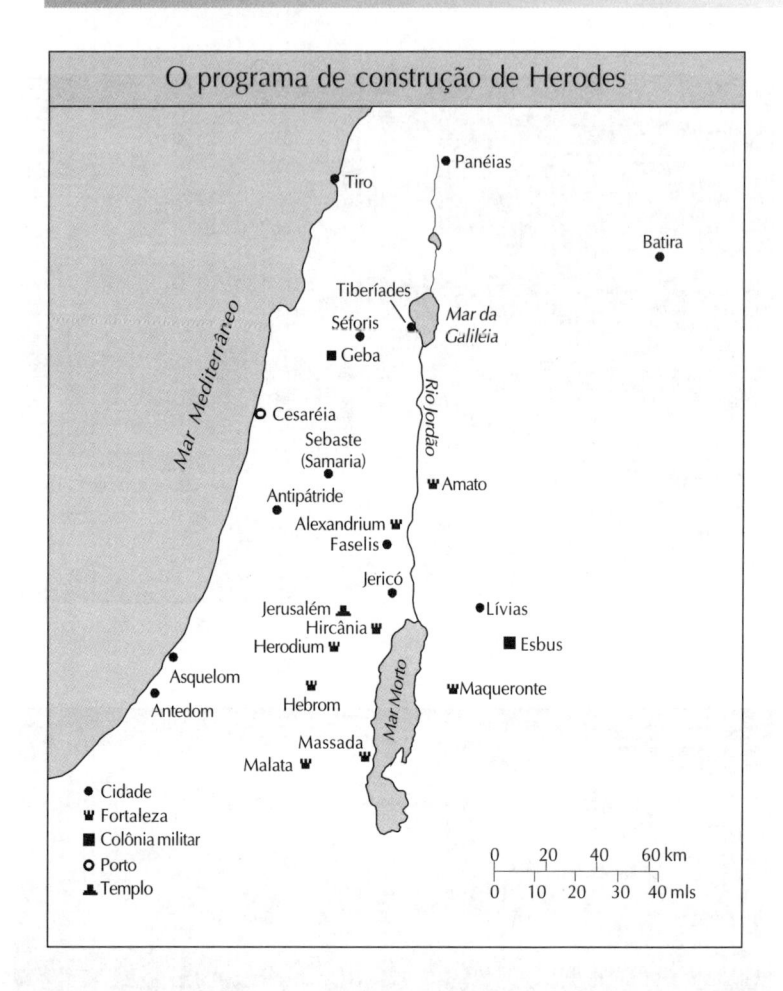

- ● Cidade
- ♛ Fortaleza
- ■ Colônia militar
- ○ Porto
- ⚱ Templo

evangelhos, nunca é mencionada nominalmente, mas é referida como a terra "além do Jordão" (cf. Mt 4.15,25; 19.1; Mc 3.7,8). João batizava em Betânia, "do outro lado do Jordão" (Jo 1.28). Jesus ministrou muitos de seus ensinos na Peréia, e foi a partir dali que fez a última viagem para Jerusalém (Jo 10.40; 11.54).

2. A Diáspora ou Dispersão

Diáspora refere-se aos judeus que residiam fora da Palestina sem deixar a fé religiosa. As duas deportações — primeiramente do Reino do Norte, Israel, pelos assírios, em 721 a.C., e depois do Reino do Sul, Judá, pelos babilônios, em 586 a.C. — tinham dispersado os judeus. Muitos daqueles que foram levados à Babilônia, juntamente com seus descendentes, não voltaram a Jerusalém com Esdras e Neemias, mas optaram por ficar.

Depois, Alexandre, o Grande, induziu muitos judeus a se mudarem para a recém-fundada cidade de Alexandria, no Egito, e a partir daquela época muitos milhares de judeus emigraram para países vizinhos, com propósitos de negócios e comércio. Na época do NT havia, provavelmente, mais judeus morando fora da Palestina do que nela. Atos 2.5-12 demonstra a extensão da Diáspora.

No AT, o Templo era o centro da vida religiosa dos israelitas. Depois do exílio babilônico, no entanto, judeus tementes a Deus puderam mudar para outros lugares, distantes de Jerusalém, por causa das sinagogas, que tinham alcançado uma posição de destaque no cativeiro babilônico (v. adiante, na p. 423). Quase todas as cidades de alguma importância no Império Romano tinham uma colônia judaica, tendo cada uma a sua sinagoga. Esse foi um fator importante na disseminação do cristianismo nas primeiras décadas da igreja, visto que Paulo invariavelmente ia à sinagoga de cada cidade que visitava e ali pregava a respeito de Jesus.

(A Diáspora nos quatro séculos antes de Cristo foi, em grande medida, voluntária. Entretanto, depois que Jerusalém e o Templo foram destruídos pelos romanos em 70 d.C. e os judeus perderam o direito à Palestina, a Diáspora passou a ser um meio obrigatório de viver. Quando o Estado de Israel foi fundado em 1948, tornou-se possível a volta de muitos judeus, mas a Diáspora continua para a vasta maioria dos judeus, embora ela seja, de novo, voluntária; v. p. 808-24.)

C. Mudanças religiosas

Alexandre, o Grande, queria fazer mais que conquistar o mundo — queria disseminar a língua e a cultura gregas por toda parte. Ele foi bem-sucedido, mesmo depois de seu império ter sido dividido e posteriormente absorvido pelo Império Romano. O nome dessa difusão da língua, cultura e pensamento grego é helenismo (derivado de *Hellas*, o nome grego da Grécia). O propósito do helenismo foi, pelo menos em parte, político: mediante a criação de uma só cultura unificada, seria possível governar um império que consistia em nações e culturas numerosas e diversificadas.

O grego realmente veio a ser, em maior ou menor grau, a língua auxiliar de comunicação do mundo civilizado. E a cultura grega — embora se misturasse com elementos locais — produziu uma coerência de pensamento e valores que persistiu mesmo depois de o Império Romano ter abocanhado o que sobrou do império de Alexandre, o Grande.

O helenismo era cosmopolita em suas atitudes. Procurava reduzir ao mínimo os pontos de vista locais e bairristas e substituí-los por uma perspectiva helenística, cosmopolita.

Parte da população judaica (até mesmo muitos dos líderes) apoiava o helenismo, ao passo que outra parte (especialmente os cidadãos comuns) resistia fortemente a ele. (Um dos motivos por trás da profanação do Templo por Antíoco Epifânio foi que ele perdeu a paciência com a insistência dos judeus em permanecerem diferentes e se excluírem da cultura mais cosmopolita, de modo que resolveu forçar a situação, sendo que nisso subestimou grandemente a profundidade das convicções judaicas.) Foi a partir dessa luta contra o helenismo, luta que era política, bem como cultural e religiosa, que surgiram os dois principais partidos do judaísmo na época de Jesus.

1. Partidos religiosos

Os fariseus

Os dois principais partidos dentro do judaísmo nos dias de Jesus eram os fariseus e os saduceus. À medida que o helenismo começava a invadir a vida religiosa dos judeus, a pergunta inevitável era como a Lei de Deus devia ser aplicada às novas circunstâncias. Os fariseus lançaram mão das Escrituras e tomaram sobre si a responsabilidade de determinar como a Lei deveria ser aplicada às condições mais recentes e como, se necessário, devia ser reinterpretada. Foi assim que os mestres da Lei (ou escribas, v. p. 421) chegaram a uma posição de destaque no período intertestamentário. Os fariseus aceitavam tanto a *Torá* (a Lei) quanto a tradição (as maneiras de aplicar a Lei, conforme os ensinos dos mestres da lei em tempos anteriores). Os saduceus, em contraste com isso, não fizeram nenhum esforço nesse sentido. Não procuravam adaptar a Lei de Deus à nova situação, mas se limitavam aos cinco livros de Moisés; nem sequer aceitavam a autoridade dos *Profetas* e de outras partes das Escrituras.

Entre os fariseus e Jesus houve conflitos freqüentes, apesar de terem muita coisa em comum teologicamente e de Jesus ter tido muitos contatos mais pacíficos com os fariseus (Lc 7.36; 11.37; 13.31-33; 14.1; Mc 12.28-34; Mt 23.1,2). Ao mesmo tempo, Jesus rejeitou a validade das leis orais dos fariseus (v. "Mestres da Lei", p. 421), bem como a ênfase que davam à pureza ritual, a ponto de os fariseus recusarem qualquer contato com "pecadores". Jesus veio com o *convite a todas as pessoas* para entrarem no Reino de Deus (convite que incluía também os fariseus), ao passo que os fariseus *desconvidavam*, com efeito, todos quantos não vivessem segundo as suas normas — e assim excluíam quase todas as pessoas. Era especialmente esse exclusivismo dos fariseus que Jesus repudiava. Ao empregarem meros padrões de comportamento externo para avaliar o relacionamento que as pessoas tinham com Deus, deixavam de reconhecer que o mais importante é o que está dentro da pessoa e que, portanto, os próprios fariseus necessitavam da graça de Deus tanto quanto o pior pecador. E era essa religião exterior que lhes dificultava grandemente crerem em Jesus (que não fazia todas as coisas que os fariseus achavam que uma pessoa religiosa devia fazer).

Os saduceus

O partido dos saduceus consistia em sacerdotes ricos e seus amigos da aristocracia. Eram conservadores quanto à religião, no sentido de aceitarem a autoridade dos cinco livros de Moisés, mas não a dos *Profetas* nem a dos *Escritos*. Por isso, quando levantam dúvidas diante de Jesus no tocante à ressurrei-

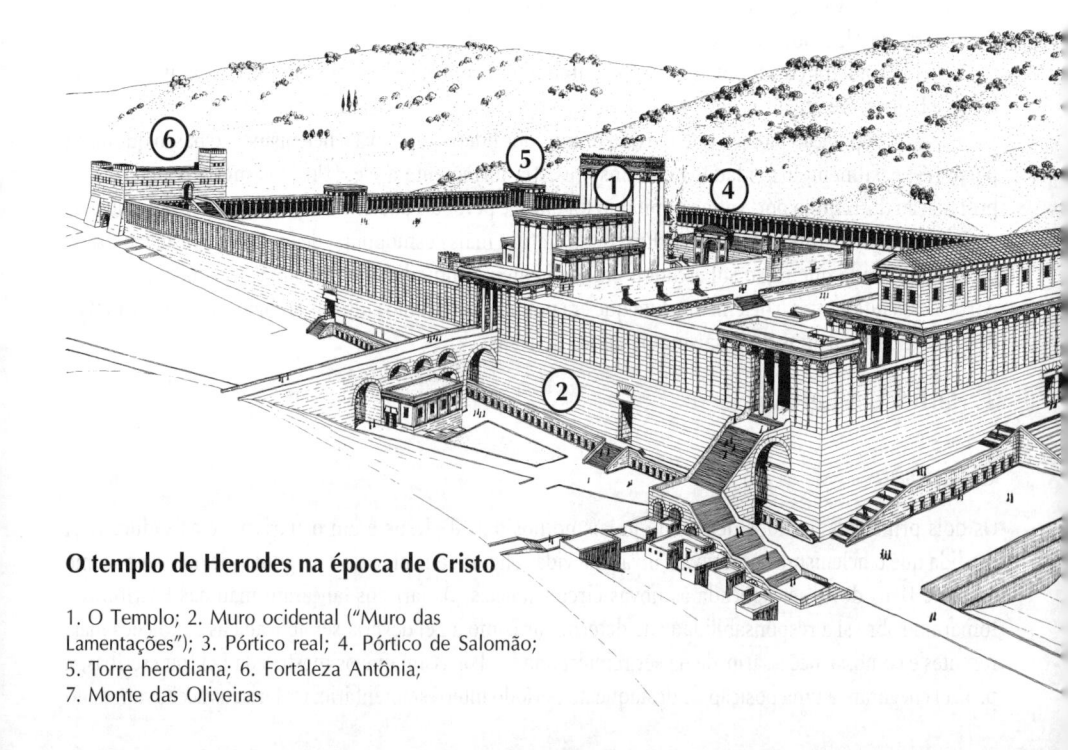

O templo de Herodes na época de Cristo

1. O Templo; 2. Muro ocidental ("Muro das Lamentações"); 3. Pórtico real; 4. Pórtico de Salomão; 5. Torre herodiana; 6. Fortaleza Antônia; 7. Monte das Oliveiras

ção (Mt 22.23-33), Jesus faz uma citação de Êxodo 3.6, porque uma citação dos *Profetas* não teria tido validade para eles. Ao mesmo tempo, formavam o grupo que exercia o domínio político, o que os levou a apoiar — com propósitos pragmáticos — alguns aspectos do helenismo. Quando a Palestina se tornou parte do Império Romano, os saduceus colaboraram com os romanos e procuraram manter o *status quo*, para não perder a posição de liderança.

Os saduceus tiveram mais poder que os fariseus (embora o povo comum apoiasse os fariseus) até 70 d.C. Com a destruição do Templo — o centro do poder dos saduceus — estes simplesmente ficaram sem o menor papel para desempenhar e desapareceram. Os fariseus, em contrapartida, passaram a ser os verdadeiros líderes do povo judeu a partir de 70 d.C., ao lhe fornecerem uma vida religiosa à parte do Templo. Depois da revolução fracassada de Bar-Kochba (132-135; v. p. 810), os romanos passaram a reconhecer os fariseus como o grupo dirigente nos assuntos da vida judaica.

Outros partidos

Dois outros partidos são mencionados no NT: os zelotes e os herodianos. Eram de natureza mais política que religiosa.

Zelotes: Os zelotes eram um partido nacionalista que se opunha violentamente à ocupação romana. Não se sabe com certeza se os zelotes já eram um partido na época do ministério de Jesus ou só formaram um partido mais tarde. Um dos discípulos de Jesus, Simão, era chamado zelote (Lc 6.15); se já existia um partido ou grupo de zelotes, Simão pode ter pertencido a ele. De outra forma, "zelote" pode ter sido uma alcunha baseada na sua personalidade, de modo semelhante ao nome de "filhos do trovão" que Jesus deu a João e Tiago.

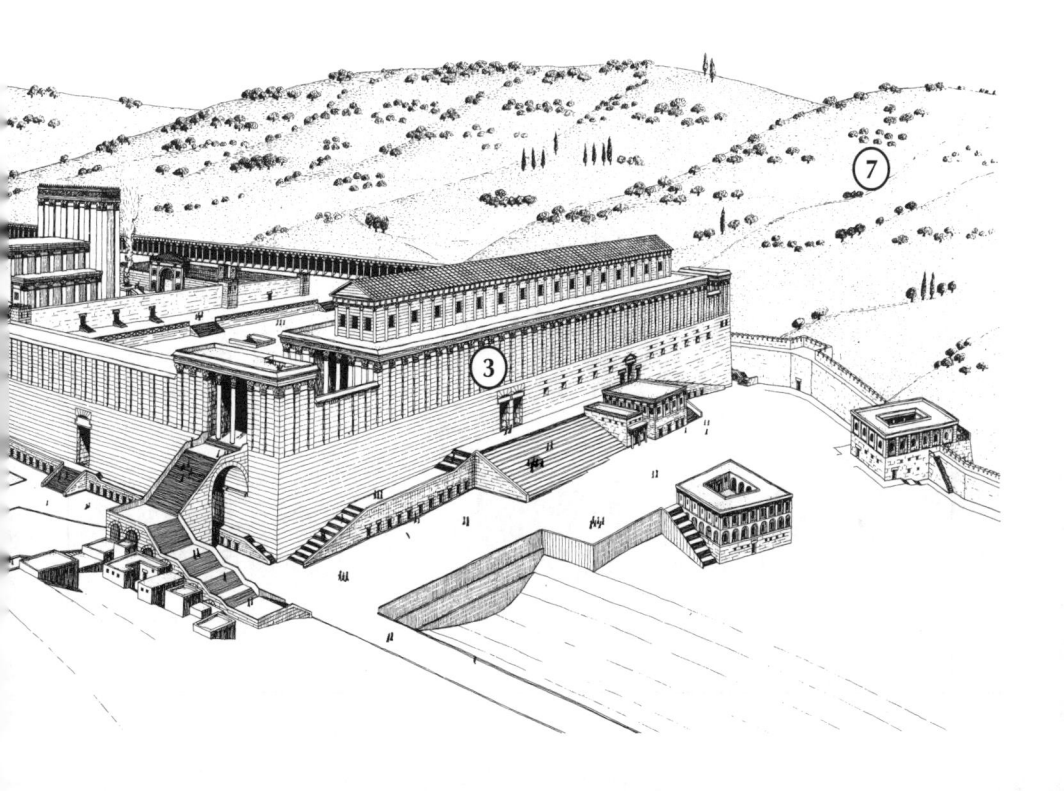

A Diáspora

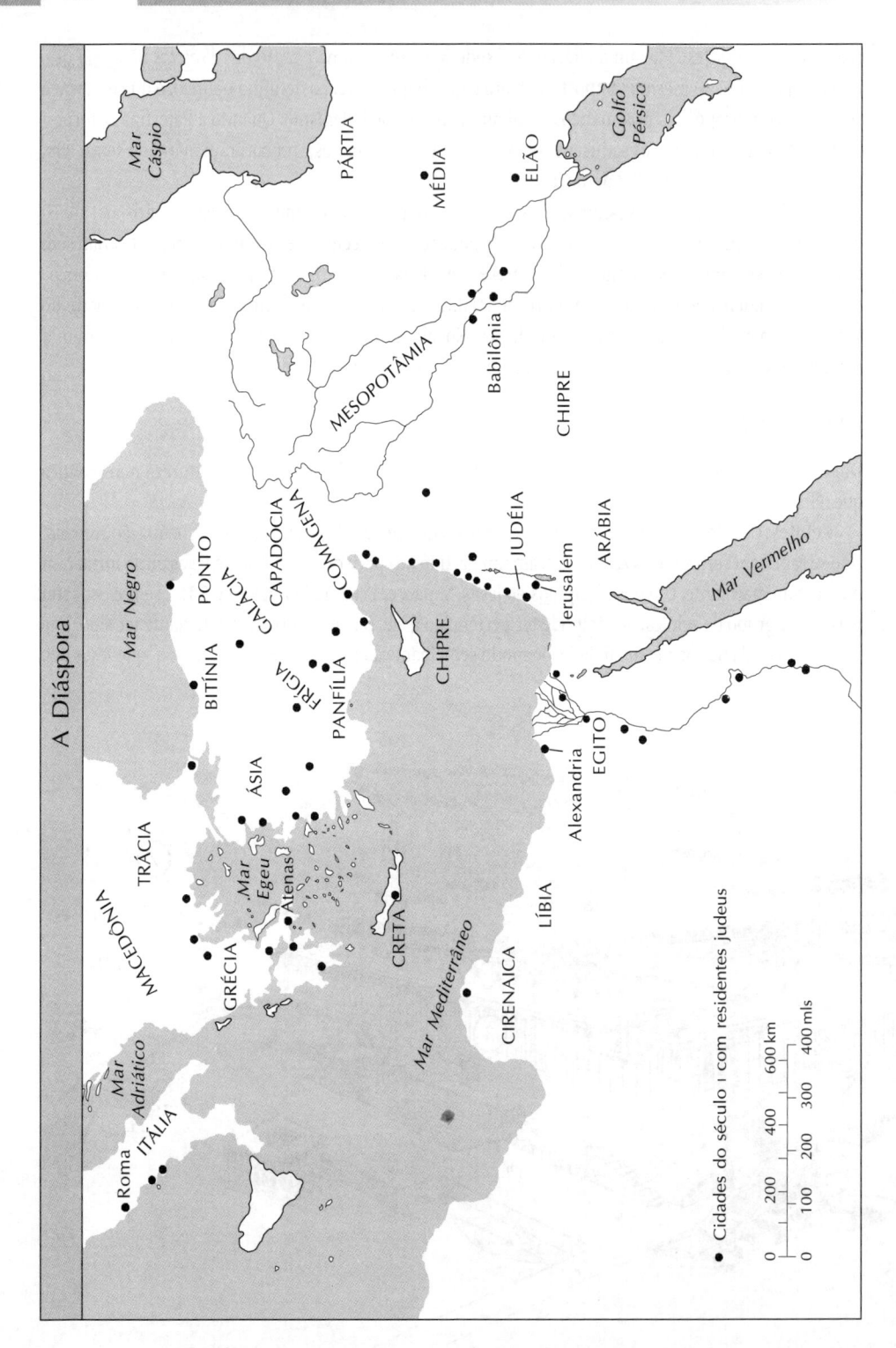

Mapa mostrando cidades do século I com residentes judeus, incluindo: Roma (Itália), Macedônia, Trácia, Grécia, Atenas, Creta, Cirenaica, Líbia, Alexandria (Egito), Arábia, Jerusalém (Judéia), Chipre, Panfília, Frígia, Bitínia, Ásia, Galácia, Capadócia, Comagena, Ponto, Mesopotâmia, Babilônia, Média, Elão, Pártia. Mares: Mar Cáspio, Golfo Pérsico, Mar Vermelho, Mar Mediterrâneo, Mar Egeu, Mar Negro, Mar Adriático.

Escala: 0–600 km / 0–400 mls

● Cidades do século I com residentes judeus

Herodianos: Nada se sabe a respeito dos herodianos a não ser que, a julgar pelo nome, teriam apoiado a dinastia herodiana e, portanto, de modo indireto, o domínio romano. Uniram-se aos fariseus na oposição a Jesus (Mt 22.16; Mc 3.6; 12.13).

2. Funcionários religiosos

Mestres da Lei (escribas)

Na Antigüidade, os escribas eram uma classe especial de pessoas que copiavam documentos e registravam informações. Eram secretários governamentais e copistas que produziam exemplares manuscritos das Escrituras. No decorrer do tempo, tornaram-se cada vez mais influentes e passaram a assumir posições de liderança no governo.

Quando os habitantes de Judá foram deportados para a Babilônia, viram-se, de repente, em circunstâncias inteiramente novas, e nem sempre ficava claro como a Lei de Deus se aplicava a novas situações específicas. Foi então que os escribas se tornaram intérpretes e mestres da Lei. Faziam, agora, o que os profetas tinham feito antes do Exílio: ensinavam o povo a viver como o fiel povo de Deus. Esdras era escriba, além de ser sacerdote, e assumiu a tarefa de ensinar a Lei ao povo que voltara da Babilônia.

Quando, no período helenístico, muitos dos sacerdotes prevaricaram contra os ensinos da Lei ao aceitar idéias e costumes pagãos, os escribas passaram a ser os defensores da Lei e os ensinadores das massas. Agiam, na realidade, como se fossem a nobreza (v. Mt 23.5-7; Mc 12.38,39; Lc 11.43; 20.46).

No zelo de proteger a Lei, os escribas chegavam a lhe aumentar as exigências — eles "levantavam uma cerca em redor da Lei" na forma de mandamentos detalhados e específicos que impediriam o povo de até mesmo chegar perto de quebrar a Lei. Por exemplo: a "jornada do sábado" — uma distância que a pessoa podia percorrer no sábado — foi instituída para garantir que o povo não violaria o mandamento do repouso sabático. Mas, conforme Jesus indicou, eles eram tão zelosos no cumprimento da letra da Lei que deixaram de compreender a própria Lei e de implementar o espírito da Lei. Jesus recusou-se a ser limitado pelos acréscimos que os escribas fizeram à Lei, e assim ficou sendo alvo da inimizade deles (Mc 12.40; Lc 20.47).

Os sacerdotes

Segundo o AT, todos os sacerdotes deviam ser descendentes de Arão, irmão de Moisés, da tribo de Levi. Os sacerdotes eram divididos em "grupos", dos quais cada um servia no Templo uma semana por vez, duas vezes por ano. A maioria dos sacerdotes morava fora de Jerusalém (por exemplo, Zacarias; Lc 1.8,9). Os sacerdotes que moravam em Jerusalém e que tinham vínculos de dedicação integral com o Templo eram considerados muito mais importantes que os sacerdotes comuns.

O sumo sacerdote

O sumo sacerdote devia ser um descendente direto de Arão, o primeiro sumo sacerdote. Era um cargo hereditário.

No século de independência sob o governo dos asmoneus, o sumo sacerdote era, ao mesmo tempo, o líder religioso e político. Esse sistema acabou levando ao desastre quando o cargo passou a ser secular na prática. No período romano, o sumo sacerdote era nomeado de modo semelhante aos demais oficiais do governo. Desde o tempo de Herodes, o Grande, até a destruição de Jerusalém em 70 d.C., houve nada menos que 28 sumos sacerdotes!

É interessante notar que, possivelmente, os próprios líderes judeus tenham continuado a respeitar um sumo sacerdote que já não exercia o cargo, como se ainda tivesse uma posição oficial, embora tivesse sido deposto. Afinal de contas, segundo a Lei de Moisés o sumo sacerdote permanecia no cargo até a morte. Quando Jesus foi detido, ele foi enviado primeiramente a Anás (que já fazia 15 anos que deixara o cargo!) e só então a Caifás, que era sumo sacerdote naquela época. Em Atos 4.6, Anás é chamado sumo sacerdote, embora já não o fosse, tecnicamente.

Sacerdotes principais

Não fica totalmente certo quem eram os sacerdotes principais. É provável que tenham sido sumos sacerdotes do passado e do presente, ou até mesmo membros da família do sumo sacerdote (v. At 4.6). Ou podem estar inclusos os sacerdotes que formavam o quadro permanente de funcionários do Templo. Seja como for, constituíam um grupo bem definido.

Rabis

"Rabi" [heb., *rabbi*] significa "meu mestre", "meu senhor". Era empregado como um termo geral de respeito. Os discípulos de João Batista referiam-se a ele como rabi e Jesus era chamado "rabi" pelos seus discípulos. João explica o termo "rabi" dizendo que significa "mestre" (Jo 1.38; 20.16). Jesus adverte seus discípulos de que não devem ser semelhantes aos escribas profissionais que desejavam ser chamados "rabis" (Mt 23.2-12).

"Rabi" não passou a ser um título oficial senão muito mais tarde. O rabino [heb. *rabbénû*, "nosso mestres"] profissional, ordenado e assalariado não apareceu senão na Idade Média.

O Sinédrio

No reinado dos reis helenísticos (v. p. 409), a Palestina tinha certa autonomia. Um concílio aristocrático de anciãos mantinha as rédeas do governo, presidido pelo sumo sacerdote. Esse grupo posteriormente veio a tornar-se o Sinédrio, que consistia em anciãos, principais sacerdotes e mestres da Lei.

No período romano, o governo interno da Palestina estava, em grande parte, nas mãos do Sinédrio, e sua autoridade era reconhecida até mesmo na Diáspora (At 9.2; 22.5; 26.12).

É provável que a autoridade do Sinédrio fosse limitada à Judéia depois da morte de Herodes, o Grande, de modo que o Sinédrio não pôde alcançar Jesus enquanto este estava na Galiléia. O Sinédrio foi abolido depois da destruição de Jerusalém em 70 d.C.

3. Instituições religiosas

O Templo

A primeira "casa de Deus" que os israelitas construíram foi o Tabernáculo, uma tenda portátil que podia ser transportada de um lugar para outro nas peregrinações no deserto imediatamente após o Êxodo (v. p. 121).

O primeiro Templo foi planejado pelo rei Davi e construído pelo seu filho, o rei Salomão, por volta de 950 a.C. Quando os babilônios invadiram Judá, o Reino do Sul, em 586 a.C., eles destruíram Jerusalém e o Templo e deportaram os habitantes para a Babilônia. Esse foi o início do exílio babilônico.

Depois de o rei Ciro ter permitido que os judeus voltassem para Jerusalém sob a liderança de Zorobabel e Esdras, a primeira coisa que fizeram foi reconstruir o Templo. Mas o segundo Templo era relativamente despretensioso e muito menos imponente que o primeiro, o qual muitos daqueles que regressaram do cativeiro nunca tinham visto, pois nasceram na Babilônia. Entretanto, tinham ouvido muita coisa a respeito dele e é possível que tenham desenvolvido uma idéia um pouco exagerada a respeito do esplendor do primeiro Templo.

Quando Herodes, o Grande, tornou-se rei, uma das primeiras coisas que fez para conquistar o apoio do povo foi ampliar e embelezar o templo. Visto que o Templo ocupava o topo de uma colina, a única maneira de aumentar a área do Templo foi levantar enormes muros de retenção e aterrar o espaço entre os muros, criando-se assim uma grande plataforma. Herodes duplicou o tamanho da plataforma original do templo de Salomão. Parte do muro que Herodes construiu continua sendo visível e é chamado Muro das Lamentações, o que revela quão notável e impressionante o Templo deve ter sido.

Herodes morreu em 4 a.C., quase setenta anos antes de o complexo do Templo ter sido completamente terminado (64 d.C.). Lamentavelmente, o Templo terminado, com todo o seu esplendor, ficou em pé meros seis anos. Em 66 d.C., os judeus se revoltaram contra Roma, e quatro anos depois, em 70 d.C., Jerusalém e o Templo foram destruídos. Hoje, o Domo da Rocha, uma mesquita, ocupa o lugar no qual, em tempos antigos, existia o Templo.

Um pouco fora da área do Templo, na esquina do noroeste, Herodes, o Grande, construiu uma fortaleza e a chamou Antônia, em homenagem a Marco Antônio (mais conhecido por ter se apaixonado pela rainha Cleópatra do Egito). A torre dava vista para dentro do Templo e dos pátios, e os romanos a usavam para vigiar possíveis perturbações da ordem pública na área do Templo e na cidade. A fortaleza Antônia serviu ao seu propósito original quando uma multidão ficou fora de controle e estava a ponto de matar Paulo (At 21.30s.). Existiam dois lances de escadas que faziam a ligação entre a fortaleza e a área do Templo: foi por essas escadarias que o comandante romano e suas tropas desceram correndo e foi dali que Paulo se dirigiu à multidão.

As sinagogas

No NT, achamos sinagogas em toda parte, tanto na Palestina como em todo o Império Romano. Aonde quer que Paulo fosse pregar, ia primeiramente à sinagoga daquela cidade.

A sinagoga foi "inventada" no exílio babilônico. O templo de Jerusalém — o local central de culto para todos os judeus — tinha sido destruído. Por isso, sempre que havia um grupo de judeus, eles se reuniam para ler e estudar as Escrituras hebraicas (o AT). Essas reuniões passaram, então, a ser formalizadas na instituição da sinagoga.

Ao contrário do Templo, onde os sacrifícios ocupavam um lugar central, na sinagoga o enfoque recaía sobre a pregação. Qualquer homem presente podia ser convidado para ler as Escrituras — primeiramente o *Pentateuco* e depois os *Profetas* — e qualquer homem presente podia ser convidado para pregar. Foi assim que Jesus pôde pregar na sinagoga (Lc 4.16-30), e posteriormente Paulo também o fez (por exemplo, At 13.15s.).

O culto cristão (bem como o muçulmano) segue o padrão adotado na sinagoga.

D. Idiomas e escritos da época do NT

1. Idiomas

O **aramaico** substituiu o hebraico como o idioma comum na Palestina depois do exílio na Babilônia. É uma língua semítica correlata com o hebraico, porém diferente o suficiente para não poder ser facilmente compreendida pelos judeus em geral do tempo do AT (v. 2Rs 18.26; tb. Gn 31.47, onde Labão emprega o aramaico, e Jacó, o hebraico). O aramaico era a língua do comércio e da diplomacia nos séculos anteriores a Alexandre, o Grande. É por isso que se acham no livro de Esdras vários documentos oficiais em aramaico, e não em hebraico (Ed 4.8 — 6.18 e 7.12-26; Esdras também escreveu em aramaico os versículos que fazem conexão entre os documentos).

O **hebraico** é o idioma do AT. Porém, já no tempo do NT, passara a ser, em grande medida, a língua da religião, visto que a Bíblia hebraica foi escrita nesse idioma. Muitas pessoas ainda conseguiam ler e escrever o hebraico, mas já não era sua língua cotidiana.

O **latim** era o idioma de Roma, mas, embora fosse o idioma dos documentos oficiais do império, não era falado comumente em todas as partes do império.

Não foi descoberta nenhuma sinagoga que remontasse até aos dias de Jesus, embora os Evangelhos e Atos indiquem que deve ter havido uma delas em cada cidade de alguma importância. As ruínas na foto são da sinagoga de Cafarnaum, do século III d.C.

O **grego** era a língua auxiliar de comunicação que mantinha os vínculos dentro do Império Romano. Seu papel era semelhante ao do inglês no mundo moderno. Alexandre, o Grande, conseguira tornar a língua — e também, em grande medida, a cultura — grega predominante em todas as partes de seu império (v. p. 413), e teve tanto sucesso nisso que o grego, como língua comum, sobreviveu ao seu império por vários séculos.

Podemos tomar por certo, sem a mínima dúvida, que Jesus lia e talvez falava o hebraico (Lc 4.17), mas que geralmente falava o aramaico. (A ordem que deu ao ressuscitar a filha de Jairo foi *talitā' qûmî*, (Talita cumi), que em aramaico significa "Menina, levante-se!".) É provável que também falasse pelo menos um pouco de grego, embora não haja comprovação disso.

Os apóstolos escreveram em grego, embora algumas das cartas certamente tenham sido escritas por pessoas que não o dominavam como língua materna. Existem também "semitismos" no NT — expressões semíticas (hebraicas ou aramaicas) na sua forma que teriam soado estranhas para quem falasse grego como língua materna.

Pensa-se que Mateus possa ter escrito o seu evangelho em aramaico e posteriormente o tenha traduzido para o grego.

2. Escritos

O AT foi escrito em hebraico, mas o povo falava principalmente o aramaico ou o grego. Na realidade, em cidades como Alexandria, no Egito, existiam muitos judeus cujas famílias tinham residido ali por muitas gerações e que falavam somente o grego. Para o judaísmo sobreviver, seria necessário que as pessoas pudessem ler e compreender o AT. Com esse propósito, foram feitas algumas traduções que eram usadas na época de Jesus: a *Septuaginta* para os judeus que falavam o grego e os *targuns* para os judeus que falavam o aramaico.

A *Septuaginta*

A *Septuaginta* é uma tradução do AT hebraico para o grego, feita em Alexandria. Segundo a tradição, 70 judeus, lingüistas peritos, foram enviados de Jerusalém para o Egito, a pedido de Ptolomeu Filadelfo (285-247 a.C.), e completaram a tradução em 70 dias.

Na realidade, a tradução foi feita ao longo de certo período de tempo. A *Torá* — Gênesis a Deuteronômio — foi traduzida primeiro, e, posteriormente, os demais livros do AT foram sendo acrescentados. Era chamada *Septuaginta* por causa dos 70 tradutores que, reputadamente, a começaram (*septuaginta* = "setenta" em grego; a abreviatura comum de *Septuaginta* é LXX, algarismos romanos que representam 70). A qualidade da tradução da *Torá* (*Pentateuco*) é excelente, mas os demais livros variam consideravelmente quanto à qualidade.

A *Septuaginta* era comumente usada nos dias de Cristo. Muitas das citações do AT no NT (que foi escrito em grego) foram retiradas da *Septuaginta*.

Os *targuns*

Os *targuns* são traduções dos livros do AT hebraico para o aramaico. Eram originariamente traduções orais, paráfrases e interpretações que tiveram origem no cativeiro babilônico, quando o hebraico perdeu a condição de língua primária dos exilados e foi substituído pelo aramaico. Essas paráfrases orais foram posteriormente registradas por escrito e se tornaram cada vez mais necessárias à medida que o uso do aramaico passava a predominar na Palestina. Na sinagoga, um trecho bíblico era freqüentemente lido em hebraico, seguido pelo *targum* daquele mesmo trecho.

Novo Testamento

Visão panorâmica da vida de Jesus

Mateus, Marcos, Lucas e João não escreveram simplesmente a respeito do que aconteceu no passado. Escreveram da perspectiva da ressurreição e da vinda do Espírito Santo no Pentecoste. Não escreveram uma história que tinha um fim, mas sim uma história que era um começo — o começo da igreja e o começo da vinda do Reino de Deus.

Eles dispuseram suas matérias de modo levemente diferente, porque cada um se dirigiu a um tipo diferente de leitor, com um propósito um pouco diferente (v. p. 449). Às vezes, os escritores dos evangelhos indicam que certas histórias ocorreram em seqüência e, em outras ocasiões, colocam juntas várias histórias e eventos com tema semelhante, sem a mínima indicação de que aconteceram naquela seqüência específica. Ainda mais: nos dois ou mais anos que os discípulos passaram com Jesus, o Mestre deve ter pregado mensagens semelhantes em muitas ocasiões e operado milagres semelhantes vez após vez — muitos aleijados foram curados, muitos cegos passaram a ver de novo e assim por diante.

Tudo isso significa que não é fácil encaixar todo o material dos evangelhos numa única narrativa nítida e natural. Entretanto, os contornos gerais podem ser vistos claramente.

Os oito períodos da vida de Jesus

Visando à comodidade no estudo, podemos dividir a vida de Jesus em oito períodos, como segue:

		Duração aproximada	Localização
❶	Nascimento e juventude	30 anos	Belém, Egito, Nazaré
❷	Preparação para o ministério		Rio Jordão e deserto
❸	Ministério inicial na Judéia	8 meses	Judéia, Samaria
❹	Ministério na Galiléia	2 anos	Galiléia
❺	Ministério posterior na Judéia	1 mês	Peréia e Judéia
❻	Ministério na Peréia	4 meses	Peréia e Judéia
❼	A última semana: crucificação e ressurreição	7 dias	Judéia, Jerusalém
❽	Aparecimentos após ressurreição	40 dias	Jerusalém, Galiléia

Os quatro evangelhos dedicam mais espaço à última semana da vida de Jesus, à sua crucificação e à sua ressurreição (sétimo período) do que a qualquer outro período. A tabela abaixo revela as diferenças entre os evangelhos no tocante à quantidade de espaço que dedicam a alguns dos outros períodos.

A vida de Jesus nos quatro evangelhos					
		Mateus	Marcos	Lucas	João
	Existência de Jesus antes da encarnação				1.1-3
❶	Nascimento e juventude de Jesus	1 e 2	1 e 2		
❷	Preparação para o ministério				
	João Batista	3.1-12	1.1-8	3.1-20	1.6-42
	O batismo de Jesus	3.13-17	1.9-11	3.21,22	
	A tentação de Jesus	4.1-11	1.12,13	4.1-13	
	Milagre preliminar				2.1-11
❸	Ministério inicial na Judéia				
	(cerca de 8 meses)				2.13—4.3
	Visita a Samaria				4.4-42
❹	Ministério na Galiléia				
	(cerca de 2 anos)	4.12—19.1	1.14—10.1	4.14—9.51	4.43-54; 6
	Visita a Jerusalém				5.1-47
❺	Ministério posterior na Judéia				
	(cerca de 1 mês)			10.1—13.21	7.2—10.39
❻	Ministério na Peréia	19.1—20.34	10.1-52	13.22—19.28	10.40—11.57
	(cerca de 4 meses)				
❼	A última semana	21—27	11—15	19.29—24.1	12—19
❽	Aparecimentos após a ressurreição	28	16	24	20 e 21

Examinaremos, de modo breve, cada um dos oito períodos. V. esboço detalhado ("harmonia") dos evangelhos na p. 452-9.

Primeiro período:
Nascimento e juventude de Jesus (c. 30 anos)

- Mateus 1 e 2
- Lucas 1 e 2

Marcos e João não dizem nada a respeito do nascimento, infância e juventude de Jesus. Mateus e Lucas registram fatos diferentes (v. comentários sobre Lc 1.5-80). Não é fácil harmonizar esses dados na seqüência cronológica exata. Seguem algumas datas prováveis:

7 ou 6 a.C.	Anunciação a Zacarias	Lucas 1.5-25
6 meses depois	Anunciação a Maria	Lucas 1.26-38
	Visita de Maria a Isabel	Lucas 1.39-56
3 meses depois	Maria volta a Nazaré	Lucas 1.56
	Anunciação a José	Mateus 1.18-24
	Nascimento de João Batista	Lucas 1.57-80
6 ou 5 a.C.	Nascimento de Jesus	Mateus 1.25; Lucas 2.1-7
	Anunciação aos pastores	Lucas 2.8-20
8 dias depois	Circuncisão de Jesus	Lucas 2.21
32 dias depois	Apresentação de Jesus	Lucas 2.22-38
4 a.C.	Visita dos magos	Mateus 2.1-12
	Fuga para o Egito	Mateus 2.13-15
	Morte dos meninos de Belém	
		Mateus 2.16-18
3 a.C.	Regresso a Nazaré	Mateus 2.19-23; Lucas 2.39

Em que data Jesus nasceu?

O aniversário de Jesus atualmente é celebrado em 25 de dezembro, mas nada existe na Bíblia para confirmar essa data específica. Ela aparece pela primeira vez como a data do aniversário de Jesus na igreja ocidental, no século IV. Na igreja oriental, a data é o dia 6 de janeiro, celebrada como a Epifania na igreja ocidental. (Quanto à divisão da igreja em ocidental e oriental, v. p. 784.)

A data de 25 de dezembro para celebrar o nascimento de Jesus remonta ao século IV, embora sejam obscuras as razões para a escolha dessa data. Em alguns países (como a Grã-Bretanha), o Natal substituiu uma festa pré-cristã já existente.

Como Jesus poderia ter nascido cinco ou seis anos "antes de Cristo"?

Colocar a data do nascimento de Jesus vários anos, "antes de Cristo" não é o resultado da erudição crítica que procura subverter a fidedignidade da Bíblia. Pelo contrário, trata-se de corrigir um erro matemático feito por um monge há uns mil e quinhentos anos.

Jesus nasceu quando a nação judaica fazia parte do Império Romano, e nesse império os anos eram contados a partir da fundação da cidade de Roma. Mas quando o Império Romano caiu e o cristianismo passou a ser a religião universal da região que tinha sido o Império Romano, um monge chamado Dionísio Exíguo, a pedido do imperador Justiniano, fez um novo calendário em 526 d.C. Esse calendário visava substituir o calendário romano e contava os anos a partir do nascimento de Cristo.

O novo calendário dividiu a história em anos antes de Cristo (a.C.) e depois do nascimento de Cristo (d.C. ou A.D., que corresponde a *Anno Domini*, "no ano de [nosso] Senhor").

Entretanto, muito tempo depois de o calendário cristão ter substituído o calendário romano, foi descoberto o erro que Dionísio cometera. Ele colocara o nascimento de Jesus em 753 AUC *(Ab urbe condita,* "Desde a fundação da cidade [de Roma]"), quando deveria ter colocado a data alguns anos antes, por volta de 749 ou mesmo de 747 AUC.

A viagem a Belém, ao Egito e a Nazaré

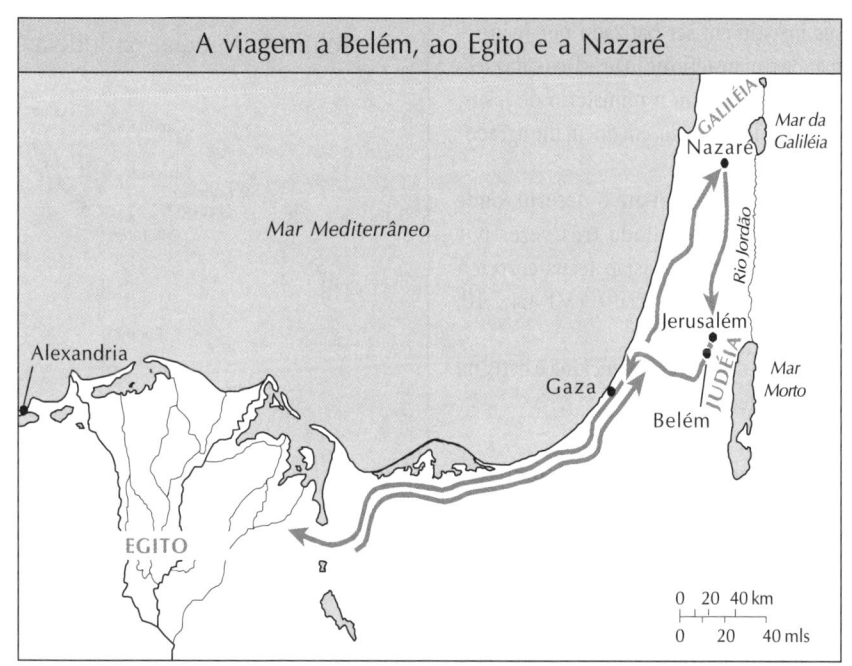

Segundo período: Preparação para o ministério

João Batista; o batismo e a tentação de Jesus

- Mateus 3.1—4.11
- Marcos 1.1-13
- Lucas 3.1—4.13
- João 1.6-42

Esse é um período breve, porém importante, da vida de Jesus. João Batista foi quem preparou o caminho para o Messias esperado, conforme previu o profeta Isaías. Ele deixou tudo pronto para o ministério de Jesus, ao pregar a necessidade do arrependimento antes da chegada do Reino de Deus. Ajudou a despertar a expectativa da nação de modo que, quando Jesus começasse seu ministério, o povo já estivesse pronto.

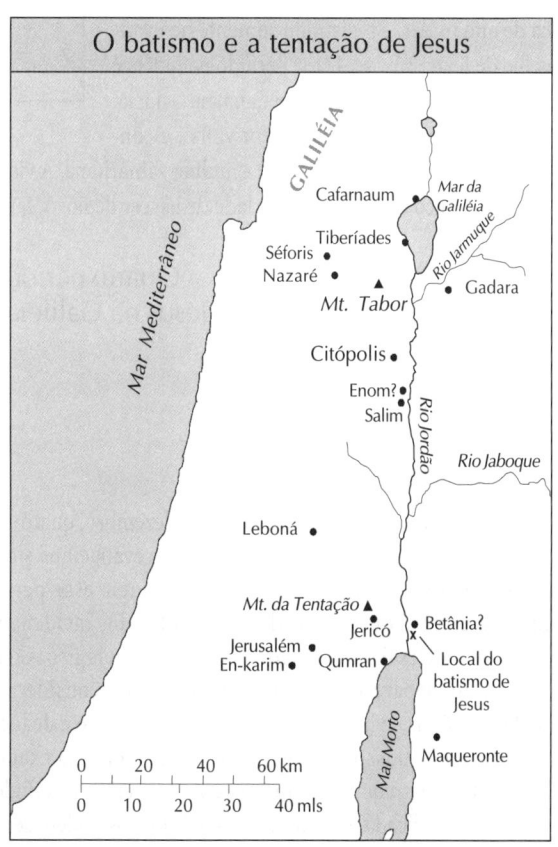

O batismo e a tentação de Jesus

Jesus insistiu em ser batizado por João — confirmando o ministério de João, e Deus, da mesma maneira, confirmou o ministério de Jesus: "Este é o meu Filho amado, em quem me agrado" (Mt 3.17).

Em seguida, Jesus foi até o deserto, onde passou 40 dias e foi tentado três vezes por Satanás — e em cada ocasião Jesus correu à Palavra de Deus: "Está escrito" (Mt 4.4,7,10; Lc 4.4, 8,12).

O evangelho de João não menciona o batismo e a tentação de Jesus.

Terceiro período: O ministério inicial de Jesus na Judéia (cerca de oito meses)

- João 2.1—4.42

Esse período, que provavelmente durou cerca de oito meses, é registrado somente no evangelho de João (2.1—4.42). O período na Judéia é antecedido por um milagre em Caná, na Galiléia, onde Jesus transformou água em vinho, e conclui com a conversa entre Jesus e a mulher samaritana. A visita que Jesus recebeu de Nicodemos, ocasião na qual explicou a este a necessidade de nascer de novo, também acontece nesse período.

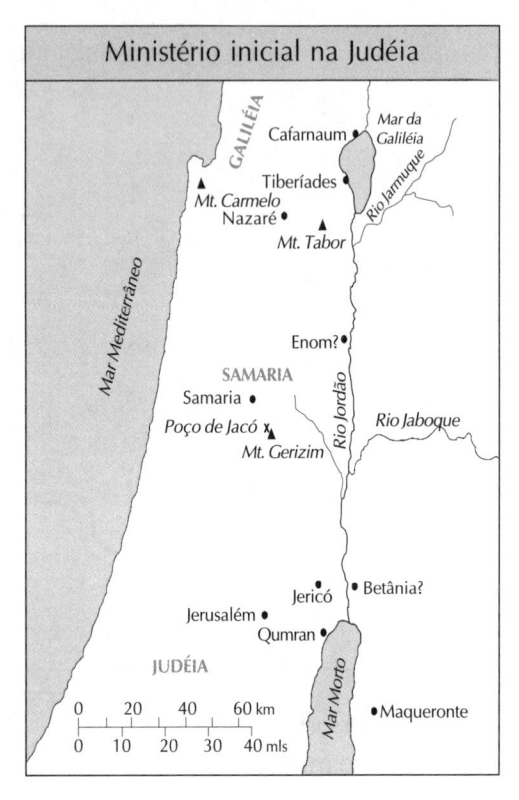

Quarto período:
O ministério de Jesus na Galiléia (cerca de dois anos)

- Mateus 4.12—19.1
- Marcos 1.14—10.1
- Lucas 4.14—9.51
- João 4.43—7.1

O ministério na Galiléia começou em dezembro, quatro meses antes da colheita (Jo 4.35, 43).

Mateus, Marcos e Lucas (os chamados evangelhos sinóticos, v. p. 451) parecem, de modo geral, seguir uma ordem cronológica ao apresentar esse período, mas não em todos os pormenores; diferem entre si quanto à ordem de muitos dos incidentes. Os estudiosos bíblicos diferem entre si sobre qual deles é o mais rigorosamente cronológico. Considerando que os escritores dos evangelhos, segundo parece, se orientaram por outras considerações que não a cronologia no agrupamento das matérias e visto que as indicações de tempo e de localidade são, em grande medida, deixadas de lado, não é possível chegar à ordem cronológica exata de todas as matérias registradas.

Existem, entretanto, alguns marcos — eventos e períodos do ministério na Galiléia que têm a data claramente indicada, em redor dos quais outros podem ser agrupados.

O ministério da Galiléia

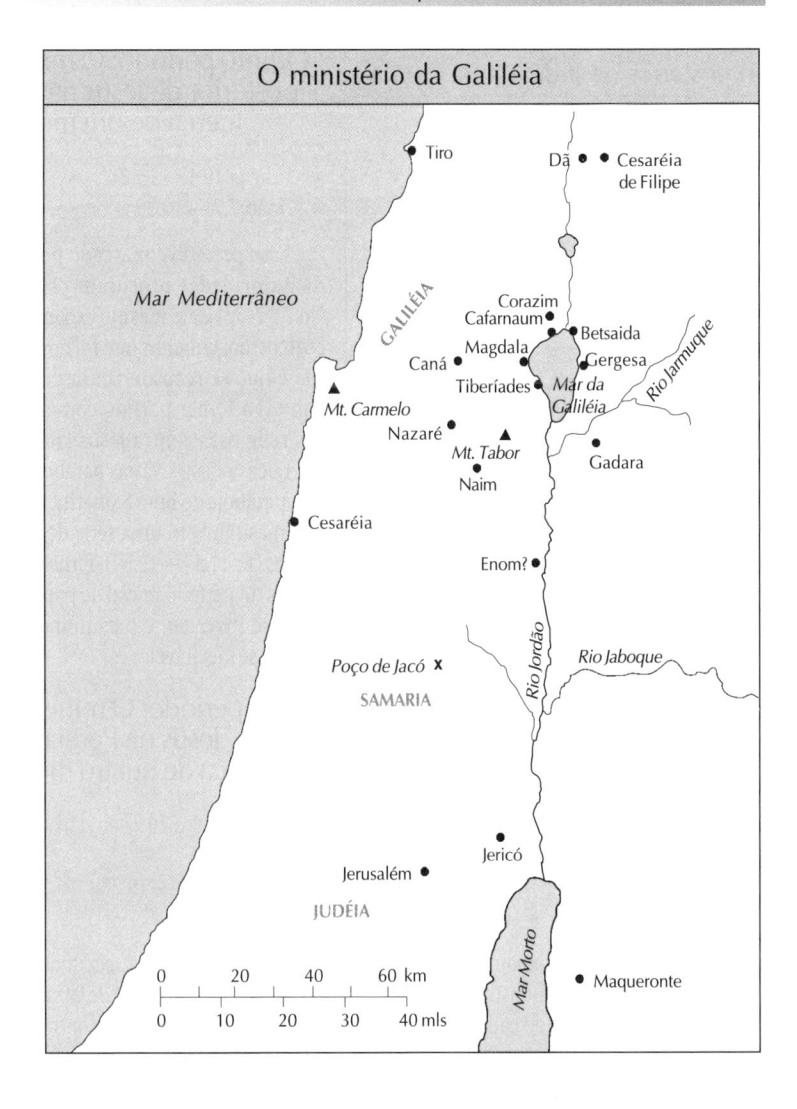

Locais indicados no mapa: Tiro, Dã, Cesaréia de Filipe, Mar Mediterrâneo, GALILÉIA, Corazim, Cafarnaum, Betsaida, Magdala, Gergesa, Caná, Tiberíades, Mar da Galiléia, Rio Jarmuque, Mt. Carmelo, Nazaré, Mt. Tabor, Gadara, Naim, Cesaréia, Enom?, Rio Jordão, Rio Jaboque, Poço de Jacó, SAMARIA, Jericó, Jerusalém, JUDÉIA, Mar Morto, Maqueronte.

Escala: 0–60 km / 0–40 mls

- Os 5 mil foram alimentados na época da Páscoa (Jo 6.4). João Batista foi decapitado pouco depois disso (Mt 14.12,13). Ao mesmo tempo, os doze voltaram do seu circuito de pregação (Lc 9.10).
- Todos os três escritores colocam a transfiguração pouco tempo antes de Jesus partir definitivamente da Galiléia.
- A partida definitiva da Galiléia foi pouco antes da Festa das Cabanas (outubro) ou da Festa da Dedicação (dezembro) (Lc 9.51; Jo 7.1-10; 10.22) — mais provavelmente desta, pois àquela ele foi em segredo (Jo 7.10), e a esta, em público (Lc 10.1).

Assim resulta um período de cinco ou oito meses entre a multiplicação dos pães para os 5 mil e a transfiguração. Jesus passou parte desse período nas regiões ao norte da Galiléia, e pouca coisa é narrada a respeito.

A parte principal da história do ministério na Galiléia diz respeito aos 16 meses anteriores à multiplicação dos pães para os 5 mil — um período de intensa atividade e de grande popularidade.

Quinto período: O ministério posterior de Jesus na Judéia (cerca de um mês)

- Lucas 10.1—13.21
- João 7.2—10.39

Esse período é marcado por oposição. As autoridades procuram prender Jesus (Jo 7.32-52) e até mesmo excomungam um cego de nascimento que foi curado por Jesus e que se recusou (num diálogo fascinante!) a tomar partido com as autoridades religiosas contra Jesus (Jo 9.1-34).

Lucas registra várias parábolas, incluindo a parábola do Bom Samaritano (Lc 10.25-27), mas também uma série de ais e advertências (Lc 11.37—12.59). Torna-se claro que, depois do período inicial de popularidade, a maré se inverteu, e o caminho até a cruz tornou-se inevitável.

Sexto período: O ministério de Jesus na Peréia (cerca de quatro meses)

- Mateus 19 e 20
- Marcos 10
- Lucas 13.22—19.28
- João 10.40—11.57

Os conflitos e as controvérsias continuam. Mas é especialmente nesse período que a solicitude e o cuidado de Jesus pelas pessoas — conforme demonstram seus ensinos, suas curas e a ressurreição de Lázaro (Jo 11.17-44) — contrastam com o pano de fundo cada vez mais sombrio do ódio das autoridades contra ele.

Sétimo período: A última semana de Jesus

Em todos os quatro evangelhos, a última semana da vida de Jesus é descrita detalhadamente. Ocupa cerca de um terço de Mateus, um terço de Marcos, um quarto de Lucas e metade de João. João dedica sete capítulos, cerca de um terço do seu livro, ao dia da crucificação (o dia judaico começa ao pôr-do-sol e termina no pôr-do-sol seguinte).

Visto que os evangelhos se baseiam em relatos de testemunhas oculares, há diferenças de pormenores nos quatro evangelhos, e nem sempre é fácil conseguir um quadro nítido da seqüência dos eventos. Essa é, em especial, a situação da manhã da ressurreição. Seguem abaixo esses esboços:

1. Os eventos da última semana
2. Os passos de Jesus na última noite
3. A crucificação
4. A ressurreição

É importante lembrar que esses esboços forçosamente têm de ser um pouco teóricos, visto que não possuímos informações suficientes para termos certeza a respeito de todos os pormenores.

1. A última semana da vida de Jesus na terra

Sábado	Chegada a Betânia (Jo 12.1)
Domingo	A entrada triunfal. Jesus chora sobre Jerusalém
Segunda	A maldição da figueira. Mercadores expulsos do Templo
Terça	Último dia de Jesus no Templo Judas negocia com os sacerdotes (ou no dia seguinte?)
Quarta	Dia de quietude em Betânia
Quinta	*Entardecer:* a última ceia (v. comentário sobre Mt 26) *Noite:* a agonia no Getsêmani
Sexta	Julgamento e crucificação (v. abaixo)
Domingo	Jesus ressuscita dentre os mortos (v. abaixo)

2. Os movimentos de Jesus na última noite

- A última ceia, celebrada talvez no lar de Maria, mãe de Marcos. Dali, às oito ou nove da noite, Jesus foi para o Getsêmani, a uma distância de 1,6 km.
- Getsêmani. Aqui Jesus ficou em agonia duas, três ou até mesmo quatro horas. Em seguida, foi detido e levado à casa do sumo sacerdote, perto da qual tomara a última ceia.
- Na casa do sumo sacerdote. Jesus foi mantido aqui desde a meia-noite até o raiar do dia. Foi condenado, zombado, cuspido, negado por Pedro e, ao amanhecer, oficialmente condenado e encaminhado a Pilatos.
- Tribunal de Pilatos, na fortaleza Antônia. Pilatos procurou eximir-se de responsabilidade e encaminhou Jesus a Herodes (Herodes Antipas, filho de Herodes, o Grande?).
- Palácio de Herodes. Aqui Jesus foi alvo de zombaria e depois foi mandado de volta a Pilatos.
- Novamente diante de Pilatos. Foi açoitado e condenado à crucificação.

3. A crucificação de Jesus

Segue-se um esboço hipotético da seqüência dos eventos da crucificação.

- Às nove da manhã, Jesus chega ao Gólgota. Quando estão a ponto de atravessar suas mãos e seus pés com pregos, oferecem-lhe vinho misturado com mirra para deixá-lo entorpecido e para embotar o senso de dor. Ele, porém, o recusa.
- Enquanto o pregam na cruz, Jesus diz: "Pai, perdoa-lhes, pois não sabem o que estão fazendo". Para nós é difícil controlar a ira contra os assassinos, mesmo quando simplesmente lemos a respeito disso. Ele, porém, estava totalmente isento de ressentimentos.
- Suas roupas são divididas entre os soldados. Uma placa com os dizeres "Rei dos judeus" é colocada acima de sua cabeça. Está escrita em três idiomas: hebraico, latim e grego, a fim de que todos possam ler e entender de que crime é acusado.
- Recebe as zombarias, vaias e desprezo dos principais sacerdotes, dos anciãos, dos escribas e dos soldados — uma multidão desumana, brutal, desprezível e de coração empedernido.
- Depois de talvez uma ou duas horas, Jesus diz ao criminoso arrependido: "Eu lhe garanto: Hoje você estará comigo no paraíso" (v. comentário sobre Lc 23.32-43).
- Jesus diz à sua mãe, referindo-se a João: "Aí está o seu filho". A João, ele diz: "Aí está a sua mãe" (Jo 19.26,27). Que morte gloriosa! Orou pelos seus assassinos, prometeu o paraíso ao criminoso e providenciou um lar para sua mãe — sendo esta sua última ação na terra.
- As trevas caem e duram desde o meio-dia até as três horas da tarde. Suas primeiras três horas na cruz foram marcadas por palavras de misericórdia e de bondade. Agora Jesus entra na

etapa final de seu sofrimento pelo pecado humano. É possível que as trevas simbolizem o distanciamento de Deus. Nunca neste mundo poderemos saber o que Jesus sofreu naquelas três horas finais pavorosas (v. comentário sobre Jo 19.33,34).
- Suas quatro últimas declarações são feitas enquanto está expirando.

> "Meu Deus!Deus meu! por que me abandonaste?" Sozinho, nas dores do inferno, a fim de livrar-nos de irmos para lá.
>
> "Tenho sede." A febre ardente e a sede excruciante acompanhavam normalmente a crucificação. As palavras podem ter sido mais do que isso (v. Lc 16.24). Oferecem-lhe vinagre. Passados os sofrimentos, ele o aceita.
>
> "Está consumado!" Uma exclamação de alívio e alegria triunfantes. Foi rompido o longo reinado do pecado e da morte humanos.
>
> "Pai, nas tuas mãos entrego o meu espírito."

- Um terremoto, a cortina no Templo é rasgada ao meio, os túmulos se abrem.
- O centurião crê. As multidões ficam aflitas.
- Sangue e água fluem do lado de Jesus (v. comentário sobre Jo 19.34).
- José e Nicodemos pedem o corpo de Jesus para o sepultamento.
- E assim a noite cai sobre o crime mais sinistro e hediondo da história.

A ordem dos acontecimentos na manhã da ressurreição

Não é fácil harmonizar os registros fragmentários da ressurreição de Jesus, contidos nos quatro evangelhos, para formar uma história conexa e consecutiva. Nem todos os incidentes nos são contados na ordem exata da ocorrência.

Devemos lembrar-nos de que diferentes grupos de discípulos, que estavam hospedados em vários locais diferentes na cidade e nos arrebaldes, foram até o túmulo, e que não esperavam que Jesus ressuscitasse (v. p. 563); foram ao túmulo a fim de completar o embalsamamento do corpo, visando ao sepultamento permanente.

A primeira visão do túmulo vazio e o aviso do anjo de que Jesus ressuscitara deixou-os fortemente agitados. Saíram correndo para contar aos demais, apressando-se numa e noutra direção, com emoções que se alternavam entre o júbilo, o medo, a ansiedade, a admiração e a perplexidade.

Aconteceram muitas coisas que não estão registradas. Quanto ao que consta dos registros, um escritor descreve numa única frase o que outro descreve com detalhes. Alguns, numa declaração geral, abrangem vários incidentes. Nenhum deles oferece um relato completo.

4. A ressurreição de Jesus	
Se os quatro relatos da ressurreição tivessem sido todos idênticos, poderíamos suspeitar de que todos os quatro autores dos evangelhos fizeram uso, em comum acordo, de uma única história. No caso, porém, os quatro relatos têm em si todos os sinais de testemunhos oculares de uma experiência arrebatadora.	
Um exame dos relatos, conforme são apresentados nos quatro evangelhos, demonstra quão diferente é a perspectiva de cada um deles.	
Mateus	As mulheres visitam o túmulo Jesus aparece às mulheres Os guardas são subornados Jesus aparece aos onze na Galiléia

Marcos	As mulheres visitam o túmulo Jesus aparece a Maria Madalena Jesus aparece a dois discípulos na estrada de Emaús Jesus aparece aos onze em Jerusalém, no primeiro entardecer A ascensão
Lucas	As mulheres visitam o túmulo Pedro corre até o túmulo Jesus aparece aos dois e a Pedro Jesus aparece aos onze em Jerusalém, no primeiro entardecer Aparecimento final, 40 dias depois A Ascensão
João	Maria Madalena visita o túmulo Pedro e João correm até o túmulo Jesus aparece a Maria Madalena Jesus aparece aos onze no primeiro entardecer; Tomé está ausente Jesus aparece aos onze uma semana depois; Tomé está presente Jesus aparece aos sete no mar da Galiléia

Existem várias maneiras de harmonizar os relatos. A seguinte é geralmente aceita como uma possibilidade.

1. Na primeira luz do amanhecer, dois ou mais grupos de mulheres saem dos lugares em que estão hospedadas, em Jerusalém ou em Betânia, a uma distância de dois ou três quilômetros, e começam a tatear o caminho até o túmulo.
2. É provavelmente nessa hora que Jesus está saindo triunfante do túmulo, acompanhado por anjos que tiram a pedra e dobram com cuidado a mortalha.
3. Os guardas, entrementes, assustados e confusos, fogem e contam aos sacerdotes que os tinham colocado ali.
4. Ao nascer do sol, quando as mulheres se aproximam do túmulo, Maria Madalena — chegando antes de seu grupo, vê o túmulo vazio sem, porém, ver o anjo nem ouvir a proclamação de que Jesus ressuscitou (Jo 20.13,15) — volta e corre para contar a Pedro e a João.
5. As outras mulheres chegam mais perto, vêem e escutam os anjos e se apressam, por outro caminho, para contar ao grupo principal dos discípulos.
6. Nesse ínterim, Pedro e João chegam ao túmulo e entram. Vêem a mortalha vazia e vão embora — João crendo e Pedro se admirando.
7. Maria Madalena, enquanto isso, seguindo Pedro e João, volta ao túmulo e fica sozinha, chorando. Então ela vê os anjos e o próprio Jesus aparece a ela.
8. Pouco depois, Jesus aparece às demais mulheres que estão a caminho para contar aos discípulos ou quando, tendo contado a eles, voltam ao túmulo.

Tudo isso provavelmente aconteceu em menos de uma hora.

Oitavo período:
Aparecimentos de Jesus após a ressurreição

Depois da ressurreição, Jesus apareceu em várias ocasiões a um ou mais de seus seguidores. A descrição mais pormenorizada é a do aparecimento de Jesus aos discípulos na praia do mar da Galiléia (Jo 21.1-14), onde Jesus, o Médico dos médicos, sara a ferida deixada na alma de Pedro porque este havia negado Jesus antes da crucificação.

A última semana de Jesus

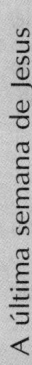

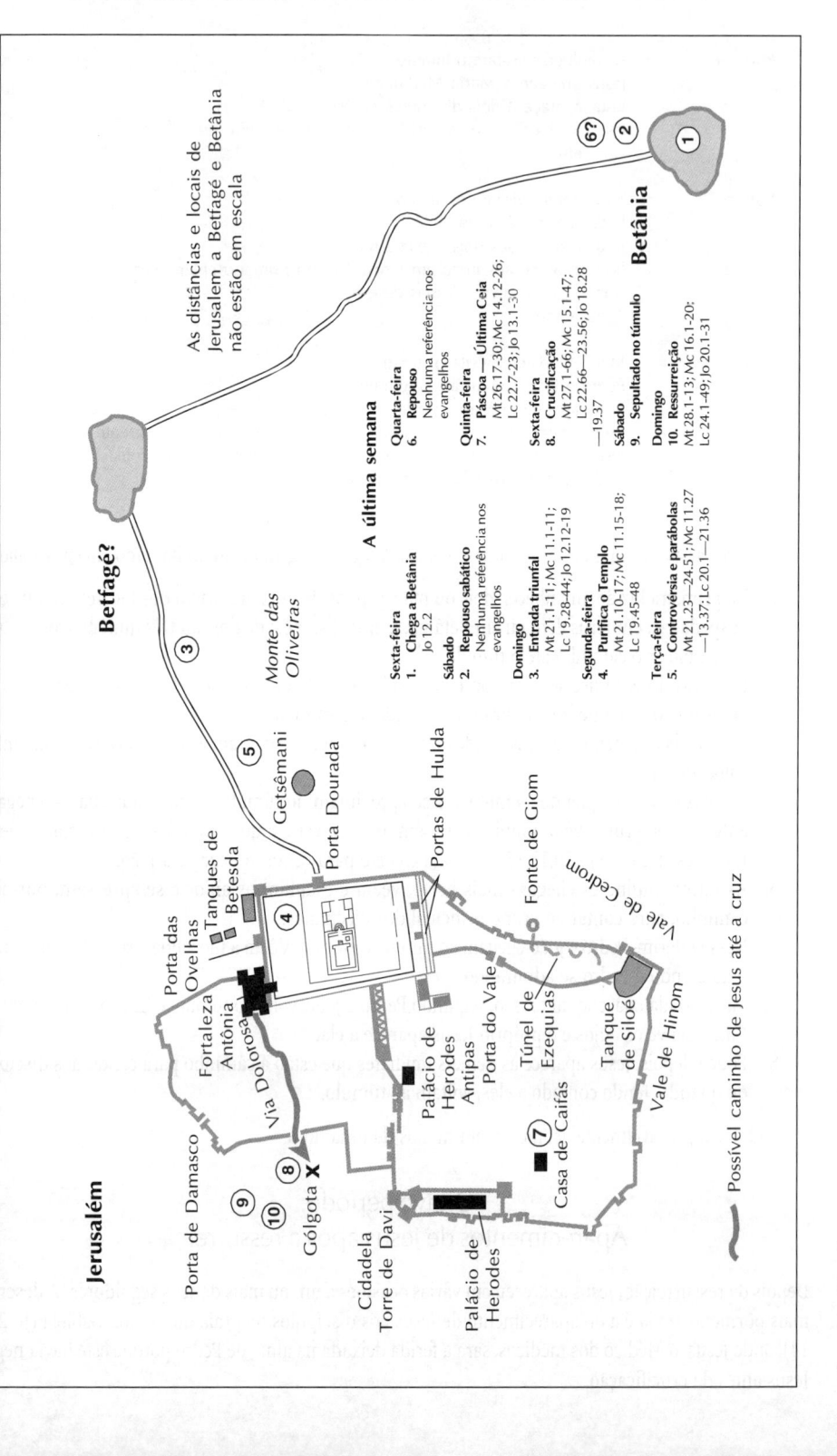

Jerusalém

Betfagé?

Monte das Oliveiras

As distâncias e locais de Jerusalém a Betfagé e Betânia não estão em escala

Betânia

A última semana

Sexta-feira
1. Chega a Betânia
   Jo 12.2

Sábado
2. Repouso sabático
   Nenhuma referência nos evangelhos

Domingo
3. Entrada triunfal
   Mt 21.1-11; Mc 11.1-11;
   Lc 19.28-44; Jo 12.12-19

Segunda-feira
4. Purifica o Templo
   Mt 21.10-17; Mc 11.15-18;
   Lc 19.45-48

Terça-feira
5. Controvérsia e parábolas
   Mt 21.23—24.51; Mc 11.27
   —13.37; Lc 20.1—21.36

Quarta-feira
6. Repouso
   Nenhuma referência nos evangelhos

Quinta-feira
7. Páscoa — Última Ceia
   Mt 26.17-30; Mc 14.12-26;
   Lc 22.7-23; Jo 13.1-30

Sexta-feira
8. Crucificação
   Mt 27.1-66; Mc 15.1-47;
   Lc 22.66—23.56; Jo 18.28
   —19.37

Sábado
9. Sepultado no túmulo

Domingo
10. Ressurreição
    Mt 28.1-13; Mc 16.1-20;
    Lc 24.1-49; Jo 20.1-31

Getsêmani
Porta Dourada
Portas de Hulda
Tanques de Betesda
Porta das Ovelhas
Fortaleza Antônia
Via Dolorosa
Palácio de Herodes Antipas
Porta do Vale
Túnel de Ezequias
Tanque de Siloé
Fonte de Giom
Vale de Cedrom
Vale de Hinom
Porta de Damasco
Gólgota
Cidadela Torre de Davi
Palácio de Herodes
Casa de Caifás

Possível caminho de Jesus até a cruz

1. A Maria Madalena (Mc 16.9,10), de manhã cedo
2. As demais mulheres (Mt 28.9,10), de manhã cedo
3. A dois discípulos a caminho de Emaús (Mc 16.12,13; Lc 24.13-32)
4. A Pedro (Lc 24.34), em alguma ocasião do mesmo dia
5. Aos onze (Mc 16.14; Lc 24.36-43; Jo 20.19-23), naquela noite; Tomé estava ausente
6. Aos onze (Jo 20.26-31), uma semana depois; Tomé estava presente
7. Aos sete, no mar da Galiléia (Jo 21)
8. Aos onze (e aos quinhentos?), na Galiléia (Mt 28.16-20)
9. A Tiago (1Co 15.7), em ocasião e local desconhecidos
10. Aparecimento final e ascensão (Mc 16.19; Lc 24.44-53; At 1.3)
11. Posteriormente, Jesus fez um aparecimento especial a Paulo (At 9.3-5)

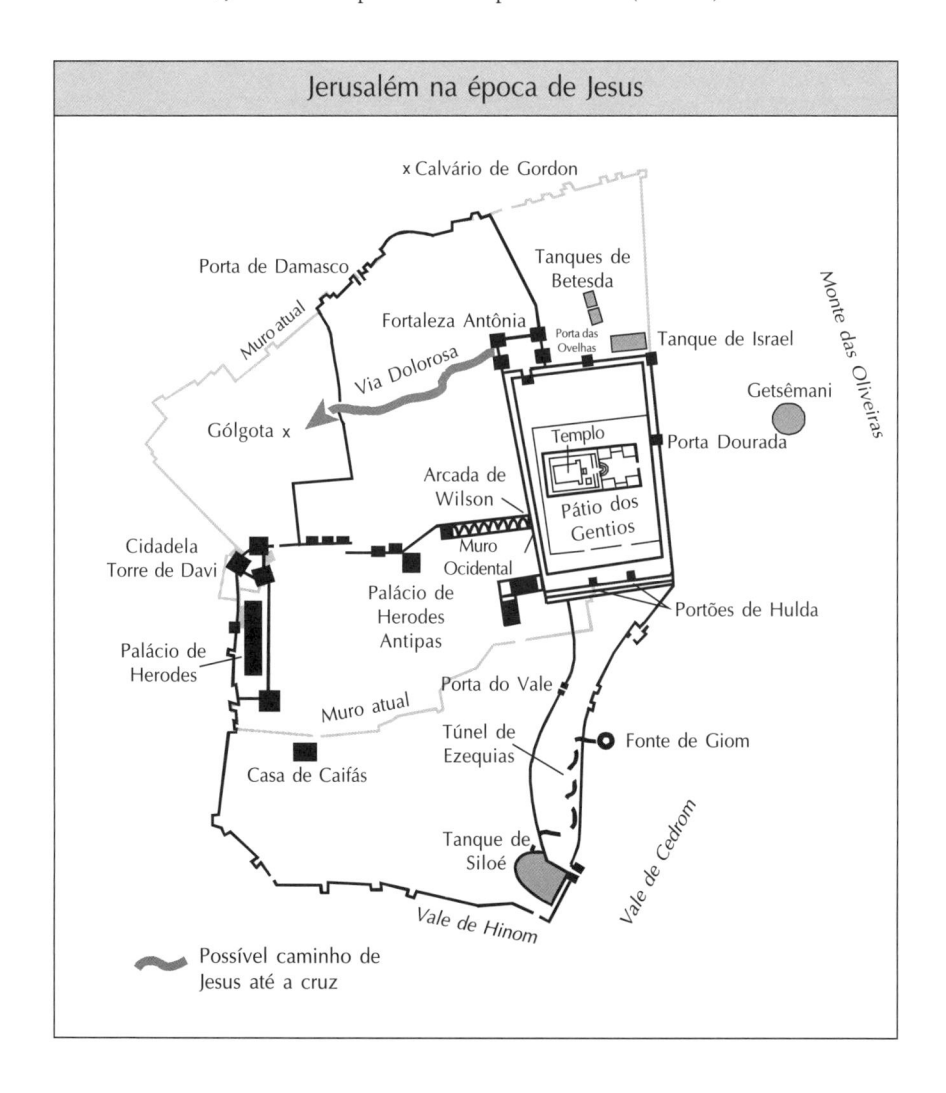

Jerusalém na época de Jesus

Em 1 Coríntios 15.5-8, cerca de 27 anos depois da ressurreição, Paulo alista assim os aparecimentos: "E apareceu a Pedro e depois aos Doze. Depois disso apareceu a mais de quinhentos irmãos de uma só vez, a maioria dos quais ainda vive, embora alguns já tenham adormecido. Depois apareceu a Tiago e, então, a todos os apóstolos; depois destes apareceu também a mim, como a um que nasceu fora de tempo".

A declaração de Atos 1.3, "Jesus apresentou-se a eles e deu-lhes muitas provas indiscutíveis de que estava vivo. Apareceu-lhes por um período de quarenta dias falando-lhes acerca do Reino de Deus", junto com declarações semelhantes em Atos 10.41 e 13.31, deixa subentendida a possibilidade de que Jesus possa ter feito muitos aparecimentos além dos que estão registrados e que seu ministério após a ressurreição pode ter sido muito mais extenso do que sabemos.

Jesus era o Filho de Deus?

ESSA É A PERGUNTA mais importante para a fé cristã. Sem dúvida alguma, Jesus foi um grande mestre e um grande exemplo, mas se não foi mais que isso, não poderá fazer muita coisa a nosso favor, visto que nos vemos, repetidas vezes, incapazes de viver segundo seus ensinos e de seguir seu exemplo. Nesse caso, o melhor que ele pode fazer por nós é fazer-nos sentir culpados.

No entanto, a Bíblia não deixa dúvida de que ele se declarava Filho de Deus e que outros sabiam que ele era Filho de Deus.

Jesus é chamado Filho de Deus nos quatro evangelhos:

- Mateus 3.17; 4.3,6; 8.29; 14.33; 16.16; 17.5; 26.63; 27.54
- Marcos 1.1,11; 3.11; 5.7; 9.7; 14.61,62
- Lucas 1.32,35; 3.22; 4.41; 9.35; 22.70
- João 1.34,49; 3.16,18; 5.25; 9.35; 10.36; 19.7; 20.31

O que Jesus disse sobre si mesmo

Jesus chamava a si mesmo Filho de Deus (Jo 5.25) e assim se fazia igual a Deus (Jo 5.18). Três vezes Jesus disse categoricamente ser o Filho de Deus (Mc 14.61,62; Jo 9.35-37; 10.36).

Jesus empregou a respeito de si mesmo, repetidas vezes, expressões que só podem ser aplicadas a Deus:

- "Eu sou [...] a verdade" (Jo 14.6).
- "Eu sou o caminho [para Deus]" (Jo 14.6).
- "Eu sou a porta; quem entra por mim será salvo. Entrará e sairá, e encontrará pastagem" (Jo 10.9).
- "Ninguém vem ao Pai, a não ser por mim" (Jo 14.6).
- "Eu sou o pão da vida" (Jo 6.35).
- "Eu sou [...] a vida" (Jo 11.25; 14.6).
- "Eu sou a ressurreição" (Jo 11.25).
- "Quem vive e crê em mim, não morrerá eternamente" (Jo 11.26).
- "Eu sou o Messias!" (Jo 4.25,26).
- "Antes de Abraão nascer, Eu Sou!" (Jo 8.58). Essa é uma declaração assombrosa, além do alcance da compreensão finita, que elimina a passagem do tempo e reduz o passado e o futuro ao eterno agora.
- "Pai, glorifica-me junto a ti, com a glória que eu tinha contigo antes que o mundo existisse" (Jo 17.5). Uma nítida lembrança da sua existência pré-encarnada.

- "Quem me vê, vê o Pai" (Jo 14.9).
- "Eu e o Pai somos um" (Jo 10.30).
- "Foi-me dada toda a autoridade nos céus e na terra" (Mt 28.18).
- "Eu estarei sempre com vocês, até o fim dos tempos" (Mt 28.20).

Quem mais poderia ter dito coisas semelhantes a respeito de si mesmo? A respeito de quem mais nós poderíamos dizê-las?

O que outras pessoas disseram a respeito de Jesus

- Marcos chamou Jesus "o Filho de Deus" (Mc 1.1).
- João chamou Jesus "o Filho de Deus" (Jo 3.16,18; 20.31).
- João Batista chamou Jesus "o Filho de Deus" (Jo 1.34).
- Natanael chamou Jesus "o Filho de Deus" (Jo 1.49).
- Pedro chamou Jesus "o Filho de Deus" (Mt 16.16).
- Marta chamou Jesus "o Filho de Deus" (Jo 11.27).
- Os discípulos chamaram Jesus "o Filho de Deus" (Mt 14.33).
- O anjo Gabriel chamou Jesus "o Filho de Deus" (Lc 1.32,35).
- O próprio Deus se referiu a Jesus como "o meu Filho amado" (Mt 3.17; 17.5; Mc 1.11; 9.7; Lc 3.22; 9.35).
- Os espíritos malignos reconheciam Jesus como "o Filho de Deus" (Mt 8.29; Mc 3.11; 5.7; Lc 4.41).
- Era comumente reconhecido que Jesus declarava ser o Filho de Deus:
  - "Se és o Filho de Deus..." (Mt 4.3,6).
  - "Verdadeiramente tu és o Filho de Deus" (Mt 14.33).
  - "Desça da cruz, se é Filho de Deus!" (Mt 27.40).
  - "Disse: 'Sou o Filho de Deus!'" (Mt 27.43).
  - "Verdadeiramente este era o Filho de Deus!" (Mt 27.54).
  - "Se declarou Filho de Deus" (Jo 19.7).
- A rocha sobre a qual Jesus disse que edificaria a sua igreja (Mt 16.18) era a verdade de que ele é o Filho de Deus.
- O próprio Jesus é chamado Deus (Jo 1.1; 10.33; 20.28; Rm 9.5; Cl 1.16; 2.9; 1Tm 1.17; Hb 1.8; 1Jo 5.20; Jd 25).

O que disse o AT

- Os profetas do AT predisseram a divindade de Jesus:
  - "Ele será chamado [...] Deus Poderoso, Pai Eterno" (Is 9.6).
  - "Este é o nome pelo qual será chamado: O SENHOR é a Nossa Justiça" (Jr 23.6; 33.16).
  - "Naquele dia [...] a família de Davi será como Deus" (Zc 12.8).

Portanto, nem o próprio Jesus, nem as Escrituras, deixam a menor dúvida quanto à sua natureza. Por que não aceitar o registro como ele é? Se Jesus fosse somente um homem bom, ele nada poderia fazer por nós a não ser nos oferecer um bom exemplo. Se ele realmente era Deus, ele pode ser tanto o Salvador quanto bom exemplo para nós.

Outras declarações de Jesus

Outras declarações de Jesus só fazem sentido se ele for o Filho de Deus — mas, se não, estas coisas dariam a impressão de serem delírios de alguém com mania de grandeza:

- "Eu sou a luz do mundo" (Jo 8.12).
- "Eu sou o bom pastor" (Jo 10.11).
- "Vocês são daqui de baixo; eu sou lá de cima. Vocês são deste mundo; eu não sou deste mundo" (Jo 8.23).
- "Abraão, pai de vocês, regozijou-se porque veria o meu dia; ele o viu e alegrou-se" (Jo 8.56).
- "Moisés [...] escreveu a meu respeito" (Jo 5.45,46).
- "Vocês estudam cuidadosamente as Escrituras, porque pensam que nelas vocês têm a vida eterna. E são as Escrituras que testemunham a meu respeito" (Jo 5.39).
- "O Pai que me enviou, ele mesmo testemunhou a meu respeito" (Jo 5.37).
- "A própria obra que o Pai me deu para concluir, e que estou realizando, testemunha que o Pai me enviou" (Jo 5.36).
- "Se eu não tivesse realizado no meio deles obras que ninguém mais fez, eles não seriam culpados de pecado" (Jo 15.24).
- "Se vocês não crerem que Eu Sou, de fato morrerão em seus pecados" (Jo 8.24).
- "Felizes são os olhos que vêem o que vocês vêem. Pois eu lhes digo que muitos profetas e reis desejaram ver o que vocês estão vendo, mas não viram; e ouvir o que vocês estão ouvindo, mas não ouviram" (Lc 10.23,24).
- "A rainha do Sul [...] veio dos confins da terra para ouvir a sabedoria de Salomão, e agora está aqui o que é maior do que Salomão [...] Os homens de Nínive [...] se arrependeram com a pregação de Jonas, e agora está aqui o que é maior do que Jonas" (Mt 12.42,41).

Nomes e títulos aplicados a Cristo pelas Escrituras	
Cristo	Senhor
Messias	Dono de Tudo
Salvador	Senhor da glória
Redentor	Senhor dos senhores
Maravilhoso Conselheiro	Bendito e único soberano
Testemunha fiel	Rei de Israel
Palavra de Deus	Rei dos reis
Verdade	Soberano dos reis da terra
Luz do Mundo	Príncipe da Vida
Caminho	Príncipe da Paz
Bom Pastor	Filho de Davi
Mediador	Renovo
Libertador	Raiz e Descendente de Davi
Grande sumo sacerdote	Resplandecente Estrela da Manhã
Autor e consumador da fé	Emanuel
Fonte da salvação	Segundo Adão
Intercessor,	Cordeiro de Deus
Filho de Deus	Leão da tribo de Judá
Filho do Homem	Alfa e Ômega
Deus	Primeiro e Último
Santo de Deus	Princípio e Fim
Filho Unigênito	Soberano da criação de Deus
Deus Poderoso	Primogênito de toda a criação
Imagem de Deus	Amém
Pai Eterno	Cristo

Como era Jesus?

COMO HOMEM, Jesus viveu a vida mais inesquecível e bela de que se tem notícia. Foi o homem mais bondoso, mais terno, mais meigo, mais paciente e mais compassivo que já viveu. Amava as pessoas. Não gostava de vê-las passando por aflições. Gostava de perdoar. Gostava de ajudar. Operava milagres maravilhosos para alimentar os famintos. Ao aliviar os sofredores, esquecia-se de alimentar a si próprio. Multidões cansadas, oprimidas pela dor e angustiadas chegavam-se a ele e recebiam cura e alívio. A respeito dele, e de nenhum outro que, se fossem deixados por escrito todos os atos de bondade que realizou, os livros não caberiam no mundo inteiro. Era assim o homem Jesus.

O amor de Jesus

Jesus falou muito a respeito do amor — amor que era freqüentemente manifestado na singela e antiga prática diária da simples bondade.

A julgar por aquilo que Jesus disse, ele gostaria mais de ver seus seguidores amarem uns aos outros que terem qualquer outro traço de caráter. Não significa que o amor de uns pelos outros irá nos salvar — a salvação vem de Jesus. Existem, entretanto, aspectos de nosso ser que agradam ou desagradam a ele.

Jesus dá a entender que o céu será habitado exclusivamente por aqueles que aprenderam a amar. Esse é o segundo grande mandamento: "Ame o seu próximo como a si mesmo". O primeiro e maior mandamento é: "Ame o Senhor, o seu Deus de todo o seu coração, de toda a sua alma e de todo o seu entendimento [...] Destes dois mandamentos dependem toda a Lei e os Profetas" (Mt 22.37-40; Mc 12.30,31; Lc 10.27; Jo 13.34). Jesus veio para construir um mundo de seres semelhantes a si mesmo, e no fim nenhum outro tipo de ser estará ali (Mt 25.34-41).

Jesus disse ainda que haverá algumas surpresas no dia do Juízo Final. Algumas pessoas que se consideravam muito religiosas descobrirão, tarde demais, que desprezaram totalmente as coisas que realmente importam, as chamadas pequenas coisas (Mt 25.44).

Jesus faz ainda a declaração notável de que nenhuma ação de bondade sequer, por mínima que seja, passará sem recompensa no mundo de Deus (Mt 10.42).

Jesus tinha índole perdoadora

Além de ser o homem mais amável e bondoso que já viveu, Jesus também foi o mais terno. Gostava muito de perdoar. Em seu ser não havia pecado, mas como seu coração latejava de compaixão pelos que estavam lutando contra o pecado! Uma das cenas mais belas de toda a Bíblia é a que Jesus demonstra ternura para com a mulher pecadora que chorava aos seus pés (Lc 7.36-50). O fato de Jesus ter tratado com ternura e perdão aquela mulher marginalizada e pecadora serve de garantia de que ele tratará com ternura e perdão a sua igreja — a todos nós.

Ainda que não tenhamos pecado do mesmo modo que aquela mulher, o fato é que pecamos. E, para Deus, pecado é pecado. E certamente é tão difícil — talvez mais difícil — para Deus perdoar nossos pecados respeitáveis, refinados, polidos, egoístas e esnobes quanto o é para ele perdoar os pecados mais grosseiros das pobres almas que saíram perdendo na batalha da vida.

É consolo muito grande sabermos que esse Jesus, diante de quem compareceremos para julgamento, é uma pessoa assim. Ele foi misericordioso com aquela mulher arruinada na área em que ela precisava de sua misericórdia. Podemos, portanto, ter certeza de que ele será misericordioso conosco na área em que precisarmos de sua misericórdia.

Essa ternura de Jesus para com os fracos e desviados nos anima a continuar pecando? Não. É exatamente ela que produz em nós a determinação de vencer o pecado.

E, quanto mais perto andarmos dele, tanto mais reconheceremos nossa pecaminosidade e nossa necessidade de misericórdia — por mais paradoxal que isso pareça. E, quanto mais reconhecermos a nossa pecaminosidade, tanto menos dispostos estaremos para julgar os outros e tanto mais nós mesmos conseguiremos ser bondosos e perdoadores.

A aparência de Jesus

Não existe no NT o menor indício da aparência pessoal de Jesus. Sendo carpinteiro, ele deve ter tido uma força física considerável. Visto que falava de modo tão eficaz diante de vastas multidões ao ar livre, imaginamos que deve ter tido uma voz poderosa. Há indícios de que tinha senso de humor. Pouca coisa sabemos a respeito de sua aparência.

A julgar pelos seus discursos, conversas e ensinos, pensamos nele como um homem sempre controlado, nunca apressado, com perfeito equilíbrio, ponderado e majestoso em todos os seus movimentos. Sabemos, entretanto, que houve raras ocasiões em que Jesus ficou zangado e expressou frustração e ira. A cena em que ele expulsa os comerciantes e vira as mesas dos cambistas, ao purificar o Templo nos seus dias finais em Jerusalém, pouco antes de ser preso e crucificado, ajuda-nos a ver a humanidade de Jesus juntamente com sua divindade. O que ela era e o que dizia — na pessoa e mensagem — era o que atraía as pessoas — não sua aparência física —, pois era um homem de aparência comum.

Os doze discípulos

No INÍCIO DE SEU ministério, Jesus escolheu doze homens para serem seus discípulos. Levou cerca de um ano e meio para completar a escolha dos discípulos. Esses doze homens viajaram com Jesus e o ouviram ensinar por pelo menos dois anos. Eram pessoas comuns: pelo menos quatro eram pescadores e um era coletor de impostos (v. p. 460). Não sabemos qual era a ocupação dos demais. Todos eram galileus, exceto Judas, o traidor. Não havia no grupo um único religioso profissional, ninguém que anunciasse a piedade pelo tipo de roupas que usava. Na realidade ocorria o contrário: os discípulos de Jesus eram atacados pelos líderes religiosos porque *não* obedeciam às normas religiosas sobre o jejum, o trabalho no sábado e a limpeza ritual das mãos.

Quem eram os doze?

Não sabemos por que Jesus escolheu esses doze homens. Cada um dos quatro evangelhos arrola os doze discípulos em ordem um pouco diferente. O único que ocupa o mesmo lugar em todas as quatro listas é Pedro (também chamado Simão e Simão Pedro), que era o líder do grupo e aparece em primeiro lugar nos quatro evangelhos. Três deles constituíam o "círculo íntimo" de Jesus: Pedro, Tiago e o irmão deste, João.

Pedro. É mencionado pela primeira vez na ocasião do batismo de Jesus por João (Jo 1.40-42). Nesse primeiro encontro registrado com Jesus, este mudou o seu nome, como se já houvesse decidido fazer de Simão um apóstolo. Simão era o nome natural; seu novo nome foi Pedro (grego) ou Cefas (aramaico), que significam "rocha". Isso foi reafirmado três anos depois, na confissão de Pedro (Mt 16.18).

Pedro era natural de Betsaida (Jo 1.44) e tinha uma casa em Cafarnaum (Mc 1.29). Ou ele tinha duas casas, ou havia se mudado de Betsaida para Cafarnaum. Pedro era casado (Mt 8.14; Mc 1.30; Lc 4.38) e a esposa o acompanhava no trabalho apostólico (1Co 9.5).

Pedro era sócio de Tiago e João no negócio da pesca (Lc 5.10). Evidentemente era um homem de negócios muito próspero. Era dinâmico, entusiástico, impulsivo, impetuoso, líder nato. Geralmente era o porta-voz dos grupo.

O nome que Jesus lhe deu, "Rocha", indicava o verdadeiro caráter de Pedro, que Jesus compreendeu muito bem: sua força de convicção, coragem e ousadia, embora tenha uma vez negado o Mestre e outra vez tenha deixado de defender a verdade em Antioquia. Era destemido diante da perseguição. Lançou os fundamentos da igreja na Judéia e a conduziu com tal ímpeto que os líderes ficaram contrariados (ver comentário introdutório sobre 1Pe).

João. Veja nota introdutória ao evangelho de João.

Mateus. Ver nota introdutória ao evangelho de Mateus.

Tiago. O irmão mais velho de João. Jesus apelidou os dois irmãos de Boanerges, Filhos do Trovão. Será que isso indica que Jesus tinha um divertido senso de humor? Não se sabe muito sobre Tiago. Ele foi o primeiro dos doze a morrer, assassinado por Herodes em 44 d.C. (Trata-se de Herodes Agripa I, filho de Herodes Antipas, que fez com que João Batista fosse decapitado, e neto de Herodes, o Grande, que ordenou a morte dos meninos de Belém.) A tradição afirma que a maior parte dos doze morreu como mártir.

Duas famílias estavam associadas no negócio da pesca: Tiago e João (com o pai deles, Zebedeu) e os irmãos Simão e André. Eles tinham empregados. Deve ter sido um negócio considerável. Os quatro se tornaram apóstolos. Três deles pertenceram ao círculo íntimo de amigos de Jesus.

Mateus 10.2-4	Marcos 3.16-19	Lucas 6.12-19	Atos 1.3
Simão	Simão	Simão	Pedro [=Simão]
André	Tiago	André	Tiago
Tiago	João	Tiago	João
João	André	João	André
Filipe	Filipe	Filipe	Filipe
Bartolomeu	Bartolomeu	Bartolomeu	Tomé
Tomé	Mateus	Mateus	Bartolomeu
Mateus	Tomé	Tomé	Mateus
Tiago, filho de Alfeu	Tiago, filho de Alfeu	Tiago, filho de Alfeu	Tiago, filho de Alfeu
Tadeu	Tadeu	Simão, o zelote	Simão, o zelote
Simão, o zelote	Simão, o zelote	Judas, filho de Tiago [=Tadeu]	Judas, filho de Tiago [=Tadeu]
Judas Iscariotes	Judas Iscariotes	Judas Iscariotes	[Matias, que substituiu Judas]

Os quatro livros relacionam os doze em ordem um pouco diferente.

André. De Betsaida. Ele e João foram os primeiros conversos de Jesus. Ele levou a Cristo seu irmão Pedro. A tradição diz que ele pregou na Ásia Menor, Grécia e Cítia (regiões agora incluídas na Ucrânia, Rússia e Casaquistão).

Filipe. Também de Betsaida. Era da mesma cidade de Pedro e de André. Levou Natanael a Cristo. Tinha uma mente prática. Segundo a tradição, pregou na Frígia e em Hierápolis.

Bartolomeu. Acredita-se que era o sobrenome de Natanael, que veio de Caná. Talvez tenha sido por meio dele que Jesus foi à festa de casamento. De acordo com a tradição, pregou na Pártia (parte do moderno Irã).

Tomé. Um gêmeo. Cauteloso, reflexivo, cético, sombrio. A tradição diz que trabalhou na Síria, Pártia, Pérsia e Índia.

Tiago. Filho de Alfeu. Chamado Tiago, o Menor, provavelmente devido a estatura. A tradição diz que pregou na Palestina e no Egito.

Tadeu. Considerado o mesmo que Judas, filho de Tiago; também chamado Labeu. A tradição diz que foi enviado a Abgarus, rei de Edessa, e à Síria, Arábia e Mesopotâmia.

Simão. Apelidado o zelote (grego) ou cananeu (aramaico). Nada se sabe dele. Os zelotes eram uma seita intensamente nacionalista, exatamente o oposto dos cobradores de impostos. Jesus escolheu um zelote e um coletor de impostos, que vinham de facções com amarga rivalidade.

Judas Iscariotes. O traidor. Veio de Queriote, uma cidade de Judá. Assim, era o único não-galileu do grupo. Era cobiçoso e desonesto e esperava ricas recompensas quando o seu Mestre se assentasse no trono de Davi. Ficou desapontado quando viu fenecer seu sonho mundano. Após a traição, ele se enforcou (Mt 27.5).

O preparo dos doze

O principal propósito de Jesus em vir ao mundo foi morrer como o Cordeiro de Deus para sanar o relacionamento rompido entre a humanidade e Deus e ressurgir dentre os mortos para dar vida eterna aos seres humanos. Todavia, sua vida, morte e ressurreição seriam inúteis para o mundo a menos que o mundo soubesse a respeito delas. Se os homens a quem ele confiou sua obra lhe fossem infiéis, sua vinda à terra teria sido em vão.

O primeiro envio dos doze (Mt 10.1-42) foi parte do preparo e também fez parte do método utilizado por Jesus para anunciar à nação que o Messias havia chegado. Não havia meios de comunicação — a única maneira de divulgar a notícia era pela palavra falada. (Mais tarde, foram enviados 70 seguidores com o mesmo propósito.) Esses homens autenticaram sua mensagem com milagres especiais, não somente para atrair a atenção, mas também para indicar à nação a natureza extraordinária daquele a quem proclamavam.

Seu preparo não foi tarefa fácil, pois eles estavam sendo treinados para uma obra totalmente diferente do que *imaginavam* ser o objetivo do treinamento. Eles começaram a seguir a Jesus sem qualquer intenção de se tornarem pregadores. Esperavam que, por ser o Messias, ele estabeleceria um império político mundial do qual eles seriam os administradores (v. tb. Mt 13).

O método pelo qual Jesus mudou o conceito deles acerca da obra que ele e os doze tinham de fazer foi apresentar-se a eles com toda a plenitude de sua glória divina, de modo que, não importando quão diferente fosse sua maneira de falar e agir do modo pelo qual eles esperavam que o Messias falasse e agisse, ainda assim cressem que ele era o próprio. Essa é uma das razões pelas quais ele realizou milagres e foi transfigurado diante dos olhos deles (Jo 20.30,31).

Porém, até mesmo no fim, os doze não entenderam algumas das coisas mais importantes que Jesus tentara ensinar-lhes. Jesus lhes disse que seria executado — no entanto, quando isso aconteceu, ficaram arrasados, porque não haviam compreendido que isso tinha de acontecer no plano de Deus. Jesus também lhes disse que ressurgiria dentre os mortos depois de três dias no túmulo — mas, quando aconteceu, eles não acreditaram. Ironicamente, os líderes judeus que fizeram com que Jesus fosse morto se lembraram do que ele havia dito sobre sua ressureição e puseram guardas na frente do túmulo! (Mt 27.63-65).

Foi somente após a ressurreição e a descida do Espírito Santo que os doze finalmente compreenderam que seria um reino no qual Jesus reinaria no coração dos homens e que sua parte seria simplesmente contar a história de Jesus. Isso é tudo. A história faria seu trabalho. Se os homens verdadeiramente ouvirem a história de Jesus, eles o amarão, porque a história de Jesus mostra por meio de palavras e pelo exemplo que Deus os ama.

Esses doze homens — mais tarde chamados "apóstolos" (enviados) em vez de "discípulos" (seguidores) — tornaram-se os fundadores da igreja cristã. O grupo como um todo (com exceção de Judas) deve ter sido composto de homens do mais alto nível, pois Jesus conhecia e compreendia as pessoas. Que homens magníficos devem ter sido!

Os quatro evangelhos

Mateus a João

Os quatro evangelhos são a parte mais importante da Bíblia — mais importantes que os demais livros que a compõem, mais importantes que todos os livros do mundo inteiro somados. Isso porque poderíamos passar bem sem o conhecimento das demais coisas que sem o conhecimento de Cristo.

Os livros da Bíblia que antecedem os evangelhos, ou seja, os livros do AT, prevêem a personagem central dos quatro evangelhos, que é Jesus Cristo. Os livros seguintes o explicam.

Por que existem quatro evangelhos?

Em certa época, existiram mais evangelhos que os quatro que possuímos (Lc 1.1). Jesus viveu num período de grande atividade literária — a era das autobiografias militares (Júlio César), dos escritos filosóficos (Cícero e Sêneca), das grandes poesias (Virgílio, Horácio, Lívio, Plutarco e Plínio) e dos historiadores (Tácito). Dentro de uma só geração, a história de Jesus disseminara-se por todo o mundo conhecido e conseguira milhares de seguidores dedicados. Naturalmente, havia muita procura das narrativas escritas da vida de Jesus.

O próprio Deus, segundo cremos, participou da preparação e da conservação desses quatro evangelhos específicos, que contêm o que ele queria que todos soubessem a respeito de Jesus. No AT existem algumas narrativas duplicadas referentes aos séculos da monarquia de Israel (nos livros de Samuel, Reis e Crônicas). Aqui, porém, temos quatro livros inteiros da Bíblia que (excetuando-se quatro capítulos do total de 89) abrangem o período de cerca de três anos e meio — os últimos anos da vida de uma pessoa: Jesus de Nazaré. Esse fato significa, necessariamente, que essa história é de importância superlativa.

Quaisquer outros escritos que tenham existido narrando a vida de Jesus desapareceram — em grande parte, por certo, durante as perseguições imperiais dos três primeiros séculos. Os que sobreviveram são os que possuímos no NT — aqueles que Deus, na sua providência, vigiou e conservou por serem suficientes para transmitir sua Palavra a todas as gerações futuras (v. comentários sobre Mc 1, Lc 1, Jo 1).

Quatro autores

Mateus era cobrador de impostos; Lucas, médico; João, pescador. Não sabemos qual era a profissão de Marcos.

- **Mateus** e **João** eram discípulos de Jesus.
- **Marcos** era companheiro de Pedro; seu evangelho contém o que ouvira Pedro contar repetidas vezes.
- **Lucas** era companheiro de Paulo; seu evangelho contém o que Paulo pregara de uma extremidade do Império Romano até a outra — coisas que averiguou por meio de investigações.

Todos contaram a mesma história. Viajaram grandes distâncias em várias direções. Freqüentemente iam juntos. João e Pedro trabalharam juntos. Marcos foi companheiro tanto de Pedro quanto de Paulo, e Lucas e Marcos estiveram juntos em Roma entre 61 e 63 d.C. (Cl 4.10,14).

Quatro públicos

Os quatro evangelhos são, em última análise, para toda a raça humana, mas cada um foi originariamente escrito para uma audiência mais específica.

- O original de Mateus, segundo se pensa, pode ter sido escrito para **a igreja de Jerusalém**, de onde outras igrejas obtiveram cópias.
- Marcos pode ter destinado seu evangelho para **a igreja de Roma**. Por certo, cópias devem ter sido enviadas a outras igrejas.
- Lucas escreveu seu evangelho para alguém chamado **Teófilo**, que era possivelmente um alto oficial do governo romano. (Lucas também escreveu o livro de Atos para o mesmo Teófilo.)
- Pensa-se que o evangelho segundo João foi escrito originariamente para **a igreja de Éfeso**.

Deus inspirou esses homens a escrever exatamente o que ele queria que escrevessem, para o uso de todas as pessoas em todas as gerações. Mesmo assim, eles mesmos forçosamente estavam pensando no ambiente de seus leitores imediatos, o que pode ter influenciado a escolha do material.

Quatro perspectivas

Não somente os quatro evangelistas escreveram para leitores diferentes, mas também cada um refletiu a própria personalidade ao escrever. Todos tinham a mesma história para contar — a história de um homem: como ele viveu, o que fez e disse. Cada um, porém, contou a história à sua maneira e mencionou o que achava especialmente interessante, e é isso o que explica as diferenças entre os evangelhos.

- Mateus, escrevendo para cristãos de origem judaica, apresenta **Jesus, o Messias**, que cumpre as profecias do AT.
- Marcos ressalta a ação mais que os ensinos. Apresenta **Jesus, o Maravilhoso**; ser rejeitado, sofrer, e morrer era parte essencial da sua missão.
- Lucas apresenta **Jesus, o Filho do Homem**, que traz a salvação ao identificar-se com a humanidade em todas as suas fraquezas. Ele cura os enfermos e busca os que foram rejeitados pela sociedade.
- João apresenta **Jesus, o Filho de Deus**. Começa com a preexistência de Jesus e focaliza a união entre Jesus e Deus, seu Pai.

Os quatro evangelhos comparados entre si

Veja a comparação dos quatro evangelhos na p. 429, "A vida de Jesus nos quatro evangelhos".

O "problema sinótico"

Mateus, Marcos e Lucas são chamados evangelhos sinóticos (ou simplesmente sinóticos) porque oferecem a mesma visão geral (sinopse) da vida de Cristo e registram, até certo ponto, as mesmas coisas. As semelhanças entre os sinóticos têm levado alguns estudiosos a indagar como os três evangelhos chegaram a ser tão semelhantes entre si em alguns trechos, porém tão diferentes em outros trechos. Os autores aproveitavam matérias uns dos outros ou empregaram uma fonte documental comum que não mais possuímos? Essas perguntas e outras tantas semelhantes são comumente denominadas "problema sinótico".

Alguns acham que o mais antigo dos evangelhos foi o de Marcos; Mateus o expandiu e Lucas valeu-se dos evangelhos de Mateus e de Marcos. Outros acham que Mateus foi o primeiro a escrever e que Marcos compilou uma edição abreviada do evangelho de Mateus.

Não é necessário, porém, pensar que Mateus, Marcos e Lucas citaram os evangelhos uns dos outros, ou que fizeram qualquer uso deles. Os acontecimentos da vida de Jesus e os seus ditos foram repetidos oralmente durante anos pelos apóstolos e por outros e tinham circulação geral entre os cristãos. Eram a essência da pregação diária dos apóstolos.

Além disso, não devemos nos esquecer que, nos dias de Jesus, as pessoas não ficavam expostas a torrentes intermináveis de palavras e imagens da mídia e de outras formas de comunicação. Histórias como essas a respeito da vida de Jesus tinham muito mais probabilidade de se alojar na memória das pessoas, talvez até as palavras exatas.

Ao mesmo tempo, é provável que, desde o início, muitas dessas coisas tenham sido registradas por escrito, algumas talvez de modo meramente fragmentário e outras de forma mais completa. E, quando Mateus, Marcos e Lucas escreveram os evangelhos, cada um escolheu, do conjunto de conhecimentos orais e escritos que estava em circulação geral entre os cristãos, o que mais se encaixava nos respectivos propósitos. Além disso, Mateus fora testemunha ocular da maior parte do ministério de Jesus, Marcos ouvira Pedro contando as histórias repetidas vezes e Lucas fez pesquisas cuidadosas, devendo talvez ter falado longamente com testemunhas oculares.

Contradições nos evangelhos?

É estarrecedora a irresponsabilidade com que se declara, em muitas obras de estudiosos dos nossos dias, que os quatro evangelhos contêm contradições. Quando, porém, vemos quais são as coisas que alegam ser contradições, somos tentados a perder o respeito pelo suposto estudo. O fato de existirem pormenores diferentes e leves variações na descrição do mesmo incidente torna ainda mais fidedigno o testemunho dos vários escritores, pois exclui a possibilidade de conluio, de terem contado uma versão previamente combinada entre eles dos fatos da vida de Jesus.

Harmonia dos evangelhos

	MATEUS	MARCOS	LUCAS	JOÃO
Visão prévia de quem é Jesus				
O propósito de Lucas ao escrever um evangelho			1.1-4	
O prólogo de João: Jesus Cristo, a Palavra encarnada preexistente				1.1-18
A linhagem de Jesus por meio de José e Maria	1.1-17		3.23b-38	
Os primeiros anos de João Batista				
O nascimento de João profetizado a Zacarias			1.5-25	
O nascimento de Jesus predito a Maria			1.26-38	
A visita de Maria a Isabel e o cântico de Isabel			1.39-45	
O cântico de júbilo de Maria			1.46-56	
O nascimento de João			1.57-66	
O cântico profético de Zacarias			1.67-79	
O crescimento e a juventude de João			1.80	
Os primeiros anos de Jesus Cristo				
O nascimento de Jesus explicado a José	1.18-25			
O nascimento de Jesus				2.1-7
O louvor dos anjos e testemunho dos pastores				2.8-20
A circuncisão de Jesus				2.21
Jesus apresentado no Templo; Simeão e Ana				2.22-38
A visita dos magos	2.1-12			
A fuga para o Egito; assassinato dos meninos em Belém	2.13-18			
A volta a Nazaré	2.19-23		2.39	
O crescimento e juventude de Jesus			2.40	
A primeira Páscoa de Jesus em Jerusalém			2.41-50	
Jesus chega à idade adulta			2.51,52	
O ministério público de João Batista				
O início do ministério		1.1	3.1,2	
Sua pessoa, proclamação e batismo	3.1-6	1.2-6	3.3-6	
Sua mensagem aos fariseus, saduceus, multidões e outros	3.7-10		3.7-14	
Sua descrição de Cristo	3.11,12	1.7,8	3.15-18	
Fim do ministério público de João e início do ministério público de Cristo				
Jesus é batizado por João	3.13-17	1.9-11	3.21-23a	
Jesus é tentado no deserto	4.1-11	1.12,13	4.1-13	
João testifica de si mesmo diante dos sacerdotes e levitas				1.19-28
João testifica de Jesus como Filho de Deus				1.29-34
Os primeiros seguidores de Jesus				1.35-51
O primeiro milagre de Jesus: água transformada em vinho				2.1-11
A primeira permanência de Jesus em Cafarnaum				2.12
A primeira purificação do Templo na Páscoa				2.13-22
O primeiro efeito dos milagres de Jesus				2.23-25
Nicodemos encontra-se com Jesus				3.1-21

	MATEUS	MARCOS	LUCAS	JOÃO
Jesus toma a primazia sobre João				3.22-36
Jesus parte da Judéia	4.12	1.14a	3.19,20; 4.14a	4.1-4
A conversa com a mulher samaritana				4.5-26
O desafio de uma colheita espiritual				4.27-38
A evangelização em Sicar				4.39-42
A chegada na Galiléia				4.43-45
O ministério de Cristo na Galiléia				
Oposição em casa e novo centro de operações				
A natureza do ministério na Galiléia	4.17	1.14b-15	4.14b-15	
A criança curada em Cafarnaum por Jesus				4.46-54
O ministério e rejeição em Nazaré			4.16-31a	
A mudança para Cafarnaum	4.13-16			
Discípulos chamados e ministério em toda a Galiléia				
O chamado dos quatro	4.18-22	1.16-20	5.1-11	
O ensino na sinagoga de Cafarnaum autenticado pela cura		1.21-28	4.31b-37	
A cura da sogra de Pedro e de outros	8.14-17	1.29-34	4.38-41	
A viagem pela Galiléia com Simão e outros	4.23-25	1.35-39	4.42-44	
A purificação de um leproso	8.2-4	1.40-45	5.12-16	
O paralítico perdoado e curado	9.1-8	2.1-12	5.17-26	
O chamado de Mateus	9.9	2.13,14	5.27,28	
O banquete na casa de Mateus	9.10-13	2.15-17	5.29-32	
Jesus, com três parábolas, defende o festejar em vez do jejuar	9.14-17	2.18-22	5.33-39	
Controvérsias sobre o sábado e retiradas				
Jesus cura um enfermo no sábado				5.1-9
A tentativa de matar Jesus pela violação do sábado e por declarar-se igual a Deus				5.10-18
O discurso demonstrando a igualdade do Filho com o Pai				5.19-47
A controvérsia sobre colher grãos no sábado	12.1-18	2.23-28	6.1-5	
A cura de uma mão ressequida no sábado	12.9-14	3.1-6	6.6-11	
A retirada para o mar da Galiléia com grandes multidões	12.15-21	3.7-12		
Nomeação dos doze e sermão do Monte				
Escolhidos os doze apóstolos		3.13-19	6.12-16	
O contexto do sermão	5.1,2		6.17-19	
Bem-aventuranças e ais	5.3-12		6.20-26	
Responsabilidade ao aguardar o Reino	5.13-16			
A Lei, a justiça e o Reino	5.17-20			
Seis contrastes na interpretação da Lei	5.21-48		6.27-30, 32-36	
Três atos hipócritas a serem evitados	6.1-18			
Três proibições contra a avareza e mais	6.19—7.6		6.37-42	
Aplicação e conclusão	7.7-27		6.31, 43-49	
Reação das multidões	7.28—8.1			
Fama crescente e ênfase no arrependimento				
A fé de um centurião e a cura de seu servo	8.5-13		7.1-10	
O filho de uma viúva é ressuscitado em Naim			7.11-17	
O relacionamento entre João Batista e o Reino	11.2-19		7.18-35	
Os ais sobre Corazim e Betsaida	11.20-30			

	MATEUS	MARCOS	LUCAS	JOÃO
Os pés de Jesus são ungidos por uma mulher pecadora porém contrita			7.36-50	
Primeira rejeição pública pelos líderes judaicos				
Circuito com os doze e outros seguidores			8.1-3	
A acusação blasfema pelos mestres da Lei e os fariseus	12.22-37	3.20-30		
Recusado o pedido de um sinal	12.38-45			
Proclamado um novo parentesco espiritual	12.46-50	3.31-35	8.19-21	
Segredos a respeito do Reino dados em parábolas				
Às multidões à beira-mar				
O contexto das parábolas	13.1-3a	4.1,2	8.4	
A parábola dos solos	13.3b-23	4.3-25	8.5-18	
A parábola do crescimento espontâneo da semente		4.26-29		
A parábola do joio	13.24-30			
A parábola do grão de mostarda	13.31,32	4.30-32		
A parábola do fermento	13.33-35	4.33,34		
Aos discípulos em casa				
Explicada a parábola do joio	18.36-43			
A parábola do tesouro escondido	13.44			
A parábola da pérola de grande valor	13.45,46			
A parábola da rede	13.47-50			
A parábola do dono da casa	13.51-53			
A oposição continua				
Atravessando o lago e acalmando a tempestade	8.18,23-27	4.35-41	8.22-25	
A cura dos endemoninhados gerasenos	8.28-34	5.1-20	8.26-39	
A volta à Galiléia, cura de uma mulher, ressurreição da filha de Jairo	9.18-26	5.21-43	8.40-56	
Três milagres de cura e outra acusação blasfema	9.27-34			
A visita final à Nazaré incrédula	13.54-58	6.1-6a		
Campanha final na Galiléia				
Insuficiência de obreiros	9.35-38	6.6b		
O comissionamento dos doze	10.1-42	6.7-11	9.1-5	
Enviados os obreiros	11.1	6.12,13	9.6	
Antipas identifica Jesus erroneamente	14.1,2	6.14-16	9.7-9	
Retrospecto da prisão e decapitação de João Batista	14.3-12	6.17-29		
O ministério de Cristo em torno da Galiléia				
Lição a respeito do Pão da Vida				
A volta dos obreiros		6.30	9.10a	
A retirada da Galiléia	14.13,14	6.31-34	9.10b,11	6.1-3
Alimentados os 5000	14.15-21	6.35-44	9.12-17	6.4-13
Frustrada a tentativa de fazer de Jesus rei	14.22,23	6.45,46		6.14,15
Andando por sobre as águas durante uma tempestade no lago	14.24-33	6.47-52		6.16-21
As curas em Genesaré	14.34-36	6.53-56		
O discurso sobre o verdadeiro pão da vida				6.22-59
Deserção entre os discípulos				6.60-71
Lição sobre o fermento dos fariseus, saduceus e herodianos				
O conflito sobre a impureza cerimonial	15.1-3a, 7-9b, 3b-6,10-20	7.1-23		7.1

Os quatro evangelhos

	MATEUS	MARCOS	LUCAS	JOÃO
Ministério à mulher grega em Tiro e Sidom que tinha fé	15.21-28	7.24-30		
As curas em Decápolis	15.29-31	7.31-37		
Alimentando 4 000 em Decápolis	15.32-38	8.1-9a		
A volta à Galiléia e debate com os fariseus e saduceus	15.39—16.4	8.9b-12		
A advertência a respeito dos erros dos fariseus e de outros	16.5-12	8.13-21		
Curando um cego em Betsaida		8.22-26		
Lição sobre o messiado aprendida e confirmada				
Pedro aponta Jesus como o Cristo; a primeira profecia a respeito da igreja	16.13-20	8.27-30	9.18-21	
A primeira predição direta da rejeição, crucificação e ressurreição	16.21-26	8.31-37	9.22-25	
A vinda do Filho do Homem e juízo	16.27,28	8.38—9.1	9.26,27	
A transfiguração de Jesus	17.1-8	9.2-8	9.28-36a	
O debate sobre a ressurreição, Elias e João Batista	17.9-13	9.9-13	9.36b	
Lições sobre a responsabilidade para com o próximo				
A cura do menino endemoninhado e repreensão por causa da incredulidade	17.14-20	9.14-29	9.37-43a	
A segunda predição da morte e ressurreição de Jesus	17.22,23	9.30-32	9.43b-45	
O pagamento do imposto do Templo	17.24-27			
A rivalidade sobre grandeza no Reino	18.1-5	9.33-37	9.46-48	
A advertência contra levar os crentes a pecar	18.6-14	9.38-50	9.49,50	
O tratamento e o perdão de um irmão que peca	18.15-35			
Viagem a Jerusalém para a Festa das Cabanas				
Dedicação total exigida dos seguidores	8.19-22		9.57-62	
Ridicularização pelos meios-irmãos de Jesus				7.2-9
A viagem através de Samaria			9.51-56	7.10
O ministério posterior de Cristo na Judéia				
Ministério a partir da Festa das Cabanas				
A reação mista diante dos ensinos e milagres de Jesus				7.11-31
A tentativa frustrada de prender Jesus				7.32-52
Jesus perdoa uma mulher pega em adultério				7.53—8.11
O conflito sobre a declaração de Jesus de ser a luz do mundo				8.12-20
O relacionamento entre Jesus e Deus Pai				8.21-30
O relacionamento entre Jesus e Abraão; tentativa de apedrejá-lo				8.31-59
A cura do cego de nascença				9.1-7
A reação dos vizinhos do cego				9.8-12
O interrogatório e a excomunhão do cego pelos fariseus				9.13-34
Jesus se identifica ao cego				9.35-38
A cegueira espiritual dos fariseus				9.39-41
A alegoria do bom pastor e do ladrão				10.1-18
Nova divisão entre os judeus				10.19-21
Lições em particular sobre o serviço amoroso e a oração				
O comissionamento dos 72			10.1-16	
A volta dos 72			10.17-24	
A parábola do bom samaritano			10.25-37	

	MATEUS	MARCOS	LUCAS	JOÃO
Jesus visita Maria e Marta			10.38-42	
A lição sobre como orar; parábola do amigo importuno			11.1-13	
Segundo debate com os peritos na Lei e os fariseus				
A terceira acusação blasfema; segundo debate			11.14-36	
A ais contra os fariseus e os peritos na Lei			11.37-54	
Advertências aos discípulos a respeito da hipocrisia			12.1-12	
A advertência contra a avareza e a confiança nas riquezas			12.13-34	
A advertência contra o despreparo para a vinda do Filho do homem			12.35-48	
A advertência sobre a divisão iminente			12.49-53	
A advertência contra deixar de discernir o tempo presente			12.54-59	
As duas alternativas: arrepender-se ou perecer			13.1-9	
A oposição por ter curado uma mulher no sábado			13.10-21	
A outra tentativa de apedrejar ou prender Jesus por blasfêmia				10.22-39
Ministério de Cristo na Peréia e em torno da Peréia				
Princípios do discipulado				
De Jerusalém até a Peréia				10.40-42
A pergunta a respeito da salvação e do Reino			13.22-30	
Previsão da morte iminente de Jesus e sua tristeza por causa de Jerusalém			13.31-35	
A cura de hidropisia; três parábolas sugeridas pela ocasião			14.1-24	
O preço do discipulado			14.25-35	
As parábolas em defesa da associação com pecadores			15.1-32	
A parábola para ensinar o uso apropriado do dinheiro			16.1-13	
A história para ensinar o perigo das riquezas			16.14-31	
Quatro lições sobre o discipulado			17.1-10	
A enfermidade e morte de Lázaro				11.1-16
Lázaro ressuscitado dentre os mortos				11.17-44
A decisão do Sinédrio de matar Jesus				11.45-54
Ensinando durante a viagem final a Jerusalém				
A cura de dez leprosos ao passar pela Galiléia e Samaria			17.11-21	
Instruções a respeito da vinda do Filho do homem			17.22-37	
Duas parábolas sobre a oração: a viúva persistente e o fariseu e o publicano			18.1-14	
O conflito com o ensino farisaico sobre o divórcio	19.1-12	10.1-12		
O exemplo das criancinhas e o Reino	19.13-15	10.13-16	18.15-17	
As riquezas e o Reino	19.16-30	10.17-31	18.18-30	
A parábola dos trabalhadores na vinha	20.1-16			
A terceira predição da morte e ressurreição de Jesus	20.17-19	10.32-34	18.31-34	
A advertência contra o orgulho ambicioso	20.20-28	10.35-45		
A cura do cego Bartimeu e de seu companheiro	20.29-34	10.46-52	18.35-43	
A salvação de Zaqueu			19.1-10	
A parábola para ensinar a responsabilidade enquanto tarda a chegada do Reino			19.11-28	

	MATEUS	MARCOS	LUCAS	JOÃO
Apresentação formal de Cristo a Israel e o conflito resultante				
A entrada triunfal e a figueira				
A chegada a Betânia				11.55—12.1, 9,11
A entrada triunfal em Jerusalém	21.1-11, 14-17	11.1-11	19.29-44	12.12-19
A maldição da figueira	21.18,19a	11.12-14		
A segunda purificação do Templo	21.12,13	11.15-18	19.45-48	
O pedido de alguns gregos para verem a Jesus				12.20-36a
As reações diferentes a Jesus pelas multidões				12.36b-50
A figueira seca e uma lição sobre a fé	21.19b-22	11.19-25	21.37,38	
Desafios oficiais à autoridade de Cristo				
A autoridade de Jesus é questionada pelos chefes dos sacerdotes e por outros	21.23-27	11.27-33	20.1-8	
A pergunta de Jesus e três parábolas	21.28—22.14	12.1-12	20.9-19	
Tentativas de confundir Jesus com uma pergunta a respeito de pagar impostos a César	22.15-22	12.13-17	20.20-26	
A pergunta dos saduceus a respeito da ressurreição	22.23-33	12.18-27	20.27-40	
A pergunta jurídica de um fariseu	22.34-40	12.28-34		
Resposta de Cristo aos desafios dos seus inimigos				
O relacionamento de Cristo com Davi como Filho e Senhor	22.41-46	12.35-37	20.41-44	
Os sete ais contra os peritos da Lei e os fariseus	23.1-36	12.38-40	20.45-47	
A tristeza de Jesus por causa de Jerusalém	23.37-39			
Uma viúva pobre oferece todas as suas posses		12.41-44	21.1-4	
Profecias em preparação para a morte de Cristo				
Discurso no monte das Oliveiras: Jesus fala profeticamente				
O contexto do discurso	24.1-3	13.1-4	21.5-7	
O começo das dores de parto	24.4-14	13.5-13	21.8-19	
O abominável da desolação e as aflições subseqüentes	24.15-28	13.14-23	21.20-24	
A vinda do Filho do homem	24.29-31	13.24-27	21.25-27	
Os sinais da iminência, mas desconhecido o tempo	24.32-41	13.28-32	21.28-33	
As cinco parábolas sobre a vigilância e a fidelidade	24.42—25.30	13.33-37	12.34-36	
O juízo na vinda do Filho do homem	25.31-46			
Providências para a traição				
A trama do Sinédrio para prender e matar Jesus	26.1-5	14.1,2	22.1,2	
Maria unge Jesus para o sepultamento	26.6-13	14.3-9		12.2-8
Judas concorda em trair Jesus	26.14-16	14.10,11	22.3-6	
A última ceia				
Os preparativos para a ceia da Páscoa	26.17-19	14.12-16	22.7-13	
O início da ceia da Páscoa; dissensão entre os discípulos sobre a grandeza	26.20	14.17	22.14-16, 24-30	
Lavando os pés dos discípulos				13.1-20
A identificação do traidor	26.21-25	14.18-21	22.21-23	13.21-30
Predita a negação de Pedro	26.31-35	14.27-31	22.31-38	13.31-38

	MATEUS	MARCOS	LUCAS	JOÃO
Instituída a ceia do Senhor (1Co 11.23-26)	26.26-29	14.22-25	22.17-20	
Discurso e orações desde o cenáculo até o Getsêmani				
Perguntas sobre o destino de Jesus, o Pai e o Espírito Santo				14.1-31
A videira e os ramos				15.1-17
A oposição do mundo				15.18—16.4
A vinda e ministério do Espírito				16.5-15
A predição de alegria por causa da ressurreição de Jesus				16.16-22
A promessa de orações respondidas e de paz				16.23-33
A oração de Jesus pelos discípulos e por todos os crentes				17.1-26
As orações agonizantes de Jesus no Getsêmani	26.30, 36-46	14.26, 32-42	22.39-46	18.1
A morte de Cristo				
Jesus traído e preso				
Jesus traído, preso e abandonado	26.47-56	14.43-52	22.47-53	18.2-12
Julgamento				
A primeira fase judaica, diante de Anás				18.13,14, 19-23
A segunda fase judaica, diante de Caifás e do Sinédrio	26.57, 59-68	14.53, 55-65	22.54a, 63-65	18.24
As negações de Pedro	26.58, 69-75	14.54, 66-72	22.54b-62	18.15-18, 25-27
A terceira fase judaica, diante do Sinédrio	27.1	15.1a	22.66-71	
O remorso e o suicídio de Judas Iscariotes (At 1.18,19)	27.3-10			
A primeira fase romana, diante de Pilatos	27.2, 11-14	15.1b-5	23.1-5	18.28-38
A segunda fase romana, diante de Herodes Antipas			23.6-12	
A terceira fase romana, diante de Pilatos	27.15-26	15.6-15	23.13-25	18.39—19.16a
Crucificação				
A zombaria dos soldados romanos	27.27-30	15.16-19		
A caminhada ao Gólgota	27.31-34	15.20-23	23.26-33a	19.16b,17
As primeiras três horas da crucificação	27.35-44	15.24-32	23.33b-43	19.18,23,24, 19-22,25-27
As últimas três horas da crucificação	27.45-50	15.33-37	23.44,45a, 46	19.28-30
O testemunho da morte de Jesus	27.51-56	15.38-41	23.45b, 47-49	
Sepultamento				
A confirmação da morte de Jesus e custódia de seu corpo	27.57,58	15.42-45	23.50-52	19.31-38
O corpo de Jesus colocado no túmulo	27.59,60	15.46	23.53,54	19.39-42
O túmulo vigiado pelas mulheres e guardado pelos soldados	27.61-66	15.47	23.55,56	
A ressurreição e ascensão de Cristo				
O túmulo vazio				
O túmulo visitado pelas mulheres	28.1	16.1		
A pedra removida	28.2-4			

Os quatro evangelhos

	MATEUS	MARCOS	LUCAS	JOÃO
As mulheres acham o túmulo vazio	28.5-8	16.2-8	24.1-8	20.1
Pedro e João acham o túmulo vazio			24.9-12	20.2-10
Aparecimentos após a ressurreição				
O aparecimento a Maria Madalena		[16.9-11]		20.11-18
O aparecimento às outras mulheres	28.9-10			
O relatório dos soldados às autoridades judaicas	28.11-15			
O aparecimento aos dois discípulos a caminho de Emaús		[16.12,13]	24.13-32	
O relatório dos dois discípulos aos restantes (1Co 15.5a)			24.33-35	
O aparecimento aos dez discípulos reunidos		[16.14]	24.36-43	20.19-25
O aparecimento aos onze discípulos reunidos (1Co 15.5b)				20.26-31
O aparecimento aos sete discípulos enquanto pescavam				21.1-25
O aparecimento aos onze na Galiléia (1Co 15.6)	28.16-20	[16.15-18]		
O aparecimento a Tiago, irmão de Jesus (1Co 15.7)				
O aparecimento aos discípulos em Jerusalém (At 1.3-8)			24.44-49	
A Ascensão				
A bênção de despedida de Cristo e sua partida (At 1.9-12)		[16.19,20]	24.50-53	

Adaptação da *Bíblia de estudo* NVI. Usada com permissão.

Mateus

Jesus, o Messias

> Vocês são a luz do mundo [...] Assim brilhe a luz de vocês diante dos homens, para que vejam as suas boas obras e glorifiquem ao Pai de vocês, que está nos céus.
> — Mateus 5.14,16

> Busquem, pois, em primeiro lugar o Reino de Deus e a sua justiça, e todas essas coisas lhes serão acrescentadas.
> — Mateus 6.33

- Confira na p. 449 a introdução geral aos evangelhos.
- Confira na p. 428 a visão panorâmica da vida de Jesus.

A ênfase de Mateus: Jesus é o Messias prometido

A ênfase especial de Mateus é que Jesus é o Messias predito pelos profetas. Ele cita o AT e faz mais referências a ele que qualquer outro autor do NT e parece que tinha em mente, de modo especial, leitores judeus.

O termo "Reino" ou "Reino do céus" ocorre com tanta freqüência (43 vezes) que esse evangelho muitas vezes é chamado o "evangelho do Reino".

De modo geral, Mateus apresenta sua matéria em ordem cronológica, mas, dentro dessa ordem, freqüentemente agrupa o material de conformidade com o assunto. Ele registra os discursos de Jesus de modo bastante extenso, especialmente o Sermão do Monte (caps. 5—7) e o discurso de Jesus a respeito do fim do mundo (caps. 24 e 25).

Mateus

Esse evangelho não menciona seu autor pelo nome, mas foi aceito como obra de Mateus desde os primeiros pais da igreja, a partir de Papias, que foi discípulo do apóstolo João.

Quase nada sabemos a respeito de Mateus, também chamado Levi. Ele é mencionado nas quatro listas dos doze: Mateus 10.3; Marcos 3.18; Lucas 6.15; Atos 1.13 (v. p. 447). A outra menção a ele é seu chamado para seguir Jesus (Mt 9.9-13; Mc 2.14-17; Lc 5.27-32).

A única outra coisa que Mateus diz a respeito de si mesmo é que ele era um cobrador de impostos para os romanos. Esses cobradores de impostos forçosamente tinham bastante dinheiro, pois sua obrigação era pagar adiantados os impostos de cada ano, e então eram autorizados a recuperar o montante, com juros, do povo. Embora as taxas dos juros fossem limitadas, pelo menos em teoria, a uma soma razoável, a realidade era que os cobradores de impostos cobravam mais do que deviam. O verdadeiro problema, entretanto, era que a Lei de Moisés proibia rigorosamente a cobrança de quaisquer juros que fossem entre os judeus (Lv 25.36; Dt 23.19,20). Por isso, os cobradores de impostos normalmente eram considerados pessoas que não se importavam com a Lei de Moisés e eram desprezados de modo geral.

Como cobrador de impostos, Mateus estava acostumado a manter registros, e foi companheiro pessoal de Jesus na maior parte do ministério público dele. Lucas nos conta que Mateus ofereceu um grande banquete a Jesus e abriu mão de tudo a fim de seguir o Mestre. Mas Mateus, no seu evangelho, nem sequer credita a si mesmo essa atitude. Ele perde de vista a si mesmo no esforço de contar a história de seu Mestre. Nós o amamos por sua humildade que colocou o próprio ser em segundo plano e ficamos maravilhados diante da graça de Deus ao escolher semelhante homem para ser o autor do livro que, segundo se declara, é o mais lido no mundo inteiro, o primeiro livro do NT.

A tradição diz que Mateus pregou na Palestina por alguns anos e depois viajou para outros países. Pensa-se que escreveu o evangelho originariamente em hebraico e que, alguns anos mais tarde, por volta de 60 d.C., produziu uma edição mais completa em grego.

Genealogia de Jesus — Mt 1.1-17

Tanto Mateus quanto Lucas oferecem uma genealogia de Jesus (Lc 3.23-38). O Advento de Cristo à terra tinha sido previsto desse o princípio. Nos primeiros dias da história da humanidade, Deus escolhera uma família, a de Abraão e, posteriormente, dentro da família abraâmica maior, a de Davi, para ser a família por meio da qual seu Filho entraria no mundo.

A genealogia de Mateus é abreviada. Alguns nomes são omitidos, conforme se fazia freqüentemente nas genealogias, sem invalidar a linha de descendência.

As 42 gerações, em três grupos de 14 cada, abrangem dois mil anos (o primeiro grupo, mil anos; o segundo grupo, quatrocentos anos; o terceiro grupo, seiscentos anos). O terceiro grupo, no entanto, cita nominalmente apenas 13 gerações; por certo, a própria Maria seria a décima quarta.

A genealogia conforme é apresentada em Lucas é um pouco diferente. Mateus remonta até Abraão; Lucas, até Adão. Mateus começa no início da árvore genealógica (Abraão foi pai de Isaque etc.) e Lucas, no fim (José era filho de Eli etc.; Lc 3.23). Entre Davi e Jesus, eles apresentam linhagens separadas de descendência, que são iguais somente nas pessoas de Salatiel e Zorobabel.

A opinião comumente aceita é que Mateus cita a linhagem de José e assim demonstra que Jesus é o legítimo herdeiro das promessas feitas a Abraão e a Davi, e que Lucas cita a linhagem de Maria, demonstrando a descendência física de Jesus, "que, como homem, era descendente de Davi" (Rm 1.3).

A genealogia de Maria, de conformidade com os usos judaicos, seguia a do marido. José era filho de Eli (Lc 3.23) — ou seja, genro de Eli. Jacó foi o pai de José (Mt 1.16).

Essas genealogias são registradas mais pormenorizadamente em 1 Crônicas de 1 a 9; elas formam o arcabouço da história veterotestamentária. Guardadas cuidadosamente no decurso de longos séculos de mudanças e de reviravoltas, elas preservam uma linhagem familiar por meio da qual uma promessa foi transmitida ao longo de quatro mil anos, fato que não tem paralelo em toda a história universal.

O nascimento de Jesus — Mt 1.18-25

Somente Mateus e Lucas contam a respeito do nascimento e infância de Jesus, e cada um deles relata incidentes diferentes (v. comentários sobre Lc 1.5-80).

Maria, nos três primeiros meses depois da visita do mensageiro celestial, ficou hospedada na casa de Isabel (Lc 1.36). Quando ela voltou a Nazaré, José ficou sabendo do seu estado, ele certamente ficou perplexo quanto à atitude a ser adotada. Sendo homem muito bondoso, quis proteger Maria das supostas conseqüências: a desonra pública ou um destino pior.

Foi então que o anjo apareceu a José e lhe explicou o que estava acontecendo. Para evitar algum escândalo, ainda teve de guardar o segredo da família, visto que ninguém teria acreditado na história de Maria. Somente depois que a natureza divina de Jesus foi autenticada pelos seus milagres e pela sua ressurreição dentre os mortos é que Maria pôde falar livremente de seu segredo celestial e da concepção sobrenatural de seu filho (v. sobre o nascimento virginal no comentário sobre Lc 1.26-38).

Outra Maria, Maria Madalena, seguidora de Jesus, também é mencionada várias vezes no NT (Mt 27.56,61; 28.1; Mc 15.40,47; 16.9; Lc 8.2; 24.10; Jo 19.25; 20.1-18; v. nota sobre Lc 8.1-3).

(Para uma nota sobre Belém, v. p. 516.)

José

Bem pouco é dito a respeito de José. Foi com Maria para Belém e estava com ela quando Jesus nasceu (Lc 2.4,16). Também estava com Maria quando Jesus foi apresentado no Templo (Lc 2.33). Foi José quem os levou para o Egito e os trouxe de volta para Nazaré (Mt 2.13,19-23). Também levou Jesus a Jerusalém quando este tinha doze anos de idade (Lc 2.43,51). A única outra referência a ele diz que era carpinteiro e chefe de uma família de pelo menos sete filhos (Mt 13.55,56).

Certamente deve ter sido um homem bom e exemplar para ter sido escolhido por Deus para ser o pai de criação do próprio Filho de Deus. É possível que tenha morrido antes de Jesus iniciar seu ministério público, embora a linguagem de Mateus 13.55 e de João 6.42 possam subentender que ainda vivia naquela ocasião. Deve ter morrido antes da crucificação de Jesus, de outra forma não haveria necessidade de Jesus entregar sua mãe aos cuidados de João (Jo 19.26,27).

Maria

Depois das histórias do nascimento de Jesus e de sua visita a Jerusalém aos doze anos de idade, bem pouco se diz a respeito de Maria. De acordo com Mateus 13.55,56, ela foi mãe de pelo menos seis filhos além de Jesus. Foi por sugestão dela que Jesus transformou a água em vinho em Caná — sendo esse seu primeiro milagre (Jo 2.1-11). Posteriormente, há menção de ela tentar chegar até ele no meio da multidão; as palavras de Jesus naquela ocasião indicam com clareza que o grau de parentesco que ela possuía com ele não lhe conferia nenhuma vantagem espiritual especial (Mt 12.46; Mc 3.31; Lc 8.19). Maria esteve presente na crucificação, e Jesus a entregou aos cuidados de João (Jo 19.25-27). Não há registro do aparecimento de Jesus a ela depois da ressurreição — embora a ausência desse fato na narrativa não signifique que não aconteceu. A última menção de Maria acha-se em Atos 1.14, quando estava orando com os discípulos. É só isso que as Escrituras têm a dizer a respeito de Maria.

Podemos, entretanto, imaginar Maria como uma mulher quieta, contemplativa, dedicada e prudente, que partilhou das preocupações e cuidados que as mães têm em comum. Nós a admiramos, honramos e amamos por ter sido a mãe de nosso Salvador. Só podemos imaginar o impacto sentido na vida de Maria ao ser escolhida por Deus para dar à luz, de modo sobrenatural, o Salvador do mundo. Que mulher bem-aventurada!

Quem foram os irmãos e irmãs de Jesus mencionados em Mateus 13.55,56 e Marcos 6.3? O significado claro, singelo e natural desses textos é que eram os próprios filhos de Maria e José. Essa é a opinião geralmente sustentada entre os comentaristas da Bíblia.

A visita dos magos — Mt 2.1-12

Isso deve ter ocorrido no período em que Jesus tinha entre 40 dias e dois anos de idade (2.16; Lc 2.22,39). Os magos (ou sábios) devem ter levado algum tempo para chegar até Jerusalém depois de terem visto a estrela pela primeira vez (v. 7), mas provavelmente bem menos que dois anos. Também levou algum tempo até Herodes perceber que os magos não voltariam. Por isso, Herodes, para ter certeza de incluir Jesus, decretou o limite máximo de dois anos para a matança dos meninos. Sabemos que, nessa ocasião, o menino já não estava na manjedoura, como às vezes aparece na arte sacra, mas em casa (v. 11; v. comentário sobre Lc 2.6,7).

Esses sábios pertenciam à classe erudita, que fornecia os conselheiros dos reis. Provinham da Babilônia ou da região mais além, onde a raça humana teve a sua origem, a terra de Abraão, a terra do cativeiro dos judeus (o exílio babilônico, v. p. 234), onde muitos judeus ainda moravam. Talvez estivessem familiarizados com as Escrituras judaicas e soubessem da expectativa do rei messiânico vindouro. Era a terra de Daniel, e eles talvez soubessem de suas profecias.

Eram homens de alta posição, pois tiveram acesso a Herodes. Geralmente falamos em três sábios ou magos, mas as Escrituras não declaram quantos eram — provavelmente eram em maior número. Certamente teriam viajado com uma comitiva de talvez dezenas de pessoas, visto que seria perigoso atravessar 1 600 km de regiões infestadas por bandidos. Sua chegada a Jerusalém deve ter sido uma demonstração de importância suficiente para alvoroçar toda a cidade.

Os magos simbolizaram a homenagem das nações ao Rei recém-nascido, que um dia seria adorado por todas as nações. Um dos objetivos da visita — sem eles mesmos terem consciência disso — foi fornecer dinheiro para a fuga do menino para o Egito. Os pais eram pobres e, não fosse o ouro e outros presentes caros trazidos pelos magos, talvez não lhes fosse possível escapar de Herodes.

Os presentes dos magos também podem ser interpretados como prenúncio da vida e morte de Jesus. O ouro, que representa a realeza, prenuncia Jesus como Rei. O incenso, que simboliza as orações do sumo sacerdote subindo ao céu, prenuncia Jesus como Sumo Sacerdote. A mirra, freqüentemente usada como óleo de sepultamento, prenuncia a morte de Jesus. A volta dos magos para sua terra de origem pode ter preparado o caminho para a posterior pregação do evangelho.

A estrela dos magos

A estrela que guiou os magos até Belém tem sido assunto de muitas especulações. Foram sugeridas várias explicações possíveis:

- Uma supernova ou nova estrela. Trata-se de uma estrela muito distante, na qual ocorre uma explosão, de tal maneira que, durante algum tempo, a estrela se torna muitas vezes mais brilhante que o normal — às vezes, fulgura tanto que pode ser vista durante o dia. Não há, porém, nenhum registro de uma supernova por volta do período em que Jesus nasceu.
- Um cometa. O mais conhecido destes é o cometa de Halley, que realmente pôde ser visto em 12-11 a.C. Mas isso foi bem antes da data do nascimento de Cristo em 6 ou 5 a.C.
- Uma conjunção de planetas. Em 7-6 a.C., três planetas apareceram em estreita proximidade entre si: Júpiter, Saturno e Marte. Essa é uma rara conjunção tríplice conhecida por *conjunctio magna* ou grande conjunção. Essa conjunção ocorreu na constelação de Peixes do zodíaco, que às vezes era associada com os últimos tempos e com os hebreus, ao passo que Saturno era considerado o planeta da região siro-palestina e Júpiter era associado ao governante mundial.

O que importa, no fim, é que Deus, quer por meios sobrenaturais, quer pelo emprego sobrenatural de um evento natural, orientou os magos, como representantes dos gentios, para que adorassem o Rei dos judeus que um dia será Rei de todos.

Mt 2.13-15   A fuga para o Egito

Nem sequer este incidente passou despercebido à vista infalível de Deus, na longa lista de profecias que anteviam o Messias (v. 15; Os 11.1). O anjo (v. 13) que ordenou a fuga deles para o Egito foi provavelmente Gabriel, a quem Deus confiara o cuidado do Menino Jesus (v. comentário sobre Lc 2.8-20). A estada no Egito foi breve, talvez apenas um ou dois anos, pois Herodes não tardou a morrer e não houve mais perigo em voltar. (V. a cronologia da infância de Jesus, p. 431.)

Mt 2.16-18   Os meninos de Belém mortos por Herodes

É estranho que alguém que cria na vinda do Cristo (2.4) pudesse ser tão arrogante (e tolo) a ponto de pensar que poderia impedir seu Advento!

Mt 2.19-23   O regresso do Egito

O mesmo anjo também ordenou a maneira desse regresso. Parece, segundo o versículo 22, que José planejava voltar a Belém da Judéia, a cidade ancestral de Davi, para fazer dela o seu lar permanente como o lugar apropriado para criar o Messias infante. Deus, no entanto, planejou de modo diferente e os mandou de volta ao ser lar na Galiléia, à cidade chamada Nazaré. Lucas nos informa que era ali que Maria e José moravam antes do nascimento de Jesus (Lc 2.4).

O que Mateus ressalta em especial é que se trata do cumprimento de uma profecia: "Ele será chamado Nazareno". Essas palavras exatas não se acham no AT, mas talvez se refiram às predições do AT de que o profeta seria desprezado (Sl 22.6; Is 53.3). Outra opinião comum é que Mateus se refere a Jesus "o nazareno" ou Jesus "o renovo", visto que a palavra hebraica traduzida por "renovo" é *nētser*. A profecia à qual Mateus se refere aqui é, segundo se pensa, Isaías 11.1; Jeremias 23.5 e Zacarias 3.8, onde o Messias é referido como o "renovo".

Profecias do AT sobre o Cristo citadas nos evangelhos

Mateus emprega com abundância as profecias do AT. Ele deseja demonstrar que os incidentes da vida de Cristo são cumprimentos das predições proféticas do AT. Segue-se uma lista das profecias do AT que são citadas nos quatro evangelhos, mormente em Mateus, por terem sido cumpridas em Cristo. A maior parte delas se refere muito claramente ao Messias. Umas poucas não são tão óbvias, porém são citadas pelos escritores inspirados do NT como profecias messiânicas.

- Devia ser da família de Davi (Mt 22.44; Mc 12.36; Lc 1.69,70; 20.42-44; Jo 7.42/2Sm 7.12-16; Sl 89.3,4; 110.1; 132.11; Is 9.6,7; 11.1).
- Nasceria de uma virgem (Mt 1.23/Is 7.14).
- Nasceria em Belém (Mt 2.6; Jo 7.42/Mq 5.2).
- Passaria algum tempo no Egito (Mt 2.15/Os 11.1).
- Moraria na Galiléia (Mt 4.15/Is 9.1,2).
- Moraria em Nazaré (Mt 2.23/Is 11.1).
- Sua vinda seria proclamada por um arauto semelhante a Elias (Mt 3.3; 11.10-14; Mc 1.2,3; Lc 3.4-6; 7.27; Jo 1.23/Is 40.3-5; Ml 3.1; 4.5).
- Sua vinda levaria ao assassinato dos meninos de Belém (Mt 2.18/Gn 35.19,20; 48.7; Jr 31.15).

- Proclamaria ao mundo um jubileu (Lc 4.18,19/Is 58.6; 61.1; para uma explicação do jubileu, v. p. 130).
- Sua missão abrangeria os gentios (Mt 12.18-21/Is 42.1-4).
- Seu ministério seria de cura (Mt 8.17/Is 53.4).
- Ensinaria por meio de parábolas (Mt 13.14,15/ Is 6.9,10; Sl 78.2).
- Os governantes não creriam nele e o rejeitariam (Mt 15.8,9; 21.42; Mc 7.6,7; 12.10,11; Lc 20.17; Jo 12.38-40; 15.25/Sl 69.4; 118.22; Is 6.10; 29.13; 53.1).
- Faria uma entrada triunfal em Jerusalém (Mt 21.5; Jo 12.13-15/Is 62.11; Zc 9.9; Sl 118.26).
- Seria como um pastor ferido (Mt 26.31; Mc 14.27/Zc 13.7).
- Seria traído por um amigo em troca de trinta moedas de prata (Mt 27.9,10; Jo 13.18/Zc 11.12,13; Sl 41.9).
- Morreria com criminosos (Lc 22.37/Is 53.9,12).
- Seria sepultado por um rico (Mt 27.57-60/ Is 53.9; o fato é declarado sem a citação da profecia).
- Dariam a ele vinagre e fel (Mt 27.34; Jo 19.29/Sl 69.21).
- Lançariam sortes sobre suas roupas (Jo 19.24/Sl 22.18).
- Até mesmo suas palavras ao morrer foram preditas (Mt 27.46; Mc 15.34; Lc 23.46/Sl 22.1; 31.5).
- Nenhum de seus ossos seria quebrado (Jo 19.36/ Êx 12.46; Nm 9.12; Sl 34.20).
- Seu lado seria traspassado (Jo 19.37/Zc 12.10; Sl 22.16).
- Ressuscitaria dentre os mortos ao terceiro dia (Mt 12.40; Lc 24.46; nenhum texto específico do AT é citado quanto a isso, mas Atos 2.25-32 e 13.33-35 citam Salmos 16.10,11como predição de que ele ressuscitaria dentre os mortos). Jesus disse que estava escrito que ele ressuscitaria ao terceiro dia (Lc 24.46). Por certo, tinha em mente Oséias 6.2 e Jonas 1.17, bem como o fato de Isaque ter sido livrado da morte ao terceiro dia (Gn 22.4).
- Sua rejeição seria seguida pela destruição de Jerusalém e pela grande tribulação (Mt 24.15; Mc 13.14; Lc 21.20/Dn 9.27; 11.31; 12.1,11).
- O próprio Jesus tinha consciência de que, na sua morte, estava cumprindo as Escrituras (Mt 26.54,56).

Aqui temos um fato assombroso: a história completa da vida de Jesus — com seus principais aspectos, eventos e incidentes correlatos, até mesmo nos pormenores mais minuciosos — é plenamente prevista no AT. Não nos parece isso uma evidência esmagadora da existência e operação de uma Mente que transcende a mente humana, a tal ponto que ficamos tomados de reverente temor?

O batismo de Jesus — Mt 3

Narrado também em Marcos 1.1-11 e Lucas 3.1-22 (v. comentário sobre João Batista em Lc 3.1-20). Nos três relatos, e em João 1.31-33, as duas coisas especificamente mencionadas são a descida do Espírito Santo e a voz do céu. João 1.31-33 dá a impressão de que João Batista não conhecia Jesus, mas Mateus 3.14 subentende que sim. Sem dúvida, Jesus e João Batista se conheciam desde meninos, pois suas famílias eram aparentadas (Lc 1.36) e suas respectivas mães tinham ficado juntas três meses antes de os dois nascerem (Lc 1.39,56). Parece certo que os meninos foram informados pelos pais a respeito do anúncio celeste que tinham recebido a respeito da missão de cada um.

No entanto, desde o momento em que João se afastou para viver como eremita no deserto (Lc 1.80), é possível que não tenha visto Jesus de novo até o dia do batismo deste. Então, com a manifestação direta da aprovação divina, Jesus foi publicamente ungido como o Filho de Deus, o Messias da nação hebraica e o Salvador do mundo.

O batismo de João marcou o início de seu ministério terrestre. Parece haver várias razões importantes para o batismo de Jesus. A primeira razão foi "cumprir toda a justiça". O batismo representou a consagração de Jesus a Deus e sua pública aprovação divina (v. 17). Todas as justas exigências que Deus fizera quanto ao Messias foram cumpridas em Jesus. A segunda razão para o batismo foi a proclamação pública, feita por João Batista, da chegada do Messias a respeito de quem ele tinha pregado. E, finalmente, o batismo fez que Jesus se identificasse plenamente com o pecado e o fracasso humanos (embora Jesus não tivesse nenhum pecado) e tornar-se nosso substituto (2Co 5.21).

Nessa cena, vemos claramente a manifestação da Trindade santa. Deus Pai fala do céu (v. 17). O Espírito Santo desce como pomba e repousa sobre Jesus, o Filho de Deus (v. 16).

Mt 4.1-10 A tentação de Jesus

(Narrada tb. em Lc 4.1-13 e Mc 1.12,13.) Tanto o Espírito Santo, quanto Satanás (v. p. 521) e os anjos (v. p. 468) desempenharam algum papel na tentação de Jesus. O Espírito Santo o guiou e os anjos o ajudaram, enquanto Satanás fez repetidas tentativas para desviá-lo de sua missão. Era uma questão do interesse de todo o Universo. Estava em jogo o destino da criação.

Ficamos pensando por que a tentação de Jesus se seguiu imediatamente após seu batismo. A descida do Espírito Santo sobre ele naquela ocasião pode ter envolvido duas coisas que eram novidades na experiência humana de Jesus: o poder ilimitado de operar milagres e a plena restauração do conhecimento que possuía antes da encarnação.

Nos tempos idos da eternidade, Jesus sabia que viria ao mundo a fim de sofrer como o Cordeiro de Deus para tirar o pecado humano. Veio, porém, por meio de um berço. Devemos supor que Jesus como um bebê sabia tudo quanto soubera antes de assumir as limitações da carne humana? Não seria mais natural pensar que seu conhecimento anterior à encarnação veio a ele paulatinamente, à medida que crescia, lado a lado com sua educação humana? Naturalmente, sua mãe lhe tinha contado as circunstâncias de seu nascimento. Jesus sabia que era o Filho de Deus e o Messias. É até mesmo possível que ele e sua mãe tivessem conversado sobre como ele realizaria sua obra como o Messias do mundo. Quando, porém, o Espírito Santo desceu sobre ele sem medida no batismo, então lhe voltaram à memória, de modo integral e claro, pela primeira vez depois de se ter tornado um ser humano, algumas coisas que soubera antes — e entre elas estava a *cruz* como o meio pelo qual cumpriria sua missão.

Qual foi a natureza da tentação? Talvez tenha incluído as tentações comuns dos homens na luta pelo pão e no desejo de fama e de poder. Certamente, porém, havia muito mais que isso. Jesus era grande demais para imaginarmos que semelhantes motivos tivessem muita influência sobre ele. Devemos crer que ele já sabia que sua missão era salvar o mundo. A pergunta era: como cumprir essa missão? Mediante o emprego dos poderes miraculosos que acabara de receber, poderes que nenhum mortal conhecera antes, Jesus poderia ter se tornado rapidamente o governante do mundo inteiro, pois alimentaria a raça humana sem ninguém precisar trabalhar e dominaria a favor desta as forças normais da natureza. Poderia ter obrigado, pela força, as pessoas a fazer a vontade dele. Foi essa a sugestão de Satanás. A missão de Jesus, porém, era transformar o coração das pessoas, e não obrigá-las a obedecer.

Embora Jesus fosse o Filho de Deus, a arma que usou para derrotar Satanás foi a mesma que todos os cristãos têm à sua disposição — "a espada do Espírito, que é a palavra de Deus" (Ef 6.17).

Os evangelhos não nos contam em que forma o Diabo apareceu a Jesus. Jesus, porém, reconheceu inequivocamente que as sugestões provinham de Satanás, que estava ali determinado a frustrar a missão de Jesus (v. comentário sobre Satanás em Lc 4.1-13). A repreensão severa que Jesus fez a Satanás (v. 10) reflete outra repreensão feita posteriormente ao mesmo Satanás, quando este, por intermédio de Pedro, tentou dissuadir Jesus de ir até a cruz (Mc 8.33).

Acredita-se que o lugar em que Jesus foi tentado ficava nas elevações desérticas da região montanhosa que dá vistas para Jericó (v. mapa na p. 431).

Jesus jejuou durante 40 dias (4.2). Moisés jejuara durante 40 dias no monte Sinai quando foram dados os Dez Mandamentos (Êx 34.28). Elias jejuou durante 40 dias a caminho do mesmo monte (1Rs 19.8). Moisés representava a *Lei*; Elias, os *Profetas*. Jesus era o Messias apontado pela *Lei* e pelos *Profetas*. Do alto do monte onde jejuava, Jesus podia ver, ao olhar para o leste, do outro lado do Jordão, as cordilheiras de Nebo, de onde, séculos antes, Moisés e Elias tinham subido ao céu.

Uns três anos depois dessa confrontação com Satanás, os mesmos três homens, Moisés, Elias e Jesus, tiveram um encontro, em meio às glórias da transfiguração no monte Hermom, 160 km ao norte — primeiramente, companheiros no sofrimento, e depois, companheiros na glória.

Depois da tentação, Jesus voltou ao Jordão, onde João estava batizando (v. comentário sobre Jo 1.19-34.)

Anjos Mt 4.11

(V. tabela sobre anjos na página seguinte.)

Jesus inicia seu ministério na Galiléia Mt 4.12

Passou-se cerca de um ano entre os versículos 11 e 12, um período que incluiu o ministério inicial de Jesus na Judéia. (Esse período, omitido por Mateus, é narrado em Jo 1.19 — 4.54 e Lc 4.16-30.)

Mateus passa diretamente para o período do ministério de Jesus na Galiléia e dedica 14 capítulos, ou metade de seu livro, a esse assunto (4.12—19.1), assim como Marcos também o faz (oito capítulos, 1.14—10.1), ao passo que Lucas oferece uma narrativa de menos de seis capítulos (4.14—9.51), e João o omite quase totalmente.

Qarantal, no vale do Jordão, o tradicional monte da tentação, de onde Satanás mostrou a Jesus "todos os reinos do mundo".

Mt 4.13-17 — Residência em Cafarnaum

Essa é uma das coisas preditas a respeito do Messias. (V. comentário sobre Mt 2.22,23.)

Anjos

Os anjos desempenharam um papel importante na vida de Jesus:

- Um anjo anunciou o nascimento de João Batista (Lc 1.11-17).
- Um anjo lhe deu o nome (Lc 1.13).
- Um anjo anunciou a Maria o nascimento de Jesus (Lc 1.26-37).
- Um anjo anunciou a José o nascimento de Jesus (Mt 1.20,21).
- Um anjo lhe deu o nome (Mt 1.21).
- Anjos anunciaram aos pastores o nascimento de Jesus (Lc 2.8-15).
- Anjos cantaram aleluias (Lc 2.13,14).
- Um anjo dirigiu a fuga do menino para o Egito (Mt 2.13,20).
- Anjos ministraram a Jesus na sua tentação (Mt 4.11).
- Um anjo veio a Jesus no Getsêmani (Lc 22.43).
- Um anjo removeu a pedra de seu sepulcro (Mt 28.2).
- Um anjo anunciou às mulheres a ressurreição de Jesus (Mt 28.5-7).
- Dois anjos o apresentaram, ressurreto, a Maria Madalena (Jo 20.11-14).
- Jesus disse muita coisa a respeito dos anjos:
    - Viu anjos subindo e descendo sobre ele (Jo 1.51).
    - Poderia ter solicitado doze legiões de anjos para que o livrassem (Mt 26.53).
    - Anjos virão com ele (Mt 25.31; 16.27; Mc 8.38; Lc 9.26).
    - Os anjos serão os ceifeiros (Mt 13.39).
    - Os anjos ajuntarão os eleitos (Mt 24.31).
    - Os anjos farão a separação entre os ímpios e os justos (Mt 13.41,49).
    - Os anjos levaram o mendigo para junto de Abraão (Lc 16.22).
    - Entre os anjos há alegria quando um pecador se arrepende (Lc 15.10).
    - As crianças têm anjos da guarda (Mt 18.10).
    - Jesus confessará os seus perante os anjos (Lc 12.8).
    - Os anjos não têm gênero e não podem morrer (Lc 20.35,36; Mt 22.30).
    - O Diabo tem anjos malignos (Mt 25.41).

O próprio Jesus disse essas coisas. Suas declarações a respeito dos anjos são tão específicas, tão variadas e tão abundantes que explicá-las segundo a teoria de que Jesus meramente se acomodou às crenças então correntes seria subverter a validade e a veracidade de toda e qualquer palavra de Jesus.

Veja quanto aos anjos no Apocalipse a p. 726.

Mt 4.18-22 — O chamado de Simão, André, Tiago e João

(V. comentário sobre Mc 1.16-20; tb. sobre Mt 10.)

Mt 4.23-25 — Viagens, fama, multidões e milagres

(V. comentário sobre Mc 1.38,39.)

O Sermão do Monte, Mateus 5—7

Mateus coloca o Sermão do Monte como introdução à sua história do ministério na Galiléia, embora as palavras pareçam ter sido pronunciadas alguns meses mais tarde, na ocasião em que foram escolhidos os doze (Lc 6.12-20) — se, na realidade, Lucas está relatando o mesmo sermão. O fato deve ser que Mateus considerava o Sermão do Monte resumo dos ensinos de Jesus e que todo o ministério de Jesus foi uma ilustração desse sermão.

Visto que o Sermão do Monte contém a própria essência dos ensinos de Jesus, podemos considerá-lo, em relação ao NT, semelhante ao que os Dez Mandamentos representam no AT. Todo crente deve ler o Sermão do Monte, familiarizar-se com ele e esforçar-se, com toda a sinceridade, por viver segundo os seus ensinos. (Para a comparação com o registro de Lucas, v. comentário sobre Lc 6.20-49.)

Onde Jesus pregou o Sermão do Monte?

Embora seja difícil definir com exatidão o local de muitas das atividades de Jesus na região campestre ao redor de Cafarnaum, a tradição cristã, antes do século IV, já havia situado o sermão do monte (Mt 5—7), a multiplicação dos pães para os 5 mil (14.13-21) e o aparecimento do Senhor ressurreto aos seus discípulos (Jo 21) perto do lugar das sete fontes — Heptapegon (Tabgha). Essa área, que fica a aproximadamente 3 km a oeste de Cafarnaum, talvez tenha sido o local desses eventos, e igrejas antigas e modernas têm sido construídas ali para comemorá-los, embora a geografia dos evangelhos pareça colocar a multiplicação dos pães para os 5000 em algum lugar ao norte ou nordeste do mar da Galiléia — perto de Betsaida.

As bem-aventuranças — Mt 5.1-12

Bem-aventurados, felizes, são os pobres em espírito, os que choram, os humildes, os que têm fome e sede de justiça, os misericordiosos, os puros de coração, os pacificadores e os perseguidos por causa da justiça. Esses padrões são totalmente opostos aos padrões do mundo.

Nesses versículos, Jesus revela o padrão de vida para os cristãos, e ao assim fazer, receberem prosperidade espiritual, transbordando de prazer e alegria no favor e na salvação de Deus. Tudo isso a despeito de como o mundo avalia as condições externas do cristão. Por causa desse conceito mundano, as bem-aventuranças com muita freqüência são entendidas como se Cristo estivesse propondo que os cristãos vivam em condições infelizes e deprimentes a fim de serem abençoados no céu. Muito pelo contrário! Jesus passa a dizer, nos versículos que se seguem, que os cristãos devem ser o sal da terra, e ordena que deixem sua luz brilhar diante de todos. Por outras palavras, Jesus está ensinando que se vivermos como servos, com o coração humilde e reto, seremos ricamente abençoados aqui na terra, como também no céu. Jesus quer abençoar os cristãos de tal maneira que os descrentes sejam atraídos para eles e, em conseqüência disso, possam ser levados à salvação em Cristo.

Sal e luz do mundo — Mt 5.13-16

Significa o que preserva e guia. O próprio Jesus é a luz do mundo (Jo 8.12). Seus seguidores refletem sua luz e glória. A motivação maior que uma pessoa pode ter é que sua maneira de viver leve outros a glorificar a Deus.

O lugar tradicional do Sermão do Monte, com vista para o mar da Galiléia.

Mt 5.17-48 — Jesus e a Lei

Jesus veio, não para abolir a Lei, mas para cumpri-la. Não há contraste aqui entre o ensino de Jesus e o ensino de Romanos, Gálatas e Hebreus — epístolas que nos ensinam que somos salvos pela fé em Cristo, e não pelas obras da Lei.

O que Jesus quer dizer é que a Lei moral de Deus é uma expressão da santidade do próprio Deus e, portanto, uma obrigação eterna do povo de Deus. Na realidade, Jesus veio a fim de dar à Lei o significado mais profundo, que não exigia meramente atos exteriores, como também mudança no íntimo do coração humano (o que, logicamente, tinha sido o propósito da Lei desde o princípio). Ele passa, então, a ilustrar esse fato com cinco exemplos: o assassinato, o adultério, os juramentos, a vingança e o ódio aos inimigos.

Homicídio (v. 21-26). A lei contra o homicídio era um dos Dez Mandamentos (Êx 20.13; 19.18; Dt 5.17). Jesus proíbe que as pessoas alimentem ira no coração, pois isso equivale ao ato do assassinato.

Adultério (v. 27-32). A lei contra o adultério também era um dos Dez Mandamentos (Êx 20.14; Dt 5.18). Jesus nos proíbe de nutrir a lascívia que leva ao ato. Notemos que, em conexão com a ira e com a lascívia, Jesus adverte quanto ao risco de ir para o fogo do inferno (v. 22,29,30). Ele não somente nos adverte que devemos vigiar nossos sentimentos íntimos como também vai muito além de Moisés nas restrições ao divórcio (v. 32; Dt 24.1-4).

Juramentos (v. 33-37). Jesus aqui se refere aos juramentos em juízo e aos votos. A Lei de Moisés deixava claro que um voto não podia ser violado e que o juramento somente podia ser feito em nome de Deus ("Temam o SENHOR, o seu Deus, e só a ele prestem culto, e jurem somente pelo seu nome", Dt 6.13). Mas, no decurso dos séculos, foi desenvolvido todo um sistema de distinções, segundo o qual um voto ou um juramento era um compromisso definitivo somente na medida em que se relacionava com o nome de Deus. Jurar pelo céu e pela terra não era obrigatório, nem o era jurar por Jerusalém — mas jurar *em direção a* Jerusalém *era* um compromisso irrogogável.

Jesus diz que todas as coisas *estão* relacionadas com Deus — não há questão de maior ou menor grau. E devemos viver com tamanha integridade que os juramentos serão supérfluos.

Vingança (v. 38-42). A legislação do "olho por olho" fazia parte da lei civil, administrada pelos juízes (Êx 21.22-25; Lv 24.20). Aqui, Jesus não está legislando para os tribunais de justiça. O governo civil é ordenado por Deus (Rm 13.1-7) para proteger a sociedade humana de seus elementos criminosos. Aqui, porém, Jesus está ensinando princípios mediante os quais um indivíduo deve lidar com os outros. (V. comentário sobre Lc 6.27-38).

O ódio aos inimigos (5.43-48) não foi ensinado no AT. Pode ter ficado subentendido na maneira como os inimigos de Israel foram tratados em alguns trechos do AT, mas o AT também ensina compaixão para com os inimigos: "Não se alegre quando o seu inimigo cair, nem exulte o seu coração quando ele tropeçar" (Pv 24.17) e "Se o seu inimigo tiver fome, dê-lhe de comer; se tiver sede, dê-lhe de beber" (Pv 25.21). Jesus aprofunda o requisito da compaixão, incluindo também o amor. (V. comentário sobre Lc 6.27-38.) Jesus também dá a entender que orar pelos nossos inimigos é uma das maneiras de podermos expressar o amor piedoso (5.44).

Ensinos celestiais — Mt 6 – 7

Motivos secretos da vida (6.1-18). (V. comentário sobre Lc 12.1-12.) São ilustradas aqui, em três áreas específicas, as ações que levam ao crescimento e à maturidade espirituais:

1. *Ajudar os necessitados* (6.2-4). Contribua da mesma maneira que você contribui para Deus; não faça alarde disso. (V. comentário sobre Mt 23.)
2. *Oração* (6.5-15). (V. comentário sobre Lc 11 e 18.)
3. *Jejum* (6.16-18). (V. comentário sobre Mc 2.18-22.)

Tesouros no céu (6.19-34). (V. comentário sobre Lc 12.13-34.)

Não julguem os outros (7.1-5). (V. comentário sobre Lc 6.39-45.)

Não atirem pérolas aos porcos (7.6). Isso significa que devemos usar bom senso e diplomacia ao falar a respeito de nossa fé — de outra forma, talvez façamos mais mal que bem à nossa causa.

Persistência na oração (7.7-11). V. comentário sobre Lc 18.1-8.)

A Regra Áurea (7.12). (V. nota sobre Lc 6.27-38.)

O caminho apertado (7.13,14). Muitos se perderão e poucos serão salvos — poucos, isto é, em comparação com o número dos perdidos. No fim, entretanto, os salvos não deixarão de ser "uma grande multidão que ninguém podia contar" (Ap 7.9).

Falsos profetas (7.15-23). Jesus advertiu contra os falsos profetas e os falsos mestres repetidas vezes (Mt 24.11,24), assim como os escritores do NT. O obstáculo mais devastador ao progresso do cristianismo tem sido a corrupção deste por aqueles que alegam que foram enviados por Deus, mas ensinam falsas doutrinas. Eles podem ser reconhecidos porque não produzem bom fruto.

> Peçam, e lhes será dado; busquem, e encontrarão; batam, e a porta lhes será aberta. Pois todo o que pede, recebe; o que busca, encontra; e àquele que bate, a porta será aberta.
> MATEUS 7.7,8

Edificando sobre a rocha (7.24-27). Uma declaração muito nítida de que é inútil nos chamarmos cristãos, a não ser que pratiquemos as coisas que Jesus ensinou no Sermão do Monte.

A cura de um leproso — Mt 8.1-4

(V. comentário sobre Mc 1.40-44.)

Mt 8.5-13 — O servo do centurião
(V. comentário sobre Lc 7.1-10.)

Mt 8.14-15 — A sogra de Pedro
(V. comentário sobre Mc 1.29-31.)

Mt 8.16-17 — Muitos são curados
(V. comentário sobre Mc 1.32-34.)

Mt 8.18-22 — As raposas têm covis
(V. comentário sobre Lc 9.57-62.)

Mt 8.23-27 — Jesus acalma a tempestade
(V. comentário sobre Mc 4.36-41.)

Mt 8.28-34 — Os gadarenos endemoninhados
(V. comentário sobre Mc 5.1-20).

Mt 9.1-8 — Jesus cura um paralítico
(V. comentário sobre Mc 2.1-12.)

Mt 9.9-13 — O chamado de Mateus
(Ver comentário sobre Mc 2.13-17.)

Mt 9.14-17 — Uma pergunta acerca do jejum
(V. comentário sobre Mc 2.18-22.)

Mt 9.18-26 — A filha de Jairo
(V. comentário sobre Lc 8.40-56.)

Mt 9.27-31 — Os dois cegos
(V. comentário sobre Mc 8.22-26.)

Mt 9.32-34 — A cura de um endemoninhado mudo
(V. comentário sobre Mc 7.31-37.)

(V. comentário sobre Mc 1.39.)

Viagens — Mt 9.35-38

Jesus envia os doze — Mt 10

(Também é narrado, de modo mais breve, em Mc 6.7-13 e Lc 9.1-6.) Deve ter sido pouco antes da Páscoa, pois eles regressaram nos dias da Páscoa, pouco antes da multiplicação dos pães para os 5 mil (Lc 9.10-17; Jo 6.4).

Essas instruções de Jesus aos doze contêm alguns conselhos maravilhosos para os cristãos: ser prudentes como as serpentes e simples como as pombas; estar prontos para as adversidades; confiar no cuidado infalível de Deus pelos que lhe pertencem; e manter nossos olhos fitos no alvo eterno.

Algumas das instruções de Jesus diziam respeito somente àquela ocasião — como, por exemplo, a proibição de levar dinheiro. Tendo a capacidade de curar enfermidades, eles não teriam falta de convites para alojamento e refeições. Posteriormente, no entanto, foram instruídos a levar dinheiro (Lc 22.35-38).

Mensageiros de João Batista — Mt 11.1-19

Isso ocorreu quando João estava preso. Jesus estava no auge de sua popularidade. Segundo parece, João estava esperando um Messias político (v. comentário sobre Lc 3.1-20); ele não conseguia compreender por que Jesus não estava adotando postura apropriada para essa finalidade.

A resposta de Jesus indica que ele considerava os milagres evidência suficiente de ser ele o Messias. Notemos que a dúvida de João não o rebaixou na estima de Jesus: "Não surgiu ninguém maior", disse Jesus. Apesar disso, os menores no Reino de Cristo são maiores que João quanto aos seus privilégios. Que comentário sobre o privilégio de ser cristão!

É tomado à força, e os que usam de força se apoderam dele (v. 12). Isto é, o Reino dos céus é considerado um prêmio que vale o esforço — a participação no Reino celestial procurada com interesse e paixão ardente. Jesus compara "esta geração" com crianças que tocam flauta e querem que as pessoas dancem, mas ninguém o quer. Então, cantam um lamento, mas ninguém quer se fazer de triste.

Em outras palavras, "esta geração" — os incrédulos — queriam que os mensageiros de Deus, João Batista e Jesus, se comportassem de modos mutuamente exclusivos. É um dilema: João "não comia nem bebia", e os incrédulos diziam: "Queríamos que você celebrasse". Jesus veio comendo e bebendo, e eles diziam: "Queríamos que você lamentasse".

Tanto Jesus quanto João Batista recusaram-se a fazer o que "esta geração" queria ou esperava que fizessem. As ações de João e as ações de Jesus foram condenadas porque não se enquadravam nas noções e expectativas preconcebidas dos judeus incrédulos.

Os milagres realizados por Jesus — Mt 11.20-24

Três cidades na extremidade norte do mar da Galiléia são citadas como as localidades principais dos milagres de Jesus (v. mapa na p. 433). Cafarnaum (v. p. 496), Betsaida (v. p. 548) e Corazim (v. p. seguinte) foram as mais favorecidas de todas as cidades da terra. Ao declarar a condenação delas, Jesus demonstra que considerava os milagres que fazia comprovação de ter sido ele enviado por Deus — comprovação que envolveria grave perigo para quem a desconsiderasse.

Mt 11.25-30 "Venham a mim"

As palavras mais bondosas que já foram ouvidas. Jesus parecia alegrar-se porque eram as pessoas mais simples que o acolhiam. Paulo também notou esse fato (v. 1Co 1.26). É difícil para os intelectuais se humilharem o suficiente para reconhecer a necessidade do Salvador. O orgulho mental é grande pedra de tropeço.

Mt 12.1-8 Comendo no sábado

(V. comentário sobre Mc 2.23-27.)

Corazim

As ruínas da cidade de Corazim estão a 3,2 km a nordeste de Cafarnaum. Embora somente ela seja mencionada por ter sido amaldiçoada por Jesus devido à falta de arrependimento, fica implícito que Jesus a havia visitado, pois milagres haviam sido feitos ali (Mt 11.20-24). A cidade está situada numa região de basalto, e todos os edifícios eram feitos com essa dura rocha negra. As escavações feitas em Corazim não revelaram muitos achados da época de Jesus, pois muitas das ruínas preservadas datam do período entre os séculos II e IV ou mais tarde, até mesmo a sinagoga de basalto negro.

Mt 12.9-14 Curando no sábado

(V. comentário sobre Mc 3.1-6.)

Mt 12.15-21 Muitos milagres

Marcos 3.7-12 declara que as multidões vinham não somente da Galiléia, mas também da Judéia, de Jerusalém, da Iduméia, de além do Jordão e da região de Tiro e Sidom. Dessa maneira, numa época em que as pessoas viajavam geralmente a pé, numerosas pessoas que tinham ouvido falar dos milagres de Jesus percorriam uma distância de até 160 km do norte, do sul e do leste, trazendo seus enfermos, e Jesus curava todos eles (v. 15).

Mt 12.22-23 Curado um endemoninhado cego e mudo

(Tb. narrado em Lc 11.14,15.) Esse foi um grande milagre. O povo, que já havia se acostumado com os milagres, ficou atônito.

Filho de Davi (v. 23) era o título comumente aceito para o Messias esperado (Mt 1.1; 9.27; 15.22; 20.30; 21.9; 22.42; Jo 7.42).

Mt 12.24-37 O pecado imperdoável

(Tb. narrado em Mc 3.22-30; Lc 11.14-26; 12.8-10.) Note-se que os fariseus, por muito que odiassem a Jesus, não negavam a existência de seus milagres, que eram por demais numerosos e bem atestados. Embora todos esses milagres servissem de ajuda e de cura, os fariseus lhes atribuíram uma origem satânica. Os fariseus tinham diante de si uma escolha simples — ou reconheciam os milagres como provenientes de Deus, e nesse caso teriam que aceitar a Jesus, ou sustentavam que os milagres eram realizados pelo poder de Satanás, pois estava fora de dúvida que eram de origem sobrenatural. A escolha feita pelos fariseus quase os colocava fora do alcance da redenção.

Em Lucas 12.10, o pecado imperdoável está vinculado à negação de Cristo. Jesus parece fazer distinção entre o pecado contra ele mesmo e o pecado contra o Espírito Santo (v. 32). Um modo freqüente de entender o pecado imperdoável é o seguinte: podia ser perdoada a rejeição a Cristo enquanto ele estava na terra, com sua obra ainda inacabada, quando seus discípulos não o compreendiam. Mas, depois de completada a obra de Cristo e após a vinda do Espírito Santo, a rejeição deliberada e definitiva da oferta de Cristo como Salvador, feita pelo Espírito Santo, consiste no pecado eterno para o qual nunca haverá perdão. Um pecado semelhante é referido em Hebreus 6.6 e 10.26 e em 1 João 5.16 (v. comentários sobre essas passagens). Entretanto, nem sempre são os opositores declarados de Cristo que cometem o pecado imperdoável. Paulo era mais veemente e ativo contra Cristo que qualquer outro, mas Jesus o chamou pessoalmente para ser seu apóstolo (v. nota sobre At 9). A rejeição deliberada e definitiva da oferta de Cristo, feita pelo Espírito Santo, tem mais probabilidade de resultar em indiferença total que em oposição aberta contra Cristo.

Toda palavra inútil (v. 36) é mencionada aqui em conexão com o pecado imperdoável. Nossas palavras demonstram o nosso caráter (v. 34). Toda palavra nossa, bem como toda ação feita em secreto, está sendo registrada como evidência para o Dia do Juízo.

O sinal de Jonas — Mt 12.38-45

(Narrado tb. em Lc 11.29-32.) Foi uma descarada insolência pedir um sinal da parte de Jesus imediatamente depois de o acusarem de realizar sinais mediante a ajuda de Belzebu. Jesus lhes prometeu um sinal ainda mais assombroso, ao qual deu o nome de "sinal do profeta Jonas" — sua própria ressurreição dentre os mortos, o maior sinal de todos os tempos.

O **demônio sem casa** (v. 43-45): v. comentário sobre Mc 5.1-20.

A mãe e os irmãos de Jesus — Mt 12.46-50

(Narrado tb. em Mc 3.31-35 e Lc 8.19-21.) A resposta de Jesus ensina que os laços espirituais são mais fortes que os naturais e dá a entender que sua mãe não lhe era mais chegada que qualquer pessoa que fizesse a vontade de Deus.

Parábolas do Reino, Mateus 13.1-53

A parábola do semeador — Mt 13.1-23

Entre Cafarnaum e Tabgha existe uma pequena enseada à beira-mar que tem o formato de um teatro natural e que possivelmente foi o local em que Jesus "entrou num barco e assentou-se. Ao povo reunido na praia Jesus falou muitas coisas por parábolas, dizendo..." (v. 2,3).

(Essa parábola tb. é contada em Mc 4.1-20; Lc 8.4-15.) A semente é a Palavra de Deus (Lc 8.11). Almas nascem da Palavra de Deus (1Pe 1.23). Essa parábola profetiza como o evangelho será recebido.

Algumas pessoas nem sequer irão querer escutar. Algumas o aceitarão, mas não demorarão a se desviar. Outras manter-se-ão firmes por mais algum tempo, mas paulatinamente perderão o interesse. E algumas perseverarão, em grau menor ou maior, até suas vidas demonstrarem na prática o que significa o evangelho.

Parábolas

O Reino que Jesus veio estabelecer era totalmente diferente daquele que, segundo a expectativa geral, o Messias estabeleceria. O Reino de Deus tem relação com o coração e com o espírito. Foi por isso que Jesus lançou mão de histórias a respeito de eventos diários comuns para ilustrar a origem desse Reino, seu desenvolvimento, sua natureza atual e sua consumação final. As histórias conseguem transmitir verdades de modo mais eficaz que as explicações lógicas. Compreender o significado pretendido pelas parábolas exigia o coração receptivo, muito mais que a mente lógica — e é por isso que as parábolas, na realidade, *obscureciam* a mensagem de Jesus para aqueles cujo coração não estava disposto a escutar.

Ao interpretarmos as parábolas, o problema é discernir quais elementos são relevantes para a lição pretendida e quais deles são meros pormenores incluídos para tornar a história mais vívida e memorável. De modo geral, o propósito da parábola era ensinar uma só lição; não devemos tentar extrair outras lições paralelas de todos os detalhes da história.

O número das parábolas de Jesus é calculado de várias maneiras, variando de 27 a 50, isso porque algumas delas são definidas como parábolas por alguns e como metáforas por outros. A maioria das pessoas concorda que Jesus contou cerca de trinta parábolas. Algumas delas parecem semelhantes entre si. Jesus empregou histórias diferentes para ilustrar a mesma lição — e às vezes a mesma história para ilustrar várias lições.

Mt 13.24-30; 36-43; 47-53 — As parábolas do joio e da rede

Duas ilustrações, com matizes levemente diferentes, demonstram que embora o mundo venha a ser permeado pelo evangelho, os maus persistirão ao lado dos bons até o fim do mundo, quando haverá a separação final — os maus irão para o destino infeliz, e os justos, para o Reino de glória eterna. Jesus não nutria ilusões quanto a este mundo se transformar numa utopia. Sabia muito bem que seu evangelho seria rejeitado por parte da raça humana, até o fim. Reconhecia somente duas classes de pessoas: os salvos e os perdidos. Falou repetidas vezes das desgraças dos perdidos, que chorariam e rangeriam os dentes. Certamente sabia do que falava.

Mt 13.31-33 — As parábolas do grão de mostarda e do fermento

(Contadas tb. em Mc 4.30-32; Lc 13.18-20.) Duas parábolas semelhantes que ilustram o humilde começo do Reino de Cristo, seu crescimento paulatino e imperceptível, tanto no indivíduo quanto no mundo em geral, e sua majestosa presença final, que permeará todas as instituições, filosofias e governos.

Mt 13.44-46 — As parábolas do tesouro escondido e da pérola de grande valor

Dupla ilustração da mesma coisa: o valor incalculável de Cristo para a alma humana. O que Cristo oferece vale tanto que se deve abrir mão de tudo — até mesmo da própria vida — para aceitá-lo.

	Visita a Nazaré	Mt 13.54-58

(V. comentário sobre Mc 6.1-6.)

	João Batista é decapitado	Mt 14.1-12

(V. comentário sobre Lc 3.1-20.)

	Jesus alimenta 5 mil	Mt 14.13-21

(V. comentário sobre Jo 6.1-15.)

	Jesus anda sobre as águas	Mt 14.22,23

(V. comentário sobre Jo 6.16-21.)

Período desde a primeira multiplicação dos pães até a transfiguração, Mateus 14.34—16.12

	Multidões em Genesaré	Mt 14.34-36

(V. comentário sobre Mc 6.53.)

	O puro e o impuro	Mt 15.1-20

(V. comentário sobre Mc 7.1-23.)

	A mulher Cananéia	Mt 15.21-28

(V. comentário sobre Mc 7.24-30.)

	Alimentados 4 mil	Mt 15.29-39

(V. comentário sobre Mc 8.1-9.)

O Reino

A palavra "reino" ocorre mais de 40 vezes em Mateus; acha-se em todos os capítulos menos nos dois primeiros e nos capítulos 14, 15 e 17.

Um reino político, no qual a nação judaica, com seu Messias, governaria o mundo, era o que o povo judeu esperava.

- Herodes partilhava dessa noção, e tentou destruir Jesus enquanto este ainda era criança porque pensava que o Reino do Messias seria um reino político rival, o que representaria uma ameaça contra o seu reino.

- João Batista era da mesma opinião, e quando Jesus não deu nenhuma indicação de ser um rei desse tipo, João começou a duvidar se Jesus era mesmo o Messias (Mt 11.3).
- Os doze apóstolos partilharam dessa noção mesmo depois da ressurreição de Jesus. A última pergunta que postularam a Jesus foi: "Senhor, é neste tempo que vais restaurar o reino a Israel?" (At 1.6). Suas mentes concentravam-se na independência política para sua pátria, mais que na salvação pessoal eterna.

Que reino Jesus veio fundar? Não um reino político, mas a soberania de Deus nos corações das pessoas, que lhes controlará e transformará a vida. O coração é o âmbito no qual Jesus veio reinar. Ele veio para que toda a raça humana o ame ele então nos transforme segundo sua imagem. Toda a beleza e conforto da vida, a transformação do caráter e a regeneração da alma crescerão a partir da afeição por Jesus, da dedicação a ele e da adoração a ele.

A palavra "reino", conforme é usada no NT, tem uma ampla gama de significados. A idéia básica da palavra subentende o domínio de Jesus no coração do seu povo por todas as eras, até a eternidade. Mas às vezes se refere especificamente a um dos vários aspectos ou etapas desse domínio: às vezes parece significar o Reino de Deus no indivíduo; às vezes, o reino geral da justiça entre os homens; às vezes, a igreja; às vezes, a cristandade; às vezes, o milênio; e às vezes, o céu.

Mt 16.1-12   O fermento dos fariseus

(V. comentário sobre Mc 8.10-21.)

Mt 16.13-20   A confissão de Pedro

(Contado tb. em Mc 8.27-29 e Lc 9.18-20.) Já fazia uns três anos que Pedro aceitara Jesus como o Messias (Jo 1.41,42). Um ano depois, ele o chamara de "Senhor" (Lc 5.8). Seis meses depois disso, a chamara de "o Santo de Deus" (Jo 6.68,69). Agora, depois de passar dois anos e meio viajando com Jesus, expressa a convicção de que Jesus é o Filho do Deus vivo.

Sobre esta pedra (v. 18). A rocha sobre a qual Jesus edificaria sua igreja não é Pedro, mas a verdade que Pedro confessou, de que Jesus é o Filho de Deus. A divindade de Jesus é o alicerce sobre o qual a igreja se assenta, é o credo fundamental da cristandade. Esse é o significado inconfundível dessa linguagem.

As chaves do Reino dos céus (v. 19). A interpretação comum desse versículo é que Pedro abriu a porta da salvação aos judeus, no Dia de Pentecostes (At 2), e posteriormente aos gentios (At 10). Não lhe foi concedido o poder para perdoar os pecados, mas para proclamar as condições do perdão. Seja qual for a autoridade assim outorgada a Pedro, foi também outorgada aos demais apóstolos (Mt 18.18; Jo 20.23) — e isso somente no sentido de poderem declarar o perdão da parte de Cristo.

Cesaréia de Filipe

Situada no extremo norte de Israel, num dos afluentes iniciais do rio Jordão ao sopé do monte Hermom, 80 km a sudoeste de Damasco, estava a cidade que, nos tempos do NT, era chamada Cesaréia de Filipe — assim chamada para distingui-la da enorme cidade portuária de Cesaréia (também conhecida como Cesaréia Marítima), localizada no litoral do mar Mediterrâneo.

Foi descoberto um enorme palácio de veraneio construído por Herodes, o Grande, e especialmente pelos seus descendentes. Outras descobertas incluem santuários dedicados a César, a Pã, a Eco, a divindades em forma de bode e outras. O sítio arqueológico fica no sopé de um enorme despenhadeiro de rocha natural, e foi ali por perto que Pedro confessou que Jesus é "o Cristo, o Filho do Deus vivo" e Jesus respondeu: "Eu lhe digo que você é Pedro, e sobre esta pedra edificarei a minha igreja".

Jesus prediz a sua paixão — Mt 16.21-28

(V. comentário sobre Mc 9.30-32.)

Jesus é transfigurado — Mt 17.1-13

(V. comentário sobre Mc 9.2-13.)

O menino endemoninhado — Mt 17.14-20

(V. comentário sobre Mc 9.14-19.)

A paixão predita novamente — Mt 17.22-23

(V. comentário sobre Mc 9.30-32.)

O dinheiro do imposto — Mt 17.24-27

Era um tipo de imposto individual, em benefício do santuário, cobrado de todo homem maior de 20 anos (Êx 30.11-15). Uma dracma equivalia aproximadamente ao salário de um dia de serviço. Jesus, como Senhor do santuário, estaria isento; mesmo assim, pagou o imposto, para não ser mal compreendida a sua atitude para com o santuário.

Quem é o maior? — Mt 18.1-6

(V. comentário sobre Lc 9.46-48.)

Ocasiões de tropeço — Mt 18.7-14

(V. comentário sobre Mc 9.41-50.)

O perdão — Mt 18.15-35

Um talento (v. 24) equivalia a 6 mil dracmas (o nome grego) ou denários (o nome romano). Visto que uma dracma valia, grosso modo, o salário de um dia, o trabalhador médio levaria quase 20 anos para ganhar um talento. Dez mil talentos, portanto, equivaliam à totalidade de tudo quanto os habitantes de várias aldeias grandes, somados, pudessem ganhar na vida inteira. A esse homem foram perdoadas 60 milhões de dracmas, mas ele não queria perdoar 100 dracmas. É assim que Jesus faz a comparação entre os nossos pecados contra Deus e os pecados que outros cometem contra nós. Notemos a declaração de Jesus no sentido de não haver esperança de perdão *a não ser* que nós mesmos perdoemos (v. 35).

O ministério na Peréia, Mateus 19 e 20

Mt 19.1,2 — A partida da Galiléia

(V. comentário sobre Lc 9.51.)

Mt 19.3-12 — A pergunta sobre o divórcio

O ensino de Jesus a respeito do divórcio é registrado também em Mateus 5.31; Marcos 10.2-12 e Lucas 16.18. Paulo considera o assunto em 1 Coríntios 7. O casamento vitalício entre um homem e uma mulher é a vontade de Deus para a raça humana. Segundo parece, Cristo tolera uma única razão para o divórcio (v. 9).

Mt 19.13-15 — As crianças

(V. comentário sobre Lc18.15-17.)

Mt 19.16-30 — O jovem rico

(V. comentário sobre Lc 18.18-30.)

Peréia

Uma região/distrito localizada ao sul do mar da Galiléia e a leste do rio Jordão. Segundo Josefo (*Guerra* 3.3.3 [46]), limitava-se ao norte com Pela e se estendia até ao sul de Maquera, onde, segundo esse autor, João Batista foi decapitado. A oeste, o rio Jordão formava sua fronteira, e a leste, aproximava-se da cidade de Filadélfia, em Decápolis, mas sem a incluir. A região era habitada por judeus. Sua capital era Gadara e outras cidades ou fortalezas se destacavam: Amato, Abila, Bete-Ramatá (Lívia/Júlia), Calirroé e Maquera. Herodes Antipas recebeu esse território depois da morte de seu pai e o governava juntamente com a Galiléia. A Peréia, a Galiléia e a Judéia são chamadas "as três províncias judaicas" na *Mixná* (uma compilação de tradições orais judaicas, c. 200 d.C.).

Mt 20.1-16 — A parábola dos trabalhadores na vinha

Essa parábola não ensina que todos serão tratados de forma igual no céu, nem que não haverá recompensas. A parábola dos talentos (Mt 25.14-30) parece ensinar que haverá recompensas, e Paulo ensinou a mesma coisa (1Co 3.14,15).

Aqui Jesus quis ensinar uma só coisa: que alguns que se consideram os primeiros neste mundo vão se achar em último lugar no céu. Jesus ensinou assim em várias ocasiões (Mt 19.30; 20.16; Mc 10.31; Lc 13.30). Os padrões celestiais e os padrões terrestres são de tal maneira diferentes entre si que muitos dos cristãos mais humildes da terra, os escravos e os servos, ocuparão as posições mais elevadas no céu, ao passo que poderosos e grandes dignitários eclesiásticos, se conseguirem chegar até lá, estarão sujeitos àqueles que, na terra, eram seus servos (v. tb. comentário sobre Lc 16.19-31).

A paixão predita outra vez — Mt 20.17-19

(V. nota sobre Mc 9.30-32.)

O pedido de Tiago e João — Mt 20.20-28

O que há de mesquinho nesse pedido de prestígio e poder é que foi uma reação diante do anúncio que Jesus estava caminhando para a cruz (v. comentário sobre Lc 9.46-48.) A resposta de Jesus lembrou-lhes um dos temas centrais de seu ministério — que a chave para a recompensa celestial é o grau de nossa atitude de serviço e amor ao próximo na terra.

O cego de Jericó — Mt 20.29-34

(V. comentário sobre Lc 18.35-43.)

A última semana de Jesus, Mateus 21— 28

A entrada triunfal — Mt 21.1-11

(Contada tb. em Mc 11.1-10; Lc 19.29-38; Jo 12.12-19.) Foi no domingo anterior à sua morte. Jesus aparecera como o Messias predito há muito tempo. Durante muitos anos, ele se proclamara à nação com viagens e milagres incessantes, e também por meio das viagens e milagres dos doze (v. p. 473) e dos 72 (v. p. 529). Jesus sabia que os governantes da nação já haviam tramado sua morte. Estava pronto para isso. Numa grande demonstração pública que servia de notificação final para a Cidade Santa, ele entrou em Jerusalém em meio às aleluias e hosanas das multidões cheias de expectativa. Os habitantes estavam jubilosos por pensar estar próxima a hora do livramento. Jesus estava montado num jumento novo, pois tinha sido profetizado que o Messias viria dessa forma (Zc 9.9).

Jesus purifica o pátio do Templo — Mt 21.12-17

(Contado tb. em Mc 11.15-18; Lc 19.45-47.) Aconteceu numa segunda-feira. Jesus fizera a mesma coisa três anos antes, no início de seu ministério público (v. Jo 2.13-22). Os enormes lucros provenientes das barracas comerciais instaladas no pátio do Templo contribuíam, em parte, para o enriquecimento da família do sumo sacerdote. Jesus ardia de indignação diante de semelhante perversão do uso apropriado da casa de Deus.

Jesus e a figueira — Mt 21.18-22

(Contado tb. em Mc 11.12-14; 20-24.) A ocasião foi a segunda-feira de manhã, quando Jesus percorria os 3,2 km de Betânia, passando pelo monte das Oliveiras, até Jerusalém. Na manhã seguinte, ao caminhar para a cidade, os discípulos notaram que a figueira secara. Segundo parece, ao voltar a Betânia, no entardecer da segunda-feira, passaram pela estrada que rodeava o sopé do monte das Oliveiras, em vez de atravessá-lo.

Mt 21.23-27 — "Com que autoridade?"

(Narrado tb. em Mc 11.27-33; Lc 20.1-8.) Os líderes eram implacáveis e fizeram todos os esforços imagináveis para apanhar Jesus numa cilada. Ele, porém, era mestre em debates e reformulava de tal maneira as perguntas capciosas feitas pelos chefes religiosos que eles mesmos ficavam confusos.

Mt 21.28-32 — A parábola dos dois filhos

Essa parábola é dirigida diretamente contra os líderes religiosos: os principais sacerdotes, os anciãos, os escribas e os fariseus. (Quanto ao significado desses termos, v. p. 417s.) Eles rejeitavam a Jesus. O povo comum, entretanto, que os líderes religiosos consideravam pecaminoso e indigno do favor de Deus, aceitava com alegria o perdão e a graça acolhedora de Deus.

Mt 21.33-46 — A parábola dos lavradores na vinha

(Contada tb. em Mc 12.1-12 e Lc 20.9-19.) A parábola anterior, dos dois filhos, visava principalmente os líderes da nação judaica. A presente parábola visa à própria nação.

Uma torre de vigia em Samaria, talvez semelhante à mencionada na parábola da vinha.

Mt 22.1-14 — A parábola do banquete de casamento

Outra ilustração da mesma lição: a nação eleita de Deus, o povo judeu, estava agora para ser repudiada pelo modo vergonhoso de tratar os mensageiros de Deus, e outras nações eram convidadas. Essa é uma parábola com uma dupla mensagem: também inclui a advertência para que os recém-convidados tomem cuidado em não cair na mesma condenação.

Mt 22.15-22 — O pagamento de impostos a César

(V. comentário sobre Mc 12.13-17.)

A ressurreição — Mt 22.23-33

(V. comentário sobre Mc 12.18-27.)

O grande mandamento — Mt 22.34-40

(V. comentário sobre Mc 12.28-34.)

O filho de Davi — Mt 22.41-46

(V. comentário sobre Mc 12.35-37.)

Ai dos mestres da Lei e dos fariseus — Mt 23

Para uma descrição dos mestres da Lei e dos fariseus, v. p. 423.

O grande discurso sobre o fim, Mateus 24 e 25

(Relatado tb. em Mc 13 e Lc 21.) Esse discurso foi proferido depois de Jesus ter saído do Templo pela última vez. Dizia respeito à destruição do Templo, à Segunda Vinda de Cristo e ao fim do mundo. Algumas de suas palavras parecem tão confusas que é difícil saber a que eventos específicos se referem. Talvez fosse intenção de Jesus deixar algumas questões em aberto.

Parece claro que Jesus tinha em mente dois eventos distintos, separados entre si por um intervalo de tempo, indicados, respectivamente, por "estas coisas" em 24.34 e "o dia" em 24.36. Alguns explicariam que "esta geração" (24.34) significa "esta nação", ou seja, que a raça judaica não passará até que volte o Senhor. A opinião mais comum é que Jesus queria dizer que Jerusalém seria destruída dentro da geração (do decurso da vida) dos que então viviam.

Quando olhamos para dois picos de montanha à distância, ficando um deles atrás do outro, parecem estar próximos entre si, embora talvez haja bastante distância entre os dois. O que Jesus disse numa determinada frase pode referir-se a uma era inteira, e o que acontece em um dos eventos pode ser o início do cumprimento do que acontecerá no outro.

As palavras de Jesus a respeito de Jerusalém foram cumpridas, de modo literal, em menos de 40 anos. As magníficas construções de mármore e ouro foram tão completamente demolidas pelo exército romano em 70 d.C. que, segundo Josefo, parecia que o local nunca havia sido habitado (v. mais no comentário sobre Hb 13).

A Segunda Vinda de Jesus

A maior parte desse grandioso discurso é dedicada ao tema da segunda vinda de Jesus. Faltando somente três dias para a morte de Jesus, este, sabendo que seus discípulos ficariam arrasados quase a ponto de perderem a fé, faz um grande esforço no sentido de explicar que eles ainda concretizariam suas esperanças — mas de modo muito mais glorioso do que poderiam ter sonhado.

Os pensamentos de Jesus focalizavam-se muito na Segunda Vinda:

- "Quando o Filho do homem vier em sua glória, com todos os anjos" (Mt 25.31).
- "O Filho do homem virá na glória de seu Pai, com os seus anjos" (Mt 16.27).

- "Assim como o relâmpago sai do Oriente e se mostra no Ocidente, assim será a vinda do Filho do homem" (Mt 24.27).
- "Como foi nos dias de Noé, assim também será na vinda do Filho do homem (Mt 24.37).
- "Aconteceu a mesma coisa nos dias de Ló [...] Acontecerá exatamente assim no dia em que o Filho do homem for revelado" (Lc 17.28-30).
- "Então se verá o Filho do homem vindo numa nuvem com poder e grande glória (Lc 21.27).
- "Se alguém se envergonhar de mim [...] o Filho do homem se envergonhará dele quando vier na glória de seu Pai com os santos anjos" (Mc 8.38).
- "Vou preparar-lhes lugar [...] voltarei e os levarei mim" (Jo 14.2,3).

Sua vinda será proclamada com grande som de trombeta (Mt 24.31), que sempre tinha sido a maneira de convocar a nação de Israel desde o Êxodo (Êx 19.13,16,19). Paulo repetiu a expressão semelhante "ao som da última trombeta" em conexão com a ressurreição (1Co 15.52) e diz em 1Tessalonicenses 4.16: "Pois, dada a ordem, com a voz do arcanjo e o ressoar da trombeta de Deus, o próprio Senhor descerá dos céus, e os mortos em Cristo ressuscitarão primeiro". Isso indica mais que mera figura de linguagem. É um evento histórico, real, repentino e grandioso, no qual Jesus congrega para si mesmo os próprios fiéis, dentre os vivos e os mortos, numa escala vasta e poderosa.

É melhor não sermos demasiadamente dogmáticos a respeito dos eventos relacionados com a Segunda Vinda de Cristo. Mas, visto que a linguagem é um meio de comunicação de pensamento, as palavras de Jesus significam que ele mesmo anteviu sua Segunda Vinda como evento histórico específico, em que ele, pessoal e literalmente, aparecerá para levar consigo mesmo para a glória eterna os que foram redimidos por seu sangue.

E é melhor não anuviar a esperança de sua vinda com teorias demasiadamente detalhadas a respeito das coisas que acontecerão na Segunda Vinda. Suspeitamos que algumas pessoas ficarão muito decepcionadas se Jesus não seguir o cronograma que já traçaram para ele.

Mt 24.45-51 Os servos fiéis e sensatos

A partir desse momento, o discurso de Jesus é uma exortação à vigilância. Sua Segunda Vinda ocupava um lugar de importância nos seus pensamentos. E assim também deve ser conosco.

Mt 25.1-13 A parábola das dez virgens

Essa parábola tem um único significado: que devemos manter nossa atenção fixada no Senhor e estar preparados quando ele vier.

Lamparina de azeite do século I, do tipo referido por Jesus ao contar a parábola das dez virgens. É também o tipo de lamparina que Jesus e os discípulos levaram depois da última ceia, a caminho do jardim do Getsêmani.

A parábola dos talentos — Mt 25.14-30

Significa que estamos recebendo treinamento para serviços mais amplos a serem prestados no Reino futuro e que nossa posição e categoria ali dependerão da fidelidade de nossa mordomia aqui.

A cena do Juízo Final — Mt 25.31-46

Uma das passagens mais magníficas da Bíblia, um retrato de como o grau de nosso amor pelo povo de Deus afetará nossa situação no mundo eterno.

Entre as interpretações mais comuns desse juízos, temos: 1) que ocorrerá no início do Reino milenar de Cristo na terra (v. 31,34; Ap 20), com o propósito de determinar quem poderá entrar no Reino (v. 34) com base na maneira como trataram o povo judeu ("meus menores irmãos") durante o período da tribulação (v. 35-40,42-45); 2) que o juízo pode ser aquele que ocorrerá diante do grande trono branco no fim do reino milenar (Ap 20.11-15). O propósito desse juízo seria determinar quem entrará na salvação eterna no céu e quem será entregue ao castigo eterno no inferno (v. 34,46).

A conspiração para matar Jesus — Mt 26.1-5

(V. comentário sobre Mc 14.1,2.)

Jesus é ungido em Betânia — Mt 26.6-13

(V. comentário sobre Mc 14.3-9.)

Judas concorda em trair Jesus — Mt 26.14-16

(V. comentário sobre Mc 14.10-11.)

A Ceia do Senhor — Mt 26.17-29

(Narrada tb. em Mc 14.12-25; Lc 22.7-38; Jo 13 e 14.) Foi na véspera da morte de Jesus. Houve duas ceias: a ceia da Páscoa e a Ceia do Senhor. A Ceia do Senhor foi instituída no final da ceia da Páscoa. Lucas menciona dois cálices (22.17-20). Mateus, Marcos e Lucas mencionam as duas ceias; João menciona somente a da Páscoa.

Durante 1400 anos a Páscoa havia prenunciado a vinda de Jesus, o Cordeiro pascal. Jesus comeu a Páscoa, substituiu-a pela própria Ceia e em seguida ele mesmo foi sacrificado como o Cordeiro pascal. Jesus morreu na cruz no mesmo dia em que os cordeiros pascais estavam sendo imolados no Templo.

A Páscoa já servira aos seus propósitos, e agora devia ceder lugar à nova Ceia que devia ser observada em memória de Jesus, até que ele venha de novo (1Co 11.23-26).

Assim como a Páscoa lembrava o passado, quando Israel foi liberto do Egito, e também indicava o futuro — o Advento de Jesus em graça, também esse memorial lembra sua morte passada e, no futuro, sua Segunda Vinda em glória.

A agonia no Getsêmani — Mt 26.30-46

(V. comentário sobre Lc 22.39-46.)

Mt 26.47-56 — Jesus é traído e preso

(V. comentário sobre Jo 18.1-12.)

Mt 26.57-68 — Jesus diante do sumo sacerdote

(V. comentário sobre Mc 14.53.)

Mt 26.69-75 — Pedro nega a Jesus

(V. comentário sobre Jo 18.15-27.)

Mt 27.1-2 — O veredicto oficial

(V. comentário sobre Mc 14.53.)

Mt 27.3-10 — O suicídio de Judas

(V. comentário sobre Mc 14.10,11.)

Mt 27.11-25 — O julgamento diante de Pilatos

Para a nota a respeito das etapas sucessivas do processo judicial contra Jesus, ver o comentário sobre Marcos 14.53.

Que o sangue dele caia sobre nós e sobre nossos filhos! (v. 25). Quão pavorosamente essas palavras foram cumpridas!

Mt 27.26 — Jesus é açoitado

O açoitamento geralmente antecedia a pena capital. No presente caso, segundo parece, Pilatos esperava que a multidão considerasse suficiente esse castigo. Os açoites eram aplicados com um chicote feito de várias tiras de couro, guarnecidas com pedaços de chumbo ou pontas metálicas cortantes. A vítima era despida até a cintura e depois amarrada em posição encurvada sobre um poste e chicoteada nas costas desnudadas com o açoite, até as carnes ficarem rasgadas. Às vezes, resultava em morte.

Pilatos

Pôncio Pilatos foi o governador romano da Judéia de 26 a 37 d.C. Assumiu o cargo aproximadamente na época em que Jesus começou seu ministério público. Sua residência oficial ficava em Cesaréia (v. p. 598). Comparecia em Jerusalém durante os dias das festas religiosas principais, a fim de manter a ordem. Era impiedoso e cruel, bem conhecido por sua brutalidade. Assim como os imperadores romanos de seus dias, sentia prazer em ver o espetáculo da tortura e morte. Em certa ocasião, misturara o sangue de alguns galileus com os sacrifícios deles — ou seja, mandou matá-los enquanto ofereciam sacrifícios (Lc 13.1).

Em 1961, foi feita a descoberta notável de uma pedra no teatro de Cesaréia com uma inscrição parcial que inclui as palavras "[Pon]tius Pilatus". Originariamente, fazia parte de uma construção levantada em homenagem ao imperador Tibério ou a ele dedicada, mas tinha sido reaproveitada na construção de um patamar entre dois lances de escadas no teatro. Essa é a primeira evidência arqueológica no tocante a Pilatos.

Um dos quadros mais estranhos da história é a impressão que Jesus causou sobre esse governador romano empedernido. Quer Jesus tivesse uma postura ereta e fosse de boa aparência, conforme diz uma tradição, quer tivesse os ombros caídos e fosse pouco atraente, conforme diz outra tradição, deve ter havido algo tão imponente na sua presença que, embora o tivessem vestido de roupas que davam a impressão de falsa realeza, com a coroa de espinhos na cabeça e o sangue escorrendo pelo rosto, Pilatos não conseguia tirar os olhos dele.

Os esforços que Pilatos fez para não ter de crucificar Jesus formam uma narrativa de causar pena. Ele apelou primeiramente aos governantes judeus e depois a Herodes. Depois, novamente aos governantes judeus. Em seguida, apelou para a multidão. E, quando a multidão se voltou contra Jesus, Pilatos tentou apelar à compaixão popular, mandando açoitar a Jesus, esperando que a turba se satisfizesse com esse castigo limitado e não exigisse que Jesus fosse levado à última conseqüência: a crucificação. A esposa de Pilatos advertiu-o de que não se envolvesse com aquele homem inocente — nisso ela se baseava em um sonho que tivera anteriormente, naquele mesmo dia.

Depois de fracassadas todas as tentativas Pilatos, ainda assim, só resolveu crucificar Jesus depois que os judeus ameaçaram delatá-lo a César. Foi somente quando a situação pareceu constituir-se numa ameaça contra seu cargo de governador da Judéia que Pilatos finalmente consentiu com a morte de Jesus. Consta que Pilatos posteriormente se suicidou. A tradição diz que Prócula, a esposa de Pilatos, tornou-se cristã.

Jesus é zombado — Mt 27.27-31

Os judeus zombaram de Jesus durante o julgamento dele (Lc 22.63-65). Herodes e seus soldados também zombaram dele (Lc 23.11). Agora, os soldados de Pilatos zombam dele. E, um pouco mais tarde, quando Jesus estava na cruz, os sacerdotes, os anciãos e os mestres da Lei zombaram dele (27.29-43). Para aquelas mentes embrutecidas, era a maior diversão ver aquele que declarara ser o Filho de Deus reduzido a semelhante humilhação e tortura.

Simão de Cirene — Mt 27.32

Em João 19.17, está registrado que Jesus saiu carregando a própria cruz. Exausto pela noite de agonia e pelos açoites, ele não conseguiu andar muito, pois ficou fraco demais para continuar a carregá-la. Foi então que Simão foi requisitado para aquele serviço. Pouco se sabe a respeito de Simão. Provavelmente era um judeu que celebrava a Páscoa em Jerusalém. Cirene era uma cidade importante do norte da África (na Líbia moderna) que tinha uma grande população judaica. Hoje, o que resta da cidade é uma pequena povoação.

Jesus é crucificado — Mt 27.33-56

(V. comentários sobre Mc 15.21-41; Lc 23.32-43 e Jo 19.17-30.)

As trevas. Durante três horas (v. 45), a natureza inanimada escondeu o rosto, envergonhada diante da indizível iniqüidade dos homens. A intenção de Deus pode ter sido que as trevas fossem o luto simbólico da criação por Jesus, enquanto este sofria, em nosso favor, as penas dos perdidos.

O terremoto. O terremoto, as rochas partidas e as sepulturas que se abriram (v. 51-55) foram a saudação de Deus ao Salvador triunfante. Rasgar o véu do Templo (v. 51) foi a proclamação do próprio Deus de que, na morte de Cristo, desaparecera a barreira entre Deus e o homem (Hb 9.1-14; 10.14-22). Os santos ressuscitados (v. 52,53) foram a evidência e a garantia de que se rompera o poder da morte. Somente Mateus menciona essa ressurreição dos santos. Observe-se que até mesmo o centurião, o oficial comandante dos soldados romanos que crucificaram Jesus, ficou convicto de que Jesus era realmente o Filho de Deus (v. 54).

> NOTA ARQUEOLÓGICA: O ossário da crucificação.
> Fica evidente, tendo por base as fontes literárias, que os romanos praticavam a crucificação na Palestina. Agora, porém, também existe confirmação arqueológica. Num túmulo do século I d.C., descoberto no bairro norte de Jerusalém, Giv'at MaHivtar, o osso calcificado do calcanhar de um homem de quase trinta anos de idade foi descoberto em um ossário (v. "Ossário de Caifás", na p. 510.) Um prego de ferro, de 18 cm de comprimento, ainda permanecia encravado nesse osso. Tinha sido crucificado! Até mesmo o seu nome foi preservado: "Yehohanan, filho de Hagakol".

O terceiro dia

"O terceiro dia" (v. 64) é citado aqui como período idêntico a "depois de três dias" (v. 63). No uso lingüístico hebraico, as partes de dias no começo e no fim de determinado período eram contadas como dias (Et 4.16; 5.1). "Três dias e três noites" (12.40; cf. 1Sm 30.12,13), "depois de três dias" (Mc 8.31; 10.34; Jo 2.19) e "o terceiro dia" (16.21; 17.23; 20.19; Lc 9.22; 24.7,21,46) são expressões intercambiáveis para o período que Jesus passou no sepulcro, desde sexta-feira à tarde até domingo de manhã.

Mt 27.57-61 — O sepultamento
(V. comentário sobre Jo 19.38-42.)

Mt 27.62-66 — O sepulcro é lacrado
(V. comentário sobre Mt 28.11-15.)

Mt 28.1-8 — As mulheres visitam o sepulcro

Esse fato é relatado nos quatro evangelhos (Mc 16.1-8; Lc 24.1-11; Jo 20.1-3). Maria Madalena é citada nominalmente em todos os quatro; Maria, mãe de Tiago e de José, também chamada "a outra Maria", é mencionada em Mateus, Marcos e Lucas; Salomé, mãe de Tiago e João, em Marcos; Joana, esposa do administrador da casa de Herodes, em Lucas. Lucas também menciona "outras mulheres". Ao todo, havia seis mulheres ou até mesmo doze ou mais. Traziam especiarias para completar o embalsamamento do corpo de Jesus para o sepultamento permanente, sem a mínima idéia de que ele já havia ressuscitado.

As mulheres chegaram no começo do dia (Mateus); bem cedo, ao nascer o sol (Marcos); de manhã bem cedo (Lucas); bem cedo, estando ainda escuro (João). Todas essas declarações, interpretadas em

Duas localizações alegadas como o local onde Jesus foi crucificado, sepultado e ressuscitado. A primeira, o local onde hoje fica a Igreja do Santo Sepulcro, é a tradicional (e mais provável). A outra, menos provável, mas, por muitas razões, mais atraente, foi descoberta pelo general Charles George Gordon em 1882. Ele notou uma formação rochosa com aparência de caveira do lado de fora dos muros de Jerusalém (no alto), bem como um túmulo nas proximidades, que hoje é chamado o Túmulo do Jardim (centro). Dentro deste, existe uma câmara de sepultamento com duas vagas, sendo que uma delas não foi concluída (ao lado).

conjunto, significam, segundo parece, que começaram sua caminhada quando ainda era escuro e chegaram ao sepulcro por volta do nascer do sol. As casas ou hospedarias onde ficavam, em Betânia ou em Jerusalém, provavelmente estavam a vários quilômetros do sepulcro.

Viram um anjo sentado na pedra (Mateus); um jovem sentado no sepulcro (Marcos); dois homens que ficaram ao lado delas (Lucas); dois anjos sentados no sepulcro (João). Essas expressões significam simplesmente que os anjos, em forma humana, estava esperando do lado de fora do sepulcro para saudar as mulheres e que depois as levaram para dentro e explicaram que Jesus ressuscitara. Durante parte do tempo, dois deles foram visíveis, e, durante outra parte, somente um deles. É provável que houvesse miríades de anjos adejando acima do sepulcro naquela manhã, esperando para dar as boas-vindas ao Salvador ressuscitado, visto que era um momento triunfante nos registros históricos do céu. Os anjos serão os encarregados da ressurreição geral (Mt 24.31).

Um grande terremoto (v. 2). Ocorrera um terremoto quando Jesus morreu na cruz (Mt 27.51) e também muitos séculos antes, quando a Lei foi outorgada no monte Sinai (Êx 19.16,18). É uma das maneiras empregadas por Deus para chamar a atenção para eventos momentosos.

Mt 28.9,10 — Jesus aparece às mulheres

Entendemos, à luz dos registros dos evangelhos, que entre os versículos 8 e 9 as mulheres tinham informado os discípulos e que voltavam de novo ao sepulcro. Entrementes, Pedro e João tinham corrido até o sepulcro e voltado de lá. Maria Madalena, que chegou antes das demais mulheres, estava sozinha ao lado do sepulcro, e Jesus apareceu a ela. Um pouco mais tarde, apareceu também às demais mulheres (v. na p. 436-7 a ordem dos eventos). Assim, os dois primeiros aparecimentos de Jesus foram concedidos a mulheres.

Por intermédio de uma mulher, sem participação de homem algum, veio o Salvador, e agora a gloriosa notícia da ressurreição é dada primeiramente a mulheres.

Mt 28.11-15 — Os guardas são subornados

Os soldados romanos tinham sido colocados diante do sepulcro a pedido do Sinédrio, como precaução contra a possibilidade de ser roubado o corpo de Jesus. Aterrorizados com o terremoto, com o anjo e com a ausência do corpo de Jesus do sepulcro, fugiram e foram relatar o ocorrido ao Sinédrio. O Sinédrio os subornaram para que dissessem que tinham adormecido. Dormir no posto de sentinela podia significar para eles a execução sumária; por isso, os sacerdotes garantem aos guardas que acertarão tudo com o governador, caso Pilatos fique sabendo de algo a esse respeito. Esse conhecimento em primeira mão do que aconteceu no sepulcro deve, por certo, ter pesado na balança quando um grande número de sacerdotes se converteu algum tempo depois (At 6.7).

Mt 28.16-20 — Jesus aparece aos onze

Jesus apareceu aos onze em um monte da Galiléia para onde ordenara que fossem (26.32; 28.7; essa pode ter sido a ocasião em que mais de quinhentas pessoas estavam presentes; 1Co 15.6). Em sua substância, a Grande Comissão (v. 20) é registrada quatro vezes (v. comentário sobre Mc 16.14-18).

(V. uma tabela panorâmica dos aparecimentos de Jesus depois de sua ressurreição na p. 436-7.)

Eu estarei sempre com vocês (v. 20). Esse é nosso versículo predileto em toda a Bíblia. Jesus ressuscitou para nunca mais morrer. Está *vivo* agora e está com o seu povo, com poder para orientar e proteger, o tempo todo.

Jesus não é meramente o comandante supremo de alguma vasta organização de anjos e arcanjos. Certamente é mais que isso: o Comandante Supremo dos exércitos do céu interessa-se pessoalmente por todos os seus fiéis e está pessoalmente presente com cada um deles, ininterruptamente.

Não é fácil entender como uma pessoa pode estar junto a milhões e bilhões de pessoas ao mesmo tempo. Entretanto, Jesus disse, na linguagem mais clara possível: "Eu estarei sempre com vocês". Assim Jesus falou, e ele não usou palavras vãs. Não falava só para ouvir a si mesmo. Ele quis dizer alguma coisa quando falou, e cremos que, em algum sentido além de nossa compreensão, místico, porém real, ele está com cada um de nós constantemente.

Por mais fracos, humildes ou sem importância que sejamos, ele é o nosso amigo, nosso companheiro. Invisível, porém presente. Agora. Nesta noite, enquanto dormirmos. Amanhã, enquanto estivermos trabalhando. Na semana que vem. No ano que vem. Andando ao nosso lado e observando com interesse todos os pormenores da luta difícil da vida, procurando, com extrema paciência, nos levar a um lugar de felicidade imortal na casa do Pai. Tudo isso parece apenas um sonho bonito. Mas é o grande fato fundamental de nossa existência.

Maquete da Jerusalém dos tempos de Cristo, exposta no Hotel Holyland, em Jerusalém. O templo construído por Herodes, visto do leste. Em primeiro plano, está a porta Oriental (no alto).

A plataforma do Templo tinha colunatas em todos os quatro lados. As mesas dos cambistas e os vendedores provavelmente estavam instaladas debaixo delas. Aqui se vê a maior colunata, o Pórtico Real, na extremidade sul.

A fortaleza Antônia, ligada à esquina noroeste da plataforma do Templo.

Vista do oeste. As quatro torres da fortaleza Antônia ficam à esquerda. O Gólgota ficava aproximadamente no centro da ilustração, onde hoje fica a Igreja do Santo Sepulcro.

Acesso a Jerusalém do lado oeste. O segmento do muro imediatamente à direita do centro é o Muro Ocidental ou Muro das Lamentações. O Domo da Rocha fica próximo de onde originariamente estava o Templo. Além da plataforma do Templo se acham o vale de Cedrom e o monte das Oliveiras. Logo após o canto da plataforma do Templo, na extrema esquerda, é que ficava antigamente a fortaleza Antônia.

Marcos

Jesus, o Maravilhoso

> Se alguém quiser acompanhar-me, negue-se a si mesmo, tome a sua cruz e siga-me. Pois quem quiser salvar a sua vida, a perderá; mas quem perder a sua vida por minha causa e pelo evangelho, a salvará. Pois, que adianta ao homem ganhar o mundo inteiro e perder a sua alma?
> — Marcos 8.34-37

- Confira a introdução geral aos evangelhos na p. 449.
- Confira a visão panorâmica da vida de Jesus na p. 428.

A ênfase de Marcos: O poder sobrenatural de Jesus

A ênfase especial de Marcos recai sobre o poder sobrenatural de Jesus, apontando sua divindade por meio de milagres. Marcos registra primordialmente os *feitos* de Jesus, e não as *palavras* dele. É por isso que omite a maior parte dos discursos de Jesus. Parece que Marcos escreveu seu evangelho para não-judeus.

Marcos

Desde o início, e mediante uma tradição ininterrupta, esse evangelho foi considerado obra de Marcos. João Marcos era filho de uma mulher chamada Maria, cuja casa em Jerusalém era um local de reuniões para os discípulos de Jesus (At 12.12). Sendo primo de Barnabé (Cl 4.10), é possível que fosse levita (At 4.36). Pensa-se ter sido o jovem que fugiu na noite em que Jesus foi preso (Mc 14.51,52). A mãe de Marcos deve ter sido uma pessoa bastante influente na igreja de Jerusalém. Foi à sua casa que Pedro se dirigiu depois que o anjo o libertou da prisão (At 12.12).

Por volta de 44 d.C., Marcos acompanhou Paulo e Barnabé a Antioquia (At 12.25) e partiu com eles para sua primeira viagem missionária, mas não demorou muito para deixá-los e voltar para casa (At 13.13).

Mais tarde, c. 50 d.C., Marcos quis acompanhar Paulo na sua segunda viagem missionária, mas este se recusou a levá-lo. Esse fato levou à separação entre Paulo e Barnabé (At 15.36-39). Marcos, então, acompanhou Barnabé até Chipre.

Cerca de doze anos depois, c. 62 d.C., Marcos aparece em Roma com Paulo (Cl 4.10; Fm 24) e quatro ou cinco anos mais tarde Paulo pede que Marcos se encontre com ele (2Tm 4.11). Parece, portanto, que Marcos, mais tarde na sua vida, passou a ser um dos cooperadores mais íntimos de Paulo.

Marcos e Pedro

Marcos pode ter sido um convertido de Pedro (1Pe 5.13); a tradição cristã primitiva declara que Marcos, durante a maior parte de sua "carreira", foi companheiro de Pedro. Estava com Pedro em Babilônia (Roma? V. p. 695) quando Pedro escreveu sua primeira epístola (1Pe 5.13). Segundo se acredita, o evangelho segundo Marcos contém, em essência, a história de Jesus conforme Pedro a contara. Acredita-se que foi escrito em Roma entre 60 e 70 d.C., antes da destruição de Jerusalém em 70 d.C.

Papias (70-155 d.C.) foi discípulo do apóstolo João e escreveu em *Explicação dos discursos do Senhor* que descobriu o seguinte, depois de pesquisas cuidadosas: Marcos tornou-se o intérprete de Pedro e escreveu com precisão tudo quanto este lembrava das palavras e das ações de Jesus. Pedro adaptava sua instrução às necessidades da ocasião, mas não apresentava um relato conexo e cronológico das ações e ditos do Senhor. De modo que Marcos não cometeu nenhum engano quando anotou algumas coisas conforme vinham à sua lembrança. Ele tinha um só objetivo: nada omitir do que ouvira e não fazer declarações falsas.

Pregação de João Batista — Mc 1.1-8

É narrada nos quatro evangelhos (v. comentário sobre Lc 3.1-20). Marcos inicia seu evangelho com uma citação do AT. Omitindo a história do nascimento de Jesus, ele passa diretamente à narrativa das abundantes memórias da vida pública de Jesus.

Jesus é batizado — Mc 1.9-11

(V. comentário sobre Mt 3.13-17.)

Jesus é tentado — Mc 1.12,13

(V. comentário sobre Mt 4.1-10.)

O ministério na Galiléia, Marcos 1.14—10.1

O ministério na Galiléia ocupa cerca de metade de Marcos.

Jesus inicia o ministério na Galiléia — Mc 1.14,15

Marcos salta cerca de um ano entre os versículos 13 e 14, isto é, entre a tentação de Jesus e o início de seu ministério na Galiléia. Alguns dos eventos do referido ano são descritos em João 1.19—4.54:

- Os primeiros discípulos, depois do batismo de Jesus por João
- Água transformada em vinho em Caná
- Purificação do Templo
- Entrevista com Nicodemos
- Pregação na região do Jordão inferior por cerca de oito meses
- Conversa com a mulher samaritana
- Cura do filho de um oficial do rei em Caná
- Rejeição em Nazaré (Lc 4.16-30)

Jesus tinha pregado na região do Jordão inferior (Jo 3.22-24; 4.1-3). Entretanto, a hostilidade crescente dos fariseus (Jo 4.1-3) bem como a prisão de João Batista (Mt 4.12) tornaram perigosa a situação. Jesus, tendo uma obra para realizar antes de sua morte, optou, por enquanto, por ficar mais longe de Jerusalém.

Mc 1.16-20   O chamado de Simão, André, Tiago e João

(Narrado tb. em Mt 4.18-22; Lc 5.1-11.) Dois desses homens tinham sido discípulos de João Batista e chegaram à fé em Jesus um ano antes, depois de João ter batizado Jesus (Jo 1.35-42). Agora são chamados para se tornar discípulos e companheiros de viagem de Jesus (v. tb. comentário sobre Mt 10 e Mc 3.13-19).

Mc 1.21-28   A cura de um endemoninhado

(Narrada tb. em Lc 4.31-37.) Esse é o primeiro milagre de Jesus registrado em Cafarnaum depois que ele fez dessa cidade seu centro de operações. Pouco antes disso, enquanto estava em Caná, ele havia curado o filho de um oficial do rei em Cafarnaum, a uma distância de 24 km (Jo 4.46-54; a respeito de demônios, ver comentário sobre Mc 5.1-20).

Nesse relato, vemos que o espírito maligno tinha a capacidade de tomar posse do corpo de um homem com a intenção de atormentá-lo e destruí-lo. O demônio falou através do homem, reconheceu a divindade de Cristo e chamou-o "o Santo de Deus". Jesus ordenou que o demônio se calasse e saísse do homem. O espírito maligno, reconhecendo a autoridade de Jesus sobre Satanás e todos os espíritos demoníacos, obedeceu imediatamente à ordem de Jesus e deixou o corpo do homem. Jesus não deixava os demônios falarem a respeito de sua divindade. Queria, sim, demonstrar ao povo, mediante seus ensinos e ações, que ele era o Messias aguardado havia muito tempo; depois ele se declararia o Filho de Deus.

Cafarnaum: A sinagoga e a casa de Pedro

O sítio arqueológico de Cafarnaum, a "base de operações" de Jesus durante seu ministério terreno (Mt 4.13; Mc 2.1), localiza-se no litoral noroeste do mar da Galiléia. Ele realizou muitos milagres ali (Mt 8.5-13; Mc 2.1-13; Jo 4.46-54). Três dos discípulos provinham de Cafarnaum, e Pedro e André evidentemente tinham se mudado para lá, provenientes de Betsaida (Mc 1.29). A pesca era provavelmente a principal atividade comercial, embora seja possível que implementos de basalto (tais como prensas de azeitonas e moedores de grãos) também fossem produzidos. A aldeia ocupava os dois lados da rota comercial internacional que ligava o mar Mediterrâneo à Transjordânia e Damasco, e parece que havia ali um posto alfandegário por causa da proximidade do rio Jordão e do território de Filipe, o tetrarca (Mt 9.9; Mc 2.14).

A despeito das obras e doutrinas notáveis de Jesus, o povo não se arrependeu, e Jesus predisse que Cafarnaum "desceria até o Hades" no Dia do Juízo (Mt 11.23,24; Lc 10.15).

A sinagoga: A grande e bela sinagoga de pedra calcária branca é conhecida há muitos anos, e sua data provavelmente remonta ao século iv d.C. Em anos recentes, os franciscanos que escavaram embaixo dessa sinagoga descobriram os alicerces, feitos de basalto negro e tendo quase um metro de altura, de uma sinagoga ainda mais antiga — cuja data remonta provavelmente ao século i d.C. Esta, na realidade, pode ter sido a própria sinagoga edificada pelo centurião (Lc 7), na qual Jesus pregou.

A casa de Pedro: Nas escavações da área residencial da aldeia de Cafarnaum, os franciscanos descobriram uma construção muito especial do século i, na qual existia um cômodo que era venerado. Nas paredes rebocadas desse cômodo havia rabiscos mencionando o "Senhor Jesus Cristo", "Cristo" e cruzes. Segundo parece, cristãos judeus do século i d.C. veneravam esse cômodo por ser a casa de Pedro, o discípulo de Jesus, o lugar em que, por certo, Jesus se hospedara em muitas ocasiões. No século iv, uma igreja foi construída sobre a casa, e no século v foi levantada uma igreja octogonal e assim, o "cômodo" ficou bem no centro da igreja.

A cura da sogra de Pedro — Mc 1.29-31

(Narrada tb em Mt 8.14,15; Lc 4.38,39.) Isso significa que Pedro era casado. O primeiro milagre de Jesus foi, de modo indireto, uma bênção sobre o casamento: ele cura a sogra de seu apóstolo mais notável.

Jesus cura muitas pessoas — Mc 1.32-34

(Contado tb em Mt 8.16,17; Lc 4.40,41.) Foi após o pôr-do-sol, visto que esse momento marcava o fim do sábado. As notícias do endemoninhado e da sogra de Pedro tinham sido divulgadas por toda a cidade, e grandes multidões, que traziam seus enfermos, reuniram-se ao redor da casa. E Jesus curou a todos eles. Eram seus milagres que atraíam as multidões. A luz da compaixão divina pela humanidade sofredora já começara a raiar. Foi um dia grandioso para Cafarnaum.

Jesus ora na solidão — Mc 1.35-37

(Contado tb. em Lc 4.42,43.) O dia havia sido muito atarefado. Jesus curara muitas pessoas, talvez várias centenas. Agora estava na plena atividade de sua obra pública. Freqüentemente aproveitava breves momentos para distanciar-se das multidões, buscando a solidão a fim de manter íntimo contato com o Pai. Se o próprio Filho de Deus precisava de tempos de solidão e silêncio a sós com Deus, longe das exigências da vida diária, quanto mais nós precisamos afastar-nos dos ruídos e exigências incessantes de nossa sociedade a fim de conversarmos com Deus e o escutarmos! (V. comentário sobre a vida de oração de Jesus em Lc 11.1-13.)

Viagens por toda a Galiléia — Mc 1.38,39

Jesus fazia muitas viagens curtas, sempre voltando para Cafarnaum (Mt 4.23-25; 9.35-38; Lc 4.44). A Galiléia era cortada por famosas estradas internacionais, ao longo das quais os comerciantes viajavam entre o Egito e o Eufrates. Uma dessas estradas passava por Cafarnaum. Posteriormente, os romanos pavimentariam algumas das estradas internacionais mais importantes que passavam pela Palestina, mas nos dias de Jesus todas as estradas ainda eram de terra: poeirentas no verão e, em alguns lugares, lamacentas na estação das chuvas.

A cura de um leproso — Mc 1.40-45

(Narrada tb. em Mt 8.2-4; Lc 5.12-16.) A palavra grega traduzida por "lepra" pode se referir a várias enfermidades que afetam a pele, incluindo a própria lepra. Jesus mandou o leproso mostrar-se ao sacerdote a fim de receber a declaração oficial de sua cura, pois assim exigia a Lei (Lv 13 e 14). Jesus também lhe ordenou que não saísse falando a respeito da cura que recebera, pois não queria que ficasse fora de controle o movimento que desejava convocar Jesus para fazer dele um rei político. A razão de ser dos milagres era demonstrar a compaixão de Deus, e não conquistar o poder político. Jesus buscava a fé entre o povo, e não a fama.

Mc 2.1-12   Jesus cura um paralítico

(Contado tb em Mt 9.2-8 e Lc 5.18-26.) O paralítico estava deitado numa maca carregada por quatro amigos. A fé que eles tinham no poder de Jesus para curar, bem como sua perseverança, agradou a Jesus. Note que Jesus atendeu, em primeiro lugar, às necessidades espirituais do paralítico ("Filho, os seus pecados estão perdoados") e só depois às suas necessidades físicas, curando-o com as palavras "Levante-se, pegue a sua maca e vá para casa".

A fama de Jesus espalhara-se tão amplamente que fariseus e mestres da Lei provenientes de Jerusalém e de todo o país (Lc 5.17) vieram investigar. Diante de seus olhares críticos e hostis, Jesus asseverou ousadamente sua divindade ao oferecer-se para perdoar os pecados do paralítico — e operou o milagre para, conforme o próprio Jesus disse, comprovar sua divindade. O efeito sobre o povo foi assombroso, mas irritou ainda mais os fariseus e os mestres da Lei, os protetores dos costumes religiosos da nação.

Mc 2.13-17   O chamado de Levi (Mateus)

Jesus escolhera, pouco tempo antes, quatro pescadores para se associarem com ele na obra de estabelecer o Reino. Agora ele acrescenta um publicano (cobrador de impostos). (V. nota sobre Mateus na introdução a Mateus.)

Mc 2.18-22   Uma pergunta sobre o jejum

(Contado tb. em Mt 9.14-17; Lc 5.33-38.) É provável que essa questão tenha surgido porque Jesus participou da festa de Mateus, o que surpreendeu grandemente os discípulos de João Batista, os fariseus e provavelmente até mesmo alguns dos próprios discípulos de Jesus. Festejar era tão diferente da maneira como João Batista vivera! Pode haver tempos de crise em que o jejum seja uma expressão apropriada de humildade, arrependimento e devoção religiosa. Além disso, havia uma relevância especial no jejum, no caso de João Batista (v. comentário sobre Lc 3.1-20). Entretanto, os religiosos do tempo de Jesus exageravam nessa área. Jesus não atribuía muita importância ao jejum conforme era geralmente praticado (Mt 6.16-18), embora Moisés, Elias e o próprio Jesus tenham jejuado, cada um deles, durante 40 dias (Êx 34.28; 1Rs 19.8; Mt 4.1,2).

Todavia, o jejum era praticado em períodos de grande tensão. As três metáforas — o noivo, a roupa rasgada e os odres (vasilhames de couro de cabra para o vinho) — parecem indicar que existem ocasiões, que em geral envolvem grande tristeza, em que ele é apropriado, mas que é impróprio na maioria dos aspectos da vida diária.

Na metáfora do noivo rodeado de convidados, Jesus se identifica claramente com o noivo, e os discípulos com os convidados à festa do casamento. Essa analogia se refere aos costumes judaicos do casamento, que sempre envolvem alegres celebrações. Os convidados de um casamento nunca pensariam em jejuar durante as celebrações festivas. Esse relato é um dos muitos nos quais Jesus prediz aos seus discípulos que haverá um tempo em que ele será tirado do meio deles e que nessa ocasião eles jejuarão entristecidos.

A segunda metáfora refere-se a um remendo de pano novo, não encolhido, costurado numa roupa velha. O resultado mais provável é que o remendo novo arrancará um pouco mais da roupa velha e deixará o rasgo original mais visível. É possível que Jesus esteja sugerindo que os apóstolos, que representam o remendo novo, precisam romper com as antigas práticas religiosas judaicas, que tinham se tornado tradições religiosas, servindo mais como propaganda da suposta santidade da pessoa que adoração sincera a Deus (Mt 6.16-18).

A última metáfora, do vinho novo colocado em odres novos, refere-se à Palavra de Deus que está sendo ensinada a crentes novos. O crente novo deve tornar-se uma nova criatura em Cristo e deixar para trás as crenças do mundo, a fim de permitir que haja crescimento espiritual (v. nota sobre Mt 9.17). Se vinho novo for derramado em odres velhos, os odres se acharão e romperão, à medida que o vinho envelhece e se expande.

Comendo espigas no sábado — Mc 2.23-27

(Narrado tb. em Mt 12.1-8; Lc 6.1-5.) O AT continha leis severas a respeito da observância do sábado, mas a tradição judaica tinha acrescentado tantas restrições para evitar a violação da Lei que o sábado quase se tornou um fardo, em vez de ser um dia de repouso espiritual, mental e físico — o povo precisava trabalhar para evitar o trabalho no sábado. A asseveração de Jesus de que ele era Senhor do sábado era equivalente à reivindicação de sua divindade.

Uma cura no sábado — Mc 3.1-6

(Narrada tb. em Mt 12.9-14; Lc 6.6-11.) A cura no sábado do homem que tinha a mão atrofiada irritou de tal maneira os fariseus e os herodianos (influentes membros judeus do partido político que apoiava o rei Herodes — pessoas que os fariseus normalmente evitavam) que eles começaram a planejar como poderiam matar Jesus. Para esses religiosos profissionais, o mais simples ato de bondade, praticado no sábado, era um crime terrível, quanto mais esse ato tão incomum. Existem nos registros dos evangelhos sete curas feitas por Jesus no sábado (v. comentário sobre Jo 5).

Multidões e milagres — Mc 3.7-12

As multidões que vinham a Jesus eram motivadas por duas coisas: queriam que seus enfermos fossem curados e libertos dos demônios; havia, ainda, a expectativa popular de que ele era o Messias.

A escolha dos doze — Mc 3.13-19

(V. p. 446.)

O pecado imperdoável — Mc 3.20-30

(V. comentário sobre Mt 12.24-37.)

A mãe e os irmãos de Jesus — Mc 3.31-35

(V. comentário sobre Mt 12.46-50.)

A parábola do semeador — Mc 4.1-20

(V. comentário sobre Mt 13.1-23.)

O teatro romano de Jerash (Gerasa, uma das cidades de Decápolis, cerca de 48 km ao norte de Amã) onde se vê o palco e a parede ricamente decorada atrás dele, que em certo período alcançava a mesma altura que a fileira superior de assentos. Em muitos teatros romanos, um abrigo de lona podia ser estendido sobre os assentos.

O imperador Adriano, que transformou Jerusalém em uma colônia militar romana em 135 d.C. e proibiu que os judeus entrassem na cidade sob pena de morte, construiu esse arco triunfal em Gerasa. Os gerasenos pediram que Jesus deixasse a região, mas posteriormente muitas igrejas foram construídas ali; até hoje já foram descobertas treze.

A candeia no lugar apropriado — Mc 4.21-25

(V. Mt 5.14-16.)

A parábola da semente que cresce — Mc 4.26-29

Os judeus em geral esperavam que o reino messiânico fosse inaugurado com uma demonstração de glória e de poder que abalaria o mundo. Essa parábola significa que, pelo contrário, seria longe de espetacular: um início bem pequeno, com crescimento lento e demorado, passando de modo silencioso e imperceptível, porém irresistível, para o dia da ceifa (v. Jl 3.13; Ap 14.14-20). Significa também que o evangelho possui um poder que lhe é inerente. Somente Marcos registra essa parábola.

O grão de mostarda — Mc 4.30-34

(V. comentário sobre Mt 13.31,32.)

Jesus acalma a tempestade — Mc 4.35-41

(Narrado tb. em Mt 8.23-37; Lc 8.22-25.) Nesse relato, Jesus demonstra claramente sua autoridade sobre toda a criação. Os discípulos estavam assustados no barco agitado pelas ondas, mas Jesus dormia calmamente. Como gostaríamos de conhecer os processos e poderes misteriosos com que a palavra de Jesus acalmou as águas enfurecidas! Que repreensão para os discípulos: "Por que vocês estão com tanto medo? Ainda não têm fé?"

O endemoninhado na região dos gerasenos — Mc 5.1-20

(Narrado tb em Mt 8.28-34; Lc 8.26-37.) Decápolis não era uma área freqüentemente visitada por Jesus, pois ele mesmo dissera que sua missão era primariamente às "ovelhas perdidas de Israel" (Mt 15.24). Em certa ocasião, porém, ele curou um endemoninhado, que, depois de curado, andou por Decápolis contando tudo quanto Jesus fizera por ele (Mc 5.20). Esse evento é narrado nos três evangelhos sinóticos, mas Marcos e Lucas mencionam, segundo parece, somente o homem que mais se destacava entre os dois homens que foram curados (Mc 5.2; Lc 8.27; cf. Mt 8.28).

Quantos foram curados e onde?

À parte do problema do número de homens curados, os vários manuscritos gregos oferecem textos diferentes quanto ao local em que ocorreram as curas ou a cura: "a região dos gadarenos [ou gergesenos ou gerasenos]" (Mt 8.28; cf. Mc 5.1; Lc 8.26). A identificação do local da cura com a cidade de Gerasa (a moderna Jerash), em Decápolis, é problemática, pois Jerash está situada a 56 km ao sul do mar da Galiléia. A não ser que essa cidade possuísse territórios no litoral sudeste desse mar — suposição que não foi comprovada —, ela fica longe demais ao sul para ser o local correto. Colocar o evento perto da cidade de Gadara (a moderna Umm Qeis), em Decápolis, é mais plausível, visto que ela fica a apenas 10 km a sudeste do mar e teria mais probabilidade de possuir territórios à beira do lago. Entretanto, também disso não há certeza.

Desde o século v, a tradição cristã tem situado esse evento em Gergesa (a moderna Kursi), que fica no litoral leste do mar da Galiléia, diretamente defronte Tariquéias e Tiberíades. Ali existe um mosteiro que foi fundado para comemorar a cura, e é fácil imaginar uma manada de porcos (indicação de que se tratava de território gentio) precipitando-se pelas colinas vizinhas e caindo no mar (v. mapa na p. 432).

Vista a partir da caverna em que, segundo a tradição, morava o homem possuído por uma legião de demônios. Os porcos precipitaram-se pela encosta abaixo e se afogaram no mar da Galiléia, visível no fundo.

O demônio dava a si mesmo o nome de "Legião" (a legião era uma unidade do exército romano composta por 6 mil homens). Havia, portanto, muitos demônios nos dois homens, sendo que provavelmente a maioria deles estava no homem mais violento. Havia 2 mil porcos e provavelmente o mesmo tanto de demônios, no mínimo. Eles reconheceram imediatamente a autoridade de Jesus.

Observe que os demônios preferiam habitar nos porcos a serem mandados para o castigo eterno, "para o Abismo" (Lc 8.31). De qualquer forma, eles não demoraram a ir para lá; eles podiam controlar os homens, mas não os porcos. Não foram eles que impeliram os porcos para dentro do mar. Nem os porcos nem os demônios queriam cair no mar. Os porcos entraram em pânico com a presença dos demônios dentro deles e perderam todo o controle na encosta escarpada da colina. Uma vez em debandada ladeira abaixo, não conseguiram mais parar.

Observe também que a população local quis que Jesus saísse de seu país. Jesus curara seus vizinhos endemoninhados, mas, ao assim fazer, também acabou com os seus porcos. Os habitantes tinham mais estima pelos bens que pelas pessoas. Esse tipo de gente continua existindo ainda hoje!

Jesus ordenara que o leproso nada contasse a respeito da sua cura (Mt 8.4), mas, no presente caso, mandou o homem liberto dos demônios sair e contar às pessoas como fora libertado (Mc 5.19). A razão dessa diferença foi que Jesus ainda não era conhecido na região a leste do mar da Galiléia, ao passo que na Galiléia sua publicidade já estava fora de controle, havendo um movimento popular que queria proclamá-lo rei político.

Mc 5.21-43 Ressuscitada a filha de Jairo

(V. comentário sobre Lc 8.40-56.)

Uma visita a Nazaré — Mc 6.1-6

(Narrada tb. em Mt 13.54-58.) Essa parece ter sido a segunda visita de Jesus a Nazaré depois de ter iniciado seu ministério público, cerca de um ano depois da visita registrada em Lucas 4.16-30. Observe que Jesus tinha quatro irmãos, bem como irmãs (mais de uma). Naquela época, eles ainda não acreditavam nele (Jo 7.5). Mais tarde creram, e, segundo a opinião geral, foram dois deles, Tiago e Judas, os autores das duas epístolas do NT que têm seus respectivos nomes. Os outros dois irmãos foram José e Simão.

Jesus envia os doze — Mc 6.7-13

(V. comentário sobre Mt 10.)

João é decapitado — Mc 6.14-29

(V. comentário sobre Lc 3.1-20.)

Jesus alimenta 5 mil homens — Mc 6.30-44

(V. comentário sobre Jo 6.1-14.)

Jesus anda sobre as águas — Mc 6.45-52

(V. comentário sobre Jo 6.15-21.)

Desde a multiplicação dos pães para os 5 mil até a transfiguração, Marcos 6.53—8.26

(V. tb. Mt 14.34—16.12.) Trata-se de um período da vida de Jesus que durou cerca de oito meses, de abril até novembro, sobre o qual temos poucas informações. Somente Mateus e Marcos o relatam, ao passo que Lucas passa diretamente da multiplicação dos pães para a transfiguração (Lc 9.17,18). João, imediatamente após o relato da multiplicação dos pães para os 5 mil, passa para a visita que Jesus fez a Jerusalém na Festa das Cabanas, seis meses depois (Jo 6.71; 7.1).

Parte desse período de oito meses foi passada na região de Tiro e Sidom (a oeste e noroeste da Galiléia), em Cesaréia de Filipe (ao norte da Galiléia) e em Decápolis (lit., "Dez cidades", a sudeste da Galiléia), regiões que tinham populações predominantemente gentílicas. Herodes governava a Galiléia. Mandara matar João Batista pouco tempo antes e começava a considerar Jesus suspeito, especialmente depois que algumas pessoas se voltaram contra Jesus quando, após alimentar os 5 mil, Jesus explicara a sua missão em Cafarnaum em termos que muitos não conseguiam entender: "Eu sou o pão da vida. Aquele que vem a mim nunca terá fome; aquele que crê em mim nunca terá sede" (Jo 6.35).

Multidões em Genesaré — Mc 6.53-56

(Narrado tb em Mt 14.34-36.) Genesaré era a planície junto à praia a sudoeste de Cafarnaum. Parece que, no dia depois de Jesus ter multiplicado os pães para os cinco mil, ele explicou à multidão em Cafarnaum a natureza de sua missão. Muitos de seus seguidores não gostaram do que Jesus disse e se afastaram dele (Jo 6.66). Depois, ele foi para Genesaré, mais para o sul, onde grandes multidões se reuniram, e curou muitas pessoas.

Mc 7.1-23   Puro e impuro

(Narrado tb. em Mt 15.1-20.) As autoridades de Jerusalém já haviam resolvido matar Jesus (Jo 5.18). Por certo, já tinham ouvido a respeito do declínio da popularidade de Jesus na Galiléia (Jo 6.66). Agora enviam uma delegação de fariseus para reforçar sua campanha de propaganda, na esperança de tornar Jesus mais impopular entre os próprios discípulos, visto ser provável que muitos deles se apegassem às mesmas tradições que os fariseus.

A lavagem das mãos aqui referida não visava propósitos higiênicos, mas era inteiramente um ritual religioso. Não era preceituada pela Lei — era mera invenção dos mestres da Lei. Jesus lhes disse que semelhantes ritos não tinham valor, que a verdadeira "impureza" está no coração, e em seguida os condenou abertamente por terem tornado a Palavra de Deus nula e sem efeito por meio de tradições que eram de origem rigorosamente humana.

Essas palavras de Jesus têm aplicação direta a muitas das práticas que, no decurso dos séculos, foram se infiltrando na igreja cristã. É de estarrecer a engenhosidade usada por muitos líderes eclesiásticos para descobrir na Palavra de Deus alguma fonte para práticas que reconhecidamente são de origem humana. Há quem empregue a Palavra de Deus para justificar aquilo que, muitas vezes, está em direta oposição a ela própria.

Mc 7.24-30   A mulher siro-fenícia

(Narrado tb. em Mt 15.21-28.) Em Mateus, ela é chamada "mulher cananéia". Esse encontro deu-se uns 80 km ao norte de Cafarnaum, fora do território judaico, numa região gentia — a mesma para onde fora mandado Elias (1Rs 17.9). Também em Mateus, vemos que "filhos" representam os judeus. Jesus estava ressaltando que o evangelho devia ser oferecido primeiramente aos judeus. "Deixe que primeiro os filhos comam até se fartar." A mulher gentia entendeu o comentário de Jesus, mas persistiu na fé, expressa na sua resposta: "Sim, Senhor, mas até os cachorrinhos, debaixo da mesa, comem das migalhas das crianças".

Jesus ficou comovido com a persistência, humildade e fé da mulher e atendeu ao seu pedido. Quando ela chegou em casa, viu que Jesus libertara sua filha do demônio.

Mc 7.31-37   A cura de um surdo e gago

Jesus regressou da região de Tiro e de Sidom, aonde fora para se afastar, por algum tempo, dos olhares do público, e viajou para o leste e o sul, até chegar ao lado leste do mar da Galiléia. Agora estava de volta à região na qual, poucas semanas antes, haviam tentado fazê-lo rei. Por isso, mandou o homem que curara manter-se calado, a fim de evitar publicidade.

Mc 8.1-9   Jesus alimenta 4 mil homens

(Narrado tb. em Mt 15.29-39.) Isso provavelmente aconteceu perto do lugar onde Jesus alimentara os 5 mil, poucas semanas antes. O povo da Galiléia ouvira, certamente, que Jesus havia voltado à região.

O fermento dos fariseus — Mc 8.10-21

(Narrado tb. em Mt 16.1-12.) Esse incidente ocorreu em Dalmanuta (v. 10). Mateus 15.39 registra Magadã (ou Magdala), a cidade de Maria Madalena que ficava na região chamada Dalmanuta, na extremidade norte do litoral oeste do mar da Galiléia (v. mapa na p. 433). Nem bem Jesus regressara à Galiléia, e seus inimigos estavam de prontidão, apelando a todos os truques imagináveis para desacreditá-lo aos olhos do povo. Queriam ver um sinal. Durante dois anos inteiros, Jesus estivera curando, quase sem interrupção, muitíssimas pessoas que sofriam todo tipo de enfermidade. Além disso, Jesus multiplicara os pães para 9 mil pessoas. E, depois de tudo isso, os fariseus ainda queriam um sinal. Jesus também estava desgostoso com a lentidão dos discípulos em entender a relevância de seus milagres, de modo que os repreendeu por se preocuparem com alimentos enquanto estavam com ele (v. 7-12).

A cura de um cego — Mc 8.22-26

Isso aconteceu em Betsaida, no litoral norte do mar da Galiléia, onde Jesus operara muitos milagres (Mt 11.21), perto de onde alimentara os 5 mil. Daí sua advertência ao homem no sentido de que evitasse publicidade desnecessária.

A confissão de Pedro — Mc 8.27-30

(V. comentários sobre Mt 16.13-20.)

Predita a paixão e a morte de Jesus — Mc 8.31-33

(V. comentários sobre Mc 9.30-32.)

O preço do discipulado — Mc 8.34-9.1

(V. comentários sobre Lc 14.25-35.)

Jesus é transfigurado — Mc 9.2-13

(Narrado tb. em Mt 17.1-13; Lc 9.28-36.) Isso aconteceu, segundo se pensa, no monte Hermom, pouco depois de Jesus partir da Galiléia pela última vez, cerca de quatro meses antes de sua morte. Um dos propósitos da transfiguração foi fortalecer a fé dos discípulos quanto à natureza divina de Cristo, antes de experimentarem o choque dos dias difíceis que tinham pela frente. Pedro nunca se esqueceu daquela ocasião. Essa experiência fortaleceu na certeza quando ele mesmo enfrentou o martírio (2Pe 1.14-18). Além disso, foi um tipo de testemunho grandioso e culminante, partindo diretamente do céu, de que Jesus era a Pessoa em quem convergiram e foram cumpridas todas as profecias do AT.

O menino endemoninhado — Mc 9.14-29

(Narrado tb. em Mt 17.14-19; Lc 9.37-42.) Esse foi um caso bastante grave de possessão demoníaca que deixou os discípulos perplexos (v. comentário sobre Mc 5.1-20).

Mc 9.30-32   A paixão predita novamente

Até essa altura, Jesus não falara muito a respeito de sua crucificação iminente. A partir de agora, porém, queria que seus discípulos compreendessem com clareza o que lhe iria acontecer. Entre a confissão feita por Pedro e a chegada em Jerusalém, Jesus lhes contou, pelo menos em cinco ocasiões (registradas), que ele seria morto e ressuscitaria dentre os mortos:

1. Depois da confissão de Pedro (Mt 16.21; Mc 8.31; Lc 9.22)
2. Depois da transfiguração (Mt 17.9,12; Mc 9.9,12)
3. Depois da cura do endemoninhado (Lc 9.44)
4. Enquanto atravessava a Galiléia (Mt 17.22,23; Mc 9.31)
5. Perto de Jerusalém (Mt 20.17-19; Mc 10.32-34; Lc 18.31-34)

Mc 9.33-37   Quem é o maior?

(V. comentário sobre Lc 9.46-48.)

Mc 9.38-40   O desconhecido operador de milagres

(V. comentário sobre Lc 9.49,50.)

Mc 9.41-50   A indução ao pecado

Um dos deveres supremos do cristão é que comportar-se de tal maneira que nenhuma outra pessoa se perca pelo seu mau exemplo. Jesus ensinou assim em várias ocasiões, em contextos diferentes (Mt 18.7-14; Lc 17.1-10).

O ministério na Peréia, Marcos 10.1-52

Mc 10.1   A partida da Galiléia

(V. comentário sobre Lc 9.51.)

Mc 10.2-12   A questão do divórcio

(V. comentário sobre Mt 19.3-12.)

Mc 10.13-16   Jesus e as crianças

(V. comentário sobre Lc 18.15-17.)

Mc 10.17-31   O jovem rico

(V. comentário sobre Lc 18.18-30.)

A paixão predita de novo — Mc 10.32-34

(V. comentário sobre Mc 9.30-32.)

O pedido de Tiago e João — Mc 10.35-45

(V. comentário sobre Mt 20.20-28.)

O cego Bartimeu — Mc 10.46-52

(V. comentário sobre Lc 18.35-43.)

A última semana de Jesus, Marcos 11—16

A entrada triunfal — Mc 11.1-11

(V. comentário sobre Mt 21.1-11.)

Jesus purifica o Templo — Mc 11.15-18

(V. comentário sobre Mt 21.12-17.)

A figueira — Mc 11.12-14, 19-25

(V. comentário sobre Mt 21.18-22.)

"Com que autoridade?" — Mc 11.27-33

(V. comentário sobre Mt 21.23-27.)

A parábola da vinha — Mc 12.1-12

(V. comentário sobre Mt 21.33-46.)

O pagamento de impostos a César — Mc 12.13-17

(Registrado tb. em Mt 22.15-22; Lc 20.20-26.) Foi uma tentativa de enredar Jesus, de levá-lo a fazer algum tipo de declaração que pudesse ser usada como evidência de deslealdade ao governo romano e assim servir de pretexto para entregá-lo a Pilatos. Jesus, com um golpe de mestre, proclamou a separação entre a igreja e o Estado. Os cristãos devem ser obedientes ao seu governo, mas o governo não tem o direito de determinar a religião de seus súditos.

Mc 12.18-27 A pergunta a respeito da ressurreição

(Registrada tb. em Mt 22.23-33; Lc 20.27-40.) Os saduceus eram os materialistas daqueles dias. Não eram numerosos, mas eram cultos, ricos e influentes. Não acreditavam na ressurreição. A pergunta com que tentaram confundir Jesus envolvia um caso que exigiria a poligamia no céu. Jesus solucionou a questão com rapidez e singeleza: não haverá casamento no céu.

Mc 12.28-34 O grande mandamento

(Registrado tb. em Mt 22.34-40.) O mandamento que Jesus citou como o primeiro acha-se em Deuteronômio 6.4,5; o segundo acha-se em Levítico 19.18. Observe que Jesus colocou Deus em primeiro lugar e nosso próximo em segundo. O que existe de mais importante na vida é a atitude para com Deus. Tudo depende disso. Jesus é Deus encarnado, e a única coisa que ele deseja é que o amemos até mais do que amamos nossa própria vida. Posteriormente, depois da ressurreição, a única coisa que Jesus finalmente quis saber de Pedro — e lhe perguntou três vezes em seguida — foi: "Você me ama?" (Jo 21.15,16,17).

Mc 12.35-37 O filho de Davi

(Registrado tb. em Mt 22.41-46; Lc 20.41-44.) A razão de ser da pergunta é: Como um homem pode chamar o próprio filho de "Senhor"? Por simples que a resposta nos pareça, ela silenciou os oponentes de Jesus (Mt 22.46).

Mc 12.38-40 Censurados os mestres da Lei

(V. comentário sobre Mt 23.)

Mc 12.41-44 A oferta da viúva

(Narrada tb. em Lc 21.1-4.) Aconteceu imediatamente depois de Jesus ter censurado os mestres da Lei e os fariseus. Foi a última coisa que Jesus fez no Templo, depois de um dia de controvérsia. Jesus se deteve mais um pouco ali a fim de fazer esse elogio caloroso à viúva que contribuiu pouco (duas pequeninas moedas de cobre, de muito pouco valor) — mas foi a entrega de tudo quanto possuía, o que tornou a oferta de valor incomparável diante de Deus. Em seguida, Jesus partiu do Templo para nunca mais ali entrar.

Mc 13 Discurso sobre a Segunda Vinda

(V. comentário sobre Mt 24.)

Mc 14.1,2 A trama para matar Jesus

(Narrada tb. em Mt 26.1-5; Lc 22.1,2.) Aconteceu na tarde da terça-feira. Cerca de um mês antes disso, e depois de Jesus ter ressuscitado Lázaro dentre os mortos, o Sinédrio tomara a decisão definitiva de que

Jesus teria de ser morto (Jo 11.53). Entretanto, a popularidade de Jesus dificultaria a execução do plano (Lc 22.2). Mesmo em Jerusalém, as multidões o rodeavam (7.37; Lc 19.48). A oportunidade dos líderes judeus surgiu duas noites mais tarde, mediante a traição de Judas Iscariotes, que lhes entregou Jesus na calada da noite, enquanto a cidade dormia. Eles apressaram-se para obter uma sentença contra Jesus antes do raiar do dia, e antes das nove horas daquela manhã (a "terceira hora"), já o tinham levado à cruz.

Jesus é ungido em Betânia — Mc 14.3-9

(Narrado tb. em Mt 26.6-13; Jo 12.1-8.) Aconteceu, segundo parece, na tarde do sábado anterior à entrada triunfal (Jo 12.2,12). Mateus e Marcos, porém, narram a unção em conexão com a trama dos sacerdotes, como um motivo para Judas Iscariotes trair a Jesus (v. tb. comentário sobre Jo 12.1-8).

O acordo com Judas — Mc 14.10,11

(Narrado tb. em Mt 26.14-16; Lc 22.3-6.) O papel de Judas era entregar Jesus aos líderes quando não houvesse multidões por perto. Não ousavam prendê-lo abertamente, para não serem apedrejados pelo povo. Judas levou os líderes até Jesus depois de os cidadãos terem adormecido.

Jesus sabia desde o início que Judas o trairia. O motivo por que Judas foi escolhido é um dos mistérios da providência divina. É possível que Judas tenha pensado que Jesus empregaria seus poderes milagrosos para se libertar. Aos olhos de Deus, porém, essa ação era iníqua, pois Jesus disse que teria sido melhor para Judas nunca ter nascido (Mt 26.24). A transação inteira foi profetizada de modo assombroso (Zc 11.12,13; "Jeremias", em Mt 27.9,10 pode ser erro de escriba ou pode ter sido usado porque todo o conjunto dos livros proféticos às vezes era chamado pelo nome de Jeremias).

A última ceia — Mc 14.12-25

(V. comentário sobre Mt 26.17-29.)

Pedro nega Jesus — Mc 14.26-31,66-72

(V. comentário sobre Jo 18.15-27.)

A agonia no Getsêmani — Mc 14.32-42

(V. comentário sobre Lc 22.39-46.)

Jesus é traído e preso — Mc 14.43-52

(V. comentário sobre Jo 18.1-12.)

Jesus é julgado — Mc 14.53—15.20

(Narrado tb. em Mt 26.57 — 27.31; Lc 22.54 — 23.25; Jo 18.12—19.16.) Houve dois julgamentos: o primeiro, diante do Sinédrio, à noite, e o segundo, diante de Pilatos, o governador romano. A Judéia era nação súdita de Roma. O Sinédrio não podia executar uma sentença de morte sem o consentimento do governador romano. Houve três etapas em cada julgamento, somando seis ao todo. Ver o resumo do julgamento de Jesus na p. 435.

> NOTA ARQUEOLÓGICA: Ossário de Caifás.
> No tempo de Jesus, no período chamado "Segundo Templo", os judeus de Jerusalém e das circunvizinhanças freqüentemente enterravam os mortos em nichos alongados, lavrados na rocha natural. Embora existam muitas variações, num túmulo típico havia um cômodo central escavado na rocha. Um dos lados continha os degraus que desciam até o túmulo, e em cada um dos outros três lados havia nichos alongados, chamados *kûkîm*, sendo que um cadáver podia ser colocado em cada um deles. Depois de ter ocorrido a decomposição, talvez um ano depois, os ossos eram removidos e colocados em pequenas caixas retangulares, chamadas *ossários*. O nicho podia, então, ser usado de novo para outro sepultamento.
> Centenas de ossários pertencentes a esse período foram descobertos na área de Jerusalém. Em 1990, um arqueólogo israelense, Zvi Greenhut, escavou um túmulo da época do Segundo Templo numa colina ao sul de Jerusalém. O túmulo continha doze ossários e em dois deles estava rabiscado o nome "Caifás". Em outro, estava rabiscado o nome "José, filho de Caifás", sendo este, segundo o historiador judeu Josefo, o próprio homem que presidiu o julgamento de Jesus. O nome Caifás (sumo sacerdote de 18-36 d.C.) aparece cerca de nove vezes nos evangelhos e em Atos.

O local da crucificação

Segundo o registro dos evangelhos, Jesus foi levado para fora da cidade e crucificado no chamado "lugar da Caveira" (Mt 27.33; Mc 15.22; Lc 23.33; Jo 19.17; "Calvário" é derivado da palavra latina, e "Gólgota", da palavra aramaica que significa "caveira"). Ele foi sepultado em um sepulcro ali perto que pertencia a José de Arimatéia.

Em Jerusalém hoje existem duas localidades que reivindicam ser o palco desses acontecimentos. A primeira é o Calvário de Gordon, ao norte da atual Porta de Damasco, com o Túmulo do Jardim nas proximidades. Embora esse local fique fora dos muros da cidade, tanto dos antigos quanto dos atuais, e seja condizente com certos tipos de piedade, não existe razão que nos obrigue a pensar que se trata do Calvário ou do sepulcro. Na realidade, o Túmulo do Jardim talvez remonte à Idade do Ferro (1000-586 a.C.) e, portanto, não pode ter sido um túmulo "no qual ninguém ainda fora colocado" (Lc 23.53).

A sugestão que tem mais evidências a seu favor, embora não sejam inabaláveis, é que a Igreja do Santo Sepulcro marque o local desses eventos dramáticos. É provável que esse sítio histórico ficasse fora da cidade murada nos dias de Jesus e que realmente fosse um lugar de sepultamento. Tradições cristãs muito antigas, que remontam pelo menos aos dias de Eusébio (séc. IV d.C.), sugerem que essa igreja marca o mais provável dos dois sítios.

Mc 15.21-41 A crucificação

(V. comentários sobre Mt 27.32-60; Lc 23.26-49 e Jo 19.17-30.)

Mc 15.42-47 O sepultamento de Jesus

(V. comentário sobre Jo 19.38-42.)

Mc 16.1-8 As mulheres visitam o túmulo

(Narrado tb. em Mt 28.1-8.) Pedro, depois de ter negado ao Senhor, sem dúvida sentiu que tinha sido repudiado e que, portanto, precisava dessa mensagem especial (v. 7). Como Jesus foi gracioso ao lhe transmitir essas palavras! Mais tarde, no mesmo dia, o próprio Jesus apareceu a Pedro (Lc 24.34). Só podemos imaginar o que aconteceu naquele encontro: lágrimas quentes, vergonha, perdão amorável. Selou uma devoção que nunca mais foi rompida, nem sequer no martírio de Pedro (v. tb. comentário sobre Jo 21.15-19.)

As mulheres saíram correndo para contar aos discípulos. Pedro e João correram em direção ao túmulo (Jo 20.3-10.)

(V. resumo dos eventos da manhã da ressurreição na p. 436.)

Jesus aparece a Maria Madalena — Mc 16.9-11

(Registrado tb. em João 20.11-18.) Ele também apareceu às demais mulheres (Mt 28.9,10) e aos dois discípulos na estrada de Emaús (Mc 16.12,13; v. comentário sobre Lc 24.13-32).

Um túmulo um pouco posterior à época de Cristo, onde se vê a pedra de rolar, que nesse caso rola para baixo a fim de fechar o túmulo. É o túmulo da rainha Helena, no Túmulo dos Reis, em Jerusalém (c. 60 d.C.).

Jesus aparece aos onze — Mc 16.14-18

(Narrado tb. em Lc 24.33-43; Jo 20.19-25; v. comentário sobre essas passagens.) A comissão final de ir a todo o mundo (v. 15,16) parece ser sido dada nesse aparecimento. É possível, entretanto, que se trate de um resumo das instruções finais que Jesus repetiu muitas vezes durante seus 40 dias de ministério após a ressurreição.

O poder de operar milagres (v. 17,18) foi um atestado divino da missão dos apóstolos no sentido de fundar a igreja (V. comentário sobre At).

Decorreram 40 dias entre os versículos 18 e 19, durante os quais Jesus apareceu aos seus discípulos e a outras pessoas (v. um resumo dos aparecimentos de Jesus depois de sua ressurreição na p. 437).

Mc 16.19,20 A ascensão de Jesus

(V. comentário sobre Lc 24.44-53.)

Os doze últimos versículos de Marcos (16.9-20)

Os doze últimos versículos de Marcos (freqüentemente chamados "a conclusão longa") não constam dos manuscritos Sinaítico e Vaticano (v. p. 847), mas foram aceitos no início da história da igreja como parte genuína do evangelho segundo Marcos. Considera-se provável que a última página do manuscrito original tenha se perdido, sendo acrescentada posteriormente. Não parece que o versículo 8 seja uma conclusão apropriada para o livro.

Lucas

Jesus, o Filho do homem

Mas o anjo lhes disse: "Não tenham medo. Estou lhes trazendo boas novas de grande alegria, que são para todo o povo: Hoje, na cidade de Davi, lhes nasceu o Salvador, que é o Cristo, o Senhor. Isto lhes servirá de sinal: encontrarão o bebê envolto em panos e deitado numa manjedoura". De repente, uma grande multidão do exército celestial apareceu com o anjo, louvando a Deus e dizendo: "Glória a Deus nas alturas, e paz na terra aos homens aos quais ele concede o seu favor".

— Lucas 2.10-14

- Veja a introdução geral aos evangelhos na p. 449.
- Veja o panorama da vida de Jesus na p. 428.

A ênfase de Lucas: A humanidade de Jesus

A ênfase especial de Lucas é a humanidade de Jesus. Ao representar Jesus como o Filho de Deus, Lucas descreve sua bondade para com os fracos, com os que sofrem e com os marginalizados.

Embora cada um dos evangelhos fosse destinado, em última análise, à totalidade da raça humana, parece que Mateus tinha em vista imediata os judeus; Marcos, os romanos; e Lucas, os gregos.

- A cultura dos judeus tinha sido edificada ao redor de suas Escrituras — o nosso AT. Por isso, **Mateus** apela a essas Escrituras.
- A civilização romana gloriava-se da idéia do governo e do poder. Por isso, **Marcos** concentra a atenção nos milagres de Jesus como demonstração de seu poder sobrenatural.
- A civilização grega representava a cultura, a filosofia, a sabedoria, o raciocínio, a beleza, a educação. Por isso, a fim de apelar à mente grega pensativa, culta e filosófica, **Lucas**, numa história completa, ordenada e clássica, apresenta a gloriosa beleza e a perfeição de Jesus, o homem ideal e universal. Além disso, Lucas inclui mais referências a diferentes classes de pessoas e identifica mulheres e crianças mais que qualquer outro escritor dos evangelhos.
- Depois, **João** acrescentou seu evangelho a esses três para que ficasse registrado de modo inconfundível que Jesus era Deus em forma humana.

Lucas

O nome de Lucas é mencionado apenas três vezes no NT: em Colossenses 4.14, onde é chamado "Lucas, o médico amado"; em Filemom 24, onde é chamado cooperador de Paulo; e em 2Timóteo 4.11, onde Paulo indica que Lucas estava com ele nas horas tenebrosas do martírio que se aproximava. Essas três passagens mencionam Marcos, o que daria a entender que Marcos e Lucas trabalharam juntos.

Na história das viagens de Paulo em Atos dos Apóstolos, o emprego variado dos pronomes "eles" e "nós" indicam que Lucas esteve com Paulo durante parte da segunda viagem missionária de Paulo — desde Trôade até Filipos —, que, cerca de seis anos depois, reencontrou-se com ele em Filipos na parte final da terceira viagem missionária de Paulo e que o acompanhou durante seu encarceramento em Cesaréia e em Roma (v. mais na p. 575).

Data

Pensa-se que Lucas escreveu seu evangelho por volta do ano 60 d.C., quando Paulo estava na prisão em Cesaréia, e que escreveu Atos durante os dois anos que se seguiram, quando Paulo estava preso em Roma. (O evangelho de Lucas e Atos dos Apóstolos são endereçados à mesma pessoa, Teófilo, e constituem, na realidade, uma só obra em dois volumes.)

A estada de Lucas em Cesaréia, durante dois anos (58-60 d.C.), deu-lhe muitas oportunidades de obter informações exatas, de primeira mão, a respeito de todos os pormenores da história de Jesus. Suas fontes de informações foram os companheiros originais de Jesus e fundadores da igreja — os apóstolos.

Cesaréia distava menos de 80 km de Jerusalém. É possível que a mãe de Jesus ainda vivesse, morando na casa de João em Jerusalém. É possível que Lucas tenha passando muitas horas com ela, ouvindo-a contar as lembranças do Filho maravilhoso. E Tiago, bispo de Jerusalém, o próprio irmão de Jesus, pode ter fornecido a Lucas muitos pormenores da vida do irmão.

Lc 1.1-4 Introdução

Muitos relatos (v. 1) a respeito de Jesus já existiam. Lucas, com o máximo de cuidado e esmero, examinou todos os registros disponíveis e entrevistou todas as testemunhas oculares e companheiros originais de Jesus que estavam ao seu alcance, a fim de poder escrever um relato ordenado com base em fatos.

Teófilo (v. 3), a quem é dirigido (ou dedicado) este evangelho, bem como Atos dos Apóstolos, provavelmente era um oficial romano de alta posição, conforme indica o título "excelentíssimo". Seu nome significa "aquele que ama a Deus". Não se sabe quem era ele. É possível que tenha sido um dos convertidos de Lucas em Filipos ou em Antioquia. Também é possível que Teófilo — conforme era feito freqüentemente pela pessoa a quem um livro era dedicado — tenha custeado as despesas da publicação dos dois livros de Lucas e mandado confeccionar cópias para muitas igrejas.

Lc 1.5-80 O nascimento de João Batista

Lucas é o único evangelho que fornece o relato do nascimento de João Batista, e somente Mateus e Lucas falam a respeito do nascimento e da infância de Jesus. Lucas conta a história mais detalhadamente que Mateus e cada um narra incidentes diferentes. (V. adiante comentário sobre Lc 2.39.)

O anúncio a Zacarias — Lc 1.5-25

Estava a ponto de acontecer o evento para o qual convergiam todas as profecias do AT: a chegada do Messias. Isaías predissera que a voz de alguém clamando no deserto prepararia o caminho para o Senhor (Is 40.3) e Malaquias, no último livro do AT, profetizara: "Vejam, eu enviarei o meu mensageiro, que preparará o caminho diante de mim" (Ml 3.1). Era costume no antigo Oriente Médio enviar previamente um representante real a fim de preparar o caminho para a visita de um rei. Um anjo agora notifica Zacarias, o piedoso e idoso sacerdote, de que o filho deste, que ainda nascerá de sua esposa estéril, Isabel, é aquele para o qual apontavam as profecias (v. 17).

Jesus confirmou que João Batista fora o cumprimento das profecias do AT no tocante ao mensageiro que prepararia o povo, levando todos ao arrependimento antes da chegada do Senhor (11.10). Jesus também declarou que João Batista fizera o papel do Elias que reapareceria antes do "Dia do SENHOR". O povo lembrou-se dessa profecia e perguntou a João Batista se ele era Elias. Ele lhes disse que não era Elias pessoalmente, mas ficou claro que ele ministrava no espírito e no poder do profeta Elias.

O fulgor do sobrenatural

A clara intenção dos escritores foi demonstrar que o cristianismo teve origem sobrenatural. O nascimento de Jesus, predito havia tantos séculos, não ocorreu sem evidências celestiais de que o evento mais importante de todos os tempos era iminente. Jesus nasceu de uma virgem. Seu precursor nasceu de uma mulher estéril que passara da idade de ter filhos. Anjos apareceram a Zacarias, a Maria, a José e aos pastores. Os anjos impediram que o menino fosse assassinado. Os magos receberam orientação sobrenatural para virem homenagear de terras distantes o menino e fornecer recursos financeiros para a fuga.

O nascimento virginal

Acredita-se que Lucas obteve da própria Maria a história que ele narra acerca do nascimento de Jesus. Mateus provavelmente obteve a sua da parte de José. Os dois afirmam de modo claro, explícito, inconfundível e inequívoco que Jesus nasceu de uma virgem. Desde o início, numa seqüência ininterrupta, assim tem sido a crença da igreja — isto é, até o surgimento da crítica moderna, que tenta desacreditar esse milagre de Deus. Repudiamos essa última opinião.

Se cremos na divindade de Jesus e na sua ressurreição dentre os mortos, qual seria a vantagem de desacreditarmos no nascimento virginal? O plano divino da redenção requeria que Jesus nascesse de uma virgem. Desde a Queda de Adão, toda a raça humana possui, desde o nascimento, uma natureza pecaminosa que faz separação entre o homem e Deus. O homem mortal, portanto, era incapaz de reconciliar com Deus a totalidade da raça humana. A redenção necessitava de um homem de natureza piedosa, conforme o era Adão antes da Queda, a fim de pagar a penalidade pelos pecados da humanidade. Era, portanto, necessário que Jesus nascesse de semente divina e incorruptível. O Espírito Santo engravidou Maria com o Filho de Deus feito carne. Isso é um símbolo ou tipificação de como o Espírito Santo habita no coração dos cristãos nascidos de novo. Chamar Jesus de filho ilegítimo é blasfêmia!

O anúncio a Maria — Lc 1.26-38

Esse evento também é chamado Anunciação. O Messias estava para nascer na família de Davi. Já haviam passado mil anos desde o tempo de Davi, e haviam surgido milhares de famílias de descendência davídica. Deus, ao escolher a única família por meio da qual seu Filho viria ao mundo, deixou de lado as principais famílias de Jerusalém e seus arredores e, em vez disso, escolheu uma mulher humilde, num lar pobre, numa aldeia obscura nas colinas distantes da Galiléia. Que mulher maravilhosa ela deve ter sido, para ser assim escolhida por Deus a fim de dar forma e vida à natureza humana de seu Filho! E como o coração dela deve ter se emocionado diante da mensagem, trazida pelo anjo, de que ela seria a mãe do Rei divino dos séculos!

Lc 1.39-56   Maria visita Isabel

Maria e Isabel eram parentas (1.36). A narrativa não nos diz em que cidade ou aldeia Isabel residia — só que era na região montanhosa de Judá (v. 39). Visto que ela era da tribo de Levi (1.5), é possível que residisse na cidade levítica de Hebrom (v. Js 21.11).

O cântico de ação de graças de Maria (v. 46-55), também chamado *Magnificat* (o hino em latim começa com essa palavra, que significa "engrandece"), é semelhante ao cântico de Ana quando nasceu Samuel (1Sm 2.1-10). É provável que Maria tenha proferido essas palavras de Ana repetidas vezes nas suas meditações e reflexões, até assumirem a bela forma poética em que aqui aparecem como uma liturgia pessoal. Maria ficou com Isabel três meses (v. 56), até o nascimento de João (v. 36). Em seguida, voltou a Nazaré (v. comentário sobre Mt 1.18-24.)

Lc 1.57-80   O nascimento de João Batista

O nome dado ao menino e a profecia de seu pai encheram de expectativa a região rural em derredor (v. adiante comentário sobre Lc 3.1-20.)

Lc 2.1-38   O nascimento de Jesus

O que é dito nos dois primeiros capítulos de Lucas é omitido nos demais evangelhos, excetuando-se a declaração de Mateus 1.25—2.1, de que Jesus nasceu em Belém, e a declaração de Mateus 2.22,23, de que a família voltou para a Galiléia.

Belém

A cidade está localizada quase 10 km ao sul de Jerusalém. Belém era chamada Efrata nos dias de Jacó, e foi ali que ele sepultou Raquel (Gn 35.16,19; 48.7). Era a cidade natal de Ibsã, o décimo juiz (Jz 12.8-10); de Elimeleque, o sogro de Rute (Rt 1.1,2), bem como de Boaz, marido desta (Rt 2.1,4). Davi foi ungido rei por Samuel em Belém (1Sm 16.13,18) e foi por isso que Belém também era conhecida por "a cidade de Davi" (Lc 2.4,11).

Nessa cidade, nasceu o Messias (Mt 2.1; Lc 2.1-7) e foi por isso que ela, "pequena entre os clãs de Judá" (Mq 5.2), alcançou grande fama. Seus meninos de dois anos para baixo foram assassinados quando Herodes tentou matar o Rei dos judeus (Mt 2.16). Hoje, a cidade tem como maior atração a Igreja da Natividade, essencialmente uma estrutura construída pelo imperador bizantino Justiniano na primeira parte do século VI sobre uma igreja mais antiga construída no reinado do primeiro imperador cristão, Constantino, e dedicada em maio de 339 d.C. Sob o altar dessa igreja há uma gruta que, segundo a tradição local, é a caverna onde nasceu Jesus. Numa câmara subterrânea próxima, Jerônimo, o latinista, trabalhou 30 anos na tradução da Bíblia para o latim (v. p. 852).

> **A espantosa providência de Deus**
>
> O Messias seria da família de Davi e nasceria em Belém (Mq 5.2-5). Porém, os que foram escolhidos para ser pais do Messias moravam a 160 km de Belém. Então um decreto de Roma exigiu que fossem a Belém justamente quando o menino estava para nascer. Dessa maneira, Deus faz do decreto de um império pagão o instrumento para que se cumprissem as profecias divinas.

O recenseamento de Quirino — Lc 2.1-5

Tratava-se de um recenseamento do Império Romano. O propósito do recenseamento era a cobrança de impostos. Os registros históricos romanos colocam o recenseamento de Quirino em 7 d.C., ou seja, dez a 13 anos *depois* do nascimento de Jesus. Essa discrepância histórica foi problemática durante muito tempo para os estudiosos da Bíblia. Em anos recentes, entretanto, foram descobertos papiros antigos que demonstram que Quirino foi governador da Síria *duas vezes*. Lucas diz expressamente que se tratava do *primeiro* recenseamento. Descobriu-se também que as pessoas realmente eram obrigadas a ir até suas residências ancestrais para o recenseamento. Assim, a pá dos arqueólogos continua confirmando a exatidão histórica das declarações da Bíblia, uma por uma e com todos os pormenores.

Nascido em um estábulo — Lc 2.6,7

A palavra traduzida por *hospedaria* pode significar um lugar de alojamento à disposição do público ou o quarto de visitas acrescentado a uma casa particular. Pensa-se que aqui se trata desse último caso, provavelmente a casa de seus parentes davídicos, a mesma que posteriormente foi visitada pelos magos (Mt 2.11). A viagem de 160 km desde Nazaré, a pé ou em um burrico, deve ter sido longa e penosa para uma mulher que estava a ponto de dar à luz. Excluídos temporariamente do quarto de hóspedes, já ocupado por outros que tinham chegado antes, foram obrigados a hospedar-se no estábulo. Chegou o momento sagrado, e o berço do Filho de Deus acabou sendo uma manjedoura para animais. Não seria surpreendente que, depois de os pastores contarem sua história a todos os que quisessem ouvir, as melhores condições que a casa podia oferecer tenham ficado à disposição de José e Maria – mas a narrativa de Lucas nada diz a esse respeito.

Os pastores — Lc 2.8-20

O tradicional campo dos pastores, onde os coros angelicais cantaram as aleluias natalícias do novo Rei da terra, fica a poucos quilômetros a leste da antiga aldeia de Belém.

A circuncisão e apresentação de Jesus — Lc 2.21-38

O fato de terem oferecido um par de rolinhas em vez de um cordeiro e um pombo indica que José e Maria eram pobres. A Lei estipulava que a mulher, após o nascimento de um filho, devia purificar-se durante 40 dias antes de ir ao Templo oferecer o sacrifício pela sua purificação. A Lei declarava que ela devia oferecer um cordeiro e um pombo, mas, se não tivesse condições financeiras, podia oferecer um par de rolinhas ou dois pombinhos (Lv 12.2-8).

Lc 2.39 — O regresso a Nazaré

Lucas aqui passa diretamente da apresentação no templo para o regresso a Nazaré, omitindo os eventos registrados em Mateus 2.1-21: a visita dos magos ou sábios, a fuga para o Egito, a matança dos meninos em Belém e a volta do Egito.

Lc 2.40 — A infância de Jesus

A Bíblia diz pouca coisa a respeito da infância de Jesus: em primeiro lugar, uns poucos meses como bebê em Belém, em seguida, um ou dois anos no Egito, e depois o regresso a Nazaré. O único evento mencionado em todo o período entre o regresso a Nazaré e o início do seu ministério público quase 30 anos depois é o incidente no templo quando Jesus tinha doze anos (v. adiante comentário sobre Lc 2.41-50), que indica que ele era um menino notavelmente precoce.

O imperador romano Augusto, em cujo reinado nasceu Jesus. A imagem pública era tudo, mesmo dois mil anos atrás. Em Roma, a estátua de Augusto retrata-o como soldado vitorioso. Na cidade grega de Corinto, sua estátua o representa como sábio grego nas vestes longas de filósofo.

As poucas outras coisas que sabemos da vida de Jesus em família, encontramos em outras partes dos evangelhos. Jesus era o mais velho de uma família de sete filhos. Viviam dos proventos de carpinteiro, que sustentava as despesas em casa, com um rendimento familiar provavelmente considerado médio. É provável que Jesus, junto com as outras crianças da família, tenha aprendido desde cedo a responsabilidade. Como gostaríamos de ter um relance da sua vida no lar — como o Filho de Deus, enquanto um menino em crescimento, se comportava diante das irritações do dia-a-dia que seriam normais em semelhante situação.

Posteriormente, vieram a circular histórias a respeito de milagres e outras façanhas (às vezes um pouco sem sentido) que Jesus teria realizado como menino. Se fossem verdadeiras, Lucas ou os demais escritores dos evangelhos poderiam ter averiguado essas histórias e aproveitado-as para sustentar a declaração de que Jesus era o Filho de Deus. Entretanto, a própria singeleza e frugalidade dos evangelhos ao falarem da infância e juventude de Jesus outorgam credibilidade às demais coisas que estão registradas nos evangelhos. Indicam, também, que pouca coisa havia na infância de Jesus que prenunciasse o seu futuro como Salvador do mundo. As pessoas de Nazaré o rejeitaram porque viam nele um menino que crescera entre elas e com elas (Lc 4.16-30).

O aniversário de Jesus — 25 de dezembro?

O aniversário de Jesus é celebrado atualmente no dia 25 de dezembro, mas nada existe na Bíblia para apoiar essa data específica. Ela apareceu pela primeira vez como data do aniversário de Jesus no século IV — na igreja ocidental. Na igreja oriental, a data é 6 de janeiro (v. mais dados sobre as igrejas oriental e ocidental na p. 780, 784.)

Gabriel

Gabriel era o nome do príncipe dos anjos enviado do céu a fim de dirigir os preparativos para a chegada do Filho de Deus. Serviu como mensageiro a Zacarias para lhe transmitir a boa notícia de que teria um filho — João Batista (1.19). Gabriel também foi o anjo que apareceu a Maria a fim de lhe contar que ela seria mãe do Filho de Deus (1.26). Tomamos por certo que ele foi o anjo que apareceu aos pastores (2.9,13), o mesmo que foi enviado a José (Mt 1.24) e o mesmo que orientou a fuga para o Egito (Mt 2.13,19). Ele também entregara a Daniel a profecia das setenta semanas (Dn 9.21). Como ele se interessava pela redenção da raça humana! E como desejaremos conhecê-lo quando chegarmos no céu!

Nazaré

Nazaré está situada numa depressão no lado sul de uma colina, 350 m acima do nível do mar. Do cume dessa colina, após dez minutos de escalada, obtemos uma vista que não tem igual em toda a Galiléia. Ao norte, há uma linda visão de colinas e vales férteis, com cidades prósperas espalhadas pela região, e do monte Hermom, com seu pico coberto de neve, à distância. Mais perto, a 5 km de distância, estava Gate-Héfer, antiga moradia do profeta Jonas. Ao sul, fica a planície de Esdrelom (vale de Jezreel), que se estende desde o Jordão até o Mediterrâneo. Dezesseis quilômetros a oeste de Nazaré surge plenamente visível o monte Carmelo, onde Elias invocou fogo do céu ao enfrentar Baal (1Rs 18.16-46).

A sudoeste, aproximadamente à mesma distância, está o desfiladeiro do Armagedom, que é citado em Apocalipse 16.16 como o local da grandiosa batalha final das eras, na qual o próprio Jesus levará os seus à vitória.

Treze quilômetros ao sul de Nazaré fica Suném, onde Eliseu ressuscitou o filho da viúva sunamita (2Rs 4.8-37). Nas vizinhanças, está o rio Quisom, onde Débora e Baraque subjugaram os cananeus (Jz 4); a fonte de Harode, onde Gideão, com 300 homens, desbaratou os midianitas (Jz 7); En-Dor, onde a feiticeira invocou o espírito de Samuel a pedido de Saul (1Sm 28.1-24); o monte Gilboa, onde o rei Saul se suicidou (1Sm 31.1-6); e Jezreel, onde a infame Jezabel encontrou o seu trágico fim (2Rs 9.30-37).

Jesus foi criado na pequena aldeia de Nazaré, apenas 5 km ao sul da capital, Séforis. Embora a própria Nazaré fosse pequena e insignificante, seus habitantes provavelmente tinham numerosos contatos com seus vizinhos, mais cosmopolitas. Com toda a probabilidade, entraram em contato com algumas das caravanas e com comerciantes gentios de língua grega que passavam por Séforis ao norte ou pelo vale de Esdrelom ao sul. Escavações nas proximidades da atual Igreja da Anunciação em Nazaré revelaram algumas ruínas de silos, prensas de azeite, armazéns e casas do século I.

Jesus, aos 12 anos de idade, visita Jerusalém — Lc 2.41-50

Jesus estava com 12 anos de idade. Acredita-se que essa tinha sido sua primeira viagem a Jerusalém. Ele ficou tão interessado e absorto com as palavras dos mestres que durante três dias não notou a falta dos pais depois de terem partido. E eles, por sua vez, durante um dia inteiro não notaram que Jesus não estava presente no grupo com que viajavam — só sentiram sua falta quando estavam para pernoitar. Por certo, o grupo deve ter sido bastante grande, estendendo-se por boa distância ao longo da estrada. Os pais estavam certos de que o filho, de modo um pouco independente, estava em algum lugar entre os viajantes e tinha capacidade para cuidar de si mesmo durante o dia. Além disso, naqueles dias, os amigos e vizinhos eram quase uma família ampliada — eles não o perderiam de vista.

O conhecimento que Jesus tinha do AT (v. 47). Naquele tempo, o AT constituía a Palavra de Deus escrita. Jesus o amava. Sua familiaridade com ele, já aos 12 anos de idade, deixou atônitos os grandes teólogos do Templo. Ele vivia pela Palavra de Deus. Posteriormente, empregou-a para resistir ao tentador (Mt 4.4,7,10). Foi até a cruz a fim de cumprir o AT (Mt 26.54). Na sua agonia mortal, citou-o ainda (Mt 27.46).

Aos escritos do AT foi acrescentado outro grupo de escritos, o NT, que gira em torno da vida do próprio Jesus. Se a parte da nossa Bíblia que Jesus já possuía era tão preciosa para ele, é de se imaginar que o que nós possuímos — os dois Testamentos — deve ser mil vezes mais precioso para nós.

Na casa de meu Pai (v. 49), lit. "nas coisas de meu Pai" ou nos assuntos do Pai. Essas palavras deixaram a mãe de Jesus um tanto perplexa. É provável que ela ainda não lhe tivesse contado a respeito da natureza do seu nascimento. Ela acabara de falar em José como o pai de Jesus (v. 48). A resposta deste, incluindo sua referência a Deus como "meu Pai", possivelmente deu a ela um indício de que ele conhecia o segredo.

Lc 2.51,52 — Os 18 anos de silêncio

Como gostaríamos de saber alguma coisa a respeito da vida de Jesus entre os 12 e os 30 anos de idade! Deus, porém, na sua sabedoria, cobriu-a com um véu.

Lc 3.1-20 — João Batista

A pregação de João Batista é contada pelos quatro evangelhos (Mt 3.1-12; Mc 1.1-8; Jo 1.6-8,19-28). O relato de Lucas é o mais completo.

A história da infância e da mocidade de João Batista é resumida numa única frase (1.80). Ele habitava na solidão da região selvagem e desolada a oeste do mar Morto. Sabia desde infância que o maior evento de todos os tempos era iminente e que ele mesmo nascera para anunciar sua chegada.

Sabendo que tinha de fazer o papel do Elias da profecia (1.17; Mt 11.14; 17.10-13; Ml 4.5 — embora não fosse Elias em pessoa, Jo 1.21), ele imitou, talvez de propósito, os costumes e o modo de vestir de Elias. Alimentava-se de gafanhotos e de mel silvestre (Mt 3.4). Os gafanhotos têm sido usados como alimento desde os tempos mais antigos. Eram assados ou secados ao sol.

O chamado de João Batista aconteceu quando tinha 30 anos de idade. A nação ficou eletrizada com a voz daquele eremita estranho, tosco e destemido, proclamando nas ribanceiras do Jordão que o Libertador predito havia muito estava para chegar.

O conteúdo essencial de sua mensagem era: "Arrependam-se". Sua pregação era imensamente popular e bem-sucedida. O país inteiro foi sacudido unicamente por suas palavras, visto que não realizava milagres (Jo 10.41). Grandes multidões vinham para ser batizadas por ele (Mt 3.5). Até mesmo Herodes gostava de ouvi-lo falar (Mc 6.20). Josefo diz que João Batista exercia bastante influência sobre o povo, que parecia disposto a fazer qualquer coisa que ele lhe aconselhasse.

Ele exigia que aqueles que professavam o arrependimento fossem batizados — o prenúncio da cerimônia posterior do batismo cristão.

No auge de sua popularidade, João batizou Jesus e proclamou que este era o Messias. Depois, cumprida sua missão, retirou-se de cena. Despertou a nação e apresentou o Filho de Deus. Sua missão estava cumprida.

Satanás

Existe realmente o Diabo? Alguns optam por não levar em conta a realidade da existência do Diabo literal que procura devorar e destruir. A linguagem empregada por Jesus certamente indica sua crença na existência do Diabo.

- Satanás é o maligno (Mt 13.38).
- Ele é o inimigo (Mt 13.39).
- Ele é o príncipe deste mundo (Jo 12.31; 14.30).
- Ele é mentiroso e pai da mentira (Jo 8.44).
- É homicida (Jo 8.44).
- Jesus o viu cair do céu (Lc 10.18).
- Satanás tem um reino (Mt 12.26).
- Os homens maus são seus filhos (Mt 13.38).
- Semeia joio no meio do trigo (Mt 13.38-39).
- Arrebata a Palavra aos ouvintes (Mt 13.19; Mc 4.15; Lc 8.12).
- Manteve uma mulher presa durante 18 anos (Lc 13.16).
- Queria ter Pedro como vítima (Lc 22.31).
- Tem seus anjos (Mt 25.41).
- O fogo eterno está preparado para ele (Mt 25.41).

Jesus sabia sobre o que estava falando. Se Jesus meramente se acomodasse às crenças populares errôneas, suas palavras não seriam a mínima revelação da verdade, pois quem, então, poderia discernir entre a própria verdade que Jesus queria transmitir e os erros que ele repetia como se fossem a verdade?

Não somente Jesus, mas também o AT e o NT, falam do Diabo como realidade:

- Ele é o sedutor de Adão e Eva (Gn 3.1-20).
- Ele instigou Davi a pecar (1Cr 21.1).
- Ele foi a causa das aflições de Jó (Jó 1.7— 2.10).
- Ele foi o adversário de Josué (Zc 3.1-9).
- Ele é o tentador (Mt 4.3).
- Ele perverte as Escrituras (Mt 4.4; Lc 4.10-11).
- Ele é a origem da possessão demoníaca (Mt 12.22-29; Lc 11.14-23).
- Ele é o príncipe dos demônios (Mt 12.24; Mc 3.22; Lc 11.15).
- Ele colocou a traição no coração de Judas (Jo 13.2,27).
- Ele levou Ananias a mentir (At 5.3).
- Os gentios estão debaixo de seu domínio (At 26.18).
- Quer tirar vantagem dos cristãos (2Co 2.11).
- Ele é o deus deste mundo (2Co 4.4).
- Ele cega a mente dos incrédulos (2Co 4.4).
- Ele se disfarça de anjo de luz (2Co 11.14).
- Fez Paulo sofrer com um espinho na carne (2Co 12.7).
- Ele é o príncipe do poder do ar (Ef 2.2).
- Ele é o espírito que opera nos desobedientes (Ef 2.2).
- Ele arma ciladas (Ef 6.11).
- Ele prejudicou os planos missionários de Paulo (1Ts 2.18).
- Ele é o espírito que produz a apostasia (2Ts 2.9).

> - Ele pode produzir falsos milagres (2Ts 2.9).
> - Ele foge quando é resistido (Tg 4.7).
> - Como leão que ruge, ele procura devorar os cristãos (1Pe 5.8).
> - Ele é nosso adversário (1Pe 5.8).
> - Ele é vencido pela fé (1Pe 5.9).
> - Os que praticam o pecado são seus filhos (1Jo 3.8,10).
> - Os falsos mestres são "sinagoga de Satanás" (Ap 2.9; 3.9).
> - Ele é o enganador do mundo inteiro (Ap 12.9; 20.3,8,10).
> - Ele é "o grande dragão [...] a antiga serpente" (Ap 12.9; 20.2).
>
> Como o reconhecimento da realidade do Diabo poderia transformar a vida das pessoas, se estas tão-somente reagissem a isso, voltando-se para Jesus, o grande Protetor e Salvador!

João Batista, entretanto, continuou a pregar e a batizar por mais alguns meses, mudando-se para Enom, mais ao norte (Jo 3.23; v. mapa na p. 431).

Cerca de um ano depois de ter batizado Jesus, João Batista foi lançado no cárcere por Herodes, é para satisfazer os caprichos de uma mulher perversa (Mt 14.1-5). Isso aconteceu no fim do ministério inicial de Jesus na Judéia (Mt 4.12; Jo 3.22; 4.35).

Não é mencionado o lugar em que ficou preso. Acredita-se que foi em Maquera, a leste do mar Morto, ou em Tiberíades, na costa oeste do mar da Galiléia. Herodes tinha uma residência em cada um desses locais (v. p. 416). João Batista foi decapitado aproximadamente por ocasião da segunda Páscoa (Mt 14.12,13; Jo 6.4).

Estranhamos as dúvidas de João Batista (Mt 11.3), após ele ter se mostrado tão confiante e positivo ao declarar que Jesus era o Cordeiro de Deus e o Filho de Deus (Jo 1.29-34). Agora, porém, refletindo sozinho num calabouço, ele estava perplexo. Jesus não estava fazendo o que João pensava que o Messias deveria fazer. Segundo parece, João compartilhava da noção popular do reino messiânico político. Deus não lhe revelara tudo a respeito da natureza desse reino. Até mesmo os doze foram lentos em assimilar o que significava o Reino. (V. comentário sobre Mt 10.)

Supondo-se que João Batista começou o seu ministério pouco antes de batizar Jesus, sua obra pública durou cerca de um ano de meio. Ele viveu 30 anos em isolamento, dedicou um ano e meio à pregação pública, passou um ano e quatro meses na prisão — e então a cortina desceu sobre sua vida. Esse é o resumo da vida do homem que apresentou o Salvador do mundo e a respeito de quem Jesus disse que não nascera ninguém maior que ele (Mt 11.11).

Lc 3.21-22   Jesus é batizado

(V. comentário sobre Mt 3.13-17.)

Lc 3.23-28   A genealogia de Jesus

(V. comentário sobre Mt 1.1-17.)

Lc 4.1-13   Os 40 dias de tentação

(V. comentário sobre Mt 4.1-11.) Os três relatos — Mateus, Marcos e Lucas — declaram que foi Satanás quem tentou Jesus.

O ministério na Galiléia, Lucas 4.14—9.51

Lucas dedica muito menos espaço ao ministério na Galiléia que Mateus e Marcos. (V. comentários sobre Mt 4.12 e Mc 1.14.)

Jesus inicia seu ministério na Galiléia — Lc 4.14,15

Lucas, da mesma forma que Mateus e Marcos, omite todos os eventos do ano transcorrido entre a tentação de Jesus e o início de seu ministério na Galiléia, que são narrados em João 1.19—4.54. (V. comentário sobre Mc 1.14,15.)

Jesus é rejeitado em Nazaré — Lc 4.16-30

Esse parece ter sido o primeiro retorno de Jesus a Nazaré desde seu batismo, mais de um ano antes. Pelo que sabemos, ele passou o período intermediário no deserto, em Caná, em Cafarnaum e na Judéia (Jo 2.1,12; 4.46). As pessoas ficaram maravilhadas com sua personalidade simpática, atraente e obviamente poderosa ao falar. Elas estavam atônitas — dificilmente conseguiam acreditar que se tratava do menino que viram crescer. Mesmo naquela cidadezinha, Jesus vivera uma vida tão quieta e pertencera a uma família tão humilde, que os vizinhos congregados na sinagoga mal o reconheceram (v. 22). A razão de sua referência a Elias e Eliseu é que eles tinham sido enviados a gentios, e não a israelitas — indício da própria missão de Jesus. Esse fato — bem como os milagres operados em outras cidades, e não na própria cidade — ofendeu de tal maneira o bairrismo bitolado do povo que eles foram tomados de fúria e tentaram matá-lo.

A cura de um endemoninhado — Lc 4.31,37

(V. comentário sobre Mc 1.21-28.)

A sogra de Pedro — Lc 4.38,39

(V. comentário sobre Mc 1.29-31.)

Muitos são curados — Lc 4.40,41

(V. comentário sobre Mc 1.32-34.)

Orando em lugar solitário — Lc 4.42

(V. comentário sobre Mc 1.35-37.)

Viagens por toda a Galiléia — Lc 4.43,44

(V. comentário sobre Mc 1.38,39.)

Lc 5.1-11 — O chamado de Pedro, Tiago e João
(V. comentário sobre Mc 1.16-20.)

Lc 5.12-16 — A cura de um leproso
(V. comentário sobre Mc 1.40-45.)

Lc 5.17-26 — A cura de um paralítico
(V. comentário sobre Mc 2.1-12.)

Lc 5.27-32 — O chamado de Levi (Mateus)
(V. comentário sobre Mt 1.1.)

Lc 5.33-39 — A pergunta acerca do jejum
(V. comentário sobre Mc 2.18-22.)

Lc 6.1-11 — Colhendo grãos e curando no sábado
(V. comentário sobre Mc 2.23.)

Lc 6.12-19 — A escolha dos doze apóstolos

A esses homens Jesus estava confiando os resultados da obra de sua vida. Ele sabia, logicamente, que ele mesmo, a partir do céu e por intermédio de seu Espírito, os orientaria, dirigiria e ajudaria. Nem por isso Jesus deixou de ponderar as características e talentos naturais deles. E, antes de fazer sua escolha final, Jesus passou a noite inteira em oração ao Pai.

Depois de lhes dar dois anos de treinamento (v. comentário sobre Mt 10), Jesus os enviou para ser suas testemunhas até os recantos mais distantes da terra. O NT fala só um pouco da obra deles na Palestina, na Ásia Menor, na Grécia e em Roma.

É possível que os doze tivessem concordado entre si que sairiam em direções diferentes. Ou também é possível que cada um tenha sido orientado para ir até onde melhor lhe parecia. Durante certo tempo, saíam aos pares. Por certo, cada um visitava os trabalhos dos outros.

Por volta de 62 d.C., Paulo disse que o evangelho tinha sido pregado "a todos os que estão debaixo do céu" (Cl 1.23). Portanto, 30 anos depois, a história de Cristo tinha sido contada em todas as partes do mundo então conhecido. Várias tradições — nem todas de igual fidedignidade — declaram que a maioria dos doze selou seu testemunho de Cristo com o martírio.

Considerando, até mesmo a presença de um traidor no grupo, a escolha e o treinamento dos doze por Jesus foi um grande sucesso.

O Sermão do Monte — Lc 6.20-49

Entende-se, em geral, que essa é uma forma abreviada do mesmo sermão que está registrado em Mateus de 5 a 7. Os dois registros diferem um pouco entre si. Não podemos ter certeza se são relatos diferentes do mesmo sermão ou substancialmente o mesmo sermão pregado em ocasiões diferentes. Jesus ensinava continuamente, e é provável que tenha pronunciado essas palavras, de formas variadas, centenas de vezes. Talvez se trate aqui de uma coletânea de seus ditos mais característicos, um tipo de resumo de seus ensinos principais. Sua beleza literária, bem como sua didática, é sem igual em toda a literatura existente.

As bem-aventuranças — Lc 6.20-26

(V. comentário sobre Mt 5.1-12.)

A Regra Áurea — Lc 6.27-38

Aqui temos um tipo de condensação de Mateus de 5 a 7. Alguns dos ensinos de Jesus, tais como "Ame o seu próximo como a si mesmo", "Amem os seus inimigos" e "Como vocês querem que os outros lhes façam, façam também vocês a eles", já se acham no AT — eles têm sido o alicerce do viver piedoso desde o início. Por exemplo: "Não procurem vingança, nem guardem rancor contra alguém do seu povo, mas ame cada um o seu próximo como a si mesmo. Eu sou o SENHOR" (Lv 19.18). Entretanto, eles parecem tão acima da natureza humana que adotamos o hábito de nos desculpar por não fazermos a mínima tentativa de viver à altura deles e dizemos a nós mesmos que Jesus sabia, com certeza, que estava colocando ideais impossíveis diante de nós.

O próprio Jesus, entretanto, vivia à altura desses ensinos e nos ensinou inequivocamente que devemos manter nosso coração livre do ressentimento, por mais que sejamos maltratados. E não somente isso, mas devemos realmente buscar o bem-estar daqueles que procuram nos prejudicar. Não é possível? Sim, é possível, em certa medida, mediante a ajuda graciosa de Deus e com a mais rigorosa autodisciplina, amar os que nos odeiam.

Praticar a Regra Áurea, mesmo que seja em pequena escala, nos torna felizes e nos ajuda em nossos deveres e em todos os relacionamentos. É a coisa mais prática que existe neste mundo. Ao servirmos ao próximo, praticamos um bem a nós mesmos. As pessoas gostam de relacionar-se com os que acreditam na Regra Áurea e a praticam. Experimente e veja!

A Regra Áurea não é fundamento suficiente para a isenção do serviço militar. Jesus estava falando a indivíduos, não a governos. Os governos são ordenados por Deus (Rm 13.1-7; 1Pe 2.13-17). Os elementos criminosos precisam ser reprimidos. Jesus declarou expressamente que seu Reino podia existir dentro do reino de César (Mt 22.21). O primeiro gentio a ser acolhido na igreja foi um soldado romano (At 10.1); não se lhe exigiu que renunciasse ao serviço militar. Um juiz, um oficial de polícia ou um militar pode, no seu coração e na sua vida, praticar os princípios da Regra Áurea, dentro de suas possibilidades como indivíduo, enquanto, como oficial da lei ou do governo, precisa seguir rigorosamente as regras da justiça.

Os governos podem, em alguns aspectos e dentro de certos limites, seguir a Regra Áurea. Mas se a força fosse totalmente abandonada, a realidade é que o resultado seria a anarquia. Pensemos com clareza quanto a isso. Por mais que detestemos a guerra, não podemos elogiar um cristão por fazer da Regra

Áurea uma *desculpa* para deixar por conta dos outros a luta para a preservação da liberdade dele mesmo. Existem, no entanto, aqueles cuja consciência os obriga a recusar o serviço militar por motivos de profunda *convicção*. Cada um deve estar plenamente convicto em sua mente (Rm 14.5), sem julgar os outros.

Lc 6.37-42   Julgando o próximo

Nesses versículos, Jesus encoraja os discípulos a considerar as próprias ações antes de julgar o próximo. Não podemos julgar nem condenar se nosso próprio comportamento não for justo. Em vez de criticar, devemos perdoar e ser generosos. O padrão de comparação que usarmos para avaliar os outros será usado para medir nosso próprio comportamento. O bem que transmitirmos aos outros será devolvido a nós em "boa medida, calcada, sacudida e transbordante".

Lc 6.43-49   Construindo na rocha

Palavras como estas — e existem muitas delas — deixam bastante claro que Jesus quer que seus ensinos sejam levados muito a sério. Haverá um dia de triste desilusão para os muitos que fazem uma profissão leviana do nome de Jesus (Mt 7.22,23). Ouvir, crer e *fazer* as coisas que Jesus ensinou, *colocando-as em prática* em nossa vida, é o que contará no dia final.

Lc 7.1-10   O servo de um centurião

Essa história também é narrada em Mateus 8.5-13. O centurião era um oficial romano encarregado de 100 soldados. Naquele tempo, a Palestina já estava sob o domínio romano havia cerca de cem anos. Os oficiais romanos, com demasiada freqüência, eram homens brutais e desprezados. Alguns deles, porém, influenciados talvez pela religião judaica, eram homens bons. O primeiro gentio a ser recebido na igreja foi um centurião chamado Cornélio (At 10).

Lc 7.11-17   A ressurreição do filho da viúva de Naim

Essa é uma das três ressurreições registradas. As outras são a da filha de Jairo (Mc 5.22) e a de Lázaro (Jo 11.1). Jesus pode ter ressuscitado ainda outros (Lc 7.22). Ele comissionou os doze para ressuscitar os mortos (Mt 10.8).

Lc 7.18-35   Mensageiros da parte de João Batista

(V. comentário sobre Mt 11.1-19.)

Lc 7.36-50   A mulher pecadora

Não existe o menor fundamento para identificar essa mulher com Maria Madalena, nem com Maria de Betânia. Essa unção não é a ocorrida em Betânia pouco antes da crucificação de Jesus (Jo 12.1-8). O banquete oriental era uma espécie de acontecimento público. Conforme o costume, Jesus estaria reclinado sobre um divã, com o rosto perto da mesa e as pernas dobradas para trás, de modo que era fácil a mulher aproximar-se de seus pés. Chorando, beijando seus pés, banhando-os com um perfume caríssimo e enxugando com os cabelos as lágrimas que caíam — como ela envergonha a nós, que nos achamos tão respeitáveis, quando se encurva diante dos pés do Senhor em plena humildade e devota adoração!

Jesus demonstrou muita ternura na sua atitude para com mulheres que tinham dado um passo errado (Jo 4.18; 8.1-11) — porém jamais alguém atribuiu sua atitude a motivos duvidosos (Jo 4.27).

As mulheres que sustentavam Jesus — Lc 8.1-3

Três delas são mencionadas pelo nome, embora houvesse muitas outras. Nada mais se sabe a respeito de Susana. Joana era esposa do administrador do palácio do rei Herodes. Pertencia ao grupo das amizades mais íntimas de Jesus. Estava entre as pessoas que foram ao túmulo (24.10).

A parábola do semeador — Lc 8.4-18

(V. comentário sobre Mt 13.1-23.)

A mãe e os irmãos de Jesus — Lc 8.19-21

(V. comentário sobre Mt 12.46-50.)

Jesus acalma a tempestade — Lc 8.22-25

(V. comentário sobre Mc 4.35-41.)

O geraseno endemoninhado — Lc 8.26-39

(V. comentário sobre Mc 5.1-20.)

Ressuscitada a filha de Jairo — Lc 8.40-56

(Narrada tb. em Mt 9.18-26; Mc 5.21-43.) Em três ocasiões, Jesus ressuscitou algum morto. (V. comentário sobre Lc 7.11-17 e Jo 11.)

Jesus envia os doze — Lc 9.1-6

(V. comentário sobre Mt 10.)

Herodes fica perplexo — Lc 9.7-9

(V. comentário sobre Lc 3.1-20.)

Jesus alimenta 5 mil homens — Lc 9.10-17

(V. nota sobre Jo 6.) Há um intervalo de cerca de oito meses entre o versículo 17 e o 18.

Lc 9.18-20   A confissão de Pedro
(V. comentário sobre Mt 16.13-20.)

Lc 9.21-27   Predita a paixão
(V. comentário sobre Mc 9.30-32.)

Lc 9.28-36   A transfiguração
(V. comentário sobre Mc 9.2-13.)

Lc 9.37-43   O menino endemoninhado
(V. comentário sobre Mc 9.14-29.)

Lc 9.43-45   Novamente predita a paixão
(V. comentário sobre Mc 9.30-32.)

Lc 9.46-48   Quem será o maior?
O que há de mais triste nesse incidente é o fato de ter ocorrido imediatamente depois de eles terem estado presentes na transfiguração. Mais que isso: aconteceu quando Jesus anunciou sua crucificação iminente. Pior ainda: repetiram a discussão quando chegaram a Cafarnaum (Mt 18.1-5; Mc 9.33-37) e ainda outra vez às vésperas da crucificação de Jesus (v. comentário sobre Mt 20.20-28). Que paciência infinita a de Jesus!

Lc 9.49,50   O operador anônimo de milagres
(Narrado tb. em Mc 9.38-40.) Outra repreensão dirigida a João, dessa vez por querer monopolizar o privilégio de operar milagres. E uma terceira repreensão imediatamente a seguir, por sua ira (9.52-56). Três repreensões em série!

O ministério na Peréia e o ministério posterior na Judéia, Lucas 9.51—19.28

O período entre a partida final de Jesus da Galiléia e sua última semana é geralmente referido como o ministério posterior na Judéia e o ministério na Peréia; foi realizado parcialmente na Peréia e parcialmente na Judéia. A Peréia ficava a leste do Jordão (v. mapa na p. 434), sob a jurisdição de Herodes; a Judéia, a oeste do Jordão, estava sob a jurisdição de Pilatos.

Lc 9.51   A partida final da Galiléia
(Mencionada tb. em Mt 19.1 e Mc 10.1.) Acredita-se que essa ocasião é a mesma da visita de Jesus a Jerusalém na Festa da Dedicação (Jo 10.22). Assim, o ministério na Peréia e o ministério posterior na Judéia abrangeram o período de cerca de quatro meses.

Os samaritanos rejeitam a Jesus — Lc 9.52-56

A rejeição de Jesus pelos samaritanos deixou Tiago e João enfurecidos, e eles mostraram de imediato por que Jesus lhes dera a alcunha "filhos do trovão" (Mc 3.17). Jesus, sem ressentimento algum, mudou de itinerário no caminho para Jerusalém.

As raposas têm suas tocas — Lc 9.57-62

Mais de um ano antes, Jesus dissera a mesma coisa ao escriba que se ofereceu para segui-lo até o outro lado do mar (Mt 8.19-22). É provável que ele tenha dado essa mesma resposta muitas vezes aos que esperavam privilégios que Jesus não tinha para oferecer. A resposta de Jesus ao segundo e ao terceiro homem não significa, naturalmente, que devemos desconsiderar as responsabilidades do dia-a-dia para com o nosso próximo. A Bíblia ensina repetidas vezes que uma das características autênticas do cristão é ser atencioso e prestimoso em todos os relacionamentos familiares, especialmente em momentos de pesar. É provável que, se o pai do segundo homem já tivesse morrido, ele estivesse ocupado com os preparativos para o enterro. Jesus sabia que, muito pelo contrário, o homem estava sugerindo que gostaria de voltar para casa e cuidar do pai até este morrer — de adiar qualquer serviço a Jesus até surgir a ocasião mais conveniente na sua vida atarefada. O que Jesus quer dizer é que compartilhar a Palavra de Deus com outras pessoas é de importância infinitamente maior que todas as nossas responsabilidades mundanas e que, na hipótese de conflito entre as duas coisas, não deve existir a mínima hesitação — Deus sempre está em primeiro lugar.

Os 72 são enviados — Lc 10.1-16

Esse evento parece ter ocorrido quando Jesus partiu da Galiléia pela última vez. Seu propósito era completar a proclamação de que o Messias estava presente. Eles foram enviados adiante dele, descendo pelo vale do Jordão, quatro ou cinco meses antes de sua morte.

A volta dos 72 — Lc 10.17-24

A narrativa não nos informa até onde eles viajaram. Provavelmente foi por todo o caminho que descia até a região de Jericó, enquanto Jesus seguia mais lentamente atrás deles. O sucesso deles, para Jesus, prenunciou a derrota de Satanás. Observe, porém, que Jesus os advertiu de que não deviam basear sua alegria no fato de Satanás e os demônios estarem sujeitos à autoridade de Jesus; pelo contrário, a fonte genuína de alegria é a certeza de nossa salvação em Cristo e a promessa do nosso lar eterno no céu (v. 20).

Como Jesus financiava sua obra?

Jesus não parecia ser um homem rico. Não era dono de um aposento que pudesse considerar seu (Lc 9.58) e não se interessava por vaidades deste mundo, quer fossem roupas, quer fossem outros bens. Durante cerca de três anos, viajou por muitos lugares, em grande parte do tempo com uma comitiva de tamanho considerável; e pelo menos duas vezes organizou grandes expedições de pregação (Lc 9 e 10). Até certo ponto, Jesus e seus discípulos dependiam da hospitalidade do povo (Mt 10.11). Recebiam ofertas dos mais abastados e de outras pessoas (Lc 8.3). Jesus poderia ter acumulado fortuna e vivido como a realeza com as doações recebidas das multidões que o seguiam e dos enfermos que curara — se tivesse optado por fazer assim. Mas ele não precisava de riquezas acumuladas, porque tinha fé completa e total de que Deus sempre supriria suas necessidades e de seus seguidores. Todas as suas necessidades e desejos eram atendidos. Que testemunho para nós — se tão-somente confiarmos totalmente no Senhor!

Lc 10.25-37 — O bom samaritano

Essa é uma das ilustrações mais sublimes de bondade humana em toda a literatura universal. Lucas acabara de contar como Jesus havia sido rejeitado pelos samaritanos (9.52). Aqui temos a reação de Jesus: ele fez de um samaritano o exemplo de amor que servirá para todas as eras futuras.

Lc 10.38-42 — Maria e Marta

Acredita-se que esse evento ocorreu no final da grande campanha evangelística de Jesus, quando descia pelo vale do Jordão, com os 72 viajando adiante dele a fim de anunciar a sua chegada. Agora, aproximava-se de Jerusalém, talvez para a Festa da Dedicação (Jo 10.22). Maria e Marta moravam em Betânia, na vertente oriental do monte das Oliveiras, a uns 3 km de Jerusalém. Esse incidente é registrado para demonstrar que Jesus considerava muito mais importante concentrar-se na Palavra do Senhor e crescer espiritualmente que toda a incessante atividade que prejudica o aprimoramento de nosso relacionamento com Deus. Jesus quer que deixemos de lado algumas das coisas que sobrecarregam nosso dia a fim de descansarmos calmamente em sua presença, permanecendo nele e na sua Palavra.

A estrada que desce de Jerusalém para Jericó passa pelo uádi Kelt, estreito desfiladeiro com encostas íngremes e muitos lugares para os bandidos ficarem à espreita para atacar os viajantes. O Mosteiro de São Jorge mostra quão íngreme e desolado é esse desfiladeiro.

Lc 11.1 — Jesus ora

Jesus, durante sua vida na terra, apesar de ser o Filho de Deus e declarar-se em alguns aspectos igual a Deus, parece ter se sentido, apesar disso, totalmente dependente do Poder superior a si mesmo; ele orava muito.

Lc 11.2-4 — A Oração do Senhor

Está registrada em uma forma um pouco mais longa em Mateus 6.9-13. É provável que essa oração tivesse a intenção de servir como algum tipo de norma para nos orientar em nossa aproximação a Deus e no conteúdo de nossas petições.

A persistência na oração — Lc 11.5-13

(V. comentário sobre Lc 18.1-8.)

As orações de Jesus

- No batismo (Lc 3.21)
- Num lugar solitário (Mc 1.35)
- Nos desertos (Lc 5.16)
- A noite inteira, antes de escolher os doze (Lc 6.12)
- Antes do convite: "Venham a mim" (Mt 11.25-30)
- Ao alimentar os cinco mil (Jo 6.11)
- Depois de alimentar os 5 mil (Mt 14.23)
- O "pai-nosso" (Lc 11.1-4)
- Em Cesaréia de Filipe (Lc 9.18)
- Antes da transfiguração (Lc 9.28,29)
- Pelas crianças (Mt 19.13)
- Antes de ressuscitar Lázaro (Jo 11.41,42)
- No Templo (Jo 12.27,28)
- Na última ceia (Mt 26.26,27)
- Por Pedro (Lc 22.32)
- Pelos discípulos (Jo 17)
- No Getsêmani (Mt 26.36-44)
- Na cruz (Lc 23.34)
- Em Emaús (Lc 24.30)

Jesus, em todas as orações registradas, dirigiu-se a Deus como "Pai" (Mt 6.9; 11.25; 26.39,42; Lc 11.2; 23.34; Jo 11.41; 12.27,28; 17.1,5,11,21,24,25), tão diferente das aberturas bombásticas, elaboradas, pomposas e solenes de muitas orações feitas nos púlpitos.

Oração em secreto

Jesus enfatizava consideravelmente a oração em secreto (Mt 6.6). Esse tipo de oração não exclui a participação na oração pública. Nunca devemos sentir vergonha de orar ou de dar testemunho de nossa fé pela oração, se a ocasião pedir. Só devemos nos resguardar de pensar na impressão que causamos sobre os ouvintes. A oração é a expressão de nossa pessoa diante de Deus. É assunto entre nós mesmos e Deus, e não uma questão de comentários com os outros. A maior parte de nossa vida de oração deve ser totalmente em secreto, para não termos nenhuma oportunidade de nos iludir quanto à sinceridade de nossos motivos.

Se oferecermos nosso coração a Deus, antes e depois de toda ação ou decisão importante, pedindo orientação ou forças ou dando graças a Deus, e nunca falarmos nada a respeito disso a ninguém, nem sequer ao nosso amigo mais íntimo ou ao nosso cônjuge, mas deixarmos o assunto rigorosamente em secreto entre nós e Deus — e se fizermos freqüentemente assim, e realmente mantivermos o assunto reservado em nosso íntimo, nenhum outro hábito nos dará tanta alegria na vida e forças para todas as emergências. Nesse caso, estaremos atravessando a vida de mãos dadas com Amigo todo-poderoso com quem compartilharemos todos os nossos segredos e consultaremos a respeito de tudo, até nos pormenores.

Expulsando demônios — Lc 11.14-26

(V. comentário sobre Mt 12.22-37.)

Lc 11.27,28 — A Palavra de Deus

Uma mulher exclamou diante de Jesus: "Feliz é a mulher que te deu à luz e te amamentou". Jesus respondeu: "Antes, felizes são aqueles que ouvem a palavra de Deus e lhe obedecem".

Estamos inundados por um dilúvio de palavras. Somos atacados constantemente por palavras escritas e faladas que abafam o "murmúrio da brisa suave" da Palavra de Deus. Custa-nos certo esforço ficar sentados, quietos, excluindo todos os sons e vozes, para ler e ouvir a Palavra de Deus. Não estamos falando de ler livros *a respeito* da Palavra de Deus, nem de ouvir programas evangélicos de rádio, nem de assistir canais religiosos de televisão — mas de ler e ouvir a Palavra de Deus. Jesus não considerava essa leitura mera opção — se alegamos ser seus seguidores, ler e ouvir sua Palavra são tão essenciais quanto respirar e comer.

- Em Betânia, Maria ficava sentada aos pés de Jesus para ouvi-lo. Jesus disse que Maria escolhera "a boa parte" (Lc 10.42).
- Quando surgiu alguém dizendo: "Tua mãe e teus irmãos estão lá fora e querem ver-te", Jesus respondeu: "Minha mãe e meus irmãos são aqueles que ouvem a palavra de Deus e a praticam" (Lc 8.19-21).
- Jesus também disse: "A semente [do Reino] é a palavra de Deus" (Lc 8.11). Uma alma pode nascer no Reino de Deus *somente* mediante a semente do Reino, a Palavra de Deus (1Pe 1.23).
- "Nem só de pão viverá o homem, mas de toda palavra que procede da boca de Deus" (Mt 4.4).
- "Se não ouvem a Moisés e aos Profetas, tampouco se deixarão convencer, ainda que ressuscite alguém dentre os mortos" (Lc 16.31).
- "Os céus e a terra passarão, mas as minhas palavras jamais passarão" (Mt 24.35).
- "No princípio era aquele que é a Palavra. Ele estava com Deus, e era Deus" (Jo 1.1).
- "Aquele que é a Palavra tornou-se carne e viveu entre nós" (Jo 1.14)

Lc 11.29-32 — Sinais

(V. comentário sobre Mt 12.39-42.)

Lc 11.33-36 — A candeia acesa

(V. comentário sobre Mt 5.13-16.)

Lc 11.37-54 — "Ai de vocês, fariseus"

(V. comentário sobre Mt 23.)

Lc 12.1-12 — As motivações secretas da vida

Jesus falou muito sobre nossas motivações — ou seja, o que existe dentro de nós e que nos leva a fazer o que fazemos e a ser o que somos. Nossa única e suprema motivação deve ser o desejo da aprovação de Deus e o medo de sua desaprovação.

Os religiosos dos dias de Jesus realizavam muitas de suas práticas para conquistar a aprovação pública (Mt 6.1-18). Proceder assim é parte de nossa natureza, contra a qual temos de lutar constantemente. Quando estamos entre incrédulos, tendemos a sentir vergonha de nossa fé. Quando, porém, estamos entre pessoas religiosas, queremos ser considerados religiosos ou espirituais, e esse desejo às vezes nos leva a fingir ser mais religiosos que realmente somos — o que é hipocrisia. O desejo de ser aprovado pelos outros é legítimo e louvável — dentro de certos limites. Mas o fato essencial da existência é o próprio Deus. A única coisa que realmente importa é nosso relacionamento com ele. Devemos sempre ter Deus em mente e ter consciência de como nossos pensamentos, motivações e ações são avaliados por ele.

Muitas das coisas ditas no presente capítulo de Lucas também estão contidas no sermão do monte (Mt 5—7). Jesus tinha suas fases prediletas, que repetia em muitas ocasiões. Uma delas dizia respeito ao cuidado e à orientação infalíveis de Deus a favor de seu povo (v. 6-12).

Observe especialmente a advertência de Jesus a respeito de Satanás, que tem o poder de nos enganar e, em última instância, nos levar à existência eterna no inferno (v. 5). Devemos tomar consciência de que nossa decisão de seguir a Cristo ou de não o seguir terá conseqüências eternas (v. comentário sobre Lc 16.19-31.)

Observe também a declaração de Jesus que toda hipocrisia escondida no interior da pessoa será conhecida (v. 2,3). Deus grava todos os nossos pensamentos íntimos e atos secretos, e tudo será reproduzido diante de nós, assustados, e diante do universo reunido, e então seremos reconhecidos pelo que realmente somos.

O pecado imperdoável (v. 10). V. comentário sobre Mt 12.24-37.

A parábola do rico insensato — Lc 12.13-21

Observe que Jesus recusou-se a participar da disputa egoísta da família desse homem. Ele não tentava dirigir os negócios particulares dos outros. Em vez disso, Jesus respondeu com uma parábola a respeito das conseqüências da cobiça. A lição dessa história oferecia ao homem riquezas eternas se ele permitisse que as palavras de Jesus transformassem sua vida.

O rico insensato ganhara seu dinheiro de modo honesto — mediante a produtividade de suas terras. Nem por isso deixou de ser um tolo aos olhos de Deus (v. 20), pois almejara as coisas deste mundo, e não as do porvir. Rico neste mundo, desvalido na eternidade. Este mundo dura pouco tempo; o outro é eterno.

Tesouros no céu — Lc 12.22-34

Esses dizeres também fazem parte do Sermão do Monte (Mt 6.19-34). Jesus estava em casa quando falava a respeito do céu. Sua linguagem aqui é sublime, e essas palavras estão entre as mais importantes que pronunciou.

Os cristãos são cidadãos do céu que residem temporariamente na terra. Jesus nos ensina a não fixar a atenção nas preocupações terrenas, mas, pelo contrário, a ser generosos e que o Senhor proverá. Jesus manda que busquemos seu Reino, e então essas *coisas* também nos serão dadas. O Senhor proverá todas as nossas necessidades e desejos, se usarmos o que ele nos deu a mais para servir aos outros. Dessa maneira, seremos vasos de bênçãos por meio dos quais Deus faz sua obra no mundo.

Somente o que damos a Deus é nosso para sempre. Certo homem perguntou a outro, no tocante a um amigo que acabara de falecer: "Quanto ele deixou?" Respondeu o outro: "Ele deixou tudo". Dentro em breve, devemos, cada um de nós, deixar nossa habitação terrena e deixar para outras pessoas o que chamávamos nosso. O que importará é termos feito em tempo hábil reserva nas mansões eternas de Deus.

Lc 12.35-48 Vigilância

Os pensamentos de Jesus passam do céu para o dia glorioso de sua segunda vinda, e ele adverte que poderá voltar na calada da noite para um mundo adormecido (v. 38). Bem-aventurados os fiéis que estão prontos para dar as boas-vindas ao seu Senhor no seu retorno.

Essa parábola (v. 41-48) é dirigida a todos os cristãos. Mas os graus mais altos de talento e de posição acarretam graus maiores de responsabilidade. Para os pastores infiéis, essa advertência é temível.

Lc 12.49-59 Insensatez espiritual

Embora Jesus viesse trazer paz, ele sabia que também criaria divisão os que resolvessem segui-lo e os que se recusassem a reconhecê-lo. Ele conclama as multidões a entender a urgência da ocasião presente e tomar a decisão pessoal de fazer a coisa certa — reconciliar-se com Deus conforme as condições dele, antes que seja tarde demais; fazer menos que isso é insensatez espiritual.

Lc 13 Lições diversas

As duas calamidades que tinham ocorrido pouco tempo antes e que deixaram a nação horrorizada fizeram Jesus lembrar aos ouvintes os horrores do Dia do Juízo (v. 1-5). Segundo parece, Pilatos matara pessoas que ofereciam sacrifícios no Templo — ação condizente com a reputação dele. Fora desses registros, nada mais se sabe a respeito desses incidentes.

A figueira estéril (v. 6-9) foi utilizada por Jesus para ilustrar a paciência de Deus com Jerusalém, cuja condenação se aproximava rapidamente, e com os indivíduos em geral.

A mulher encurvada (v. 10-17). Jesus, movido de compaixão, nem sequer esperou que a mulher pedisse a cura. Ele aproveitou a oportunidade para envergonhar os fariseus.

O grão de mostarda e o fermento (v. 18-21; v. nota sobre Mt 13.31-33).

Serão poucos os salvos? (v. 22-30). Jesus respondeu que muitos que esperam ser salvos vão passar por lamentável decepção. Ele diz que é estreita a porta por meio da qual devemos entrar. Em toda a Escritura, Deus usa a porta como símbolo ou tipificação de si mesmo e da entrada na salvação. Veja outros exemplos em Gênesis 7.16; Mateus 7.7,8, 14; Atos 14.27; Apocalipse 3.20.

"Herodes quer matá-lo" (v. 31-33). Evidentemente Jesus estava na Peréia, dentro dos domínios de Herodes. Estava mais seguro ali que na Judéia. A resposta de Jesus foi: "São vocês, e não Herodes, os meus assassinos. Jerusalém, e não a Peréia, é onde devo morrer."

"Jerusalém, Jerusalém" (v. 34,35). Jesus chora pela nação judaica, a qual veio salvar, mas que o rejeitou.

Lc 14 Ensinos diversos

A cura no sábado (v. 1-6). Jesus acabara de curar uma mulher na sinagoga, no sábado (13.10-17). Dessa vez, tratava-se de uma festa de sábado na casa de um fariseu. Os fariseus não sentiam nenhum remorso em fazer festas no sábado — mas curar nesse dia era totalmente imperdoável (v. comentário sobre Mc 3.1-6.)

Conselhos aos convidados (v. 7-11). Jesus insiste em que uma pessoa que se adianta à procura de vantagens derrota a si mesma. O caminho da humildade é melhor e leva à genuína promoção. São os mansos que herdarão a terra (Mt 5.5). É o publicano que se humilha, e não o fariseu orgulhoso, quem agrada a Deus (Lc 18.9-14). São os humildes que receberão a exaltação final (v. 11), conforme Jesus declarou várias vezes (Lc 18.14; Mt 23.12).

Generosidade para com os menos favorecidos (v. 12-14). Não existe virtude em oferecer uma festa a quem, conforme você sabe, fará convite igual a você. Ao contrário, faça isso com os que não poderão fazer nada por você, lembrando-se da recompensa celestial. Com que freqüência Jesus nos aconselhou a manter nossos olhos fitos no céu! (v. comentário sobre Lc 10.25-37.)

Desculpas (v. 15-24). Jesus não tinha ilusões — não pensava que o seu Reino seria bem recebido pela maioria. Sabia que muitos, desde os líderes religiosos e a própria nação até os gentios mais distantes, o rejeitariam e a oferta de redenção eterna, e isso com as desculpas mais triviais; prefeririam ficar com as coisas que conseguiam ver (mas que não perduram) a optar pelos valores eternos.

O preço do discipulado (v. 25-35). Essas são palavras severas. Seguir Jesus era assunto bem mais sério que as multidões imaginavam. Jesus sabia que elas o seguiam com uma noção bastante vaga a respeito do Reino. É por isso que fez declarações tão contundentes. A intenção de Jesus não era nos levar a odiar pais ou filhos (v. 26). A dedicação fiel aos que são nossa própria carne e sangue é um dos ensinos claros das Escrituras. Mas Jesus certamente quis dizer que, se for necessário fazer uma escolha entre ele e nossa família, não deve haver a mínima hesitação.

A ovelha perdida; a moeda perdida; os dois filhos — Lc 15

Esse capítulo, depois das duras palavras do capítulo 14, é como a bonança após a tempestade. Os dois capítulos são tão diferentes entre si que dificilmente os atribuiríamos à mesma pessoa. Não são, porém, contraditórios, mas complementares.

O ponto de partida é a entrega a Cristo sem reservas. Não pode haver lealdade dividida. Uma vez que entronizamos Jesus como o Senhor da vida, sua compaixão é ilimitada. Podemos tropeçar seguidamente, mas enquanto mantivermos os olhos fitos nele nos perdoará sempre até que, finalmente, pela graça e poder de Jesus, tudo quanto desagrada a ele desaparecerá de nossa vida.

Essa verdade é ilustrada pelas três parábolas desse belo capítulo: a alegria por achar a ovelha desgarrada, por recuperar a moeda perdida e pela volta do filho pródigo. É o capítulo que ilustra a história da mulher pecadora em Lucas 7.36-50 e da mulher adúltera em João 8.1-11.

É o retrato glorioso do Pai celestial e de seus anjos dando as boas-vindas às almas que se voltam para ele. Quando ficarmos desanimados com nossa pecaminosidade, esse é um bom capítulo para ler.

Jesus contou essas parábolas depois de os fariseus e os mestres da Lei terem se queixado da acolhida dada aos pecadores, com os quais convivia à mesa. O relato dessas três parábolas termina com a queixa do filho mais velho, que revelou nada entender do coração amoroso do pai — da mesma forma que os fariseus, que não tinham a mínima idéia do motivo pelo qual Jesus se associava com os pecadores.

> **A severidade de Jesus**
>
> Jesus disse algumas coisas que parecem tão difíceis ou impossíveis de cumprir, caso as lêssemos independentemente de outras declarações suas, poderemos ficar desanimados na tentativa de segui-lo. Ele veio nos oferecer a dádiva de valor incalculável, que é a vida eterna, mas não nos obriga a aceitá-la. A principal condição para receber a vida eterna é desejá-la mais que desejamos qualquer outra coisa e amar a Jesus mais que a qualquer outra coisa. Jesus exige e precisa ter o primeiro lugar em nosso coração. Nessas condições, sua misericórdia é infinita.

Lc 16.1-13 — A parábola do administrador astuto

O que Jesus elogia aqui é a previdência desse homem, não sua desonestidade; a provisão que fez para o futuro, não o método imoral que usou para fazê-lo.

As quantidades envolvidas eram 3 600 litros de azeite (que o administrador ajustou para 1 800) e 35 toneladas de trigo (ajustadas para 28).

Assim como o administrador fez amigos mediante o emprego desonesto dos bens de seu patrão, também nós devemos fazer amigos mediante o uso honesto das dádivas que Deus nos tem dado — quer sejam financeiras, quer sejam outros dons. É um belo quadro (v. 9): os que acolhemos com nossa amizade estarão às portas do céu para nos dar as boas-vindas.

Jesus disse algumas coisas duras a respeito do dinheiro, ou melhor, a respeito do amor ao dinheiro. A cobiça é um dos pecados mais perniciosos, visto que se concentra inteiramente em nós mesmos e nos nossos desejos (e não nas nossas necessidades). Precisamos de dinheiro para custear nossas necessidades diárias. Mas dentro de nosso coração, a contenda é se realmente servimos ao dinheiro e dele dependemos, ou se é a Deus, que supre o dinheiro.

Lc 16.14-18 — A zombaria dos fariseus

Os fariseus ridicularizavam os ensinos de Jesus a respeito do dinheiro porque eles mesmos amavam o dinheiro — eram religiosos profissionais com mentalidade mundana.

É difícil ver a conexão imediata entre a Lei e o divórcio nesses versículos. Talvez Jesus quisesse dizer que, visto que o evangelho estava influenciando as pessoas tão profundamente, era mais difícil para os fariseus justificar seus ensinos hipócritas. Enquanto professavam ser guardiães da Lei, desconsideravam os ensinos da Lei a respeito do divórcio, o qual permitiam pelos motivos mais triviais.

Lc 16.19-31 — O rico e Lázaro

Junto de Abraão (v. 22) é o Paraíso, o estado intermediário em que as almas dos justos aguardam a ressurreição, assim como o Hades é o estado intermediário dos perdidos que aguardam o juízo.

Jesus aqui apresenta uma conversa entre Abraão e Lázaro depois da morte. Não sabemos até que ponto é imaginária, mas as implicações são bastante claras. Por um lado, os anjos estão de prontidão na morte dos santos para levá-los para a glória celeste. Por outro lado, os perdidos vão para os tormentos (v. 23). Existe um abismo intransponível entre o Paraíso e o Hades, o que subentende que a morte põe termo à oportunidade para a salvação. As Escrituras são inteiramente suficientes para levar os homens ao arrependimento (v. 31). E os padrões deste mundo não se aplicam ao céu: muitos dos que são os primeiros aqui serão os últimos lá. Os que ocupam posições de destaque aqui talvez tenham situação inferior lá. E muitos dos que são desconsiderados pelos altos dignitários eclesiásticos aqui talvez sejam seus superiores lá (Mt 19.30; 20.1-16; Mc 10.31).

O perdão — Lc 17.1-10

Jesus parece dar a entender aqui que a indisposição de perdoar é a causa da perdição de muitas almas.

Em Mateus 18.21-35, Pedro perguntou a Jesus quantas vezes devemos perdoar. Jesus respondeu: "Setenta vezes sete" — o que significa um número incontável de vezes.

Aqui (v. 5), os discípulos exclamaram ao Senhor: "Aumenta a nossa fé!". Se é para perdoarmos tanto assim, não o poderemos fazer sem mais fé.

Depois, para ajudá-los, Jesus fala do poder ilimitado da fé, e, mediante a parábola do servo obediente, demonstra-lhes que a humildade é o alicerce da fé. À medida que buscamos ao Senhor, o nosso desejo de servi-lo e de realizar sua obra nos fornecerá o poder e a fé de que necessitamos para crescer enquanto servimos ao próximo.

O céu e o inferno

A história do rico e Lázaro é um dos muitíssimos vislumbres da vida futura que se acham nos ensinos de Jesus, que falou muito a esse respeito. Ele apelou à esperança do céu e ao temor do inferno. Falou freqüentemente sobre a desgraça dos perdidos, bem como da bem-aventurança dos redimidos, e mostrou o contraste entre ambas. Examine os seguintes trechos bíblicos e veja:

- Mateus 5.12,22,29-30; 6.20; 7.21-27; 10.28; 13.39-43,49-50; 18.8,9; 22.13; 23.33; 25.23, 30,34,41,46
- Marcos 9.43-48
- Lucas 12.4,5; 16.22-28
- João 3.15,16,36; 5.24,28,29,39; 6.27,39,40,44,47,49-51,54; 17.2

Observe com quanta freqüência ocorrem as palavras "céu", "inferno" e "vida eterna".

É lastimável que os púlpitos em nossos dias desconsiderem, de modo geral, e até mesmo desprezem os motivos aos quais o próprio Jesus apelava. Um dos incentivos mais poderosos à prática do bem e um dos meios dissuasivos mais poderosos quanto à prática do mal nesta vida é a convicção profunda quanto à realidade da vida futura — o fato de que nossa situação ali dependerá de nossas decisões e ações nesta vida. O coração cuja atenção se fixa no céu resultará, com certeza, no modo mais cuidadoso de viver neste mundo. O presente mundo chegará ao fim. O mundo do além durará para sempre.

Os dez leprosos — Lc 17.11-19

Essa narrativa parece não somente contar um dos milagres de Jesus, mas também demonstrar quão grande era sua disposição para empregar seu poder em favor dos que nem sequer lhe agradeciam por isso — a exemplificação do coração bondoso e sem ressentimentos a respeito do qual acabara de falar. Além disso, o samaritano fica salientado de modo favorável em contraste com os judeus, da própria raça de Jesus.

Lc 17.20-37   O Reino vindouro

Jesus disse aos fariseus: "O Reino de Deus está dentro de vocês" (NVI, nota de rodapé) — é uma questão do coração. Em seguida, seus pensamentos se voltaram para o futuro e ele falou aos discípulos a respeito do dia glorioso em que viria em poder com os redimidos de todas as eras (v. comentário sobre Mt 24).

Lc 18.1-8   A viúva persistente

Essa parábola, assim como a do amigo que veio à meia-noite, encontrada em Lucas 11.5-13, foi contada com o único propósito de ensinar que Deus atende à oração paciente, persistente e perseverante. A viúva da parábola vai repetidas vezes a um juiz injusto, levando sua petição, e acaba esgotando-o de tal maneira que ele atende ao pedido. Jesus contrasta essa situação com a que podemos esperar quando levamos a Deus nossas petições. Ele diz que Deus tomará providências para recebermos justiça, e isso sem a mínima demora.

> Mas Jesus chamou a si as crianças e disse: "Deixem vir a mim as crianças e não as impeçam; pois o Reino de Deus pertence aos que são semelhantes a elas. Digo-lhes a verdade: Quem não receber o Reino de Deus como uma criança, nunca entrará nele."
> LUCAS 18.16,17

Aprender a orar de modo eficiente é questão de estudo e autodisciplina vitalícios. Entre outras coisas, devemos aprender a perdoar (Mc 11.25). E em Mateus 7.12 a oração está vinculada diretamente à prática da Regra Áurea. Porém, a condição prévia mais importante isoladamente é a fé. São admiráveis e estarrecedoras as promessas que Deus oferece aos que têm fé. Observe adiante a ênfase que Jesus dava à fé nas suas declarações (v. tb. Tg 1.5-7).

Lc 18.9-14   O fariseu e o publicano

Os fariseus eram geralmente tão justos aos próprios olhos e tão hipócritas na atitude altiva para com o próximo que a palavra se tornou sinônimo de impostor, hipócrita. Eles mantinham essa mesma atitude de orgulho de si mesmos diante do próprio Deus, achando, por assim dizer, que ele se sentia honrado em ouvir as orações deles.

Jesus detestava profundamente o fingimento religioso. As palavras mais severas que pronunciou foram dirigidas contra a hipocrisia dos fariseus (Mt 23). Não aprovava os pecados dos publicanos e das prostitutas — viera para salvá-los. Eles, porém, tinham plena consciência de ser pecadores e por isso lhes era mais fácil dar o primeiro passo e confessar seu estado. Essa parábola visa demonstrar que o único fundamento para nos aproximarmos de Deus é reconhecer nossa pecaminosidade e nossa necessidade de sua misericórdia.

O poder da fé e da oração

Jesus orava bastante (v. nota sobre Lc 11.1). E falou bastante a respeito da oração. Seguem-se aqui algumas das coisas que ele disse a respeito da fé como parte do ato da oração:

- Em Nazaré, ele não fez muitos milagres por causa da *incredulidade* deles (Mt 13.58).
- Aos discípulos, na tempestade: "Por que vocês estão com tanto medo? Ainda não têm *fé*?" (Mc 4.40; Lc 8.25).
- A Jairo: "Tão-somente *creia*, e ela será curada" (Lc 8.50).
- À mulher com hemorragia: "A sua *fé* a curou" (Mc 5.34).
- O centurião a Jesus: "Dize apenas uma palavra, e o meu servo será curado". A resposta de Jesus: "Não encontrei em Israel ninguém com tamanha *fé*". E o servo foi curado (Mt 8.8,10,13).

- Aos cegos: "Vocês *crêem* que eu sou capaz de fazer isso? [...] Que lhes seja feito segundo a *fé* que vocês têm" (Mt 9.28,29).
- Aos discípulos: "Se vocês tiverem *fé* e não duvidarem, poderão fazer [...] o que foi feito a esta figueira" (Mt 21.21).
- À mulher cananéia: "Mulher, grande é a sua *fé!* Seja conforme você deseja" (Mt 15.28).
- A Pedro, que começava a afundar: "Homem de pequena *fé*, por que você duvidou?" (Mt 14.31).
- Aos discípulos: "Ó geração *incrédula* [...] Até quando terei de suportá-los?" (Mc 9.19).
- Os discípulos a Jesus: "Por que não conseguimos expulsá-lo?". A resposta de Jesus: "Porque a *fé* que vocês têm é pequena". (Mt 17.19,20).
- Aos discípulos: "Se vocês tiverem *fé* do tamanho de um grão de mostarda, poderão dizer a este monte: 'Vá daqui para lá', e ele irá. Nada lhes será impossível [...] E tudo o que pedirem em oração, se crerem, vocês receberão [...] Tudo é possível àquele que *crê*" (Mt 17.20; 21.22; Mc 9.23; tb. 11.22-25).
- A Marta, junto ao túmulo de Lázaro: "Não lhe falei que, se você cresse, veria a glória de Deus?" (Jo 11.40).
- Às multidões em Cafarnaum: "A obra de Deus é esta: *crer* naquele que ele enviou" (Jo 6.29).

A maneira de Jesus enfatizar a fé é assombrosa. Quando Jesus discursava a respeito da oração e da fé, por mais estranhas que algumas de suas palavras talvez soem aos nossos ouvidos, ele sabia do que falava. Viera do mundo invisível, da dimensão eterna, e estava perfeitamente familiarizado com as forças e poderes que operam por detrás do cenário, mas a respeito das quais nada sabemos. Não devemos lutar tanto para reduzir tudo quanto Jesus disse a respeito da oração até caber nos limites de nosso entendimento finito. É bem provável que, se tão-somente nos dedicássemos com bastante paciência, persistência e perseverança à prática da oração, realizaríamos coisas que ficam bem além de nossos maiores sonhos.

Jesus certamente queria que suas palavras fossem levadas a sério. Ele nunca falou apenas por falar. Achamos que sua intenção foi ensinar algumas da lições fundamentais da existência para toda a humanidade, em todas as gerações. Deus tem em suas mãos as operações de todas as forças do Universo correlacionadas entre si e é poderoso para colocar em jogo poderes a respeito dos quais nada sabemos, para suplementar e controlar as forças naturais que já conhecemos. Jesus disse que Deus pode ser induzido a fazer assim, mediante nossa fé nele.

As crianças — Lc 18.15-17

(Narrado tb. em Mt 19.13 e Mc 10.13-16.) Jesus acabara de se referir ao publicano que já estava a caminho da salvação por estar profundamente desgostoso com os próprios pecados. Aqui, Jesus indica que o céu será povoado por pessoas que possuem certas qualidades infantis. No céu, não haverá pessoas pomposas, que fazem pose e agem como se fossem donas do Universo. Na igreja terrestre, existem muitas delas — mas não lá no céu. Jesus disse francamente que, se não nos tornarmos como crianças, nunca entraremos no Reino dos Céus (Mt 18.3). A criança está disposta a ser ensinada, confia nos outros, está isenta de orgulho intelectual e de sofisticação e é amorosa. Os discípulos não davam importância suficiente às crianças para dedicar atenção a elas. Jesus ficou indignado com isso, pois amava as crianças (Mc 10.13,14).

O jovem rico — Lc 18.18-30

(Narrado tb. em Mt 19.16-30 e Mc 10.17-31.) Jesus ordenou que lhe desse tudo o que tinha. Jesus não estava querendo dizer que todos devem abrir mão de todos os seus bens a fim de poder segui-lo. Zaqueu ofereceu-se para distribuir a metade, e Jesus ficou contente com ele (Lc 19.9). Esse jovem rico, entretanto, estava demasiadamente apaixonado pelas riquezas para ser de qualquer utilidade no Reino de Cristo.

O fundo de uma agulha (v. 25) representa, segundo pensam alguns, uma portinhola para pedestres, na porta ou perto da porta grande da cidade, através da qual um camelo poderia passar com grande dificuldade, ajoelhado e sem carga. A grande maioria entende que se trata de uma agulha literal. De qualquer maneira, Jesus se referia a algo impossível (v. 27). Em seguida, apontou para a única solução viável: o que é impossível para os seres humanos é possível para Deus.

Observe a promessa maravilhosa dirigida àqueles que abrem mão de tudo a fim de seguir a Jesus (v. 28-30). Ela é ampliada em Marcos 10.28-31. Cem vezes mais neste mundo e a vida eterna no mundo do porvir.

Lc 18.31-43 Um cego em Jericó

(Narrado tb. em Mt 20.29-34 e Mc 10.46-52.) Mateus se refere a dois cegos; Marcos e Lucas mencionam somente um. Lucas diz que Jesus estava entrando em Jericó; Mateus e Marcos dizem que foi quando Jesus saía de lá. Marcos o chama Bartimeu. É provável que, quando Jesus estava entrando na cidade, os cegos o tenham seguido e que, depois de Jesus ter terminado sua visita à casa de Zaqueu, os cegos já tivessem se colocado no caminho de saída, por onde sabiam que Jesus teria de passar. Imediatamente antes de curar o cego, Jesus tinha avisado os discípulos — pela quinta vez — que estava a caminho para ser crucificado (v. 31-34). Mas eles ainda não entendiam de que se tratava (v. 34).

Lc 19.1-10 Zaqueu

Zaqueu era um publicano, o dirigente de uma grande coletoria de impostos. Os publicanos eram colocados em pé de igualdade com as prostitutas (v. 7; Mt 21.31,32). De modo geral, eram odiados, porque os impostos eram contribuições para sustentar a potência estrangeira que dominava o país. Jericó era uma cidade de sacerdotes. Jesus optou por hospedar-se com um publicano, em vez de um sacerdote. Zaqueu converteu-se imediatamente e demonstrou evidência genuína desse fato. Jesus mandara o jovem rico abrir mão de tudo (Lc 18.22). Zaqueu abriu mão de metade (v. 8), e Jesus o declarou herdeiro da salvação.

Lc 19.11-28 A parábola das dez minas

Essa parábola difere em alguns aspectos da parábola dos talentos (Mt 25.14-30), mas ilustra as mesmas verdades gerais: teremos de prestar contas a Deus pela maneira como usamos o nosso tempo e dinheiro; haverá recompensas e castigos, tanto na vida terrena quanto no céu; estamos sendo treinados aqui para a vida lá. É uma parábola da Segunda Vinda. "Uma terra distante" (v. 12) — essa parábola e a parábola dos talentos (Mt 25.19) sugerem a possibilidade de um longo intervalo entre o primeiro advento de Cristo e a sua Segunda Vinda (v. tb. as notas sobre 2Ts e 2Pe 3).

Uma figueira em Jericó – o lugar ideal de onde Zaqueu poderia observar Jesus sem ser notado.

A última semana de Jesus, Lucas 19.29—23.56

A entrada triunfal — Lc 19.29-44
(V. comentário sobre Mt 21.1-11.)

Jesus purifica o Templo — Lc 19.45-48
(V. comentário sobre Mt 21.12-17).

Com que autoridade? — Lc 20.1-8
(V. comentário sobre Mt 21.23-27.)

A parábola da vinha — Lc 20.9-20
(V. comentário sobre Mt 21.33-46.)

O pagamento de impostos a César — Lc 20.21-26
(V. comentário sobre Mc 12.13-17.)

A ressurreição — Lc 20.27-40
(V. comentário sobre Mc 12.18-27.)

O Filho de Davi — Lc 20.41-44
(V. comentário sobre Mc 12.35-37.)

Censurados os mestres da Lei — Lc 20.45-47
(V. comentário sobre Mt 23.)

A oferta da viúva — Lc 21.1-4
(V. comentário sobre Mc 12.41-44.)

Discurso sobre o fim — Lc 21.5-36
(V. comentário sobre Mt 24.)

A conspiração para matar Jesus — Lc 21.37 – 22.2
(V. comentário sobre Mc 14.1,2.)

Lc 22.3-6 Judas concorda em trair a Jesus

(V. comentário sobre Mc 14.10-11.)

Lc 22.7-38 A última ceia

(V. comentário sobre Mt 26.17-29.)

Lc 22.39-46 A agonia no Getsêmani

(Narrada tb. em Mt 26.36-46; Mc 14.32-42; e Jo 18.1.) O local tradicional desse jardim não pode estar longe do local original (v. mapa na p. 438).

A raça humana teve seu início em um jardim. Jesus sofreu sua agonia em um jardim. Ele foi crucificado perto de um jardim e sepultado em um jardim (Jo 19.41). O Paraíso será um jardim.

Jesus viera da eternidade plenamente consciente de que sua vida terrena terminaria na cruz, pois sabia que viria como o Cordeiro de Deus para tirar o pecado do mundo. Como homem, ele partiu da Galiléia e viajou com passos firmes para Jerusalém, resoluto, nunca hesitando, nunca titubeando.

Agora, porém, chegara ao fim da caminhada, e lá, diante dele, erguia-se a cruz pavorosa. Jesus sabia que havia sido chamado não somente para sofrer a morte física, mas, o que é mais importante, também lhe era exigido experimentar a morte espiritual. A morte espiritual importava na separação de Deus, o sacrifício supremo para esse homem divino que nunca conhecera o pecado. Jesus sabia que lhe era exigido tomar sobre si o pecado da raça humana, o que importava em ficar separado de seu Pai e descer até as profundezas do inferno. Tudo isso levou até mesmo Jesus, o Filho de Deus, a fazer a pergunta: "Senhor, se existe outra saída, afasta de mim este cálice". Entretanto, Jesus sabia não haver outra saída. Ele precisava vencer a morte e pagar a penalidade a fim de que toda a raça humana pudesse voltar à comunhão com Deus.

À medida que decorreram duas, três ou quatro horas de oração fervente, sua agonia e sua forte resolução o fizeram suar gotas de sangue, e ele sentiu-se tão enfraquecido que Deus enviou um anjo para fortalecê-lo.

A mente humana não consegue compreender a imensidade da tarefa de Jesus e de seu sacrifício. Só sabemos que tudo isso foi para nossa salvação e que o sofrimento de Jesus é a influência mais bendita que o mundo já conheceu.

Lc 22.47-53 Jesus é preso

(V. comentário sobre Jo 18.1-12.)

Lc 22.54-62 Pedro nega a Jesus

(V. comentário sobre Jo 18.15-18.)

Lc 22.54–23.25 O julgamento de Jesus

(V. comentário sobre Mc 14.53.)

Simão de Cirene — Lc 23.26

(V. comentário sobre Mt 27.32.)

O Getsêmani

Jardim localizado no sopé da vertente ocidental do monte das Oliveiras, imediatamente a leste da cidade de Jerusalém. É possível que Jesus e seus discípulos não estivessem totalmente sozinhos no jardim das Oliveiras, visto que, no período da Páscoa (abril), milhares de peregrinos entravam em Jerusalém, e é provável que muitos deles acampassem no monte das Oliveiras durante a noite. É digno de nota que Jesus poderia ter feito uma caminhada de apenas quinze minutos para o leste, passando pelo topo do monte, e desaparecido dentro do deserto da Judéia. Entretanto, ele optou por não fugir, mas ficar esperando sua captura, julgamento, tortura, humilhação e crucificação, para nossa salvação.

A crucificação

A crucificação era a pena capital aplicada por Roma aos escravos, estrangeiros e criminosos que não eram cidadãos romanos. Era a morte mais agonizante e ignominiosa que uma era de crueldade podia inventar. Pregos eram cravados nas mãos e nos pés, e a vítima era deixada suspensa em agonia, passando fome, sede intolerável e excruciantes convulsões de dor. A causa da morte não era a perda de sangue, mas a parada cardíaca. A morte geralmente sobrevinha entre dois a seis dias. No caso de Jesus, tudo acabou em seis horas, quando Jesus declarou "Está consumado!" e voluntariamente entregou seu espírito (v. nota sobre Jo 19.33,34.)

Chorando ao pé da cruz — Lc 23.27-31

A caminho do Calvário, Jesus diz: "Não chorem por mim; chorem por vocês mesmas e por seus filhos" (v. 28). Por trás dessas palavras, ouvimos o eco das palavras que a multidão acabara de pronunciar: "Que o sangue dele caia sobre nós e sobre nossos filhos!" (Mt 27.25). Como essas palavras se cumpriram no decurso dos séculos!

A crucificação — Lc 23.32-49

(V. tb. os comentários sobre Mt 27.26-56; Mc 15.21-41; e Jo 19.17-37.)

O criminoso arrependido — Lc 23.32-43

Inicialmente, os dois criminosos participaram da zombaria contra Jesus (Mt 27.44). Um deles, porém, mudou de idéia e, em certo aspecto, deixou envergonhados os discípulos. Durante dois anos ou mais, Jesus se esforçara para ensinar-lhes que o seu Reino não seria deste mundo. Agora, ele estava morrendo, e para os discípulos isso significava o fim do seu Reino. Não tinham a mínima idéia de que Jesus ressuscitaria para reinar em glória (v. p. 563). Mas esse criminoso não pensava assim. Talvez, estando entre as multidões, tivesse ouvido Jesus falar do Reino. E, embora Jesus agora estivesse morrendo, o criminoso ainda cria que Jesus tinha um Reino além do túmulo (v. 42). O criminoso compreendia Jesus melhor que os seus amigos mais íntimos! O certo é que Jesus amava pecadores arrependidos. E, ao voltar para Deus, levou nos braços a alma de um criminoso, os primeiros frutos de sua missão de redimir o mundo.

Lc 23.50-56 — O sepultamento

(V. comentário sobre Jo 19.38-42.)

A ressurreição, Lucas 24.1-53

Lc 24.1-10 — As mulheres no sepulcro

(V. comentário sobre Mt 28.1-8.)

Lc 24.11-12 — Pedro corre até o sepulcro

(V. comentário sobre Jo 20.3-10.)

Lc 24.13-32 — Jesus aparece a dois discípulos

Esse encontro ocorreu à tarde. De manhã cedo, Jesus já aparecera a Maria Madalena (Mc 16.9-11; Jo 20.11-18) e também às outras mulheres (Mt 28.9,10). Mas esses dois discípulos só tinham ouvido o relato de que o túmulo estava vazio e que anjos tinham proclamado que Jesus ressuscitara (v. 22-24).

Lc 24.33-35 — Jesus aparece a Pedro

Não se sabe o horário. Provavelmente logo antes ou pouco depois de Jesus ter aparecido aos discípulos na estrada de Emaús, no final da tarde. Ele enviara um recado especial a Pedro por meio dos anjos e das mulheres (v. comentário sobre Mc 16.7).

Lc 24.36-43 — Jesus aparece aos onze

(V. tb. os comentários sobre Mc 16.14-18 e Jo 20.19-23.) O grupo foi mencionado como "os Onze" (v. 33). No presente caso, somente dez estavam presentes, pois Tomé estava ausente (Jo 20.24). Observe sua alegre fé (v. 34), mas também sua incredulidade (v. 41), mesmo depois de Jesus lhes ter mostrado as mãos e pés. A fé e a dúvida se alternam.

(V. na p. 436-7 uma lista dos aparecimentos de Jesus depois de sua ressurreição.)

Lc 24.44-53 — O aparecimento final e a Ascensão

(Narrado tb. em Mc 16.19 e At 1.3-12.) Os versículos 44 a 49 parecem pertencer ao aparecimento final de Jesus, e não ao aparecimento que acabou de ser mencionado nos versículos 36 a 43; porque aquele evidentemente ocorreu na tarde do primeiro domingo, e aqui Jesus ordena que eles permaneçam em Jerusalém (v. 49), o que deve ter acontecido depois de terem ido à Galiléia e voltado a Jerusalém. Mais tarde, ele os conduziu de Jerusalém à sua amada Betânia. Terminados os 40 dias de ministério após a ressurreição e cumprida sua missão terrena, os anjos que aguardavam transportaram o Salvador triunfante até o trono de Deus.

João

Jesus, o Filho de Deus

> Porque Deus tanto amou o mundo que deu o seu Filho Unigênito, para que todo o que nele crer não pereça, mas tenha a vida eterna. Pois Deus enviou o seu Filho ao mundo, não para condenar o mundo, mas para que este fosse salvo por meio dele.
> — João 3.16,17
>
> Respondeu Jesus: "Eu sou o caminho, a verdade e a vida. Ninguém vem ao Pai, a não ser por mim".
> — João 14.6

- V. a introdução geral aos evangelhos na p. 449.
- V. o panorama da vida de Jesus na p. 428.

A ênfase de João: A divindade de Jesus

A ênfase especial de João é a divindade de Jesus. Ele começa com a pré-existência de Jesus e focaliza a união entre Jesus e Deus, seu Pai. Esse evangelho consiste, na maior parte, dos discursos e das conversas de Jesus — apresenta o que Jesus *disse*, e não tanto o que *fez*.

O autor

O autor só se identifica no fim do livro (21.20,24), onde declara ser "o discípulo a quem Jesus amava" (13.23; 20.2), ou seja, João, o apóstolo, o amigo terreno mais íntimo de Jesus.

As tradições e correntes teológicas antigas em geral reconhecem a autoria de João — até o surgimento da crítica moderna. A mesma classe de críticos que nega o nascimento virginal de Jesus, sua divindade e ressurreição corpórea elaborou a teoria de que o autor não era João, o apóstolo, e sim outro João, de Éfeso. Baseiam sua hipótese numa alusão antiga e nebulosa a determinado João, presbítero em Éfeso. Essa teoria, que subverteria o valor do livro como testemunho da divindade de Jesus, baseia-se em evidências tão tênues que não merece a consideração séria dos crentes em Cristo.

> No princípio era aquele que é a Palavra. Ele estava com Deus, e era Deus. Ele estava com Deus no princípio. Todas as coisas foram feitas por intermédio dele; sem ele, nada do que existe teria sido feito.
> João 1.1-3

João

O nome de seu pai era Zebedeu (Mt 4.21). Sua mãe parece ter sido Salomé (Mt 27.56; Mc 15.40), que possivelmente era irmã de Maria, a mãe de Jesus (comparar com 19.25). Nesse caso, João era primo de Jesus e teria aproximadamente a mesma idade deste; por certo, conheciam-se desde a infância.

João era homem de negócios de certo vulto. Era um dos cinco sócios em um empreendimento de pesca que empregava assistentes assalariados (Mc 1.16-20). Além da empresa de pesca em Cafarnaum, ele possuía uma casa em Jerusalém (19.27) e conhecia pessoalmente o sumo sacerdote (18.15,16).

Era discípulo de João Batista (1.35,40). Se era primo de Jesus, conforme parece estar subentendido nos textos citados acima, também tinha parentesco com João Batista (Lc 1.36) e certamente conhecia as proclamações dos anjos a respeito de João Batista e de Jesus (Lc 1.17,32). Quando, pois, João Batista apareceu proclamando que o Reino dos Céus estava próximo, João, o filho de Zebedeu, estava pronto para tomar uma firme posição ao lado do Batista.

Aceitando o testemunho dado por João Batista, João tornou-se imediatamente discípulo de Jesus (1.35-51) — um dos cinco primeiros — e voltou com Jesus para a Galiléia (2.2,11). Depois, segundo parece, retornou à pesca. Posteriormente, talvez um ano depois, Jesus o chamou para deixar os negócios e acompanhá-lo nas suas viagens. A partir de então, esteve continuamente com Jesus e foi, portanto, testemunha ocular do que está escrito nesse evangelho.

Jesus o alcunhou "filho do trovão" (Mc 3.17), o que parece indicar que ele tinha o temperamento veemente e violento. O incidente em que proibiu um desconhecido de usar o nome de Cristo na expulsão de demônios (Mc 9.38) e o desejo de pedir fogo do céu contra os samaritanos (Lc 9.54) lançam luzes sobre seu temperamento. Mas parece ter conseguido dominar esse aspecto de sua natureza.

Era um dos três discípulos do círculo mais íntimo de Jesus, sendo reconhecido como o que ficava mais próximo do Mestre. Cinco vezes é mencionado como "o discípulo a quem Jesus amava" (13.23; 19.26; 20.2; 21.7,20). Deve ter sido um homem com raras qualidades de caráter.

João e Pedro vieram a ser os líderes reconhecidos dos doze e geralmente ficavam juntos, embora fossem de índole muito diferente (20.2; At 3.1,11; 4.13; 8.14).

Parece que João residiu em Jerusalém durante alguns anos. Segundo uma tradição bem-estabelecida, seus anos posteriores foram passados em Éfeso, onde viveu até idade bem avançada. Nada se sabe de suas atividades ou paradeiro nesse ínterim. Em Éfeso, escreveu seu evangelho, três cartas e possivelmente o Apocalipse.

A data do evangelho de João geralmente é colocada em torno de 90 d.C.

Jo 1.1-3　A eternidade e a divindade de Jesus

Esses versículos nos fazem lembrar as palavras iniciais de Gênesis. Jesus é chamado Deus e Criador. João declara de modo muito positivo que Jesus existe desde a eternidade e participou da criação do Universo. Jesus aqui é chamado "a Palavra". Em Gênesis, lemos repetidas vezes: "E disse Deus". Em 17.5, Jesus faz referência à glória que tinha com o Pai antes de existir o mundo. Assim, Jesus é a exata expressão de Deus para a raça humana. Ele é a mensagem de Deus para nós.

Jo 1.4-13　Jesus, a Luz do Mundo

Jesus disse isso em várias ocasiões (8.12; 9.5; 12.46). Essa é uma das idéias fundamentais de João no tocante a Jesus (1Jo 1.5-7). Significa que Jesus, a luz do mundo, é quem esclarece a razão de ser e o destino da existência humana.

O versículo 6 apresenta João Batista, que foi enviado da parte de Deus, não como a luz, mas como testemunha da luz. Todas as menções a João nesse evangelho são referentes a João Batista, e não ao autor.

O evangelho de João enfatiza que a inclusão na família de Deus é extensiva a todos os que acolhem Jesus e crêem no seu nome (v. 12). A salvação é recebida mediante a graça de Deus, e nunca por meio das obras humanas.

A encarnação — Jo 1.14-18

Deus se fez homem a fim de atrair para si mesmo a raça humana. Deus podia ter criado os seres humanos com o instinto de fazer a vontade divina; optou, ao contrário, por lhes outorgar a capacidade de escolher por si mesmos sua atitude para com o Criador. Deus, porém, é Espírito, ao passo que nós estamos cercados pelas limitações do corpo material e pouca idéia fazemos de que é um espírito. Foi por isso que o Criador veio às suas criaturas, tendo assumido a forma de uma delas, a fim de lhes dar uma idéia de que tipo de Ser ele é. Deus é igual a Jesus. Jesus é igual a Deus.

Filho do Homem

Esse era o nome predileto que Jesus aplicava a si mesmo. Ocorre cerca de 70 vezes nos evangelhos: 30 vezes em Mateus, 5 em Marcos, 25 em Lucas e 10 vezes em João.

É empregado em Daniel 7.13,14,27 como um dos nomes do Messias vindouro. O emprego desse nome por Jesus em referência a si mesmo pode ter implicado na reivindicação de que ele era o Messias.

Por outro lado, sugere que Jesus se regozijava na sua experiência de Deus em forma humana, partilhando da vida da humanidade. Ele levou esse título consigo para o céu (At 7.56; Ap 1.13; 14.14). Ezequiel foi chamado "filho de homem" (Ez 2.1,3,6,8 etc.), o que deixa subentendida a condição humilde do homem em comparação a Deus.

O testemunho de João — Jo 1.19-34

Depois de fazer algumas declarações resumidas a respeito da divindade de Jesus, de sua pré-existência e da encarnação, o evangelho de João, omitindo o nascimento, a infância, o batismo e a tentação de Jesus, começa com o testemunho dado por João Batista acerca da divindade de Cristo, diante da comissão de sindicância enviada pelo Sinédrio.

Esse acontecimento ocorreu no final dos 40 dias em que Jesus foi tentado (Mt 4.1-11). Não se declara em nenhum texto bíblico que Jesus voltado da tentação no deserto para o Jordão, onde João estava batizando. Os três evangelhos sinóticos passam diretamente da tentação para o ministério na Galiléia (Mt 4.11,12; Mc 1.13,14; Lc 4.13,14). Mas a expressão repetida três vezes "no dia seguinte" (v. 29,35,43), seguida por "no terceiro dia" (2.1), quando Jesus chegou à Galiléia, deixa claro que, antes de partir para a Galiléia, Jesus voltou do deserto para o lugar onde João estava pregando.

O Profeta (v. 21) era um título descritivo do Messias e era geralmente entendido como tal pelas pessoas nos dias de Jesus (6.14).

Observe a profunda humildade de João na sua devoção a Cristo (v. 27) — ele nem sequer se considerava merecedor de lhe desamarrar as sandálias — tarefa de um empregado. Essa atitude é tão digna de nota que foi registrada nos quatro evangelhos (Mt 3.11; Mc 1.7; Lc 3.16). Que poderosa declaração de fé seria feita ao mundo se todos os cristãos evidenciassem essa mesma adoração humilde ao Senhor!

Cordeiro de Deus (v. 29), um título descritivo que Jesus empregou somente aqui e no versículo 36. João Batista está predizendo que Jesus será o sacrifício que expiará os pecados do mundo.

Jo 1.35-51 Os primeiros discípulos

Havia cinco deles: João, André, Simão, Filipe e Natanael. Tinham sido preparados pela pregação de João Batista, e todos eles posteriormente se tornaram apóstolos. Essa foi uma das contribuições de João Batista à obra de Cristo. Temporariamente, porém, eles voltaram às suas ocupações normais. Cerca de um ano depois, foram chamados para seguir a Cristo em regime de tempo integral (v. a nota sobre Mt 10.)

Supõe-se que o discípulo que ficou anônimo no v. 40 era o apóstolo João. Se era primo de Jesus (ver nota introdutória acima), deve ter conhecido Jesus antes disso.

A hora décima (v. 39), ou dez horas da manhã. João emprega o horário romano, que, assim como o nosso, era contado a partir da meia-noite ou do meio-dia (4.6; 19.14).

Simão, como sócio de João no empreendimento da pesca, talvez já conhecesse pessoalmente a Jesus. Não sabia, porém, que Jesus era o Messias, a não ser depois da declaração pública de João Batista. O fato de que Jesus deu um novo nome a Simão nesse aparente primeiro encontro parece indicar que já estava pensando em Simão Pedro como futuro apóstolo.

Natanael converteu-se por causa da majestade da pessoa de Jesus (v. 46-49). A declaração de Jesus a respeito dos anjos (v. 51) destaca-o como a via de conexão entre a terra e o céu (Gn 28.12).

Betsaida

Somente Jerusalém e Cafarnaum são mencionadas mais freqüentemente nos evangelhos que Betsaida, onde nasceram Pedro e André (1.44) e onde residia o apóstolo Filipe (12.21). Alguns acham que Zebedeu e seus filhos, Tiago e João, moravam em Betsaida antes de se mudarem para Cafarnaum, alguns quilômetros para o oeste.

Em Betsaida foi curado um cego (Mc 8.22-26) e num lugar deserto nas vizinhanças, provavelmente junto à costa nordeste do mar, Jesus multiplicou os pães para os quatro mil. Assim como Corazim e Cafarnaum, a cidade foi alvo dos "ais" pronunciados por Jesus, devido à incredulidade de seus habitantes.

Uma possível localização de Betsaida é a colina chamada Et-Tell, localizada a leste do rio Jordão, cerca de 2,5 km ao norte do mar da Galiléia. Essa cidade foi construída por Filipe, filho de Herodes, o Grande, no início do seu reinado (4 a.C.-34 d.C.), provavelmente como estação intermediária na estrada internacional que conduzia até o Mediterrâneo e como porto para ele mesmo no mar da Galiléia (é possível que o contorno do litoral se estendesse mais para o norte do que atualmente). Ele chamou a cidade Júlias em homenagem a Júlia, filha do imperador. Entretanto, o perfil arqueológico não concorda completamente com a aparência que Betsaida teria, de conformidade com a documentação literária da Antigüidade.

Recentemente, tem surgido mais apoio para a teoria de que havia, na realidade, duas cidades chamadas Betsaida, uma no território de Filipe (Betsaida-Júlias) e a outra "da Galiléia" (12.21). A última tem sido identificada, provisoriamente, com o pequeno sítio arqueológico de Aradj (el-Araj), localizado muito perto do mar da Galiléia. A teoria é que, no tempo de Jesus, o Jordão seguia um curso mais para o leste, de modo que Aradj ficava, naquele tempo, a oeste do rio e, portanto, "na Galiléia". Entretanto, ainda não foram feitas suficientes escavações arqueológicas no local para avaliar apropriadamente essa hipótese.

Jesus transforma água em vinho   Jo 2.1-11

Natanael era de Caná (21.2). Ele não tinha em muito alto conceito a cidade vizinha de Nazaré (1.46). O casamento, segundo parece, foi celebrado na casa de algum amigo ou parente de Jesus ou de Natanael.

"Mulher" (v. 4) era um título respeitoso segundo os costumes daquele tempo. Jesus o empregou de novo na cruz, circunstância na qual não poderia haver o mínimo indício de desrespeito (19.26). A razão de ser dessa observação de Jesus parece ser: "Se o vinho acabou, o que tenho eu com isso? Não é assunto meu. Ainda não chegou o tempo de operar milagres". É possível que Jesus tivesse acabado de contar a sua mãe a respeito dos novos poderes miraculosos que recebera mediante a descida do Espírito Santo sobre ele quando foi batizado (v. comentário sobre a tentação de Jesus em Mt 4.1-10). Maria viu naquela situação uma oportunidade para Jesus. Embora Jesus tenha operado esse milagre por sugestão dela, a hora (v. 4) para o emprego geral de seus poderes miraculosos não chegou senão quatro meses depois, no início oficial de seu ministério público em Jerusalém, na ocasião da Páscoa (v. 13).

Jarros de pedra (v. 6). Cada jarro continha entre 65 e 115 litros de água. Os seis jarros somados deviam conter entre 390 e 690 litros, o equivalente a entre 550 e 840 das garrafas de vinho de hoje.

A relevância desse milagre é que Jesus acabara de se submeter, durante 40 dias, a toda sugestão que Satanás tinha a capacidade de fazer no tocante a como esses poderes milagrosos deveriam ser usados, e Jesus se recusara, com perseverança, a usá-los em prol de suas necessidades. Em seguida, depois de ter saído do deserto, ele foi diretamente para um casamento. E, embora seus milagres subseqüentes servissem, majoritariamente, para aliviar o sofrimento, esse primeiro milagre foi realizado numa festa de casamento, uma ocasião festiva. Jesus ministrou à alegria humana, tornando as pessoas felizes, como se quisesse proclamar, desde o início de seu ministério, que a religião que estava começando a introduzir no mundo não era uma religião ascética, mas a religião da alegria natural. Foi, também, a bênção de Jesus sobre o casamento.

Revelou a sua glória (v. 11), como Criador (1.3,14). O milagre exigiu um poder criador literal (v. nota sobre os milagres de Jesus em Mc 5.21-43.)

Caná da Galiléia

Caná da Galiléia, onde Jesus realizou seu primeiro e seu segundo milagre (Jo 2.1-11; 4.46-54), era também a cidade onde residia Natanael (21.2). Localizava-se no sítio arqueológico, ainda não escavado, de Khirbet Qana, 13 km ao norte de Nazaré — e não no "local tradicional" de Kefar Kana, que está convenientemente localizado perto de uma estrada de grande movimento.

A breve estada de Jesus em Cafarnaum   Jo 2.12

Foi um tipo de visita em família, junto com a mãe e os irmãos de Jesus, provavelmente à casa de João ou de Pedro, a fim de planejar sua obra. Cerca de um ano depois, Cafarnaum passou a ser sua principal residência. Ele não operou mais nenhum milagre na Galiléia, a não ser depois de sua volta do ministério na Judéia (4.54).

O ministério inicial na Judéia, João 2.13 — 4.42

Somente o evangelho de João o registra. Durou oito meses, começando no período da Páscoa (2.13), em abril, e terminando em dezembro, quatro meses antes da colheita (4.3,35). Inclui a purificação do pátio do templo, a visita de Nicodemos e o ministério de Jesus junto ao Jordão.

Pouca coisa resta da cidade de Jerusalém do tempo de Jesus. Os muros e portas da cidade conforme os vemos hoje, foram construídos pelo sultão turco Suleiman, o Magnífico, em 1542. Uma das poucas ruínas do magnífico templo construído por Herodes, o Grande, que ainda se pode ver é um trecho do muro ocidental da plataforma do Templo (também conhecido por Muro das Lamentações). Os maciços blocos de pedra das camadas inferiores são herodianos.

Jesus purifica a área do Templo — Jo 2.13-25

Parece claro que houve duas purificações, separadas entre si por três anos: esta no início do seu ministério público (observe a expressão "depois disso", 3.22), e a outra no final, durante a última semana de Jesus (Mt 21.12-16; Mc 11.15-18; Lc 19.45,46). Na presente purificação, ele expulsou o gado; na outra, expulsou os comerciantes. Nesta, disse que estavam transformando o Templo em mercado; na outra, em "um covil de ladrões".

O primeiro ato formal da obra pública de Jesus, que ele realizou como sinal para a nação de que era o Messias (pois assim era esperado, conforme Ml 3.1-3), foi um desafio aberto e total aos líderes religiosos, cujo antagonismo foi imediatamente despertado, o qual, segundo parece, Jesus nunca se importou em aplacar. Assim ele começou seu ministério e assim o encerrou.

Deve ter havido algo de muito majestoso na aparência pessoal de Jesus ou na sua presença ou, mais provavelmente, pode ter sido mediante seu poder milagroso que um desconhecido solitário, com um simples chicote na mão, conseguiu desocupar e manter o controle do pátio do Templo, de tal maneira que (na segunda ocasião) nem sequer um mero utensílio pudesse ser transportado por ali (Mc 11.16). Até mesmo a polícia do Templo ficou reduzida a um silêncio amedrontado.

O que desagradou tanto a Jesus no Templo? Eles estavam fazendo um negócio tão grande que todo o culto a Deus ficou comercializado e trivializado — dentro da área sagrada que havia sido dedicada para outros propósitos (v. comentário sobre Mt 21.12-17.)

O Templo, construído por Herodes, o Grande, de mármore e ouro, era magnífico. Era cercado por quatro pátios, em níveis sucessivamente mais baixos: para os sacerdotes, para os homens israelitas, para as mulheres israelitas e para os gentios. A área do Templo era cercada por colunatas cobertas, com colunas do mármore mais branco, sendo que cada uma tinha 12 m de altura e era feita de um único bloco de pedra. A colunata a leste era chamada o Pórtico (ou Colunata) de Salomão, e era onde estavam os comerciantes. A área inteira era cercada por um muro maciço, tendo cada lado cerca de 300 metros de extensão, e seu tamanho equivalia ao de 25 campos de futebol ou quatro quarteirões médios de uma cidade.

Milagres (v. 23). Até então, Jesus operara somente um milagre, na Galiléia (2.11; 4.54). Agora, porém, junto com o lançamento de sua campanha mediante a demonstração de poder no Templo, realizou tantos milagres que muitos estavam dispostos a aceitá-lo como o Messias. Jesus, entretanto, sabia muitíssimo bem o que eles esperavam da parte do Messias.

Nicodemos — Jo 3.1-21

A purificação do Templo e os milagres que se seguiram causaram uma profunda impressão na cidade. Nicodemos, homem influente — fariseu e membro do Sinédrio —, arranjou cautelosamente uma entrevista com Jesus em particular. Sentia interesse, mas queria se certificar das reivindicações de Jesus. Não sabemos até que ponto ele creu. Dois anos depois, tomou partido a favor de Jesus no Sinédrio (7.50-52). Mais tarde ainda, ele e José de Arimatéia, outro membro do Concílio, sepultaram Jesus (19.39). Nos dias de formação de sua fé, era um discípulo secreto, mas posteriormente se dispôs a partilhar abertamente com Jesus a vergonha da cruz. Nicodemos saiu do anonimato de sua fé justamente na hora da humilhação de Jesus, quando até mesmo os doze tinham fugido para se esconder, arriscando a própria vida naquele dia final — e esse é um dos incidentes mais nobres registrados nas Escrituras. Com toda a certeza, compensou sua tendência original para o sigilo, principalmente se considerarmos que era membro do Sinédrio e, portanto, estava bem no meio do arraial do inimigo.

O novo nascimento a respeito do qual Jesus falou não é mera metáfora, mas uma sólida realidade que resulta do coração humano ter sido impregnado pelo Espírito de Deus (ver Rm 8.1-11). Por certo, Nicodemos compartilhava do conceito generalizado de que o Messias viria instaurar um reino político no qual a nação judaica seria liberta do domínio romano. Jesus se esforçou para deixar Nicodemos entender a natureza pessoal e espiritual de seu Reino. Mas se tratava de um conceito tão diferente do que Nicodemos tinha em mente que este não compreendia o que Jesus falava. Realmente não conseguia ver como ele, um homem bom, fariseu genuíno, um dos governantes da nação messiânica, não tinha o direito de ser recebido de braços abertos no reino messiânico. Não lhe era possível assimilar a verdade de que, ao contrário, ele mesmo, junto com suas idéias, precisava ser refeito de alto a baixo.

É necessário que o Filho do homem seja levantado (v. 14). Já no início do ministério de Jesus, surge o anúncio de que a cruz seria o trono messiânico. Trata-se de uma referência à serpente de bronze, para a qual olharam os que tinham sido mordidos pelas cobras venenosas no deserto, e foram curados (Nm 21.9). O significado era que o novo nascimento para a vida eterna, do qual Jesus acabara de falar, seria fruto da morte dele.

Jo 3.22-36   O ministério de Jesus no baixo Jordão

Essa era a mesma região em que Jesus foi batizado. João Batista, entrementes, tinha se mudado mais para o norte, para um lugar chamado Enom (ver mapa na p. 431). Os dois estavam pregando a mesma coisa: que estava próximo o Reino dos Céus, conforme predito em tempos antigos. Não demorou para Jesus atrair mais seguidores que João Batista, e isso por duas razões: seus milagres e porque João já declarara ser Jesus o Messias esperado. Alguns dos discípulos de João, segundo parece, sentiam inveja do sucesso de Jesus. João lhes fez lembrar que "é necessário que ele cresça e que eu diminua" (v. 30). João ficou jubiloso ao ouvir notícias do aumento da popularidade de Jesus.

Oito meses mais tarde, João Batista foi encarcerado (Mt 4.12). As autoridades de Jerusalém tomavam conhecimento da obra de Jesus (4.1), e começava a parecer que talvez fosse perigoso Jesus continuar sua obra naquela região. Por isso, recuou para a Galiléia, a fim de que sua voz não fosse silenciada antes do tempo, antes de ele completar sua obra.

Esse período começou aproximadamente no tempo da Páscoa (abril, v. 22; 2.13) e terminou quatro meses antes da colheita (dezembro, 4.35), total de oito meses.

Jo 4.1-42   A mulher samaritana

Jesus voltou para a Galiléia através de Samaria, em vez de seguir a rota mais comum, que subia pelo vale do Jordão, talvez como medida de segurança. Samaria estava fora da jurisdição de Herodes, que acabara de prender João Batista. Jesus estava simplesmente de passagem, e sua conversa com a mulher samaritana não estava prevista, mas nem por isso esse incidente deixa de ser um dos mais belos e reveladores da vida de Jesus.

Os samaritanos provinham da mistura racial entre os poucos israelitas que foram deixados ali quando as tribos do Reino do Norte foram deportadas pelos assírios e povos de outras regiões que os assírios, 700 anos antes dos dias de Jesus, trouxeram para repovoar o país (2Rs 17.6,24,26,29; Ed 5.1,9-10). Das Escrituras, os samaritanos só aceitavam o *Pentateuco* — os cinco livros de Moisés: Gênesis até Deuteronômio. Esperavam que o Messias fizesse de Samaria, e não de Jerusalém, a sede de seu governo.

Jesus era alvo das suspeitas das autoridades da própria nação, mas aqui os desprezados samaritanos o acolheram com alegria. Um dos contrastes que se repetem mais freqüentemente nos evangelhos é o repúdio de Jesus por parte dos líderes religiosos de sua nação e sua aceitação pelos marginalizados, pelos pecadores e pelo povo comum.

A hora sexta (v. 6) teria sido provavelmente quatro da tarde, segundo o horário romano. A mulher não esperava ver um homem ali àquela hora nem que um judeu conversasse com ela.

Eu sou o Messias (v. 26) — essa foi a única vez, antes de seu julgamento, que Jesus declarou ser o Messias.

Essa visita de Jesus lançou os alicerces para a calorosa recepção do evangelho pelos samaritanos poucos anos depois (At 8.4-8).

> NOTA ARQUEOLÓGICA: O poço de Jacó.
> O poço de Jacó, de 30 m de profundidade e de 2,7 m de diâmetro, é um dos poucos locais da vida de Jesus que se pode identificar com certeza e precisão. Está situado no sopé do monte Gerizim, que era (e ainda é v. p. 415) o centro do culto samaritano. Escavações recentes no cume do monte Gerizim começaram a revelar ruínas de um antigo templo samaritano.

Da Galiléia para a Judéia e a Peréia, João 4.43 — 11.57

O filho do oficial do rei — Jo 4.43-54

Jesus foi bem recebido quando voltou à Galiléia, mas, infelizmente, só por causa das obras milagrosas, e não como o Messias. Uma vez chegado à Galiléia, foi até Caná, onde morava Natanael, o lugar em que, um ano antes, Jesus operara seu primeiro milagre (Jo 2.1-11). Caná ficava provavelmente cerca de 13 km ao norte de Nazaré. Cafarnaum ficava 31 km a nordeste de Caná (v. mapa na p. 443). O oficial era um dos representantes de Herodes em Cafarnaum. Esse milagre foi operado à distância de 31 km. Jesus não precisou ver nem tocar fisicamente o menino para curá-lo. No presente caso, bastou a fé da parte do oficial, e o poder miraculoso de Jesus foi manifestado.

Segundo sinal miraculoso (v. 54) significa a segunda ocasião em que foi operado um sinal na Galiléia. No período intermediário, Jesus realizara sinais em Jerusalém (2.23).

Depois desse milagre, Jesus parece ter voltado a Nazaré por algum tempo (Lc 4.16-30). A cura do filho do oficial em Cafarnaum tinha sido comentada entre os habitantes de Nazaré, e eles queriam que Jesus também curasse na cidade dele (Lc 4.23).

Uma cura no sábado, junto ao tanque de Betesda — Jo 5

Isso aconteceu durante uma festa religiosa (v. 1), embora o texto não revele em qual delas.

As festas que os judeus observavam nos dias de Jesus, que ele mesmo certamente freqüentava com regularidade, eram as seguintes:

- Páscoa (abril) — celebrava o Êxodo, 1 400 anos antes (v. p. 146-7).
- Semanas ou Pentecoste (junho) — 50 dias depois, celebrava a outorga da Lei (v. p. 146-7).

- Cabanas (outubro) — celebrava o fim da colheita (v. p. 146-7).
- Dedicação (dezembro) — foi iniciada por Judas Macabeu (v. p. 410).
- Purim (pouco antes da Páscoa) — não é mencionada nos evangelhos (v. p. 146-7).

Jesus voltara à Galiléia em dezembro, por volta da época da Festa da Dedicação. A festa seguinte no calendário seria Purim, seguida pela Páscoa, que é geralmente aceita como a ocasião dessa visita.

Um ano antes, Jesus purificara o Templo, sinal introdutório de que ele era o Messias. Dessa vez, realizou um milagre no sábado. Parece que seu propósito foi atrair a atenção dos líderes religiosos mediante a violação dos conceitos que eles tinham sobre o sábado e assim obter, para as reivindicações quanto à sua divindade, a máxima publicidade possível na capital da nação. Conseguiu, desse modo, que ouvissem uma explicação pormenorizada de suas afirmações — o que resultou na resolução do Sinédrio para matá-lo (v. 18), plano que só foi concretizado dois anos depois.

Os tanques de Betesda

Os tanques de Betesda estão localizados imediatamente ao norte da área do monte do Templo. Partes desse tanque duplo foram escavadas (em alguns lugares, chegam a 10 m de profundidade), e fica evidente que podem ter tido cinco pórticos: quatro em derredor e o quinto no largo muro de retenção, que faz a separação entre o tanque do norte e o tanque do sul.

O homem com quem Jesus falou não o via como o Médico dos médicos, mas estava concentrado nos tanques de onde poderia surgir a cura (v. 13). Geralmente, a fé em Jesus era essencial para a cura milagrosa; entretanto, de modo diferente do que fizera na cura do filho do oficial do rei, Jesus optou por curar um homem que nem sequer sabia quem ele era. O poder de Jesus pode transcender toda intervenção humana, conforme ele deixou claro aqui ao ensinar uma lição ao Sinédrio.

Não volte a pecar (v. 14). As conseqüências eternas do pecado são muito piores que as enfermidades físicas temporárias.

Um ano e meio depois, Jesus se referiu a esse milagre e à resolução do Sinédrio para matá-lo. Foi um dos maiores incentivos aos inimigos (9.14; Lc 13.14). Planejaram matá-lo por ter curado no sábado o homem com a mão atrofiada (Mc 3.6). Jesus os chamou de inconsistentes por circuncidar no sábado ao passo que lançavam objeções contra a cura nesse dia.

Uma das poucas ocasiões em que Jesus ficou zangado foi quando lhe objetaram que realizasse uma cura no sábado (Mc 3.5); em outra ocasião, ficou "indignado" quando os discípulos tentaram afastar dele as crianças (Mc 10.14). E podemos ter por certo que Jesus sentiu uma "justa indignação" quando expulsou do Templo os cambistas (Mt 21.12; Jo 2.14).

Jo 6 — Jesus alimenta 5 mil homens

Esse é o único milagre de Jesus que é narrado nos quatro evangelhos (Mt 14.13-21; Mc 6.32-44; Lc 9.10-17).

O local exato em que foram alimentados os 5 mil não é inteiramente certo, mas pode ter sido perto do litoral norte do mar da Galiléia, possivelmente a 2 km a oeste de onde o rio Jordão deságua nesse mar.

A data foi perto da Páscoa (v. 4), um ano antes da morte de Jesus, quando as multidões que por ali passavam estavam a caminho de Jerusalém. O próprio Jesus não foi até Jerusalém para essa Páscoa, porque na sua visita anterior houvera uma conspiração para matá-lo (Jo 5.1,18). Provávelmente foi a primeira Páscoa que Jesus não freqüentou desde a idade de 12 anos (Lc 2.42-52). Um dos milagres mais maravilhosos que operou foi a favor das multidões que iam participar da Páscoa em Jerusalém.

Observe como Jesus gostava de ordem: fez o povo assentar-se em grupos de 50 e de 100 (Mc 6.39,40), provavelmente dispostos em redor dele num círculo ou semi-círculo. Faz lembrar o campo de Moisés no deserto (v. Êx 18.21). Ordenou que as sobras fossem recolhidas (v. 12,13). Os judeus consideravam o pão dádiva de Deus. Era costume recolher todas as sobras no final de uma refeição. Isso também serviu para demonstrar a magnitude do milagre.

O milagre causou grande impressão. O povo quis proclamar Jesus rei imediatamente (v. 14,15).

Curas no sábado

São registradas sete curas no sábado:

- O endemoninhado em Cafarnaum (Mc 1.21-27)
- A sogra de Pedro em Cafarnaum (Mc 1.29-31)
- O paralítico em Jerusalém (Jo 5.1-9)
- O homem com a mão atrofiada (Mc 3.1-6)
- A mulher encurvada (Lc 13.10-17)
- O homem com hidropisia (Lc 14.1-6)
- O cego de nascença (Jo 9.1-14)

Jesus anda sobre as águas — Jo 6.16-21

Aconteceu "por volta da quarta vigília da noite (entre 3 e 6 horas da manhã)". (NVI, nota de rodapé). Jesus passara a maior parte da noite a sós, na encosta da montanha (Mc 6.46).

Depois de alimentada a multidão, os discípulos entraram num barco a fim de velejar até Betsaida, no outro lado do lago (Mc 6.45). Soprando um forte vento em direção contrária a eles (Mt 14.24; Mc 6.48), foram desviados da rota e "chegaram a Genesaré" (Mt 14.34; Mc 6.53; v.17,21) — é provável que um forte vento oriental vindo dos altos de Golã os tenha desviado assim do itinerário.

Quando Jesus apareceu, eles estavam uns 5 ou 6 km distantes da praia — metade da travessia. Quando Pedro viu Jesus andando sobre as águas, quis fazer a mesma coisa (Mt 14.28). Pedro, tão querido, mas tão impetuoso! Começou, porém, a afundar. Foi então que Jesus o repreendeu pela falta de fé. Para nós, Pedro parecia ter bastante fé ao empreender a tentativa — bastante segundo nosso modo de ver as coisas, mas bem pouco aos olhos de Jesus.

O discurso de Jesus sobre o Pão da Vida — Jo 6.22-71

Jesus operara esse milagre poderoso como pano de fundo para uma conversa muito direta a respeito de sua verdadeira missão no mundo. Embora tivesse passado muito tempo ministrando às necessidades físicas das pessoas, o verdadeiro propósito de sua vinda ao mundo era salvar almas.

Quando lhes contou isso, começaram a perder o interesse. Enquanto lhes alimentava o corpo, consideravam Jesus o máximo. Queriam que fosse seu rei. Teria sido maravilhoso se tivessem um rei que alimentasse as multidões todos os dias, conforme fizera no dia anterior e como Moisés fizera no deserto com o maná diário.

Jo 7 — Jesus novamente em Jerusalém

Foi na Festa das Cabanas (outubro), um ano e meio depois da última ocasião em que Jesus ali estivera, e seis meses antes da sua morte.

Na visita anterior, curara um homem no sábado e proclamou aos líderes que ele mesmo era o Filho de Deus (5.18); eles, por causa disso, planejaram matá-lo. Por isso, Jesus faltou na Páscoa seguinte (6.4).

Agora, entretanto, sua obra estava chegando ao fim e, de novo, voltou à capital da nação a fim de demonstrar com ainda mais clareza sua reivindicação de ser o enviado de Deus. Ainda não chegara a hora para ele morrer – isso demoraria mais um pouco. Visto que Jesus conhecia o plano que tinham de matá-lo (pois o fato era de conhecimento geral, v. 25), não comentou em público a sua viagem, até aparecer no meio das multidões no Templo. Foi então que começou seu discurso mencionando a conspiração contra a sua vida (v. 19-23).

Quando os chefes dos sacerdotes ficaram sabendo disso, mandaram guardas para prendê-lo. Mas, de alguma forma, esses guardas do Templo sentiam reverente temor diante da presença de Jesus. E assim Jesus continuou pregando a sua mensagem da parte de Deus.

Jo 8.1-11 — A mulher surpreendida em adultério

Existem três ocasiões nos registros dos evangelhos em que Jesus lidou com mulheres que tinham dado um passo errado: esta aqui; a pecadora em Lucas 7.36-50; e a mulher samaritana (Jo 4.18). Em todos esses casos, Jesus demonstrou a máxima consideração. Estava sempre disposto a dar as boas-vindas ao filho pródigo que voltava (v. comentário sobre Lc 15).

Na ocasião aqui registrada, os fariseus fizeram uma tentativa de apanhar Jesus na resposta que desse. Se dissesse que a mulher devia ser apedrejada, teria entrado em conflito com a lei romana, que não permitia aos judeus executar a pena capital. Por outro lado, se declarasse que a mulher devia ser solta, seria acusado de mandar violar a Lei dada por Moisés. A linguagem do v. 7 talvez subentenda que os homens que acusavam a mulher estavam pessoalmente envolvidos no próprio pecado pelo qual queriam condená-la. No fim, todos se retiraram, por causa da culpa ou do medo que sentiam. Jesus não fechou os olhos às ações da mulher e lhe ordenou que deixasse a vida de pecado (v. 11).

O tanque de Siloé

O tanque de Siloé

Depois de fazer uma mistura de terra e saliva e aplicá-la nos olhos de um cego, Jesus lhe disse: "Vá lavar-se no tanque de Siloé" (João 9.7). Um resquício desse tanque, muito reduzido em tamanho, ainda existe na extremidade norte da antiga Cidade de Davi, onde o vale central se encontra com o vale de Cedrom. Esse tanque fica na saída do túnel de 530 m que Ezequias escavara, e era alimentado pela fonte de Giom. No tempo de Jesus, parece que os residentes de Jerusalém imaginavam que Siloé era a fonte da água.

Jesus continua o discurso sobre sua divindade — Jo 8.12-59

As declarações categóricas e espantosas que Jesus fez a respeito de si mesmo deixaram enfurecidos os líderes religiosos, e eles procuraram apedrejá-lo (v. 59). Os discursos aqui registrados demonstram que Jesus não tinha a mínima tolerância à incredulidade, principalmente da parte dos líderes religiosos de seus dias. Sua falta de fé em Jesus, incluindo as alusões ao seu nascimento como ilegítimo (v. 19,41), foram repudiadas pelas, talvez, palavras mais severas de Jesus registradas na Bíblia.

Jesus cura um cego de nascença — Jo 9

Na visita anterior a Jerusalém (5.9), Jesus havia curado um paralítico no sábado, e por causa disso — além da declaração de que era o Filho de Deus — tentaram apredrejá-lo (Jo 8.52-59). Na presente ocasião, passa a operar um milagre ainda mais notável no sábado (v. 14).

Jesus, o Bom Pastor — Jo 10.1-21

Jesus declara ser o Pastor da raça humana, ou seja, de todos os que o aceitarem como seu Pastor. É uma bela metáfora do cuidado terno e dedicado que Jesus tem pelo seu povo, e os cristãos dão o máximo valor a esse título de Jesus. Além disso, apóia de modo indireto a reivindicação que Jesus faz de sua divindade, visto que a figura do Pastor é aplicada a Deus no AT (Gn 48.15; 49.24; Sl 23.1; 80.1).

> Jesus disse: "Eu vim para que tenham vida, e a tenham plenamente."
> João 10.10

Na Festa da Dedicação — Jo 10.22-39

Existe o intervalo de dois meses entre os versículos 21 e 22. A Festa das Cabanas era em outubro, e a visita de Jesus a essa festa é narrada em João 7.2 — 10.21. Agora se trata da Festa da Dedicação (dezembro). Nesse intervalo, segundo parece, Jesus voltara à Galiléia e viajara ainda mais longe, e já havia ocorrido a transfiguração (Mt 17.1-8).

Além do Jordão — Jo 10.40-42

Nesse lugar Jesus passara oito meses no início de seu ministério público (3.22). Dessa vez, ele ficou ali durante provavelmente dois meses. Era uma região densamente povoada, com muitas cidades romanas prósperas, governada por Herodes e fora do alcance das autoridades de Jerusalém.

Jesus ressuscita Lázaro — Jo 11

É provável que esse acontecimento tenha ocorrido cerca de um mês antes da morte do próprio Jesus. Foi a terceira ocasião em que ressuscitou alguém dentre os mortos (a filha de Jairo, Mc 5.21-43; o filho da viúva de Naim, Lc 7.11-17; e agora, Lázaro), sendo que as três ocorrências seriam coroadas pela morte e ressurreição de Jesus, que nunca mais morreria. Esse milagre foi o ensejo para o Sinédrio decidir matar Jesus (v. 53). Jesus, portanto, retirou-se para a região montanhosa de Efraim, cerca de 20 km ao norte de Jerusalém, para aguardar a Páscoa no convívio reservado com os doze.

Uma placa rodoviária indica hoje o caminho do túmulo de Lázaro.

A última semana, João 12 — 19

Jo 12.1-8   A ceia em Betânia

João, no seu evangelho, coloca essa ceia no dia anterior à entrada triunfal (12.12-15), o que poderia ser no sábado à noite (v. tb. comentário sobre Mc 14.3-9). Foi, provavelmente, cerca de um mês depois de Jesus ter ressuscitado Lázaro dentre os mortos, que deve ter pertencido a uma família abastada, pois o valor do perfume era de 300 denários, equivalente a um ano de salário para o trabalhador comum!

É provável que Jesus tivesse falado de sua crucificação, e Maria, bondosa, compassiva, solícita e amorável, talvez notando no olhar de Jesus algum sinal de dor, disse para si mesma: "Não é uma parábola. Ele realmente quer dizer isso". E ela foi buscar o tesouro mais precioso da família, derramou-o sobre a cabeça e os pés de Jesus, enxugando-os com os cabelos. É possível que nenhuma palavra tenha sido pronunciada. Ele, porém, compreendia. Sabia que ela estava procurando dizer o quanto seu coração sofria. Jesus atribuiu tanto valor a esse gesto que disse que em todos os lugares até onde chegasse seu nome, até os confins da terra e até o fim dos tempos, essa ação seria lembrada.

Betânia fica a quase 4 km a leste de Jerusalém, na encosta leste do monte das Oliveiras. Era onde Jesus se hospedava quando visitava Jerusalém. Foi a partir das colinas de Betânia que Jesus subiu ao céu.

Jo 12.9-19   A entrada triunfal

(V. comentário sobre Mt 21.1-11.)

Alguns gregos querem ver Jesus — Jo 12.20-36

Embora a data não seja mencionada, isso pode ter acontecido na terça-feira, no Templo. A hostilidade resoluta dos governantes tornava-se cada vez mais óbvia. O pedido da parte desses gregos (judeus gregos ou prosélitos gregos) deu ensejo a um tipo de solilóquio-oração-conversa sobre a necessidade da morte de Jesus. Como ele sentia pavor do que aconteceria!

A incredulidade dos judeus — Jo 12.37-43

A razão por que os governantes da nação judaica não quiseram crer em Jesus, a despeito da evidência esmagadora dos milagres que ele operava, é um dos mistérios mais intrincados das Escrituras. A explicação oferecida por João é que foi em cumprimento das próprias Escrituras.

A última mensagem de Jesus no Templo — Jo 12.44-50

Foi provavelmente quando saiu, no final da terça-feira, para nunca mais entrar ali.

A última ceia — Jo 13.1-30

(V. mais pormenores no comentário sobre Mt 26.17-29.)

Jesus lava os pés dos discípulos (v. 1-20). A ocasião foi a contenda entre os discípulos sobre quais deles exerceriam as funções mais importantes no Reino. Tratava-se de um problema que surgiu em várias ocasiões entre eles (v. comentário sobre Lc 9.46-48). A despeito de Jesus declarar repetidas vezes que estava para ser crucificado (v. comentário sobre Mc 9.30-32) — declarações que eles entenderam até o fim como parábolas ou metáforas, e não como fatos concretos — eles pareciam imaginar que a entrada triunfal, cinco dias antes, indicava que estava quase na hora de ele levantar em Jerusalém o trono de um império mundial.

No fim, Jesus precisou colocar-se de joelhos e lavar-lhes os pés — o serviço de um escravo a fim de deixar inculcado nas suas mentes que ele os vocacionara para servir, e não para mandar. Oh! quanto a igreja sofre por causa de líderes que se deixaram consumir pela mania de grandeza! Organizações poderosas e altos cargos são criados para satisfazer as ambições mundanas e egoístas dos homens. Grandes líderes eclesiásticos, em vez de servir a Cristo com humildade, usado o nome dele para proveito próprio.

Jesus indica o traidor (v. 21-30). Judas Iscariotes guardara seu segredo com tanta astúcia que nenhum dos discípulos suspeitara dele (v. comentário sobre Mc 14.10,11.) Judas sabia que Jesus conhecia seu segredo. Mas, com o coração totalmente endurecido, levou adiante seu crime covarde.

Jesus se despede dos onze pela última vez — Jo 13.31—17.26

Esses quatro capítulos são as palavras de maior ternura em toda a Bíblia. O capítulo 14 foi pronunciado enquanto ainda estavam à mesa, e os capítulos de 15 a 17 enquanto caminhavam para o Getsêmani.

Jesus que sabia chegara ao fim. Estava preparado para isso. Em lugar de autodenominar-se "crucificado", disse que seria "glorificado" (13.31). Tinha horror à agonia, mas contemplava a alegria além da dor.

Eles ficaram desorientados quando Jesus declarou que estava para deixá-los. O que queria dizer com aquilo? Mas ele já não lhes contara repetidas vezes?

Pedro, imaginando que Jesus talvez quisesse dizer que o Mestre estava saindo em uma missão perigosa, ofereceu-se para segui-lo, mesmo com o risco da própria vida. Jesus disse que Pedro não tinha plena consciência do que dizia.

A casa com muitos aposentos (cap. 14). Esse é um dos capítulos mais amados de toda a Bíblia, que nos acompanha quando nos aproximamos do "vale de trevas e morte" (Sl 23). Jesus, como mestre-construtor, está preparando o palácio celestial para o dia glorioso em que acolherá para si sua noiva, a eleita de todas as eras. A noiva, porém, precisa estar preparada. A igreja precisa ser congregada, nutrida e aperfeiçoada para estar em condições de permanecer nas moradas de Deus. Tanto os ocupantes quanto os aposentos precisam ser preparados. Ao partir para preparar o lar eterno, Jesus prometeu enviar o Espírito Santo a fim de treinar, consolar e conduzir os santos ao longo do caminho para lá.

Jo 15 e 16 — Discurso a caminho do Getsêmani

As idéias que se repetem continuamente nesses capítulos são as de que os discípulos devem amar uns aos outros, guardar os mandamentos de Cristo, permanecer nele e saber que passarão por apertos e serão perseguidos, que era necessário que Jesus fosse embora, que o Espírito Santo substituiria a presença de Jesus, que a tristeza deles seria transformada em alegria e que, na ausência de Jesus, respostas milagrosas seriam dadas às orações deles. O Mestre bendito, descendo até as profundezas da própria tristeza e sofrimento, estava fazendo o possível para consolar os atordoados discípulos.

Jo 17 — A oração intercessória de Jesus

Ele se despede com ternura, encomendando-os a Deus e orando a favor deles e a seu favor. Relembrar sua existência e glória pré-encarnadas (v. 5) deu-lhe coragem. Orou a favor dos seus (v. 9), e não pelo mundo. Viera para salvar o mundo, mas seu interesse especial estava voltado para os que nele criam. Fez nítida distinção entre os que eram dele e os que não eram; esse tema percorre todos os escritos de João.

Jo 18.1-12 — Jesus é preso

(Narrado tb. em Mt 26.47-56; Mc 14.43-50; Lc 22.47-53.) Era cerca de meia-noite. A guarnição romana, constituída de uma coorte (entre 500 e 600 soldados) e de seu comandante, com emissários do sumo sacerdote que pensavam, segundo parece, estar numa missão perigosa, foram guiados por Judas Iscariotes até o lugar onde Jesus estava. Ao sair pela porta Oriental e descer pela estrada de Cedrom com lanternas, tochas e armas, podiam facilmente ser vistos por quem estava no jardim onde Jesus orava. Quando se aproximaram, Jesus, mediante seu poder invisível, fê-los cair por terra, a fim de levá-los a entender que não podiam prendê-lo contra a vontade dele. Para confirmar de modo claro a identificação de Jesus, Judas o indicou por meio de um beijo.

Jo 18.12 – 19.16 — O julgamento de Jesus

(V. comentário sobre Mc 14.53.)

Pedro nega a Jesus — Jo 18.15-27

Aconteceu no pátio do sumo sacerdote, enquanto Jesus estava sendo condenado. Pedro, pouco tempo antes, estivera disposto a lutar sozinho contra toda a guarnição romana. Não era covarde, de modo nenhum. Merece algum crédito. Nunca saberemos qual o turbilhão de emoções que dilaceravam a alma de Pedro naquela noite. Justamente quando estava negando com veemência que conhecia a Jesus, este voltou-se e olhou para ele. Aquele olhar quebrantou-lhe o coração.

Jesus é crucificado — Jo 19.17-37

(V. tb. comentários sobre Mt 27.33-56; Mc 15.21-41; e Lc 23.32-49.) Foram quebradas as pernas dos dois criminosos que tinham sido crucificados com Jesus (v. 32) a fim de apressar-lhes a morte, que de outra forma poderia ter demorado quatro ou cinco dias.

O sepultamento — Jo 19.38-42

José de Arimatéia e Nicodemos, ambos membros do Sinédrio e discípulos secretos do Mestre na hora da popularidade deste, agora, na hora da humilhação de Jesus, tomam a dianteira com coragem e partilham com ele a vergonha da cruz.

O túmulo de Jesus — Jo 19.41,42

(V. comentário sobre Mc 15.21-41.)

Segundo a tradição, estes jogos foram marcados na calçada pelos soldados romanos que vigiavam Jesus. Na verdade, eles datam de uns cem anos mais tarde, embora seja bem possível que os soldados que acompanhavam Jesus tivessem utilizado os mesmos jogos.

A ressurreição, João 20 e 21

Jo 20.1,2 Maria Madalena vai ao sepulcro
Outras mulheres estavam com ela (v. comentário sobre Mt 28.1-8 e a p. 436).

Jo 20.3-10 Pedro e João correm ao sepulcro
(Narrado tb. em Lc 24.12.) É possível que estivessem alojados num local mais próximo do túmulo, ao passo que os outros discípulos, hospedados provavelmente na casa de João, onde também residia a mãe de Jesus (19.27), estavam a uma distância maior.

Jo 20.11-18 Jesus aparece a Maria Madalena
Este foi seu primeiro aparecimento (Mc 16.9-11). As outras mulheres já tinham ido embora. Pedro e João também. Maria estava ali sozinha, chorando como se seu coração estivesse prestes a se partir. Não tinha a mínima idéia de que Jesus pudesse ter ressuscitado. Não ouvira a proclamação angelical de que Jesus ressuscitara. O próprio Jesus dissera repetidas vezes que ressuscitaria ao terceiro dia, mas, por alguma razão, ela não compreendera. Mas quanto ela o amava! E agora, Jesus estava morto. Até mesmo seu corpo desaparecera. Naquele momento de pesar, Jesus ficou ao lado dela e chamou-a pelo nome. Ela lhe reconheceu a voz e exclamou com alegria extática. Jesus não estava morto, mas vivo!

Um pouco mais tarde, Jesus apareceu às outras mulheres (Mt 28.9,10). Naquela tarde, apareceu aos dois homens na estrada de Emaús (Lc 24.13-32). E depois, a Pedro (Lc 24.33-35).

Jo 20.19-25 Jesus aparece aos onze
Ao cair da tarde daquele dia, em Jerusalém, Tomé estava ausente (v. 24). Esse aparecimento é registrado três vezes: aqui, em Marcos 16.14 e em Lucas 24.33-43 (v. os comentários sobre essas passagens). Jesus estava no mesmo corpo, com as marcas das feridas nas mãos, nos pés e no lado; e comeu na presença deles. No entanto, tinha o poder de passar através de paredes e de aparecer e desaparecer à vontade.

Se perdoarem os pecados de alguém (v. 23; v. comentário sobre Mt 16.19).

Jo 20.26-29 Jesus novamente aparece aos onze
Uma semana mais tarde, em Jerusalém, estando Tomé presente. Nenhum crítico moderno teria a menor possibilidade de ser mais cético que Tomé nem mais científico na exigência de provas.

Jo 20.30-31 O propósito do livro
Aqui temos a declaração inequívoca de que o propósito do autor, João, era demonstrar e ilustrar a divindade de Jesus — comprovar que Jesus é Deus.

> **A lentidão dos discípulos em crer que Jesus ressuscitara**
>
> Eles não esperavam que Jesus ressuscitasse dentre os mortos, embora Jesus lhes tivesse dito repetidas vezes, e com toda a clareza, que ressuscitaria ao terceiro dia (Mt 16.21; 17.9,23; 20.19; 26.32; 27.63; Mc 8.31; 9.31; Lc 18.33; 24.7). Por certo, tinham entendido suas palavras como alguma parábola ou metáfora de sentido misterioso, além do seu alcance.
>
> Quando as mulheres foram ao túmulo, não era para ver se Jesus ressuscitara, mas para preparar-lhe o corpo para o sepultamento permanente. Somente João, entre todos os discípulos, creu ao ver o túmulo vazio (Jo 20.8).
>
> Maria Madalena só podia pensar que alguém retirara o corpo (Jo 20.13,15). A notícia da ressurreição de Jesus parecia tolice aos discípulos (Lc 24.11). Quando os dois que voltaram de Emaús contaram aos onze que Jesus aparecera a eles, os discípulos não acreditaram (Mc 16.13). Pedro relatou que Jesus havia aparecido a ele (Lc 24.34). Mas ainda assim eles não creram (Mc 16.14).
>
> Jesus o predissera repetidas vezes. Os anjos o anunciaram. O túmulo estava vazio. Seu corpo havia desaparecido. Maria Madalena vira a Jesus. As outras mulheres também o viram. Cleopas e seu companheiro o viram. Pedro o vira. Mesmo assim, o grupo, em conjunto, não acreditava. A todos eles parecia incrível.
>
> Então, quando Jesus apareceu aos dez naquela noite, repreendeu-os pela recusa obstinada em crer nos que o tinham visto (Mc 16.14). Mesmo assim, pensaram ser ele mero fantasma, e ele os convidou a examinar de perto suas mãos, seu lado e seus pés e a tocar nele. Em seguida, pediu comida e comeu na presença deles (Lc 24.38-43; Jo 20.20).
>
> Depois de tudo isso, Tomé — desalentado e cheio de dúvidas — ainda estava convicto de que havia algum engano no meio de tudo isso, e não creu senão quando viu Jesus pessoalmente uma semana depois (Jo 20.24-29).
>
> Portanto, os primeiros a proclamar a ressurreição de Jesus estavam totalmente despreparados para crer nela, determinados a não crer, mas vieram a crer, a despeito de si mesmos. Esse fato torna insustentável qualquer possibilidade de essa história ter surgido da imaginação empolgada e cheia de expectativas. Não há maneira concebível de explicar a origem dessa história senão que foi um fato. Um dia, nós também, pela graça de Jesus, ressuscitaremos.

Jesus aparece aos sete — Jo 21

Nesse incidente, os discípulos já haviam voltado à Galiléia, conforme Jesus lhes ordenara (Mt 28.7,10; Mc 16.7). Ele escolhera determinado monte (Mt 28.16) e provavelmente também o dia e hora do encontro. Enquanto esperavam, eles voltaram à sua antiga ocupação. É possível que estivessem, nas vizinhanças ou no mesmo local em que, dois ou três anos antes, ele os chamara para ser pescadores de homens (Lc 5.1-11). Na presente ocasião, concedeu-lhes uma pesca maravilhosa, conforme fizera da primeira vez, vários anos antes.

A terceira vez (v. 14), ou seja, aos discípulos reunidos; os outros dois aparecimentos foram os de 20.19,26. Contando as ocasiões em que Jesus aparecera a indivíduos — a Maria Madalena, às mulheres, aos dois e a Pedro — foi o seu sétimo aparecimento.

Mais do que estes (v. 15). Estas coisas? Ou estes homens? Em grego, as formas masculina e neutra da palavra traduzida por "estes" são idênticas. Não há maneira de discriminar em qual sentido a palavra é empregada aqui. "Você me ama mais do que estes outros discípulos amam a mim?" Ou: "Você me ama mais do que ama essa profissão (da pesca)?" Jesus dirigiu a Pedro essas perguntas pelo fato de este o ter negado três vezes? Ou estava lhe dirigindo uma suave repreensão por ter voltado à antiga ocupação? Tendemos a adotar a última opinião.

Você me ama? (v. 15,16,17). Jesus emprega o verbo grego *agapaō*: "Você me ama realmente?" Pedro emprega o verbo *phileō*: "Gosto muito de você". *Agapaō* expressa o tipo mais sublime de devoção, o amor que Deus tem pelos filhos. Pedro se recusa a empregá-lo. Emprega, em vez disso, o verbo que significa "amar como amigo". Na terceira vez em que faz a pergunta, Jesus desce ao nível do verbo usado por Pedro, e pergunta: "Você gosta de mim?". Pedro sentiu-se magoado porque, na terceira vez, Jesus questiona até mesmo o que Pedro acabara de afirmar duas vezes. Jesus leva Pedro, de modo suave, a reconhecer que realmente amava seu Mestre — dentro do melhor de sua capacidade, o que era o suficiente.

Cuide (pastoreie) as minhas ovelhas (v. 15,16,17), três vezes, de formas diferentes. A idéia é, possivelmente, que Pedro é conclamado a cuidar dos negócios de Jesus, que é pastorear o povo, e não os negócios, a pesca. Esse não é o fim do discipulado de Pedro — está apenas começando, e o levará até aonde ele mesmo nunca optaria por ir.

Jesus prediz o martírio de Pedro (v. 18-19). Historicamente, já ocorrera muito tempo antes de João escrever essas palavras no seu evangelho (v. nota sobre 1Pe).

A identificação e endosso do autor (v. 24). Uma declaração específica de que o apóstolo João foi o autor desse livro. O endosso, "Sabemos que o seu testemunho é verdadeiro", talvez seja da parte do secretário de João ou da igreja de Éfeso. Seja como for, indica que esse evangelho foi escrito para a segunda geração de crentes, que já não tinham muita facilidade em comprovar a narrativa de João.

Os cinco capítulos mais importantes

Os cinco capítulos mais importantes de toda a Bíblia talvez sejam Mateus 28, Marcos 16, Lucas 24 e João 20 e 21, porque falam a respeito do evento mais importante da história humana: a ressurreição de Cristo dentre os mortos, o ponto culminante de toda a Bíblia.

A igreja primitiva

Atos a Judas

A igreja primitiva e o Império Romano

A história registrada nos evangelhos e em Atos de Apóstolos ocorre no contexto do Império Romano, o mais poderoso que o mundo ocidental conhecera até então. Nos evangelhos, ficamos conhecendo vários romanos, principalmente centuriões, bem como os soldados que crucificaram Jesus e montaram guarda diante do túmulo.

Em Atos dos Apóstolos, à medida que a igreja se propaga para além de Jerusalém, da Judéia e de Samaria, o Império Romano passa a desempenhar um papel mais significativo. Atos chega ao fim quando Paulo está em prisão domiciliar na cidade de Roma, aguardando o julgamento de sua causa diante do imperador romano.

Vários aspectos da cultura romana são relevantes para a narrativa de Atos, e alguns imperadores romanos figuram, de modo mais ou menos direto, na história do judaísmo do século I d.C. e da igreja primitiva.

Imperadores romanos

Augusto (31 a.C.-14 d.C.) é o único imperador romano mencionado na Bíblia de modo direto (Lc 2.1). Introduziu um período de paz por todo o império (conhecido por *pax romana* ou *pax augustana*), que foi marcado por um governo estável, prosperidade econômica e melhores comunicações — fatores de grande relevância para a disseminação do evangelho no século I.

Tibério (14-37 d.C.) era enteado de Augusto; o papel que desempenha nos evangelhos é indireto. Tibério passou a segunda metade de seu reinado em isolamento na ilha de Capri e deixou Sejano, o comandante da guarda pretoriana (a elite do exército), no exercício do poder. Sejano era anti-semita, expulsou os judeus de Roma. Foi ele também quem nomeou Pôncio Pilatos para ser governador da Judéia (26-36 d.C.). Em 31 d.C., porém, Tibério mandou executar Sejano porque este abusara da autoridade que lhe fora outorgada. É possível que a mudança radical na atitude de Pilatos para com os judeus — que passara da arrogância indiferente nos primeiros anos no cargo para a tentativa humilhante de permanecer nas boas graças dos judeus durante o julgamento de Jesus — tenha sido resultado direto da queda de Sejano, que deixou Pilatos sem nenhum padrinho em Roma.

Calígula (Gaius Caligula; 37-41 d.C.). Neto de Druso, irmão de Tibério, "Calígula" ("botinhas") recebeu essa alcunha dos soldados entre os quais cresceu. Demonstrava claros sinais de insanidade mental e foi assassinado pelos guardas pretorianos depois de ter esvaziado o tesouro nacional e se tornado plenamente convicto de que era um deus. Seu reinado foi marcado por conflitos com os judeus, não tanto contra os judeus da Palestina quanto contra os que habitavam em outras regiões do império (v. Diáspora, p. 416).

O rei Herodes Agripa I era amigo de Calígula, que fez dele rei da Judéia. No caminho de volta a Roma, depois de recebe sua nomeação, Agripa interrompeu a viagem em Alexandria, no Egito, onde existia numerosa colônia judaica. Essa visita veio a ser a ocasião para um tumulto antijudaico, no qual estátuas de Calígula foram erigidas nas sinagogas e as seções judaicas da cidade foram incendiadas e saqueadas. (Mais tarde, Herodes Agripa mandou executar o apóstolo Tiago, encarcerou o apóstolo Pedro e posteriormente morreu de modo horrível; At 12.1-24.)

Quando, em 40 d.C., os judeus de Jâmnia (a oeste de Jerusalém, perto do litoral do Mediterrâneo) derrubaram um altar dedicado a Calígula, este ordenou que uma estátua de sua pessoa fosse levantada no templo de Jerusalém — ordem que nunca foi executada graças à intervenção do governador romano da Síria.

Cláudio (41-54 d.C.) era tio de Calígula. O rei Herodes Agripa I teve participação ativa na consolidação do governo de Cláudio que, em troca, recebeu acréscimos aos territórios de seu reino em várias partes da Palestina. Cláudio apoiou a presença dos judeus em Alexandria, mas os advertiu contra a busca de privilégios adicionais.

Nero (54-68 d.C.) era filho de Cláudio e de sua quarta esposa, Agripina, a qual, segundo boatos da época, mandou envenenar o marido quando este não mais servia a ela, para colocar seu filho Nero no trono. Os cinco primeiros anos de Nero foram pacíficos; Sêneca, irmão de Gálio (At 18.12), era o encarregado dos assuntos de Estado. A descrição que Paulo fez do Estado romano (Rm 13) foi escrita durante esse período de estabilidade. Entretanto, Nero assumiu pessoalmente cada vez mais as rédeas do governo. Depôs sua mãe da posição de influência e ordenou que fosse morta em 59 d.C. Em 62 d.C., ordenou o assassinato da própria esposa a fim de casar-se com Popéia, que é descrita por Josefo como "adoradora de Deus", talvez uma prosélita (uma não-judia convertida ao judaísmo). Ordenou que Sêneca se suicidasse em 65 d.C.

Nero é mais conhecido pelo grande incêndio de Roma em 64 d.C., que ele provavelmente causou a fim de agilizar o processo de renovação urbana, mas do qual lançou a culpa sobre os cristãos (que já eram reconhecidos como diferentes dos judeus). A grande revolta dos judeus, que acabou levando à destruição de Jerusalém, ocorreu em 66 d.C., e Vespasiano foi o general romano encarregado da supressão do levante.

Os judeus não eram os únicos revoltosos. Os exércitos romanos no Ocidente também se revoltaram, assim como a guarda pretoriana em Roma. Nero fugiu para salvar a própria vida, mas acabou se suicidando em 68 d.C. — com apenas 30 anos de idade.

A guerra civil (68-69 d.C.). Quatro governantes se sucederam no decurso de apenas um ano desse período turbulento, até que **Vespasiano** (69-79 d.C.) fez um grande esforço para restaurar a estabilidade econômica e cultural. Tornara-se imperador antes de a revolta judaica ter sido completamente suprimida. A destruição de Jerusalém em 70 d.C. foi levada a efeito pelo general Tito.

Tito (79-81 d.C.) é mais conhecido entre os judeus e cristãos pelo arco triunfal que construiu em Roma para celebrar, entre outras coisas, a supressão da revolta dos judeus, que comandou antes de se tornar imperador. O arco tem imagens esculpidas de soldados romanos levando artigos do Templo, incluindo-se o candelabro (menorá).

A igreja primitiva

A antiga cidade de Tadmor (2Cr 8.4) recebeu dos romanos o novo nome de Palmira (Cidade das palmeiras). A maioria de suas magníficas ruínas datam do século II d.C., mas dão uma idéia da provável aparência de muitas cidades romanas no tempo de Paulo.

Esta rua com colunatas era característica de todas as cidades romanas de alguma importância. Em Palmira, a rua se estendia por um comprimento de cerca de 6 campos de futebol (no alto, à esquerda).

Arcos monumentais, freqüentemente homenageando um imperador ou comemorando uma vitória militar, também eram características comuns (no alto, à direita).

E nenhuma cidade estaria completa sem um teatro (acima).

A maioria das cidades também tinha um hipódromo e vários templos.

O Império Romano

Império Romano 14 d.C.

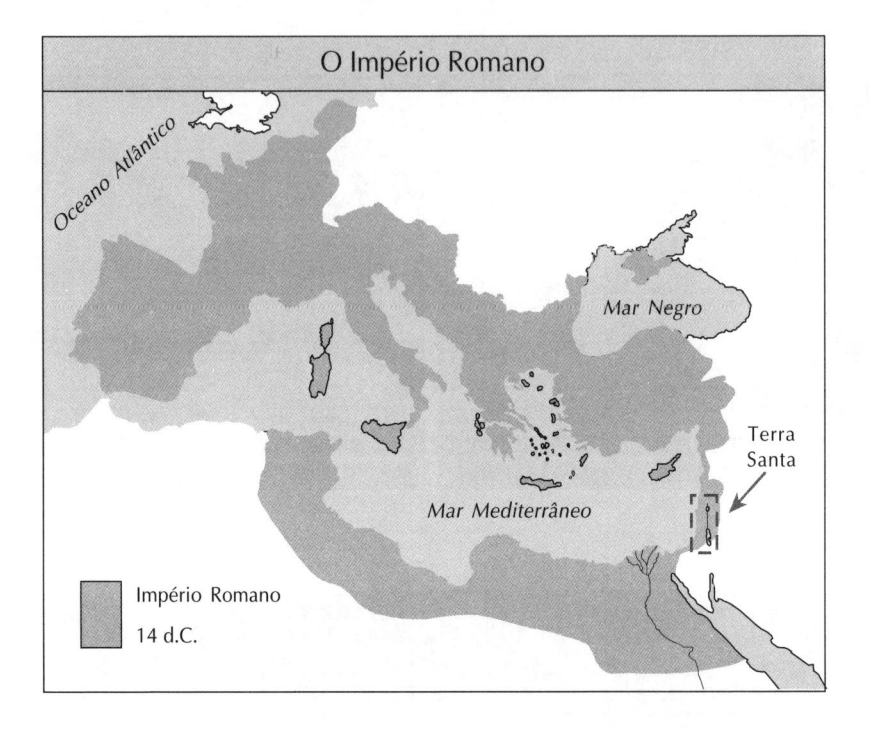

Em 79 d.C., houve uma erupção do monte Vesúvio que sepultou Pompéia e Herculano. Durante o reinado de Tito, foi aberto o magnífico Coliseu (embora não fosse completado senão mais tarde, no reinado do imperador Domiciano). No decurso dos séculos, boa parte do mármore e das pedras foi removida para ser aproveitada em outras construções em Roma, mas, mesmo depredado, o Coliseu continua sendo impressionante. Nas perseguições posteriores, muitos cristãos pereceram no Coliseu, mortos pelos gladiadores ou pelos animais selvagens.

Domiciano (81-96 d.C.) insistia no título *dominus et deus*, "senhor e deus". Instigou perseguições severas aos cristãos e foi durante seu reinado que João foi banido para Patmos e escreveu o livro do Apocalipse (Ap 1.9).

Cidades e colônias

No Império Romano, o poder e o governo centralizavam-se nas cidades. Foi a civilização mais urbanizada do Ocidente no passado.

Além das cidades, tais como Jerusalém, que tinham existido por muito tempo antes de os impérios grego e romano chegarem a existir, havia cidades que Alexandre, o Grande, estabelecera como colônias. Ele fundou colônias como Alexandria, no Egito, para serem centros administrativos das regiões conquistadas e servirem como centros de cultura grega — pois as povou com cidadãos macedônios e gregos. Alexandre induziu muitos judeus a se mudar para as referidas colônias, de modo que, na época de Cristo, a população judaica em algumas dessas cidades chegara a ser maior que a de Jerusalém.

Os romanos também estabeleceram colônias espalhadas por todas as partes do império, que consistiam principalmente em cidades onde os veteranos militares tinham se estabelecido. Essas colônias recebiam as condições mais privilegiadas do império. Às vezes, era-lhes outorgada a isenção dos impostos — plena ou parcial. Algumas colônias romanas no NT são Corinto, Filipos, Trôade, Antioquia da Pisídia, Icônio e Listra.

Havia outras cidades que possuíam vários graus de privilégio e algumas poucas cidades, tais como Antioquia da Síria, Esmirna e Tarso, ainda se chamavam "livres", o que significava que podiam governar os assuntos internos segundo as próprias leis.

Reis vassalos

Na parte oriental do Império Romano, Roma freqüentemente deixava nas mãos de reis nativos o governo de regiões que ainda não tinham sido plenamente helenizadas. Os governantes dessas áreas eram "reis vassalos" que só com a permissão de Roma mantinham o título de realeza. Herodes, o Grande, e os Herodes posteriores (Mt 2.1; At 12.1; 25.13) governavam a Palestina como reis vassalos. Tinham a liberdade de resolver os assuntos internos de seus respectivos países conforme lhes parecia bem, mas não podiam implementar nenhuma política externa. Esperava-se deles que mantivessem a ordem e a segurança nas fronteiras, protegessem as rotas comerciais e pagassem impostos a Roma.

Com o passar do tempo, os reinos vassalos desapareciam e eram integrados à estrutura provincial do império, conforme se pode ver na Palestina do século I d.C.

Exército

O exército romano era dividido em **legiões,** que consistiam idealmente em 6 mil soldados cada. As legiões eram divididas em dez **coortes** com seis **centúrias** cada; cada centúria consistia em 100 soldados e era comandada por um **centurião.** Os centuriões eram soldados profissionais e geralmente ficavam postados numa determinada área durante bastante tempo. É por isso que freqüentemente temos contato com centuriões nos evangelhos e em Atos dos Apóstolos (por exemplo: Mt 8.5; Mc 15.39; At 10.1; 21.32; 27.1).

Escravos

A escravidão era comum em quase todas as sociedades antigas. O escravo tinha o *status* jurídico de "objeto" ("O escravo é uma ferramenta viva e a ferramenta é um escravo sem vida", segundo Aristóteles) e, como tal, não possuía direitos legais. Alguns escravos trabalhavam sob condições severas que geralmente associamos com a escravidão (escravos que trabalhavam nas minas, por exemplo, cuja expectativa de vida era limitada), e o tratamento que recebiam, na prática, dependia da benevolência (ou falta dela) do dono.

A nós, parece surpreendente que no Império Romano os escravos pudessem ocupar quases todos os cargos e atividades. Os escravos do Estado ou de uma cidade constituíam-se na mão-de-obra que mantinha a burocracia em funcionamento e desempenhavam, até mesmo, algumas das mais altas funções administrativas. Alguns escravos tinham níveis acadêmicos mais altos que seus donos, e muitos deles eram aproveitados como professores e secretários. Um escravo podia ser gerente de um comércio e funcionar como representante oficial de seu dono.

Um dos incentivos para os escravos prestarem bons serviços era o "salário" pago a eles — o dinheiro era mantido em poder do dono, mas podiam pedir algo para o próprio uso. Depois de acumulado um saldo de crédito suficiente na mão do dono, o escravo podia comprar sua liberdade. O dono podia também libertar seu escravo, de modo incondicional ou condicional; no último caso, o ex-escravo continuava trabalhando para com seu ex-dono, mas como homem livre.

O NT não condena nem apóia a escravidão. Oferece diretrizes para o comportamento dentro da ordem social existente (Cl 3.22-4.1; 1Tm 6.1,2; Fm 5-9; 1Pe 2.16-21; mas v. 1Co 7.21-24).

Mesmo assim, o cristianismo constituiu-se ameaça contra a referida ordem social por colocar o dono e o escravo em pé de igualdade dentro da igreja, condição que Roma entendia como perigosa para a sua estabilidade social e econômica.

A cidadania romana

Já no tempo do NT, a cidadania romana se expandira e deixara de ser privilégio dos que nasciam ou residiam na cidade de Roma. Era possível a obtenção da cidadania romana por pessoas que tivessem nascido e residissem em outras partes do império (e provavelmente nunca tivessem colocado os pés na cidade de Roma), geralmente em acréscimo à cidadania que já possuíam na própria cidade ou província. Os romanos, portanto, foram pioneiros no conceito da dupla cidadania, e por isso Paulo podia ser cidadão de Tarso (At 21.39), bem como cidadão romano (At 22.26,27).

Paulo nasceu cidadão romano (At 22.28), o que significa que seu pais, ou suas respectivas famílias, tinham adquirido essa cidadania, mais provavelmente mediante a prestação de serviços especiais ao império ou possivelmente porque o pai ou o avô de Paulo tivesse servido no exército romano. Mais tarde, especificamente no reinado do imperador Cláudio (41-54 d.C.), ficou bastante fácil obter a cidadania romana, de modo especial se o candidato tivesse dinheiro suficiente para subornar um oficial do governo, que então lhe acrescentaria o nome à lista dos candidatos à cidadania. Foi assim que Cláudio Lísias, o comandante que salvou a vida de Paulo em Jerusalém, obtivera sua cidadania (At 22.25-28).

A cidadania romana envolvia vários privilégios. Outorgava o direito ao voto (privilégio um pouco inócuo da perspectiva romana, visto que era necessário morar em Roma para exercer esse direito), isenção de formas degradantes de castigo, tais como os açoites (At 16.22-40; 22.25) e o direito de apelar ao imperador em Roma como tribunal de última instância (At 25.10-12).

O lado prático da adoração ao imperador. Essa estátua sem cabeça, descoberta em Cesaréia, representa o imperador. Em vez de esculpir uma estátua inteiramente nova cada vez que um imperador diferente subia ao trono, uma cabeça nova era colocada sobre o torso antigo.

A lei romana

A lei romana desenvolveu-se num sistema altamente complexo que acabou sendo a base para o direito moderno do Ocidente. Não havia promotor público, e todas as causas tinham que ser promovidas por iniciativa particular, mediante um ato formal de acusação. Esse fato explica o papel do Sinédrio judaico no julgamento de Jesus: precisavam formular acusações consubstanciadas e levá-las diante do governador romano, que tomaria conhecimento das evidências e decidiria a causa como juiz (Jo 19.13; At 18.12). O acusado tinha o direito ao acareamento com seus acusadores (At 25.16).

Cronologia da vida do apóstolo Paulo

(Todas as datas são d.C.)

Ano	Evento	Referência	Cartas
5 (?)	Nascimento		
35	Estêvão é apedrejado **Conversão de Paulo**	At 7.57-50 At 9	
36			
37	Visita à Arábia	At 9.26-29 Gl 1.17	
38	*15 dias em Jerusalém*	Gl 1.18	
39			
40	Ministério na Síria e na Silícia	At 9.30; Gl 1.21	
41			
42			
43	Chegada em Antioquia	At 11.25,26	
44	Visita a Jerusalém durante a fome	At 11.27-30; 12.25	
45			
46			
47	**Primeira viagem missionária**	At 13.2—14.28	
48			
49	**Conferência em Jerusalém**	At 15.1-29	
50			
51	**Segunda viagem missionária**	At 15.40—18.23	**1 Tessalonicenses**, escrita em Corinto (51)
52			**2 Tessalonicenses**, escrita em Corinto (51/2) **Gálatas** (51/2 ou 53) Outras datas possíveis: 48/9?
53			
54			
55	**Terceira viagem missionária**	At 18.23—21.17	**1 Coríntios**, escrita em Éfeso (55) **2 Coríntios**, escrita na Macedônia (55)

56			
57			**Romanos**, escrita em Cencréia ou Corinto
58	Encarceramento em Cesaréia	At 23.23—26.32	
59			
60	Primeiro encarceramento em Roma	At 28.16-31	**Efésios**, escrita em Roma (60) **Colossenses + Filemom**, escrita em Roma (60)
61			**Filipenses**, escrita em Roma (60)
62			
63			
64	Quarta viagem missionária	Tito 1.5	**1 Timóteo + Tito**, escrita na Macedônia (63-65)
65			
66			
67	Segundo encarceramento em Roma		
68	Julgamento e execução		**2 Timóteo**, escrita na prisão em Roma (67/8)

Esse sistema tinha uma salvaguarda eficaz contra os abusos: a pessoa que apresentasse acusações frívolas ou falsas era passível do mesmo castigo que desejava para o acusado (se o tribunal descobrisse intenções maliciosas).

O culto ao imperador

No Império Romano, a igreja primitiva teve de defrontar o culto ao imperador, a adoração que este exigia. O imperador era adorado como "senhor e deus", ou "senhor e salvador" — exatamente as mesmas reivindicações que os cristãos faziam a favor de Jesus Cristo.

No mundo greco-romano, a religião estava fortemente entrelaçada com a sociedade; fazia parte da ordem civil. Cada cidade tinha sua divindade ou divindades. A adoração a essas divindades era menos uma questão de fervor espiritual que de orgulho patriótico e cívico. A divindade representava a cidade e seu passado grandioso (talvez mitológico), que supostamente era devido à divindade. O resultado dessa combinação entre religião e patriotismo foi a religião cívica ou civil.

Num ambiente religioso que não era exclusivista (as pessoas podiam adorar mais de uma divindade), era fácil ampliar a religião cívica para incluir a adoração ao imperador, que personificava o maior império que o mundo já vira. Roma levara paz e prosperidade ao mundo, e o imperador Augusto, que inaugurara essa era de paz, chamavam-no "salvador" sem a mínima hesitação.

Portanto, a adoração ao imperador era dever patriótico. Uma das maneiras de criar o conceito coletivo de orgulho cívico entre os participantes do Império Romano. Embora alguns dos imperadores (como Calígula e Domiciano) acreditassem na própria divindade, a verdade continuava sendo que o culto ao imperador servia de poderoso vínculo para manter o império unido.

No conflito entre o evangelho e o culto ao imperador, a questão em pauta não eram as reivindicações que a igreja fazia a favor de Jesus. Do ponto de vista romano, essas reivindicações religiosas eram aceitáveis enquanto não assumissem prioridade sobre as reivindicações do imperador. O problema era que as reivindicações cristãs eram *exclusivas: somente* Cristo era Senhor e Salvador. A recusa em participar do culto ao imperador não era, portanto, somente problema religioso, mas muito mais problema cívico que, em princípio, tinha o potencial de subverter a coesão do império.

Atos

A formação e a propagação da igreja
O evangelho é também para os gentios
A vida e a obra de Paulo

> Não há salvação em nenhum outro, pois, debaixo do céu não
> há nenhum outro nome dado aos homens pelo qual devamos ser salvos.
> — Atos 4.12
>
> "Que devo fazer para ser salvo?" Eles responderam: "Creia no Senhor Jesus,
> e serão salvos, você e os de sua casa".
> — Atos 16.30-31

O TEMA DE Atos dos Apóstolos é melhor resumido em 1.8, ocasião em que o Jesus ressurreto disse aos apóstolos: "[Vocês] serão minhas testemunhas em Jerusalém, em toda a Judéia e Samaria, e até os confins da terra." E pregaram mesmo! Dentro da primeira geração apostólica da igreja, o evangelho de Cristo expandiu-se em todas as direções até alcançar todas as nações do mundo então conhecido (Cl 1.23; v. mapa na p. 605). Atos dos Apóstolos conta, especificamente, a história da expansão do evangelho por toda a Palestina até Antioquia, no norte, e dali para o oeste, passando pela Ásia Menor e a Grécia, até Roma — abrangendo a região que constituía a espinha dorsal do Império Romano.

Embora esse livro tenha recebido o título de Atos dos Apóstolos, ele conta principalmente a história dos atos de dois dos apóstolos, Pedro e Paulo, principalmente os atos deste. Atos nos fornece relato o de boa parte da vida de Paulo, o que nos ajuda a entender melhor suas cartas, que estão incluídas no NT Paulo foi "o apóstolo aos gentios", ou seja, o enviado às nações não-judaicas. Portanto, um dos assuntos principais do livro é a propagação do evangelho entre os gentios.

O AT é a história de como Deus se relacionou com a nação dos hebreus durante longas eras, com o propósito específico de abençoar todas as nações por meio dela. O Messias dos hebreus, predito séculos antes pelos profetas, finalmente havia chegado, e no livro de Atos começa a obra grandiosa e maravilhosa de divulgar as boas novas de Jesus, o Messias, entre as nações. A partir de agora, o povo de Deus já não é definido pelas fronteiras nacionais ou étnicas. Em Atos dos Apóstolos, vemos os crentes se tornarem uma família de alcance mundial.

Atos dos Apóstolos faz a ligação entre os evangelhos, que são essencialmente o relato da vida e ministério de Jesus, e as epístolas apostólicas. Os relatos de Atos também fazem ligação geográfica entre Jerusalém, onde a igreja teve seu início, e Roma, o centro político do mundo. Atos nos oferece o vislumbre de como os apóstolos lançaram os alicerces da nova igreja cristã. Nisso vemos claramente como foram estabelecidos os princípios que devem governar a comunidade cristã durante a era da igreja.

Autor

O autor de Atos dos Apóstolos não se identifica pelo nome. O emprego da primeira pessoa do singular na frase inicial parece indicar que as primeiras pessoas que receberam o livro devem ter sabido quem era o autor. Desde o início, Atos e o terceiro evangelho têm sido aceitos como obra de Lucas, um médico. Acredita-se, de modo geral, que sempre que o autor emprega "nós" na história das viagens de Paulo ("Depois que Paulo teve essa visão, *preparamo-nos* imediatamente", 16.10; grifo do autor), ele mesmo estava viajando com Paulo (16.10-17; 20.5-21.18; 27.1—28.16).

Data

Quando Atos termina, Paulo está na prisão em Roma, onde já havia passado dois anos (28.30). Esse fato indicaria que Atos deve ter sido escrito nessa ocasião, por volta de 60/61 d.C.; parece incrível que o autor, depois de ter dedicado tanto espaço à narrativa do aprisionamento de Paulo (21—28), tivesse deixado de mencionar o resultado final do julgamento dele, como se Atos tivesse sido escrito depois de 61 d.C.

Lucas

Pouca coisa se sabe a respeito de Lucas (v. p. 514). Colossenses 4.11,14 parece subentender que Lucas era um gentio, o que faria com que ele fosse o único escritor não-judeu de um livro da Bíblia.

Eusébio diz que Lucas era natural de Antioquia. É reconhecido como homem de cultura e educação científica, um médico, alguém que dominava bem a língua grega.

Aparece pela primeira vez como o homem que levou Paulo de Trôade para Filipos. Foi um líder da igreja de Filipos durante os seis primeiros anos da existência desta, e depois se juntou a Paulo (At 16.10; 16.40; 20.6), permanecendo na sua companhia até o final da narrativa de Atos.

Segundo as evidências contidas nos seus escritos, Lucas era um historiador da mais alta competência. Fica claro que um dos propósitos básicos de Atos foi apresentar um relato histórico dos 30 anos que se seguiram à fundação da igreja cristã, até a expansão do evangelho aos gentios. Lucas, com sua capacidade de documentar os pormenores de datas, lugares e pessoas da igreja primitiva, forneceu o firme alicerce histórico que continua sendo confirmado pelas descobertas arqueológicas. O relato de Lucas foi provado e comprovado no decurso do tempo e dá credibilidade impressionante à fundação da igreja cristã.

A cronologia da vida de Paulo

(V. p. 571-2.)

Os 40 dias — At 1.1-5

Nos 40 dias entre sua ressurreição e sua ascensão, Jesus apareceu pelo menos dez vezes aos discípulos (v. p. 436-7; é possível que houvesse outros aparecimentos não registrados), a fim de banir, para sempre, quaisquer dúvidas da mente deles quanto à sua existência continua como pessoa viva. Que experiência maravilhosa, durante aqueles 40 dias, terem visto Jesus, conversado com ele e comido com ele, no seu corpo literal, crucificado e glorificado, quando aparecia do nada e desaparecia através de portas fechadas. Esses aparecimentos chegam ao seu ponto culminante quando, impetrando a bênção com as mãos erguidas, ele sobe paulatinamente, cada vez mais alto, e desaparece entre as nuvens.

Livro anterior (v. 1): o evangelho de Lucas (1.3).

Teófilo (v. 1): um oficial romano de alta patente e o destinatário tanto do evangelho de Lucas quanto de Atos dos Apóstolos (v. p. 514).

Jesus começou a fazer (v. 1): essas palavras subentendem que o que está registrado em Atos continua sendo atividade de Jesus.

At 1.6-11 A Ascensão de Cristo

Conforme o costume da época, a introdução de Lucas sintetiza o primeiro volume como o relato de "tudo o que Jesus começou a fazer e a ensinar, até o dia em que foi elevado ao céu". O referido volume nos é conhecido como o evangelho de Lucas. Em seguida, ele faz a introdução do segundo livro, Atos dos Apóstolos, no versículo 8, repetindo que Jesus dissera aos discípulos a respeito da missão que cumpririam depois de ele deixá-los.

O último encontro que Jesus teve com os discípulos foi em Jerusalém (1.4); dali, Jesus os conduziu até Betânia (Lc 24.50).

Vais restaurar o reino a Israel? (v. 6). A independência política da nação *continuava* ocupando a mente deles. Entenderam melhor depois do Dia de Pentecoste.

Não lhes compete saber os tempos ou as datas (v. 7). Os discípulos queriam que Jesus lhes contasse quando voltaria. A declaração também serve como lembrança para a igreja hoje, que aguardar ansiosamente a segunda vinda de nosso Senhor.

Os confins da terra (v. 8): essas foram as últimas palavras de Jesus antes de passar para além das nuvens. Não foram esquecidas. Os apóstolos, em sua maioria, segundo a tradição, morreram como mártires em terras distantes.

Voltará da mesma forma como o viram subir (v. 9,11). Do topo da colina acima de Betânia, Jesus subiu para além das nuvens — e voltará com as nuvens, de forma visível para o mundo inteiro (Mt 24.27,30; Ap 1.7).

At 1.12-14 O aposento de cima

Esse pode ter sido o mesmo aposento em que Jesus instituiu a Ceia do Senhor (Lc 22.12) e possivelmente o local em que Jesus apareceu a eles em duas ocasiões (Jo 20.19,26) e ainda o lugar em que o Espírito Santo desceu sobre eles (2.1). Tinha tamanho bastante para acomodar 120 pessoas (1.15).

Maria, a mãe de Jesus (v. 14): essa é a última menção a ela no NT. É a mãe respeitada e honrada de nosso Salvador. Além disso, pouca coisa se sabe de sua vida após da ascensão de Jesus, durante os primeiros anos da igreja.

At 1.15-26 A escolha do sucessor de Judas

Depois de trair Jesus, Judas Iscariotes enforcou-se (Mt 27.5). Em seguida, o seu cadáver caiu e "partiu-se ao meio" (At 1.18). Tudo isso aconteceu em cumprimento da profecia escrita no livro dos Salmos e citada por Pedro (Sl 69.25; 109.8). O dinheiro que Judas recebera em troca da traição de Jesus foi usado para comprar "o campo do Oleiro, para cemitério de estrangeiros", na encosta sul do vale de Hinom (Mt 27.7).

José (também conhecido como Barsabás e Justo) e Matias foram indicados como candidatos para o cargo de décimo segundo apóstolo. Os apóstolos começaram o processo de seleção com oração e pediram a orientação do Senhor na escolha. Em seguida, lançaram sortes, a fim de deixar a escolha do homem certo nas mãos de Deus.

Matias foi escolhido para assumir o cargo de Judas Iscariotes e manter o número dos apóstolos em 12. Nada mais se sabe a respeito de Matias. O número 12 parece representar o povo de Deus. Israel consistia em 12 tribos, a igreja foi edificada sobre 12 apóstolos e os alicerces da Nova Jerusalém, cidade de 12 portas, levam os nomes dos 12 apóstolos (Ap 21).

Pentecoste — At 2.1-13

O nascimento da igreja, no ano 30 do nosso Senhor *(Anno Domini*, A.D. — d.C. em português), no qüinquagésimo dia após a ressurreição de Jesus e no décimo dia depois de sua ascensão ao céu. Foi o início da era do evangelho.

O Pentecoste também era chamado a Festa dos Primeiros Frutos e a Festa da Colheita (v. p. 146-7). Portanto, que dia mais apropriado para ser escolhido como o dia dos primeiros frutos da colheita do evangelho para todas as nações!

Em João 16.7-14, Jesus tinha falado da chegada da era do Espírito Santo. É inaugurada agora na manifestação poderosa e milagrosa do Espírito Santo, com o som de um vento muito forte e com línguas de fogo que se separaram e pousaram sobre cada um deles. Foi a proclamação pública inicial da ressurreição de Jesus, diante dos judeus e dos prosélitos judaicos que se dirigiam a Jerusalém para a Festa de Pentecoste, provenientes de todos os países do mundo então conhecido — são citadas nominalmente 15 nações (2.9-11). Eles ouviram os apóstolos, homens da Galiléia que nunca tinham se afastado da vizinhança da Palestina, falar-lhes nas respectivas línguas maternas. Tratava-se do cumprimento das últimas palavras de Jesus dirigidas aos apóstolos em 1.5,8 e Lucas 24.49. Os apóstolos estavam sob o controle total do Espírito Santo, e o Espírito falou por meio deles em línguas que eles não tinham aprendido. Veja outros relatos sobre o falar em outras línguas em Atos 10.46, 19.6, e 1 Coríntios 12—14.

> Chegando o dia de Pentecoste, estavam todos reunidos num só lugar. De repente veio do céu um som, como de um vento muito forte, e encheu toda a casa na qual estavam assentados. E viram o que parecia línguas de fogo, que se separaram e pousaram sobre cada um deles. Todos ficaram cheios do Espírito Santo e começaram a falar noutras línguas, conforme o Espírito os capacitava.
> ATOS 2.1-4

A pregação de Pedro — At 2.14-26

Pedro explica (v. 15-21) que esse espectáculo estontante dos apóstolos falando sob a influência das línguas de fogo, nos idiomas de todas as nações representadas, é cumprimento da profecia de Joel 2.28-32, na qual Deus avisa que derramará seu Espírito sobre *todos* os povos. Posteriormente, Pedro destaca esse fato em Atos 2.38, onde proclama: "Arrependam-se, e cada um de vocês seja batizado em nome de Jesus Cristo para perdão dos seus pecados, e receberão o dom do Espírito Santo. Pois a promessa é para vocês, para os seus filhos e para todos os que estão longe, para todos quantos o Senhor, o nosso Deus, chamar".

O cumprimento das profecias. Observe a declaração repetida com o propósito de mostrar que tudo quanto estava acontecendo já fora predito: a traição de Judas (1.16,20), a crucificação (3.18), a ressurreição (2.25-28), a ascensão de Jesus (2.33-35) e a vinda do Espírito Santo (2.17).

Todos os profetas (3.18,24): veja o esboço das profecias messiânicas na p. 394.

A ressurreição de Jesus. Observe também a ênfase incessante à ressurreição em todas as partes de Atos. Foi o ponto central no sermão de Pedro no Pentecostes (2.24,31,32), no segundo sermão (3.15) e na defesa perante o Sinédrio (4.2,10). Era, também, o tema principal da pregação dos apóstolos (4.33). Foi a defesa de Pedro na segunda vez em que foi levado a juízo (5.30). Uma visão do Cristo ressurreto converteu Paulo (9.3-6). Pedro pregou a ressurreição a Cornélio (10.40). Paulo a pregou em Antioquia (13.30-37), em Tessalônica (17.3), em Atenas (17.18,31) e em Jerusalém (22.6-11), perante Félix (24.15,21) e perante Festo e Agripa (26.8,23).

At 2.37-47   A igreja recém-nascida

Cerca de três mil (v. 41): um testemunho das evidências inconfundíveis da ressurreição de Jesus.
Batizado (v. 38,41).

Onde foram batizados os 3 mil?

Embora não seja mencionado em Atos o local do batismo dos 3 mil convertidos, o professor Benjamim Mazar descobriu mais de 40 banheiras rituais nas suas escavações ao sul da área do monte do Templo. Tinham sido usadas pelos adoradores judeus para se purificar ritualmente antes de entrar no recinto do Templo. Na mesma área, foram achadas ruínas de uma escadaria monumental que dava acesso à área do Templo — com toda a probabilidade, era por onde Jesus e seus seguidores entravam e saíam.

Tinham tudo em comum (v. 44,45). A vida comunitária da igreja primitiva visava ser exemplo extraordinário do que o Espírito de Cristo podia fazer em favor da humanidade. Era o tipo de vivência que Jesus ensinara e vivera com seus apóstolos e seguidores durante seu ministério. Os discípulos já tinham aprendido que o Senhor os sustentaria se vivessem juntos como irmãos e irmãs em Cristo, membros de um só corpo, tendo Cristo por cabeça. Vemos também que, embora os membros da igreja passassem boa parte do tempo juntos no Templo, aprendendo os ensinos dos apóstolos, eles também participavam de refeições nas suas próprias casas (v. 46). Por exemplo, Filipe, um dos sete que ministravam às mesas (At 6.1-7), posteriormente residiu na sua propriedade em Cesaréia (At 21.8).

A vida comunitária deixava espaço para atividades familiares e vocacionais individuais, bem como para períodos significativos passados juntos em comunhão. Os membros da igreja primitiva repartiam voluntariamente o que possuíam com os novos irmãos e irmãs em Cristo, a fim de suprir as necessidades básicas dos que não tinham condições financeiras para isso. Havia muitos cristãos pobres em Jerusalém; anos mais tarde, Paulo levantou ofertas das igrejas fora da Palestina a favor da igreja-mãe em Jerusalém (At 11.29; 24.17).

At 3   A segunda pregação de Pedro

No dia de Pentecostes, as línguas de fogo e o som de um vento muito forte reuniram as multidões atônitas. Assim, Pedro teve grande audiência na primeira proclamação do evangelho. Segundo parece, já se tinham passado alguns dias (2.46,47). As multidões que vieram para a Festa de Pentecostes já estavam voltando para casa, e a cidade de Jerusalém achava-se menos agitada. Os apóstolos se mantinham ocupados, instruindo os crentes e operando sinais e maravilhas (2.42-47). Então um aleijado, conhecido de todos na cidade, que se assentava à porta do Templo todos os dias para mendigar, foi curado por Pedro e João — e a cidade ficou novamente agitada. Diante das multidões atônitas, Pedro atribuiu a cura ao poder do Cristo ressurreto. Enquanto Pedro repetia a história do evangelho, o número dos crentes aumentou para cinco mil (4.4).

Pedro e João são presos — At 4.1-31

As autoridades que tinham crucificado Jesus ficam agora alarmadas por causa das notícias cada vez mais divulgadas de sua ressurreição dentre os mortos e da popularidade crescente de seu nome. Prendem Pedro e João e ordenam-lhes que cessassem de falar nome de Jesus. Observe a ousadia de Pedro (v. 9-12,19,20) — o mesmo Pedro que, poucas semanas antes, no mesmo local e diante das mesmas pessoas, ficara acovardado pela zombaria de uma moça e negara seu Mestre (Mt 26.69-75). Agora, com total destemor, ele desafia os assassinos de seu Mestre.

Depois de passar uma noite na prisão (v. 5,21), Pedro e João são soltos. E Deus mostra, mediante um tremor de terra, que aprova a ousadia deles.

O crescimento contínuo da igreja — At 4.32-35

As ameaças das autoridades pouco impressionaram a igreja, que persisitia no espírito de amor fraternal — e continuava crescendo rapidamente: 3 mil no primeiro dia (2.41), depois chegando a 5 mil homens (4.4) e, ainda, "em número cada vez maior, homens e mulheres" (5.14). O número dos discípulos continuava aumentando rapidamente — incluindo muitos sacerdotes (6.7).

Da multidão dos que creram, uma era a mente e um o coração (v. 32). A perfeita união dentro da igreja primitiva está diretamente associada ao grande poder que os apóstolos receberam para operar milagres e para alcançar os incrédulos com a mensagem do evangelho. Imagine que influência poderosa os membros das igrejas de hoje poderiam ter sobre suas igrejas, cidades, nações e sobre o mundo inteiro — se tão-somente tivéssemos união semelhante àquela dos membros da igreja primitiva e fôssemos de um só coração e de uma só mente, com Cristo no centro de nossa união!

Milagres em Atos dos Apóstolos

Os milagres ocupam parte evidente de Atos dos Apóstolos.

- Atos começa com as aparições do Jesus ressurreto aos discípulos (1.3).
- Em seguida, diante dos olhos deles, Jesus sobe ao céu (1.9).
- No Pentecoste, surge a primeira manifestação milagrosa e visível do Espírito Santo, nas línguas de fogo (2.3).
- Sinais e maravilhas são operados pelos apóstolos (2.43).
- A cura de um aleijado, à porta do Templo (3.7-11), causa profunda impressão sobre toda a cidade (4.16,17).
- Deus responde à oração mediante um terremoto (4.31).
- Morrem Ananias e Safira (5.5-10).
- Continuam os sinais e maravilhas operados pelos apóstolos (5.12).
- Muitas pessoas das cidades vizinhas são curadas pela sombra de Pedro (5.15,16) — a narrativa é semelhante aos dias de Jesus na Galiléia.

- As portas de uma prisão são abertas por um anjo (5.19).
- Estêvão realiza grandes sinais e maravilhas (6.8).
- Em Samaria, Filipe opera grandes milagres e sinais (8.6,7,13), e muitas pessoas crêem.
- Saulo é convertido por uma voz direta do céu (9.3-9).
- Diante da palavra de Ananias "algo como escamas" cai dos olhos de Saulo (9.17-18).
- Em Lida, Pedro cura Enéias, e a região inteira é convertida a Cristo (9.32-35).
- Em Jope, Pedro ressuscita Dorcas dentre os mortos, e muitos crêem no Senhor (9.40-42).
- Cornélio é convertido pelo aparecimento de um anjo e pelo falar em línguas (10.3,46).
- Uma voz da parte de Deus envia Pedro até Cornélio (10.9-22) e o milagre que se segue convence os judeus de que Pedro agiu corretamente (11.15,18).
- A porta de uma prisão abre-se por conta própria (12.10).
- A cegueira milagrosa de um mágico leva o procônsul de Chipre a crer (13.11,12).
- Paulo opera sinais e milagres em Icônio, e muitas pessoas crêem (14.3,4). Em Listra, a cura de um aleijado leva as multidões a pensar que Paulo é um deus (14.8-18).
- O relatório de sinais e milagres entre os gentios convence os cristãos judeus de que a obra de Paulo entre os gentios é de Deus (15.12,19).
- Em Filipos, Paulo cura uma adivinha, e um terremoto converte o carcereiro (16.16-34). Em Éfeso, 12 homens falam em línguas (19.6), e milagres extraordinários operados por Paulo (19.11,12) levam à divulgação ampla da Palavra do Senhor (19.20).
- Em Trôade, Paulo ressuscita dentre os mortos um jovem (20.8-12).
- Em Malta, a cura que Paulo recebe da picada de uma víbora (28.3-6) leva os habitantes da ilha a pensar que ele é um deus, e Paulo cura todos os enfermos entre eles (28.8,9).

Se tirássemos os milagres de Atos dos Apóstolos, pouca coisa sobraria. Por mais que os críticos desfaçam do valor comprobatório dos milagres, é inegável que Deus fez uso abundante de milagres ao lançar o cristianismo no mundo.

At 4.36,37   Barnabé

Barnabé era levita, natural de Chipre e primo de João Marcos (Cl 4.10). A casa de sua mãe era lugar de reunião para os cristãos (12.12). Era, por certo, um homem de aparência imponente, conforme fica subentendido em 14.12. Era homem bom e cheio do Espírito Santo (11.24). Persuadiu os discípulos de Jerusalém a receber Paulo (9.27) e foi enviado para acolher os convertidos gentios em Antioquia (11.19-24). Barnabé buscou Paulo em Tarso e o levou a Antioquia (11.25,26) e acompanhou Paulo na sua primeira viagem missionária.

At 5.1-11   Ananias e Safira

A mentira deles consistiu em fazer de conta que tinham entregue tudo, quando na realidade só deram uma parte. A morte do casal foi intervenção de Deus, e não de Pedro, e obviamente visava ser exemplo, válido por todo o sempre, do desagrado de Deus quanto aos pecados da cobiça e da hipocrisia religiosa. Deus nem sempre fulmina quem comete pecados assim. Se o fizesse, haveria gente caindo morta na igreja o tempo todo. Mesmo assim, o incidente demonstra a atitude de Deus para com o coração iníquo; é advertência, já nos dias iniciais, contra o uso — ou melhor, contra o abuso — da igreja como meio de promoção de interesses e vantagens pessoais. O incidente, como exemplo de disciplina, realmente teve efeito salutar imediato sobre a igreja (v. 11).

As autoridades ficaram aterrorizadas diante do poder sempre crescente do Nazareno a quem crucificaram. Prenderam os apóstolos outra vez, não fôsse o medo que sentiam do povo e a influência que Gamaliel exerceu para refreá-las, teriam apedrejado os apóstolos.

Observe como Pedro desafiava destemidamente e de modo contínuo as autoridades (v. 29-32). Os apóstolos, apesar de serem açoitados (v. 40), continuavam proclamando Jesus e se alegravam "por terem sido considerados dignos" de sofrer por causa dele (v. 41,42).

Gamaliel, que serviu de proteção temporária para os apóstolos (v. 34-40), era o rabino mais famoso de seu tempo. Foi aos pés dele que Saulo (posteriormente chamado pelo nome latino, Paulo) fora educado (22.3). O jovem Saulo talvez estivesse presente nessa reunião, pois era membro do Sinédrio (26.10), e pouco tempo depois, quando o concílio apedrejou Estêvão, Saulo era um dos participantes (7.58).

A escolha dos sete — At 6.1-7

Parece que antes dessa ocasião os apóstolos gerenciavam os afazeres da igreja, que incluíam o ministério da Palavra de Deus e o cuidado dos necessitados (4.37). Em poucos meses ou no máximo um ou dois anos, porém, a igreja cresceu enormemente. Atender às necessidades físicas da igreja iniciante, como servir às mesas ocupava em demasia o tempo dos apóstolos.

Quando pesavam na balança as prioridades, entre ministrar às necessidades espirituais da igreja e às suas necessidades materiais, os apóstolos se deram conta da necessidade de dedicar a maior parte de seu tempo à pregação da Palavra de Deus, que teria resultados eternos na salvação de almas. Essa decisão de modo algum significava que os apóstolos se consideravam demasiadamente importantes para servir às mesas. Eram justamente os apóstolos que tinham o conhecimento, em primeira mão, da maravilhosa história de Jesus. O único meio de propagar essa história era a palavra falada. O único empreendimento dos apóstolos, desde a manhã até a noite, era continuar contando história de Cristo às multidões que iam e vinham. A distribuição das tarefas funcionou bem: foi seguida pelo aumento do número dos crentes (v. 7) como resultado da pregação apostólica.

Estêvão — At 6.8-15

Dois dos sete diáconos, Estêvão e Filipe, eram grandes pregadores. Estêvão teve a honra de ser o primeiro mártir da igreja. Filipe levou o evangelho a Samaria e ao oeste da Judéia.

A área específica da obra de Estêvão parece ter sido entre os judeus gregos. Naquele tempo, havia cerca de 460 sinagogas em Jerusalém, e algumas delas foram construídas por judeus provenientes de diferentes países, para seu uso. Uma dessas sinagogas incluía membros de Cirene, Alexandria, Cilícia, Ásia e Roma (v. 9). Visto que a Cilícia incluía a cidade de Tarso, é possível que Saulo fosse membro desse mesmo grupo. Alguns desses judeus nascidos no estrangeiro, já habituados à visão cosmopolita, sentiam-se superiores aos judeus da Palestina. Mas em Estêvão encontraram quem os pudesse refutar. Não conseguindo vencê-lo nos debates, subornaram falsas testemunhas e o levaram diante do Sinédrio. Estêvão era, por certo, um homem brilhante — e Deus estava com ele, ajudando-o com milagres (v. 8).

O martírio de Estêvão — At 7

Estêvão foi levado diante do mesmo concílio que crucificara Jesus e que, pouco antes, tentar impedir que os apóstolos falassem em nome de Jesus (4.18) — e ali estavam os mesmos Anás e Caifás (4.6).

O discurso de Estêvão diante do concílio foi, na maior parte, o resumo da história do AT e chegou ao auge quando os repreendeu de modo pungente por terem assassinado Jesus (v. 51-53). Enquanto falava, seu rosto brilhava como o de um anjo (6.15). Lançaram-se contra ele como feras. Quando começou a ser atingido pelas pedras, Estêvão levantou os olhos ao céu e viu a glória de Deus e Jesus em pé à direita do Pai, como se o céu se estendesse até Estêvão, atravessando o abismo para lhe dar as boas-vindas ao lar celestial. Ele morreu como Cristo morrera, sem o menor ressentimento contra seus desprezíveis assassinos, dizendo: "Senhor, não os consideres culpados deste pecado" (v. 60).

Um jovem chamado Saulo (v. 58). Aqui temos um dos pontos cruciais da história. Saulo, por jovem que fosse, parece que já era membro do Sinédrio (26.10). É possível que estivesse presente a uma ou às duas das reuniões do Sinédrio em que procuraram impedir que os apóstolos pregassem a mensagem de Cristo (4.1-22; 5.17-40), e pode ter testemunhado a recusa corajosa e desafiadora de Pedro.

Em toda sua vida, entretanto, nunca vira uma morte como a de Estêvão. Embora o efeito imediato fosse dar a Paulo a ocasião de se lançar na violenta campanha de perseguição aos discípulos, é bem possível que as palavras de Estêvão ao morrer tenham atingido diretamente o alvo e se cravado profundamente na mente e no coração de Saulo, ali atuando para deixá-lo pronto e receptivo à grande visão na estrada de Damasco (26.14). Pela graça e poder de Deus, Saulo de Tarso foi o homem que, mais que qualquer outro, estabeleceu o cristianismo nos principais centros do mundo então conhecido e alterou o curso da história.

At 8.1-4   A dispersão da igreja

Essa foi a primeira perseguição sofrida pela igreja, que agora contava com um ou dois anos de existência. É provável que a perseguição tenha durado uns poucos meses. Saulo (posteriormente chamado Paulo) foi um dos líderes da perseguição. Tinha dois parentes que já eram cristãos (Rm 16.7). Mas a perseguição desencadeada pelo apedrejamento de Estêvão foi furiosa e severa. Saulo, que "respirava ameaças de morte" (9.1), devastava a igreja e arrastava homens e mulheres à prisão (8.3), espancava os crentes (22.19,20), matava muitos deles (26.10,11) e fazia tudo para destruir a igreja (Gl 1.13).

Essa perseguição resultou na dispersão da igreja. Em Jerusalém, a igreja se tornara um movimento formidável e irreprimível. A última ordem que Jesus deu aos discípulos foi que proclamassem o evangelho ao mundo inteiro (Mt 28.19; At 1.8). Agora, pela providência divina, essa perseguição deu o impulso à obra missionária da igreja. Os membros da igreja já tinham ouvido os apóstolos tempo suficiente para aprender toda a história de Jesus: sua morte e ressurreição. Levavam as notícias maravilhosas aonde quer que fossem. Os próprios apóstolos, entretanto, que a essa altura eram populares e poderosos demais para ser perseguidos, permaneceram temporariamente em Jerusalém a fim de cuidar da igreja. Posteriormente, eles também sairiam viajando para muitos lugares, pregando o evangelho.

At 8.4-40   Filipe em Samaria e na Judéia

Deus enviou Filipe para pregar as boas novas do Reino de Deus e o nome de Jesus Cristo até mesmo em Samaria, cujo povo era desprezado pelos judeus. Os habitantes de Samaria creram na mensagem de Filipe e foram batizados. Até mesmo Simão, feiticeiro famoso pela magia que praticava e que alegava ser a personificação do poder divino, também creu e foi batizado (v. 6,7,13).

À medida que os habitantes de Samaria criam no evangelho, Filipe os batizava em nome do Senhor Jesus (v. 12,16). É interessante notar, entretanto, que não receberam o Espírito Santo senão quando Pedro e João oraram e lhes impuseram as mãos com esse propósito (v. 15). Será que a situação da igreja de hoje, assim como a dos convertidos de Samaria, é que, embora seus membros tenham sido salvos e batizados, falta-lhes o poder de Deus, por ainda não terem recebido o Espírito Santo? Lembre-se das últimas palavras de Jesus antes de sua ascensão: "Não saiam de Jerusalém, mas esperem pela promessa de meu Pai, da qual lhes falei. Pois João batizou com água, mas dentro de poucos dias vocês serão batizados com o Espírito Santo" (1.4,5), e então "receberão poder quando o Espírito Santo descer sobre vocês" (1.8).

Deus dirigiu Filipe em direção ao sul, ao tesoureiro da Etiópia, a fim de enviar o evangelho para o coração da África.

A partir daí, Filipe contou a história do evangelho em todas as cidades desde Azoto (o nome greco-romano para a antiga cidade filistéia de Asdode) até Cesaréia (onde morava: 21.8,9).

O batismo (v. 36-39): aqui o batismo é mencionado com bastante destaque. Jesus ordenou que os seus seguidores fossem batizados como sinal externo da fé no evangelho de Cristo, que acabavam de professar (Mt 28.19). No Dia de Pentecostes, treês mil pessoas foram batizadas (2.38). Os samaritanos foram batizados (8.12), como também Saulo (9.18; 22.16), Cornélio (10.47,48), Lídia (16.15), o carcereiro de Filipos (16.33), os crentes de Corinto (18.8) e de Éfeso (19.5; v. tb. Rm 6.4; Cl 2.12).

Tarso, a cidade natal de Paulo. A porta (à esquerda) é chamada porta de Cleópatra, pois alega-se que ela se encontrou ali com Marco Antônio, meio século antes de Paulo nascer.

O jovem Saulo nem sequer imaginava que posteriormente, viajando pelo mundo inteiro, atravessaria várias vezes os montes Tauro que avistava de Tarso.

At 9.1-30   A conversão de Saulo

Saulo pertencia à tribo de Benjamim (Fp 3.5). Era natural de Tarso, o terceiro centro cultural mais importante do mundo, sendo essa cidade superada, naquele tempo, somente por Atenas e Alexandria. Nasceu cidadão romano (At 22.28), numa família influente. Seus antecedentes, portanto, eram judeus, gregos e romanos. Pertencia ao partido dos fariseus, o que significava que, embora conhecesse as culturas grega e romana, dedicava-se totalmente ao serviço do Deus de Israel mediante rigorosa obediência à Lei. Era essa devoção que o levava a ver Jesus como blasfemador que alegava falsamente ser o Filho de Deus e a igreja como ameaça grave contra a Lei de Moisés e, portanto, contra o futuro do povo judeu.

Estava firmemente resoluto em destruir a igreja. Tendo esmagado e dispersado a igreja em Jerusalém, pôs-se a caminho de Damasco a fim inquirir os cristãos que para lá fugiram.

No caminho, o Senhor lhe apareceu. Sua conversão é narrada três vezes: o relato de Lucas aqui e os dois relatos do próprio Paulo em 22.5-16 e 26.12-18, que ressaltam aspectos da sua conversão que, em cada circunstância, eram mais relevantes. Foi uma visão genuína, e não mero sonho. Ele ficou literalmente cego (v. 8,9,18). Os companheiros de viagem ouviram a voz (v. 7). A partir desse mesmo momento, serviu ao Cristo que procurara destruir com dedicação sem igual na história.

Passou muitos dias em Damasco, pregando a mensagem de Cristo (v. 23). Em seguida, os judeus tentaram matá-lo. Saiu da cidade e passou três anos na Arábia e em Damasco antes de voltar a Jerusalém (Gl 1.17,18), onde passou 15 dias. Os judeus de Jerusalém também tentaram matá-lo (v. 29), de modo que voltou a Tarso (v. 30). Alguns anos mais tarde, Barnabé o levou a Antioquia (11.25,26).

Pedro em Jope — At 9.31-43

Em Lida, Pedro curou Enéias e em Jope ressuscitou Dorcas — milagres que levaram muitas pessoas a crer (v. 35,42).

Pedro ficou em Jope durante algum tempo (v. 43). Portanto, pela providência divina, Pedro estava por perto quando Deus determinou que a porta do evangelho fosse aberta aos gentios em Cesaréia, 48 km ao norte.

A extremidade leste da rua Direita em Damasco, a rua onde Ananias foi procurar Saulo, na casa de Judas.

O evangelho é também para os gentios — At 10

Cornélio foi o primeiro cristão gentio. Até essa altura, o evangelho tinha sido pregado somente aos judeus, aos prosélitos e aos samaritanos — todos guardavam a Lei de Moisés.

Os apóstolos devem ter entendido que, segundo a Grande Comissão de Jesus (Mt 28.19), deviam pregar o evangelho a todas as nações. Mas ainda não lhes fora revelado que os gentios deviam ser acolhidos *como gentios*. Segundo parece, achavam que, antes de os gentios poderem ser acolhidos como cristãos na família de Deus, precisavam tornar-se prosélitos, circuncidados e observantes da Lei de Moisés.

Havia judeus espalhados entre todas as nações, e os apóstolos podem ter imaginado que sua missão era alcançar os compatriotas da Diáspora. Durante algum tempo, pregaram somente aos judeus (11.19). Foi então que Deus lhes mostrou o próximo passo. A Judéia, a Samaria e a Galiléia tinham sido evangelizadas e chegara a hora de oferecer o evangelho aos gentios.

Cornélio era oficial do exército romano em Cesaréia, capital romana da Palestina, residência do governador romano e quartel-general da província (v. p. 598-9). Cornélio era o oficial comandante do Regimento Italiano, que parece ter sido uma tropa de elite. Talvez fosse o guarda do próprio governador. Nesse caso, Cornélio foi um dos homens mais importantes e conhecidos de toda a região.

Cornélio era bom e piedoso. Deve ter sabido alguma coisa a respeito do Deus dos judeus e dos cristãos possivelmente porque era em Cesaréia que Filipe morava. Mas, embora orasse ao Deus dos judeus, Cornélio continuava sendo um gentio.

Foi Deus quem escolheu Cornélio para ser o primeiro gentio a entrar pela porta do evangelho. O próprio Deus dirigiu a seqüência dos eventos, ordenando que Cornélio mandasse buscar Pedro (v. 5).

Foi necessária uma visão especial da parte de Deus para induzir Pedro a ir até Cornélio, o que acabou acontecendo (v. 9-23).

E Deus colocou seu selo de aprovação sobre a aceitação de Cornélio na igreja (v. 44-48) — o primeiro fruto no mundo gentio! Depois disso, Pedro batizou Cornélio e os demais gentios do grupo.

Esse fato deve ter ocorrido entre cinco e dez anos após a fundação da igreja de Jerusalém, talvez por volta de 40 d.C. Certamente as notícias do que acontecera em Cesaréia deram ímpeto à fundação da igreja gentílica em Antioquia (11.20). Para alguns judeus, entretanto, era difícil aceitar tal situação (v. 11.1-18; 15.1-35).

Foi de Jope (v. 5) que Deus enviou Pedro, o judeu, a Cornélio, o gentio. Nessa mesma cidade, 800 anos antes, Deus teve que empregar um pouco de persuasão adicional com Jonas, o judeu, para este ir até a cidade gentílica de Nínive (Jn 1.3).

(É interessante notar que, pelo que sabemos, nem sequer questionou-se se Cornélio devia abandonar a carreira no exército.)

At 11.1-18   A aprovação dos apóstolos

A aceitação de Cornélio, o gentio, por parte de Pedro, como membro da igreja sem primeiramente exigir que fosse circuncidado foi aprovada pelos demais apóstolos, depois de Pedro explicar que foi obra de Deus: foi Deus quem ordenou que Cornélio mandasse buscar Pedro; foi Deus quem ordenou que Pedro fosse até Cornélio; e foi Deus quem selou o ato ao enviar o Espírito Santo (v. 12-15). Entretanto, um grupo de cristãos judeus que pertenciam ao partido dos fariseus não quis aceitar essa decisão (15.5).

A igreja-caverna de São Pedro, na cidade de Antioquia da Síria (a moderna Antakya, na Turquia). A cidade ocupa posição especial na história da igreja primitiva. Um dos sete diáconos originais, Nicolau, era um convertido gentio proveniente de Antioquia (At 6.5). Durante a perseguição posterior ao apedrejamento de Estêvão, alguns discípulos viajaram para o norte até chegar a Antioquia e pregaram aos judeus (At 11.9). Foi ali que os discípulos receberam o nome "cristãos" pela primeira vez, e a igreja local enviou generosa oferta à igreja de Jerusalém durante certo período de fome (At 11.26-30).

A igreja em Antioquia — At 11.19-26

A igreja de Antioquia foi fundada pouco depois do apedrejamento de Estêvão, pelos cristãos que foram dispersos para longe durante a perseguição que se seguiu, provavelmente em torno de 32 d.C. No início, essa igreja consistia somente em cristãos judeus (v. 19).

Alguns anos depois, provavelmente por volta de 42 d.C., alguns cristãos de Chipre e também de Cirene, no norte da África (a moderna Líbia), que possivelmente ficaram sabendo que Cornélio fora recebido na igreja, chegaram a Antioquia e começaram a pregar aos gentios que estes podiam ser cristãos sem se tornar prosélitos; e o próprio Deus demonstrou sua aprovação na forma de conversões (v. 21).

A igreja de Jerusalém ficou sabendo disso. Depois de ouvir a história de Cornélio contada por Pedro, os líderes, convictos de que essa obra era de Deus, enviaram Barnabé a Antioquia a fim de confirmar a bênção da igreja-mãe. E muitos gentios foram acrescentados à igreja (v. 24).

Em seguida, Barnabé foi para Tarso, cerca de 210 km a noroeste de Antioquia, encontrou Saulo e o trouxe consigo para Antioquia. Segundo parece, isso ocorreu uns oito anos depois da conversão dele, que passara três anos em Damasco e na Arábia, e o restante, pelo que sabemos, em Tarso. Deus havia chamado Saulo para levar o evangelho aos gentios (22.21). Sem dúvida, Saulo passara o período a partir de sua conversão, por onde quer que fosse, contando incessantemente a história de Jesus e refletindo, com novo entendimento, sobre a Lei de Moisés e o restante da Bíblia hebraica — o nosso AT. Agora, passa a ser o líder ativo nesse novo centro do cristianismo gentílico.

Antioquia

Antioquia (a moderna Antakya, no sul da Turquia) era a capital da Síria, construída em 301 a.C. por Selêuco Nicator, fundador do Império Selêucida (v. p. 410). Era um grande centro comercial, localizado num vale amplo e fértil abrigado por montanhas majestosas cobertas de neve, e a cidade era chamada "Antioquia, a Bela e a Dourada". Em 64 a.C., os romanos a conquistaram e fizeram dela a capital da província romana da Síria. A cidade foi ampliada e adornada até se tornar a terceira maior cidade do Império Romano (depois de Roma e Alexandria), tendo uma população, no século I d.C., de uns 500 mil habitantes. Sendo uma cidade cosmopolita desde sua fundação, havia entre seus habitantes muitos judeus, que receberam privilégios semelhantes aos dos gregos.

A primeira igreja gentílica foi fundada em Antioquia, e foi ali que os discípulos foram, pela primeira vez, chamados cristãos (At 11.19-26), designação que provavelmente teve origem entre os populares de Antioquia, que eram muito conhecidos pela invenção de alcunhas. Foi a igreja de Antioquia que enviou Paulo e seus companheiros nas três viagens missionárias (13.1; 15.36; 18.23), e Paulo apresentou relatório a essa igreja ao voltar das duas primeiras (14.26; 18.22). É possível que Paulo depois da terceira viagem missionária, planejasse voltar a Antioquia, depois da visita a Jerusalém, mas foi impedido de fazê-lo por ter sido preso.

Antioquia envia ajuda a Jerusalém — At 11.27-30

Barnabé e Saulo levaram ofertas à igreja de Jerusalém, que sofria grandes pressões. Essa parece ser a segunda ocasião em que Saulo voltou a Jerusalém depois de sua conversão (Gl 2.1). Na primeira visita, os judeus tentaram matá-lo (At 9.26-30). Parece que a presente chegada de Saulo em Jerusalém (11.30) deu-se em 44 d.C., visto ser mencionada antes de Herodes matar Tiago e encarcerar Pedro (12.1-4), ao passo que seu regresso a Antioquia (12.25) é mencionado imediatamente após a morte de Herodes (12.23), que ocorreu em 44 d.C.

At 12   A morte de Tiago. A prisão de Pedro

O Tiago mencionado aqui, irmão de João e um dos três discípulos que constituíam o círculo íntimo de Jesus, foi o primeiro entre os doze a morrer (44 d.C.) Outro Tiago, irmão de Jesus, veio a ser reconhecido como líder da igreja de Jerusalém.

Quando Herodes prendeu Pedro, a igreja orou intensamente a Deus por ele. O próprio Deus interveio: livrou Pedro (v. 7) e feriu Herodes, que morreu (v. 23). Esse Herodes era filho do Herodes que mandara executar João Batista e zombara de Cristo (v. p. 865-6).

At 13 e 14   A primeira viagem missionária de Paulo (à Galácia; c. 45-48 d.C.)

Antioquia tornou-se rapidamente o principal centro do cristianismo gentílico. Um dos mestres da igreja de Antioquia fora criado com Herodes (13.1) e com isso podemos inferir que a igreja tinha prestígio considerável. Passou a ser a base de operações para a obra missionária de Paulo. Foi de Antioquia que ele partiu para as suas três viagens missionárias e foi para Antioquia que voltou no fim das duas primeiras, a fim de prestar relatório.

Paulo já era cristão a uns doze ou quatorze anos. Tornara-se um dos líderes da igreja de Antioquia. Já chegara a hora de ele expandir a obra, de levar o nome de Cristo às partes mais longínquas do mundo gentio (22.21).

A região da Galácia à qual viajou ficava no centro da Ásia Menor (a moderna Turquia), uns 480 km a noroeste de Antioquia — uma viagem longa, que, para a nossa mentalidade, exigia muita coragem, pois somente podia ser feita a pé, em lombo de burro ou de camelo ou por barco. A viagem se tornara um pouco mais fácil porque os romanos tinham construído um sistema de estradas pavimentadas por todo o império, que deixaram as comunicações terrestres mais amenas e previsíveis como nunca antes.

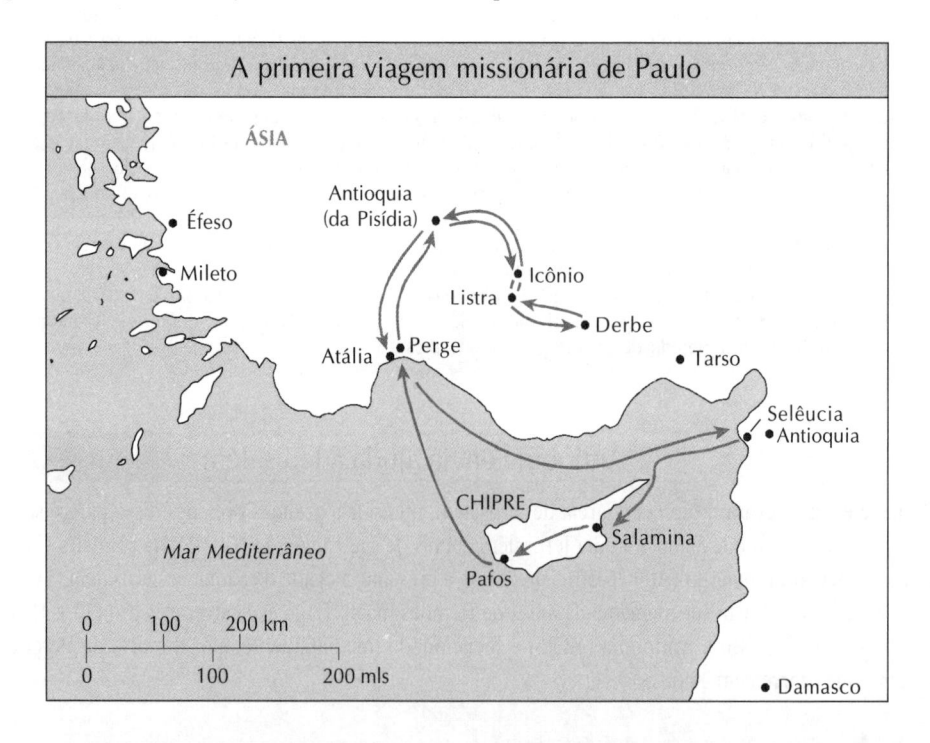

A primeira viagem missionária de Paulo

O itinerário teria sido mais direto por terra, passando por Tarso, a entrada sudeste da Ásia Menor. Paulo, porém, já passara uns sete ou oito anos em Tarso. Ele e seu grupo, portanto, viajaram pela ilha de Chipre, e da extremidade oeste da ilha navegaram para o norte, para a parte central da Ásia Menor.

Em **Chipre**, o governador romano se converteu. Um milagre o convenceu (v. 11,12). Cegar o mágico foi um ato de Deus, e não de Paulo. A partir desse momento, o apóstolo já não é chamado pelo nome hebraico, Saulo, mas pelo nome romano, Paulo (v. 9). Essa mudança foi feita possivelmente para assinalar o início de seu ministério aos gentios.

Até essa altura de Atos, Barnabé é mencionado em primeiro lugar, e Paulo, em segundo. Daqui em diante, Paulo assume a liderança ("Paulo e Barnabé").

Em **Antioquia da Pisídia** (c. 480 km, em linha reta, a noroeste de Antioquia da Síria), Paulo, segundo seu costume, começou a obra na sinagoga judaica. Alguns judeus da região creram, como também muitos gentios (13.43,48,49). Os judeus incrédulos, entretanto, levantaram uma perseguição e expulsaram Paulo e Barnabé da cidade.

Em **Icônio**, uns 160 km a leste de Antioquia da Pisídia, Paulo e Barnabé passaram "bastante tempo" (14.3). Realizaram sinais e maravilhas, e muitas pessoas creram (14.1). Mas outra vez uma coalizão de gentios e judeus os expulsou da cidade.

Em **Listra**, cerca de 32 km ao sul de Icônio, Paulo curou um aleijado, e as multidões o aclamaram deus. Posteriormente, elas o apedrejaram e o deixaram como morto. Listra era a cidade natal de Timóteo (16.1). É possível que Timóteo tenha visto o apedrejamento (2Tm 3.11).

Em **Derbe**, uns 48 km a sudeste de Listra, fizeram muitos discípulos. E depois voltaram, passando por Listra, Icônio e Antioquia da Pisídia.

Segundo parece, Paulo recebeu o "espinho na carne" (2Co 12.2,7) 14 anos antes de escrever 2 Coríntios, ou seja, aproximadamente na época em que entrou na Galácia (Gl 4.13; v. mais na p. 632).

O Concílio de Jerusalém — At 15.1-35

Em cerca de 50 d.C., uns vinte anos depois da fundação da igreja e provavelmente uns dez anos depois de os gentios terem sido recebidos na igreja pela primeira vez, surgiu uma questão fundamental que precisava ser solucionada de uma vez por todas.

Embora Deus tivesse revelado a Pedro, de forma bem explícita, que os gentios deviam ser acolhidos na igreja sem circuncisão (cap. 10) e os apóstolos e anciãos tivessem sido convencidos disso (11.18), ainda assim um grupo de crentes que pertenciam ao partido dos fariseus persistia em ensinar que a circuncisão era necessária. E a igreja ficou dividida quanto a essa questão.

No Concílio de Jerusalém, Deus levou os apóstolos a tomar uma decisão unânime e formal: a circuncisão *não* era necessária para os crentes gentílicos. Eles enviaram uma carta branda nesse sentido a Antioquia, insistindo apenas que os cristãos gentios se abstivessem da idolatria e da imoralidade, que eram práticas tão comuns entre os gentios. Também pediram que se abstivessem de comer sangue, regulamento que era mais antigo que a Lei de Moisés (Gn 9.4). Pode se tratar de uma referência a beber sangue à parte da carne, o que estava associado a certos rituais religiosos pagãos.

Essa é a última menção a Pedro em Atos dos Apóstolos (v. 7). Até o capítulo 12, Pedro tinha sido a personagem principal; agora, o enfoque recai sobre Paulo. (Quanto à vida de Pedro antes disso, v. p. 446; quanto à parte posterior da sua vida, v. p. 694).

Ruínas de Perge (At 13.13). As torres geminadas (acima) ficavam no início da rua romana típica com colunatas, onde se vêem os sulcos feitos pelo trânsito de carroças durante séculos (abaixo).

At 15.36—18.22 — A segunda viagem missionária de Paulo (à Grécia; c. 50-53 d.C.)

Silas foi companheiro de Paulo nessa viagem (15.40). Pouca coisa se sabe sobre Silas, que também é chamado Silvano. É mencionado pela primeira vez em Atos como um dos líderes da igreja na Judéia (15.22, 27,32). Assim como Paulo, era judeu e cidadão romano (16.20,37). Foi enviado com a carta do Concílio de Jerusalém a fim de confirmar e autenticar verbalmente o conteúdo da carta (15.27). Posteriormente, participou das cartas de Paulo aos tessalonicenses (1Ts 1.1; 2Ts 1.1) e foi portador de 1 Pedro aos destinatários (1Pe 5.12).

Marcos, também chamado João Marcos, deixou o grupo na primeira parte da viagem de Paulo e voltou para Jerusalém (13.13), talvez devido à timidez ou ao medo ou porque não tinha plena convicção da validade de evangelizar os gentios. Agora, ele queria participar da segunda viagem, mas Paulo achou que seria melhor que ele não fosse (v. comentário sobre Marcos na p. 494).

Paulo e Barnabé seguiram caminhos separados depois de discordar a respeito da presença de João Marcos com eles na segunda viagem. Posteriormente, no entanto, voltaram a trabalhar juntos (1Co 9.6; Cl 4.10; quanto a Barnabé, v. p. 580).

Em Listra, Paulo achou Timóteo e o levou consigo (16.1). A partir daí, Timóteo sempre foi um leal companheiro de Paulo (v. p. 665).

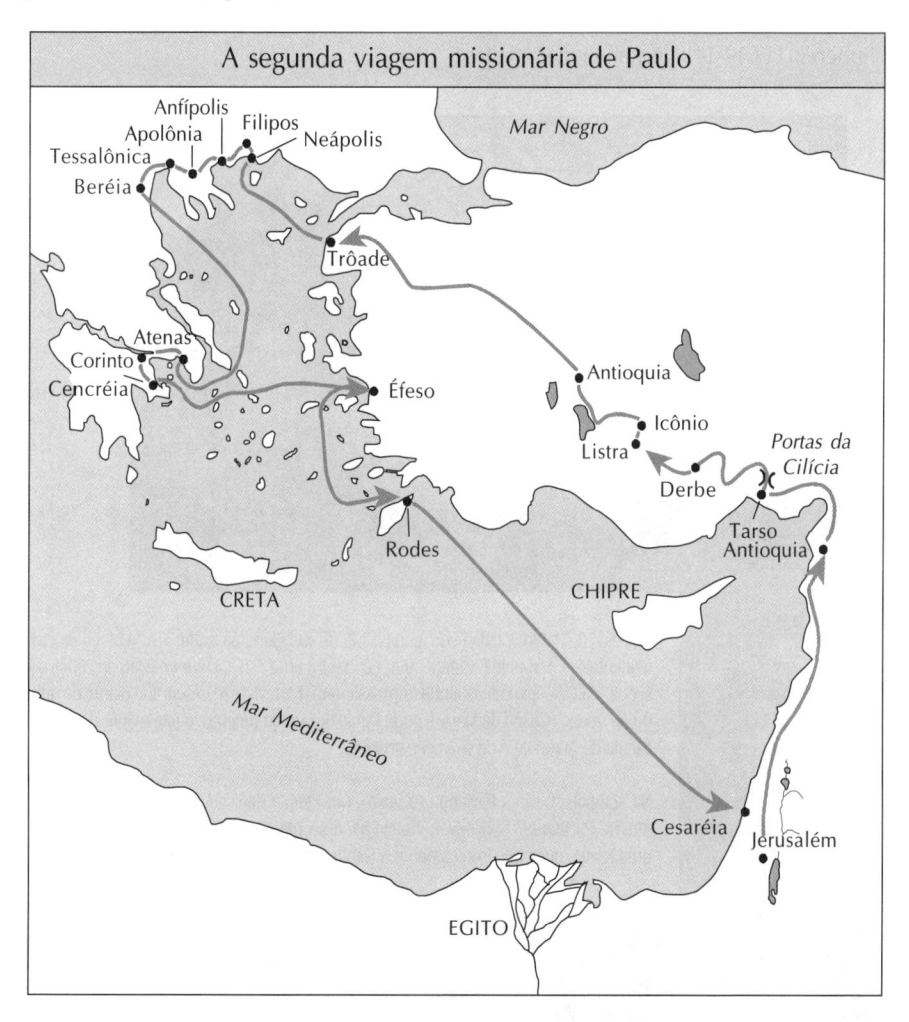

A segunda viagem missionária de Paulo

Parece que Paulo caminhava em direção ao oeste, rumo a Éfeso ("Ásia", 16. 6), mas Deus o fez parar. Então, passou a ir para o nordeste, para a Bitínia, e de novo Deus o fez parar (v. 7). Em seguida, Paulo se voltou para o noroeste e chegou a Trôade. O próprio Paulo, por mais intimidade que tivesse com o Espírito de Deus, em algumas ocasiões demorava um pouco para descobrir qual era a vontade de Deus para si.

Trôade fica a uns 32 km da antiga cidade de Tróia, imortalizada por Homero na *Ilíada* e redescoberta por Heinrich Schliemann em 1870. Lucas uniu-se aos viajantes (observe a mudança de "eles" no v. 8 para "nós" no v. 10). Acompanhou-os até Filipos e ali permaneceu depois da partida de Paulo (Lucas volta a empregar a terceira pessoa em 17.11). Voltou a juntar-se a Paulo seis anos mais tarde (20.6).

Deus, que tinha afastado Paulo de Éfeso e da Bitínia (16.6,7), agora o atrai para **Filipos** (v. 10). Na prisão, Paulo e Silas cantavam hinos, e Deus enviou um terremoto (v. 25,26). A igreja que ali fundaram revelou ser uma das melhores de todo o NT.

Filipos, no canto nordeste da Grécia, foi a localização da primeira igreja de Paulo na Europa. **Tessalônica**, uns 190 km a oeste de Filipos, era a maior cidade da Macedônia. Eles passaram pouco tempo ali, mas fizeram muitos convertidos (17.1-9). (Para a descrição de Filipos, v. p. 646.)

Em **Beréia** (17.10-14), fizeram muitos crentes.

Nos dias de Paulo, a cidade de Atenas vivia de sua glória passada, era "o berço da civilização ocidental". A Acrópole ("Cidade Alta") continha uma espetacular coleção de construções do século V a.C., cujas ruínas ainda impressionam. Essa vista se descortina diante de quem olha do Areópago (Colina de Marte), onde Paulo discursou (acima); a foto menor dá uma idéia da escala da Acrópole e de suas construções.

Na Acrópole, havia o Pártenon (abaixo), um templo dedicado à deusa grega da sabedoria, Athena Parthenos. Sobreviveu intacto até o século V d.C., quando foi remodelado para ser uma igreja, dedicada ironicamente a Santa Sofia, a santa cristã da sabedoria.

Em 1546, os turcos capturaram Atenas, e o Pártenon tornou-se uma mesquita. Posteriormente, os turcos usaram o templo como arsenal de pólvora; foi bombardeado, e a parte central foi destruída.

As grandes esculturas e frisos do templo foram removidos pelo lorde Elgin e levados para o Museu Britânico em 1816.

Atenas (17.15-34) foi o lar dos grandes filósofos da idade de ouro da Grécia — Péricles, Sócrates, Demóstenes, Platão — e permaneceu um centro de filosofia, literatura, ciência e artes. Gloriava-se em possuir a maior universidade do mundo antigo e era o lugar de encontro de toda a classe intelectual do mundo. Era também uma cidade pluralista, onde muitos deuses eram adorados lado a lado. Foi aqui que Paulo teve sua pior acolhida — mas também foi sua tarefa mais desafiadora. Não foi um fracasso, conforme alguns sustentam com base numa falsa interpretação da primeira epístola aos Coríntios; ao contrário, foi uma tradução brilhante de sua mensagem para o pensamento e linguagem helenistas. Revelou o quanto Paulo se sentia à vontade com o pensamento grego.

Corinto, na Grécia, era uma das grandes cidades do Império Romano (v. p. 616-8). Paulo passou um ano e meio ali e fundou uma grande igreja (18.10,11).

Paulo residiu em Éfeso durante dois anos na sua terceira viagem missionária (At 19.8,10) e posteriormente a cidade passou a ser o lugar de residência do apóstolo João. Uma rua com quase 11 m de largura conduzia do porto até o teatro (embaixo); outrora havia uma parede atrás do palco que bloqueava a vista dos assentos a partir da rua.

A praça do mercado (*ágora*) tinha lojas em ambos os lados debaixo de arcadas (à esquerda, no alto).

O grande templo de Artemis (Diana) era importante fonte de renda, e quando esta foi ameaçada pela pregação de Paulo, houve um motim (At 19) (à esquerda).

A vida diária em Éfeso não era desconfortável, embora os conceitos de privacidade tenham mudado. A maioria das pessoas fazia uso de sanitários públicos, que eram mantidos limpos por meio de água corrente no canal embaixo. A instalação retratada aqui tinha um tanque no meio e pisos de mosaico (à direita).

Depois, ele voltou para Jerusalém e para Antioquia, sem deixar de fazer uma parada em Éfeso, visita que há muito tempo desejava fazer. (É possível que quisesse ir a Éfeso na primeira viagem, quando, na fronteira oeste da Galácia, foi obrigado a voltar em direção ao leste pelo seu "espinho na carne"; Gl 4.13; 2Co 12.2,7). Na segunda viagem, pretendia certamente ir a Éfeso, mas Deus, em vez disso, o encaminhou para Trôade e para a Grécia (16.6,7). Finalmente, chegou a Éfeso, para onde voltaria na terceira viagem missionária.

Áqüila e Priscila. Em Corinto, Paulo hospedou-se com Áqüila e Priscila (18.2,3) e os acompanhou até Éfeso (18.18,19). Existem inscrições nas catacumbas de Roma que indicam que Priscila pertencia a uma distinta família de alta posição em Roma. Ela geralmente é mencionada primeiro e deve ter sido uma mulher de raros talentos. Uma igreja se reunia na casa deles em Éfeso (1Co 16.19) e posteriormente também na sua casa em Roma (Rm 16.3-5). Alguns anos depois, estavam em Éfeso de novo (2Tm 4.19).

A terceira viagem missionária de Paulo (a Éfeso; c. 54–57 d.C.) — At 18.23—20.38

Nessa cidade, Paulo fez o trabalho mais maravilhoso de toda a sua extraordinária carreira. Éfeso, cidade magnífica, com uma população de quase 250 mil habitantes, estava localizada no ponto central da Estrada Imperial entre Roma e o Oriente, a coluna dorsal do Império Romano (v. uma descrição dessa cidade grandiosa na p. 596-4, 639.)

Numerosos adoradores da divindade mais importante de Éfeso, a deusa Diana (Artemis) se tornaram cristãos. Igrejas foram fundadas num perímetro de 160 km ao redor dela (19.10,26). Éfeso se tornou rapidamente o principal centro do mundo cristão.

Apolo (18.24-28) era um judeu eloqüente que se tornou poderoso líder da igreja de Corinto (1Co 3.6) e de Éfeso (1Co 16.12). Alguns anos mais tarde, ainda estava ajudando Paulo (Tt 3.13).

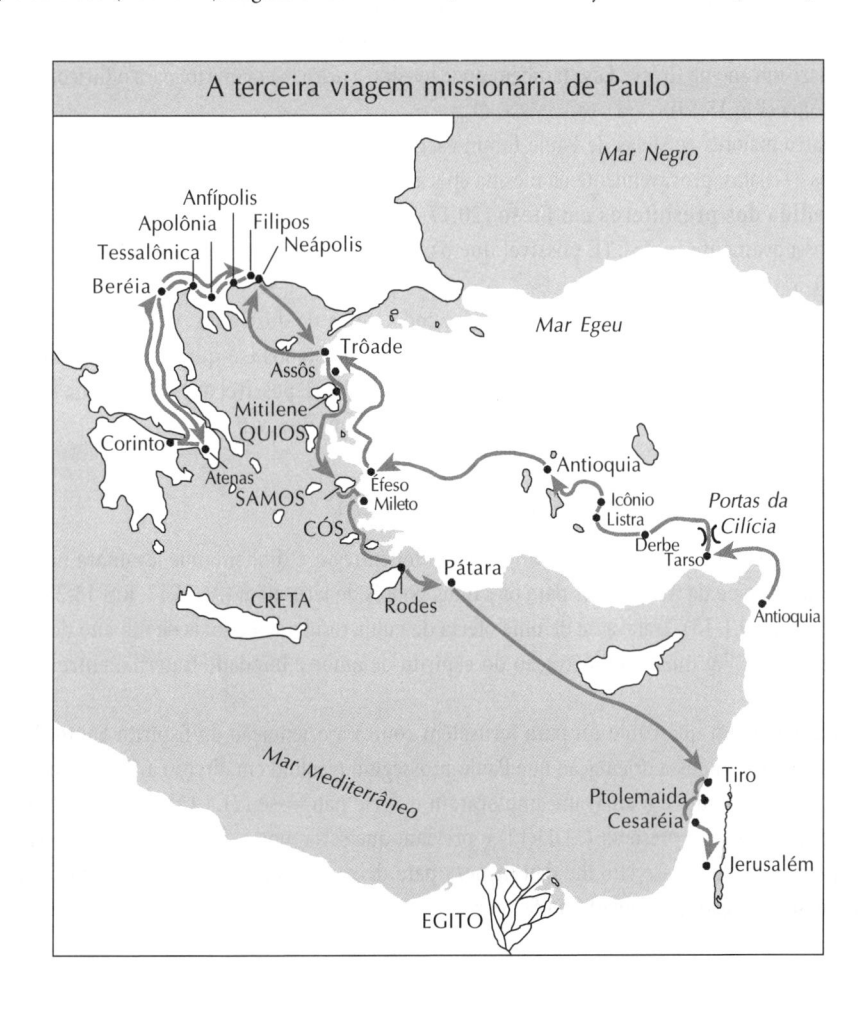

A terceira viagem missionária de Paulo

Milagres especiais em Éfeso (19.11). Tendo uma escola como centro de suas atividades (19.9), Paulo falou publicamente e de casa em casa (20.20), de dia e de noite, durante três anos (v. 31). Levantava seu sustento trabalhando na sua própria profissão (v. 34). Com a ajuda ocasional de milagres excepcionais (19.11,12), Paulo sacudiu a poderosa cidade de Éfeso até os alicerces. Os mágicos e praticantes do ocultismo, que fingiam operar milagres, ficaram tão impressionados que fizeram de seus livros uma grande fogueira (v. 19).

Parece que Paulo era capaz de operar milagres em determinados locais ou situações. Ele operou milagres em Chipre, Icônio, Listra, Filipos, Éfeso, Malta e aparentemente em Corinto (1Co 2.4) e em Tessalônica (1Ts 1.5). Mas não são mencionados milagres quando Paulo está em Damasco, Jerusalém, Tarso, Antioquia da Síria, Antioquia da Pisídia, Derbe, Atenas ou Roma. E Paulo não conseguiu curar seu próprio cooperador Trófimo (2Tm 4.20).

Paulo planeja ir a Roma (19.21). Tendo iniciado sua obra em Antioquia da Síria, na extremidade oriental do Império Romano, e tendo acabado de fazer sua maior obra em Éfeso, no centro do império, Paulo agora planeja viajar até à extremidade ocidental do império.

Paulo visita novamente a Grécia (20.1-5). Paulo partiu de Éfeso em junho de 57 d.C. (1Co 16.8). Passou o verão e o outono na Macedônia (1Co 16.5-8) e os três meses do inverno em Corinto (1Co 16.6). Então, voltou através da Macedônia (20.3) e embarcou num navio em Filipos em 58 d.C. (20.6). Ao todo, passou quase um ano na Grécia. Essa também pode ter sido a ocasião em que foi para o Ilírico, no norte da Macedônia (Rm 15.19).

As quatro maiores epístolas de Paulo foram escritas durante esse período: 1 Coríntios, de Éfeso; 2 Coríntios e Gálatas, provavelmente na mesma época, da Macedônia; e Romanos, de Corinto.

Despedida dos presbíteros em Éfeso (20.17-38). Foram palavras de afeto. Paulo não esperava vê-los novamente (v. 25). (É possível que os tenha visto novamente na quarta viagem missionária.)

As três viagens missionárias abrangeram, ao todo, cerca de doze anos, de 45 a 57 d.C. Como resultado, surgiram vários centros cristãos poderosos, implantados em quase todas as cidades da Ásia Menor e da Grécia, no âmago do mundo então conhecido. (É possível que Paulo tenha feito uma quarta viagem missionária depois dos eventos registrados em Atos; v. p. 603.)

At 21.1-16 — A viagem de Paulo a Jerusalém

Um dos propósitos da viagem de Paulo a Jerusalém foi entregar o dinheiro que levantara nas igrejas gentílicas da Grécia e da Ásia Menor para os santos pobres de Jerusalém (At 24.17; Rm 15.25,26; 1Co 16.1-4; 2Co 8.10; 9.1-15). Tratava-se de uma oferta de vulto, resultado de mais de um ano de levantamento de coletas. Foi uma demonstração do espírito de amor e bondade fraternal entre judeus e gentios.

Alguns acreditam que Paulo foi para Jerusalém contra a orientação do Espírito Santo. Mas foi justamente por causa dessa orientação que Paulo prosseguiu resoluto em direção a Jerusalém (20.22). Os que conheciam Paulo e o amavam, imploraram que ele não fosse (21.4,12), pois o Espírito lhes revelara que Paulo seria preso ali (21.11,12) e previam que seria morto. Paulo confiava no plano do Senhor para sua vida, e esse fato lhe deu firmeza para deixar de lado as advertências dos amigos e concentrar sua atenção no chamado do Senhor.

A ilha de Rodes, perto do litoral da Turquia, estava em declínio havia algum tempo quando Paulo chegou ali. Por um curto período, abrigou uma das Sete Maravilhas do Mundo Antigo: uma estátua de bronze, com 30 m de altura, que representava Hélios, o deus do Sol, em pé à entrada do porto. Era chamada o Colosso de Rodes. Em certo período, os historiadores disseram que a estátua tinha um pé em cada lado do porto, firmados onde agora existem as estátuas atuais, mas isso exigiria maior perícia na fundição do bronze que a então existente. O Colosso foi derrubado em 225 a.C., pouco mais de meio século depois de ter sido construído, por um terremoto que fez a estátua quebrar-se à altura dos joelhos.

Paulo em Jerusalém — At 21.17—23.30

Paulo chegou a Jerusalém por volta de junho de 58 d.C. (20.16). Foi a primeira visita registrada a Jerusalém depois de sua conversão. Durante os anos intermediários, conquistara considerável número de gentios à fé cristã, e por causa disso os judeus incrédulos o odiavam.

Os boatos que circulavam em Jerusalém declaravam que Paulo tentava desviar os judeus da Lei de Moisés. Paulo estava correndo um grave risco, e a coisa mais prudente que podia fazer era demonstrar publicamente que não estava tentando subverter a Lei de Moisés.

No fim da segunda viagem, Paulo fizera um voto, e, segundo o costume judaico, quando voto era cumprido, isso era marcado por certos ritos de purificação (às vezes com sacrifícios) e o raspar dos cabelos (18.18). Na presente ocasião, Paulo endossou os votos feitos por um grupo de quatro homens, pagando as despesas envolvidas na compra dos animais sacrificiais, cumprindo com eles os ritos de purificação e sendo o porta-voz do grupo na notificação dada aos sacerdotes quanto à data em que o sacrifício seria apresentado pelos quatro homens. Mas esse esforço não bastou.

Depois de ele ter estado ali durante quase uma semana, certos judeus o reconheceram no Templo. Eles começaram a gritar, e num instante a turba atacava Paulo, como uma matilha de cães selvagens. Os soldados romanos surgiram em cena sem demora, impedindo que Paulo fosse morto a pancadas.

Na escada que levava à fortaleza romana, a Antônia (ver p. 418), o mesmo lugar em que Pilatos condenara Jesus à morte 28 anos antes, Paulo, com o consentimento dos militares, fez um discuro diante da turba, no qual contou a história do aparecimento de Cristo a ele, no caminho de Damasco. Escutaram-no até ele mencionar a palavra "gentios", e então a turba se descontrolou de novo.

No dia seguinte, o comandante romano levou Paulo diante do Sinédrio, na tentativa de descobrir por que Paulo estava sendo acusado pela multidão de judeus — pergunta que deve ter deixado o comandante, um não-judeu, genuinamente perplexo. Era o mesmo Sinédrio que crucificara Jesus; o mesmo Sinédrio do qual Paulo anteriormente fora membro; o mesmo Sinédrio que apedrejara Estêvão e fizera esforços repetidos para esmagar a igreja. Paulo instigou violenta discussão (23.9), cuja causa seria certamente incompreensível ao comandante romano, que ordenou que os soldados conduzissem Paulo de volta à fortaleza.

Naquela noite, na fortaleza, o Senhor colocou-se ao lado de Paulo e lhe garantiu que Paulo testificaria em Roma a respeito de Jesus (23.11). Muitas vezes, Paulo já tivera vontade de dirigir-se a Roma (Rm 1.13). Em Éfeso, o plano de ir a Roma depois da visita a Jerusalém já se formulara especificamente (19.21), embora ele não tivesse a certeza de sair de Jerusalém com vida (Rm 15.31,32). Mas de agora em diante Paulo tinha certeza de que iria para Roma.

No dia seguinte, os judeus tramaram outra conspiração para matar Paulo e juraram solenemente que não comeriam nem beberiam enquanto não o matassem. Entretanto, o sobrinho de Paulo ouviu falar da emboscada e o avisou. Foram necessários 70 cavaleiros, 200 soldados e 200 lanceiros para conduzi-lo com segurança para fora da cidade e, mesmo assim, acobertados pela escuridão da noite. Duvida-se, entretanto, que os conspiradores tenham morrido de fome.

NOTA ARQUEOLÓGICA: Cesaréia.
Cesaréia estava localizada a quase 50 km ao norte de Jope, no litoral do Mediterrâneo. (Era também chamada Cesaréia Marítima a fim de ser distinguida de Cesaréia de Filipe, localizada uns 40 km ao norte do mar da Galiléia.)

O litoral mediterrâneo da Palestina não possui enseadas naturais. Herodes, o Grande, construiu Cesaréia entre 25 e 13 a.C. à custa de enormes gastos, que incluíram um esplêndido porto artificial medindo 10 hectares, do qual ainda se podem ver os restos. Os quebra-mares foram construídos com grandes blocos de pedra e com uma invenção romana: o concreto hidráulico. Herodes, com o nome da cidade, homenageou seu patrono, César Augusto.

Ao contrário de muitos sítios arqueológicos, o de Cesaréia ficou abandonado durante muitos séculos, fato que oferece aos escavadores fácil acesso às ruínas da cidade. Escavações recentes e ainda em andamento descobriram, pertencentes à era do NT, a estrutura e contornos do porto, uma enorme praia, um anfiteatro com 10 mil assentos e ruínas da plataforma que sustentava o templo dedicado a Roma e a Augusto. A guerra dos judeus, que acabou levando à destruição de Jerusalém, começou com um motim em Cesaréia. Já na era bizantina, a cidade abrangia quase 180 hectares e pelo menos 10 mil pessoas moravam ali. Serviu de capital da Palestina durante cerca de 600 anos – até a época da conquista pelos árabes em 639 d.C. (ver p. 814-5).

No tempo de Herodes, Cesaréia tinha pelo menos 40 mil habitantes e servia de quartel-general das forças romanas, bem como de residência dos procuradores da Palestina. Ali morava Cornélio (At 10) e Filipe, o evangelista, tinha ali sua residência (8.40; 21.8,9). Paulo ficou preso em Cesaréia durante dois anos e pregou diante do rei Agripa (23.31,26.32), possivelmente no recém-descoberto Palácio do Promontório, localizado imediatamente a noroeste do teatro. Talvez tenha sido nesse teatro que Herodes Agripa I foi ferido de uma doença mortal (At 12.19-23).

Uma descoberta notável foi o nome de Pôncio Pilatos numa inscrição fragmentária num bloco de pedra do teatro. Obviamente, essa cidade com guarnição militar era o quartel-general desse procurador e foi cenário da famosa disputa entre Pilatos e uma delegação judaica de Jerusalém. Obstinado e dominador, Pilatos levou estandartes do exército, com efígies do imperador, para dentro de Jerusalém, da frontal violação a lei judaica, que proibia imagens. Os judeus enviaram uma delegação a Cesaréia a fim de se queixar. Ganharam o argumento por estar dispostos a ser mortos pelos soldados de Pilatos antes de ceder nesse caso. Os símbolos da desajeitada lealdade de Pilatos foram transferidos para o santuário de Roma em Cesaréia.

Paulo em Cesaréia — At 23.31—26.32

Paulo passou dois anos em Cesaréia, desde o verão de 58 d.C. até o outono de 60.

Cesaréia era a capital romana da Judéia onde o primeiro gentio fora recebido na igreja uns 20 anos antes — tratava-se de Cornélio, oficial do exército romano.

Na cidade romana mais importante da Palestina, Paulo passou dois anos como prisioneiro no palácio do governador romano (23.35), com o privilégio de receber visitas. Que oportunidade de tornar Cristo mais conhecido!

Paulo diante de Félix (24.1-27). Fazia vários anos que Félix era o governador romano da Palestina. Ele sabia alguma coisa a respeito dos cristãos, visto que havia muitos deles sob sua jurisdição. Agora, devia tomar assento como juiz do processo movido contra o mais notável de todos os mestres cristãos. Paulo causou profunda impressão em Félix, que mandava chamá-lo freqüentemente. Entretanto, sua cobiça o impediu tanto de aceitar a Cristo quanto de soltar Paulo (v. 26). Drusila era uma das irmãs do rei Agripa (25.13).

Paulo perante Festo (25.1-12). Festo foi sucessor de Félix como governador em 60 d.C. Os judeus ainda conspiravam para assassinar Paulo. Festo, embora estivesse convicto da inocência de Paulo, dispunha-se a entregá-lo aos judeus — e Paulo sabia que isso significaria a morte. Paulo, portanto, apelou para César (v. 11), o que era seu direito como cidadão romano. E Festo tinha a obrigação legal de honrar esse apelo.

A cidadania romana, provavelmente conferida ao pai do apóstolo por algum serviço prestado ao Estado, salvou a vida de Paulo em mais de uma ocasião.

Paulo perante Agripa (25.13—26.32). Esse Agripa era Herodes Agripa II, filho de Herodes Agripa I que 16 anos antes executara Tiago (12.2). Era também neto de Herodes Antipas, que mandara decapitar João Batista e zombara de Cristo. E era bisneto de Herodes, o Grande, que mandara matar os meninos de Belém. Esse herdeiro da família herodiana assassina era o rei da província da fronteira nordeste da Palestina, e foi convidado para ajudar Festo (v. na p. 866 a árvore genealógica da família herodiana.)

Berenice era irmã de Agripa e vivia com ele como esposa. Mulher de rara beleza, já se casara com dois reis (um deles fora seu tio, Herodes de Cálcis) e voltara para ser esposa do próprio irmão. Posteriormente, tornou-se amante do imperador Vespasiano e do imperador Tito.

Herodes e Berenice — que casal para Paulo enfrentar na sua defesa!

De modo surpreendente, Agripa ficou profundamente impressionado (26.28). Festo, entretanto, considerava tão absurda a idéia da ressurreição dentre os mortos que interrompeu o discurso, gritando que Paulo era louco (26.24). Todos concordaram, porém, que Paulo era inocente de qualquer delito (26.31).

Durante muitos anos, os antigos relatos da construção de Cesaréia e de seu porto foram considerados com ceticismo, por causa do alto padrão de engenharia que seria necessário para construí-los. Entretanto, os relatos tiveram sua veracidade comprovada. Os gigantescos quebra-mares (de quase 550 m e 225 m de extensão) foram uma notável façanha de engenharia subaquática (no alto). Herodes construiu um aqueduto ao longo do litoral a fim de trazer água do monte Carmelo, a uma distância de quase 20 km. Durante o período bizantino, foi acrescentado o segundo aqueduto (no centro e ao lado). (V. mapa na p. 415.)

Durante o período das Cruzadas, Cesaréia foi transformada numa fortaleza européia, com espessas muralhas (acima) e um fosso (abaixo).

Lucas, embora não estivesse encarcerado, estava com Paulo em Cesaréia (observe o "nós" em 21.17,18; 27.1). Considera-se que foi nesse período que Lucas escreveu seu evangelho (Lc 1.1-3). Os dois anos que passou em Cesaréia teriam lhe dado ampla oportunidade de visitar Jerusalém e talvez também a Galiléia, de conversar com os apóstolos e companheiros originais de Jesus e de reunir informações de primeira mão. É possível que Maria, a mãe de Jesus, ainda estivesse com vida; ele pode ter ouvido dos lábios dela a narrativa do nascimento e da infância de Jesus e a descrição de muitos incidentes da vida deste.

At 27.1— 28.15   A viagem de Paulo a Roma

A viagem a Roma começou no início do outono de 60 d.C. Os três meses do inverno foram passados em Malta. Chegaram a Roma no início da primavera de 61 d.C.

A viagem marítima foi feita em três navios diferentes: um de Cesaréia até Mirra; outro de Mirra até Malta; e o terceiro de Malta até Potéoli.

Pouco depois de partirem de Mirra, desencadeou-se um vento muito forte contra eles, o navio foi arrastado para fora do itinerário e depois de muitos dias não sobrou esperança alguma. Deus, porém, que dois anos antes em Jerusalém dissera a Paulo que este testificaria em Roma (23.11), agora apareceu de novo a Paulo para lhe assegurar que a promessa divina seria cumprida (27.24). E foi mesmo.

At 28.16-31   Paulo em Roma

Paulo passou dois anos, no mínimo, em Roma (28.30). Apesar de ser prisioneiro, teve permissão para morar numa casa alugada com um guarda (28.16) e liberdade para receber visitas e ensinar sobre Cristo. Já havia muitos cristãos em Roma (veja as saudações de Paulo em Romanos 16, escritas três anos antes). Os dois anos de Paulo em Roma foram muito frutíferos e até mesmo alcançaram o palácio imperial (Fp 4.22). Enquanto estava em Roma, escreveu as epístolas aos Efésios, aos Filipenses, aos Colossenses e a Filemom. (Ver mais sobre a cidade de Roma na p. 607.)

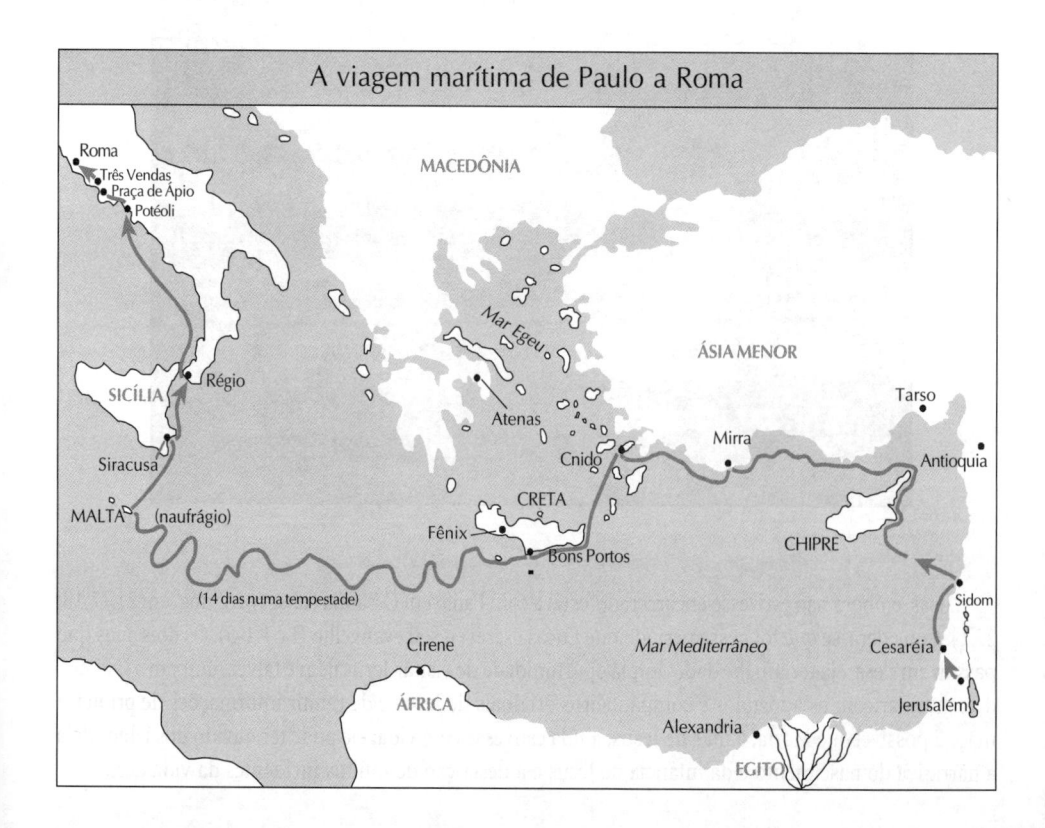

A viagem marítima de Paulo a Roma

A vida de Paulo posterior a Atos dos Apóstolos

Aceita-se, geralmente, que Paulo foi absolvido por volta de 61 ou 62 d.C. Sabemos que planejara continuar viagem até a Espanha (Rm 15.28). Tendo por base a tradição, é possível que Paulo tenha feito a quarta viagem missionária à Espanha, à Grécia e à Ásia Menor em c. 63-67 d.C. (v. mapa na p. seguinte) e que tenha escrito as epístolas a Timóteo e Tito durante esse tempo. Depois, foi novamente preso, levado de volta a Roma e decapitado por volta de 67 d.C.

O ministério de Paulo durou cerca de 30 anos. Durante esses anos, ganhou grande número de pessoas para Cristo. Em muitas ocasiões, Deus o ajudou com milagres. Foi perseguido em quase todas as cidades. Repetidas vezes foi atacado pelas multidões que tentavam matá-lo. Foi espancado, açoitado, encarcerado, apedrejado e expulso de cidade em cidade. Além de tudo isso, tinha que lutar com o "espinho na carne" (2Co 12). Seus sofrimentos são quase incríveis. Cremos que foi o Espírito Santo quem lhe deu o poder sobrenatural para viver em circunstâncias tão adversas e, meio aos seus sofrimentos, levar milhares de pessoas a Cristo.

A quarta viagem missionária de Paulo

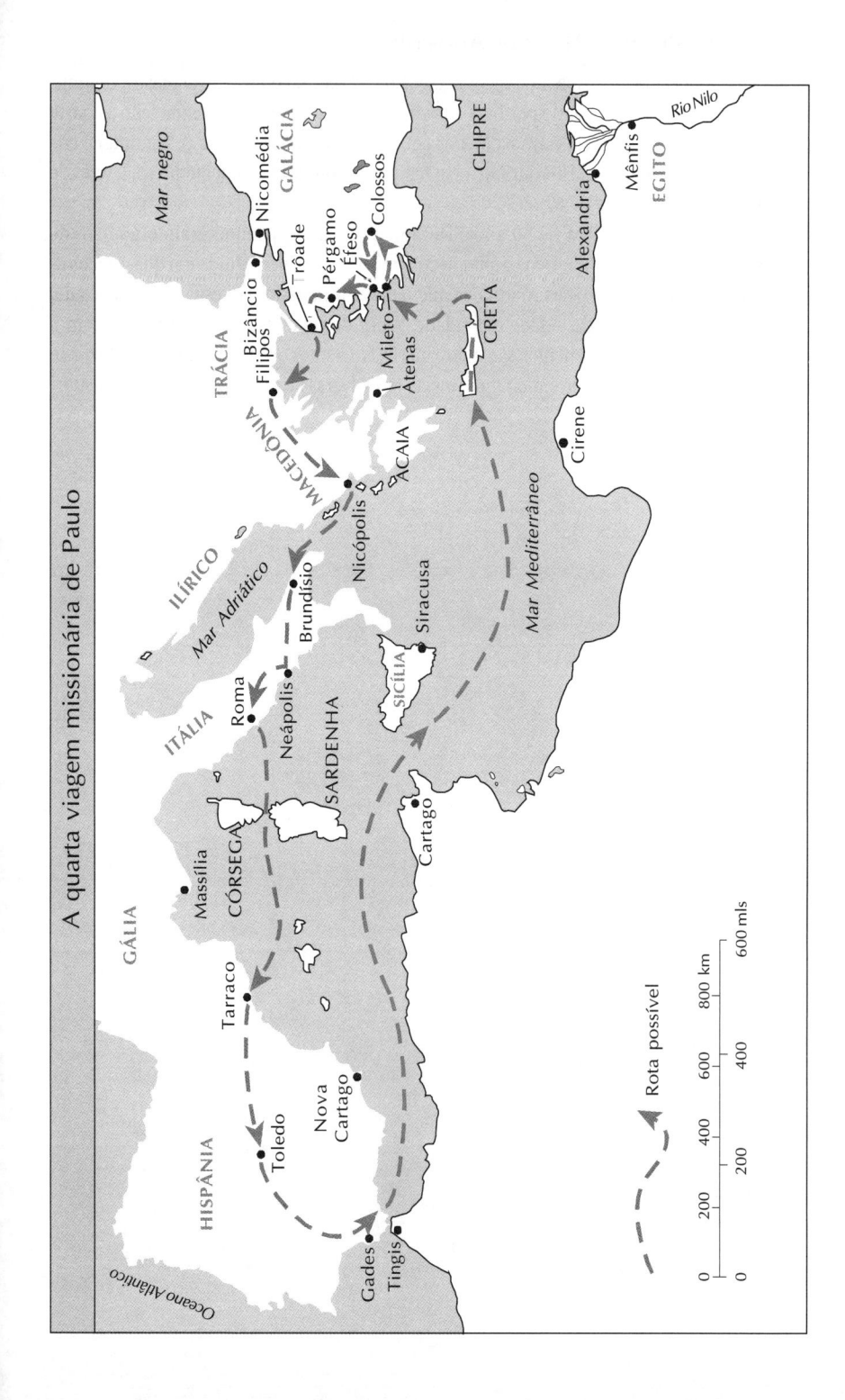

A propagação do evangelho

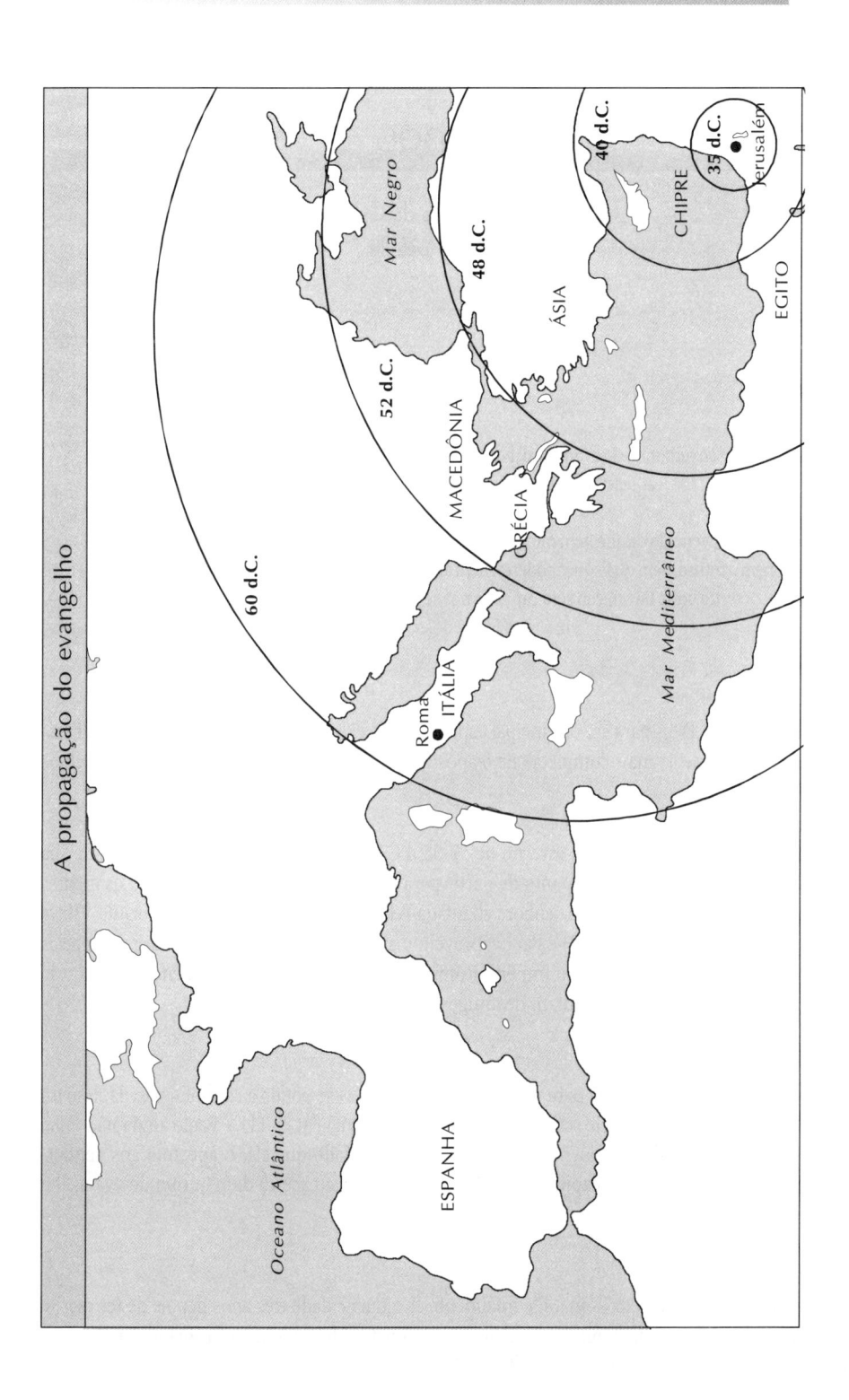

Atos 605

Romanos

A natureza da obra de Cristo
A justificação pela fé

> Não me envergonho do evangelho, porque é o poder de Deus para a salvação de todo aquele que crê: primeiro do judeu, depois do grego.
> — Romanos 1.16
>
> Pois estou convencido de que nem morte nem vida, nem anjos nem demônios, nem o presente nem o futuro, nem quaisquer poderes, nem altura nem profundidade, nem qualquer outra coisa na criação será capaz de nos separar do amor de Deus que está em Cristo Jesus, nosso Senhor
> — Romanos 8.38,39

Paulo foi escolhido por Deus para ser o principal explanador do evangelho perante o mundo, e sua carta aos Romanos é a explicação mais completa que o apóstolo oferece do seu entendimento do evangelho.

Data e ocasião da carta

Na primavera de 57 d.C. (ou talvez no inverno de 57-58 d.C.), Paulo estava em Corinto, no fim de sua terceira viagem missionária. Estava a ponto de partir para Jerusalém, levando a oferta para os crentes pobres daquela cidade (15.22-27). Uma senhora chamada Febe, de Cencréia, subúrbio de Corinto, estava de viagem marcada para Roma (16.1,2) e Paulo aproveitou a oportunidade para enviar essa carta pelas mãos dela. Não existia serviço postal no Império Romano, a não ser para correspondências oficiais do governo. As cartas particulares dependiam de amigos ou viajantes.

Propósito da carta

Paulo escreveu aos cristãos de Roma para informar-lhes que estava se pondo a caminho para lá. Isso foi antes de Deus ter dito a Paulo que ele seria sua testemunha em Roma (At 23.11), e Paulo ainda não tinha certeza de que sairia vivo de Jerusalém (15.31). Parecia apropriado que ele, o apóstolo aos gentios, deixasse registrada por escrito, na capital do mundo, uma explicação acerca da natureza do evangelho de Cristo, caso fosse assassinado antes de poder chegar a Roma.

A igreja de Roma

Paulo ainda não havia estado em Roma. Ele finalmente chegou à cidade três anos depois de ter escrito essa carta. O núcleo da igreja de Roma provavelmente era constituído pelos judeus romanos que haviam estado em Jerusalém no Dia de Pentecostes (At 2.10).

Nos 28 anos desde então, muitos cristãos de diferentes partes do Oriente haviam, por diversas razões, migrado para a capital, incluindo-se alguns dos próprios convertidos e amigos íntimos de Paulo (v. cap.16).

O martírio de Paulo, e provavelmente o de Pedro, ocorreram em Roma, cerca de oito anos depois que a carta foi escrita.

A cidade de Roma

Roma, a cidade-estado italiana que veio a governar a maior parte do mundo antigo, foi fundada, segundo a tradição, em 753 a.C., sobre sete colinas que circundavam um importante baixio do rio Tibre. No século II d.C., Roma controlava a maior parte da bacia do Mediterrâneo, incluindo a Palestina.

A população de Roma provavelmente ultrapassava um milhão de habitantes no início da era cristã, e durante o século I pode ter aumentado um pouco. Uma aristocracia pequena mas extremamente rica construía palacetes e casas de campo, ao passo que as massas viviam em cortiços de vários pavimentos ou como escravos nas propriedades dos ricos. No coração da cidade, os césares construíram um magnífico conjunto de edifícios públicos, talvez jamais igualado. Durante e após a época do NT, Roma continuou a crescer e a edificar. As ruínas existentes no Fórum romano e ao seu redor representam séculos de projetos extravagantes de edificação por uma sucessão de imperadores.

Visitantes de Roma estavam presentes no Pentecoste (At 2.10). Priscila e Áqüila foram expulsos de Roma porque eram judeus (At 18.2). Paulo estava decidido a pregar o evangelho em Roma (At 19.21; 23.11; Rm 1.15) e posteriormente foi aprisionado lá (At 28.16).

Paulo aportou em Potéoli. Alertados pela igreja dali (At 28.14,15), membros da comunidade cristã de Roma se encontraram com Paulo cerca de 48 km a sudoeste de Roma, na praça de Ápio (uma cidade-mercado fundada por Ápio Cláudio Cecus, o construtor da Via Ápia) e em Três Vendas, uma estação logo ao sul da praça de Ápio, e o escoltaram para a cidade.

Segundo a tradição, tanto Paulo quanto Pedro foram martirizados em Roma durante a perseguição de Nero.

Contexto da carta

Os judeus acreditavam que a Lei mosaica era definitiva e decisiva como expressão universalmente obrigatória da vontade de Deus. Por isso, muitos cristãos judeus insistiam em que os gentios que quisessem se tornar cristãos deviam primeiramente ser circuncidados e guardar a Lei de Moisés. Por isso, a dúvida quanto a um gentio se tornar cristão sem primeiramente passar pelos ritos do judaísmo era um dos grandes problemas do momento. O cristianismo teve seu início com a religião judaica, e certos líderes judaicos poderosos estavam resolvidos a deixar a situação assim. A circuncisão era rito físico que constava como cerimônia inicial para os prosélitos.

O argumento principal de Paulo

O argumento principal de Paulo em Romanos é que a justificação do indivíduo diante de Deus depende fundamentalmente da misericórdia de Cristo, *e não* da Lei de Moisés. Não é uma questão de Lei, em absoluto, visto que nenhuma pessoa poderá, em hipótese alguma, viver totalmente à altura da Lei de Deus, que é uma expressão da santidade divina.

Somos justificados somente porque Cristo, segundo a profunda bondade de seu coração, perdoa os pecados das pessoas. Em última análise, a situação da pessoa diante de Deus não depende do que ela tenha feito ou possa fazer; ao contrário, baseia-se totalmente no que Cristo fez em favor dela e da aceitação, por parte de cada pessoa, da dádiva da salvação pela graça, oferecida por Cristo. Por isso, Cristo tem direito a total e sincera lealdade, fidelidade, devoção e obediência de todos os seres humanos.

Rm 1 e 2 — A necessidade universal do evangelho

A pecaminosidade universal da raça humana (1.1-32). A primeira sentença é longa, pois consiste em quatro versículos (1.1-4). É o resumo da vida de Paulo: Jesus ressuscitou dentre os mortos de conformidade com as profecias e comissionou Paulo a pregá-lo a todas as nações.

O desejo, longamente acalentado por Paulo, de ir até Roma (1.9-15). A viagem de Paulo para lá fora adiada pelo chamado para pregar a pessoas de outros lugares que nunca tinham ouvido o evangelho (15.20).

Não me envergonho do evangelho (1.16). Essa também seria sua atitude na própria Roma, a latrina dourada e arrogante de todas as coisas imundas. A terrível depravação descrita nos versículos de 18 a 32 atingira em Roma o seu cúmulo.

Os judeus também são culpados (2.1-29). O quadro chocante que Paulo pinta da pecaminosidade humana é igualmente aplicável aos judeus — embora sejam a própria nação de Deus — pois eles também praticam os pecados que a raça humana 57 d. C.

Você é indesculpável (2.1) inclui cada um de nós. Não é que cada pessoa faça todas as coisas mencionadas em 1.29-31; trata-se do quadro global da raça humana. Cada um de nós é culpado de algumas das coisas mencionadas ali.

No dia em que Deus julgar os segredos dos homens (2.16). Naquele dia, o critério não será a raça do indivíduo — judeu ou gentio — mas a condição íntima do coração e sua atitude para com Deus e as pessoas na vida diária.

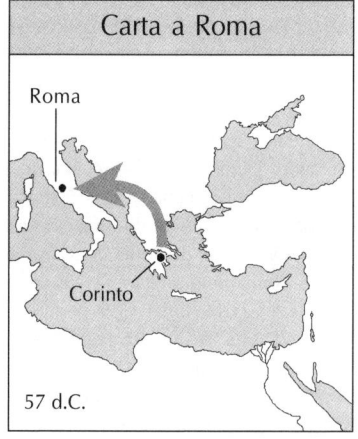

Rm 3 — Cristo é a propiciação pelo pecado

Para que os judeus? (v. 1-20). Se os judeus, na questão da pecaminosidade, estão na mesma situação diante de Deus que as demais nações, por que então a necessidade da existência da nação judaica?

A resposta é que a nação judaica veio a existir a fim de que a ela fosse confiada a revelação de Deus e ela preparasse o caminho para o advento de Cristo. Segundo o propósito divino, a nação dos hebreus foi fundada para cumprir um propósito especial para a redenção dos seres humanos. Mas isso não significa que os judeus sejam intrinsecamente melhores à vista de Deus que as outras nações. Um dos propósitos da Lei era levar todos a compreender que são pecadores (v. 20) e que necessitam do Salvador.

Cristo, nossa propiciação (v. 21-31). Pela natureza eterna das coisas, o pecado é pecado, a justiça é justiça e Deus é justo — por isso não pode existir misericórdia à parte da justiça. O pecado precisa ser castigado. Portanto, o próprio Deus, na pessoa de Cristo, tomou sobre si o castigo pelos pecados da raça humana. Por isso, pode perdoar os pecados das pessoas e, quanto aos que aceitam com gratidão o sacrifício do Salvador, pode-se considerar que têm a mesma justiça que o próprio Salvador.

O caso de Abraão — Rm 4

Paulo levanta o caso de Abraão porque os que ensinavam que os gentios deviam converter-se ao judaísmo a fim de tornar-se cristãos baseavam suas alegações nas promessas feitas por Deus a Abraão, que eram vinculadas com o sinal da circuncisão. Diziam que quem não fosse fisicamente da descendência de Abraão, teria que se tornar herdeiro das promessas mediante a circuncisão.

Paulo explica que a promessa foi feita *com base na fé que Abraão tinha quando ainda era incircunciso*. Por isso, os herdeiros de Abraão são os que possuem essa mesma *fé*, em vez de os que são *circuncidados*. O que havia de grandioso na vida de Abraão era sua fé, e não a circuncisão.

Cristo e Adão — Rm 5

Paulo fundamenta a eficácia da morte de Cristo como expiação pelo pecado humano na unidade da raça em Adão.

Como um só indivíduo poderia morrer em favor de muitos? Uma pessoa podia morrer como substituta de outra — nisso parece haver alguma justiça. Mas como uma só pessoa pode morrer em favor de milhões?

A resposta de Paulo é que os seres humanos não são culpados por serem pecadores, pois nasceram assim. Foram gerados sem lhes ser perguntado se queriam existir. Ao acordar neste mundo, acharam-se num corpo possuidor da natureza pecaminosa. Por outro lado, conforme declara Paulo, o fundador da nossa raça — Adão — não tinha uma natureza pecaminosa no início.

Adão era o cabeça natural da raça humana e foi feito com perfeição à semelhança de Deus. Cristo é o cabeça espiritual e o único homem, depois de Adão, com uma natureza piedosa e sem pecado. O que o primeiro cabeça fez de errado, o outro desfez. O pecado de um só homem trouxe morte à raça humana. Por isso, a morte de um só homem é suficiente para outorgar vida a todos os que aceitarem essa substituição.

Que motivação existe, nesse caso, para vivermos em retidão? — Rm 6

Se não mais estamos debaixo da Lei, e se Cristo perdoa os nossos pecados, por que não continuar pecando, uma vez que Cristo continuará perdoando?

> Pois o salário do pecado é a morte, mas o dom gratuito de Deus é a vida eterna em Cristo Jesus, nosso Senhor.
> ROMANOS 6.23

Paulo responde que é inconcebível semelhante coisa. Cristo morreu para nos salvar *dos* nossos pecados. Seu perdão visa ao propósito de nos levar a odiar nossos pecados.

Não podemos ser servos do pecado e servos do Cristo ao mesmo tempo. Devemos escolher entre o pecado e Cristo. Não é possível agradar a Cristo *e ao mesmo tempo* continuar a viver no pecado.

Isso não significa que temos a capacidade de vencer inteiramente todos os nossos pecados e nos colocar acima da necessidade da misericórdia de Cristo. Significa, isto sim, que existem duas maneiras de viver que são essencialmente diferentes entre si: seguir o caminho de Cristo ou o caminho do pecado. Em nosso coração, pertencemos a um ou ao outro, mas não aos dois.

Cristo, que em si mesmo personifica com perfeição a Lei de Deus, nos fornece a motivação, bem como a capacidade, para continuar nossa luta para alcançar a santidade perfeita que, mediante sua graça, acabará sendo nossa.

Rm 7 — Para que a Lei?

Se já não estamos debaixo da Lei, por que, então, ela foi outorgada? Não foi outorgada como meio de alcançar a salvação, mas sim como meio de preparar a raça humana para perceber que precisa de um Salvador. A Lei nos torna conscientes da diferença entre o certo e o errado e nos demonstra que o homem, nascido com uma natureza pecaminosa, nunca chegará a obedecê-la plenamente. É só quando nos damos conta de nossa incapacidade que passamos a desejar um Salvador e damos valor a ele.

A luta entre nossa natureza pecaminosa e o íntimo de nosso ser (7.14-25). Aqui Paulo apresenta o grande dilema humano: a luta entre nossa natureza pecaminosa, que quer seguir os próprios desejos, e nossa natureza espiritual, que anseia por obedecer a Deus. A outra lei à qual Paulo se refere no versículo 23 é a própria vontade (que Deus nos deu), a qual, com demasiada freqüência, é controlada pela natureza pecaminosa, e não pela espiritual e piedosa. A guerra em nosso íntimo provém do fato de, sabendo o que é certo, permitirmos que nossa natureza pecaminosa nos persuada a fazer coisas erradas, que achamos mais agradáveis. Paulo expressa sua gratidão a Cristo pela libertação da natureza pecaminosa contra a qual não possuía forças para lutar.

No presente capítulo, vem à nossa mente a alegria suprema de Martinho Lutero quando se deu conta, de uma só vez, de que Cristo podia fazer por ele o que lutara em vão para fazer em seu favor! É uma ilustração do domínio que a Lei pode exercer sobre a alma sincera, deprimida pela incapacidade de viver à altura daquela — e do alívio que se acha em Cristo.

Rm 8 — A lei do Espírito

Esse é um dos capítulos mais amados de toda a Bíblia.

O Espírito que habita nos fiéis (v. 1-11). Em Cristo, não somente recebemos o perdão dos nossos pecados, mas também a nova vida, o novo nascimento. A nossa vida natural é, por assim dizer, impregnada pelo Espírito de Deus, e nasce dentro de nós um novo espírito, uma natureza divina ainda incipiente, de modo semelhante ao começo da vida física, da natureza adâmica, pelos nossos pais.

Nossa vida natural, proveniente de Adão, e a nova vida, divina, proveniente de Cristo: essa é a realidade dentro de nós. Talvez não a sintamos nem tenhamos consciência dela, mas ela existe. Aceitamos esse fato como questão de fé. Existe, dentro de nós mesmos, além do alcance de nosso conhecimento consciente, a vida divina, nascida do Espírito de Deus, ou seja, sob seu amoroso cuidado, operando sem alarde mas sem se cansar, visando obter controle da totalidade do nosso ser e nos transformar segundo a imagem de Deus. Essa é a vida que desabrochará em glória imortal no dia da ressurreição.

Nossa obrigação para com o Espírito (v. 12-17). Viver segundo o Espírito significa que, embora dependamos total e implicitamente de Cristo para a salvação, continuamos lutando extenuantemente para obedecer à sua Palavra. Paulo deixa explícito que a graça de Cristo *não* nos desobriga de fazer tudo o que está ao nosso alcance para vivermos em retidão.

No entanto, "viver de acordo com a carne" — segundo nossa natureza pecaminosa — importa em capitular diante da gratificação dos desejos de nossa natureza pecaminosa. Alguns desejos são perfeitamente naturais e necessários, tais como o desejo de alimentos. Alguns desejos são errados. Devemos nos abster totalmente dos desejos errados. Podemos desfrutar dos demais, mas sempre tomando o cuidado de manter nossa vontade focalizada em Cristo.

O sofrimento de toda a criação (v. 18-25). A totalidade da criação natural, incluindo nós mesmos, geme pela ordem superior de existência que será revelada no dia em que Deus completar a redenção que operou, quando o "corpo sujeito a esta morte" (7.24) receberá a liberdade definitiva da glória do céu. É uma concepção grandiosa da obra de Cristo.

A intercessão do Espírito (v. 26-30). O Espírito que em nós habita não é somente a garantia da nossa ressurreição e glória futura, mas também, mediante suas orações em nosso favor, temos a garantia de que Deus fará com que tudo quanto já nos aconteceu e tudo quanto ainda possa acontecer coopere juntamente para o nosso bem. É possível que nos esqueçamos de orar, mas o Espírito nunca se esquece. Deus cuidará de nós até o fim. Nunca nos esqueçamos de confiar nele.

Nada nos separará do amor de Cristo (v. 31-39). Ele morreu por nós. Ele nos tem perdoado. Ele nos concedeu sua contínua presença na pessoa de seu Espírito. Se somos dele, nenhum poder na terra ou no céu poderá impedir que ele nos leve a si mesmo, à presença eterna de Deus. Essa é uma das passagens mais magníficas de toda a Bíblia.

O problema da incredulidade dos judeus — Rm 9—11

Um dos maiores tropeços à aceitação geral do evangelho de Cristo pelos judeus foi a incredulidade. Embora um número considerável de judeus, especialmente na Judéia, tivesse se tornado cristão, a nação como um todo não somente descria, como também lutava veementemente contra a fé.

Os líderes judeus crucificaram o Cristo. Perseguiam a igreja em qualquer oportunidade que se apresentasse. Foram os judeus incrédulos que promoveram distúrbios contra Paulo em quase todas as cidades por onde ele passava.

Se Jesus era realmente o Messias prometido nos escritos proféticos dos próprios judeus, como foi que a nação escolhida por Deus o rejeitou? Os três capítulos que se seguem contêm a resposta de Paulo.

> Se você confessar com a sua boca que Jesus é Senhor e crer em seu coração que Deus o ressuscitou dentre os mortos, será salvo.
> ROMANOS 10.9

A tristeza de Paulo por Israel (9.1-5) Uma declaração muito expressiva de seus sentimentos por Israel: estaria disposto a perder a própria alma se o resultado pudesse ser a salvação desse povo. Depois de tudo o que sofrera nas mãos de seus compatriotas judeus, Paulo não se sente irado nem acalenta ressentimentos, somente profunda tristeza.

A soberania de Deus (9.6-24). Nessa passagem, Paulo não está tratando da questão da predestinação dos indivíduos à salvação ou à condenação. O que Paulo está afirmando é a soberania absoluta de Deus na escolha e governo da nações do mundo, de tal maneira que todas elas, no fim, acabarão ficando sujeitas a ele. A declaração enfática do versículo 16 coloca toda a responsabilidade pelo resultado final na conta da misericórdia de Deus. (O presente versículo fala de uma nação, mas também pode se referir a indivíduos; outras passagens semelhantes certamente se referem a estes: 8.28-30 At 2.23; 4.28; 13.48.)

Como reconciliar a soberania de Deus com o livre-arbítrio humano, não sabemos. Ambas as doutrinas são ensinadas com clareza na Bíblia. Cremos em ambas. Entretanto, explicar como ambas podem ser igualmente verdadeiras é questão que teremos que deixar, por enquanto, para outros tratarem. Algumas coisas que agora vemos são meros reflexos obscuros, como em espelho, mas virá o dia em que conheceremos plenamente, assim como somos conhecidos (1Co 13.12).

Preditas nas Escrituras (9.25-33). Tanto a rejeição de Israel quanto a adoção dos povos gentios por Deus foram igualmente previstas. Portanto, em vez de a acharmos um tropeço, deveríamos ter contado com isso.

A culpa é dos próprios judeus (10.1-21). Deus não obrigou os judeus a rejeitar a Cristo; eles o fizeram por conta própria. Era uma simples questão de ouvir (v. 8-17). Os judeus ouviram, mas desobedeceram deliberadamente (v. 18-21). Como conciliar esse fato com 9.16, não sabemos; virá o dia em que entenderemos plenamente, apesar do fato de que as perguntas que agora nos deixam perplexos sem dúvida se tornarão insignificantes diante do fulgor da presença divina.

A salvação futura de Israel (11.1-36). A rejeição de Cristo por Israel é temporária. Virá o dia em que todo o Israel será salvo (v. 26). Não se declara aqui quando ou como isso acontecerá. Nem sequer se declara se o fato estará vinculado ao regresso dos judeus à Palestina — só temos a certeza fundamental de que acontecerá. Uma das manchas mais escuras no panorama da história universal é o sofrimento, século após século, do povo escolhido por Deus. Dias virão, porém, em que tudo isso chegará ao fim. Israel se voltará, arrependido, ao Senhor. E toda a criação dará graças a Deus pela sabedoria de sua providência.

Rm 12   A vida transformada

Um capítulo magnífico. Seu tom na faz lembrar o Sermão do Monte, proferido por Jesus. Paulo encerrava invariavelmente toda e qualquer consideração teológica com uma exortação sincera à prática do viver cristão. E aqui também. Nos capítulos anteriores, ele insistira em que nossa situação diante de Deus depende inteiramente da misericórdia de Cristo, e não de nossas boas obras. Aqui, insiste igualmente que a misericórdia que perdoa com tanta graciosidade é justamente o que nos fornece ímpeto poderoso e irresistível para a prática das boas obras e que transforma toda a nossa maneira de considerar a vida.

A humildade de espírito (v. 3-8). Essa exortação é endereçada a todos os cristãos, mas é de importância ainda maior para os líderes eclesiásticos. É tão comum a posição de liderança, que deveria nos tornar humildes, acabar nos enchendo de orgulho! E é tão freqüente uma pessoa com determinada habilidade a depreciar os talentos diferentes possuídos por outros (v. mais pormenores nos comentários sobre 1Coríntios 12—14.)

Deus concede a cada cristão a "proporção de fé" a fim de exercer certos ministérios no corpo de Cristo, a igreja. A capacidade de pôr em prática esses dons provém de Deus. Resulta daí que não existe lugar para o orgulho, para alguém se sentir mais importante que os outros por causa de algum dos dons que tão livremente nos são concedidos.

Paulo se refere ao corpo humano como a imagem da igreja. Deve haver união e integração — só que cada membro do corpo tem propósito e função diferentes. A unidade da igreja centraliza-se em Cristo. Deus livremente concede dons aos membros, visando satisfazer as necessidades de toda a igreja como corpo de Cristo. Esses dons, concedidos para o ministério, incluem a profecia, a prestação de serviços, o ensino, o encorajamento, a contribuição para suprir as necessidades dos outros, a liderança e a prática da misericórdia (12.5-8). Os membros das igrejas precisam usar esses dons para que a igreja possa funcionar conforme Deus planejou.

Qualidades celestiais (v. 9-21). Se chegarmos algum dia a nos convencer de que somos cristãos muito bons, essa lista de exortações servirá como espelho para nos mostrar a distância que ainda teremos que percorrer e o quanto necessitamos da ajuda e da misericórdia de Cristo!

Obediência à lei civil — Rm 13

Os governos civis são estabelecidos por Deus (v. 1) a fim de refrear os elementos criminosos da sociedade, embora os cargos governamentais sejam freqüentemente ocupados e exercidos por pessoas iníquas. Devemos saber fazer separação entre os sentimentos a respeito das pessoas que ocupam esses cargos e a autoridade inerente ao próprio cargo. Os cristãos devem ser cidadãos cumpridores das leis, obedientes ao governo do país em que vivem, sendo governados pelos princípios da Regra Áurea em todas as atitudes e os relacionamentos na vida (v. 8-10) e fazendo o máximo esforço para sermos continuamente íntegros em todas as coisas e para tratar o próximo com consideração.

A aurora se aproxima (v. 11-14). "A noite está quase acabando; o dia logo vem." Isso se refere aos que já eram cristãos havia algum tempo, ou à era cristã que avança em direção à sua consumação ou à vinda do Senhor em glória e à nossa ida a ele mediante a morte.

Julgando uns aos outros — Rm 14

Não devemos julgar uns aos outros em coisas tais como comer certos alimentos ou observar dias especiais (ou deixar de comê-los e observá-los). Os alimentos referidos podem ter sido carnes oferecidas em sacrifício a ídolos (v. comentário sobre 1Co 8). Os dias "sagrados" talvez se referissem à insistência dos judeus em que os gentios observassem o sábado e outros dias de festas religiosas judaicas. O dia do Senhor, o primeiro da semana, era o dia do cristão. Se, além desse dia, os cristãos judeus ou gentios quisessem observar também o sábado judaico, tinham direito a isso. Mas não deviam insistir em que os outros fizessem a mesma coisa.

A união fraternal — Rm 15.1-14

Paulo conclama os cristãos mais fortes, cuja fé é mais madura, a dar apoio paciente aos cristãos mais novos, mais "fracos", visando edificar a fé. Cristo foi exemplo dessa atitude, ao concentrar-se inteiramente na edificação da igreja, deixando de lado os próprios interesses. Paulo entendia que a união na igreja era fator decisivo para a edificação da igreja gloriosa.

O plano de Paulo para ir a Roma — Rm 15.15-33

Se Paulo fosse como certas pessoas, tão logo recebesse de Cristo a comissão de ser apóstolo especial aos gentios teria imediatamente embarcado para Roma, a capital do mundo gentio, e feito dessa cidade sua base de operações para a evangelização do Império Romano. Uma razão por que não fez assim foi provavelmente o fato de que, a partir do Dia de Pentecostes (At 2.10), já havia uma igreja em Roma. E a missão de Paulo era levar o nome de Cristo até as regiões onde o Salvador ainda não era conhecido. Seu plano era pregar por onde quer que fosse, avançando gradativamente para o Ocidente. E agora, depois de 25 anos e após ter implantado o evangelho solidamente na Ásia Menor e na Grécia, está pronto para prosseguir até a Espanha, fazendo escala em Roma. Paulo chegou a

Roma cerca de três anos depois de ter escrito essa carta. (Se realmente chegou a alcançar a Espanha, v. comentário sobre At 28).

Rm 16   Assuntos pessoais

Esse é um capítulo de saudações pessoais a 26 líderes da igreja que eram amigos pessoais de Paulo.

- Febe (v. 1,2) levou a carta; estava provavelmente viajando a negócios para Roma. Cencréia era o porto leste de Corinto (v. mapa na p. 591).
- Priscila e Áqüila (v. 3-5) já haviam morado em Roma (At 18.2) e tinham estado com Paulo em Corinto e Éfeso. Estavam de volta a Roma, e uma igreja se reunia na casa deles.
- Epêneto (v. 5), o primeiro convertido da província da Ásia, que agora morava em Roma.
- Maria (v. 6); observe quantas das pessoas que Paulo saúda são mulheres.
- Andrônico e Júnias (v. 7) eram parentes de Paulo. A essa altura, já eram velhos, pois tinham sido cristãos por mais tempo que Paulo e estiveram com ele na prisão.
- Amplíato, Urbano, Estáquis e Apeles (v. 8-10) são amigos de Paulo.
- As casas de Aristóbulo (v. 10) e de Narciso (v. 11); é provável que abrigassem reuniões da igreja nos seus lares.
- Herodião, outro parente de Paulo.
- Trifena, Trifosa, Pérside (v. 12), três mulheres.
- Rufo (v. 13) talvez fosse filho do Simão que levou a cruz de Cristo (Mc 15.21), cuja mãe se preocupava com Paulo de modo maternal.
- Quanto às nove últimas pessoas mencionadas por Paulo (v. 14,15), não temos outra identificação delas além do fato de pertencerem à igreja de Roma.
- Seguem-se, então, as saudações das pessoas que estavam com Paulo:
- Tércio (v. 22) era o amanuense de Paulo, que escrevera o que Paulo ditou.
- Gaio (v. 23) era o irmão cristão em cuja casa Paulo estava hospedado naquela ocasião e onde os cristãos de Corinto se reuniam regularmente.
- Erasto (v. 23), o dirigente das obras públicas da cidade de Corinto, deve ter sido homem de influência considerável.

I Coríntios

Desordens na igreja
Dons espirituais
O capítulo do amor
A importância da ressurreição

> Os judeus pedem sinais miraculosos, e os gregos procuram sabedoria;
> nós, porém, pregamos a Cristo crucificado, o qual, de fato,
> é escândalo para os judeus e loucura para os gentios.
> — 1 Coríntios 1.22

> E, se Cristo não ressuscitou, é inútil a nossa pregação,
> como também é inútil a fé que vocês têm.
> — 1 Coríntios 15.14

Data e ocasião da carta

Paulo provavelmente escreveu 1 Coríntios por volta de 55 d.C., perto do final do período de três anos que Paulo passou em Éfeso (16.5-9; At 20.31). Paulo estava planejando passar em Corinto o inverno seguinte (16.5-8), o que de fato aconteceu (At 20.2,3).

Cerca de três anos depois de partir de Corinto, Paulo estava em Éfeso, cerca de 440 km a leste, do outro lado do mar Egeu, fazendo a obra mais maravilhosa de sua extraordinária carreira. Tanto Corinto quanto Éfeso ficavam numa movimentada rota comercial, e os navios faziam travessias constantes entre essas duas cidades (v. mapa na p. 591). Uma delegação de líderes da igreja de Corinto foi enviada a Éfeso a fim de consultar Paulo a respeito de alguns problemas e desordens muito graves que tinham surgido na igreja. Foi como resposta a essas perguntas que Paulo escreveu 1 Coríntios. Escrevera pelo menos uma carta anterior, que não mais existe (5.9).

Na presente carta, Paulo responde a várias questões levantadas pela delegação. Entre elas estão a das divisões entre os membros da igreja (1.10-24), da imoralidade (5; 6.12-20), litígios judiciais de uns contra os outros (6.1-8) e práticas impróprias na ceia do Senhor (11.17-34). Paulo também trata de falsos ensinos a respeito da ressurreição do corpo (cap. 15) e encoraja a igreja de Corinto a fazer donativos para o sustento dos crentes judeus pobres de Jerusalém (16.1-4).

Facções na igreja — 1 Co 1

Em Corinto, assim como em todos os outros lugares daquela época, os cristãos não tinham um lugar central de reuniões. (A única exceção era Jerusalém, onde os cristãos podiam se reunir nos pátios do Templo.) Os edifícios eclesiásticos não começaram a ser construídos senão 200 anos mais tarde, quando as perseguições contra a igreja começaram a diminuir (v. p. 780).

Eles se reuniam em casas, salões ou onde quer que pudessem. Havia multidões de cristãos em Corinto, não em uma só grande congregação, mas em muitas congregações pequenas, cada uma com liderança própria. Essas congregações, segundo parece, estavam se transformando em grupos rivais que faziam concorrência entre si em vez de cooperar na causa geral de Cristo naquela cidade iníqua.

A cidade de Corinto

Corinto fica a quase 90 km a oeste de Atenas, na estreita faixa de terra (istmo) entre o Peloponeso e a Grécia continental. Durante todo o período a partir da Idade de Ouro da Grécia, Atenas tinha sido o principal centro cultural (v. p. 593); sob o domínio romano, entretanto, Corinto fora feita a capital da província romana chamada Acaia (que também incluía Atenas) e era a cidade mais importante do país. O trânsito terrestre entre o norte e o sul do país passava obrigatoriamente pela cidade e boa parte do comércio entre Roma e o Oriente era trazida aos seus portos.

No período romano, Corinto era uma cidade de riqueza, luxo e imoralidade — com população crescente que excedia a 300 mil cidadãos livres e 460 mil escravos no século II d.C. O teatro nos dias de Paulo comportava 14 mil espectadores sentados. No passado, mais de mil *hierodouloi* — prostitutas do templo — tinham participado dos ritos da adoração pagã, mas essas práticas provavelmente tinham cessado antes dos dias de Paulo, embora a lembrança de tais coisas ainda vivesse na memória. "Viver como um coríntio" significava adotar uma vida de imoralidade sexual e de embriaguez. Os jogos ístmicos, realizados de dois em dois anos, fizeram de Corinto grande centro da vida helênica. (Os Jogos Olímpicos eram realizados de quatro em quatro anos em Olímpia, cerca de 160 km a oeste de Corinto.)

Paulo visitou Corinto pela primeira vez na segunda viagem missionária (At 18). Conheceu Áquila e Priscila, companheiros de fé cristã e, como ele, fazedores de tendas. Durante a permanência nesse lugar, de um ano e meio de duração, ficou hospedado na casa deles. Posteriormente, Paulo escreveu àquela igreja duas cartas que foram incluídas no NT e pelo menos uma outra que não foi preservada (1Co 5.9). Enquanto estava em Corinto, Paulo também escreveu a carta aos Romanos (Rm 16.23).

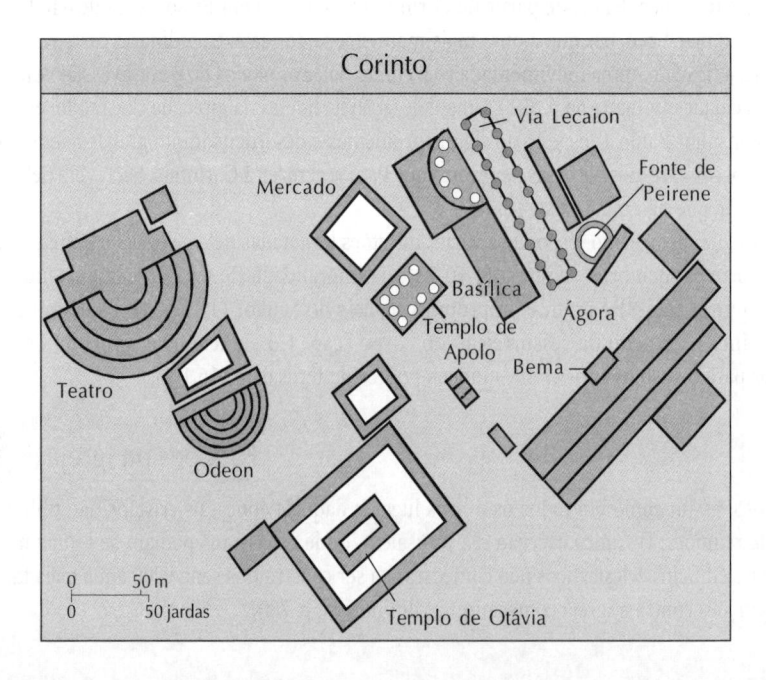

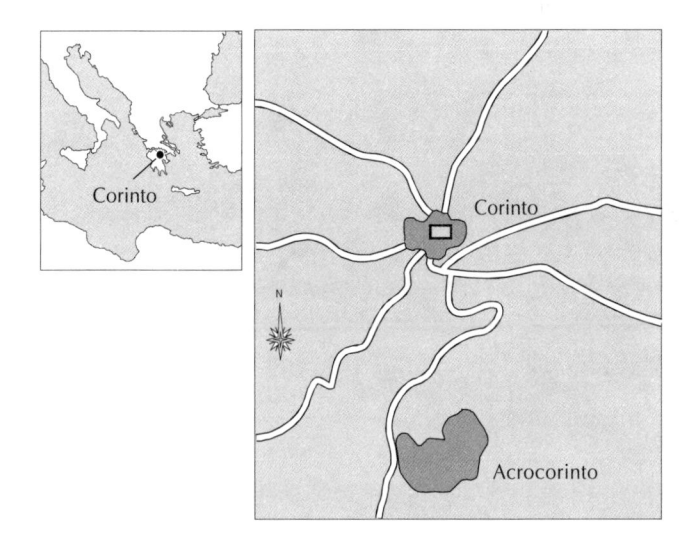

Fundada no século ıx a.C., a cidade de Corinto foi destruída pelos romanos depois de uma insurreição. Foi fundada de novo por Júlio César em 46 a.C., e na época das viagens de Paulo a cidade tinha por volta de 100 mil habitantes.

No Acrocorinto, rocha íngreme com cume plano, que domina a cidade, havia antigamente o templo de Afrodite, a deusa do amor, cujo culto estava vinculado à imoralidade, embora na época do nt a licenciosidade tivesse sido abandonada.

As ruínas da *bēma* ou "tribunal", em Atos 18.12-16, onde Paulo foi levado diante de Gálio, o procônsul.

Alguns gregos, com sua predileção pela especulação intelectual e seu orgulho pela sabedoria, jactavam-se bastante de suas interpretações filosóficas do cristianismo. E, além de se agrupar ao redor de uma ou outra doutrina, tornavam-se partidários de um ou outro líder. A igreja, portanto, ficou subdividida em muitas facções, cada uma procurava carimbar Cristo com sua pequena marca registrada — prática que ainda hoje predomina em escala assustadora.

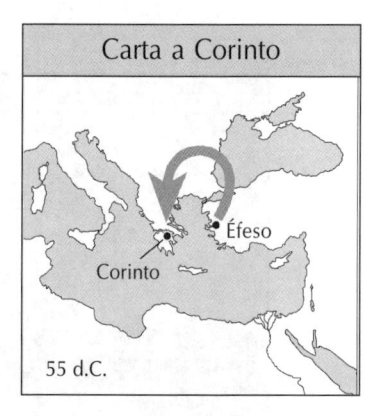

Carta a Corinto

55 d.C.

1 Co 2   A sabedoria de Deus

O "partido da sabedoria" recebeu a parte mais pesada da repreensão arrasadora feita por Paulo. Corinto ficava perto de Atenas, onde o ambiente era dominado por egoístas que se pavoneavam como filósofos.

Paulo era um homem com capacidade para ensinar em universidades, um estudioso de destaque na sua geração. Entretanto, ele desprezava qualquer alarde pedante de sua erudição. A erudição genuína e a cultura verdadeira devem nos tornar mais humildes e tolerantes para com os que talvez não possuem tantos conhecimentos, mas sejam superiores a nós na sabedoria e entendimento espirituais.

Paulo contrasta a sabedoria de Deus com a sabedoria do mundo incrédulo. A sabedoria mundana não consegue, usando a própria filosofia, reconhecer a Deus. Foi por isso que Deus enviou Cristo, que é a sabedoria de Deus (1.24), a fim de nos revelar o conhecimento do plano divino da salvação que tinha sido, até então, mistério. Agora, porém, a sabedoria de Deus é revelada aos crentes mediante o Espírito Santo.

A igreja pertence a Deus — 1Co 3

A arrogância e a pretensão filosófica de algumas pessoas da igreja era sinal de sua infantilidade espiritual. Produzia facções, tendia a destruir a igreja (v. 17) e não resultava em nada de valor permanente (v. 12-15). A igreja é criação e obra de Deus. É eterna na sua natureza e grandiosa demais para cair no domínio exclusivo de determinado grupo de partidários (v. 21-23). Tenhamos grandeza moral e sabedoria suficientes para enxergar esse fato!

Paulo vindica sua posição — 1Co 4

Deve ter havido um grupo considerável de líderes da igreja, convertidos por intermédio do ministério de Paulo, que se tornaram influentes e inchados com o conceito da própria importância e agora queriam ser donos da igreja. Tinham se tornado altivos, autoritários e jactanciosos na sua atitude para com Paulo. Por isso Paulo teve que se vindicar seu apostolado.

Paulo admoesta os líderes da igreja a não ensinar mais do que está escrito, a fim de que não se tornem arrogantes nem se esqueçam de quem lhes deu sabedoria espiritual. Paulo os aconselha a seguir o exemplo dele próprio, como pai espiritual em Cristo, que o apóstolo colocara diante deles no seu modo de ensinar, na sua conduta e em todos os aspectos de sua vida em Cristo.

O caso de incesto — 1Co 5

Um dos membros da igreja estava vivendo abertamente em pecado com a esposa de seu pai. E a igreja, em vez de administrar a devida disciplina, orgulhava-se da "mente arejada" ao acolher semelhante pessoa. Paulo ordenou que esse homem fosse entregue a Satanás (v. 5) — isto é, formalmente excomungado da igreja — a fim de servir de exemplo, para impedir a propagação de atividades desse tipo (bem como a perigosa tolerância à iniqüidade) e também na esperança de levar o culpado ao arrependimento. O mesmo caso é referido de novo em 2 Coríntios 2.

Demandas judiciais — 1Co 6.1-8

Obviamente, é impróprio que os seguidores da religião do amor fraternal publiquem suas desavenças diante de tribunais pagãos. Os cristãos irão governar e reinar com Cristo sobre todo o universo e estarão envolvidos em dirimir questões de grande peso, entre a justiça e a iniqüidade, entre a vida eterna e a morte eterna (6.2; Mt 19.28; Lc 22.30). Por que, então, eram incapazes de resolver as próprias desavenças? Paulo pergunta se não existe um único homem de integridade e de piedade entre eles que tenha sabedoria e competência suficientes para dirimir, com base na sabedoria divina, as queixas e disputas entre os membros da irmandade. A própria existência de desavenças entre os membros já era em si bastante ruim, mas levar essas demandas aos tribunais pagãos e submetê-los a juízes iníquos não fazia sentido. Paulo sugere que seria melhor aos membros da igreja suportar o mal infligido por outros irmãos em Cristo e ser privados de alguns direitos que levar a público semelhantes disputas, para serem julgadas por juízes iníquos.

1Co 6.9-20   A imoralidade

Afrodite, a deusa do amor, era uma das principais divindades de Corinto. Antes dos dias de Paulo, seu templo no Acrocorinto (acrópole) tinha mais de mil sacerdotisas/prostitutas, disponíveis para o "culto" e para a licenciosidade.

Alguns dos cristãos coríntios, que antes tinham se acostumado com a religião que fomentava a imoralidade no viver, estavam achando um pouco difícil adaptar-se à nova religião, que proibia a vida imoral. Nas considerações anteriores, Paulo dissera que todas as coisas são lícitas (v. 12). Alguns dos coríntios, segundo parece, estavam citando essas palavras como justificativa para a participação na promiscuidade sexual. Paulo declara enfaticamente que eles estão errados. Proíbe os cristãos, categoricamente e com linguagem inconfundível, de participar de tais coisas.

Paulo relembra aos membros da igreja que seus corpos são membros do corpo de Cristo. Quando participam de comportamento imoral, pecam contra os próprios corpos. Em Gênesis 2.24, está escrito que o homem e a mulher se tornarão uma só carne. Paulo ressalta que essa lei espiritual se aplica a todo o que mantém relações sexuais. Os que têm relações com prostitutas tornam-se um só corpo com as pecadoras (v. 16). Quem se une ao Senhor é um só espírito com ele (v. 17).

1Co 7   O casamento

Eles tinham escrito a Paulo perguntando se era lícito aos cristãos casar-se. O estranho era que, por um lado, se sentiam orgulhosos do caso de incesto (5.2) e, por outro, sentiam escrúpulos quando se tratava do casamento lícito. Paulo aconselha o casamento para os que o desejarem. O próprio Paulo não estava casado (v. 8). Alguns acham que ele era viúvo, tendo perdido a esposa quando ainda jovem, e isso por duas razões: Paulo votava no Sinédrio (At 26.10), e para isso o casamento era condição prévia; esse capítulo parece ter sido escrito por quem sabia algo a respeito das intimidades da vida conjugal.

Paulo ordena que os membros da igreja se casem, caso fiquem tentados pelos desejos sexuais, a fim de não serem atraídos para o comportamento imoral. Sugere — em caráter permissivo, e não como mandamento — que os casais não se privem um do outro no leito conjugal, para não deixar Satanás tentá-los ao pecado por não conseguirem refrear o desejo sexual. Paulo conclama os membros solteiros da igreja, bem como as viúvas, a permanecer solteiros e celibatários.

Paulo também se dirige aos membros da igreja que estão casados com incrédulos. Conclama-os a não se divorciar, a fim de que os filhos não sejam criados fora da influência e da doutrina cristãs. Nessas situações, Paulo incentiva os cônjuges crentes a viver segundo os padrões do amor de Cristo e servir tão bem ao respectivo esposo ou esposa, e ao próximo em geral, que o cônjuge incrédulo seja levado por isso ao Senhor. Se, entretanto, o cônjuge incrédulo abandonar o lar, o ensino de Paulo é que o membro da igreja deve deixá-lo ir embora. Em tais casos, o crente e o incrédulo não estavam moralmente vinculados um ao outro (1Pe 3).

1Co 8   Carne sacrificada a ídolos

Havia muitos deuses na Grécia, e grande parte da carne à venda nos mercados públicos tinha sido primeiramente oferecida a algum ídolo. (Sacrificar um animal não significava necessariamente queimar o animal inteiro no altar. No AT, algumas oferendas envolviam a queima de certas partes do animal, ao passo que o restante servia de alimento para os sacerdotes. Semelhantemente, o cordeiro da Páscoa era levado ao Templo para ser imolado, mas era comido inteiro naquela mesma noite pela família durante a celebração da Páscoa.) A questão em pauta não era apenas comer a carne, mas também participar de certas atividades sociais com os amigos pagãos, que eram freqüentemente acompanhadas da mais vergonhosa licenciosidade (v. comentário sobre 10.14-33).

Paulo ressalta que os cristãos mais "fortes" ou maduros que participavam dessas atividades impróprias podiam prejudicar o crescimento espiritual dos cristãos novos ou até mesmo levar os que observam esse comportamento a desviar-se de Cristo. Paulo lembra os cristãos mais fortes que, ao participar de comportamento iníquo, não somente pecam diante do Senhor, como também pecam contra seus irmãos e irmãs em Cristo.

Ministério assalariado? 1Co 9

Uma das objeções que os críticos levantavam contra Paulo era que ele não aceitaria nenhum pagamento pelos serviços prestados em Corinto (2Co 12.13). Os líderes eclesiásticos de Corinto queriam que Paulo confirmasse que os que pregavam o evangelho deviam receber do evangelho o seu sustento. Paulo explica que ele mesmo tinha todo o direito de ser sustentado pela igreja (v. 4-7). O Senhor certamente ordenara que o ministério fosse sustentado pelas pessoas que dele se beneficiassem (v. 14). Entretanto, pelo que sabemos dos relatos históricos, Paulo não aceitou para si mesmo ofertas em dinheiro de nenhuma igreja, a não ser da igreja de Filipos. Em Corinto, Éfeso e Tessalônica, ele se sustentou por meio dos trabalhos que fazia. Seu princípio de vida era pregar sem receber pagamento, dentro do possível (v. 16-18). Paulo tinha enorme satisfação pessoal em saber que estava fazendo mais do que lhe tinha sido ordenado fazer. Além disso, não queria dar um exemplo que pudesse ser deturpado por falsos mestres cujo interesse primário era receber salário (2Co 11.9-13).

O perigo de cair 1Co 10.1-13

Paulo acabara de falar quer se esforçava ao máximo para não ser reprovado. Relembra aos coríntios que eles estão diante do mesmo perigo. Seria melhor para eles levar a sério sua religião. Cita os israelitas como exemplo. A maioria dos que foram libertos do Egito nunca chegaram à Terra Prometida. As tentações que os levaram a cair à beira do caminho eram bem semelhantes às que acometiam os coríntios (v. 7,8) — a entrega total à concupiscência. Se os crentes fizessem esforço sincero, com determinação resoluta, para vencer a tentação, conforme o próprio Paulo fazia (9.25-27), descobririam quão sólida é a promessa de Deus de nos proteger contra toda e qualquer tentação (v. 13).

A carne sacrificada a ídolos 1Co 10.14-33

Trata-se da continuação do capítulo 8. Ali, Paulo declarara o princípio geral de que nossa conduta em tais assuntos devia ser governada pela lei do amor fraternal: algumas coisas são mais importantes que a carne. Aqui, Paulo proíbe os cristãos de participar dos festivais nos templos pagãos. Ele explica, entretanto, que quando compram carne nos mercados ou quando lhes é servida carne numa festa em casa particular (v. 27), não é necessário perguntar se ela foi sacrificada a algum ídolo (v. 25). Se, no entanto, alguém informar o cristão de que a carne foi sacrificada a ídolos, ele deve abster-se de comê-la.

1Co 11.1-16 A participação das mulheres no culto

O costume nas cidades gregas e no Oriente Próximo era as mulheres cobrirem a cabeça em público — a não ser no caso das mulheres de caráter imoral. Ainda havia pessoas que se lembravam de como Corinto tinha estado cheia de prostitutas dos templos. Algumas das mulheres cristãs, tirando proveito da liberdade que tinham acabado de conquistar em Cristo, resolveram deixar de manter a cabeça coberta nas reuniões da igreja, o que horrorizou as mulheres mais modestas. Paulo fala que não devem afrontar a opinião pública quanto ao que é considerado apropriado na sociedade em geral.

Os homens e as mulheres têm valor igual aos olhos de Deus. Existem, entretanto, distinções naturais entre as mulheres e os homens, sem as quais a sociedade não poderia existir. As mulheres cristãs que viviam numa sociedade pagã deviam ser cautelosas com suas inovações, para não atrair censuras contra a religião delas. Os anjos (v. 10) são espectadores do culto cristão.

1Co 11.17-34 A Ceia do Senhor

Imediatamente depois do Pentecostes, os cristãos de Jerusalém tinham todos os bens em comum (At 2.44,45). Parece que posteriormente, depois de a comunidade dos bens ter cessado de ser a norma, os membros mais ricos de uma igreja traziam comida a certos cultos para a "festa de fraternidade" (Jd 12), a ser celebrada depois da santa ceia, quando os ricos e os pobres se reuniam em mútua comunhão.

Em Corinto, a festa parece ter eclipsado a ceia do Senhor. Os que traziam alimentos comiam tudo dentro de seu círculo íntimo, sem esperar que toda a congregação se reunisse.

Os cristãos, ao imitar assim as festas e bebedeiras dos povos pagãos nos templos idólatras, transformavam as festas de fraternidade em ocasião para a glutonaria e perdiam totalmente de vista o verdadeiro significado da ceia do Senhor.

Paulo lhes faz lembrar as palavras de Jesus na última ceia e os incentiva a examinar a si mesmos antes de comer do pão e beber do cálice em memória do Senhor.

1Co 12 Os dons espirituais

Em todo o AT e durante o ministério de Jesus, Deus concedeu manifestações miraculosas do Espírito Santo em certos lugares e em certas ocasiões, a fim de ajudar a comunidade dos crentes a se orientar na verdade. João Batista profetizou que o Messias, Jesus, batizaria os cristãos com o Espírito Santo. Nos dias finais de Jesus com os discípulos, ele lhes prometeu que, quando ele partisse, seu Pai lhes enviaria (e também a todos os crentes neotestamentários) outro Conselheiro para estar sempre com eles — o Espírito da verdade (Jo 14.16). Essa promessa foi cumprida, no caso dos discípulos, no Pentecoste, quando todos eles ficaram cheios do Espírito Santo. O sinal exterior da habitação do Espírito neles manifestou-se no falar em outras línguas, um dos muitos dons espirituais (1Co 14; At 2.4).

Os vários dons do Espírito, alguns naturais e outros sobrenaturais, são enumerados nos versículos de 8 a 10 e abrangem:

- Palavra de sabedoria
- Palavra de conhecimento
- Fé

- Dons de curar
- Poder para operar milagres
- Profecia
- Discernimento de espíritos
- Variedade de línguas
- Interpretação de línguas

O grande capítulo do amor que se segue faz parte da consideração do valor relativo desses vários dons. Paulo emprega o corpo humano como metáfora da unidade e diversidade dos dons espirituais concedidos aos cristãos que são membros do único corpo de Cristo. Enfatiza que todos nós somos batizados por um só Espírito em um só corpo. Na igreja de Cristo, não existem distinções sociais. Paulo se dirige especificamente aos membros da igreja que acham que têm dons espirituais inferiores aos que outros receberam. Ele os exalta e sugere que os cristãos que possuem dons e funções que possam parecer menos importantes devem receber honra especial (v. 24).

Paulo ressalta a importância da união no corpo e encoraja os crentes a tratar uns aos outros com solicitude. Se um só membro da igreja sofrer, a igreja inteira sofre com aquela pessoa. Se um só membro da igreja for honrado, toda a igreja deve se regozijar com ele. Paulo incentiva a igreja a buscar com dedicação esses dons espirituais, não para se jactar deles ou por egoísmo, mas porque os dons são o caminho de Deus — *o caminho mais excelente*. São o caminho do amor, que é um dos componentes do fruto do Espírito.

Segundo parece, tinha havido, pouco tempo antes, uma extraordinária manifestação dos dons do Espírito Santo em Corinto. Embora Paulo tivesse orado, por certo, para que esses dons só produzissem alegria e paz, ouviu notícias a respeito da inveja que tinha surgido na igreja no tocante aos membros que tinham recebido o dom espiritual da variedade de línguas. Paulo faz a igreja lembrar-se de que cada membro do corpo de Cristo recebeu algum dom espiritual, que é evidência da operação do Espírito na sua vida. A intenção de Deus é que esses dons edifiquem a igreja como corpo de Cristo. Os dons espirituais não devem ser exercidos de modo egoísta, para alcançar posições elevadas na igreja, conforme, segundo parece, algumas pessoas da comunidade coríntia estavam fazendo.

O amor 1Co 13

Esse capítulo contém o principal ensinamento do cristianismo. É expressão eterna da doutrina de Cristo a respeito do amor celestial. Esse capítulo é mais poderoso para a edificação da igreja que qualquer uma das várias manifestações do poder de Deus ou talvez do que todas elas juntas.

O amor é a arma mais eficaz da igreja. O amor é a essência da natureza de Deus. O amor é a perfeição do caráter humano. O amor é a força mais poderosa e determinante do universo inteiro. Sem o amor, nenhum dos vários dons do Espírito teria proveito.

"Ainda que eu dê aos pobres tudo o que possuo e entregue o meu corpo para ser queimado, se não tiver amor, nada disso me valerá" (v. 3). Falar como anjo, profetizar, ter todo o conhecimento, a fé que é capaz de mover montanhas, dar o último tostão à caridade e até mesmo sofrer o martírio — nada disso adianta *a não ser que* tenhamos o espírito do amor cristão. Que conclamação para examinarmos a nós mesmos!

> Agora, pois, vemos apenas um reflexo obscuro, como em espelho; mas, então, veremos face a face. Agora conheço em parte; então, conhecerei plenamente, da mesma forma como sou plenamente conhecido. Assim, permanecem agora estes três: a fé, a esperança e o amor. O maior deles, porém, é o amor.
> 1 Coríntios 13.12,13

1Co 14 — As línguas e a profecia

Esse capítulo é o exame do valor relativo do dom da variedade das línguas e do dom da profecia, pois parece que ambos os dons desfrutavam da mais alta estima.

As línguas são o modo sobrenatural de conversar com Deus e visam à edificação espiritual dos filhos de Deus (v. 2-4). Paulo incentiva a igreja de Corinto a continuar a prática de falar em línguas como meio de edificação espiritual. Mediante as línguas, Deus deu à igreja modo sobrenatural de comunicar-se com ele.

A profecia aqui se refere à predição de eventos futuros e também ao ensino com a ajuda especial do Espírito, com perspicácia extraordinária concedida por Deus. Nas situações mais comuns, a profecia era mais valiosa que o falar em línguas, porque todas as pessoas conseguiam entendê-la. Por outro lado, o falar em línguas também podia servir de iluminação para a igreja, caso quem falava tivesse também o dom da interpretação ou se outra pessoa da igreja pudesse interpretar o que estava sendo dito em línguas.

A consideração do papel das mulheres na igreja (v. 33-40) é uma continuação de 11.2-16. Aqui Paulo proíbe (v. 34-35) o que parece permitir em 11.5. Por certo, deve ter havido alguma circunstância local, que não nos é conhecida, que deu a essas instruções a sua razão de ser — possivelmente algumas mulheres mais ousadas que quisessem se sobressair de modo indecoroso.

1Co 15 — A ressurreição

O simples fato de alguns líderes da igreja de Corinto já estarem negando a ressurreição (v. 12) indica até que ponto as falsas doutrinas — do pior tipo — tinham se infiltrado na igreja.

Paulo insiste, na linguagem mais enfática que tem à disposição, que sem a esperança da ressurreição o cristianismo não tem a mínima razão para existir (v. 13-19).

A ressurreição de Jesus dentre os mortos era o único refrão invariável dos apóstolos. O presente capítulo é a consideração mais abrangente do assunto no NT. É um dos capítulos mais relevantes e grandiosos da Bíblia, por dar tanto sentido à vida humana.

> Pois o que primeiramente lhes transmiti foi o que recebi: que Cristo morreu pelos nossos pecados, segundo as Escrituras, foi sepultado e ressuscitou no terceiro dia, segundo as Escrituras.
> 1 Coríntios 15.3,4

A ressurreição de Jesus dentre os mortos foi um fato atestado por testemunhas oculares que viram Jesus vivo após sua ressurreição (v. p. 436-7). O próprio Paulo o vira. Não existe outra explicação para o fenômeno da vida radicalmente transformada de Paulo. O que lhe aconteceu na estrada de Damasco (At 9.1-30) não foi alucinação: o próprio Jesus esteve literalmente com ele.

Além de vários aparecimentos aos apóstolos, individualmente ou em grupo, Jesus aparecera diante de um grande grupo de 500 crentes de uma só vez. Assim acontecera 27 anos antes e mais da metade desses 500 ainda vivia (v. 6). Com certeza foi um acontecimento genuíno — um grande agrupamento de pessoas não podia simplesmente ter imaginado a mesma coisa (ou sofrido alucinações idênticas), todos ao mesmo tempo.

De início, os discípulos demoraram a crer que Jesus realmente ressuscitara dentre os mortos (v. p. 563). Quando, porém, finalmente ficaram convencidos da realidade da ressurreição, de que Jesus quebrara mesmo os grilhões da morte e saíra vivo da sepultura, esse fato deu tamanha relevância à vida deles que nada mais parecia valer a pena. Sabiam que a ressurreição de Jesus era um fato — acreditavam nela com tamanha certeza que estavam dispostos a morrer por isso. E foram palmilhando as estradas do Império Romano, contando a história da ressurreição com tanto fervor e sinceridade que milhares de pessoas também creram nela, a ponto de morrerem por isso.

A ressurreição de Jesus dentre os mortos é o fato isolado mais importante e bem fundamentado de toda a história. A narrativa dessa ressurreição tem chegado até nós, pelos séculos afora, embelezando a vida humana com a auréola da imortalidade; ela nos dá a certeza de que, pelo fato de ele viver de novo, nós também viveremos; e nosso coração exulta de emoção diante do pensamento de que somos imortais e iniciamos a existência que nunca terá fim; que nada poderá nos prejudicar; que a morte é mero incidente na passagem de uma fase da existência para outra; que, onde quer que estejamos, somos de Jesus, fazendo o que ele nos ordenou fazer; que, milhões de eras depois de o Sol haver esfriado, nós ainda estaremos jovens nas eternidades de Deus.

Em toda a gama da experiência humana, nada há de mais jubiloso e emocionante que ter em mente que somos seres imortais e eternos. Que não podemos morrer. Seja lá o que aconteça com nosso corpo, viveremos para sempre. Aqueles dentre nós que têm Jesus como Senhor e Salvador viverão para sempre, por toda a eternidade com Cristo. Os que viram as costas para a verdade da palavra de Cristo e de sua morte e ressurreição continuarão vivos por toda a eternidade no inferno, separados de Deus. Se a história de Jesus é verídica, a vida é bela, gloriosa, e contempla diante de si um panorama infinito e infinitamente belo.

Se, porém, a história de Jesus fosse um mito, o mistério da existência seria um enigma sem solução e nada sobraria para a raça humana senão o vazio e o desespero eterno.

Segundo todas as leis das evidências históricas, trata-se de história verídica. Cristo existiu. Cristo existe. Ele é uma pessoa viva. Está ao lado de seu povo, poderoso para orientá-lo e protegê-lo, e conduz os seus até o dia da própria ressurreição gloriosa deles.

O término da obra de Cristo (v. 23-28). Aqui temos um vislumbre, através dos períodos sucessivos do futuro, do fim eterno das coisas, quando a obra de Cristo terá ficado completa e o universo criado por Deus terá entrado na sua etapa final.

Se batizam pelos mortos (v. 29). Parece significar o batismo vicário, ou seja, o batismo em favor de um amigo ou parente já falecido. Entretanto, não existe nenhuma outra referência bíblica a semelhante prática e nenhuma evidência no sentido de ela ter existido na igreja apostólica. Talvez a tradução melhor fosse "se batizam na esperança da ressurreição".

A ressurreição do corpo (v. 35-58). Nossa esperança não é meramente a imortalidade do espírito, mas a ressurreição literal do corpo. O ensino do NT é muito claro quanto a isso (Rm 8.23; 2Co 5.4; 1Ts 5.23). Não será o mesmo corpo terrestre corruptível, mas um corpo espiritual que é coparticipante da natureza da própria glória celeste.

Questões pessoais — 1Co 16

A coleta (v. 1-4). Tratava-se da coleta a favor dos crentes pobres de Jerusalém (2Co 8.10).

A ordem dada às igrejaas da Galácia (v. 1) não é mencionada na epístola aos Gálatas. Paulo certamente deve ter escrito a ela alguma outra carta que não foi preservada.

O primeiro dia da semana (v. 2) foi o dia estabelecido para a adoração cristã (At 20.7).

Os planos de Paulo (v. 5-9). Foi na primavera de 57 d.C., antes do Pentecostes (v. 8). Ele passara o verão na Macedônia, de onde escreveu 2 Coríntios. Chegou a Corinto no outono e ali invernou. Escreveu a epístola aos Romanos naquele inverno e partiu em direção a Jerusalém na primavera seguinte.

Apolo (v. 12). É provável que tivessem pedido que Apolo visitasse Corinto, mas ele não quis ir naquela ocasião, talvez porque alguns coríntios estavam resolvidos a torná-lo chefe de algum partido da igreja.

De próprio punho (v. 21). Sóstenes, um coríntio que se mudara para Éfeso (At 18.17), provavelmente anotou essa epístola conforme Paulo a ditou (1.1). Depois, Paulo a assinou de próprio punho (v. 21) e acrescentou as palavras aramaicas *Mārānā' tā'* (v. 22), que significam "Vem, Senhor!".

2 Coríntios

Paulo vindica seu apostolado
A glória de seu ministério

> Pois o amor de Cristo nos constrange, porque estamos convencidos de que um morreu por todos; logo, todos morreram. E ele morreu por todos para que aqueles que vivem já não vivam mais para si mesmos, mas para aquele que por eles morreu e ressuscitou.
> — 2 Coríntios 5.14-15
>
> Portanto, se alguém está em Cristo, é nova criação. As coisas antigas já passaram; eis que surgiram coisas novas!
> — 2 Coríntios 5.17

Data e ocasião da carta

Na parte final da segunda viagem missionária (c. 52–53 d.C.) Paulo passara um ano e meio em Corinto e fizera numerosos discípulos (At 18.10-11). Depois, na terceira viagem missionária, passou três anos em Éfeso (54-57 d.C.). Na primavera de 55 d.C., enquanto ainda em Éfeso, Paulo escreveu 1 Coríntios (1Co 16.8). Pouco depois, houve grande tumulto entre os populares e Paulo quase perdeu a vida (At 19).

Partindo de Éfeso, Paulo entrou na Macedônia a caminho de Corinto (v. mapa, p. 595). Enquanto ainda estava na Macedônia, no verão e outono de 55 d.C., Paulo visitou igrejas na região de Filipos e de Tessalônica, em meio a muitas ansiedades e sofrimentos. Depois de esperar durante longo tempo por notícias da igreja de Corinto, Paulo encontrou-se com Tito, que viera de Corinto com o relato de que a carta de Paulo surtira muito bom efeito (2Co 7.6), mas que alguns dos líderes da igreja de Corinto ainda negavam ser Paulo genuíno apóstolo de Cristo.

Foi então que Paulo escreveu essa carta e a enviou adiante dele por meio de Tito (8.6,17), com a expectativa de ele mesmo não demorar para chegar a Corinto.

O propósito dessa carta parece ter sido principalmente a vindicação que Paulo fez de si mesmo como apóstolo de Cristo, bem como lembrar que, tendo ele mesmo fundado a igreja de Corinto, ele realmente tinha o direito de emitir seu parecer sobre o modo de ela ser dirigida.

Não muito tempo depois, Paulo chegou a Corinto e passou o inverno ali (At 20.2,3), conforme planejara (1Co 16.5,6). Enquanto estava em Corinto, escreveu sua monumental epístola aos Romanos.

2Co 1 — A consolação de Paulo nos seus sofrimentos

Depois da saudação inicial, Paulo inicia a carta falando a respeito do "Deus de toda consolação" (v. 3,4), por causa de seu encontro com Tito (7.6,7), que lhe trouxe a boa notícia da lealdade dos coríntios. Esse fato, junto com sua gratidão a Deus por haver escapado da morte em Éfeso (v. 8,9; At 19.23-41), explica por que Paulo emite uma nota de júbilo em meio aos seus sofrimentos.

Éfeso e Corinto distavam cerca de 450 km uma da outra, e os navios faziam travessias constantes entre as duas cidades. Parece que Paulo fizera uma visita anterior a Corinto a partir de Éfeso, que envolveu alguma tristeza (2.1; 12.14; 13.1,2). O motivo dessa visita difícil fora uma crise gravíssima que surgira no relacionamento entre Paulo e a igreja de Corinto, provavelmente pouco depois de ele lhes ter escrito 1 Coríntios. Esse fato pode explicar em parte a ansiedade de Paulo para encontrar Tito.

2Co 2 — Um caso de disciplina

Parece tratar-se do mesmo homem incestuoso a respeito de quem Paulo, na primeira carta, ordenara que fosse entregue a Satanás (1Co 5.3-5); em conseqüência disso, uma revolta de proporções consideráveis contra Paulo havia surgido na igreja.

Tão grave era a situação que Paulo foi pessoalmente de Éfeso a Corinto (v. 1), mas foi repudiado de tal maneira que ele aqui se refere à visita como a que "causou tristeza".

Há quem pense que, entre as duas epístolas aos Coríntios que agora possuímos, Paulo tenha escrito outra carta, que não foi preservada; essa conclusão se baseia em 2.3,9; 7.8,12 e 10.10, que subentendem coisas que não aparecem em 1 Coríntios. Por certo, deve ter sido uma carta bastante severa, visto que virou a mesa em Corinto de tal maneira que aqueles que estavam apoiando o homem disciplinado voltaram-se contra ele (7.11). Paulo, entretanto, não soube desse fato a não ser quando se encontrou com Tito (7.6-7).

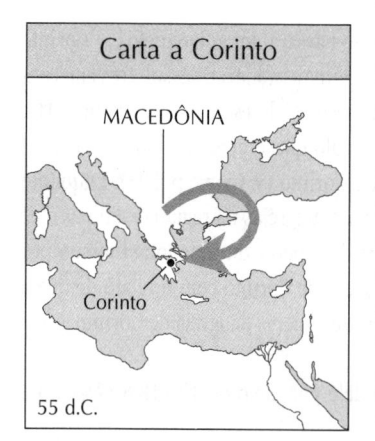

A **grande aflição e angústia de coração** e as **muitas lágrimas** (v. 4) foram provocadas não somente pela experiência terrível que acabara de viver em Éfeso (1.8,9), mas também pela amarga ansiedade no tocante à situação em Corinto. Ele estava tão aflito por não ter encontrado Tito em Trôade, segundo o combinado (v. 12,13), que deixou de lado uma esplêndida oportunidade para o evangelho em Trôade a fim de ir rapidamente para a Macedônia, na esperança de ali achar Tito, que, segundo Paulo sabia, estava a caminho com as notícias de Corinto.

Carta a Corinto
MACEDÔNIA
Corinto
55 d.C.

Cheiro de morte [...]fragrância de vida (v. 14-16): essa figura de linguagem é a do triunfo romano, no qual o general vitorioso conduz seu exército, bem como os prisioneiros de guerra, num desfile festivo. Semelhante parada militar era freqüentemente acompanhada pela queima de especiarias perfumadas nas ruas. Para o exército vitorioso, tratava-se de uma celebração — tinham sobrevivido às batalhas e voltado em glória para casa. Quanto aos prisioneiros que estavam na procissão, porém, tratava-se da lembrança de que tinham diante de si a morte — talvez numa luta contra animais selvagens ou com gladiadores, programada para a diversão do povo de Roma — ou, na melhor das hipóteses, a escravidão. Para estes, o cheiro do incenso era o cheiro da morte.

Da mesma forma, os cristãos são conduzidos pelo Salvador vitorioso, Cristo. É por meio de Cristo e, indiretamente, por intermédio da igreja, que Deus espalha a "fragrância" do conhecimento de Cristo. À medida que o evangelho é divulgado em todo o mundo, sempre é recebido como fragrância deliciosa por aqueles que crêem, como celebração da vida. Entretanto, para os que rejeitam a Cristo, a mensagem do evangelho passa a ser o mau cheiro da morte. Ao rejeitar a Cristo, os incrédulos escolhem a morte para si mesmos.

A glória de seu ministério — 2Co 3

Cartas de recomendação (v. 1). Essa expressão provavelmente foi sugerida pelas cartas de apresentação emitidas em Jerusalém, que os mestres judaizantes levavam consigo. Eles sempre invadiam o trabalho de Paulo e eram os principais entre os que lhe provocavam aflições e não desperdiçavam a menor desculpa ou oportunidade para lutar contra ele. E agora estavam perguntando: "Quem é Paulo? Ele pode apresentar cartas de alguma pessoa categorizada em Jerusalém?" Tal pergunta é logicamente absurda. Cartas que recomendassem Paulo à igreja que o próprio Paulo fundara? A própria igreja era a carta de Paulo!

Essas considerações levam ao contraste entre o ministério deles e o de Paulo: a Lei em contraste com o evangelho. Aquela, lavrada em pedra, e este, gravado nos corações. Aquela, segundo a letra, e este, pelo Espírito. A Lei apontava para a morte, o evangelho, para a vida. A Lei era lida com um véu, o evangelho era desvendado. A Lei era para a condenação, o evangelho outorgava a justificação. Aquela é passageira, este permanece para sempre. Refletindo a pessoa de Cristo, estamos sendo transformados, com glória cada vez maior, segundo a imagem do Senhor.

> Ele nos capacitou para sermos ministros de uma nova aliança, não da letra, mas do Espírito; pois a letra mata, mas o Espírito vivifica.
> 2Coríntios 3.6

O martírio de Paulo — 2Co 4

Na presente epístola, Paulo fala muito dos seus sofrimentos, especialmente nos caps. 4, 6 e 11. Quando Paulo se converteu, o Senhor dissera a Ananias: "Mostrarei a ele o quanto deve sofrer pelo meu nome" (At 9.16). Os sofrimentos começaram imediatamente e continuaram em sucessão ininterrupta durante mais de 30 anos:

- Fizeram conspiração para matá-lo em Damasco (At 9.24) e de novo em Jerusalém (At 9.29).
- Expulsaram-no de Antioquia da Pisídia (At 13.50).
- Tentaram apedrejá-lo em Icônio (At 14.5).
- Em Listra, o apedrejaram, deixando-o como morto (At 14.19).
- Em Filipos, açoitaram-no com varas e lhe prenderam os pés no tronco (At 16.23,24).
- Em Tessalônica, os judeus e os arruaceiros fizeram um tumulto contra ele (At 17.5).
- Expulsaram-no de Beréia (At 17.13,14).
- Conspiraram contra ele em Corinto (At 18.12).
- Em Éfeso, quase o mataram (2Co 1.8-9; At 19.29).
- Em Corinto, pouco depois de ele ter escrito essa epístola, conspiraram de novo para matá-lo (At 20.3).
- Em Jerusalém, de novo teriam acabado rapidamente com ele se os soldados romanos não o tivessem livrado das mãos deles (At 22).
- Esteve preso dois anos em Cesaréia e mais dois anos em Roma.
- Além de tudo isso, houve açoites, prisões, naufrágios e privações de todos os tipos (11.23-27), não contados em Atos.
- Finalmente, foi levado para Roma a fim de ser executado como criminoso (2Tm 2.9).

Paulo certamente possuía uma perseverança assombrosa, pois cantava enquanto sofria (At 16.25). Nada menos que uma constituição férrea poderia ter sobrevivido em meio a todos esses acontecimentos — e mesmo isso não teria sido suficiente sem a graça maravilhosa de Deus. Com a ajuda que recebia do Senhor, Paulo deve ter se sentido imortal, por assim dizer, até ser sua obra completada.

2Co 5 O que acontece após a morte?

Esse capítulo continua a expor a razão por que Paulo sentia tanto júbilo em meio aos os sofrimentos. Ele acabara de dizer que, quanto maior for o nosso sofrimento por amor a Cristo no mundo presente, tanto maior será nossa glória na eternidade. A mente de Paulo fixava sua atenção no outro mundo.

Qual é o ensino aqui? Nós nos revestimos do novo corpo no momento da morte? A morte é descrita não como desvestimento, mas como revestimento (v. 4). Estar ausente do corpo é estar em casa com o Senhor (v. 8). Em Filipenses 1.23, a morte é considerada a partida para estar com Cristo.

Entretanto, em 1 Coríntios 15 e 1 Tessalonicenses 4, o corpo da ressurreição está relacionado com a segunda vinda de Cristo. Segundo parece, a conclusão seria que os que morrem antes da segunda vinda do Senhor passam imediatamente para o estado de bem-aventurança consciente com o Senhor, o que é muito melhor que estar na carne, mas que ainda não é a existência gloriosa que se seguirá depois da ressurreição.

2Co 6 Novamente os sofrimentos de Paulo

Paulo continua a vindicar seu ministério. Os sentimentos negativos contra ele existentes na igreja de Corinto certamente devem ter sido consideráveis (v. 12); de outra forma, ele seguramente não teria dedicado parte tão grande dessa carta à defesa de si mesmo. Nos versículos de 14 a 18, Paulo parece lançar pelo menos parte da culpa sobre a atmosfera pagã em que os Coríntios viviam. Os habitantes de Corinto, de modo geral, eram muito relaxados quanto à moralidade.

2Co 7 O relatório de Tito

Em data anterior, Paulo enviara Timóteo a Corinto (1Co 4.17; 16.10). Timóteo era de natureza tímida e não era exatamente o homem certo para as medidas disciplinares severas que a situação de Corinto exigia.

Depois, Paulo enviou Tito (2.13; 7.6,13; 12.18), o qual, para situações como essas, provavelmente era o assistente mais capacitado que Paulo tinha à disposição. É provável que tenha ido a Corinto depois da segunda visita de Paulo, levando consigo a carta referida em 2.3. A missão de Tito foi bem-sucedida.

O homem a respeito de quem surgira a desavença (1Co 5.1-5) provavelmente era muito influente. Parece que persistiu no seu pecado e que foi cabeça de uma revolta deflagrada contra Paulo, levando consigo alguns dos líderes da igreja. Mas o impacto da segunda carta de Paulo e a presença de Tito colocou a igreja de volta na linha, o que levou o transgressor a humilhar-se. Foi essa a boa notícia que Tito relatou (v. 7-16).

2Co 8 e 9 A oferta para a igreja-mãe

Esses dois capítulos contêm instruções a respeito da coleta que Paulo levantou a favor dos santos pobres de Jerusalém, no final de sua terceira viagem missionária. É provável que tenha sido arrecadada em todas as igrejas da Ásia Menor e da Grécia, embora sejam mencionadas nominalmente apenas as da

Macedônia, Acaia e Galácia. Começara a ser arrecadada um ano antes (8.10). As igrejas da Macedônia estavam participando com todo o entusiasmo. Até mesmo os mais pobres estavam contribuindo com generosidade. Paulo estava ali na ocasião em que escreveu essas palavras.

Filipos, a principal igreja da Macedônia, foi a única igreja da qual Paulo aceitou ofertas para seu trabalho e mesmo assim somente depois de ter partido de lá.

Nesses dois capítulos, temos as instruções mais completas de todo o NT no tocante às contribuições na igreja. Embora Paulo se refira à coleta para os pobres, tomamos por certo que os princípios aqui declarados devem servir de orientação para as igrejas em todas as ofertas levantadas, seja para o sustento da própria igreja, seja para os empreendimentos missionários, seja para a caridade: qualquer dádiva ou oferta deve ser 1) voluntária, 2) proporcional e 3) sistemática; os que manuseiam as ofertas devem ser pessoas de integridade, capacitadas para administrar as somas envolvidas (8.19-21). Paulo enfatiza que Deus recompensará abundantemente os que contribuírem com liberalidade. O espírito de bondade fraternal assim manifestado é chamado o "dom indescritível" (9.15).

> Pois os nossos sofrimentos leves e momentâneos estão produzindo para nós uma glória eterna que pesa mais do que todos eles. Assim, fixamos os olhos, não naquilo que se vê, mas no que não se vê, pois o que se vê é transitório, mas o que não se vê é eterno.
> 2 Coríntios 4.17,18

A aparência pessoal de Paulo — 2Co 10

Algumas coisas ditas nesse capítulo parecem ter sido sugeridas pela acusação feita pelos inimigos de Paulo quanto a ele ser frágil na aparência pessoal (v. 1,10). Não há nenhum indício no NT quanto à aparência física de Paulo. Existem indicações de que ele pode ter tido problemas com os olhos, que, às vezes, o tornavam repulsivo de aparência (v. p. seguinte). No entanto, a acusação feita por seus inimigos de que tinha personalidade fraca (v. 10) certamente era infundada. É totalmente impossível pensar que o homem que transtornava cidade após cidade, era fraco. Inquestionavelmente, Paulo era uma personalidade poderosa e dominadora. Respondendo à acusação de que era fraco, Paulo lhes diz que, pelo menos, fundava as próprias igrejas em vez de andar em derredor perturbando as igrejas fundadas pelos outros — justamente o que seus oponentes faziam!

Paulo pede desculpas por se orgulhar — 2Co 11

Em algumas partes da carta, Paulo se dirige à maioria leal, e em outras, à minoria desleal da igreja. Os membros desleais parecem ocupar sua atenção nos quatro últimos capítulos. Ele reconhece que não é muito nobre gloriar-se, mas eles o forçaram a isso.

Os oponentes tinham usado como argumento contra Paulo que este recusara pagamento pelo seu trabalho em Corinto (v. 7-9). Ele explica que, embora tivesse, como apóstolo de Cristo, o direito de aceitar pagamento (1Co 9), deliberadamente o recusara, a fim de que seu exemplo nesse assunto não fosse deturpado pelos falsos mestres, que queriam fazer da igreja um negócio lucrativo. Desde o início de sua obra em Corinto, Paulo certamente notara tendências para a liderança cobiçosa em alguma das pessoas que se converteram e por isso tomou uma atitude à altura. Agora, uma das coisas das quais podia se orgulhar era o fato de que não podiam acusá-lo de cobiça.

Em seguida, numa passagem de poder dramático (v. 22-33), ele desafia seus críticos a se compararem com ele segundo todos os padrões — tanto como judeu leal quanto como obreiro eficaz de Cristo, fizera mais que todos eles juntos. E, quanto ao sofrer por Cristo, toda a sua carreira como apóstolo cristão tinha sido uma história ininterrupta de martírio em vida.

2Co 12   O "espinho na carne"

A visão que Paulo teve do paraíso (v. 1-7). Ele foi "arrebatado ao terceiro céu" (v. 2) e "ao paraíso" (v. 4); o termo "terceiro céu" geralmente é considerado sinônimo do paraíso. É o lugar em que os crentes que morreram estão agora mesmo "habitando com o Senhor" (5.8; Fp 1.23). Jesus foi para o paraíso imediatamente após morrer (Lc 23.43). Existem várias referências que dão a entender que o "terceiro céu" é um lugar além do céu imediato da atmosfera da Terra e além do céu do espaço exterior com suas constelações, chegando à presença do próprio Deus. Essas referências aos "céus" incluem Hebreus 4.14, que fala do Senhor ressurreto, o qual, conforme está escrito, passou pelos "céus" (v. tb. Hb 7.26 e Ef 4.10).

Paulo fala como se o paraíso e o terceiro céu fossem duas partes separadas do mundo futuro. O texto grego pode ser interpretado literalmente "*até o* terceiro céu" e "*para dentro do* paraíso". É possível que "o terceiro céu" seja referência a algum tipo de corpo celeste chamado "céu" e que o paraíso seja uma localidade mais específica naquele corpo celeste. Seria um caso semelhante ao da Terra, sendo o jardim do Éden uma localidade específica do planeta.

O que Paulo viu e ouviu na sua visão do paraíso não lhe foi permitido falar (v. 4). Talvez isso signifique que Deus concedeu a Paulo uma visão especial da glória futura a fim de fortalecê-lo para a sua missão especial e para os sofrimentos excepcionais que teria que suportar. Assim, não podia comunicar o que vira, tanto porque não lhe era permitido contar por ser impossível expressá-lo em palavras ("indizíveis") — não existe linguagem humana adequada para descrever a glória do céu, assim como a idéia da cor não pode ser transmitida à pessoa que nasceu cega.

O espinho na carne de Paulo (v. 7). Existem várias opiniões quando à natureza desse espinho. A opinião mais defendida, e que tem a maior probabilidade de estar correta, é que se tratava de oftalmia crônica, enfermidade dos olhos que não era extremamente dolorosa, mas às vezes lhe dava aparência repulsiva.

Essa interpretação parece ser confirmada pela linguagem das epístolas.

- O "espinho" atingiu Paulo 14 anos antes de ele escrever essa epístola (v. 2,7), que foi aproximadamente quando o apóstolo entrou na Galácia, na primeira viagem missionária.
- Sua entrada na Galácia foi acompanhada de algum tipo de enfermidade física (Gl 4.13), e a aparência de Paulo era tão ofensiva que constituía dura provação para quem ficasse perto dele (Gl 4.14).
- Os gálatas teriam dado a Paulo os próprios olhos deles (Gl 4.15) — para que *olhos*, a não ser que essa fosse sua necessidade específica?
- A letra normalmente grande de Paulo (Gl 6.11) talvez se devesse à visão fraca. Talvez fosse essa a razão por que Paulo ditava suas cartas a ajudantes.

2Co 13   A visita a Corinto planejada por Paulo

Paulo escreveu essa epístola no verão de 57 d.C. Chegou a Corinto no outono e passou ali o inverno. Na primavera seguinte, partiu para Jerusalém.

Gálatas

Pela graça, não pela Lei
O caráter definitivo do evangelho

Fui crucificado com Cristo. Assim, já não sou eu quem vive, mas Cristo vive em mim.
A vida que agora vivo no corpo, vivo-a pela fé no Filho de Deus,
que me amou e se entregou por mim.
— Gálatas 2.20

Mas o fruto do Espírito é amor, alegria, paz, paciência, amabilidade,
bondade, fidelidade, mansidão e domínio próprio.
Contra essas coisas não há lei.
— Gálatas 5.22,23

A ocasião da carta

A obra de Paulo na Galácia tinha sido extremamente bem-sucedida. Muitas pessoas, principalmente gentios, aceitaram a Cristo com entusiasmo. Algum tempo depois de Paulo ter partido da Galácia, apareceram certos mestres judeus insistindo em que os gentios não podiam ser cristãos sem também observar a Lei de Moisés. E os gálatas aceitaram a doutrina deles com a mesma sinceridade com que originariamente aceitaram a mensagem de Paulo: houve uma epidemia de circuncisões entre esses cristãos gentios. (A circuncisão é o nome do rito físico de iniciação no judaísmo. Se um homem que não tivesse nascido judeu quisesse se converter ao judaísmo — teria de ser circuncidado e de observar as leis cerimoniais dos judeus.)

Quando Paulo ficou sabendo desses acontecimentos, escreveu essa carta a fim de lhes explicar que a circuncisão, embora tivesse sido parte necessária da vida nacional dos judeus, *não* fazia parte do evangelho de Cristo e absolutamente não dizia respeito a salvação. Enfatizou a verdade essencial do NT de que o homem é justificado por nada menos, e por nada mais que pela fé em Jesus Cristo.

A data

Paulo fundou as igrejas na Galácia por volta de 45-48 d.C. Visitou-as de novo durante a segunda viagem missionária (c. 50 d.C., At 16.1-6) e outra vez quando estava iniciando a terceira viagem, cerca de 54 d.C. (At 18.23).

A data tradicional e comumente aceita da redação dessa carta é cerca de 57 d.C., no final da terceira viagem missionária de Paulo, quando estava em Éfeso, na Macedônia, ou em Corinto, pouco antes de escrever a epístola aos Romanos.

Alguns acham que Gálatas provavelmente foi escrita em Antioquia por volta de 49 d.C., pouco depois do primeiro regresso de Paulo da Galácia e antes do Concílio de Jerusalém em 49/50 d.C. O Concílio escreveu uma carta às igrejas de Antioquia, da Síria e da Cilícia, declarando que a circuncisão não era necessária (At 15.1—16.4). Se Paulo tivesse escrito a carta aos Gálatas depois dessa ocasião, poderíamos esperar que mencionasse a decisão do concílio de Jerusalém. Por outro lado, a afirmação "lhes preguei o evangelho *pela primeira vez*" (4.13) subentende que Paulo estivera na Galácia pelo menos outra vez, fato que favoreceria uma data posterior para a carta, depois de sua segunda viagem missionária — talvez 51/52 ou 53 d.C.

Os judaizantes

Os judaizantes eram uma seita que, não querendo aceitar a decisão dos apóstolos a respeito da circuncisão (At 15), continuava a insistir em que os cristãos só poderiam chegar-se a Deus por meio do judaísmo e que, portanto, os gentios, para se tornar cristãos, deviam primeiramente, ser circuncidados e observar a lei judaica.

Os judaizantes empreenderam, por conta própria, visitar, desequilibrar e perturbar as igrejas gentílicas. Estavam resolutos a estampar Cristo com a marca registrada judaica, custasse o que custasse.

A Galácia

Na época do NT, "Galácia" podia referir-se à região centro-norte da Ásia Menor (a moderna Turquia) ou a uma província romana na Ásia Menor central (1Co 16.1; Gl 1.2; 2Tm 4.10; 1Pe 1.1). Antioquia da Pisídia, Icônio, Listra e Derbe eram cidades da província da Galácia, e Paulo visitou todas elas na primeira viagem missionária (At 13 e 14). Tanto Pedro quanto Paulo parecem empregar o termo com referência à província inteira (1Pe 1.1; Gl 1.1; 1Co 1.61).

Os gálatas eram gálios, oriundos do norte do mar Negro. Separaram-se da migração principal que foi para o oeste e acabaram ficando na região que agora é a França (que nos dias de Paulo era chamada Gália). Eles se estabeleceram na Ásia Menor no século III a.C.

Contra isso, Paulo se manteve inflexível. Se a observância da Lei fosse imposta aos convertidos, a obra de toda a vida de Paulo teria sido arruinada e o evangelho da graça teria sido subvertido.

A expansão do cristianismo, que passou de "seita judaica" para religião mundial, era a paixão que ardia na alma de Paulo; para realizá-la, rompeu todos os laços que pudessem prendê-lo e utilizou ao máximo todas as faculdades de seu corpo e de sua mente durante mais de 30 anos.

O esforço para judaizar as igrejas gentílicas foi encerrado com a queda de Jerusalém em 70 d.C., ocasião que rompeu todas as conexões entre o judaísmo e o cristianismo. Até esse momento, o cristianismo tinha sido considerado seita ou ramificação do judaísmo. Mas a partir de então os judeus e os cristãos ficaram separados. Uma pequena seita de cristãos judeus, os ebionitas, continuou a existir, em número cada vez menor, não reconhecidos pela igreja e considerados apóstatas pelos judeus.

Gl 1 — Paulo recebeu seu evangelho diretamente de Deus

Parece que os judaizantes, a fim de desacreditar Paulo aos olhos dos gálatas, diziam que ele não era um dos apóstolos originais e que não tinha sido ensinado por Jesus, e sim pelos doze. Se for assim, teríamos aí o contexto para a apaixonada vindicação que Paulo fez de si mesmo como apóstolo genuíno e independente. Ele recebeu seu evangelho diretamente de Deus — e não existe outro evangelho.

A Arábia (v. 17). O relato de Atos dos Apóstolos não menciona esse fato. Os três anos (v. 18) incluem o período que Paulo passou em Damasco e também na Arábia (At 9.23). Segundo o costume judaico de calcular anos parciais no início e no final de um período como anos inteiros, os três anos podem ter sido um só ano inteiro e partes de dois anos. A Arábia é a região desértica a sudeste da Palestina, que hoje abrange a Arábia Saudita e o Iêmen. Paulo ficou tão atordoado com a intervenção repentina de Jesus em sua vida e com a súbita percepção de que sua vida inteira estivera errada que achou que seria melhor refletir sobre tudo. Queria ficar totalmente a sós a fim de fazer uma reorientação de sua vida, e foi na Arábia que recebeu algumas de suas revelações (v. 16).

O relacionamento entre Paulo e os demais apóstolos — Gl 2

A visita a Jerusalém (v. 1-10). Paulo esperou três anos depois de sua conversão antes de voltar a Jerusalém, onde antes procurara devastar a igreja. Passou ali 15 dias apenas, conversando com Pedro (v. 8; comp. com o relato de At 9.26-30.) Posteriormente, após 14 anos, foi de novo a Jerusalém. Deve ter sido a visita registrada em Atos 11.27-30, no ano 44 d.C., pois o contexto, junto com a declaração "subi novamente a Jerusalém", no versículo 1, indica que se tratava de sua segunda visita àquela cidade depois de sua conversão. Levou consigo Tito, um convertido gentio, para servir de teste na questão da necessidade da circuncisão dos não-judeus. Paulo manteve-se firme e conquistou o pleno apoio dos demais apóstolos (v. 9).

A hipocrisia de Pedro em Antioquia (v. 11-21). O relato não declara quando Pedro visitou Antioquia. Provavelmente foi pouco tempo depois de Paulo ter voltado a Antioquia da visita a Jerusalém referida no versículo 1, mas antes de Paulo partir para sua primeira viagem missionária.

> Sabemos que ninguém é justificado pela prática da Lei, mas mediante a fé em Jesus Cristo.
> GÁLATAS 2.16

Para dar idéia do contexto e relevância do incidente, propomos uma cronologia (passível de modificações) que seria mais ou menos assim:

- Pedro recebeu o primeiro convertido gentio, Cornélio (At 10), sem circuncisão, provavelmente em torno de 40 d.C.
- Essa atitude foi aprovada pelos demais apóstolos (At 11).
- Uns dois anos mais tarde, 42 d.C., foi fundada a igreja gentílica de Antioquia, com a aprovação de Barnabé, no papel de emissário de Jerusalém (At 11.22-24).
- A viagem de Paulo a Jerusalém, levando consigo Tito, foi em 44 d.C., e Pedro participou da decisão apostólica que autorizou Paulo a receber gentios na igreja sem exigir-lhes a circuncisão.
- Bem pouco depois disso, em 44 ou 45 d.C., Pedro foi para Antioquia e ali se separou dos gentios incircuncisos por temer os judaizantes. Diante disso, Paulo o repreendeu do modo severo referido no versículo 11. Apesar de tudo, cinco ou seis anos depois, no Concílio de Jerusalém, em 50 d.C., Pedro foi o primeiro a tomar a palavra em defesa da obra de Paulo (At 15.7-11).

O que significa essa vacilação por parte de Pedro e essa divergência entre os dois principais apóstolos no tocante a um ensino tão fundamental? Nesse incidente específico, certamente um dos dois estava errado: Pedro ou Paulo. Como poderemos saber qual dos dois errou? Se um ou outro enganou-se nesse assunto, como saberemos que não se enganou em outras questões? Será que esse incidente não subverte a doutrina de que os apóstolos foram inspirados por Deus?

De modo nenhum. O fato é simplesmente que Deus não revelou de uma só vez, nem a todos os apóstolos juntos, a verdade total e completa a respeito de seu Reino. Jesus já lhes havia dito que ainda tinha muitas coisas a lhes ensinar, muito mais do que eles ainda tinham a capacidade de suportar (Jo 16.12). Jesus tinha grande paciência ao lidar com os preconceitos humanos. Permitia que eles ficassem com suas velhas noções a respeito do Reino messiânico até surgirem momentos decisivos que exigissem que ele os levasse, passo a passo, a novos e mais profundos entendimentos a cerca do Reino. Não os perturbou com o problema dos gentios antes de a questão ter surgido na prática. Foi depois disso, quando o evangelho já tinha sido amplamente proclamado entre os judeus na sua pátria, que Deus, mediante revelação direta e especial, transmitiu a Pedro instruções a respeito da inclusão dos gentios na igreja (At 10), cerca de dez anos, provavelmente, depois do nascimento da igreja em Pentecostes.

Os apóstolos levaram vários anos para ajustar seus pensamentos e atitudes às novas doutrinas. Paulo teve mais facilidade que Pedro em descartar a velha noção sobre a questão dos gentios. O incidente registrado na epístola aos Gálatas aconteceu depois de Paulo ter acolhido plenamente a nova revelação, ao passo que Pedro ainda lutava com ela. Por outro lado, Pedro chegou à plena aceitação da nova revelação antes de ter sido escrito qualquer dos livros do NT, de modo que, no texto do próprio NT, não existe a menor diferença entre as doutrinas de Pedro e as de Paulo.

Gl 3 e 4 — A servidão à Lei

Os gálatas gentios haviam engolido a isca da mensagem dos judaizantes tão completamente que tinham chegado a instituir dias e cerimônias festivas judaicas na igreja (4.8-11), tentativa aparente de formar uma combinação entre o evangelho e a Lei mosaica. Mas Paulo lhes diz que os dois sistemas não são compatíveis, que não pode haver combinação dos dois. Porventura os judaizantes tinham operado milagres entre os gálatas conforme fizera o próprio Paulo? (3.5). Esse fato nada significava para eles? Abraão se avulta consideravelmente nesses dois capítulos, visto que a mensagem judaica aceita pelos gálatas baseava-se, em grande medida, na promessa que Deus fizera a Abraão. Os judaizantes interpretavam erroneamente a promessa, conforme demonstra claramente a própria narrativa a respeito de Abraão (4.21-31). O amor que os gálatas tiveram originalmente por Paulo contrastava tristemente com a frieza que lhe demonstraram naquele momento (4.12-20). (Quanto à doença mencionada em 4.13, v. comentário sobre 2Coríntios 12.)

Gl 5 e 6 — A liberdade em Cristo

Paulo achava inconcebível que algum ser humano deliberadamente optasse por arriscar a própria salvação baseando-a nas suas obras, em vez de depender da misericórdia graciosa de Cristo. É Cristo quem nos salva — não salvamos a nós mesmos. É essa a diferença entre a liberdade e a escravidão. Mas a liberdade em Cristo não é licença para continuar no pecado. Paulo nunca deixa de dar ênfase contundente a essa verdade. Os que seguem os desejos da natureza pecaminosa não poderão ser salvos (5.19-21), mas quem busca o Senhor receberá o fruto do Espírito, que é amor, alegria, paz, paciência, amabilidade, bondade, fidelidade, mansidão e domínio próprio (5.22,23). Uma das leis espirituais do mundo natural é que o que

> Levem os fardos pesados uns dos outros e, assim, cumpram a lei de Cristo.
> GÁLATAS 6.2

alguém semear, isso também colherá (6.7); é uma lei inexorável, quer as sementes sejam de cereais, quer de ervas más.

Letras grandes (6.11): comprovação da autenticidade da própria letra de Paulo (v. a nota sobre o "espinho na carne" em 2Co 12).

As marcas de Jesus (6.17). Os inimigos de Paulo diziam não ser ele um genuíno apóstolo de Cristo. O próprio corpo maltratado, ferido e marcado por cicatrizes era uma testemunha a favor (v. 2Co 4, 6 e 11).

Efésios

A unidade da igreja
Judeus e gentios são um só em Cristo

> Àquele que é capaz de fazer infinitamente mais do que tudo o que pedimos ou pensamos, de acordo com o seu poder que atua em nós, a ele seja a glória na igreja e em Cristo Jesus, por todas as gerações, para todo o sempre! Amém!
>
> — Efésios 3.20,21

As cartas que Paulo escreveu na prisão

Essa é uma das quatro cartas que Paulo escreveu durante seu encarceramento em Roma (59-61/62 d.C.); as demais são Filipenses, Colossenses e Filemom. Com exceção de Filipenses, elas foram escritas na mesma ocasião e levadas pelos mesmos mensageiros (6.21; Cl 4.7-9; Fm 10-12). Sabemos de mais uma carta que Paulo escreveu na prisão, que veio a perder-se (Cl 4.16). Essas cartas freqüentemente são chamadas "epístolas da prisão."

O propósito da carta

Paulo dedicou sua vida a ensinar aos gentios que estes podiam ser cristãos sem se converter ao judaísmo. Essa doutrina desgradava aos judeus em geral, que consideravam a lei mosaica obrigatória para todas as pessoas e tinham muito preconceito contra quaisquer gentios incircuncisos que ousassem chamar-se discípulos do Messias dos judeus.

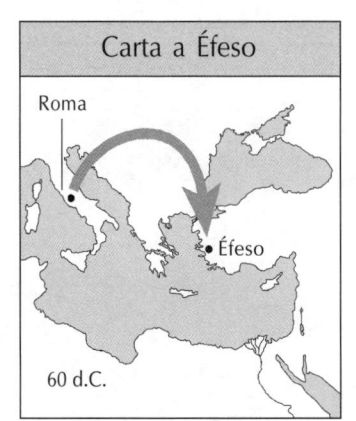

Carta a Éfeso
Roma
Éfeso
60 d.C.

Embora Paulo ensinasse os cristãos gentios a permanecer inabaláveis e inamovíveis como rochas na liberdade que tinham em Cristo — conforme se lê nas cartas aos Gálatas e aos Romanos — não queria que tivessem preconceitos contra os companheiros cristãos judeus, mas que os considerassem irmãos em Cristo.

Paulo não queria que existissem *duas* igrejas rivais, uma judaica e uma gentílica; queria *uma só* igreja, com judeus e gentios unidos em Cristo. Seu grande gesto de solidariedade para com os elementos *judeus* a favor dessa união foi a vultosa coleta de dinheiro que levantou nas igrejas gentílicas, perto do final da sua terceira viagem missionária, para os pobres de igreja-mãe em Jerusalém (At 21). A esperança que Paulo tinha, ao demonstrar assim o amor cristão, era levar os cristãos judeus a sentir-se mais bem dispostos para com seus irmãos e irmãs gentios.

O gesto de Paulo em favor da união, dirigido aos elementos *gentios* da igreja, foi a presente carta, dirigida ao principal centro de convertidos gentios, exaltando a *unidade, universalidade e grandeza inefável* do corpo de Cristo.

Para Paulo, Cristo era tão extraordinariamente grandioso que nele cabiam pessoas de todas as raças, pontos de vista e opiniões preconcebidas. Só Cristo tem poder para solucionar todos os problemas da raça humana e levar a totalidade da vida social e familiar terrena (e até mesmo as miríades de seres do universo infinito e invisível, 3.10) à união e harmonia com Deus (5.22—6.9).

Éfeso

Éfeso era uma cidade portuária orgulhosa, próspera e movimentada, localizada no ponto terminal da rota das caravanas provenientes da Ásia. A partir de Éfeso, as mercadorias eram embarcadas para outros portos do Mediterrâneo. Essa cidade enorme possuía um teatro (que acomodava cerca de 25 mil pessoas; At 19.29), uma ágora ("praça central" que também servia de mercado de bens e de idéias), banhos públicos, uma biblioteca e vários templos.

Éfeso foi construída perto do santuário de uma antiga deusa da fertilidade da Anatólia e tornou-se o centro do culto prestado a ela; essa divindade era chamada Artemis pelos gregos e Diana pelos romanos. O templo de Diana foi descoberto por J. T. Wood em 1870; talvez tenha sido o maior edifício do mundo grego. A deusa, grotescamente representada com uma torre sobre a cabeça e com muitos seios, era adorada no famoso templo, que era servido, assim como o templo de Afrodite em Corinto, por um sem-número de sacerdotisas-prostitutas.

O culto a Diana gerava muito comércio. Éfeso tornou-se local de peregrinação para os adoradores, desejosos de voltar levando talismãs e lembranças – daí a existência do próspero sindicato dos ourives, cujo sustento dependia da fabricação de santuários em miniatura e de representações do meteorito que, segundo se alegava, era a imagem de Diana "caída do céu". Esse comércio tornava-se cada vez mais importante à medida que o porto de Éfeso ia se enchendo de sedimentos trazidos pelo rio e o movimento de exportações e importações entrava em declínio. Em 65 d.C., foi feita uma tentativa de melhorar as condições marítimas do porto, mas a tarefa revelou ser grande demais. Éfeso, no século I d.C., era uma cidade moribunda.

É provável que, durante os dois anos que Paulo passou em Éfeso, o evangelho tenha sido divulgado em outras cidades da província da Ásia (como Colossos). Posteriormente, o apóstolo João residiu em Éfeso e a igreja local é a primeira das sete às quais é dirigido o livro do Apocalipse (2.1-7).

Bênçãos espirituais — Ef 1

"**Em Éfeso**" (v. 1) não consta em alguns dos manuscritos mais antigos. Pensa-se que provavelmente se trate de uma carta circular a todas as igrejas da Ásia Menor. Nesse caso, Tíquico teria levado várias cópias, cada uma com espaço em branco a fim de que cada cidade incluísse o próprio nome no título. Assim também seria explicada a falta de saudações pessoais nessa carta, em contraste com a maioria das cartas de Paulo.

Paulo passara três anos em Éfeso e tinha ali muitos amigos dedicados; entretanto, essa carta é de tom formal. Esse fato não seria surpreendente se realmente se tratasse de uma carta circular endereçada a Éfeso e às cidades vizinhas.

O propósito eterno de Deus (v. 3-14). Magnífico resumo do plano de Deus: a redenção, a adoção, o perdão e a confirmação do povo separado para ser propriedade exclusiva de Deus. Esse plano tinha sido determinado desde a eternidade e agora estava sendo concretizado pelo próprio Deus.

"Regiões celestiais" (v. 3) é uma expressão fundamental dessa epístola (1.10,20; 2.6; 3.10; 6.12). Refere-se à esfera invisível além deste mundo dos sentidos, ao lar final do cristão, com o qual temos certa medida de comunicação já aqui e agora.

A predestinação divina (v. 11) é tema comum nas cartas de Paulo. Ele a enfatiza em expressões tais como "Deus nos escolheu", "nos predestinou", "fomos também escolhidos" e "tendo sido predestinados" antes da criação do mundo.

A oração de Paulo por eles (v. 15-23). É assim que Paulo geralmente inicia suas cartas. Quatro dessas orações são especialmente belas: a presente e as registradas em 3.14-19, Filipenses 1.9-11 e Colossenses 1.9-12.

Ef 2 e 3 — A igreja é uma só em Cristo

No primeiro capítulo, Paulo expõe o derradeiro alvo de Deus — a união universal entre ele, o próprio Criador, e a totalidade da criação. Essa união existia antes de Adão e Eva terem pecado. Deus tem um plano para restabelecer essa união. No segundo capítulo, Paulo revela as medidas que Deus está adotando para restabelecer a união universal.

Salvos pela graça (2.1-10). Em primeiro lugar, Deus reconcilia os indivíduos consigo mesmo como ato de graça. O corpo de Cristo está sendo edificado com pecadores indignos como prova eterna da benignidade de Deus. Quando a obra de Deus em nós for completada, seremos criaturas de bem-aventurança indizível no estado de glória celestial muito acima de qualquer coisa que agora possamos imaginar. Será obra de Deus, e não nossa, e por toda a eternidade os céus nunca cessarão de ressoar com os aleluias jubilosos do coração grato dos redimidos.

Anteriormente, uma só nação, agora, todas as nações (2.11-22). O passo seguinte no plano divino de união universal é reconciliar os cristãos uns com os outros num único corpo unido, que é a igreja. O termo "a circuncisão" passou a ser empregado como designação dos judeus, em contraste com as demais nações, que eram referidas como "a incircuncisão" (v. 11). Durante algum tempo, os judeus constituíam o corpo do povo de Deus, do qual a circuncisão era o sinal físico e do qual eram excluídas as demais nações. Agora, porém, o convite de Deus ressoa nítido, vibrante e audível a todos, dirigido a todas as tribos e nações, para virem a ele e para se juntarem à família divina.

Estátua de Sofia, a deusa da sabedoria, na parede da biblioteca de Éfeso. Paulo menciona a sabedoria três vezes nessa carta (1.8; 1.17; 3.10).

O mistério de Cristo (3.1-13), que em tempos passados foi mantido oculto nos planos de Deus (v. 9), significa claramente, nessa passagem, que todas as nações são herdeiras das promessas que Deus fez aos judeus, as quais os judeus, até então, tinham imaginado pertencer exclusivamente a eles. Essa fase do plano de Deus tinha sido mantida em sigilo até a vinda de Cristo, embora tivesse sido determinada desde o princípio (1.5); mas agora ela está plenamente revelada: o glorioso mundo futuro de Deus será edificado não somente a partir da nação judaica, mas de toda a humanidade.

A igreja unida será o meio principal para Deus demonstrar sua "multiforme sabedoria" aos governantes e autoridades nas regiões celestiais. O propósito eterno de Deus é que Cristo, o cabeça da igreja, assuma, no fim de tudo, a supremacia sobre o universo. O destino eterno da igreja é governar e reinar com Cristo, tanto na terra (2Tm 2.12; Ap 20.2) quanto no universo inteiro (Ap 22.5). Esses versículos colocam numa perspectiva impressionante a vida cristã aqui na terra. Poderíamos considerar nossas experiências terrenas como "o campo de treinamento" que Deus usa para recrutar e preparar os crentes a fim de que reinem eternamente com Cristo.

A oração de Paulo (3.14-21). Paulo não ora pedindo conhecimento — o não conhecimento da Bíblia, mas aquilo que em muito supera todo o conhecimento: o amor a Cristo.

A unidade da igreja — Ef 4

Um só corpo (v. 1-16). Um organismo complexo, com muitas partes, onde cada uma ocupa o seu lugar e tem sua função, cooperando juntas em harmonia. Seu princípio básico é o amor (v. 16), ao passo que o próprio Cristo é sua cabeça e força motriz.

A condição prévia fundamental para o funcionamento apropriado do corpo de Cristo, que é composto de vários membros dotados de vários talentos e temperamentos, é um espírito de humildade, de mansidão e de mútuo apoio entre os membros (v. 2).

O propósito do corpo é desenvolver cada um de seus membros segundo a perfeita imagem de Cristo (v. 12-15). O conceito do crescimento, conforme é expresso nesses versículos, parece ser aplicável tanto aos indivíduos quanto à igreja como um todo. A infância da igreja será coisa do passado. Virá sua maturidade (comp. com a passagem correlata, 1Co 12 e 13).

Atualmente, a igreja tem quase 2 mil anos de idade. Apesar disso, ainda continua no estado infantil — ainda não teve a experiência da união na sua plena manifestação visível. A luta incessante de Paulo era contra as facções nas igrejas locais e contra as divisões entre os judeus e os gentios. Posteriormente, surgiram as amargas controvérsias dos séculos II, III e IV. Houve, em seguida, a igreja imperial, com sua *aparência* externa de união imposta pela autoridade estatal, e a grande ruptura da igreja, que se dividiu em igreja ocidental (católica romana) e oriental (ortodoxa).

> "Quando vocês ficarem irados, não pequem". Apaziguem a sua ira antes que o sol se ponha, e não dêem lugar ao diabo.
> Efésios 4.26,27

Depois disso, a quase 500 anos, surgiu a Reforma, que ensinou as pessoas a ler a Bíblia por conta própria e a pensar por conta própria. Isso levou inevitavelmente à divisão da igreja protestante em muitas denominações e grupos. Ainda temos uma cristandade dividida, muito mais que em qualquer período do passado. (Para um esboço da história da igreja, ver p. 772-807.)

Não sabemos se, neste mundo, haverá unidade exterior e orgânica da igreja visível em algum dia futuro. O egoísmo e o orgulho das pessoas militam contra isso. Sempre houve, e continua havendo, união na igreja invisível dos verdadeiros santos de Deus, união que, de alguma maneira, em algum tempo e lugar, virá ao pleno florescimento como resposta à oração do próprio Cristo (Jo 17) e se manifestará

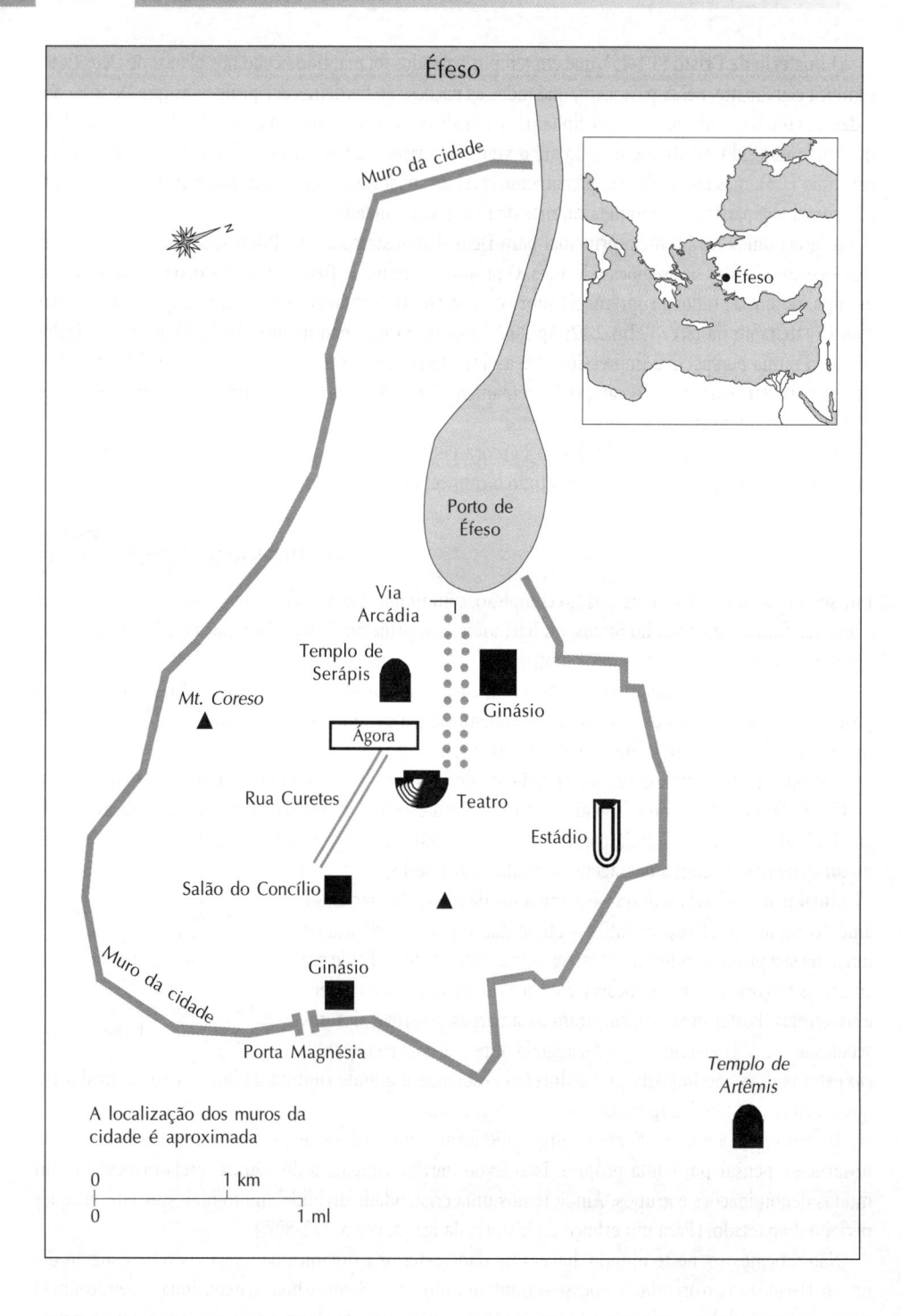

Éfeso

- Muro da cidade
- Porto de Éfeso
- Via Arcádia
- Templo de Serápis
- Mt. Coreso
- Ginásio
- Ágora
- Rua Curetes
- Teatro
- Estádio
- Salão do Concílio
- Muro da cidade
- Ginásio
- Porta Magnésia
- Templo de Artêmis

A localização dos muros da cidade é aproximada

0   1 km
0   1 ml

como o corpo de Cristo plenamente amadurecido. Essa união é do tipo que às vezes se torna evidente, de modo espontâneo e em pequena escala, quando falamos com cristãos pertencentes a uma denominação muito diferente da nossa — quanto à teologia ou à ordem do culto — e repentinamente tomamos consciência de que somos um só no amor a Cristo e que, andando à sua luz, nossas diferenças desaparecem nas sombras.

Uma nova maneira de viver (v. 17-32). Visto que a igreja é a comunidade de irmãos e irmãs, é necessário que seus membros tenham muita consideração uns pelos outros.

"Ira" (v. 26). Talvez Paulo achasse que seria um pouco difícil pedir que nunca ficassem zangados, de modo que apenas lhes aconselha que evitem manter-se assim por muito tempo. Ou é possível que ele tivesse entendido existir situações que permitem um desprazer legítimo e justificado, o qual, caso fosse reprimido, provocaria muitos danos em ocasião posterior.

"Furtava" (v. 28). Parece claro que alguns deles tinham sido malfeitores, mas agora deviam respeitar os direitos dos outros (v. comentário sobre 2Ts 3.6-15).

Novas obrigações — Ef 5 e 6

Nesses dois capítulos, Paulo continua o tema que começara em 4.17: a obrigação de viver de maneira diferente.

A imoralidade sexual (5.3-14). Tratava-se de um pecado bastante comum nos dias de Paulo; em muitos lugares, a prostituição nos templos fazia parte do culto pagão. Paulo adverte repetidas vezes contra isso (v. comentário sobre 1Co 7 e 1Ts 4.1-8).

Cânticos (5.18-21). O louvor jubiloso das reuniões dos cristãos é contrastado aqui com a permissividade agitada das festas ruidosas e cheias de embriaguez (v. 18,19). Cantar hinos é, de longe, a parte mais natural, singela e apreciada dos encontros espirituais e com certeza que oferece maior estímulo espiritual.

Maridos e mulheres (5.22-33). Se somos cristãos, devemos demonstrar esse fato em todas as áreas da vida — no serviço, no convívio social e no lar. O relacionamento entre o marido e a mulher é representado aqui como paralelo do relacionamento entre Cristo e a igreja (v. 25,32). Paulo exorta ao amor e à dedicação mútuos — ele não sugere, de modo nenhum, que o homem tenha o direito de fazer de sua mulher uma escrava. Um depende do outro, pois cada um tem funções diferentes na sociedade humana. Cada um serve melhor a si mesmo quando serve ao cônjuge (v. 25,32). Quem ama sua esposa ama a si mesmo: maridos, atentem para isso!

Pais e filhos (6.1-4). Um dos Dez Mandamentos (Êx 20) declara que devemos honrar quem nos deu a vida. Proceder assim prolongará essa vida. Foi assim que Deus prometeu, e é fato da natureza. Os pais são advertidos a não ser demasiadamente severos com os filhos — aqui e em Colossenses 3.21. Naqueles tempos, a autoridade dos pais era geralmente muito austera, como hoje, geralmente, é por demais complacente. O pai é mencionado aqui com mais freqüência que a mãe, porque esta tende a ser mais tolerante. Imaginamos que, naqueles tempos, quando as mudanças eram mais lentas e havia menos influências externas contínuas sobre os filhos, era mais fácil para os pais criar os filhos como eles mesmos tinham sido criados.

> Finalmente, fortaleçam-se no Senhor e no seu forte poder. Vistam toda a armadura de Deus, para poderem ficar firmes contra as ciladas do Diabo.
> Efésios 6.10,11

Escravos e senhores (6.5-9). A metade da população de Roma e grande porcentagem da população do império consistia em escravos. Muitos dos cristãos eram escravos. O que Cristo espera deles é o serviço fiel aos respectivos senhores — assim são ensinados nessa carta. É um ensino notável: no cumprimento de nossos deveres na terra, mesmo sendo tarefas servis de baixa categoria, sempre estamos sob o olhar vigilante de Cristo, para recebermos sua aprovação ou desaprovação segundo nossa fidelidade. Por outro lado, a mesma regra se aplica aos senhores na questão de como tratam os escravos. Hoje em dia, aplicaríamos esse ensino primariamente à atitude dos empregados para com os patrões e ao modo de os patrões tratarem seus empregados.

A armadura do cristão (6.10-20). Essa passagem certamente significa que a luta do cristão envolve mais que as tentações naturais da carne. Existem poderes no mundo invisível que não podemos vencer com nossas forças — somente com a ajuda de Cristo poderemos resistir-lhes. A verdade, a justiça, a paz, a fé, a salvação, a Palavra, a oração são as armas que poderão "apagar todas as setas inflamadas" do inimigo invisível e nos capacitar a resistir firmes contra o enganou de Satanás.

Filipenses

A carta da alegria

> Para mim o viver é Cristo e o morrer é lucro.
> — FILIPENSES 1.21
>
> Mas uma coisa faço: esquecendo-me das coisas que ficaram para trás e avançando para as que estão adiante, prossigo para o alvo, a fim de ganhar o prêmio do chamado celestial de Deus em Cristo Jesus.
> — FILIPENSES 3.13,14

Não é fácil dizer qual o assunto principal dessa carta. Como a maioria das cartas, ela trata de várias questões. Entretanto, já que foi ocasionada pelo recebimento, por Paulo, de uma oferta em dinheiro para seu sustento na obra missionária no exterior — oferta de uma igreja por ele fundada — não seria impróprio chamá-la carta missionária.

Como regra geral, Paulo não aceitava pagamento pelas pregações. Sustentava a si próprio confeccionando tendas (1Co 9.12; At 18.3). O motivo era a existência de muitos falsos mestres que abusariam de seu exemplo para enriquecer mediante a pregação. Além disso, talvez houvessem pessoas que interpretassem mal as intenções de Paulo ao aceitar dinheiro. Entretanto, Paulo não recusou ofertas da igreja de Filipos quando estava em Tessalônica (4.16) e também em Corinto (2Co 11.9).

A igreja de Filipos

Trata-se da primeira igreja que Paulo fundou na Europa, na segunda viagem missionária, por volta de 51 d.C. (At 16). Lídia e o carcereiro de Filipos estavam entre os convertidos. Lucas, o médico, autor de um dos evangelhos e de Atos dos Apóstolos, foi seu pastor durante os seis primeiros anos.

É possível que Filipos fosse a cidade natal de Lucas, onde praticava a medicina. Por certo, Lucas participou do aprimoramento do caráter da igreja de Filipos, a qual, pelo que sabemos, era uma das igrejas mais puras do NT.

A ocasião da carta

No período de 61 a 63 d.C., Paulo estava na prisão em Roma, uns dez anos depois de ter fundado a igreja de Filipos e uns três ou quatro anos depois de sua última visita ali. Segundo parece, Paulo estava começando a pensar que talvez os membros tivessem se esquecido dele (4.10). Foi então que Epafrodito chegou da distante Filipos com uma oferta em dinheiro. Paulo ficou profundamente comovido. Epafrodito quase perdera a vida na viagem. Quando este se recuperou (2.25-30; 4.18), Paulo o enviou a Filipos com essa bela carta.

Filipos

Cidade da Macedônia, ao norte da Grécia, localizada a cerca de 16 km de Neápolis, no mar Egeu. O povoado original era chamado Krenides, mas em 356 a.C. o nome foi mudado por Filipe, rei da Macedônia (359-336 a.C.; pai de Alexandre, o Grande), quando aumentou a cidade com muitos novos habitantes e construções.

O primeiro imperador de Roma, Augusto, fez de Filipos colônia romana e assim lhe concedeu muitas vantagens em relação à maioria das demais cidades do Império Romano: seus cidadãos tinham governo autônomo, eram isentos de impostos e tratados da mesma maneira que os habitantes da própria Itália. O orgulho que os filipenses sentiam da sua cidade vê-se em Atos 16.20,21, bem como em parte da terminologia de Paulo (Fp 1.27; 3.20).

A Via Egnácia, a principal estrada entre a Ásia e o Ocidente, passava por Filipos, bem perto do fórum da cidade. A escolha que Paulo fez de Filipos como local de seu ministério lança luz sobre sua estratégia de evangelização.

A igreja de Filipos foi fundada no decurso da segunda viagem missionária de Paulo (At 16), quando Filipos passou a ser a primeira cidade européia na qual pregou. Perto da cidade passava o rio Gangites (o atual Angitis), onde, segundo parece, a pequena população judaica de Filipos se congregava para a oração. No entanto, a nova igreja não se esqueceu de seu fundador, pois enviou ofertas a Paulo em várias ocasiões (Fp 4.15,16).

Paulo fez outra visita a Filipos (e possivelmente uma terceira) na terceira viagem missionária (At 20.1-6).

Fp 1   O evangelho em Roma

Timóteo (v. 1) provavelmente redigiu esta carta ditada por Paulo. Ele ajudara a fundar a igreja de Filipos, de modo que Paulo incluiu seu nome na saudação. Também ajudara a escrever outras cartas: 1 Coríntios, Colossenses, 1 e 2 Tessalonicenses e Filemom.

A oração de Paulo em favor deles (v. 3-11). É dessa maneira que Paulo quase sempre inicia suas cartas. Compare com as belas orações de Efésios 1.16-23 e 3.14-19 e Colossenses 1.9-12.

Cooperação no evangelho (v. 5) refere-se à oferta em dinheiro que tinham enviado a ele. Dessa forma, passavam a ser co-participantes na sua obra (v. mais em 4.17).

O evangelho em Roma (v. 12-18). A vinda de Paulo a Roma como prisioneiro redundara em benefício, e não em empecilho, para a obra de tornar Cristo conhecido na cidade imperial. Dera-lhe acesso aos círculos oficiais, de modo que já contava com alguns convertidos na corte de Nero (4.22). E, assim como se regozijara naquela noite no cárcere de Filipos (At 16.25), também agora se regozijava nos seus grilhões em Roma (v. 18).

Paulo está pronto a morrer (v. 19-26). Sem dúvida, ele sempre sentia dores no seu corpo maltratado e cheio de cicatrizes — resultado de repetidos apedrejamentos e açoites. Já alcançara a velhice. Sabia que as igrejas precisavam dele, mas ansiava pelo lar celestial com Cristo. Não fazia tanta diferença assim, porém; estando Paulo na prisão ou no paraíso, Cristo continuava sua vida e alegria. Quanto a partir ou permanecer isso estava nas mãos de Deus. E, a despeito de seu desejo de partir e estar com Cristo, ainda tinha esperança de voltar a Filipos (v. 26; 2.24).

Os sofrimentos dos filipenses (v. 27-30). A igreja de Filipos já contava com dez anos de existência e ainda sofria perseguições. Paulo mantinha os olhos fitos no dia da vindicação, quando haveria a virada da mesa e os perseguidores colheriam o que tinham semeado (v. 28; 2Ts 1.5-10).

A humildade de Cristo — Fp 2

Exemplo de humildade (v. 1-11). Existem menos censuras nessa carta que na maior parte das outras cartas do NT. Mas ficamos imaginando, a julgar pelo contexto dessa bela exortação à humildade, se, porventura, Epafrodito levara a Paulo indícios de haver sementes de divisão no orgulho de certos líderes filipenses, talvez especificamente Evódia e Síntique (4.2).

Algo a que devia apegar-se (v. 6). Abriu mão do que possuía. A humildade e os sofrimentos de Cristo são freqüentemente contrastados com sua exaltação e glória, como nos versículos de 8 a 11 (v. Hb 2.9,10; 1Pe 1.11).

A alegria de Paulo no dia de Cristo (v. 12-18). O conceito que Paulo tinha das amizades terrenas é que continuariam pela eternidade. Ele tinha a expectativa de que sua felicidade chegaria ao ápice arrebatador quando saudasse seus amados amigos no Reino eterno, aos pés de Jesus — amigos que seriam sua oferenda ao Senhor, salvos para sempre, porque o próprio Paulo os levara a Jesus (v. 16).

Paulo planeja voltar a Filipos (v. 19-30). Essa passagem dá a impressão de que Paulo esperava que seu julgamento chegasse a um rápido desfecho — especialmente o versículo 24. Aqui não há indício de que tenha ido à Espanha, conforme planejara originariamente (Rm 15.24). Seu encarceramento prolongado parece ter mudado seus planos. A teoria geralmente aceita é que Paulo foi absolvido e realmente visitou de novo Filipos e outras igrejas do Oriente (1Tm 1.3), mas foi novamente preso uns cinco anos depois, levado de volta para Roma e executado.

O alvo celestial — Fp 3

O contexto da imagem utilizada nesse capítulo parece ter sido o aparecimento dos judaizantes em Filipos. Segundo parece, eles não tinham feito muito progresso com sua ênfase na observância da Lei e com suas desavenças a respeito de questões não essenciais — como cães atacando um osso (v. 2). O próprio Paulo possuíra de modo marcante a justiça segundo a Lei (v. 4-6), que os judaizantes pregavam. Agora, porém, considera-a como lixo ou esterco (v. 8). Dependia totalmente de Cristo, e conhecê-lo era seu único alvo.

Paulo descreve a si mesmo como participante de uma corrida, exercitando todos os nervos e músculos utilizando cada fração de suas energias, como atleta de veias intumescidas, para não deixar de atingir o alvo. Esse alvo era alcançar a ressurreição dentre os mortos (v. 11). Esse era o segredo da vida de Paulo. Ele tivera um vislumbre da glória do céu (2Co 12.4) e estava resoluto no sentido de chegar até lá, pela graça de Cristo, junto com tantos outros quantos conseguisse persuadir, de algum modo, a acompanhá-lo. Esse capítulo é uma das declarações mais enfáticas da esperança pessoal do céu por parte de Paulo — é de lá que somos cidadãos (v. 20). Aqui somos estrangeiros, nossa pátria está lá. Nosso caminhar é aqui; nossos corações estão lá.

Alegria — Fp 4

Evódia e Síntique (v. 2,3). Duas mulheres líderes; é possível que fossem diaconisas ou mulheres de alta posição social cujas casas serviam de igrejas. Estavam deixando as diferenças pessoais tornar-se fonte de aborrecimento para a igreja.

Alegrem-se! Alegrem-se! (v. 4-7). A alegria é a nota predominante dessa carta, escrita pelo encarcerado que, durante 30 anos, tinha sido atacado por turbas, açoitado, apedrejado e espancado – o suficiente para deixar os anjos horrorizados. Apesar disso, Paulo transborda de alegria. As coisas que tenderiam naturalmente a amargurá-lo só aumentavam sua alegria. É simplesmente admirável o que Cristo pode fazer na vida de uma pessoa!

O leão de Anfípolis, estátua funerária do século IV a.C. que guarda a ponte sobre o rio Estrimom. Paulo e Silas teriam visto essa estátua no caminho de Beréia para Atenas (At 17.14,15).

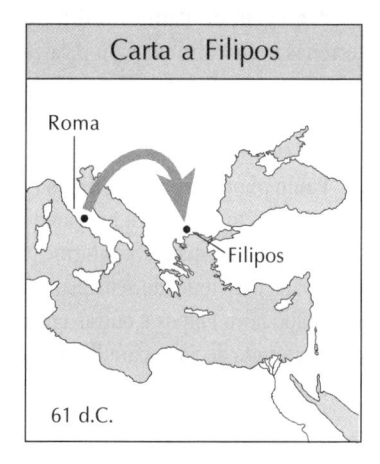

Carta a Filipos
Roma
Filipos
61 d.C.

Segundo a tradição, essas são as ruínas da prisão onde Paulo e Silas estavam orando e cantando durante a noite (At 16).

Filipos

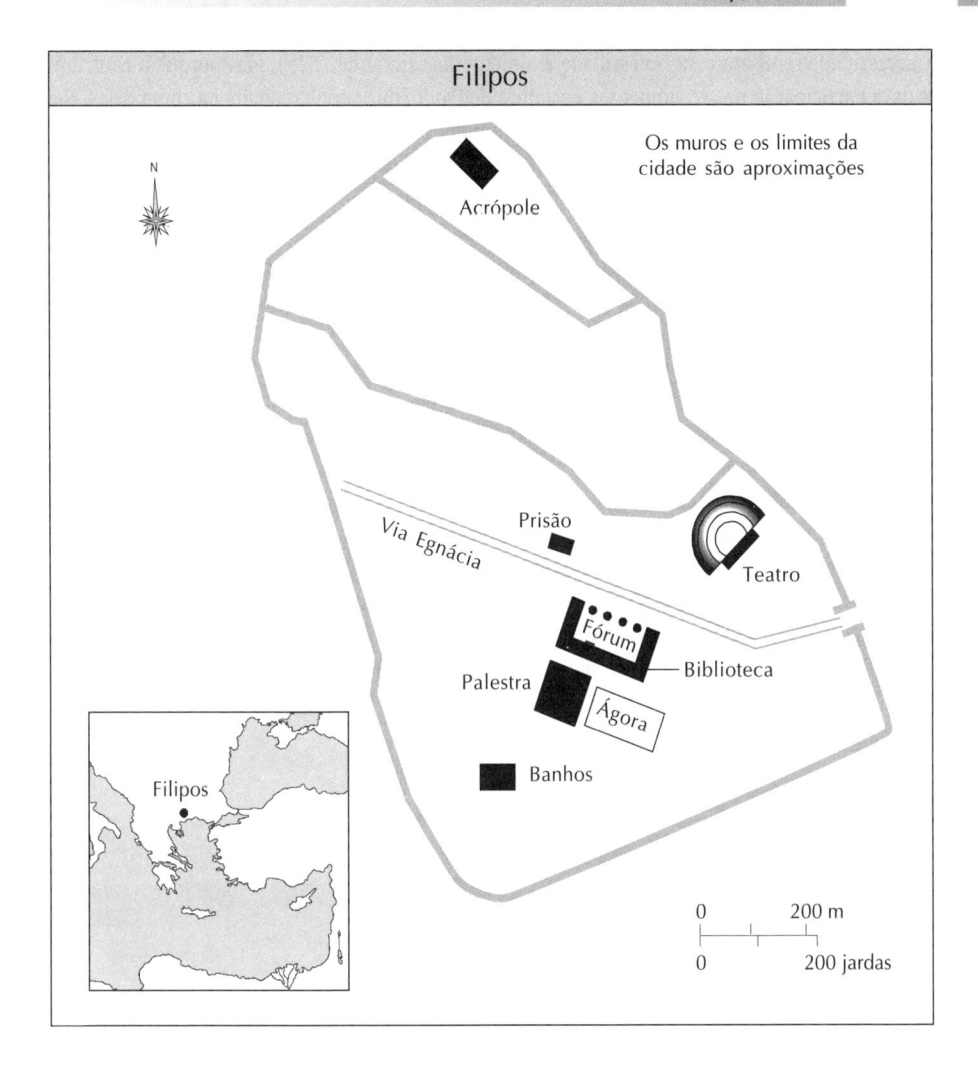

Mapa de Filipos mostrando: Acrópole, Via Egnácia, Prisão, Teatro, Fórum, Palestra, Biblioteca, Ágora, Banhos. Os muros e os limites da cidade são aproximações.

"Perto está o Senhor" (v. 5): Paulo dissera dez anos antes, em 2 Tessalonicenses 2, que o Senhor não viria a não ser depois da revolução (o desvio, a apostasia); mas essa apostasia estava operando rapidamente em algumas das igrejas de Paulo e ele nunca conseguia desviar totalmente sua atenção da proximidade iminente da vinda do Senhor. Esse era um dos segredos de sua alegria perene. Outro segredo era sua oração incessante com ações de graças (v. 6). Se formos gratos a Deus pelo que ele nos dá, certamente ele ficará disposto a nos dar o que ainda nos falta.

A chegada de Epafrodito (v. 10-20). Foi ele quem trouxera a Paulo a oferta em dinheiro da igreja (v. 18). Paulo ficou profundamente grato, porque, sendo prisioneiro, não tinha meio de sustento fora das rações da prisão. O toque mais belo e primorosamente delicado dessa carta acha-se no versículo 17, onde, ao agradecer pelo dinheiro, conta-lhes que o seu apreço pela oferta não era tanto por causa de

> Não andem ansiosos por coisa alguma, mas em tudo, pela oração e súplicas, e com ação de graças, apresentem seus pedidos a Deus. E a paz de Deus, que excede todo o entendimento, guardará o coração e a mente de vocês em Cristo Jesus.
> FILIPENSES 4.6,7

sua necessidade (embora essa necessidade realmente fosse grande, 2.25), mas porque a contribuição lhes dava participação nas recompensas pela obra de Paulo, que seria creditada na conta deles. No dia do juízo final, eles seriam recompensados pelas multidões de almas que ajudaram a salvar.

Essa mesma lição se aplica a nossas ofertas missionárias hoje. Cada oferta, isoladamente, não é grande quantia. Mas, assim como as gotinhas de chuva que caem sobre toda a região Centro-Sul do Brasil possibilitam a existência das vastas catadupas que rolam por cima da cachoeira de Paulo Afonso, também essas ofertas provenientes de centenas de milhares de crentes no país inteiro constituem-se no vasto conjunto de fundos que sustenta o exército mais nobre de homens e mulheres que já existiu debaixo do sol, o vasto exército de missionários nos distantes campos de batalha da Cruz, suportando, por amor a Cristo, privações que nunca sonharíamos sofrer em nosso país. Quem por meio de ofertas para missões se torna participante do movimento mais poderoso de todas as eras, terá o direito, no dia do ajuste final de contas, de participar de suas recompensas.

A posição social dos cristãos do NT (v. 22). A maioria dos cristãos primitivos pertencia às classes mais humildes. Muitos eram escravos. Alguns dos convertidos pertenciam ao palácio do imperador, quer como escravos, quer como livres. Podem ter sido membros da guarda do palácio (1.13). Entre outras pessoas de alta posição social estão o tesoureiro da Etiópia (At 8.27), o centurião Cornélio (At 10.1), o irmão de criação de Herodes (At 13.1), o procônsul de Chipre (At 13.12), mulheres de alta posição em Tessalônica (At 17.4), mulheres gregas de elevada posição em Beréia (At 17.12), o tesoureiro da cidade de Corinto (Rm 16.23) e Joana, esposa do mordomo de Herodes (Lc 8.3).

Colossenses

A divindade e plena suficiência de Cristo

Cristo em vocês, a esperança da glória.
— COLOSSENSES 1.27

Que a paz de Cristo seja o juiz em seu coração, visto que vocês foram chamados para viver em paz, como membros de um só corpo. E sejam agradecidos.
— COLOSSENSES 3.15

A igreja de Colossos

A igreja de Colossos foi fundada na terceira viagem missionária de Paulo, durante seus três anos em Éfeso, mas não pelo próprio Paulo (Cl 2.1), mas por Epafras (1.7; 4.12-13). Arquipo também exerceu ali ministério frutífero (4.17; Fm 2). Filemom era membro ativo dessa igreja, como também Onésimo (Cl 4.9).

Ocasião e data da epístola

Paulo estava encarcerado em Roma, em 59-61/62. Passou pelo menos dois anos em prisão domiciliar (At 28.16-31). Escrevera uma carta anterior com instruções a respeito de Marcos (4.10). Entrementes, Epafras, membro da igreja de Colossos, chegara a Roma avisando que uma heresia perigosa estava fazendo progresso na igreja. Parece que, na ocasião, Epafras também estava preso em Roma (Fm 23). Paulo, então, escreveu essa carta e a despachou pelas mãos de Tíquico e de Onésimo (4.7-9), que também levaram a carta de Paulo aos Efésios e a carta a Filemom (Ef 6.21).

A heresia colossense

Essa heresia parece ter sido a mistura de religiões gregas, judaica e orientais, um tipo de culto do "pensamento superior" que se apresentava como filosofia (2.8). Exigia a adoração aos anjos como intermediários entre Deus e o homem (2.18) e insistia na observância rigorosa de certas exigências judaicas, quase ao ponto do ascetismo (2.16, 21). Essa heresia era proclamada em linguagem altissonante e em tom de superioridade — e isso como se fizesse parte do evangelho de Cristo.

A semelhança com a epístola aos Efésios

Colossenses e Efésios foram escritas na mesma ocasião. Ambas são declarações cuidadosamente elaboradas das grandes doutrinas do evangelho, escritas para serem lidas em voz alta nas igrejas e são muito semelhantes entre si em vários trechos. Entretanto, os temas principais são inteiramente diferentes:

- Efésios concentra-se na unidade e na grandeza da igreja;
- Colossenses enfatiza a divindade e a plena suficiência de Cristo, em contraste com o vazio da filosofia humana.

Colossos

Antiga cidade da Frígia (na Turquia moderna), situada no interior a cerca de 177 km de Éfeso e subindo cerca de 16 km pelo vale do Lico a partir de Laodicéia. Colossos estava situada na rota comercial mais importante entre Éfeso e o Eufrates e era lugar de grande importância desde os tempos mais antigos.

Quando, porém, foi fundada Laodicéia, a pouca distância dali, o trânsito foi desviado para a cidade nova, e Colossos declinou social e comercialmente. Nos dias de Paulo, não passava de uma insignificante cidade-mercado, e o local é hoje desabitado.

Tudo o que hoje resta da cidade de Colossos.

Cl 1   A divindade de Cristo

Paulo dá graças a Deus pelos colossenses (v. 3-8). **Sempre agradecemos a Deus** (v. 3). Paulo freqüentemente inicia assim suas cartas (Rm 1.8; 1Co 1.4; Ef 1.16; Fp 1.3; 1Ts 1.2; 2Ts 1.3; 2Tm 1.3; Fm 4). As boas notícias das várias igrejas dispersas enchiam sua alma de jubilosa gratidão.

Fé, amor, esperança (v. 4,5) são suas palavras prediletas: a fé em Cristo, o amor aos santos, a esperança celestial. Observe que a esperança era a motivação que produzia neles o amor (v. 5; v. 1Co 13; 1Ts 1.3).

Ouvido falar (v. 4) não significa necessariamente que Paulo não tivesse estado em Colossos, pois emprega a mesma expressão em Efésios 1.15, e sabemos que esteve em Éfeso, mas não voltara para lá nos últimos anos.

Por todo o mundo (v. 6) e **todos os que estão debaixo do céu** (v. 23) significam que, já na data em que Paulo escreveu essas palavras, cerca de 32 anos depois da morte e ressurreição de Jesus, o evangelho já tinha sido pregado a todo o mundo então conhecido. No decurso da primeira geração, a igreja se estabelecera no mundo inteiro.

A oração de Paulo por eles (1.9-12). Uma das quatro orações mais belas proferidas por Paulo a favor de suas igrejas; as outras três estão em Efésios 1.16-19 e 3.14-19 e Filipenses 1.9-11.

Entendimento espiritual (v. 9) significa saber viver de modo semelhante a Cristo.

Fortalecidos com todo o poder (v. 11), a ponto de poder perseverar com alegria em todas as circunstâncias.

A divindade de Cristo (v. 13-20). As declarações que Paulo faz a respeito de Cristo nesta carta são:

- Imagem do Deus invisível
- Primogênito de toda a criação
- Nele foram criadas todas as coisas
- Ele é antes de todas as coisas
- Nele tudo subsiste
- Cabeça do corpo (a igreja)
- O princípio
- O primogênito dentre os mortos
- Nele habita toda a plenitude
- Por meio dele todas as coisas são reconciliadas
- Cristo em vocês, a esperança da glória
- Nele estão escondidos todos os tesouros da sabedoria e do conhecimento
- Nele habita corporalmente toda a plenitude da divindade
- Nele vocês receberam a plenitude (foram aperfeiçoados)
- O cabeça de todo poder e autoridade

Primogênito de toda a criação (v. 15) não significa que Cristo foi criado, sim que ele é herdeiro do universo criado, assim como o primogênito no AT era herdeiro das terras da família.

Tronos ou soberanias, poderes ou autoridades (v. 16). Esse texto (bem como outros, p. ex. Ef 6.12), é indício de que, no mundo invisível, existem numerosas variedades de pessoas e governos dos quais o nosso mundo visível é um minúsculo equivalente e de que a morte de Cristo, além de possibilitar a redenção da raça humana, tornou-se o meio de restaurar a harmonia desfeita de todo o vasto universo.

Sofrendo em favor da igreja (v. 24-29). **O que resta das aflições de Cristo** (v. 24) não significa que os sofrimentos de Cristo fossem insuficientes para nossa salvação, e sim que a

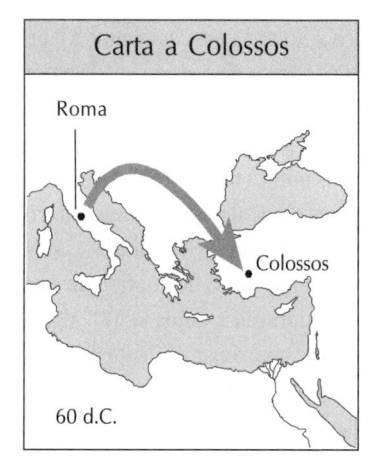

Carta a Colossos
Roma
Colossos
60 d.C.

igreja como um todo não poderá chegar à perfeição sem passar pelo sofrimento. Paulo estava muito desejoso de suportar a parte que lhe cabia (v. 1Pe 4).

O mistério (v. 26,27): veja comentário sobre Efésios 3.3. A essência da mensagem de Paulo nessa carta é a seguinte: Cristo é o cabeça do universo. Nós nos achegamos a ele de modo direto, não por se quer intermediários, nem por meio dos anjos. O próprio Cristo, não esta ou aquela filosofia, não este ou aquele conjunto de regras, é a nossa sabedoria, a nossa vida, a nossa esperança da glória. Em essência, ser cristão é amar a *Cristo* e viver em *Cristo*, que é uma pessoa gloriosa e divina, por meio de quem o universo foi criado e em quem há plena suficiência para a redenção e eterna perfeição da raça humana.

Cl 2   Cristo é plenamente suficiente

Todos os que ainda não me conhecem pessoalmente (v. 1) significa para alguns que Paulo jamais esteve em Colossos. Não há, porém, maneira de saber se ele inclui o "vocês" do começo da frase ou se está se referindo a outras pessoas. As saudações pessoais em 4.7-18 certamente indicam que Paulo conhecia bem a igreja de Colossos. Estava esperançoso de voltar para lá dentro em breve (Fm 22; Filemom era membro da igreja de Colossos).

Laodicéia (v. 1) era uma cidade próxima, a cerca de 16 km. Paulo também havia escrito uma carta para eles, junto com essa aos Colossenses (4.16). Alguns acham que a carta enviada a Laodicéia pode ter sido uma cópia da carta aos Efésios.

> Pois em Cristo habita corporalmente toda a plenitude da divindade, e, por estarem nele, que é o Cabeça de todo poder e autoridade, vocês receberam a plenitude.
> COLOSSENSES 2.9-10

Mistério (v. 2). Essa talvez tenha sido uma das palavras prediletas dos filósofos de Colossos. É empregada quatro vezes na carta (1.26,27; 2.2; 4.3) e seis vezes em Efésios com referência a certos aspectos do propósito divino que não tinham sido revelados antes (v. comentário sobre Ef 3.3-9).

Os filósofos de Colossos (v. 4, 8). Filósofo é o indivíduo que dedica sua vida à tentativa de compreender o que sabe, até se dar conta de que não poderá compreender. Cristo é o centro de uma esfera inteira de verdades — algumas delas muito fáceis de ser compreendidas, e outras, não tão fáceis — que se estendem para além do alcance de nossa alma. Os filósofos vêm na doutrina cristã certas coisas que se encaixam na filosofia deles. Aceitam a Cristo e se chamam cristãos. No seu pensar, entretanto, algumas de suas *abstrações filosóficas continuam a ocupar a posição central,* e o próprio Cristo não passa de um tipo de sombra no fundo. Todos nós conhecemos pessoas assim: defensores militantes de alguma teoria ou doutrina predileta, mas não dão o mínimo indício de terem muito amor ou admiração pela pessoa de Cristo.

Os legalistas de Colossos (v.16, 20-22). Em contraste com o filósofo, a pessoa de mentalidade mais prática não se preocupa muito com as coisas que não consegue compreender; ao contrário, quer saber o que deve *fazer* para ser cristão. Vê com clareza certos mandamentos — ou pelo menos lhe parecem assim — e os obedece. Mas *para ele esses mandamentos são essenciais,* ao passo que o próprio Cristo não passa de um tipo de sombra no fundo. Pessoas desse tipo também conhecemos.

Adoração a anjos (v. 18). Alguns ensinavam que os seres humanos são demasiadamente indignos para se aproximar de Cristo diretamente e que por isso precisam da mediação de anjos. E orgulhavam-se de sua humildade nesse assunto, embora, na realidade, estivessem contrariando o evangelho que Paulo pregara: Cristo é o *único* mediador entre Deus e a raça humana (Hb 9.15).

Ascetismo (v. 20-23). Paulo não especifica as práticas aqui referidas. Mas as austeridades que as pessoas impõem a si mesmas e as humilhações que aceitam por opção pessoal não têm valor para compensar a permissividade irrefreada em outras áreas. A abnegação não tem valor real quando substitui nosso amor a Cristo colocando nossa pessoa no centro, e não ele.

A vida em Cristo — Cl 3

O relacionamento pessoal com Cristo é a ênfase da carta: "Cristo em vocês, a esperança da glória" (1.27). Vivam nele, enraizados e edificados nele (2.6,7). Vocês receberam a plenitude em Cristo (2.10), vocês morreram com ele (2.20), vocês foram ressuscitados com ele (3.1), a vida de vocês agora está escondida com ele em Deus (3.3).

A **Palavra e os cânticos** (v. 16) são mencionados juntos. Trata-se de reuniões cristãs nas quais o ensino da Palavra de Deus e o cântico de hinos são os principais meios para promover o crescimento da vida cristã. Como precisamos de mais dessas duas coisas nas nossas igrejas!

O que é um legalista?

Os legalistas (no sentido religioso) são os que baseiam sua salvação em si mesmos e no que fazem — especialmente no comportamento religioso — em vez de confiar em Cristo. É óbvio que desejamos crer corretamente em todas as doutrinas e obedecer ao máximo a todos os mandamentos. Se, porém, em nosso modo de pensar, ressaltamos demasiadamente o que cremos ou o que fazemos, chegamos perigosamente perto de basear nossa salvação em nós mesmos. Cristo — e não uma doutrina, nem um mandamento — é a base de nossa esperança. Não devemos minimizar a necessidade de crer nas doutrinas certas. Mas, afinal das contas, ser cristão é essencialmente amar a Cristo, uma pessoa, muito mais que crer nesta ou naquela doutrina, obedecer a este ou àquele mandamento ou ter uma experiência específica.

Cremos em doutrinas e obedecemos aos mandamentos por causa de Cristo. Não devemos amar aqueles mais que amamos a Cristo. Se amarmos demasiadamente determinada doutrina, tenderemos a nos tornar irados, duros e amargos para com os que não concordam com nossa doutrina. Se amarmos a pessoa de Cristo, cresceremos à semelhança dele. Nessa carta, Paulo quer corrigir as falsas doutrinas dos judaizantes, por um lado, e as dos filósofos gregos, por outro, e também as doutrinas resultantes do meio-termo entre eles. Mesmo as nossas doutrinas sendo biblicamente sãs, existe a possibilidade de se exaltar alguma verdade *a respeito de* Cristo acima do *próprio* Cristo. E, quando o fiel da balança de nossa parceria com Cristo tende para o nosso lado, passamos a ser legalistas. É possível ser legalista até mesmo no tocante a uma doutrina da graça!

Questões pessoais — Cl 4

Nos primeiros anos da história da igreja, as congregações locais só conseguiam se reunir onde tivessem oportunidade. Geralmente congregavam-se na casa de algum membro de igreja, dos quais vários são mencionados: Ninfa em Laodicéia (v.15), Filemom em Colossos (Fm 2), Gaio em Corinto (Rm 16.23) e Áqüila e Priscila em Éfeso (1Co 16.19) e posteriormente em Roma (Rm 16.5). Foi só depois do início do século III que passaram a ser construídos templos para o uso da igreja. Entretanto, a igreja crescia maravilhosamente. É melhor haver muitas congregações pequenas que umas poucas grandes!

1 Tessalonicenses

A Segunda Vinda do Senhor

> Que o Senhor faça crescer e transbordar o amor que vocês têm uns para com os outros e para com todos, a exemplo do nosso amor por vocês. Que ele fortaleça o coração de vocês para serem irrepreensíveis em santidade diante de nosso Deus e Pai, na vinda de nosso Senhor Jesus com todos os seus santos.
> — 1 Tessalonicenses 3.12,13
>
> Alegrem-se sempre. Orem continuamente. Dêem graças em todas as circunstâncias, pois esta é a vontade de Deus para vocês em Cristo Jesus. Não apaguem o Espírito. Não tratem com desprezo as profecias, mas ponham à prova todas as coisas e fiquem com o que é bom. Afastem-se de toda forma de mal.
> — 1 Tessalonicenses 5.16-22

A primeira carta à igreja de Tessalônica é provavelmente a mais antiga das cartas de Paulo ainda existentes, e geralmente se lhe atribui a data de aproximadamente 51 d.C. A carta teve o propósito de encorajar o crescimento cristão dos novos convertidos da igreja de Tessalônica e de dirimir dúvidas levantadas, principalmente a respeito da Segunda Vinda do Senhor.

A igreja de Tessalônica

Paulo fundou a igreja de Tessalônica na segunda viagem missionária, por volta de 51 d.C. (At 17.1-9). Atos 17.2 dá a impressão de que Paulo passou somente três semanas ali, mas 3.8, além de Filipenses 4.16 e 1 Tessalonicenses 2.9 parecem dar a entender que passou mais tempo. Existe a possibilidade de Paulo ter pregado na sinagoga três sábados em seguida e, depois disso, em algum outro local. Seja como for, ele não ficou ali tempo suficiente para instruir a igreja de modo satisfatório.

É provável que existissem na igreja alguns judeus, visto que foi na sinagoga que Paulo começou seu ministério. Entretanto, 1.9,10 e At 17.4 sugerem que os membros da igreja, majoritariamente, eram gentios.

Por que Paulo escreveu essa carta

Embora Paulo tivesse passado pouco tempo em Tessalônica, sua estada provocou grande comoção ali. Seus inimigos o acusaram de ter "causado alvoroço por todo o mundo" (At 17.6). Grande número de gregos e de mulheres de alta posição creram (At 17.4). O assunto foi comentado na Grécia inteira (1Ts 1.8,9).

> **Tessalônica**
>
> A cidade atual é Saloniki, no norte da Grécia, situada na extremidade norte do golfo de Salônica (v. mapa na p. 591). Nos dias de Paulo, era a maior cidade e o principal porto da Macedônia, com uma população de aproximadamente 200 mil habitantes. Tessalônica estava localizada numa planície fértil e bem irrigada, na Via Egnácia, a grande estrada militar entre Roma e o Oriente. O monte Olimpo, o lar dos deuses da mitologia grega, era visível aos habitantes da cidade. Hoje, continua sendo uma cidade próspera.
> A cidade atraía comerciantes judeus da Diáspora (dispersão) em número suficiente para justificar a presença de uma sinagoga bem estabelecida (At 17.1). A proliferação de moedas cunhadas sugere alto nível de prosperidade. Paulo visitou Tessalônica depois de Filipos, e parece ter trabalhado entre um grupo misto que incluía os judeus da sinagoga e os prosélitos gregos.

Expulso de Tessalônica, Paulo foi para Beréia, cerca de 80 km a oeste. Não demorou muito, porém, para também ser expulso de Beréia, mas deixou Silas e Timóteo ali. Quando chegou a Atenas, 480 km ao sul, sentiu-se solitário e mandou um recado a Beréia para Silas e Timóteo se apressarem em vir até ele (At 17.14,15). Quando chegaram a Atenas, Paulo, cheio de ansiedade a respeito da nova igreja de Tessalônica, mandou Timóteo imediatamente de volta para lá. Antes de Timóteo regressar de Tessalônica, Paulo já partira de Atenas e fora para Corinto.

Timóteo trouxe a Paulo a notícia de que os crentes de Tessalônica estavam suportando com coragem as perseguições (1.6; 2.14; e At 17.5-14). Entretanto, alguns cristãos já tinham morrido e os demais estavam perplexos, querendo saber como os que tinham morrido seriam beneficiados pela Segunda Vinda do Senhor, doutrina que, segundo parece, Paulo ressaltara de modo especial em Tessalônica. Foi então que Paulo escreveu essa carta, principalmente para lhes dizer que os que tinham morrido não sofreriam qualquer prejuízo na Segunda Vinda do Senhor. Deu-lhes, também, instruções a respeito da vida piedosa (4.1-8) e os exortou a não negligenciar o serviço diário (4.11,12).

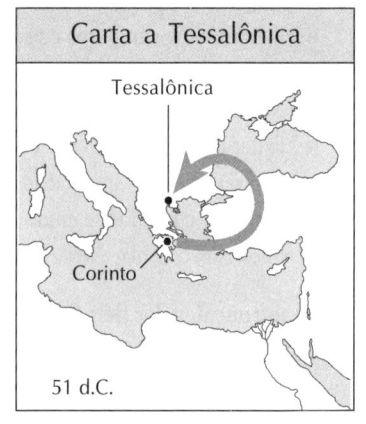

A reputação da igreja — 1Ts 1

Silas e Timóteo ajudaram Paulo a implantar a igreja de Tessalônica (At 17.1-14) e estão incluídos aqui na saudação de sua primeira carta. Paulo reconhece a fidelidade da igreja e como ela se tornara modelo, mesmo enquanto sofria severa perseguição.

Em poder (v. 5) certamente se refere a milagres que acompanhavam e confirmavam a pregação de Paulo, embora Atos não mencione nenhum deles na narrativa da visita a Tessalônica.

Modelo (v. 7). A igreja de Tessalônica servia de exemplo, para toda a Grécia, da perseverança sob perseguição e do modo genuinamente cristão de viver.

Esperar seu Filho (v. 10). Paulo encerra cada capítulo dessa carta com uma referência à Segunda Vinda do Senhor (2.19; 3.13; 4.16-18; 5.23).

1Ts 2 — A conduta de Paulo entre eles

Esse capítulo consiste principalmente na vindicação por parte de Paulo de sua conduta em Tessalônica. A linguagem empregada transmite a impressão de que os inimigos que perseguiam com tenacidade os cristãos tessalonicenses também militavam para macular o caráter de Paulo.

Paulo lhes faz lembrar que não aceitara deles nenhum pagamento, fato que por si mesmo evidenciava não ser motivado pela cobiça — ao contrário de alguns filósofos itinerantes. E lhes lembra, ainda, de como se dedicara a eles com abnegação e de como servira de exemplo vivo de todas as verdades que pregava.

O capítulo 2 apresenta o perfil para o ministério eficaz (tanto no púlpito quanto na vida diária):

- Pregar com coragem as boas novas do evangelho, mesmo diante de perseguição (v. 2).
- Evitar motivos impuros e engano (v. 3), bem como a pregação que só vise agradar as pessoas (v. 4).
- Nossa motivação deve ser agradar a Deus (v. 4), e não receber louvor dos homens (v. 6).
- Evitar o emprego de bajulação e não ser ganancioso (v. 5)
- Não ser um peso, sim manso e bondoso (v. 7)
- Ministrar com grande amor (v. 8), muito trabalho (v. 9) e santidade (v. 10)
- Encorajar, consolar e exortar (v. 12)

Os sofrimentos dos fiéis (v. 13-16). Parece que os judeus incrédulos e os "homens perversos dentre os desocupados" (At 17.5) que tinham expulsado Paulo de Tessalônica continuavam derramando sua ira, com fúria implacável, contra o restante dos cristãos da cidade. Paulo procura consolá-los, lembrando-lhes que as igrejas-mães na Judéia tinham sido perseguidas da mesma maneira. E Cristo também. E o próprio Paulo. Mas a ira de Deus virá sobre os que mataram o Senhor e perseguem a igreja (v. 16). A raça humana impenitente e pecaminosa, de todos os períodos da história, achar-se-á eternamente condenada no Dia do Juízo.

Paulo planeja voltar a Tessalônica (v. 17-20). "Não apenas uma vez, mas duas" (v. 18) significa que Paulo fizera, no mínimo, duas tentativas de voltar a Tessalônica, mas Satanás o impedira. Na etapa anterior dessa mesma viagem missionária, Paulo fizera certos planos que o Espírito Santo lhe impedira de realizar (At 16.6,7). Naquela ocasião, fora Deus quem interferira nos seus planos; agora, o impedimento provinha de Satanás. Paulo sabia que era o arquiinimigo da igreja que o mantinha separado de sua amada igreja de Tessalônica. Continuava orando, noite e dia (3.10,11), para que pudesse voltar a eles. Achava que uma das estrelas mais brilhantes de sua coroa, no dia da vinda do Senhor, seria a igreja tessalonicense — sua esperança, alegria, coroa e glória (v. 19,20).

1Ts 3 — O relatório de Timóteo

Paulo, sentido a mais profunda ansiedade pela igreja recém-nascida em Tessalônica, enviara Timóteo de volta a fim de encorajar os fiéis no período de perseguições implacáveis (v. acima e At 17.15; 18.1,5; 1Ts 3.1-2,6). O regresso de Timóteo com a notícia da firmeza e consagração deles deixou Paulo transbordando de alegria.

A imoralidade. O amor. A Segunda Vinda do Senhor — 1Ts 4

O capítulo 4 contém abundantes exortações à igreja no tocante a como viver de maneira piedosa como preparação para a segunda vinda de Cristo.

A imoralidade sexual (v. 1-8) era comum entre os povos pagãos. É possível que Timóteo tivesse mencionado alguns casos de frouxidão no seu relatório — que fora desse aspecto louvava de modo caloroso a perseverança dos cristãos tessalonicenses em geral — e assim dado ensejo a essa exortação.

Santificados (v. 3) refere-se, nesse contexto, à pureza sexual.

Corpo (v. 4): a palavra significa literalmente "vaso". Aqui parece significar corpo, embora algumas pessoas pensem que significa "esposa", e nesse caso Paulo se refere à fidelidade ao voto conjugal ou a cada um ter sua esposa, a fim de evitar a imoralidade.

Ninguém prejudique seu irmão (v. 6). A imoralidade sexual lesa pessoas além das que estão diretamente envolvidas. Os respectivos cônjuges sempre são vítimas nesses casos. Os filhos são afetados de modo trágico. Essas palavras também se referem ao sexo antes do casamento, que despoja o futuro cônjuge da virgindade que deve trazer para o casamento.

Amor fraternal (v. 9-12). Parece que quem estava bem de vida — e havia muitos (At 17.4) — levava a sério a doutrina da caridade cristã e distribuía seus haveres aos irmãos e irmãs mais pobres em todas as igrejas da Macedônia. Infelizmente, alguns dos beneficiados, que tendiam à preguiça, aproveitaram ao máximo essa oportunidade. Talvez fosse porque esperavam o retorno iminente de Cristo. Seja qual tenha sido a motivação envolvida, Paulo repreende os indolentes — sem deixar de elogiar o amor fraternal dos generosos. A disposição dos preguiçosos — para viver da caridade dos irmãos na fé — contraria todos os princípios do amor fraternal. Paulo os exorta a ganhar o próprio salário, vivendo de modo virtuoso e respeitável, para conquistar o respeito dos descrentes por não depender de ninguém.

A Segunda Vinda do Senhor (v. 13-18). Aqui chegamos ao tema principal da carta. Por certo, Paulo já a enfatizara de modo específico nas suas pregações em Tessalônica, pois é mencionado em cada capítulo.

Embora seja comumente mencionada como vinda ou aparecimento do Senhor, é especificamente chamada "segunda" vinda em Hebreus 9.28. A expressão grega usada por Jesus em João 14.3, traduzida por "voltarei", significa literalmente "virei segunda vez". É, portanto, perfeitamente apropriado e bíblico falar dessa vinda do Senhor como a Segunda Vinda. Os capítulos nos quais é explicada mais pormenorizadamente são Mateus 24 e 25; Lucas 21, 1 Tessalonicenses 4 e 5 e 2 Pedro 3.

A Segunda Vinda de Cristo é o grande evento que os cristãos aguardam com esperança, conforme se vê em 5.10, 2 Coríntios 5.8, Filipenses 1.23, Colossenses 3.4 e João 14.3. Essa Segunda Vinda é considerada o ponto culminante da obra de Cristo na redenção. É considerada, pela maioria, vinda literal e corpórea de Cristo, quando levará para si a igreja.

Aqueles que nele dormiram (v. 14) é uma expressão bíblica para indicar a morte do cristão (Mt 27.52; Jo 11.11; At 7.60; 13.36; 1Co 15.6,18, 20,51; 2Pe 3.4). Acha-se freqüentemente nos epitáfios cristãos nas catacumbas de Roma. Jesus ensinou assim. Certamente é a verdade. É somente adormecermos — e um dia acordaremos. Que amanhecer glorioso! Isso não significa que caímos em um estado de inconsciência até o dia da ressurreição do corpo — pelo contrário, passaremos imediatamente à presença de Cristo (Fp 1.23).

Dada a ordem, com a voz do arcanjo e o ressoar da trombeta de Deus (v. 16). Essa expressão assemelha-se às palavras de Jesus em Mateus 24.30,31. É nessa altura que os mortos em Cristo ressurgirão (v. 17). Talvez se trate da ressurreição literal do corpo, em estado imperecível e glorioso conforme a descrição de 1 Coríntios 15.42,43.

Os que ficarmos vivos seremos arrebatados juntamente com eles (v. 17). Talvez seja este o único texto do NT onde há uma clara referência ao "arrebatamento". (A *Vulgata* emprega *rapiemur*, uma forma do verbo do qual a palavra "arrebatamento" é derivada.) Os anjos estarão com ele, em toda a glória do céu (Mt 25.31). Os santos das eras passadas serão ressuscitados (v. 16), os crentes que ainda estiverem vivos serão transformados, e, assim como Enoque e Elias foram levados diretamente ao céu, sem morrer (2Rs 2.11; Hb 11.5), a igreja inteira subirá para se encontrar alegremente com o Salvador na sua Segunda Vinda, para ficar com ele por toda a eternidade. Pensar nisso é uma grande emoção que nos inspira totalmente!

1Ts 5 — A Segunda Vinda do Senhor

Será repentina (v. 1-11). A volta de Cristo é certa, mas não se sabe o dia nem a hora, conforme Jesus declarou repetidas vezes (Mt 24.36,42,43; 25.13; Mc 13.32-37; Lc 12.39,46; 21.25-35). Entretanto, sinais antecederão sua vinda (Lc 21.25-35), de modo que os crentes pacientes possam ter consciência de sua proximidade. Mesmo os que estão vigiando são conclamados a manter-se alertas e com controle próprio, para não serem apanhados desprevenidos.

Para os incrédulos que zombam, a Segunda Vinda de Cristo será repentina — como um ladrão à noite (v. 2). A sua destruição ocorrerá numa ocasião em que as pessoas se sentir convictas de estar em paz e segurança (v. 3). É mais provável que isso não se refira à aniquilação completa, e sim à subseqüente e completa separação de Deus, sofrida pelos incrédulos (v. comentários adicionais a respeito do tempo da sua vinda em 2Ts 2 e 2Pe 3).

O respeito aos pastores (v. 12,13). Em se tratando de uma igreja muito jovem, os próprios pastores também devem ter sido neófitos. Apesar disso, os membros da igreja são conclamados a amá-los e a ter em alta estima sua função no ministério. Quando os membros da igreja amam o pastor e seu ofício de ministro do evangelho e estão em paz entre si, a igreja tem a certeza de crescer, se não houver nenhum problema excepcional.

Quinze exortações (v. 14-22). Essas lindas exortações são bem típicas de Paulo e encerram a maioria de suas epístolas, por mais abstratas, argumentativas ou obscuras que alguém possa alegar que, com exortações à paz, longanimidade, alegria, súplicas, ações de graças e a toda coisa virtuosa e boa.

Espírito, alma e corpo (v. 23). "Espírito" e "alma" são freqüentemente mencionados como sinônimos, mas aqui parece haver uma distinção. A alma é o princípio da vida, e o espírito é o órgão da comunhão com Deus. Cristo redime a *totalidade* da personalidade humana. Essa linguagem certamente indica a ressurreição do corpo.

Beijo santo (v. 26). Um beijo na face, entre pessoas do mesmo sexo, era modo comum de saudação em muitos países da Antigüidade — como continua sendo hoje em dia em alguns países. Passou a ser um costume nas igrejas, mas onde deixava de ser cumprimento comum na sociedade em geral também cessava o uso nas igrejas.

Esta carta seja lida a todos os irmãos (v. 27). Vemos aqui que Paulo pretendia que suas epístolas fossem lidas em voz alta nas igrejas. Foi para isso que os livros do NT foram escritos (Cl 4.16; 1Tm 4.13; Ap 1.3).

Conforme já foi mencionado, as epístolas aos tessalonicenses são comumente consideradas os primeiros livros do NT a serem escritos. O último livro do NT a ser escrito foi o Apocalipse; suas palavras finais (excetuando-se a bênção) são: "'Sim, venho em breve!' Amém. Vem, Senhor Jesus!" (Ap 22.20). Dessa forma, o NT começa e termina com a Primeira e a Segunda Vinda de Jesus.

2 Tessalonicenses

Mais ensinos a respeito da vinda do Senhor

> Devemos sempre dar graças a Deus por vocês; e isso é justo, porque a fé que vocês têm cresce cada vez mais, e muito aumenta o amor de todos vocês uns pelos outros.
> — 2 Tessalonicenses 1.3
>
> Não deixem que ninguém os engane de modo algum. Antes daquele dia virá a apostasia e, então, será revelado o homem do pecado, o filho da perdição. Este se opõe e se exalta acima de tudo o que se chama Deus ou é objeto de adoração, chegando até a assentar-se no santuário de Deus, proclamando que ele mesmo é Deus.
> — 2 Tessalonicenses 2.3,4

Essa carta provavelmente foi escrita bem poucas semanas ou meses depois de 1 Tessalonicenses, por volta de 52 d.C. Na primeira carta, Paulo falara da vinda do Senhor como algo repentino e inesperado. Na presente carta, explica que ela não acontecerá senão depois da apostasia (quando as pessoas se desviarão da fé cristã ou renunciarão a ela). (Sobre a cidade de Tessalônica, ver nota sobre 1 Ts.)

2Ts 1   O Dia do Senhor

A característica específica da Segunda Vinda do Senhor, enfatizada nesse capítulo, é que será um dia de terror para os desobedientes — os que rejeitaram a Deus e ao evangelho de Jesus Cristo.

Em 1 Tessalonicenses 4, Paulo dissera que Cristo descerá do céu e que, mediante a palavra de ordem do arcanjo, a igreja será levada para estar com o Senhor por toda a eternidade.

Aqui Paulo acrescenta que o Senhor será acompanhado pelos seus anjos poderosos, em meio a uma chama flamejante (v. 7), para castigar os desobedientes. Jesus havia falado do fogo eterno (Mt 25.41) e do fogo que nunca se apaga (Mc 9.43). Em Apocalipse 20 e Hebreus 10.27, o fogo devorador está relacionado com o Dia do Juízo. Em 2 Pedro 3.7,10, o destino da terra é ser queimada com fogo (v. comentário sobre essa passagem).

2Ts 2   A rebelião

O propósito explícito dessa carta foi prevenir os tessalonicenses de que a Segunda Vinda do Senhor não era para o futuro imediato — só aconteceria depois da rebelião ou apostasia.

O que é a rebelião ou apostasia? É o total desvio da fé, em que alguém chamado o "homem do pecado" se assentará no santuário, proclamará que ele mesmo é Deus e se exaltará "acima de tudo o que se chama Deus" (v. 3-4). Uma igreja falsa chefiada por um impostor!

Esse "homem do pecado" é mais conhecido como o Anticristo (1Jo 2.18). Os antigos pais da igreja aguardavam, unanimemente, um Anticristo pessoal, que seria manifestado depois da queda do Império Romano. Os reformadores protestantes, vendo a corrupção da igreja na Idade Média, acreditavam que o Anticristo estava incorporado no papado.

Nos nossos dias, depois de quase 2 mil anos da história da igreja, ainda há grande diferença de opinião quanto à identidade do "homem do pecado" e à forma que a apostasia adotará. Muitos acreditam que o Anticristo se revelará nos últimos dias em conexão com o período da Grande Tribulação e com a Segunda Vinda do Senhor (Dn 12.2; Mt 24.21; Ap 7.14).

O espírito da apostasia já estava atuante nos dias de Paulo (v. 7) e, de muitas maneiras, tem continuado até o dia de hoje.

"O que o está detendo" (v. 6) era geralmente interpretado pelos antigos pais da igreja como o Império Romano. Hoje, a maioria dos estudiosos acredita que se trata do Espírito Santo ou do ministério do Espírito Santo agindo por intermédio da igreja para refrear o mal.

As idéias de Paulo sobre a Segunda Vinda. É bastante comum, entre certa classe de críticos, dizer que Paulo teve que rever suas idéias a respeito da Segunda Vinda do Senhor, e que sua opinião anterior, menos refinada, contradiz a posterior. Não há verdade nessa crítica, em absoluto. O conceito que Paulo ensinou no início era o único que tinha — o primeiro, o último e o que sempre manteve.

Paulo declara especificamente nos escritos mais antigos que temos da parte dele – as epístolas aos tessalonicenses — que *não* esperava o aparecimento imediato do Senhor, que isso só aconteceria *depois* da rebelião, da apostasia, o desvio da fé que nos seus dias apenas começara a operar. É possível que não tenha sido revelada a Paulo a natureza específica dessa apostasia. Mas, não importando como a entendesse, não excluía a possibilidade de que o Senhor viesse enquanto Paulo ainda vivia, conforme evidencia a expressão "nós, os que estivermos vivos, os que ficarmos até a vinda do Senhor" (1Ts 4.15; comp. com 1Co 15.52).

No princípio e no fim, Paulo esperava a Segunda Vinda do Senhor como a consumação gloriosa, mas, ao mesmo tempo, também previa a possibilidade de que morreria antes do referido acontecimento ("partir e estar com Cristo", Fp 1.23). Não lhe importava muito se estivesse com vida ou "dormindo" (1Ts 4.15) na ocasião da Segunda Vinda de Cristo. Na sua última palavra escrita (2Tm 4.6,8), pouco antes de morrer, sua mente estava firmada na vinda do Senhor.

Os ociosos — 2Ts 3

Orem por nós (v. 1,2), para que sejamos libertos dos "homens perversos e maus". Naquela exata ocasião, Paulo estava passando por tribulações em Corinto, e as orações dos tessalonicenses a favor de Paulo foram atendidas (At 18.9,10).

Os ociosos (v. 6-15) eram pessoas preguiçosas que tiravam proveito da disposição caridosa da igreja (v. 1Ts 4.9,10) e usavam a expectativa do aparecimento imediato do Senhor como desculpa para abandonar suas ocupações usuais e obrigatórias. Reivindicavam o direito de ser sustentados pelos membros da igreja que tinham mais recursos.

Paulo defendia com ardor a prática da caridade para com os realmente necessitados e dedicava bastante tempo às coletas que levantava a favor dos pobres. Por outro lado, não poupou palavras para condenar os capacitados que podiam trabalhar, mas não queriam. Nesses versículos, ele proíbe firmemente a igreja de sustentar tais pessoas — e até mesmo que os membros da igreja se associem com elas.

Não existe nada nos ensinos de Paulo, nem de Cristo, nem em parte alguma da Bíblia, que incentive a caridade aos preguiçosos que, apesar de ter saúde para trabalhar, fazem da mendicância sua profissão.

I Timóteo

O cuidado com a igreja de Éfeso

> Pois tudo o que Deus criou é bom, e nada deve ser rejeitado, se for recebido com ação de graças, pois é santificado pela palavra de Deus e pela oração.
> — 1 Timóteo 4.4,5
>
> De fato, a piedade com contentamento é grande fonte de lucro, pois nada trouxemos para este mundo e dele nada podemos levar; por isso, tendo o que comer e com que vestir-nos, estejamos com isso satisfeitos.
> — 1 Timóteo 6.6-8

As cartas pastorais

Três cartas, 1 e 2 Timóteo e Tito, são comumente chamadas "cartas pastorais". A primeira carta a Timóteo e Tito foram provavelmente escritas entre o primeiro e o segundo encarceramento de Paulo, ou seja, entre 61/62 e 67 d.C. A Segunda carta a Timóteo foi escrita durante o segundo encarceramento de Paulo, em 67/68 d.C., pouco antes de ser executado por causa de sua fé.

Alguns críticos modernos defendem a teoria de que essas cartas são obra de algum autor desconhecido que, entre 30 e 50 anos depois da morte de Paulo, escreveu em nome do apóstolo a fim de promover determinadas doutrinas. Não existe fundamento histórico para essa opinião. Desde o princípio, essas cartas foram consideradas escritos genuínos de Paulo.

Timóteo

Timóteo era natural de Listra (At 16.1). Sua mãe era judia, e seu pai grego. Sabemos que o nome de sua mãe era Eunice, e o de sua avó, Lóide (2Tm 1.5). Foi um convertido de Paulo (1.2) e passou a acompanhá-lo na segunda viagem (c. 51 d.C. e At 16.3). Timóteo era um servo escolhido por Deus (1.18). Foi consagrado pelos presbíteros e por Paulo (4.14; 2Tm 1.6). Conforme é delineado mais adiante, Timóteo estava junto com Paulo em muitas de suas viagens e foi mencionado por este como seu cooperador no envio de seis cartas: 2 Coríntios, Filipenses, Colossenses, 1 e 2 Tessalonicenses e Filemom.

Timóteo acompanhou Paulo a Trôade, Filipos, Tessalônica e Beréia, onde permaneceu até que Paulo o mandasse encontrá-lo em Atenas (At 17.14,15). Em seguida, Paulo o mandou de volta a Tessalônica (1Ts 3.1,2). Quando Timóteo regressou de Tessalônica a Atenas, Paulo já tinha ido para Corinto (At 18.5; 1Ts 3.6). Estava com Paulo em Corinto quando foram escritas as cartas aos Tessalonicenses (1Ts 1.1; 2Ts 1.1).

Posteriormente, na terceira viagem missionária, Paulo mandou Timóteo de Éfeso a Corinto (1Co 4.17). Paulo reencontrou-se com ele na Macedônia, e Timóteo ajudou a escrever 2 Coríntios (At 19.22; 2Co 1.1). Acompanhou Paulo na partida para Jerusalém (At 20.4). Não há informação se Timóteo acompanhou Paulo durante a viagem inteira a Jerusalém e depois a Roma, mas certamente aparece com Paulo em Roma (Fp 1.1; 2.19-22; Cl 1.1; Fm 1). Posteriormente, fica em Éfeso, e é para lá que a presente carta é endereçada. É chamado com urgência para encontrar-se com Paulo em Roma (2Tm 4.9). Não se sabe se Timóteo conseguiu chegar antes da morte de Paulo em 67 ou 68 d.C. Há notícias de Timóteo em Hebreus 13.23, mencionando que foi solto da prisão.

Timóteo parece ter sido de natureza tímida e retraída, não tão bem disposto quanto Tito quando se tratava de lidar com perturbadores da ordem, e não tinha saúde muito boa (5.23). Ele e Lucas eram os companheiros mais constantes de Paulo. Paulo tinha muito afeto por Timóteo e se sentia solitário sem ele.

A tradição diz que, depois da morte de Paulo, o trabalho de Timóteo foi cuidar da igreja em Éfeso e que ele foi martirizado quando Nerva ou Domiciano era imperador. Nesse caso, teria sido cooperador do apóstolo João.

Éfeso

Foi nessa cidade que Paulo realizou seu maior trabalho (c. 54-57 d.C. e At 19). Uns quatro anos depois de partir de Éfeso, Paulo escrevera a carta à igreja em Éfeso, cerca de 62 d.C. Agora, um pouco mais tarde, provavelmente em 65 d.C., escreveu a presente carta a Timóteo a respeito da obra em Éfeso. Posteriormente, o apóstolo João mudou para Éfeso e ali escreveu seu evangelho, suas cartas e possivelmente o livro do Apocalipse (v. p. 718; quanto à descrição de Éfeso, v. p. 639).

A ocasião da Epístola

Quando Paulo se despediu dos presbíteros em Éfeso, disse-lhes que nunca o veriam de novo (At 20.25). Parece, entretanto, que o encarceramento prolongado mudou seus planos, e ele acabou revisitando Éfeso uns seis ou sete anos depois, após sua soltura da prisão em Roma. Paulo prosseguiu adiante, até a Macedônia, deixando Timóteo em Éfeso, com o plano de voltar em breve (1.3; 3.14). Entretanto, Paulo acabou tendo que passar mais tempo na Macedônia do que planejara e escreveu essa carta de instruções a respeito do trabalho que Timóteo devia realizar.

A igreja de Éfeso

Tendo por base a narrativa em Atos 19, parece que Paulo fizera em Éfeso numerosos convertidos a Cristo. Nos anos que se passaram desde a primeira visita da Paulo ali, continuou a crescer o número de convertidos. E nos 50 anos subseqüentes, os cristãos tornaram-se tão numerosos na Ásia Menor que os templos pagãos foram quase abandonados. Dentro da primeira geração da igreja, Éfeso tornou-se o centro numérico e também geográfico da cristandade. Foi a região onde o cristianismo conquistou seus primeiros troféus.

A situação da igreja

Casas específicas para o culto cristão não começaram a ser construídas senão 200 anos depois dos dias de Paulo, e edifícios eclesiásticos foram construídos só depois de Constantino pôr fim à perseguição aos cristãos. Nos dias de Paulo, não existiam edifícios assim, e as igrejas se reuniam principalmente nos lares dos cristãos. Os milhares de cristãos em Éfeso e nos arredores reuniam-se, portanto, não como megaigreja ou em congregações de médio porte, mas em centenas de grupos pequenos, em vários lares, sendo que cada congregação tinha sua própria liderança pastoral.

Os pastores

Deve ter havido centenas de pastores em Éfeso. Em Atos 20.17, são chamados bispos (que significa "superintendentes"; 3.1). Trata-se simplesmente de nomes diferentes para o cargo ocupado pelos líderes das congregações.

O trabalho de Timóteo consistia primariamente em orientar esses líderes congregacionais. Não existiam seminários para fornecer a Paulo pastores já formados. Às vezes, conseguia homens de alta categoria, mas é quase certo que a maioria dos pastores provinha dos que tinham que labutar pelo próprio sustento. Apesar disso, sem seminários, sem edifícios eclesiásticos e a despeito da perseguição, a igreja progrediu mais rapidamente que em qualquer período a partir de então, e isso porque precisava manter sua atenção nos fatos essenciais do cristianismo, e não nas questões periféricas.

Falsos mestres — 1Tm 1

Os falsos mestres (v. 3-11). Quando Paulo partiu de Éfeso, sete anos antes, advertira que lobos ferozes se introduziriam na igreja de Éfeso e não a poupariam (At 20.29,30). Agora, tinham aparecido em peso e constituíam o problema principal de Timóteo. Ao que parece, eram do mesmo tipo de falsos mestres que Tito precisou enfrentar em Creta — baseavam ensinos estranhos nas lendas judaicas apócrifas ligadas às genealogias do AT.

A pecaminosidade de Paulo (v. 12-17). O homem que, possivelmente, fez mais coisas em favor de Cristo que todos os outros reunidos, humilhava-se profundamente com o sentimento de falta de merecimento próprio. Quanto mais perto de Cristo a pessoa andar, tanto maior será seu senso de humildade. Paulo pensava na sua conversão como exemplo perpétuo da paciência divina para com os pecadores.

Himeneu e Alexandre (v. 19,20) eram dois líderes dos falsos mestres que Paulo, com sua autoridade apostólica, excluíra da igreja ("entreguei a Satanás", v. 20). Trata-se provavelmente do mesmo Alexandre que posteriormente foi a Roma a fim de testificar contra Paulo e que anteriormente tinha sido amigo dedicado do apóstolo (2Tm 4.14).

A oração. O lugar das mulheres — 1Tm 2

Súplicas pelas autoridades (v. 1-8). Na ocasião em que Paulo escreveu a carta, Nero governava o Império Romano. Foi por ordem desse governo que Paulo foi encarcerado, para em breve ser executado. Assim fica claro que as súplicas, orações e intercessões a favor dos reis e governantes devem abranger tanto os bons quanto os maus.

O lugar das mulheres na igreja (v. 9-15; v. comentários sobre 1Co 11.5-15; 14.34,35). A precaução é contra o uso de roupas que atentem contra o pudor ou que deliberadamente façam exposição sensual e de quem as usa, especialmente no ambiente do culto, e também contra as que as tornavam demasiadamente semelhantes aos homens. No céu, não haverá diferença entre os sexos (depois da ressurreição, as pessoas serão semelhantes aos anjos no céu, Mt 22.30), mas neste mundo existe uma diferença natural, que não deve ser desprezada. "Salva dando à luz filhos" (v. 15) provavelmente se refira ao nascimento de

Jesus, que nasceu de uma mulher sem a intervenção de um homem. Embora o pecado tenha entrado no mundo por intermédio de uma mulher (v. 14), foi também com a participação de uma mulher que o Salvador entrou no mundo.

1Tm 3 — Bispos e diáconos

Suas qualificações (v. 1-16). "Uma só mulher" (v. 2) provavelmente visa excluir não os solteiros, mas os polígamos. Paulo estava só nessa época (1Co 7.8). "Coluna da verdade" (v. 15): sem a igreja, o nome de Cristo não seria proclamado. Pensa-se que o versículo 16 contém o fragmento de um hino cristão.

1Tm 4 — A apostasia vindoura. O trabalho do pastor

A apostasia (v. 1-5). Esse trecho parece dizer que, embora a igreja seja coluna da verdade, dentro dela surgirão sistemas heréticos de origem demoníaca que resultarão na propagação de doutrinas não-bíblicas, tais como a proibição do casamento e de determinados alimentos, e tentarão subverter o evangelho da graça. Tratava-se de uma das formas do gnosticismo que então se desenvolvia e que posteriormente cresceu em vastas proporções.

O pastor eficaz (v. 6-16). A melhor maneira de combater as heresias incipientes ou já prevalecentes é reafirmar constantemente a simples verdade do evangelho pela leitura, exortação e ensino (v. 13). A Bíblia sozinha, será suficiente se tão-somente lhe dermos a oportunidade, por meio do estudo em particular e de sua leitura e exposição em público. Se os pastores de hoje seguissem o conselho de Paulo, a igreja passaria a ter vida renovada e cresceria vertiginosamente. Por que os pastores não conseguem entender que a pregação expositiva da Palavra de Deus é a mais desejada pelos membros da igreja e muitíssimo mais poderosa que as trivialidades bem esmeradas em forma de sermão?

1Tm 5 — Viúvas. Presbíteros

Viúvas (v. 1-16). A igreja de Éfeso tinha uns dez anos de existência, e sua obra de beneficência era muito desenvolvida e cuidadosamente administrada. O cristão que se recusa a sustentar os próprios dependentes comporta-se pior que o incrédulo (v. 8).

Presbíteros (v. 17-25). São chamados bispos (supervisores) em 3.1-7, onde são consideradas as suas qualificações. Aqui, Paulo escreve a respeito de como deveriam ser tratados. Naqueles tempos — assim com nos dias de hoje —, os mexeriqueiros murmuravam contra os líderes da igreja (v. 19). "Um pouco de vinho" (v. 23) — só o mínimo necessário para propósitos medicinais.

1Tm 6 — Escravos. Riquezas

Escravos (v. 1,2; comp. com 1Co 7.20-24). Não é de grande importância diante de Deus se alguém é escravo ou livre. Quem puder, que obtenha sua liberdade; de outra forma, seja um bom escravo. Paulo ensina assim em várias ocasiões (Ef 6.5-9; Cl 3.22-25; Tt 2.9,10). O cristianismo aboliu a escravidão, não por meio da condenação formal, mas pelo ensino da doutrina da fraternidade humana.

O amor ao dinheiro (v. 3-21) era a motivação por trás de muitos falsos ensinos (v. 5). No decurso das eras, várias doutrinas foram corrompidas com o propósito de produzir rendas para os cofres da igreja. "Raiz de todos os males" (v. 10) ou: "raiz de males de todos os tipos". Homem de Deus, fuja de tudo isso! (v. 11). Evite as conversas ímpias e inúteis dos que falsamente se chamam "eruditos" (v. 20).

2 Timóteo

A última palavra de Paulo

> Toda a Escritura é inspirada por Deus e útil para o ensino, para a repreensão, para a correção e para a instrução na justiça, para que o homem de Deus seja apto e plenamente preparado para toda boa obra.
> — 2 Timóteo 3.16,17

> Combati o bom combate, terminei a corrida, guardei a fé. Agora me está reservada a coroa da justiça, que o Senhor, justo Juiz, me dará naquele dia; e não somente a mim, mas também a todos os que amam a sua vinda.
> — 2 Timóteo 4.7,8

No ponto em que Atos dos Apóstolos termina, Paulo está na prisão em Roma (c. 63 d.C.). O que se acredita geralmente é que ele foi absolvido e solto, voltou à Grécia e à Ásia Menor e posteriormente foi detido de novo, levado de volta a Roma e executado em 67 ou 68 d.C. Essa carta foi escrita enquanto aguardava o martírio.

Contexto histórico da Epístola

Em 64 d.C., um grande incêndio destruiu parte da cidade de Roma. A suspeita popular era que o próprio imperador Nero a mandara incendiar. Embora fosse um monstro desumano, era grande construtor, e o propósito por trás do ato era a renovação urbana: o imperador queria construir uma cidade nova e grandiosa. Enquanto Roma queimava, Nero, segundo a tradição, tocava rabeca. Em geral os historiadores concordam que foi Nero quem perpetrou o crime e que, a fim de afastar de si as suspeitas, acusou os cristãos do incêndio e começou a persegui-los.

A Bíblia não menciona a perseguição dos cristãos por Nero, embora tenha acontecido nos tempos neotestamentários e faça parte do contexto imediato de pelo menos dois livros no NT: 1 Pedro e 2 Timóteo. Foi essa perseguição que levou ao martírio de Paulo e, segundo algumas tradições, de Pedro também. Nossa fonte é o historiador romano Tácito. Ele sabia que os cristãos não haviam incendiado Roma. Mas o crime do imperador exigia alguém para servir de bode expiatório. E eis que surgira uma seita nova e desprezada de pessoas provenientes principalmente das camadas mais humildes da sociedade, destituídas de prestígio e de influência, até mesmo escravos. Foi a esses cristãos que Nero acusou de incendiar Roma e ordenou que fossem castigados.

Em Roma e nos arredores, multidões de cristãos foram presos e executados das maneiras mais cruéis. Eram crucificados ou envoltos em peles de animais e jogados na arena para serem atacados e mordidos por cães até morrer — e isso para divertimento do povo. Ou eram amarrados em estacas nos jardins de Nero, onde eram cobertos de piche e incendiados para servir de tochas e iluminar as diversões noturnas.

Foi no decorrer dessa perseguição que Paulo foi novamente preso, na Grécia ou na Ásia Menor, possivelmente em Trôade (2Tm 4.13), e trazido de volta a Roma. Dessa vez, por ordem do governo de Roma, e não por escolha própria, como na ocasião em que apelara para César, e como criminoso (2.9), não por alguma violação técnica da lei judaica, como na primeira vez em que foi levado a Roma. Pelo que sabemos, essa detenção pode ter sido em conexão com o incêndio de Roma. Não era Paulo, afinal, o líder mundial do povo que estava sendo castigado por aquele crime? E Paulo não estivera em Roma durante dois anos, imediatamente antes desse incêndio? Teria sido muito fácil para os falsos acusadores atribuir o crime a Paulo, embora não saibamos se realmente foi essa a acusação formal. Seja como for, Paulo foi indiciado. O processo jurídico contra ele já se avultara ao ponto de o apóstolo saber que não havia mais esperança de escapar à execução.

Enquanto aguardava na masmorra romana o momento de sua partida, Paulo escreveu essa carta final a Timóteo, seu amigo íntimo e cooperador de confiança, rogando-lhe que fosse fiel, a despeito de tudo, ao seu chamado para ser ministro de Cristo e que se apressasse em embarcar para Roma, antes que o inverno chegasse (4.21).

A nota de Paulo sobre a fé triunfante

Daquela hora de trevas surgiu uma das passagens mais nobres das Escrituras. Ele estava para ser executado por um crime que não cometera, e seus amigos o deixaram sofrer sozinho. A causa à qual dedicara sua vida estava sendo corroída no Ocidente, de fora para dentro, e no Oriente, de dentro para fora por falsas doutrinas. Apesar disso, Paulo não dá o mínimo indício de sentir pesar por ter dedicado sua vida ao serviço de Cristo e da igreja. Não havia a mínima dúvida de que a igreja, embora parecesse no momento derrotada, acabaria triunfando. No momento em que sua cabeça fosse decepada do corpo, iria diretamente aos braços de Jesus, a quem amara e servira com tanta dedicação. Essa carta é o grito exultante do vencedor que completou sua carreira.

2Tm 1 "Sei em quem tenho crido"

Suas orações por Timóteo (v. 3-5). Paulo inicia quase todas as suas cartas com orações e agradecimentos (Rm 1.9,10; 1Co 1.4-8; 2Co 1.3,4; Ef 1.3; Fp 1.3,9-11; Cl 1.3-10; 1Ts 1.2,3; 2Ts 1.3). "Suas lágrimas" (v. 4): provavelmente ao se separarem em Trôade (4.13). Quando escreveu 1 Timóteo, Paulo estava na Macedônia, e Timóteo, em Éfeso. É possível que tenham se reencontrado posteriormente em Trôade e que os soldados romanos tenham detido Paulo ali e o levado a Roma, sob a humilhante acusação de ter ateado fogo à cidade.

A certeza de Paulo (v. 6-14). Vira a Cristo. Sofrera por Cristo. Embora fosse invisível, Cristo era a única realidade indiscutível da vida de Paulo. Cristo era o companheiro íntimo de Paulo, e Paulo o conhecia (v. 12) como quem conhece seu melhor amigo. "Pregador, apóstolo e mestre" (v. 11): pregador que proclamava o evangelho aos que nunca o tinham ouvido, um missionário no estrangeiro; apóstolo

— com autoridade recebida pessoalmente de Cristo; mestre — o instrutor de comunidades cristãs já estabelecidas, o que hoje chamamos pastor.

A dissidência em Éfeso (v. 15-18). Esse foi um dos fatos mais tristes na vida de Paulo. Em Éfeso, onde realizara sua maior obra e onde quase toda a cidade se voltou para Cristo, os falsos mestres conquistaram tamanha ascendência que conseguiram tirar proveito pessoal da prisão de Paulo e indispor a igreja contra ele, justamente no momento em que ele precisava, mais do que nunca, do amor e da simpatia de todos os membros da igreja.

Conselho a Timóteo — 2Tm 2

Evitar envolvimento nos negócios (v. 1-7). Paulo aconselha Timóteo a aceitar pagamento pelo trabalho como pastor, exatamente o que o próprio Paulo se recusara a fazer (na maioria das vezes) antes de as igrejas ficarem firmemente estabelecidas. É possível que Timóteo pertencesse a uma família abastada, mas que nessas alturas já tivesse perdido tudo nas perseguições. Sendo acanhado demais para tocar no assunto, talvez precisasse desse conselho.

Suporte comigo os sofrimentos (v. 8-12). Paulo, na ocasião, estava suportando o mais cruel dos sofrimentos pelo qual pode passar um homem bom: a falsa acusação de ser criminoso (v. 9). Note-se, porém, que sua mente está firmada na glória eterna (v. 10). É possível que as palavras nos versículos de 11 a 13 sejam a citação de um hino.

Maneja corretamente a Palavra (v. 14-21). Não torcer seu significado natural com o intuito de reforçar doutrinas de escolha particular (heresias). A igreja visível e histórica pode se desviar dos ensinos bíblicos, mas dentro dela Deus sempre terá um remanescente de crentes verdadeiros (v. 19).

Ser manso (v. 22-26). A Palavra de Deus, nas mãos de um ministério que possui a verdadeira mansidão e graça cristãs, vencerá a oposição e manterá a igreja no caminho certo.

Tempos terríveis — 2Tm 3

A apostasia vindoura (v. 1-14). O esforço resoluto da raça humana para corromper o evangelho e frustrar a obra de Cristo é um dos temas do NT. É mencionado repetidas vezes (Mt 7.15-23; 2Ts 2; 2Tm 4; 2Pe 2; Jd; Ap 17). O quadro terrível nos versículos de 2 a 5 retrata, excetuando-se períodos temporários de reforma, de modo bastante correto, a igreja visível, como um todo, até os dias de hoje.

Janes e Jambres (v. 8) são, segundo a tradição, os nomes dos mágicos de Faraó (v. Êx 7.11-22). Listra (v. 11) é a cidade onde Paulo foi apedrejado e também onde foi criado Timóteo, e é possível que este tenha visto o apedrejamento. "Todos os que desejam viver piedosamente em Cristo Jesus serão perseguidos" (v. 12): disso o NT nos informa repetidas vezes (Mt 5.10-12; Jo 15.20; At 14.22; 1Ts 3.4), de modo que sejamos preparados para isso quando nos acontecer.

A Bíblia (v. 14-17) é o único antídoto contra a apostasia e a corrupção dentro e fora da igreja. A igreja deixou a Bíblia de lado e fez surgir a Idade das Trevas. A Reforma protestante redescobriu a Bíblia, mas agora a Palavra volta a ser negligenciada. Muitos líderes eclesiásticos de destaque, além de negligenciar a Bíblia, apelam, com grande soberba intelectual e em nome da erudição moderna, a todos os meios imagináveis para subverter sua origem divina e a jogam no lixo, considerando-a uma colcha de retalhos do pensamento judeu.

2Tm 4 — As últimas palavras de Paulo

A exortação solene da despedida de Paulo (v. 1-5). Paulo sabia estar próximo o dia de sua execução e não tinha certeza de rever Timóteo nem de ter a oportunidade de lhe escrever outra carta. Conclama Timóteo a manter seus pensamentos fitos no dia da Segunda Vinda do Senhor e a pregar a Jesus com diligência incessante. De novo, Paulo menciona os falsos mestres (v. 3,4): Como a perversa resolução de corromper o evangelho de Cristo deixava Paulo horrorizado!

O futuro triunfante de Paulo (v. 6-8). Essa é a declaração da parte do maior dos mortais. O velho guerreiro da Cruz, cicatrizado, relembrando a luta prolongada, dura e atroz, exclama, com exultaçao: "Venci!". Não muito tempo depois, o machado do carrasco separou o corpo esgotado e alquebrado de Paulo de sua alma que foi arrebatada por revoadas de anjos até seu amado Senhor. Imaginamos que sua recepção no céu superou em muito qualquer procissão triunfante de conquistadores voltando de suas vitórias que ele próprio tivesse visto em Roma. Podemos imaginar que, ao chegar ao céu e depois de se encontrar com o Senhor, a primeira coisa que Paulo fez foi procurar Estêvão a fim de lhe pedir perdão.

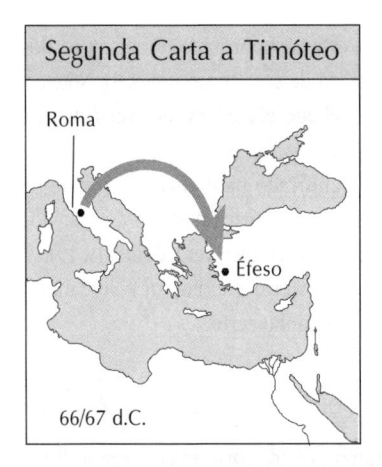

Questões pessoais (v. 9-22). Não sabemos se Timóteo alcançou Roma antes do martírio de Paulo (v. 9). A primeira fase do processo jurídico contra Paulo já havia passado (v. 16). A situação parecia tão ruim para ele que três de seus quatro companheiros de viagem fugiram, de modo que só ficara Lucas com ele (v. 10,11). Se Tito foi para a Dalmácia (v. 10) por conta própria ou se foi enviado por Paulo, conforme ele e Paulo podem ter combinado em Nicópolis (Tt 3.12), não é declarado.

Em Roma, os dias eram tenebrosos. Muitos cristãos tinham sido assassinados. Agora, o grande líder cristão estava sendo processado. Era perigoso ser visto junto dele. "Marcos" (v. 11): Paulo queria a presença dele. Tinham se separado anos antes (At 15.36-41), mas Marcos estivera com Paulo no primeiro encarceramento em Roma (Cl 4.10). Marcos e Pedro trabalhavam juntos, e, se Marcos chegou a Roma, é possível que Pedro também tenha chegado. Uma das tradições é que Pedro foi martirizado em Roma, talvez na mesma época que Paulo ou pouco depois. A "capa" (v. 13): o inverno estava chegando (v. 21), e Paulo precisava dela. Os "livros" e "pergaminhos" (v. 13) eram provavelmente porções das Escrituras. Alexandre (v. 14) era, por certo, o mesmo que Paulo entregara a Satanás (1Tm 1.20), que agora tinha oportunidade para vingar-se. E a aproveitou. Empreendeu a longa viagem de Éfeso a Roma para testemunhar contra Paulo, e nisso teve sucesso considerável. O "leão" pode ser uma referência velada a Nero ou pode se referir a Satanás (1Pe 5.8).

Trófimo (v. 20): aqui temos um esclarecimento indireto sobre o poder que Paulo possuía para operar milagres. Paulo curara muitas pessoas em vários lugares, mas aqui estava um de seus amigos queridos que ele não conseguia curar.

Tito

A respeito das igrejas de Creta

Porque a graça de Deus se manifestou salvadora a todos os homens. Ela nos ensina a renunciar à impiedade e às paixões mundanas e a viver de maneira sensata, justa e piedosa nesta era presente, enquanto aguardamos a bendita esperança: a gloriosa manifestação de nosso grande Deus e Salvador, Jesus Cristo. Ele se entregou por nós a fim de nos remir de toda maldade e purificar para si mesmo um povo particularmente seu, dedicado à prática de boas obras.

— Tito 2.11-14

Tito

Tito era grego, um dos convertidos de Paulo (1.4), que acompanhou o apóstolo até Jerusalém. Paulo resistia com firmeza às pressões para que Tito fosse circuncidado (Gl 2.3-5).

Alguns anos mais tarde, Tito aparece com Paulo em Éfeso e de lá é enviado a Corinto para investigar certas anarquias na igreja e para dar início ao levantamento de uma oferta a favor dos crentes pobres em Jerusalém (2Co 8.6,10). Regressando de Corinto, encontra-se com Paulo na Macedônia. Depois de explicar a Paulo a situação em Corinto, Tito é enviado de volta para lá, levando a carta que conhecemos como Segunda Epístola aos Coríntios, a fim de preparar o caminho para Paulo também chegar em breve a Corinto e para completar a oferta (2Co 2.3,12,13; 7.5,6,13,14; 8.16-18,23; 12.14,18). A escolha de Tito para cuidar da situação tumultuada em Corinto indica que Paulo o considerava um líder cristão muito capaz, sábio e diplomata.

Só sete ou oito anos mais tarde é que surgem mais notícias de Tito, nessa carta escrita a ele por Paulo (65 d.C.). Tito está em Creta; a referência a Paulo "tê-lo deixado em Creta" (1.5) demonstra que Paulo estivera ali com ele. O navio que levava Paulo a Roma como prisioneiro (At 27) passou pelo litoral sul de Creta, mas é bem pouco provável que essa tenha sido a ocasião em que Paulo pudesse ter deixado Tito ali. A opinião predominante é que, depois de Paulo ter sido solto de seu primeiro encarceramento em Roma (c. 63 d.C.), foi para o leste e incluiu Creta no itinerário. Depois de estabelecer a ordem nas igrejas em Creta, Tito será substituído por Ártemas ou Tíquico, e Paulo pede a presença de Tito com ele em Nicópolis, na Grécia ocidental (3.12).

A última notícia que temos de Tito está registrada em 2 Timóteo 4.10, dando conta de ele ter partido de Roma para a Dalmácia. Segundo parece, voltara encontrar-se com Paulo e estava com ele quando o apóstolo foi detido, acompanhando-o a Roma. Não se sabe se Tito deixou Paulo naquela hora tenebrosa de solidão por causa dos perigos que corriam ou se Paulo o enviou para completar a evangelização do litoral noroeste da Grécia. Esperamos que tenha sido essa última situação, pois Tito era um homem bom e generoso. A tradição diz que veio a ser bispo de Creta e que morreu tranqüilamente em idade avançada.

Semelhança com 1 Timóteo

Acredita-se que as cartas a Tito e 1 Timóteo foram escritas aproximadamente na mesma data, cerca de 65 d.C. Tratam do mesmo assunto geral: a designação de líderes apropriados — Tito em Creta, Timóteo em Éfeso. O problema nos dois lugares era bastante semelhante.

Creta

Ilha no mar Mediterrâneo, com 257 km de comprimento e entre 12 e 56 km de largura. É montanhosa, com vales férteis, e bem povoada.

Na mitologia grega, o monte Ida (975 m de altura) foi o local onde Zeus, o principal dos deuses gregos. O rei Minos, personagem semi-histórica e semimitológica (alegadamente filho de Zeus), foi um dos primeiros governantes de Creta. A mais importante das cidades antigas de Creta é a cidade real de Cnossos, onde foram descobertas ruínas do grande palácio.

Em cerca de 140 a.C., os judeus estabeleceram nessa ilha uma colônia suficientemente grande para poder apelar, com sucesso, à proteção de Roma.

No AT, os queretitas (1Sm 30.14; Ez 25.16) que, conforme se acredita, eram um grupo de filisteus, são identificados como cretenses. No NT, vários cretenses têm sua presença noticiada no Dia do Pentecostes (At 2.11). O navio em que Paulo viajava como prisioneiro aportou em Bons Portos, no litoral sul de Creta, antes da malfadada tentativa de invernar em Fenice (At 27.12). É provável que Paulo tenha visitado Creta posteriormente, depois de seu primeiro encarceramento em Roma, e que tenha deixado seu assistente, Tito, como encarregado da obra da igreja.

Paulo tinha um baixo conceito do caráter moral dos cretenses: "Um dos seus próprios profetas chegou a diz: 'Cretenses, sempre mentirosos, feras malignas, glutões preguiçosos'" (Tt 1.12) — descrição do poeta, profeta e reformador religioso Epimênides (séculos VI-V a.C.). A mentira específica que os cretenses sempre contavam era que o túmulo de Zeus — uma personagem inexistente — estava localizado na ilha deles.

Tt 1 Presbíteros

A esperança da vida eterna (v. 2). À medida que Paulo se aproximava do fim da vida, da mesma forma que Pedro (1Pe 1.3-5), mantinha os olhos fixos no céu. Tinha sido o conteúdo incessante de suas pregações e a única grande motivação de sua vida:

- as glórias da existência quando o corpo tiver sido redimido (Rm 8.18,23); o êxtase do dia em que "o corruptível se revestir de incorruptibilidade, e o que é mortal, de imortalidade" (1Co 15.51-55);
- seu anseio pela casa "não construída por mãos humanas" (2Co 5.1,2);
- sua cidadania nos céus estará completa quando tiver recebido o corpo semelhante ao do Salvador (Fp 3.20,21);
- sua alegria ao pensar em ser levado ao céu para estar com o Senhor por toda a eternidade (1Ts 4.13-18);
- a coroa da justiça que receberia naquele dia (2Tm 4.6-8).

Qualificações do presbítero (v. 5-9). "Presbítero" (v. 5) e "bispo" (v. 7) são termos usados aqui para identificar o mesmo cargo. As qualificações aqui alistadas são praticamente idênticas às que Paulo transmitiu a Timóteo (v. comentário sobre 1Tm 3.1-7).

Ruínas em Cnossos, na ilha de Creta, ao sul-sudoeste da Grécia. A ilha podia orgulhar-se da rica civilização que tivera durante o período de Abraão até Moisés (2000-1400 a.C.), centralizada na cidade de Cnossos. Havia cretenses presentes no Pentecostes (At 2.11). Na viagem a Roma, Paulo queria invernar nessa ilha, em Bons Portos. As citações em Tito 1.2 e Atos 17.28 eram escritor cretense Epimênides.

Os falsos mestres (v. 10-16). As igrejas cretenses estavam sendo incomodadas por falsos mestres que, de modo semelhante aos referidos em 2 Pedro 2 e em Judas, professavam ser mestres cristãos mas, na realidade, eram "detestáveis [...] e desqualificados para qualquer boa obra" (v. 16). Os falsos mestres precisavam ser reduzidos ao silêncio, não pela força, mas pela proclamação vigorosa da verdade (v. 11). "Famílias inteiras" provavelmente significa congregações inteiras, pois as igrejas naqueles tempos reuniam-se nas casas das famílias. O "profeta" cretense (v. 12) é o poeta Epimênides, que viveu em cerca de 600 a.C.

Boas obras — Tt 2 e 3

A grande ênfase da carta são as boas obras. Somos salvos não pelas boas obras, mas pela misericórdia de Deus, nosso Salvador (3.5), e somos justificados pela graça de Jesus Cristo, nosso Salvador (3.7). Mas justamente por esse motivo temos a rigorosa obrigação de:

- dedicar-nos à prática das boas obras (2.14);
- ser exemplo, fazendo boas obras (2.7);
- estar prontos a fazer tudo o que é bom (3.1);
- empenhar-nos na prática de boas obras (3.8);
- praticar boas obras a fim de sermos produtivos (3.14).

Uma das acusações formais contra os falsos mestres é que estão "desqualificados para qualquer boa obra" (1.16).

O poder de vidas formosas (2.1-14). Homens idosos, mulheres idosas, mulheres mais jovens, mães, homens jovens e escravos são exortados a ser fiéis às obrigações naturais de sua situação na vida, de modo que sejam reduzidos ao silêncio os críticos do cristianismo (2.8).

Os escravos, dos quais existiam muitos na igreja primitiva, são exortados a ser tão obedientes, diligentes e fiéis que sua vida seja a confirmação de sua profissão de fé (2.10) e que seus senhores sejam levados a pensar que, se a religião cristã tem efeito tão bom sobre os escravos, forçosamente deve ter grande valor.

A bendita esperança (2.11-14). Trata-se da Segunda Vinda do Senhor, que fornece a motivação para a vida piedosa neste mundo. É mencionada em quase todos os livros do NT.

Obediência às autoridades civis (3.1,2) é uma virtude cristã primordial. Os cidadãos do céu devem ser bons cidadãos do governo humano de onde quer que residam (Rm 13.1-7; 1Pe 2.13-17).

Genealogias (3.9), referidas aqui e em 1 Timóteo 1.4, parecem ter figurado com bastante destaque na doutrina dos falsos mestres que infestavam as igrejas de Creta e de Éfeso. É possível que tenham baseado suas reivindicações em suposta descendência davídica e no parentesco com Jesus, com informações mais íntimas a respeito do evangelho. Ou talvez tenham ensinado doutrinas estranhas fundamentadas em interpretações torcidas de algumas genealogias bíblicas, tais como as de 1 Crônicas 1—9.

Aquele que provoca divisões (3.10, ou "herege"). Depois de esforço razoável para corrigir o falso mestre, este deve ser evitado. Ártemas (3.12) não é mencionado em nenhum outro lugar. A tradição diz que veio a ser bispo de Listra. Tíquico (v. 12) provinha da Ásia (At 20.4). Ou este ou Ártemas deveria substituir Tito no cargo em Creta. Nicópolis (v. 12) é uma cidade na Grécia, uns 160 km ao noroeste de Corinto (v. nota sobre *A vida de Paulo posterior a Atos e Apóstolos*, p. 603.) Zenas (v. 13) não é mencionado em nenhum outro lugar; pode ter sido um escriba judeu ou um advogado civil grego. Parece que Zenas e Apolo (v. 13; v. comentário sobre At 18), viajando para algum destino que não é especificado aqui, entregaram a carta a Tito.

Filemom

A respeito de um escravo fugitivo

> A vocês, graça e paz da parte de Deus nosso Pai e do Senhor Jesus Cristo [...] A graça do Senhor Jesus Cristo seja com o espírito de todos vocês.
> — Filemom 3,25
>
> Receba-o como se estivesse recebendo a mim.
> — Filemom 17

Data

Paulo escreveu essa carta, bem como a carta aos Colossenses, quando estava encarcerado em Roma (60 d.C.).

Filemom

Filemom era cristão em Colossos, um convertido de Paulo e homem de muitas posses. Uma igreja se reunia em sua casa, e parece que ele e Paulo era amigos íntimos. É provável (embora não haja registro disso) que Paulo tenha visitado Colossos durante os três anos de estada em Éfeso (At 19).

Onésimo

Onésimo era um escravo que pertenceu a Filemom. É possível que fosse um jovem muito talentoso. O exército romano, nas suas campanhas, freqüentemente capturava os moços e moças mais brilhantes e capacitados dentre os povos conquistados e os levava para vender como escravos.

A ocasião da carta

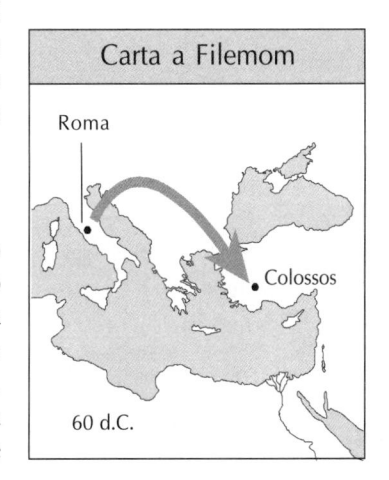

Uns quatro ou cinco anos depois de Paulo ter deixado a região de Colossos, Onésimo, segundo parece, furtou algum dinheiro de seu senhor, Filemom, e fugiu para Roma. Já naquela data Paulo estava preso. Enquanto estava em Roma, talvez depois de o dinheiro ter chegado ao fim, Onésimo conseguiu achar Paulo. É possível que tenha se afeiçoado ao apóstolo na casa de seu senhor, anos antes. Não é provável que tenha simplesmente encontrado Paulo por acidente numa cidade com mais de um milhão de habitantes. Visitando Paulo, Onésimo tornou-se cristão, e Paulo o enviou de volta ao seu senhor, levando essa linda cartinha.

Objetivo da carta

Paulo queria interceder a favor de Onésimo, e pedir a Filemom que perdoasse o escravo fugitivo. Segundo a lei romana, o furto envolvia a pena capital. Paulo pediu a Filemom que acolhesse Onésimo de volta como irmão em Cristo e até mesmo se ofereceu para restituir o dinheiro furtado. A carta é uma perfeita jóia de cortesia, tato, delicadeza e generosidade. O ponto culminante é o comovente apelo a Filemom para acolher Onésimo como "a mim" (v. 17).

A acolhida do escravo

A Bíblia não oferece nenhum indício de como o senhor recebeu de volta seu escravo. Segundo uma tradição, Filemom realmente lhe deu as boas-vindas e, acolhendo a sugestão velada de Paulo, concedeu a Onésimo a liberdade.

É assim que o evangelho opera. Cristo, no coração do escravo, levou-o a reconhecer as instituições sociais de seus dias e voltar ao seu senhor com a firme resolução de que seria bom escravo e viveria assim durante o restante de sua vida. Cristo, no coração daquele senhor, levou-o a reconhecer o escravo como irmão em Cristo e lhe conceder a liberdade. Existe uma tradição que afirma ter Onésimo posteriormente se tornado bispo em Beréia.

Áfia (v. 2) era provavelmente esposa de Filemom.
Arquipo (v. 2) era provavelmente pastor da congregação.
Onésimo (v. 10) significa "proveitoso". Observe o jogo de palavras.
Para sempre (v. 15) é indício da persistência, na eternidade, das amizades terrestres.
Epafras (v. 23) era um colossense encarcerado em Roma.
Marcos, Aristarco, Demas e Lucas (v. 24) eram colegas de Paulo e amigos pessoais de Filemom.

Hebreus

Cristo, Mediador da Nova Aliança

> Pois a palavra de Deus é viva e eficaz, e mais afiada do que qualquer espada de dois gumes; ela penetra até o ponto de dividir alma e espírito, juntas e medulas, e julga os pensamentos e intenções do coração. Nada, em toda a criação, está oculto aos olhos de Deus. Tudo está descoberto e exposto diante dos olhos daquele a quem havemos de prestar contas.
> — Hebreus 4.12,13

> Ora, a fé é a certeza daquilo que esperamos e a prova das coisas que não vemos.
> — Hebreus 11.1

Quem escreveu Hebreus?

Algumas versões em português registram "Epístola de S. Paulo Apóstolo aos Hebreus". As mais recentes simplesmente a chamam "Epístola aos Hebreus", porque nos manuscritos originais mais antigos, descobertos mais recentemente, o nome do autor não é citado.

A igreja oriental (v. p. 784) aceitou, desde o início, que a carta foi escrita por Paulo. Quanto à igreja ocidental, foi só no século IV que sua aceitação como obra de Paulo. Os pais da igreja (v. p. 780) não tinham opinião unânime a respeito. Eusébio e Orígenes consideravam Paulo o autor. Tertuliano chamava "Epístola de Barnabé" e Clemente de Alexandria acreditava que Paulo a tivesse escrito em hebraico, sendo depois traduzida por Lucas para o grego (foi escrita em grego excelente). Posteriormente, Lutero conjecturou que o autor seria Apolo, sem haver evidências de antiguidade, mas algum apoio indireto (v. At 18.24; 1Co 1.12; 3.4-6,22). Outros autores possíveis seriam Priscila e Áquila e Clemente de Roma, um dos pais da igreja primitiva.

Sabemos que o autor era bem conhecido na igreja primitiva e que Timóteo estava com o escritor (13.23). "Os da Itália lhes enviam saudações" (13.24) talvez indique que a carta foi escrita da Itália, embora não seja conclusivo. Independente de quem tenha sido o autor, Hebreus, como obra literária, é sublime: bem ordenada e lógica, "com frases equilibradas e sonoras, de precisão notável, subindo às alturas maravilhosas da eloquência".

A quem foi dirigida

Essa carta não cita nominalmente a pessoa (ou pessoas) a quem foi endereçada. Tem um sabor inconfundivelmente judaico, por ser um estudo do relacionamento entre Cristo, o sacerdócio levítico e os sacrifícios no Templo. A carta cita constantemente o AT como apoio às declarações que faz. A opinião tradicional e geralmente aceita é que foi endereçada aos cristãos judeus da Palestina, especialmente aos que moravam em Jerusalém.

Data

O conteúdo da carta deixa claro que foi escrita antes de 70 d.C., quando a destruição de Jerusalém e do Templo pôs fim ao sistema sacrificial judaico. O autor emprega, de modo consistente, o tempo presente ao falar do Templo e das atividades sacerdotais a ele vinculadas.

Propósito

Um dos propósitos da carta era preparar os cristãos judeus para a destruição iminente de Jerusalém. Depois de aceitar Jesus como Messias, os cristãos judeus continuavam a ser zelosos pelos ritos e sacrifícios do Templo, imaginando que sua cidade amada estava para se tornar a capital do mundo, tendo o Messias como Rei. Em vez disso, porém, estavam para receber o maior choque de sua vida. Por um só golpe do exército romano, a Cidade Santa seria totalmente destruída, e os ritos no Templo cessariam.

A carta foi escrita a fim de explicar aos cristãos judeus que os sacrifícios animais, aos quais se apegavam tanto, não tinham a mínima utilidade e que matar um novilho ou um cordeiro jamais poderia remover o pecado. Os sacrifícios nunca tiveram o propósito de durar para sempre; tinham sido planejados como um tipo (prefiguração) do futuro sacrifício de Cristo, e agora, tendo Cristo já chegado, tinham servido ao seu propósito. O povo de Deus deve confiar somente em Cristo para a redenção e a salvação.

Hebreus e a carta aos Romanos

Romanos foi dirigida à capital do mundo gentio; Hebreus, à capital da nação judaica. Deus fundara a nação judaica e a nutrira durante longos séculos, planejando usar essa única nação para ser bênção para todas as outras. Um grande rei nasceria dessa única nação e governaria todas as demais. Agora, porém, o referido Rei já chegara.

- **Romanos** lida com o relacionamento entre o Rei e o seu Reino universal.
- **Hebreus** focaliza o relacionamento entre o Rei e a nação da qual nasceu.

Hb 1.1-4 — A divindade de Jesus

A sentença inicial é uma das passagens mais magníficas de toda a Bíblia, cuja grandeza só pode ser comparada às sentenças iniciais de Gênesis e do evangelho de João. Jesus, em sua divindade e de glória inexprimíveis, é o Criador, Preservador e Herdeiro do universo. Mediante um ato eterno de Deus, Jesus fez a purificação pelos pecados da raça humana, de uma vez por todas, e trouxe a salvação eterna.

Hb 1.4-14 — Jesus comparado aos anjos

O argumento principal da carta é que Cristo é o *cumprimento* do sistema mosaico, em vez de ser seu administrador. Cristo é comparado com

- os **anjos**, mediante os quais foi promulgada a Lei (cap. 1; v. At 7.53);
- **Moisés**, o legislador (cap. 3);
- o **sacerdócio levítico**, por meio do qual a Lei era administrada (4.14—10.18).

O escritor não poupa esforços para se certificar de que o leitor irá compreender que Cristo é claramente superior aos anjos, a Moisés e ao sacerdócio levítico. A linguagem também parece indicar que os seres humanos são de uma ordem da criação superior aos anjos. Os espíritos humanos e os anjos não são a mesma coisa. Não somos transformados em anjos quando morremos. Os anjos agora são ministradores nossos e no céu continuarão a nos atender assim (v. 14). Os anjos adoram a Cristo, assim como nós também o fazemos (v. 6).

O homem, e não os anjos, vai governar — Hb 2.1-8

No versículo 7, o homem é referido como "um pouco menor do que os anjos", mas em 1.14 os anjos são "enviados para servir aqueles que hão de herdar a salvação". Em 2 Pedro 2.11, os anjos são referidos como mais fortes e poderosos. Segundo o versículo 9, Jesus, por um pouco, foi feito menor que os anjos. Seja qual for a natureza dos anjos em relação à natureza dos seres humanos, essa passagem indica a grandeza final dos seres humanos criados por Deus.

Note a advertência terrível, nos versículos 2 e 3, de que se foi perigosa a desobediência à mensagem de Deus transmitida por anjos, quanto mais será negligenciar as palavras faladas por Jesus!

A união entre Cristo e a humanidade — Hb 2.9-18

Deus criou a humanidade para ter domínio sobre todas as coisas (2.6-8), apesar de ainda não tê-lo. Cristo uniu-se à humanidade, partilhando com ela suas tentações, seus sofrimentos e até mesmo a própria morte, a fim de que capacitasse a humanidade a se unir com ele e co-participar de sua natureza e de seu governo. E, por causa disso, Cristo foi coroado de glória e de honra.

Agora, a raça humana recebeu garantia de que Cristo é gracioso, bondoso e compreensivo e ajudará aos que o amam a unir-se totalmente com ele, e assim, a se qualificar para entrar na sua herança gloriosa (v. 17,18).

Cristo comparado com Moisés — Hb 3.1-6

Muitos cristãos judeus, imaturos (5.11-13) ainda não tinham entendido totalmente o relacionamento entre Cristo e Moisés. Parece que ainda consideravam Moisés o legislador, e Cristo o que imporia a Lei de Moisés às demais nações: Moisés primeiro e Cristo subordinado a ele. Inverteram a ordem. Cristo está tão acima de Moisés quanto o herdeiro de uma casa está acima dos serviçais.

Advertência contra a incredulidade — Hb 3.7-19

Teremos nossa participação em Cristo se nos mantivermos firmes até ao fim e nos guardarmos contra a incredulidade e não cairmos na desobediência. Essa advertência é uma das tônicas da carta, repetida cada vez com mais seriedade em 6.4-6 e 10.26-29.

O autor cita o exemplo dos israelitas que, depois de terem sido libertados do Egito com poderosos sinais e maravilhas, acabaram perecendo no deserto e não alcançaram a Terra Prometida por sua incredulidade e desobediência (v. 16-19). Se aqueles fracassaram por terem sido desobedientes à palavra de Moisés, que esperança haverá para quem desobedece a Cristo, que é muito superior?

O perigo da apostasia entre os cristãos judeus era, decerto, muito imediato e grave. É possível que o escritor tivesse em mente a destruição iminente de Jerusalém, a calamidade mais terrível da história dos judeus, porque isso poderia levar esses crentes a perder a fé em Jesus, já que ainda não tinham entendido que Cristo tornara desnecessário o Templo e seus rituais.

Hb 4.1-11 O descanso sabático para o povo de Deus

Os que entraram na Terra Prometida sob a liderança de Josué acharam um refúgio, uma terra de liberdade e abundância. É o retrato terrestre da pátria celestial no eterno além. (Uma figura dessa natureza também é chamada "tipo".) Entretanto, esse descanso não pode ser referir, em última análise, ao descanso em Canaã concedido aos israelitas. Esse descanso terrestre, temporário, concedido a Josué e aos israelitas, simbolizava o descanso espiritual eterno que temos mediante a salvação em Cristo Jesus. Os que crêem em Cristo entram no repouso da salvação mediante a fé na pessoa e obra de Jesus. O descanso ao qual Deus nos convida é desfrutar de seu próprio descanso. Sua obra já estava completa no sétimo dia da criação (v. 4; Gn 2.2). Quando a pessoa nasce de novo, salva, em Cristo, já não precisa de obras para conquistar a salvação mediante os próprios esforços, mas pode descansar na obra completada por Cristo na cruz. Os cristãos devem fazem o máximo esforço para entrar no descanso da salvação, para não levar outros também à desobediência (v. Nm 13 e 14).

> Pois não temos um sumo sacerdote que não possa compadecer-se das nossas fraquezas, mas sim alguém que, como nós, passou por todo tipo de tentação, porém, sem pecado. Assim, aproximemo-nos do trono da graça com toda a confiança, a fim de recebermos misericórdia e encontrarmos graça que nos ajude no momento da necessidade.
> HEBREUS 4.15,16

Hb 4.12,13 O poder da Palavra de Deus

Nós mesmos dificilmente conhecemos nossas motivações e desejos. Mas a Palavra de Deus, viva e eficaz, tem poder para penetrar nos mais íntimos recintos do coração humano e distinguir, separar e examinar cada motivo, desejo e propósito e avaliá-los conforme seu valor verdadeiro. Os israelitas no deserto tinham perdido o acesso à Terra Prometida por terem desconsiderado a Palavra de Deus (3.17; 4.11). A maior esperança de alcançarmos nossa Terra Prometida acha-se na obediência à Palavra de Deus. Quem dera nossas igrejas conseguissem reconhecer quanto poder poderiam conquistar se tão-somente atribuíssem à Palavra de Deus o devido destaque nos cultos!

Hb 4.14-16 Cristo, nosso Sumo Sacerdote

Aqui começa o tema principal da carta: a comparação entre Cristo e o sacerdócio levítico, que continua até o capítulo 10.

Cristo comparado aos sacerdotes Levíticos — Hb 5.1-10

Os sacerdotes pertenciam à tribo de Levi, e Cristo, à tribo de Judá. Existiam muitos levitas, Cristo é um só. Eles ofereciam sacrifícios de animais, Cristo foi o próprio sacrifício. Eles morreram, mas Cristo vive.

Lentos para aprender — Hb 5.11-14

Aqui temos uma mensagem pessoal aos destinatários originais da carta. Em tempos passados, tinham sido notavelmente zelosos em ajudar o povo de Deus (6.10), mas agora tinham esquecido até mesmo os princípios elementares do evangelho (5.12).

Se for correta a opinião tradicional de que a carta foi dirigida à igreja na Judéia, parece lógico que essa passagem se referia ao declínio nas qualidades espirituais e fraternais que a igreja em Jerusalém demonstrava, segundo descreve Atos 4.32-35. A carta de Tiago, escrita pouco tempo antes, subentende uma igreja mundana e egoísta.

No decorrer do tempo, milhares de judeus tinham aceitado a Jesus como Messias (At 21.20), mas ainda se apegavam à antiga idéia materialista do reino messiânico: segundo eles, seria um reino político no qual a nação judaica, sob a liderança do Messias, governaria o mundo. A fé cristã tinha, para eles, em grande medida, a natureza de bandeira política.

Depois da morte de Tiago, essa idéia parece ter dominado de tal maneira a igreja em Jerusalém que o escritor lhes diz que, em vez de serem mestres do mundo cristão, eles mesmos, como crianças pequenas, precisavam ser instruídos de novo nos princípios elementares do evangelho de Cristo (v. 12).

Advertência contra a apostasia — Hb 6

A linguagem dá a entender que a igreja em Jerusalém tinha, em grande medida, decaído dos altos padrões do viver cristão que antes a caracterizavam e que estava se desviando dos alvos aos quais devia se empenhar com sinceridade.

A queda de um cristão, referida no versículo 6, pode ser parcial ou total, da mesma maneira que uma pessoa pode cair do topo de um arranha-céu e parar num andaime poucos andares embaixo ou se espatifar no chão. Enquanto a apostasia for parcial, talvez haja esperança. Quando se tornar absoluta, a recuperação talvez seja impossível.

O pecado aqui referido pode ser semelhante ao pecado imperdoável mencionado por Jesus (Mt 12.31,32; Mc 3.28-30), onde a implicação é que este consistia em atribuir a Satanás os milagres de Jesus, pecado que em Lucas 12.9,10 está ligado com o negar a Jesus; podia ser cometido por uma pessoa de fora da igreja. O pecado referido em Hebreus 6.6 é a queda de um cristão. A essência do pecado fatal, quer seja cometido por um cristão, quer por um não-cristão, é a rejeição deliberada e definitiva a Cristo. É como se alguém, estando no fundo de um poço e lhe fosse lançada uma corda, cortasse a corda de modo que ficasse fora de seu alcance e assim se separasse da única esperança de fuga. Para os que rejeitarem a Cristo, não haverá outro sacrifício pelo pecado (10.26-31). Terão que sofrer pelos próprios pecados.

Em contraste com essa terrível advertência contra a apostasia, o escritor deixa positivamente claro que para os que permanecerem fiéis e leais a Cristo, a esperança da salvação eterna é totalmente segura e inabalável, baseada na imutabilidade das promessas de Deus aos que nele confiam (v. 9-20).

Hb 7.1-10 — Melquisedeque

Cristo é sacerdote "segundo a ordem de Melquisedeque" (7.17). Isto é, Jesus não era sacerdote levíta, mas seu sacerdócio assemelhava-se ao de Melquisedeque, personagem do passado obscuro, que viveu uns 600 anos antes de ser instituído o sacerdócio levítico. Era um sacerdote muito superior aos sacerdotes levítas, maior até mesmo que Abraão: Abraão e os sacerdotes levítas ainda por nascer como descendentes do patriarca pagaram dízimos a Melquisedeque.

O relato de Melquisedeque acha-se em Gênesis 14.18-20. Era rei de Salém e sacerdote do Deus Altíssimo. Rei e Sacerdote.

Antes dos tempos de Moisés, sacrifícios eram apresentados pelos chefes das famílias. O homem mais velho na linhagem paterna — o bisavô, o avô ou o pai — era o sacerdote da família. À medida que a família crescia até formar uma tribo, o chefe da tribo passava a ser seu rei, além de sacerdote; e assim passava a ser um rei-sacerdote ou sacerdote-rei.

Nos dias de Moisés, quando o povo escolhido de Deus cresceu a ponto de formar uma nação, essa nação foi organizada, um lugar específico foi consagrado para serem oferecidos os sacrifícios e uma ordem hereditária especial de sacerdotes foi criada a partir da família de Levi: os levitas.

Posteriormente, outra família foi consagrada para fornecer à nação os seus reis: a família de Davi. O rei governava o povo. O sacerdote, como mediador entre Deus e o homem, oferecia sacrifícios. Uma família fornecia os reis, e outra, os sacerdotes. Cristo, porém, era tanto rei quanto sacerdote, assim como Melquisedeque.

Qual é o significado de "Sem pai, sem mãe, sem genealogia, sem princípio de dias nem fim de vida" (v. 3)? Essa não era, técnica e literalmente, a situação de Melquisedeque — mas assim parecia ser segundo os registros do AT. Os levitas eram sacerdotes por causa de sua genealogia. Melquisedeque, entretanto, sem possuir genealogia registrada, era, naqueles tempos, o sacerdote reconhecido da raça humana. A tradição judaica declara que Melquisedeque era Sem, que ainda vivia nos dias de Abraão (v. p. 84) e, salvo provas em contrário, o homem mais velho ainda sobrevivente naqueles tempos. Uma figura ("tipo") misteriosa e solitária do passado remoto, do eterno Sacerdote-Rei que ainda viria.

Hb 7.11,12 — O sacerdócio levítico era temporário

O sacerdócio levítico e seu sistema de sacrifícios eram imperfeitos, pois eram insuficientes para remover o pecado (10.4). O único fundamento para esse sacerdócio era o regulamento a respeito da ascendência (v. 16) — isto é, eram sacerdotes somente por pertencerem a certa família, sem levar em conta as qualificações espirituais. E a aliança segundo a qual operavam foi substituída pela Nova Aliança (8.8).

Hb 7.13-28 — O sacerdócio de Cristo é eterno

Os sacerdotes levítas ofereciam sacrifícios durante o ano todo, ano após ano. Cristo morreu uma única vez. Os sacrifícios deles eram ineficazes. O de Cristo removeu o pecado para sempre. Cristo continua vivo eternamente, como Mediador da aliança eterna e da vida sem fim.

Eterno é uma dos vocábulos prediletos dessa carta.
- Salvação eterna (5.9)

- Juízo eterno (6.2)
- Eterna redenção (9.12)
- Espírito eterno (9.14)
- Herança eterna (9.15)
- Aliança eterna (13.20)

"Eterno" também é o vocábulo predileto do evangelho de João.

A Nova Aliança — Hb 8

Cristo trouxe à humanidade a Nova Aliança. A primeira aliança, que se centralizava nos cultos no Tabernáculo e nos Dez Mandamentos, já cumprira sua tarefa (9.1-5). As leis dessa aliança tinham sido escritas em tábuas de pedra (9.4). As leis de Cristo, porém, seriam escritas em nosso coração. A primeira aliança era temporária. A aliança de Cristo seria eterna (13.20). A primeira aliança era selada com o sangue de animais. A aliança de Cristo foi selada com seu sangue (10.29). Era uma aliança melhor, com promessas melhores, baseadas na imutabilidade da Palavra de Deus (6.18).

Superior ou **melhor** também é uma das palavras prediletas da carta aos Hebreus.

- Esperança superior (7.19)
- Aliança superior (8.6)
- Promessas superiores (8.6)
- Bens superiores no céu (10.34)
- Pátria melhor: o céu, e não Canaã (11.16)
- Ressurreição superior, para nunca mais morrer (11.35)
- Sangue que fala melhor que o de Abel (12.24)

Cristo é o Tabernáculo — Hb 9.1-14

Por todo o AT, Deus ordenou que a nação judaica seguisse leis, que a preparariam para compreender as leis espirituais de Deus a serem reveladas em Cristo. No presente capítulo, o escritor ressalta como alguns dos elementos centrais da Lei do AT, incluindo os que se relacionam com o sumo sacerdote, com o Tabernáculo e com os sacrifícios, simbolizavam Cristo e suas leis eternas e espirituais. Cristo e o evangelho são os verdadeiros elementos centrais do NT (Nova Aliança), que suplantou a Lei do AT e se tornou nossa lei espiritual para a eternidade.

- O Tabernáculo era um santuário deste mundo; o verdadeiro Tabernáculo, não feito com mãos, é a habitação eterna de Deus no céu (v. 1,11,24).
- O sumo sacerdote entrava no Tabernáculo uma vez por ano; Cristo entrou no Tabernáculo celestial e reina no trono desde agora e para todo o sempre (v. 7,12).
- O sumo sacerdote obtinha a redenção anual; Cristo obteve a redenção eterna (v. 12; 10.3).
- O sumo sacerdote oferecia o sangue de animais como sacrifício por pecados específicos; Cristo veio a ser o Cordeiro sacrificial e ofereceu o próprio sangue como redenção pelos pecados de toda a raça humana (v. 12).

- Os sacrifícios do sumo sacerdote deixavam as pessoas externamente puras; o sacrifício de Cristo deixa as pessoas espiritualmente limpas e as apresenta justificadas diante de Deus (v. 13,14).

Hb 9.15-28   O Novo Testamento

Nessa seção, o escritor da carta aproveita o fato de a palavra grega traduzida por "aliança" também significar "testamento".

Aliança é o acordo formal feito entre duas partes, e a Nova Aliança é o acordo que Deus faz com a raça humana; é assim que o autor de Hebreus geralmente emprega a palavra.

Foi assim que obtivemos os nomes das duas divisões da Bíblia: o AT e o NT. O AT é a aliança da Lei. O NT é a aliança de Cristo. O emprego abundante do sangue nos ritos da Antiga Aliança prefigurava a necessidade urgente de um grande sacrifício pelo pecado humano (v. 19-22).

O testamento, é a expressão da última vontade do testador, que somente entra em vigor depois da morte deste. A Nova Aliança (ou NT) é o testamento que Cristo deixou para seus herdeiros e que não podia entrar em vigor a não ser depois de sua morte, mediante a qual expiou os pecados deles (v. 15,16).

Outra ênfase importante em Hebreus é "uma vez por todas" ou "uma única vez" (v. 26-28):

- Cristo se ofereceu uma vez por todas (7.27).
- Uma vez por todas, entrou no Santo dos Santos (9.12).
- Apareceu uma vez por todas no fim dos tempos, para aniquilar o pecado (9.26).
- O homem está destinado a morrer uma só vez (9.27).
- Os cristãos são santificados uma vez por todas pelo sacrifício que Cristo fez de si mesmo (10.10).
- Cristo, oferecido uma única vez, aparecerá segunda vez aos seus herdeiros que o aguardam (9.28).

Hb 10.1-25   O pecado removido para sempre

Não há necessidade de mais nenhum sacrifício. A morte de Cristo é suficiente para lidar com todos os pecados por nós cometidos anteriormente e com os pecados que, na nossa fraqueza, porventura venhamos a cometer na vida diária. Deus agora pode perdoar, e perdoará mesmo, quem coloca em Cristo sua confiança.

Apeguemo-nos, portanto, a Cristo (v. 23). Ele, e ele somente, é a nossa Esperança e o nosso Salvador.

Hb 10.26-39   A rejeição a Cristo

Outra advertência terrível contra alguém apostatar de Cristo, semelhante àquela em 6.1-8. Dirigida a cristãos que antes tinham sido "expostos a insultos e tribulações" nos seus sofrimentos por amor ao nome de Cristo e que tinham contribuído com todos os seus bens por compaixão de seus companheiros no sofrimento (v. 32-34). Mas algumas dessas pessoas estavam perdendo o interesse pelas coisas de Cristo (v. 25).

> Tendo os olhos fitos em Jesus, autor e consumador da nossa fé. Ele, pela alegria que lhe fora proposta, suportou a cruz, desprezando a vergonha, e assentou-se à direita do trono de Deus.
> HEBREUS 12.2

A lição aqui é que já foi oferecido o único sacrifício definitivo pelo pecado. Não haverá outro. Os que não querem apropriar-se do que Cristo fez por eles na cruz devem despedir-se de Deus para sempre e sofrer pelo próprio pecado (v. 27-31).

Os heróis da fé — Hb 11

No presente capítulo, o escritor define a fé como a certeza ou confirmação das coisas que o crente espera e como a prova das coisas que o crente ainda não viu. Os crentes, vivendo pela fé, podem descansar na confiança de que as promessas de Deus serão cumpridas — que seu cumprimento é, de fato, realidade na sua vida interior antes de se manifestar aos sentidos. O escritor menciona os seguintes homens e mulheres do AT cuja fé é um exemplo histórico, por serem dignos do reconhecimento como heróis da fé:

A fé de **Abel**: o primeiro sacrifício pelo pecado oferecido pela fé e não por obras (v. 4; Gn 4.1-15).

A fé de **Enoque**: andava com Deus, agradava a ele e por ele foi levado ao céu (v. 5,6; Gn 5.22,24).

A fé de **Noé**: construía a arca, quando ninguém acreditava que fosse servir para alguma coisa (v. 7; Gn 6.14-22).

A fé de **Abraão**: partiu em busca da cidade de Deus sem saber onde ficava; estava disposto a oferecer seu filho como sacrifício, confiando que Deus o restituiria à vida (v. 8-12,17-19; Gn 12.1-7; 22).

A fé de **Sara**: veio a crer naquilo que, no início, considerava tão impossível que riu (v. 11,12; Gn 17.19; 18.11-14).

A fé de **Isaque**: pela fé, predisse o futuro (v. 20; Gn 27.27-29).

A fé de **Jacó**: acreditava que Deus cumpriria suas promessas (v. 21; Gn 49).

A fé de **José**: acreditava que seus ossos descansariam em Canaã (v. 22; Gn 49).

A fé de **Moisés**: optou sofrer com Israel e virou as costas para o Egito; celebrou a Páscoa; atravessou o mar Vermelho; viu aquele que é invisível (v. 23-29; Êx 2.2-11; 12.21,50; 14.22-29).

A fé de **Josué**: fez cair os muros de Jericó (v. 30; Js 6.20).

A fé de **Raabe**: lançou sua sorte com Israel (v. 31; Js 2.9; 6.23).

A fé de **Gideão**: veio a ser poderoso na guerra (v. 32; Jz 7.21).

A fé de **Baraque**: subjugou reinos (v. 32; Jz 4).

A fé de **Sansão**: sua fraqueza foi transformada em fortaleza (v. 32,34; Jz 16.28).

A fé de **Jefté**: derrotou exércitos (v. 32,34; J2 11).

A fé de **Davi**: ele obteve promessas (v. 32,33; 2Sm 7.11-13).

A fé de **Daniel**: fechou a boca de leões (v. 32,33; Dn 6.22).

A fé de **Jeremias**: foi torturado por sua fé (v. 32,35; Jr 20.2).

A fé de **Elias**: ressuscitou um morto (v. 32,35; 1Rs 17.17-24).

A fé de **Eliseu**: ressuscitou um morto (v. 32,35; 2Rs 4.8-37).

A fé de **Zacarias**: foi apedrejado por sua fé (v. 32,37; 2Cr 24.20,21).

A fé de **Isaías**: foi serrado ao meio por sua fé, segundo a tradição (v. 32,37).

Mantenha os olhos em Jesus — Hb 12

Cercados por uma vasta multidão dos que, em eras anteriores, tinham corrido vitoriosamente na causa de Deus e que agora contemplavam, profundamente emocionados, as lutas iniciais da igreja recém-nascida, os que correm são conclamados a manter os olhos no alvo e a forçar os nervos e os músculos ao máximo a fim de vencer (v. 1,2).

O autor exorta-os a não desanimar por causa de seus sofrimentos, pois a disciplina é um dos meios pelos quais são aperfeiçoados os santos de Deus (v. 3-13). Além disso, conclama-os a se guardarem cuidadosamente contra qualquer tipo de impureza que os pudesse levar a vender sua primogenitura (v. 14-17).

Sinai e Sião (v. 18-29). As experiências aterradoras que acompanhavam a inauguração da Antiga Aliança no Sinai são contrastadas com a comunhão celestial da igreja: a única e vasta fraternidade, na qual os santos na terra, os espíritos dos redimidos e hostes infinitas de anjos estão em comunhão doce e mística em derredor do trono de Deus, para sempre e sempre (v. 22-24).

Hb 13 Exortações de graça e misericórdia

A carta, embora seja de natureza argumentativa, encerra-se com ternos apelos aos leitores para que sejam leais a Cristo e o sigam em todos os aspectos da vida diária — especialmente no amor fraternal e na bondade, na pureza e na benignidade, e com oração incessante e fé inabalável em Deus.

Assim como Malaquias tinha sido a mensagem final do AT à nação que fora fundada para trazer o Messias ao mundo, também Hebreus é a mensagem final do NT à nação depois da vinda do Messias. Essas palavras finais foram escritas pouco tempo depois de Jerusalém ter sido destruída e o Estado judaico ter sido varrido (v. p. 810).

Tiago

Sabedoria cristã, boas obras e religião pura

Se algum de vocês tem falta de sabedoria, peça a Deus, que a todos dá livremente, de boa vontade; e lhe será concedida. Peça-a, porém, com fé, sem duvidar, pois aquele que duvida é semelhante à onda do mar, levada e agitada pelo vento.
— Tiago 1.5,6

A oração de um justo é poderosa e eficaz.
— Tiago 5.16

Tiago

Dois dos apóstolos tinham o nome Tiago: um era irmão de João; o outro, filho de Alfeu (Mt 10.2,3; v. p. 447).

O irmão mais velho de Jesus chamava-se Tiago (Mt 13.55). No começo, Tiago não acreditava que Jesus fosse o Messias (Jo 7.2-5). Posteriormente, creu, alcançou posição de destaque e passou a ser reconhecido como o supervisor principal da igreja na Judéia (At 12.17; Gl 1.19). É reconhecido como o autor desta carta.

Homem excepcionalmente bom, cognominado "o Justo" pelos compatriotas. Dizia-se que Tiago gastava tanto tempo em oração que seus joelhos ficaram duros e calejados como os de um camelo. Provavelmente era casado (1Co 9.5). Alguém muito influente, tanto entre os judeus quanto na igreja. Pedro, ao ser solto do cárcere, mandou avisar Tiago (At 12.17). Paulo aceitou os conselhos dele (At 21.18-26). Tiago, pessoalmente, era um judeu muito rigoroso, mas também foi autor da carta tolerante aos cristãos gentios (At 15.13-29). Aprovava a obra de Paulo entre os gentios, mas pessoalmente se ocupava com os judeus. A obra de sua vida era ganhar judeus e "suavizar a passagem deles para o cristianismo".

A história de seu martírio

Segundo o historiador judeu, Josefo e Hegesipo, historiador cristão do século II, cuja narrativa é aceita por Eusébio (p. 780), Tiago morreu como mártir por causa de Jesus, seu irmão e Senhor.

Pouco depois da destruição de Jerusalém pelo exército romano (70 d.C.; v. p. 810), os judeus, em grande número, aderiam ao cristianismo. Ananias, o sumo sacerdote, os escribas e os fariseus convocaram o Sinédrio, cerca do ano 62 d.C. (ou possivelmente 66 d.C.), e ordenaram que Tiago, "irmão de Jesus, chamado Cristo", proclamasse de uma das galerias do Templo que Jesus não era o Messias. Em lugar disso, Tiago bradou que Jesus era o Filho de Deus e Juiz do mundo.

De imediato, seus inimigos enfurecidos o precipitaram para o chão e o apedrejaram, até que um circunstante, sentido dó, deu fim aos seus sofrimentos com um golpe de maça, enquanto Tiago orava, de joelhos: "Pai, perdoa-lhes, porque não sabem o que fazem".

A carta

Endereçada a cristãos judeus (2.1), dispersos entre as nações, a carta dá a impressão de ser um livro de provérbios cristãos que abrange vários assuntos, todos relacionados com os aspectos práticos da vida cristã. (É semelhante à literatura sapiencial hebraica; v. p. 249.)

A carta foi provavelmente escrita em cerca de 60 d.C., perto do fim da vida de Tiago, depois de ele ter pastoreado durante 30 anos a igreja na Judéia. Entretanto, há quem atribua a essa carta uma data anterior a 50 d.C., principalmente por seu caráter distintivamente judaico, o que sugere que foi escrita quando a igreja era primariamente composta de judeus. Se for correta essa teoria, a carta seria a obra mais antiga contida no NT, com a provável exceção de Gálatas.

Tg 1.1-8   Provações. Perseverança. Sabedoria. Fé.

Considerem motivo de grande alegria o fato de passarem por diversas provações (v. 2), quer se trate de perseguição, quer de enfermidade, ou de qualquer outra forma de sofrimento. A perseverança prova nossa fé e nos ajuda a edificar o tipo de pessoa que Cristo veio fazer de nós. Pedro diz que as provações fortalecem a fé (1Pe 1.6,7).

> Se alguém se considera religioso, mas não refreia a sua língua, engana-se a si mesmo. Sua religião não tem valor algum!
> TIAGO 1.26

As provações ensinam a perseverança (v. 3,4). A perseverança nos tempos de sofrimento é a capacidade de continuar adiante, esperando com calma e alegria o dia feliz em que Deus apagará todas as lágrimas (Ap 21.4).

A paciência produz maturidade e perfeição (v. 4). Não passamos de pobres pecadores salvos pela graça. Mas nosso alvo final é a maturidade espiritual. Seremos perfeitos um dia, como Jesus é (1Jo 3.2).

A sabedoria (v. 5). O juízo correto a respeito das coisas práticas da vida diária, em todas as suas fases, de modo que vivamos, em todas as coisas, conforme os cristãos devem viver.

A oração (v. 5) ajudará a pessoa a alcançar semelhante sabedoria. A carta começa e termina com uma exortação à oração (5.13-18).

A fé (v. 6-8). A fé inabalável que se mantém segura e imperturbável em todas as tempestades da vida é a condição prévia da oração eficaz. Tudo é possível àquele que crê (Mc 9.23).

Tg 1.9-18   Riquezas. Tentações. O novo nascimento

As riquezas (v. 9-11). A lembrança solene de que nossa principal preocupação não deve ser a situação social aqui na terra, sim a condição na eternidade. Até mesmo os pobres podem se regozijar no seu destino glorioso (v. comentário sobre 2.1-13.)

Provação (v. 12). Essa é a mesma palavra que ocorre no versículo 2. Ali, parece ter o significado de "ser testado pelo sofrimento". Aqui significa "sedução ao pecado". E o pecado, nascido da concupiscência, gera a morte.

Tentado (v. 13-15). Aqui temos referência às tentações que testam a resistência moral da pessoa. Deus não pode ser tentado porque sua natureza é santa e nele nada existe que o pecado possa usar como alavanca. Satanás nos tenta (1Co 7.5) a fim de nos fazer cair. Deus nos testa (Gn 22.1; Êx 20.20) a fim de confirmar nossa fé e comprovar nossa dedicação.

A alma renascida do cristão (v. 16-18). Assim como a cobiça dá à luz o pecado, também Deus, mediante sua Palavra e em nome de Cristo, gera almas renascidas nos que estão destinados à herança durante as eras perpétuas da eternidade. Pedro também fala da Palavra de Deus como semente imperecível que dá à luz a alma recém-nascida do cristão (1Pe 1.23).

A língua. O pecado. A religião pura — Tg 1.19-27

Vigiem a língua (v. 19-21). Dominem o gênio. Sejam bons ouvintes. Abstenham-se de conversas indecentes.

Sejam praticantes da palavra (v. 21-25). No versículo 18, a palavra é referida como o instrumento do nascimento da alma. No versículo 21, como a agente da salvação da alma. No versículo 23, como um espelho, que nos mostra como realmente somos. Se pusermos em prática o que a Palavra nos ensina — se agirmos conforme ela nos manda —, seremos abençoados!

A religião pura (v. 26,27). Passagem magnífica. A língua está envolvida de novo. Língua desenfreada da pessoa religiosa indica ser inútil a religião dela. A vida de caridade, livre de apego demasiado às coisas terrenas, é a glória da religião. (Comp. com o que Jesus disse sobre a singeleza e a importância da bondade, Mt 25.31-46.)

O favoritismo — Tg 2.1-13

Para dar motivo a palavras como essa, deve ter havido uma característica decididamente mundana na igreja da Judéia. Muito diferente da maneira que ela começara (At 2.45; 4.34).

Cristo ensinara que a glória de sua igreja seria a bondade para com os pobres. Segundo parece, entretanto, algumas das congregações se desenvolviam em panelinhas sociais nas quais os pobres recebiam o recado de que não eram desejáveis ou que, no máximo, podiam ser tolerados. Deus, porém, ama os pobres — e os ricos devem amá-los também.

Fé e obras — Tg 2.14-26

A doutrina de Paulo, a justificação pela fé, e a doutrina de Tiago, a justificação pelas obras, complementam-se mutuamente e não são contraditórias. Paulo e Tiago eram amigos e cooperadores leais e dedicados. Tiago apoiava plenamente a obra de Paulo (At 15.13-29; 21.17-26).

Paulo pregava a fé por base da justificação diante de Deus, mas insistia em que ela devia resultar no modo correto de viver. A fé salvífica produz ações à altura. Tiago estava escrevendo para pessoas que aceitaram a doutrina da justificação pela fé, mas não estavam vivendo corretamente, e lhes dizia que semelhante fé não era realmente fé. Além disso, agir com retidão é evidência da fé genuína.

A língua — Tg 3.1-12

Os pecados da língua não são apenas as palavras ásperas e zangadas, mas também as doutrinas falsas e estultas. Tendo por base o tom geral desse capítulo, suspeitamos que deve ter havido muitas pessoas presunçosas, briguentas e mundanas de temperamento descontrolado que queriam aparecer como líderes e mestres.

O poder da língua. A língua é a expressão principal de nossa personalidade e geralmente provoca uma reação, de um tipo ou de outro, nas outras pessoas. Palavras maldosas têm arruinado muitos lares, dividido muitas igrejas e provocado desespero e ruína na vida de milhões de pessoas. Todavia, conhecemos muitos cristãos que, segundo parece, não fazem o mínimo esforço para dominar sua língua. Tiago compara a língua com o leme do navio ou o freio na boca do cavalo. Nos dois casos, trata-se de partes relativamente pequenas que têm influência relevante na direção que se quer tomar. Nossas palavras determinam a direção de nossa vida e orientam nosso destino.

Tg 3.1-18 A sabedoria

Essa passagem parece visar a certos mestres que, fanatizados por determinada doutrina e ansiosos por serem considerados brilhantes nos argumentos, mas faltando-lhe afeição pessoal por Cristo, só provocavam ciúmes e facções. Tiago diz que semelhante sabedoria é "demoníaca" e declara que a melhor maneira de demonstrar a sabedoria verdadeira é mediante uma vida virtuosa e frutífera. A pessoa colherá os respectivos frutos do que semear durante toda a vida.

Tg 4.1-17 A mentalidade mundana

A cobiça (v. 1,2). A cobiça, o desejo de obter o que é dos outros, é a causa da maioria das guerras.

A oração não atendida (v. 3). Algumas orações passam sem resposta porque não passam de pedidos de gratificação dos nossos desejos mundanos.

A mente dividida (v. 4-10). Expansão da declaração de Jesus de que nenhuma pessoa pode servir a Deus e ao Dinheiro (Mt 6.24), semelhante à advertência de João contra o amor ao mundo (1Jo 2.15-17). Semelhantes passagens sugerem a necessidade de examinar continuamente a nós mesmos. Precisamos viver no mundo, e as coisas terrestres são necessárias à nossa subsistência diária, mas necessitamos de muita vigilância para manter estado mental e o coração focalizados nas coisas que são lá de cima. Precisamos constantemente nos aproximar de Deus, purificar nossas mãos e nosso coração e humilhar-nos.

A língua de novo (v. 11,12). Dessa vez, Tiago demonstra como é absurdo o pecador se estabelecer como juiz de outro pecador.

Se o Senhor quiser (v. 13-17). Uma das doutrinas mais assombrosas das Escrituras é que Deus, que tem nas suas mãos o universo infinito, nem por isso deixa de ter um plano específico para cada membro de seu povo (At 18.21; Rm 1.10; 15.32; 1Co 4.19; 1Pe 3.17).

Tg 5.1,20 As riquezas. A paciência. A língua. A oração

Os ricos (v. 1-6). Esse é o quarto e mais forte sonido da trombeta contra os ricos (os demais acham-se em 1.9-11; 2.1-13; 4.1-10). Havia, por certo, muitos ricos na igreja da Judéia que eram totalmente mundanos nos seus atos e só se dedicavam às coisas materiais em vez de se importar com as coisas de Deus. A advertência de Tiago, no tocante à retribuição vindoura, é assustadora para os que, nestes últimos dias, acumulam riquezas para si mesmos.

A paciência nos sofrimentos (v. 7-11). Um dia o Senhor virá, e todo o sofrimento acabará. Mantenha os olhos e o coração fitos naquele dia feliz.

A língua, mais uma vez (v. 12). É a língua pecaminosa que provoca tantos transtornos. Dessa vez, Tiago adverte quanto ao problema de fazer juramentos: "Juro que determinada coisa é verídica". Se pusermos o nome de Deus em nossos juramentos levianos, é pecado grave que desagrada muito a Deus — é profanação do nome divino. Até mesmo uma expressão piedosa tal como: "O Senhor me disse...", se for proferida casual e impensadamente, apenas para reforçar alguma coisa que falamos, poderá ser encaixada nessa advertência de Tiago. Entretanto, muitíssimos cristãos professos, nas conversas do dia-a-dia, profanam o nome de Deus ao usá-lo levianamente, como fórmula, sem o mínimo senso de reverente temor diante da majestade de Deus! Cantar seria um modo melhor de empregar a língua (v. 13).

A oração, de novo (v. 13-18). A oração da fé será seguramente atendida. Quando Elias fechou e abriu os céus, foi um milagre extraordinário (1Rs 18) — mas é citado como incentivo à oração!

Ungir com azeite (v. 14). A palavra empregada por Tiago talvez seja usada aqui como sinal exterior da cura que será operada por Deus em resposta à oração proferida com fé. O azeite é freqüentemente usado como símbolo do Espírito Santo (Mc 6.13). Outros acreditam que Tiago se refere à aplicação do azeite como tratamento médico reconhecido (Is 1.6; Lc 10.34). A aplicação do azeite devia ser acompanhada pela oração, e não como instrumento de cura.

Ganhar uma alma para Cristo (v. 19,20) agrada imensamente a Deus. Por isso ele nos ama e deixa passar muitas de nossas fraquezas. Por isso brilharemos como as estrelas para sempre (Dn 12.3).

1 Pedro

A carta da esperança em meio aos sofrimentos

> Nisso vocês exultam, ainda que agora, por um pouco de tempo, devam ser entristecidos por todo tipo de provação. Assim acontece para que fique comprovado que a fé que vocês têm, muito mais valiosa do que o ouro que perece, mesmo que refinado pelo fogo, é genuína e resultará em louvor, glória e honra, quando Jesus Cristo foi revelado. Mesmo não o tendo visto, vocês o amam; e apesar de não o verem agora, crêem nele e exultam com alegria indizível e gloriosa, pois vocês estão alcançando o alvo da sua fé, a salvação das suas almas.
> — 1 Pedro 1.6-9

Pedro

Quanto à primeira parte da vida de Pedro, v. p. 446. Não há registro nas Escrituras do restante de sua vida, a não ser o que se pode deduzir de suas duas cartas. Como líder dos doze, parece provável que tenha visitado os centros eclesiásticos principais do mundo romano. Tendo por base as palavras de Jesus em João 21.18, entendemos que deve ter morrido mártir.

Alguns historiadores eclesiásticos acham que não existem evidências suficientes para comprovar que Pedro alguma vez tenha estado em Roma. A maioria deles, entretanto, concorda que é provável que Pedro, no último ano de sua vida, realmente tenha ido a Roma, seja por ordem de Nero, seja por ter resolvido ir até lá a fim de ajudar a fortalecer os cristãos que sofriam debaixo dos golpes terríveis das perseguições de Nero.

Uma tradição que diz que Pedro, cedendo às pressões dos amigos para que poupasse a própria vida, estava fugindo de Roma, quando, de noite, na Via Ápia, viu Jesus diante de si, numa visão, e lhe disse: "Para onde vais, Senhor?" (*Quo vadis, Domine?*). Jesus respondeu: "Vou a Roma, para ser crucificado de novo". Pedro, totalmente envergonhado e humilhado, voltou à cidade e foi crucificado de cabeça para baixo, a seu próprio pedido, por não se considerar digno de ser crucificado da mesma forma que seu Senhor. Isso não passa de tradição, e não sabemos quanta veracidade está contida nela.

Para quem?

A carta foi escrita às igrejas da Ásia Menor (1.1; a Turquia dos dias modernos, v. mapa, p. 45). Muitas dessas igrejas, ou a maioria delas, tinham sido fundadas por Paulo. Tomamos por certo que Pedro, numa ocasião ou noutra, tinha visitado essas igrejas, embora não haja registro dessas viagens. Paulo escrevera cartas a essas igrejas, das quais ainda temos várias: Gálatas, Efésios e Colossenses. Há semelhanças notáveis entre 1 Pedro e Efésios. Posteriormente, João dirigiu o livro do Apocalipse a algumas das mesmas igrejas às quais Pedro escreveu a carta.

De onde?

Pedro escreveu de "Babilônia" (5.13). Alguns entendem que se trata da Babilônia literal, à beira do rio Eufrates — no moderno Iraque. (v. mapa, p. 45.) Opina-se geralmente, que a referência diz respeito à cidade de Roma, figuradamente chamada Babilônia. (Considera-se que o mesmo caso se dá em Ap 17.5,18). Naqueles tempos de perseguição, os cristãos eram obrigados a tomar cuidado com suas referências às autoridades dominantes e por isso empregavam codinomes que só eles entendiam, os de fora não sabiam do que se tratava.

Marcos estava com Pedro nessa ocasião (5.13), e 2 Timóteo 4.11 parece indicar que Marcos estava em Roma aproximadamente na data em que essa carta foi escrita.

A ocasião

A perseguição aos cristãos promovida por Nero em 64-67 d.C. era muito severa em Roma e em suas mediações, mas não no restante do Império Romano, embora o exemplo do imperador encorajasse os inimigos dos cristãos a aproveitar o menor pretexto para persegui-los. Era um período de provações. A igreja, como um todo, tinha uns 35 anos de idade. Sofrera perseguições em vários lugares, dirigidas pelas autoridades locais. Agora, porém, a Roma imperial, que até então era indiferente — e até mesmo amigável em alguns casos — acusara a igreja de um crime terrível e estava tomando as providências para castigá-la (v. p. 777).

A igreja em todo o mundo conhecido passava por um período de provação (5.9). Parecia que o fim chegara. Tratava-se, no sentido mais literal, de uma prova de fogo (4.12). Cristãos eram queimados todas as noites nos jardins de Nero. Realmente, parecia que o diabo, como "leão que ruge" (5.8), estava a ponto de devorar a igreja.

Pensa-se que Pedro possa ter escrito a carta imediatamente após o martírio de Paulo (c. 67/68 d.C.) e a enviado pelas mãos de Silas (5.12), que tinha sido um dos cooperadores de Paulo, às igrejas que Paulo fundara, a fim de encorajá-las a manter-se firmes em meio aos sofrimentos. Silas, portanto, teria pessoalmente levado às igrejas de Paulo a notícia do martírio de seu fundador.

Assim, a carta nasceu na atmosfera do sofrimento, pouco antes do martírio do próprio Pedro, e exortava os cristãos a não achar estranho que tivessem de sofrer, lembrando-lhes que Cristo realizou sua obra mediante o sofrimento.

A herança gloriosa do cristão — 1Pe 1

Esse é um capítulo magnífico em que quase cada palavra, individualmente, tem significado profundo.

Peregrinos (v. 1) parece referir-se aos cristãos judeus dispersos. Mas 2.10 indica que eram, na sua maior parte, gentios. Pedro se dirige a eles como estrangeiros em trânsito, peregrinos, cidadãos de outro mundo, que habitam nesta terra por pouco tempo longe de casa, e estão de viagem para sua pátria.

Sofrimento e glória (v. 7). Os que estão unidos em Cristo sofrerão por amor a ele, mas também entrarão na glória que lhe pertence. O crente será beneficiado pelo sofrimento na terra porque Cristo já entrou na sua glória. No momento presente, provações; na vinda do Senhor, glória. Repetidas vezes, o sofrimento e a glória formam um par:

- "Os sofrimentos de Cristo e as glórias que se seguiriam" (1.11)
- "Mas alegrem-se à medida que participam dos sofrimentos de Cristo, para que também, quando a sua glória for revelada, vocês exultem com grande alegria" (4.13)
- "[Pedro], testemunha dos sofrimentos de Cristo [...]que participará da glória a ser revelada" (5.1)
- "Depois de terem sofrido durante um pouco de tempo" vocês verão "a sua glória eterna" (5.10)

Esse era, também, o consolo de Paulo: "Pois os nossos sofrimentos leves e momentâneos estão produzindo para nós uma glória eterna que pesa mais do que todos eles" (2 Co 4.17).

Precioso (valioso) é uma das palavras prediletas de Pedro:

- Provação da fé mais valiosa que o ouro (1.7)
- "Redimidos [...] pelo precioso sangue de Cristo" (1.18,19)
- O Senhor como pedra preciosa (2.4,7)
- Fé valiosa (2Pe 1.1).
- "Grandiosas e preciosas promessas" (2Pe 1.4)

Coloquem sua esperança plenamente em Cristo e em sua Segunda Vinda (v. 13) — no próprio Cristo, pessoalmente, a quem, não o tendo visto, vocês amam (v. 8), e pelo seu poder vocês são guardados para a salvação final (v. 5). O próprio Cristo é o centro da glória do céu (v. 3-9).

1Pe 2 e 3 A perseguição nesta terra

Os cristãos nasceram com direito à herança gloriosa mediante a Palavra de Deus (1.23). Mas, ao viajar por este mundo em direção à pátria celestial, precisam alimentar-se constantemente da Palavra de Deus para obter nutrição, orientação e forças (2.2). Assim, pelo caminho afora, sentirão e experimentarão a presença do Senhor ao seu lado, enquanto ele os dirige adiante, sempre gracioso, bondoso, amoroso e prestimoso (2.2,3).

Estrangeiros e peregrinos (2.11), eleitos, santos (2.9), um povo de boas obras (2.12; 3.13), que, pelo modo de vida, glorificam a Deus (3.16); povo cuja cidadania está no céu, mas que vive como estrangeiro e peregrino neste mundo corrupto. Faz lembrar as palavras de Jesus, de que a luz do mundo consististe nas boas obras de seus discípulos (Mt 5.14-16).

Sejam **bons cidadãos** ou súditos, dentro do possível, do governo terrestre de onde vocês moram; respeitem a lei e sejam obedientes, a fim de promover o bom nome da igreja, mesmo quando o governo é chefiado por um Nero (2.13-17).

Escravos cristãos (2.18-25). Havia muitos escravos na igreja do século I. São exortados a ser bons escravos, mesmo quando servirem a senhores brutais, e a suportar sem ressentimento quaisquer sofrimentos imerecidos.

Esposas cristãs (3.1-6). "E o chamava senhor" (v. 6) decerto não deve ser interpretado no sentido de a esposa ser mantida em escravidão humilhante ao marido: pelo contrário, indica a dedicação abnegada para conquistar a admiração e afeto dele e, se for incrédulo, ganhá-lo para Cristo mediante a diplomacia amorosa dela. Não entendemos os versículos 3 e 4 como proibição ao cuidados das mulheres quanto à aparência pessoal, e sim como advertência contra os excessos — tendo em mente que nenhuma quantidade de enfeites luxuosos pode substituir a personalidade cristã graciosa (v. comentário sobre Ef 5.22-33.)

Maridos cristãos (3.3-7). É sinal de varonilidade tratar a esposa com ternura. O plano de Deus é que o amor conjugal seja mútuo, que cada cônjuge trate o outro com consideração. "De forma que não sejam interrompidas as suas orações" (v. 7): nada apaga a chama da oração como as desavenças conjugais.

Cristo pregou aos espíritos em prisão (3.18-22). Essa passagem parece declarar que Jesus, no intervalo entre sua morte e ressurreição, pregou aos espíritos encarcerados dos que tinham sido desobedientes nos dias de Noé. Ou pode significar que o Espírito de Cristo estava em Noé enquanto pregava aos seus conterrâneos antes do Dilúvio.

Simbolismo do batismo nas águas (3.20-22). Pedro apresenta aqui duplo simbolismo. O Dilúvio simboliza o batismo, e o batismo simboliza a salvação. O Dilúvio é semelhante ao batismo por estar associado com o juízo e a purificação física da terra e também com a salvação do remanescente do povo de Deus (Noé e sua família). O batismo nas águas é símbolo da salvação porque é o retrato da morte, sepultamento e ressurreição de Cristo e de nossa identificação com ele como nosso Senhor e Salvador. Em última análise, os crentes são salvos pelo que o batismo simboliza — a morte e ressurreição de Cristo —, e não pelo próprio ritual. É o compromisso que os crentes assumem; dedicar sua vida a Cristo que lhes dá certeza da promessa da salvação. O batismo é sinal externo da mudança interior, no coração — é Cristo quem governa a vida dos convertidos.

A provação dolorosa — 1Pe 4 e 5

Preparem-se para o sofrimento (4.1-6). Eram tempos de perseguição. A exortação especial dessa carta era que os cristãos ficassem prontos para agüentar a perseguição e o sofrimento. Mas também há aqui consolo para os cristãos que vivem em tempos normais. Poucas pessoas passam pela vida sem uma dose de sofrimento de um tipo ou de outro: sofrimento físico, sofrimento mental, sofrimento emocional. Os cristãos devem estar dispostos a sofrer injustiças por praticar o bem. Semelhante sofrimento capacita o cristão a colocar na devida ordem as prioridades pessoais. Desejos pecaminosos e atividades imorais, que antes pareciam importantes, passam a ser insignificantes durante os períodos de sofrimento. O inimigo, que provoca perseguição e sofrimentos para os cristãos, espera que eles apostatem de Deus durante a provação. Mas o sofrimento freqüentemente tem o efeito oposto: traz os crentes para mais perto de Deus!

O amor cristão (4.7-11), a virtude suprema da vida. São belas as exortações que Pedro faz a respeito do amor:

- "Amem sinceramente uns aos outros" (1.22)
- "Tratem a todos com o devido respeito: amem os irmãos" (2.17)
- "Amem-se fraternalmente, sejam misericordiosos" (3.8)
- "Sobretudo, amem-se sinceramente uns aos outros" (4.8)

Somos irmãos e irmãs na mesma esperança gloriosa; sejamos irmãos e irmãs também nos tempos de sofrimento!

A provação dolorosa (4.12-19). A perseguição de Nero aos cristãos foi obra direta do Diabo (5.8). Entretanto, pela providência misteriosa de Deus, tudo redundaria no bem da igreja: a fé dos que sofrerem "resultará em louvor, glória e honra, quando Jesus Cristo for revelado" (1.7). Desde então, houveram muitas perseguições, várias delas mais brutais e de alcance mais amplo que a desencadeada por Nero, nas quais milhões de cristãos passaram por todos os tipos de tortura que se possa imaginar. Quando pensamos nisso, devemos sentir vergonha das queixas que fazemos por causa de nossa aflições mesquinhas. A humildade de Pedro (5.1-7) torna-se claramente discernível nessa seção, o que é notável, porque a humildade não era a característica mais evidente de Pedro nos evangelhos.

Marcos (5.13) estava com Pedro nesse período. Pensa-se que escreveu seu evangelho sob a orientação de Pedro, possivelmente perto da data em que Pedro escreveu a carta.

2 Pedro

Predição da apostasia

> Por isso mesmo, empenhem-se para acrescentar à sua fé a virtude; à virtude o conhecimento; ao conhecimento o domínio próprio; ao domínio próprio a perseverança; à perseverança a piedade; à piedade a fraternidade; e à fraternidade o amor [...] Portanto, irmãos, empenhem-se ainda mais para consolidar e a e eleição de vocês, pois se agirem dessa forma, jamais tropeçarão.
> — 2 Pedro 1.5-7,10

O autor

A carta é especificamente declarada obra de Simão Pedro (1.1). O escritor declara ter estado presente na transfiguração de Cristo (1.16-18) e ter sido avisado por Cristo a respeito de sua morte iminente (1.14). Isso significa que a carta é um escrito genuíno de Pedro — ou então de alguém que alegava ser Pedro.

Embora a aceitação dessa carta como parte do cânon do NT fosse lenta (v. p. 843), a igreja primitiva a reconhecia como carta genuína de Pedro e, no decurso dos séculos, tem sido reverenciada como parte das Escrituras Sagradas.

Alguns críticos modernos a consideram uma obra pseudonímica escrita no final do século II, uns cem anos depois da morte de Pedro por um desconhecido que assumiu a identidade dele. Para a mentalidade mediana, isso não passaria de simples e descarada falsificação, um delito contra a lei civil e moral e contra a decência comum. Os críticos, entretanto, insistem repetidas vezes que assumir falsamente um nome alheio em nada contraria a ética.

Para quem?

Diferentemente da maioria das cartas do NT, essa não menciona nenhuma localidade. Era, porém, a "segunda carta" de Pedro às pessoas que já tinham recebido a carta anterior (3.1). Embora seja possível que Pedro tivesse escrito muitas cartas que não foram preservadas, supõe-se que a primeira carta fosse a que conhecemos por 1 Pedro, endereçada às igrejas da Ásia Menor (1Pe 1.1), igrejas às quais Paulo também escrevera (3.15).

Quando?

Se 1 Pedro foi escrita durante a perseguição liderada por Nero (v. p. 777) e se Pedro foi martirizado naquela perseguição (v. p. 694), essa carta foi forçosamente escrita pouco antes da morte dele, provavelmente em 67 d.C.

2 Pedro e Judas

Algumas passagens de 2 Pedro e de Judas são tão semelhantes que alguns estudiosos acham que um dos escritores deve ter copiado o outro. Essa conclusão, porém, não procede obrigatoriamente. Os apóstolos tinham constantemente ouvido as conversas uns dos outros, e certas expressões e ilustrações bíblicas tinham se tornado parte do vocabulário cristão comum — principalmente numa cultura que dependia de modo preponderante do escutar e do memorizar.

2Pe 1.1-11 Consolidando a salvação

O conhecimento de Cristo, que é o fundamento de nossa fé, aqui é enfatizado como meio da graça e da paz (v. 2), de todas as coisas de que necessitamos para a vida e para a piedade (v. 3), e como um dos meios pelos quais consolidamos nossa vocação e eleição (v. 10) e pelos quais é vencida a corrupção do mundo (2.20). "Cresçam, porém, na graça e no conhecimento de nosso Senhor e Salvador Jesus Cristo" é a exortação final da carta (3.18). O conhecimento original e autêntico a respeito de Cristo está contido na Palavra de Deus, de modo que a advertência de despedida de Pedro foi: "Não negligenciem a Palavra de Deus!"

As preciosas promessas (v. 4) abrangem, não somente as glórias externas do Reino eterno (v. 11), mas também a natureza transformada, divina, dentro de nós mesmos, a qual Deus pela sua graça nos dará e que nós, de nossa parte, devemos nos esforçar para aprimorar (v. 5-11).

Sete qualidades divinas (v. 5-11). A virtude, o conhecimento, o domínio próprio, a perseverança, a piedade, a fraternidade, o amor. Esses são os frutos (v. 8) de nossa fé preciosa (v. 1), que devemos acrescentar (v. 5) às bênçãos que Deus já nos tem concedido. Essas qualidades devem servir de evidências do aumento do conhecimento espiritual. Embora alguém pudesse interpretar a mensagem de Pedro no sentido de o crente dever aprimorar cada qualidade na sucessão conforme é citada, é mais provável que devemos cultivar todas essas qualidades simultaneamente. Quanto mais o cristão cresce e amadurece no conhecimento de Cristo, tanto mais esperamos ver o aumento correspondente dessas qualidades na sua vida.

2Pe 1.12-15 Está iminente o martírio de Pedro

Parece ser uma referência ao que Jesus contara a Pedro uns 37 anos antes (Jo 21.18,19). Ou é possível que Jesus tenha aparecido a Pedro em data posterior. (Se for genuína a tradição de Jesus ter aparecido a Pedro na Via Ápia [v. p. 711], poderia ser uma referência àquele encontro.) Seja como for, tinha o pressentimento de que seu martírio se aproximava (v. 14). Esses versículos nos fazem lembrar o brado de triunfo de Paulo ao ter diante de si a morte (2Tm 4.6-8). Deixar de lado "o tabernáculo deste corpo" (v. 13,14) é uma bela figura bíblica para a morte.

2Pe 1.16-21 É firme o testemunho do evangelho

Parece que, já nos dias de Pedro, havia precursores dos críticos modernos, que diziam que a história de Jesus e de suas maravilhas portentosas não passava de uma coletânea de fábulas engenhosamente inventadas (v. 16). Mas Pedro vira tudo com os próprios olhos e *sabia* que o que contava a respeito de Jesus era a *verdade*. Durante três anos, tinha visto Jesus curar multidões de enfermos com uma simples palavra. Viu Jesus andar por sobre as águas e acalmar a tempestade. Viu transfigurado. Três vezes viu

Jesus ressuscitar os mortos. Vira Jesus com vida depois da crucificação. E, depois do Pentecostes, o próprio Pedro, em nome de Jesus, operou milagres notáveis (At 5.15) e até mesmo ressuscitou Dorcas dentre os mortos (At 9.40).

Tudo isso, confirmado em pormenores maravilhosos nas profecias veterotestamentárias acerca do Messias vindouro (v. 19-21; v. também p. 394-405), deu plena confiança e firmeza a Pedro e o deixou pronto para o martírio iminente. Sabia que, para ele, a porta da glória estava para se abrir e que entraria imediatamente na presença de seu Senhor amado, para nunca mais se separar dele.

A apostasia — 2 Pe 2

O surgimento de falsos mestres é referido repetidas vezes no NT. Jesus advertiu que lobos vorazes se introduziriam na igreja vestidos de peles de ovelhas (Mt 7.15) e enganariam a muitos (Mt 24.11). Paulo advertiu que lobos surgiriam na igreja e distorceriam a verdade (At 20.29,30). Além disso, Paulo predisse que, antes da Segunda Vinda do Senhor, aconteceria a apostasia de tamanho assombroso e de natureza satânica na igreja (2Ts 2.1-12). Noutra ocasião, Paulo predisse que subiriam a posições de liderança na igreja homens ímpios, traidores e hipócritas que, aparentando religiosidade externa, encheriam a igreja de doutrinas de demônios (1Tm 4.1-3). A epístola de Judas parece ter sido escrita principalmente para advertir contra a tendência ameaçadora e mortífera em direção à apostasia, que já nos dias dele surgia na igreja (Jd 4-19).

Pedro, na primeira carta, escreveu para encorajar a igreja a manter-se firme sob a perseguição externa. Agora, na segunda carta, acautela a igreja a guardar-se contra a corrupção interna.

Adverte que viria a apostasia, quando os líderes da igreja, em troca de lucros financeiros, permitiriam a licenciosidade e todas as formas do pecado. Fala a respeito disso como coisa do futuro (v. 1), mas também a linguagem dá a entender que falsos mestres já estavam operando na igreja.

Fala de suas heresias destruidoras (v. 1), de seus caminhos vergonhosos (v. 2), de sua cobiça (v. 3), de seguir o desejo corrupto de sua natureza pecaminosa (v. 10), de ser como criaturas irracionais (v. 12) com os olhos cheios de adultério (v. 14), escravos da corrupção (19). Note que essas expressões são empregadas em referência, não ao mundo, mas aos *líderes da igreja*.

É um quadro lastimável. Mesmo na era apostólica, o mundo e o Diabo tinham conseguido fazer incursões contra a pureza da igreja. Depois, seguiram-se os longos séculos de corrupção. E, até mesmo agora, em muitos segmentos do cristianismo, o evangelho de Cristo, na sua beleza, singeleza e pureza originais, continua enterrado e oculto sob o lixo das novas doutrinas despejado sobre a igreja, no decorrer dos séculos, pelo mundo e pelo Diabo.

Corromper a igreja é pecado terrível. Todos os ímpios serão destruídos: essa é a tônica das Escrituras. Mas um dos piores pecados é impingir sobre a igreja, em nome de Cristo, mentiras que substituem a verdade cristã. Quem procede assim deve se deixar advertir pelo que aconteceu com os anjos caídos (v. 4), com o mundo nos tempos de Noé (v. 5) e com Sodoma e Gomorra (v. 6).

A demora da Segunda Vinda — 2Pe 3

Jesus dissera coisas que poderiam ser interpretadas como indício de que sua Segunda Vinda ocorreria dentro da primeira geração da igreja (Mt 16.28; 24.34). Os apóstolos empregavam expressões que indicavam a vinda próxima (Rm 13.12; Hb 10.25; Tg 5.8; Ap 1.3).

Entretanto, Jesus deu um indício de que sua Segunda Vinda podia ser depois de bastante tempo (Mt 25.19) e sugeriu que seria mais sábio ficar preparado para a demora (Mt 25.4). Paulo declarou expressamente que não seria senão *depois* da apostasia (2Ts 2.2,3). Pedro, no presente capítulo, deixa claro que, para Deus, mil anos são como um dia (v. 8; Sl 90.4). Deus cumprirá essa promessa dentro de sua cronologia. Essas passagens, no seu conjunto, parecem indicar que o propósito divino era que cada geração sucessiva vivesse na expectativa constante da Segunda Vinda do Senhor.

Depois do período de espera que já durou 2 mil anos, como aplicar tudo isso ao nosso conceito de Segunda Vinda do Senhor? O Senhor não é lento em cumprir sua promessa; pelo contrário, está esperando com paciência que seu povo chegue ao arrependimento. Seu desejo é que ninguém pereça. Louvado seja Deus por sua misericórdia e graça! Agora, a sua vinda está 2 mil anos mais próxima do que estava naqueles dias. A noite já vai passando. O dia pode estar mais perto do que imaginamos. Quem sabe se o trem do Senhor, depois de tanto tempo, já está apitando para entrar na Grande Estação Central, com os anjos prontos para bradar: "Todos a bordo!"

Um dos assuntos ridicularizados pelos falsos mestres mencionados no capítulo 2 é a Segunda Vinda do Senhor (3.3,4). Mas o Senhor *virá* (v. 10). E será o dia de destruição dos ímpios (v. 7), assim como o foi o Dilúvio nos dias de Noé. Da próxima vez, será pelo fogo, conforme se declara sem rodeios (v. 10). Quer por explosão, quer por colisão com outro corpo celeste, que por algum outro meio, não sabemos. De tudo isso, porém, o povo de Deus será livrado, e para eles haverá novo céu e nova terra (v. 13,14; Ap 21 e 22).

Pedro, finalizando, menciona as cartas de Paulo (v. 15) e as chama "Escrituras" (v. 16). E, assim como na primeira carta Pedro fez referência à Palavra de Deus como fonte do novo nascimento (1Pe 1.23) e o meio de crescimento (1Pe 2.2) para o cristão, faz o mesmo na segunda carta, que prediz a apostasia na igreja, Pedro insiste em que conheçamos a Cristo por meio de sua Palavra, pois nos ajudará a consolidar nossa vocação e eleição (1.2,4,10). A maneira certa de a igreja combater a apostasia e se manter pura e livre da corrupção mundana é manter-se firme na Palavra de Deus conforme transmitida pelos profetas e apóstolos (1.19; 3.2).

1 João

Jesus é o Filho de Deus
Se pertencermos a ele, amaremos uns aos outros

> Filhinhos, vocês são de Deus e os venceram, porque aquele que está em vocês é maior do que aquele que está no mundo.
> — 1 João 4.4
>
> Amados, visto que Deus assim nos amou, nós também devemos amar uns aos outros.
> — 1 João 4.11

Esta carta, da mesma maneira que a carta aos Hebreus, não menciona nem seu autor nem os destinatários, embora seja muito pessoal, conforme demonstra o uso freqüente de *eu* e *vocês*. Sempre foi reconhecida como carta circular do apóstolo João às igrejas próximas de Éfeso, na qual enfatiza os princípios essenciais do evangelho e adverte contra as heresias que começavam a se infiltrar na igreja e que, se não fossem refreadas, produziriam uma forma corrupta e paganizada de cristianismo.

É um dos últimos escritos no NT. A carta foi provavelmente escrita depois do evangelho segundo João, em alguma data entre 85 d.C. e 95 d.C.

João

Segundo uma tradição muito antiga, João fez de Jerusalém seu centro de operações. Ali, cuidou de Maria, mãe de Jesus, até a morte desta. Depois da destruição de Jerusalém, mudou para Éfeso (v. mapa na p. 595), cidade que, antes do fim da era apostólica, passara a ser o centro geográfico e numérico da igreja cristã. Aí, João viveu até a velhice, bastante avançada, e foi onde escreveu seu evangelho e suas três cartas. João também é o autor do livro do Apocalipse (recebeu a visão registrada no Apocalipse quando estava na ilha de Patmos). Entre seus alunos estavam Policarpo, Papias e Inácio, que vieram a ser bispos de Esmirna, Hierápolis e Antioquia, respectivamente. Ainda possuímos escritos da parte de todos os três; estão entre os chamados pais da igreja (v. p. 780).

O contexto da carta

Quando João escreveu essa carta, o cristianismo já tinha uns 60 ou 70 anos de existência e, em muitas partes do Império Romano, se tornara uma religião importante, influência poderosa. Naturalmente, foram feitos esforços de todos os tipos para combinar o evangelho com as filosofias e sistemas de pensamento que então predominavam.

Um desses esforços envolvia a combinação do cristianismo com a filosofia conhecida por gnosticismo. A forma de gnosticismo que desintegrava as igrejas nos dias de João ensinava que a natureza humana consistia em duas entidades separadas e irreconciliáveis entre si: o corpo e o espírito. O pecado reside somente no corpo (ou "carne"). O espírito humano ocupava-se com as coisas de Deus, ao passo que, ao mesmo tempo, o corpo podia fazer o que queria. A pessoa podia transcender a dimensão mundana e alcançar a dimensão espiritual pela obtenção do conhecimento, ou "gnosis". Dessa maneira, a piedade elevada, mental e mística seria inteiramente compatível com o viver voluptuoso e sensual!

Os gnósticos negavam também a Encarnação: Deus *não* se tornara realmente umser humano em Cristo — e sim um fantasma, que só parecia ser hmano. Essa teoria era chamada docetismo. Outra teoria gnóstica era a Doutrina de Cerinto, que ensinava que o Cristo divino uniu-se com Jesus por ocasião de seu batismo, e o abandonou antes da morte deste. (Cerinto era líder dessa seita em Éfeso. Alegava ter vivido experiências místicas e possuir conhecimentos exaltados acerca de Deus, mas sua vida girava em torno da gratificação dos apetites sensuais.) No decurso da carta inteira, parece que João tinha em mente esses hereges: insiste que Jesus era a real, corporal, autêntica manifestação de Deus em carne, que morreu na cruz pelos nossos pecados e foi ressuscitado, e que o conhecimento genuíno de Deus deve resultar na transformação moral.

1Jo 1.1-4 A encarnação

Deus se tornou carne, assumiu forma humana. João chama Jesus "o Filho de Deus" em 21 ocasiões, e fala 12 vezes em Deus como o Pai. Portanto, a divindade de Jesus e o relacionamento de Pai e filho entre Deus e Jesus são ênfases especiais da carta.

João foi o amigo terrestre mais íntimo de Jesus. Durante três anos, acompanhou Jesus nas viagens por toda a Palestina, servindo-o dia e noite, enquanto Jesus operava seus milagres. Na última ceia, João "estava reclinado ao lado dele" enquanto Jesus falava de sua crucificação iminente (Jo 13.23). Para João, Jesus não era fantasma, nem sonho e nem mera visão. Era uma pessoa genuína, a encarnação da Vida — a vida eterna (v. 2).

E João escreveu essa carta a fim de que outros pudessem compartilhar seu sentimento de comunhão, companheirismo e alegria em Cristo e no Pai e uns com os outros (v. 3,4).

1Jo 1.5-10 Deus é luz

É assim também que começa o evangelho segundo João: A Palavra de Deus é a luz dos homens (Jo 1.1,4). O próprio Jesus disse: "Eu sou a luz do mundo" (Jo 8.12).

A luz simboliza a dimensão divina da verdade, da retidão, da pureza, da alegria e da glória inefável. As trevas representam o presente mundo falso, mau, ignorante e iníquo — o reino dos perdidos.

Num sentido mais literal, a luz pode ser um atributo de Deus, além do alcance dos olhos humanos.

- Deus está "envolto de luz como numa veste" (Sl 104.2).
- Deus "habita em luz inacessível" (1Tm 6.16).
- "Pai das luzes" é um dos nomes de Deus (Tg 1.17).

- As roupas de Jesus, na sua transfiguração, tornaram-se de um branco resplandecente (Mc 9.3).
- O anjo, na ocasião da ressurreição de Jesus, tinha vestes "brancas como a neve" (Mt 28.3).
- Os dois anjos que ficaram ao lado de Jesus na Ascensão estavam vestidos de branco (At 1.10).
- Na visão em Apocalipse 1.14-16, a cabeça e cabelos de Jesus eram "brancos como a lã" (v. comentário sobre Ap 3.4).

Andando na luz — 1Jo 2.1-17

Andar com Deus não significa estar totalmente sem pecado. Já pecamos no passado e continuamos com o pecado na nossa natureza. Não é em virtude de nossa impecabilidade que temos comunhão com Deus, o relacionamento com ele, mas por causa da morte de Cristo por nossos pecados. Se no momento de nos tornarmos conscientes de algum ato pecaminoso nós o confessarmos, com arrependimento e humildade genuínos, nossa comunhão com Deus poderá permanecer intacta. Os mais santos dentre os homens tinham invariavelmente consciência profunda da própria pecaminosidade.

Uma das condições para recebermos o perdão de nossos pecados é guardar os mandamentos de Jesus (v. 1-6). No entanto, o pecado é, em si mesmo, a falha em guardar os mandamentos dele! Esse é um dos paradoxos de João (v. comentário sobre 3.1-12.)

O anticristo — 1Jo 2.18-29

A palavra "anticristo" é mencionada em 2.18,22 e 4.3 e em 2 João 7. Não ocorre em nenhum outro lugar na Bíblia, nem mesmo no livro do Apocalipse. É comumente identificado com o "homem do pecado" em 2 Tessalonicenses 2 e com a besta de Apocalipse 13. Entretanto, a própria Bíblia não faz essa identificação.

A linguagem de João dá a entender que seus leitores tinham sido ensinados a esperar pelo anticristo em conexão com os dias finais da era cristã (2.18). João, entretanto, aplica essa palavra, não a um único indivíduo, mas a um grupo inteiro de mestres anticristãos (2.18; 4.3). A idéia do NT parece ser a de que o *espírito* do anticristo surgiria na cristandade, que se manifestaria de muitas maneiras, tanto dentro quanto fora da igreja, e que finalmente culminaria numa só pessoa ou numa instituição — ou em ambas (v. também p. 746).

A retidão — 1Jo 3.1-12

João faz algumas declarações muito contundentes a respeito do pecado:

- "Todo aquele que está no pecado não o viu nem o conheceu [a Deus]" (v. 6).
- "Aquele que pratica o pecado é do Diabo" (v. 8).
- "Todo aquele que é nascido de Deus não pratica o pecado" (v. 9).

Entretanto, João acabara de dizer algo que parece ser o inverso:

- "Se afirmarmos que estamos sem pecado, enganamos a nós mesmos" (1.8).
- "Se afirmarmos que não temos cometido pecado, fazemos de Deus um mentiroso" (1.10).

Como poderemos explicar os paradoxos nessas declarações? Existe uma diferença entre pecar por fraqueza e o pecado deliberado e habitual. Uma águia pode roçar suas asas na lama, mas continua sendo uma águia.

O justo pode cair em pecado por fraqueza, mas continuar sendo justo. É possível que João tivesse em mente certos mestres heréticos (tais como Jezabel, Ap 2.20), os quais, embora alegassem ter comunhão especial e superior com Deus, chafurdavam na imundícia da imoralidade.

1Jo 3.13-24   O amor

A nota predominante da carta é o amor:

- "Que nos amemos uns aos outros" (v. 11).
- "Não procede de Deus [...] quem não ama seu irmão" (v. 10).
- "Sabemos que já passamos da morte para a vida porque amamos nossos irmãos" (v. 14).
- "Quem não ama permanece na morte" (v. 14).
- "Quem odeia seu irmão é assassino" (v. 15).
- "Amemos uns aos outros" (4.7).
- "Aquele que ama é nascido de Deus e conhece a Deus" (4.7).
- "O amor procede de Deus" (4.7).
- "Devemos amar uns aos outros" (4.11).
- "Deus é amor" (4.16).
- "Todo aquele que permanece no amor permanece em Deus" (4.16).
- "Se amarmos uns aos outros, Deus permanece em nós" (4.12).
- "O perfeito amor expulsa o medo" (4.18).
- "Nós amamos porque ele nos amou primeiro" (4.19).
- "Se alguém afirmar: 'Eu amo a Deus', mas odiar seu irmão, é mentiroso" (4.20).
- "Pois quem não ama seu irmão, a quem vê, não pode amar a Deus, a quem não vê" (4.20).

1Jo 4.1-6   Falsos profetas

Segundo parece, muitas igrejas estavam na mira dos falsos mestres que alegavam ter recebido do Espírito Santo inspiração especial para suas doutrinas. De modo geral, ensina João, a confiabilidade deles pode ser avaliada por sua lealdade à divindade de Jesus (v. 2).

1Jo 4.7-21   O amor

João retorna à tônica da carta, seu tema predileto: o amor. Insiste em afirmar que sermos salvos pela graça divina não nos desobriga da necessidade de obedecer aos mandamentos de Cristo. E o mandamento principal de Cristo é o amor.

- Conhecemos a Cristo quando "obedecemos aos seus mandamentos" (2.3).
- "Aquele que diz: 'Eu o conheço', mas não obedece aos seus mandamentos, é mentiroso" (2.4).
- "Recebemos dele tudo o que pedimos, porque obedecemos aos seus mandamentos" (3.22).
- "Ele nos deu este mandamento: Quem ama a Deus, ame também seu irmão" (4.21).
- "Nisto consiste o amor a Deus: obedecer aos seus mandamentos" (5.3).

Conta-se que quando João ficou velho e fraco demais para andar entrava carregado na igreja e, quando falava, sempre dizia: "Filhinhos, amem uns aos outros. É o mandamento do Senhor".

A certeza da vida eterna — 1Jo 5

"Saber" é uma das palavras fundamentais da carta.

- "Sabemos que conhecemos" a Deus (2.3).
- "Sabemos que estamos nele" (2.5).
- "Sabemos que, quando ele se manifestar, seremos semelhantes a ele" (3.2).
- "Sabemos que já passamos da morte para a vida porque amamos nossos irmãos" (3.14).
- "Saberemos que somos da verdade" (3.19).
- "Sabemos que ele [Deus] permanece em nós" (3.24).
- "Sabemos que permanecemos nele" [Deus] (4.13).
- "Escrevi-lhes estas coisas [...] para que vocês saibam que têm a vida eterna" (5.13).
- "Sabemos que ele [Deus] nos ouve" (5.15).
- "Sabemos que somos de Deus" (5.19).

Muitos cristãos ficam desanimados porque não têm certeza de sua salvação. Costuma-se dizer que, se alguém não *sabe* que está salvo, é sinal de não estar salvo. É um erro, entretanto, confundir a certeza com a salvação. O recém-nascido dificilmente tem consciência de ter nascido, mas nasceu mesmo. A certeza vem com o crescimento. Cremos que é possível a fé do cristão tornar-se cada vez mais forte até chegar à plena certeza do conhecimento.

A vida eterna (v. 13) começa quando a pessoa se torna cristã, e jamais acaba. É uma vida de qualidade divina e de duração perpétua. A certeza dessa vida eterna é o objeto da carta.

O pecado que leva à morte (5.16) provavelmente uma alusão ao pecado imperdoável mencionado por Jesus — a blasfêmia contra o Espírito Santo (Mt 12.31,32; v. nota sobre Hb 6.6).

2 João

Cautela contra os falsos mestres

> Eu lhe peço [...] que amemos uns aos outros. E este é o amor: que andemos em obediência aos seus mandamentos. Como vocês já têm ouvido desde o princípio, o mandamento é este: Que vocês andem em amor.
>
> — 2 João 5,6

Esta carta e 3 João são bilhetes pessoais a amigos que João esperava visitar em breve. Escreveu outras cartas (v. 1Jo 2.14; 3Jo 9), talvez muitas. Cartas pessoais tais como essas, por serem breves e de natureza particular, seriam menos lidas nas assembléias cristãs que as cartas dirigidas às igrejas e, como conseqüência, não seriam tão amplamente conhecidas. Essas duas cartas breves foram, sob a orientação do Espírito Santo, resguardadas do esquecimento e preservadas para a igreja, possivelmente por terem sido afixadas à cópia de 1 João na igreja ou igrejas onde tinham sido especificamente recebidas.

O presbítero (v. 1)

Os demais apóstolos tinham morrido, fazia anos. Somente João permanecera, o último companheiro de Jesus que ainda sobrevivia, agora líder da cristandade. Como lhe era apropriado o título de "presbítero"!

A senhora eleita (v. 1)

Pode ter sido uma mulher bem conhecida e de destaque, em algum lugar perto de Éfeso, onde uma igreja se reunia na sua casa. Ou é possível que João esteja se referindo à igreja local, simbolicamente chamada senhora (assim como a igreja, na sua totalidade, é chamada "a Noiva de Cristo"). Sua "irmã eleita" (v. 13) seria, então, outra líder cristã de destaque na congregação local onde João residia ou a própria congregação.

A verdade (v. 1-4)

A palavra "verdade" é empregada cinco vezes nos quatro primeiros versículos.

- "Amo na verdade" (v. 1).
- "Conhecem a verdade" (v. 1).
- "A verdade que permanece em nós" (v. 2).
- "A graça, a misericórdia e a paz [...] estarão conosco em verdade e em amor" (v. 3).
- "Andando na verdade" (v. 4).

Além disso, a doutrina genuína de Cristo é a verdade (v. 9), como também é verdade que ele é o Filho de Deus e que seguir a Cristo envolve andar nos seus mandamentos (v. 6). O mandamento principal é que amemos uns aos outros (v. 5).

Falsos mestres (v. 7-11)

Trata-se dos mestres aos quais João já se referira em 1 João 2.18-29: vão de igreja em igreja, ensinando, em nome de Cristo, doutrinas que subvertem a fé cristã. A carta parece ter sido escrita para advertir a "senhora eleita" a ficar precavida e a recusar a hospitalidade a semelhantes mestres. A advertência é precedida por uma exortação ao amor (v. 5,6), como a indicar que a prática do amor cristã não significa que devemos encorajar os inimigos da verdade.

3 João

A rejeição dos cooperadores de João

> Oro para que você tenha boa saúde e tudo lhe corra bem, assim como vai bem a sua alma [...] Não tenho alegria maior do que ouvir que meus filhos estão andando na verdade.
> — 3 João 2,4

> Amado, não imite o que é mau, mas sim o que é bom.
> — 3 João 11

Gaio (v. 1)

Havia um Gaio em Corinto, convertido de Paulo (1Co 1.14; Rm 16.23), em cuja casa uma igreja se reunia nos dias da apóstolo. Certa tradição diz que esse Gaio veio posteriormente a ser amanuense (assistente/secretário) de João. Mas o versículo 4 chama Gaio de um dos "filhos" de João, ou seja, um de seus convertidos. Seja quem for, Gaio era um líder cristão muito amado. João o amava e quatro vezes o chama "amado" (v. 1,2,5,11).

Que tudo lhe corra bem (v. 2)

Aqui temos uma oração feita por alguém que vivera muito perto de Cristo, intercedendo para que um cristão receba bênçãos temporais, além das espirituais — indício de que não é pecado, aos olhos de Cristo, uma pessoa ter acesso aos bens e benefícios deste mundo. O próprio João, quando mais jovem, tinha sido homem de recursos. Mas o mesmo João adverte sobre o amor às coisas deste mundo (1Jo 2.15-17).

A verdade (v. 1)

Uma das palavras prediletas de João. Ele a emprega mais de 20 vezes no evangelho, 9 vezes em 1 João, 5 em 2 João e 5 vezes nesta carta brevíssima: amar na verdade (v. 1), fidelidade à verdade, andar na verdade (v. 3), cooperar em favor da verdade (v. 8), testemunho da verdade (v. 12).

Os cooperadores de João (v. 5-8)

Paulo, uns 40 anos antes, estabelecera igrejas em Éfeso e nos arredores. Sem seminários para o treinamento de pastores, precisava levantar obreiros dentre os que se converteram. Posteriormente, João assumiu o cuidado pastoral dessas igrejas, e parece que preparava muitos mestres e pregadores para ajudá-lo, os quais enviava às igrejas.

Diótrefes (v. 9)

Diótrefes era um dos falsos mestres prepotentes que não queriam nada com João. Parece que Diótrefes e Gaio eram pastores de congregações diferentes na mesma cidade. Subentende-se que alguns dos evangelistas enviados por João, durante um circuito missionário recente, foram proibidos de entrar na congregação que Diótrefes presidia, mas Gaio os acolhera. Ao voltar a Éfeso, relataram o fato na igreja-sede do apóstolo João. Juntamente com a breve carta endereçada a Gaio, João agora estava enviando outra delegação à mesma cidade. É possível que Demétrio (v. 12) fosse o portador da carta.

Judas

Advertência contra a apostasia

> Àquele que é poderoso para impedi-los de cair e para apresentá-los diante da sua glória sem mácula e com grande alegria, ao único Deus, nosso Salvador, sejam glória, majestade, poder e autoridade, mediante Jesus Cristo, nosso Senhor, antes de todos os tempos, agora e para todo o sempre! Amém.
> — Judas 24,25

Judas

O autor identifica-se como Judas, que também é outra forma do nome hebraico Judá (grego *Judas*). Daqueles que têm esse nome no NT, o autor da carta é mais provavelmente Judas, um dos doze apóstolos (não o Iscariotes; Lc 6.16; v. p. 446), ou Judas, irmão de Jesus (Mt 13.55). Esse último é geralmente considerado o autor da carta.

Quando e onde?

A semelhança entre a situação da carta de Judas e a mencionada em 2 Pedro sugere a possibilidade de a carta ter sido dirigida às mesmas igrejas às quais Pedro dirigiu suas duas cartas: igrejas na Ásia Menor (1Pe 1.1; 2Pe 3.1). Foi provavelmente escrita c. 67 d.C.

Por quê?

Parece que Judas estava com a intenção de escrever a esse grupo de igrejas uma declaração mais generalizada a respeito da doutrina da salvação, quando notícias do surgimento de uma heresia devastadora motivaram-no a despachar essa severa advertência (v. 3,4).

Os falsos mestres (v. 4-19)

Judas fala sem rodeios quanto à natureza deles. Os epítetos terríveis que emprega dizem respeito a certos *líderes da igreja*.

- "Homens ímpios" (v. 4)
- "Transformam a graça de nosso Deus em libertinagem" (v. 4)
- "Negam Jesus Cristo" (v. 4)
- Assim como Sodoma, entregam-se à imoralidade sexual (v. 7)

- "Estes sonhadores contaminam o próprio corpo" (v. 8)
- "Como animais irracionais" se corrompem (v. 10)
- "São rochas submersas nas festas de fraternidade" (v. 12)
- "Pastores que só cuidam de si mesmos" (v. 12)
- "Nuvens sem água" (v. 12)
- "Árvores de outono, sem frutos" (v. 12)
- "Ondas bravias do mar, espumando seus próprios atos vergonhosos" (v. 13)
- "Estrelas errantes, para as quais estão reservadas para sempre as mais densas trevas" (v. 13)
- Murmuradores (v. 16)
- "Descontentes com a sua sorte" (v. 16)
- Cheios de si (v. 16)
- "Zombadores que seguirão os seus próprios desejos ímpios" (v. 18)
- "Não têm o Espírito" (v. 19)
- "Adulam os outros por interesse" (v. 16)
- "São os que causam divisões entre vocês" (v. 19)

Esses falsos mestres já haviam se infiltrado (v. 4), mas também são mencionados surgindo "nos últimos tempos". Embora Judas se referisse primariamente a um tipo específico de homens que existiam nos dias dele, é possível que aqui tenhamos a caracterização geral do conjunto total dos falsos mestres que, no decurso dos séculos, corromperiam a igreja por dentro e assim procurariam frustrar a obra redentora de Cristo. Quem tem conhecimento da história da igreja sabe muito bem o quanto a igreja tem sofrido com tais homens.

Os anjos caídos (v. 6)

Este versículo e 2 Pedro 2.4 são as únicas referências diretas à queda dos anjos (Ap 12.9 parece referir-se à derrota posterior deles). Alguns pensam que se trata de uma alusão a Gênesis 6.1-5, onde "os filhos de Deus possuíram as filhas dos homens". Muito provavelmente, essa queda dos anjos é um evento ainda mais remoto, quando Satanás comandou certos anjos na rebelião contra Deus (Is 14.12-15). Assim aconteceu antes de Adão e Eva terem o encontro com Satanás que os levou a pecar no jardim do Éden.

Miguel disputa com o Diabo (v. 9)

Miguel é mencionado em Daniel 10.13,21 como "um dos príncipes supremos", e em Apocalipse 12.7 como líder de anjos, mas somente nessa passagem é chamado "o arcanjo". O sepultamento de Moisés é referido em Deuteronômio 34.5-7, mas a disputa de Miguel com Satanás a respeito do corpo de Moisés não é mencionada. Orígenes, um dos antigos pais da igreja, diz que a declaração em Judas é referência a uma passagem do livro apócrifo *Assunção de Moisés,* que foi escrito aproximadamente na data do nascimento de Cristo. Sobreviveu apenas uma parte desse livro, e nela não consta a referida passagem. É possível que Judas tenha recebido de outras fontes seu conhecimento do incidente. Josefo diz que Deus escondeu o corpo de Moisés a fim de evitar que fizessem dele um ídolo. É possível que Satanás o quisesse a fim de seduzir Israel à idolatria. O emprego que Judas fez do incidente parece confirmar sua historicidade. Essa seção também serve de exemplo contra o pecado de levantar acusações caluniosas contra as pessoas: até mesmo o arcanjo, a mais sublime das criaturas, não ousou fazê-lo quando enfrentou o diabo, a mais degradada das criaturas.

A profecia de Enoque (v. 14,15)

Essa é a única alusão bíblica à profecia de Enoque. A curta história de sua vida é contada em Gênesis 5.18-24, mas nenhuma menção de suas palavras. A citação feita por Judas foi tirada do apócrifo *Livro de Enoque*, que alegadamente foi escrito pelo Enoque de Gênesis 5, mas que realmente não surgiu antes de 100 a.C. Parece claro que Judas considerava essas palavras como mensagem genuína de Enoque. Nesse caso, enquanto Adão, fundador da raça, ainda vivia, Enoque (contemporâneo de Adão durante 300 anos), profetizou acerca da Segunda Vinda do Senhor, ainda no futuro distante, para executar juízo sobre a raça desobediente. Cristo virá com "milhares de milhares de seus santos", referindo-se aos anjos (2Ts 1.7) ou possivelmente aos santos (cristãos) arrebatados retornando juntamente com o Senhor (1Ts 3.13) ou a ambos.

Entretanto, a sanção de Judas a uma única passagem do *Livro de Enoque* não se aplica à totalidade do referido livro.

O porvir

Apocalipse

O NOME "Apocalipse" provém da palavra grega que significa "desvendar" ou "revelar". Esse livro é a revelação da era do porvir, da vitória final de Deus e do Cordeiro, Jesus.

A literatura apocalíptica

O livro do Apocalipse parece mais estranho a nós que aos primeiros leitores (judeus). No período entre 200 a.C. e 100 d.C., foram produzidas muitas obras semelhantes ao Apocalipse. Recebem o nome de "literatura apocalíptica" ou simplesmente "apocalípticos".

O período durante o qual vicejava a literatura apocalíptica era de grandes dificuldades na história dos judeus. Depois do regresso do exílio na Babilônia, os judeus esperavam que, finalmente, chegasse a idade de ouro em que o trono de Davi fosse restaurado e todas as promessas de Deus fossem cumpridas. Os escritos apocalípticos ensinavam que, a despeito das aparências, o Reino de Deus era iminente.

Muitos desses escritos seguiam determinado padrão:

- Declaravam ser a revelação feita por um anjo ou por um mensageiro celestial a alguma grande personagem do passado, tal como Abraão, Moisés ou Esdras.
- No AT, sempre se entendia que Deus estava operante neste mundo. Os autores apocalípticos, no entanto, faziam uma distinção radical entre este mundo e o mundo celestial. Entendiam que este mundo está caminhando para a desgraça e a ruína, ao passo que o mundo celestial o substituiria.
- As visões, revelações e sonhos dos escritores apocalípticos transbordavam de criaturas estranhas e números simbólicos.
- As revelações descreviam o passado como profecias recebidas pelo suposto autor do livro *antes* dos eventos aludidos — e nesse caso as profecias passavam a ser cumpridas com detalhes maravilhosos. Por outro lado, as profecias que ainda faltavam ser cumpridas na data real da composição do livro eram geralmente bastante vagas.
- De modo geral, esses livros estão repletos de figuras de linguagem e referências tiradas do AT.

Um exemplo de livro apocalíptico é a obra apócrifa de 2 Esdras (v. p. 856).

Diferenças entre a literatura apocalíptica e o livro do Apocalipse

Embora o livro do Apocalipse se encaixe, em muitos aspectos, na categoria geral de literatura apocalíptica, existem duas diferenças essenciais que também fazem dele um livro profético:

- João não emprega pseudônimo — deixa bem claro sua identidade.
- O livro do Apocalipse não deriva sua autoridade de algum anjo ou mensageiro celeste que tenha falado no passado distante. É autorizado porque é o Cristo vivo quem fala com João — no tempo presente.

A interpretação do livro do Apocalipse

Ao interpretar o livro do Apocalipse, deve-se manter em mente várias coisas:

- O livro do Apocalipse contém abundantes referências e alusões ao AT, especialmente aos livros de Ezequiel, Daniel e Zacarias. Não conseguiremos ler o Apocalipse sem seus antecedentes do AT.
- É um livro de visões. Da mesma forma que as parábolas de Jesus, devemos tomar o cuidado de não perder de vista a mensagem principal das visões de João tentando explicá-las até os mínimos pormenores. Devemos reconhecer, também, que João tenta descrever figuras representativas do futuro — imagens de eventos, locais e coisas que lhe eram totalmente desconhecidos, sem ponto de referência.
- A profecia bíblica tem um modo de encaixar eventos que desconcerta a mente ocidental — é que uma só profecia pode ser aplicada a várias ocorrências separadas entre si quanto às respectivas datas. É verdade, também, que muitas das profecias que já foram cumpridas — como, por exemplo, as profecias a respeito de Cristo — ficam claras para nós na retrospectiva, mas não eram claras antes de seu cumprimento, nem mesmo para os próprios profetas (v. 1Pe 1.10). Por isso, tenhamos cautela nas nossas interpretações.

Apocalipse

O desfecho grandioso da história bíblica
O triunfo definitivo de Cristo
Novos céus e nova terra

> Feliz aquele que lê as palavras desta profecia e feliz aqueles que ouvem e guardam o que nela está escrito, porque o tempo está próximo.
> — Apocalipse 1.3

> Então vi novos céus e nova terra, pois o primeiro céu e a primeira terra tinham passado; e o mar já não existia [...] Ouvi uma forte voz que vinha do trono, e dizia: "Agora o tabernáculo de Deus com os homens, com os quais ele viverá. Eles serão os seus povos; o próprio Deus estará com eles e será o seu Deus. Ele enxugará dos seus olhos toda lágrima. Não haverá mais morte, nem tristeza nem choro, nem dor, pois a antiga ordem já passou".
> — Apocalipse 21.1,3,4

O livro do Apocalipse é o único livro do NT de natureza profética. O livro é uma explicação do discurso de Cristo a respeito das coisas que aconteceriam (Mt 24; Mc 13; Lc 21). Contém uma abundância de expressões empregadas por Jesus e de referências diretas e indiretas aos escritos proféticos do AT. O Apocalipse é o livro que oferece ao leitor uma bênção especial.

Apocalipse é um livro centralizado em Jesus Cristo

As primeiríssimas palavras do livro declaram ser "Revelação de Jesus Cristo". Jesus domina o cenário do começo ao fim do livro. Jesus, o Filho de Deus, que forneceu o meio para a igreja ser redimida e reunida com seu Criador, continua a ser revelado por intermédio do livro do Apocalipse. Sua Segunda Vinda, seu Reino milenar na terra e seu julgamento do mundo são preditos aqui. E o Apocalipse descreve a vitória final de Jesus sobre nosso inimigo, Satanás.

Jesus estabelecerá seu Reino eterno, e os santos redimidos reinarão com ele eternamente. Que mensagem gloriosa, consoladora e inspiradora o Apocalipse transmite quando freqüentemente parece que Deus e sua igreja estão sendo vencidos por este mundo!

Apocalipse é um livro profético

O livro do Apocalipse pertence ao gênero literário apocalíptico no qual a mensagem divina é transmitida na forma de visões e sonhos (v. mais sobre a literatura apocalíptica na p. 715). Os dois primeiros versículos do livro declaram ser a "revelação" da parte de Deus a Jesus e ao apóstolo João a respeito das coisas futuras — para desvendar, explicar, tornar conhecidas coisas que então jaziam no futuro (1.1,19; 4.1). Foi escrito com o propósito de: desvendar o futuro e traçar o destino dos judeus, dos gentios e da igreja do Senhor Jesus Cristo.

Apocalipse é um livro prático

Embora se trate de um livro que contenha muitas figuras estranhas e muitas coisas que não entendemos plenamente, há nele também muitas coisas que *podemos* entender.

Encaixadas na linguagem figurada, estão algumas das advertências mais salutares e das promessas mais preciosas da Bíblia inteira.

É muito provável que o próprio João não tivesse entendido algumas das coisas que viu e escreveu. A linguagem figurada empregada nessa obra de João teve, por certo, sua origem no desafio de descrever visões de eventos futuros, que devem tê-lo aterrorizado, mas deixado exultante sua alma. Parece que Deus, em algumas dessas visões, pretendia dizer coisas que só seriam reveladas à medida que a história se desdobrasse em sucessivas eras. Alternando a verdade mais singela com o simbolismo místico, o Apocalipse é o livro do mais puro *otimismo* para o povo de Deus, que oferece, vez após vez, a garantia de que, aconteça o que acontecer, estaremos debaixo da proteção de Deus e teremos diante de nós a vida de bem-aventurança eterna.

É, também, o livro sobre a "ira de Deus", no qual as cenas que se alternam entre a terra e o céu contrastam a alegria dos redimidos com a agonia dos perdidos. Como é importante receber um lembrete disso, no meio desta geração indiferente e ímpia!

Apocalipse é um livro que pede humildade reverente

Um fato que choca quem folheia a vasta literatura a respeito do livro do Apocalipse é o *total dogmatismo* com que tantos autores apresentam suas opiniões — ou seja, *não como opiniões*, e sim como declarações categóricas até mesmo a respeito do significado das passagens mais obscuras, como se soubessem tudo a respeito do livro e como se suas declarações dirimissem a questão toda. Achamos que o espírito de humildade reverente e de atitude aberta e receptiva seria mais apropriado aos que procuram interpretar um livro como esse.

Apocalipse é um livro que quer equilíbrio

O Apocalipse não deve nem ser negligenciado nem exaltado demasiadamente acima dos demais livros da Bíblia. Mas muito certamente merece uma proporção razoável do estudo e devoção do cristão, que será ricamente recompensado por isso. Outros livros da Bíblia, tais como Gênesis, Daniel, Isaías, 1 Coríntios e 1 e 2 Tessalonicenses, entre outros, lançam luz sobre a interpretação da linguagem figurada no Apocalipse. Em contrapartida, Deus nos deu o Apocalipse para lançar luz sobre outras passagens da Bíblia.

Se insistirmos em entender e explicar os mínimos detalhes, talvez percamos de vista a mensagem poderosa do livro como um todo: Deus é soberano sobre toda a história, e o próprio Jesus alcançou a vitória que um dia se manifestará no novo céu e na nova terra, onde Deus habitará com seu povo.

Quem escreveu Apocalipse?

O próprio Deus escreveu o Apocalipse, em conformidade com a primeira declaração do livro. Deus o ditou, mediante Cristo, que enviou seu anjo até João que o escreveu o livro completo às sete igrejas (1.1,4). Os críticos modernos acham que não existe nada de profecia inspirada no livro, somente "a atuação desenfreada da fantasia religiosa que se reveste de forma visual irreal". Achamos repugnante semelhante opinião.

Cremos totalmente que

- o livro é exatamente o que declara ser;
- ele porta a marca de seu autor;
- algumas de suas passagens estão entre as mais sublimes e preciosas da Bíblia;
- sua grandeza culminante leva a história bíblica a um encerramento apropriado;
- sua visão gloriosa da obra completa de Cristo faz deste livro a verdadeira estrada para o acesso de Deus à alma humana.

O *autor humano*, segundo uma tradição bem estabelecida desde os dias dos pais apostólicos e segundo o julgamento da grande maioria dos crentes em Cristo, foi o apóstolo João, o "discípulo amado", o amigo mais íntimo de Jesus e autor do evangelho que leva seu nome (1.1,4,9; 22.8; Jo 21.20,24).

Quando foi escrito?

João tinha sido banido na ilha de Patmos (1.9; v. comentário sobre 1.9 e mapa na p. 727-8). Segundo a tradição apostólica, isso aconteceu durante a perseguição dos cristãos sob o governo do imperador Domiciano (c. 95 d.C.). No ano seguinte, João foi libertado e lhe foi permitido regressar a Éfeso. O emprego do tempo passado ("Eu [...] estava na Ilha de Patmos") talvez indique que tivera em Patmos as visões, mas que escreveu o livro depois da libertação e do regresso a Éfeso (c. 96 d.C.). Outros acreditam que João tenha transcrito as visões de imediato, enquanto ainda estava em Patmos, obedecendo à ordem de Jesus: "Escreva" (1.11,19).

O contexto histórico de Apocalipse

O livro foi escrito sob o clarão lúgubre dos mártires queimados. A igreja estava com 66 anos de idade. Crescera enormemente. Sofrera, e ainda sofria, perseguições tremendas.

A primeira perseguição aos cristãos pelo Império Romano, 30 anos antes de ter sido escrito o Apocalipse, foi instigada pelo imperador Nero, em 64-67. Nessa perseguição, muitos cristãos foram crucificados, lançados às feras ou envoltos em roupas encharcadas em materiais inflamáveis e queimados até morrer, enquanto Nero ria dos gritos dos homens e mulheres que eram martirizados. Paulo e Pedro sofreram martírio durante a perseguição de Nero.

A segunda perseguição imperial foi promovida pelo imperador Domiciano (95 d.C.). Foi breve, porém extremamente severa. Mais de 40 mil cristãos foram torturados e mortos. Foi durante esse período de perseguição que João foi banido na ilha de Patmos.

A terceira perseguição imperial, a de Trajano, estava para começar (98 d.C.). João sobrevivera às duas primeiras e agora passava pela terceira tentativa romanas em erradicar a fé cristã. Eram dias tenebrosos para a igreja. E dias ainda piores estavam por vir (v. p. 777).

Entretanto, a perseguição proveniente de fora não era o único problema. A própria igreja, internamente começava a mostrar sinais de corrupção e de apostasia.

Parece claro que Deus outorgou essas visões a fim de preparar e confirmar a igreja para enfrentar os dias terríveis do futuro imediato e para consolá-la com a certeza de que ele governa tanto o início quanto o fim da história.

Cremos que o Apocalipse é tão relevante para a igreja dos nossos dias quanto era para as igrejas dos dias de João. "Aquele que tem ouvidos ouça o que o Espírito diz às igrejas. Ao vencedor darei o direito de comer da árvore da vida, que está no paraíso de Deus" (2.7).

Interpretando o livro de Apocalipse

Ao interpretar o livro do Apocalipse, precisamos manter várias coisas em mente:

- O Apocalipse está repleto de referências e alusões ao AT, especialmente aos livros de Ezequiel, Daniel e Zacarias. Não se consegue ler o livro à parte do contexto veterotestamentário.
- É o livro das visões. Como nas parábolas de Jesus, devemos tomar o cuidado de não perder a lição principal das visões de João ao tentar explicar os pormenores. Devemos também reconhecer que João tentava descrever figuras futuristas — eventos, lugares e coisas para as quais não existia nenhum ponto de referência.
- A profecia bíblica é desconcertante para a mentalidade ocidental por encaixar os eventos de tal maneira que uma só profecia pode aplicar-se a várias ocasiões distantes entre si. É verdade, também, que muitas das profecias já cumpridas — a respeito de Cristo por exemplo — ficam evidentes quando examinadas retrospectivamente, mas não eram claras antes desse tempo, mesmo para os próprios profetas (v. 1Pe 1.10). Devemos, portanto, ser cautelosos quanto às interpretações.

As interpretações principais de Apocalipse

Existem muitas interpretações do Apocalipse. As quatro mais comuns são normalmente chamadas *preterista, histórica, futurista* e *idealista*. Cada uma possui muitas variações e também apresenta dificuldades. Seja qual for a interpretação aceita, alguns pormenores do Apocalipse deverão ter sua interpretação forçada para se encaixar na respectiva teoria.

A interpretação **idealista** (**simbólica** ou **espiritualizante**) separa o Apocalipse totalmente de qualquer referência a eventos históricos — quer dos dias de João, quer dos tempos do fim, ou de qualquer período entre os dois. É considerado uma representação, em linguagem altamente figurada, dos grandes princípios do governo divino e do bem que vence o mal, sendo que esses princípios são aplicáveis a todos os tempos.

A interpretação **preterista** considera que o Apocalipse se refere aos seus dias: a luta entre o cristianismo e o Império Romano. Toma por certo que tudo foi cumprido durante o período em que foi escrito e que a história foi narrada com figuras e símbolos a fim de ocultar seu significado dos pagãos do século I.

A interpretação **histórica** vê no Apocalipse a predição do período inteiro da história eclesiástica, desde os tempos de João até o fim do mundo — um panorama ou uma série de quadros, que delineia os passos sucessivos e as características mais notáveis da luta da igreja até a vitória final.

A interpretação **futurista** centraliza o Apocalipse, na maior parte, no tempo da vinda do Senhor e do fim do mundo. Essa interpretação sustenta que a maior parte do livro (caps. 4—22) revela eventos que ainda são para ser cumpridos.

A opinião futurista é a mais amplamente sustentada nas igrejas evangélicas e é o fundamento primário para o restante deste estudo sobre o Apocalipse.

(Halley, em vida, não defendia nenhuma delas — N. do T.)

Apocalipse constitui-se de três partes

Em Apocalipse 1.19, Deus ordena que João escreva a respeito de três períodos distintos de tempo.

Capítulo 1: "Escreva, pois, as coisas que você viu" ou seja, as coisas como eram nos dias de João (que já tinham acontecido), incluindo sua visão de Cristo.

Capítulos 2 e 3: "As presentes" representadas pelas sete cartas às sete igrejas na Ásia Menor. Essas cartas delineiam a condição das igrejas nos dias de João, mas também podem ser entendidas como prefiguração da igreja nos tempos de hoje, bem como dos crentes no decurso da era da igreja. Os três primeiros capítulos, portanto, servem, em certo sentido, como introdução à parte principal do livro que se segue.

Capítulos 4—22: "O que deve acontecer" abrange eventos que ainda serão revelados a partir do fim da era da igreja (4.1) até serem estabelecidos o novo céu e a nova terra (21.1-27).

A revelação de Jesus Cristo — Ap 1.1-3

Revelação de Jesus Cristo e o que em breve há de acontecer (v. 1) (v. supra).

Feliz aquele que lê as palavras desta profecia (v. 3), bem como aqueles que escutam e acolhem as palavras do livro. É assim que o Apocalipse começa. E é assim que termina (22.7). O Apocalipse é o único livro da Bíblia que impetra essa bênção específica! É interessante notar também que João registra uma maldição contra quem porventura acrescentar ou omitir palavras desta profecia (22.18,19).

Ler a obra inclui tanto lê-la por conta própria quanto ouvi-la na igreja. "Aquele que tem ouvidos ouça o que o Espírito diz às igrejas" é uma ordem encontrada freqüentemente em todo o livro. Nos dias de João, os livros eram obrigatoriamente copiados à mão e eram raros e caros. As pessoas dependiam, em grande medida, da leitura e do ensino na igreja para obter conhecimento das Escrituras. A invenção do prelo nos tempos modernos tornou a Bíblia facilmente disponível a todos — mas isso não elimina, de modo algum, a necessidade e o valor de leitura nem a exposição regular da Palavra de Deus nos cultos da igreja.

A Palavra de Deus deve ocupar a posição central nos cultos das igrejas — em todas as épocas. É o único meio designado por Deus para manter a igreja leal à sua missão. Não falar *a respeito da* Palavra, mas simplesmente ler e escutar a Palavra de Deus, o que às vezes é chamado, com toda razão, "o ministério da Palavra".

As sete bem-aventuranças do Apocalipse

Existem sete *bem-aventuranças* no Apocalipse:

- Feliz aquele que lê as palavras desta profecia e felizes aqueles que ouvem e guardam o que nela está escrito (1.3)
- Felizes os mortos que morrem no Senhor de agora em diante (14.13).
- Feliz aquele que permanece vigilante [esperando a segunda vinda do Senhor] (16.15).
- Felizes os convidados para o banquete do casamento do Cordeiro! (19.9).
- Felizes e santos os que participam da primeira ressurreição! (20.6).
- Feliz é aquele que guarda as palavras da profecia deste livro (22.7).
- Felizes os que lavam as suas vestes (22.14).

O número 7 em Apocalipse

O Apocalipse é elaborado em torno do número sete.

- Sete cartas a sete igrejas (1—3)
- Sete selos e sete trombetas (4—11)
- Sete taças (15 e 16)
- Sete candelabros (1.12,20)
- Sete estrelas (1.16,20)
- Sete anjos (1.20)
- Sete espíritos (1.4)
- Um cordeiro com sete chifres e sete olhos (5.6)
- Sete lâmpadas (4.5)
- Sete trovões (10.3,4)
- Um dragão vermelho com sete cabeças e sete coroas (12.3)
- Uma besta semelhante a um leopardo, com sete cabeças (13.1)
- Uma besta escarlate com sete cabeças (17.3,7)
- Sete colinas (17.9)
- Sete reis (17.10)
- Sete bem-aventuranças (v. acima).

O número 7 na Bíblia

A Bíblia começa com sete dias de criação; termina com um livro que é elaborado com "setes" e que conta o destino final dessa criação.

O número sete destaca-se bastante pela Bíblia inteira. O sábado era o sétimo dia. O sistema levítico do AT baseava-se no ciclo de setes (v. p. 131).

Jericó sucumbiu depois de sete sacerdotes, com sete trombetas, terem marchado ao redor de seus muros durante sete dias e tocado suas trombetas sete vezes no sétimo dia. Naamã mergulhou no rio Jordão sete vezes.

Sete é o número predileto de Deus. Existem sete dias na semana. Sete notas musicais. Sete cores no arco-íris.

Por ser usado tão freqüentemente e de modo tão específico, forçosamente deve ter alguma relevância além de seu valor meramente numérico. Simbolicamente representa a plenitude, a totalidade a globalidade — tanto no sentido negativo quanto no positivo: a besta em Apocalipse 13 tem sete cabeças, e com certeza não representam santidade!

O significado de outros números

Outros números são empregados de tal maneira que se considera evidente a intenção de fazê-los ter significado além de seu valor numérico. Eis alguns deles:

- 3 — a assinatura numérica de Deus
- 4 — a assinatura numérica da natureza, da criação
- 6 — o número da imperfeição, a conta incompleta (um a menos que sete); o número 666 é o número da besta
- 7 (3 + 4) — a assinatura da totalidade
- 12 (3 x 4) — a assinatura do povo de Deus
- 10 — a assinatura do poder mundano

Ap 1.4-8 — A saudação às sete igrejas

As sete igrejas às quais João deve escrever — Éfeso, Esmirna, Pérgamo, Tiatira, Sardes, Filadélfia e Laodicéia — estavam conectadas entre si por uma grande estrada triangular. São mencionadas nos capítulos 2 e 3, pelos nomes e pela ordem geográfica em sentido horário, a partir de Éfeso, no sudoeste, passando por Pérgamo, uns 160 km ao norte, até Laodicéia, uns 160 km ao leste de Éfeso. (v. mapa na p. 728). Aparentemente, cada igreja recebeu uma cópia completa do Apocalipse, incluindo as sete cartas (1.11).

Patmos é uma ilha pequena no mar Egeu, perto do litoral da Turquia moderna. Os romanos empregavam a ilha como lugar para onde deportar exilados. Quando João estava em Patmos, a aparência da ilha era provavelmente igual a que ainda existe em certas partes (foto de cima). Aqui, como em outros lugares, os cruzados deixaram sua marca: um mosteiro que também podia servir como fortaleza (foto debaixo).

Ásia (v. 4) era província romana na parte ocidental da região chamada Ásia Menor e que agora é a Turquia. Éfeso era a cidade principal, e Pérgamo, a capital política.

Nos dias de João, existiam muitas igrejas na Ásia. As que são chamadas aqui *as* sete igrejas devem ter sido os centros principais dos respectivos distritos. Segundo a tradição, João morava em Éfeso, e é possível que as sete igrejas aqui mencionadas fossem as igrejas principais sob os cuidados pastorais de João.

Das sete cidades, somente Éfeso desempenha papel relevante na história do NT (At 18.18—19.41). Tiatira é mencionada como a cidade de origem de Lídia (At 16.14), e sabemos que Paulo escreveu pelo menos uma carta (agora perdida) a Laodicéia (Cl 4.13-16). As outras quatro cidades não são mencionadas em outras partes do NT, mas suas igrejas eram provavelmente frutos da obra de Paulo em Éfeso.

As tônicas principais do Apocalipse

A saudação geral às sete igrejas contém algumas das ênfases principais do Apocalipse.

Aquele que é, que era e que há de vir (1.4)

Uma das ênfases é a eternidade da natureza de Deus.

- "Aquele que vive para todo o sempre" (4.10).
- "Senhor, o Deus todo-poderoso, que era, que é e que há de vir" (4.8)
- "O Alfa e o Ômega, o Primeiro e o Último, o Princípio e o Fim" (21.6; 22.13).
- "Eu sou o Alfa e o Ômega", diz o Senhor Deus, "o que é, o que era e o que há de vir, o Todo-poderoso" (1.8).
- "Eu sou o Primeiro e o Último. Sou Aquele que Vive. Estive morto mas agora estou vivo para todo o sempre! E tenho as chaves da morte e do Hades" (1.17,18).

Neste mundo, no qual os impérios ascendem e caem e todas as coisas morrem e desaparecem, Deus nos faz lembrar de que ele é imutável, atemporal e eterno. E ele nos promete que sua natureza nos pode ser transmitida e que nós, como ele, mediante sua graça, sem sermos lesados pela morte, poderemos viver para sempre e sempre. Vivos para sempre! A juventude imortal! Quanto significado isso dá à vida! E que consolo para os santos que, neste momento, enfrentam o martírio!

Cristo, o Soberano dos reis da terra (1.5)

Essas palavras afirmam sua supremacia incondicional sobre o mundo. Nem sempre parece ser assim. Reis e governantes têm desafiado a Cristo e continuam a fazê-lo com descarada ousadia. Até mesmo hoje, monstros infernais percorrem a terra comandando seres humanos. Entretanto, é certa a condenação deles.

Cristo reinará sobre o reino que Satanás anteriormente lhe oferecera e que Cristo recusou (Mt 4.8-10) — mas o governará a seu modo, e não ao modo de Satanás. Os redimidos de todas as eras, as almas no Paraíso e os santos que agora vivem anseiam por esse dia feliz. E ele virá, tão certo como o dia de amanhã. Cristo permanece no trono, mesmo quando as coisas parecem mais sombrias. Nunca nos esqueçamos disso.

Aquele que nos libertou dos nossos pecados por meio do seu sangue (1.5)

Outra ênfase do Apocalipse é que somos salvos por meio do sangue de Cristo.

- "Com teu [de Cristo] sangue compraste para Deus gente" (5.9).
- "Eles o venceram [a Satanás] pelo sangue do Cordeiro" (12.11).
- "Estes são os que [...] lavaram as suas vestes e as alvejaram no sangue do Cordeiro" (7.14).
- "Felizes os que lavam as suas vestes, e assim têm direito à árvore da vida" (22.14).

Existem intelectuais melindrosos que acham revoltante a idéia da salvação que envolve o sangue. Entretanto, trata-se de uma doutrina recorrente da Bíblia, enfatizada repetidas vezes no NT. E como ela toca os corações! Nós amamos e adoramos a Jesus por isso, agora e por todas as eras infindas da eternidade!

A ele sejam glória e poder para todo o sempre (1.6)

Apocalipse está repleto de expressões de louvor a Deus.

- "Tu Senhor Deus nosso, és digno de receber a glória, a honra e o poder" (4.11).
- "Digno é o Cordeiro [...] de receber [...] glória e louvor!" (5.12).
- "Àquele que está assentado no trono e ao Cordeiro sejam o louvor, a honra, a glória e o poder para todo o sempre!" (5.13; cf. 7.10,12).
- "Grandes e maravilhosas são as tuas obras [...] Justos e verdadeiros são os teus caminhos, ó Rei das nações" (15.3).
- "Aleluia! [...] a Salvação, a glória e o poder pertencem ao nosso Deus [...] Aleluia! [...] Aleluia! [...] Aleluia! pois reina o Senhor, o nosso Deus, o Todo-poderoso. Regozijemo-nos! Vamos alegrar-nos e dar-lhe glória!" (19.1-7).

Os 24 anciãos e os quatro seres viventes (v. 4.4-11), bilhões de anjos e vastas multidões de redimidos de todas as nações, com vozes que rugiam como o oceano, fazem o céu ressoar com louvores a Deus. Por que não adotarmos algo semelhante nas nossas igrejas — os cânticos, não por mero hábito ou entretenimento, mas para seu louvor e glória!

Ele vem com as nuvens (1.7)

Outra tônica do Apocalipse é a segunda vinda do Senhor.

- "Todo olho o verá, até mesmo aqueles que o traspassaram" (1.7).
- "Apeguem-se com firmeza [...] até que eu venha" (2.25).
- "Virei como um ladrão" (3.3).
- "Venho em breve! Retenha o que você tem" (3.11).
- "Venho como ladrão! Feliz aquele que permanece vigilante!" (16.15).
- "Eis que venho em breve!" (22.7).
- "Eis que venho em breve! A minha recompensa está comigo" (22.12).
- "Sim, venho em breve" (22.20).
- Amém. Vem, Senhor Jesus! (22.20).

Uma das primeiras declarações no Apocalipse é "Ele vem". As últimas palavras no livro são: "Sim, venho em breve".

Cristo está voltando para a grande consumação da história universal. Virá nas nuvens, em poder e glória, visível a todos os habitantes das terra. Será um dia de aflição e terror para quem o rejeitou. Um dia de alegria indizível para os que lhe pertencem.

O próprio Jesus disse essas coisas repetidas vezes (Mt 13.42,50; 24.30,51; 25.30; 26.64; Lc 21.25-28). E em Atos dos Apóstolos lemos, depois da ascensão de Jesus numa nuvem, que foi ouvida a promessa do anjo: "voltará da mesma forma" (At 1.9,11).

Quase 2 000 anos se passaram, e Jesus ainda está para vir. Mas, no contexto da eternidade, 1000 anos são como um só dia. Jesus veio ao mundo no tempo determinado. Sua segunda vinda será na ocasião escolhida pelo Pai. Um dia, ele virá, num repente catastrófico.

"O tempo está próximo." Assim começa o livro (1.3). E assim termina (22.10). Talvez esteja mais próximo do que imaginamos. E, juntamente com João, dizemos: "Amém. Vem, Senhor Jesus!" (22.20).

Os anjos em Apocalipse

Os anjos desempenham um papel de destaque na direção do panorama e cenário das visões e na escrita do livro. Ao todo, descobrimos 27 referências aos anjos no Apocalipse.

- Um anjo ditou o livro a João (1.2; 22.16).
- Cada uma das sete igrejas tinha um anjo (1.20; 2.1 etc.).
- Um anjo exclamou a respeito do livro selado (5.2).
- Bilhões de anjos cantavam louvores ao Cordeiro (5.11).
- Quatro anjos receberam poder para danificar a terra (7.1).
- Um anjo selou os eleitos (7.1-4).
- Os anjos prostraram-se com o rosto em terra diante de Deus (7.11).
- Um anjo foi usado para acolher as orações dos santos (8.3-5).
- Sete anjos tocavam as sete trombetas (8.6,7 etc.).
- Um anjo do abismo era rei do exército de gafanhotos (9.11).
- Quatro anjos soltaram 200 milhões de soldados de cavalaria perto do rio Eufrates (9.15,16).
- Um anjo estava com o livro aberto, anunciando o fim (10.1,2,6).
- Miguel e seus anjos lutaram contra o dragão e seus anjos (12.7).
- Um anjo, voando, proclamou o evangelho às nações (14.6).
- Outro anjo, voando, proclamou a queda da Babilônia (14.8).
- Um anjo proclamou a perdição dos seguidores da besta (14.9,10).
- Um anjo anunciou a colheita da terra (14.15).
- Um anjo anunciou a vindima da terra (14.18,19).
- Sete anjos derramaram as sete pragas finais (15.1).
- Um anjo anunciou o juízo contra a Babilônia (17.1,5).
- Um anjo anunciou, de novo, a queda da Babilônia (18.2).
- Um anjo ajudou a dar à Babilônia o golpe mortal (18.21).
- Um anjo presidiu sobre a destruição da besta (19.17).
- Um anjo amarrou Satanás (20.2).
- Um anjo mostrou a João a nova Jerusalém (21.9).
- Doze anjos guardavam as doze portas da nova Jerusalém (21.19).
- Um anjo proibiu João de adorá-lo (22.9).

A palavra "anjo" significa literalmente "mensageiro". Na Bíblia, aplica-se principalmente a seres sobrenaturais do mundo invisível, usados como mensageiros a serviço de Deus ou de Satanás. Os anjos também desempenharam um papel importante na vida de Jesus (v. p. 468).

Os "anjos" das sete igrejas (2.1 etc.), segundo pensam alguns, eram mensageiros que as igrejas enviaram para visitar João em Patmos. Outros acham que são os pastores das igrejas, ou os anjos que protegem as igrejas, ou ainda, representantes celestiais das igrejas.

Cristo no meio das igrejas — Ap 1.9-20

Patmos (v. 9), a ilha para onde João foi banido na perseguição de Domiciano e onde recebeu essas visões, fica no mar Egeu, uns 96 km ao sudoeste de Éfeso e uns 240 km ao leste de Atenas (v. mapa na p. seguinte). Tem 16 km de comprimento e nove de largura. É vulcânica, rochosa e na sua maior parte destituída de árvores. Era um dos muitos locais para os quais os romanos baniam os exilados.

O dia do Senhor (v. 10), o "primeiro dia da semana" (At 20.7; 1Co 16.2), o dia em que os cristãos se reuniam para o culto, em comemoração ressurreição do Senhor. O sétimo dia, o sábado, tinha sido guardado para comemorar a obra de Deus na Criação; o primeiro dia, o dia do Senhor, foi consagrado para conservar sempre viva na mente das pessoas a história do dia mais importantes de toda a história, o evento supremo que torna relevante a vida humana: a ressurreição de Cristo dentre os mortos.

No Espírito (v. 10; 4.2; 17.3; 21.10) parece significar que suas faculdades foram totalmente tomadas pelo Espírito de Deus.

Escreva (v. 11). João recebe uma ordem específica para escrever.

- "Escreva num livro o que você vê" (1.11).
- "Escreva, pois, as coisas que você viu, tanto as presentes como as que acontecerão" (1.19).
- "A Éfeso escreva [...] A Esmirna escreva [...] A Pérgamo escreva [...] A Tiatira escreva [...] A Sardes escreva [...] A Filadélfia escreva [...] A Laodicéia escreva." (2.1,8,12,18; 3.1,7,14).
- "Escreva: 'Felizes os mortos que morrem no Senhor'" (14.13).
- "Escreva: 'Felizes os convidados para o banquete do casamento do Cordeiro!'" (19.9).

Assim, enfatiza-se repetidas vezes, na linguagem mais contundente possível, que o próprio Deus ordenou que o livro fosse escrito e que ele mesmo determinou a João o que escrever.

A visão de Cristo (1.13-18)

João vê Jesus, seu amigo e Senhor, numa visão de tirar o fôlego.

- Sua veste e cinturão são as roupas usadas pelo sumo sacerdote no AT. Cristo está vivo no céu, onde realiza seu ministério de intercessão a nosso favor (Hb 4.14; 7.25).
- Segura na sua mão os anjos das igrejas.
- Seus cabelos são brancos como a neve, seus olhos são como chama de fogo.
- Seu rosto é como o Sol brilhando em todo o seu fulgor, seus pés como o bronze numa fornalha ardente e sua voz como o som de muitas águas.
- De sua boca sai uma espada afiada de dois gumes (a Palavra).

É assim que o bondoso Salvador retratado nos evangelhos agora se apresenta à sua igreja: cingido para a batalha, o guerreiro vencedor, que sai ao encontro de inimigos encarniçados e poderosos. É um convite para a igreja confiar na sua liderança. É, também, severa advertência à sua igreja — com seus sinais crescentes de corrupção e de apostasia — de que Jesus não tolerará mornidão nem deslealdade.

Cartas às sete igrejas, Apocalipse 2 e 3

Nas sete cartas às igrejas da Ásia, João, orientado por Jesus, descrevia igrejas na terra.

Cada carta continha a totalidade do Apocalipse e um recado breve e especial a cada igreja, como introdução ao livro. Podemos tomar por certo que foram feitas sete cópias do Apocalipse inteiro e que foram enviadas a cada uma dessas cidades. Cada igreja, portanto, podia ler a avaliação que o Senhor fez, não somente dela mesma, como também das demais igrejas.

Além de ser cartas específicas sobre igrejas realmente existentes nos dias de João, essas cartas também são aplicáveis atualmente. As igrejas de hoje devem avaliar-se com a ajuda dessas sete cartas. Esse exame interior também deve ser aplicado a nós, individualmente. Todos nós devemos orar fervorosamente para que, debaixo de uma avaliação minuciosa e honesta, nos assemelhemos mais a Esmirna e a Filadélfia! Nada está oculto aos olhos de Deus, que sabe nossa condição com mais exatidão que nós mesmos. As promessas que Deus fez às sete igrejas podem ser recebidas por todos nós, individualmente, se reconhecermos nossas falhas e endireitarmos a situação diante dele!

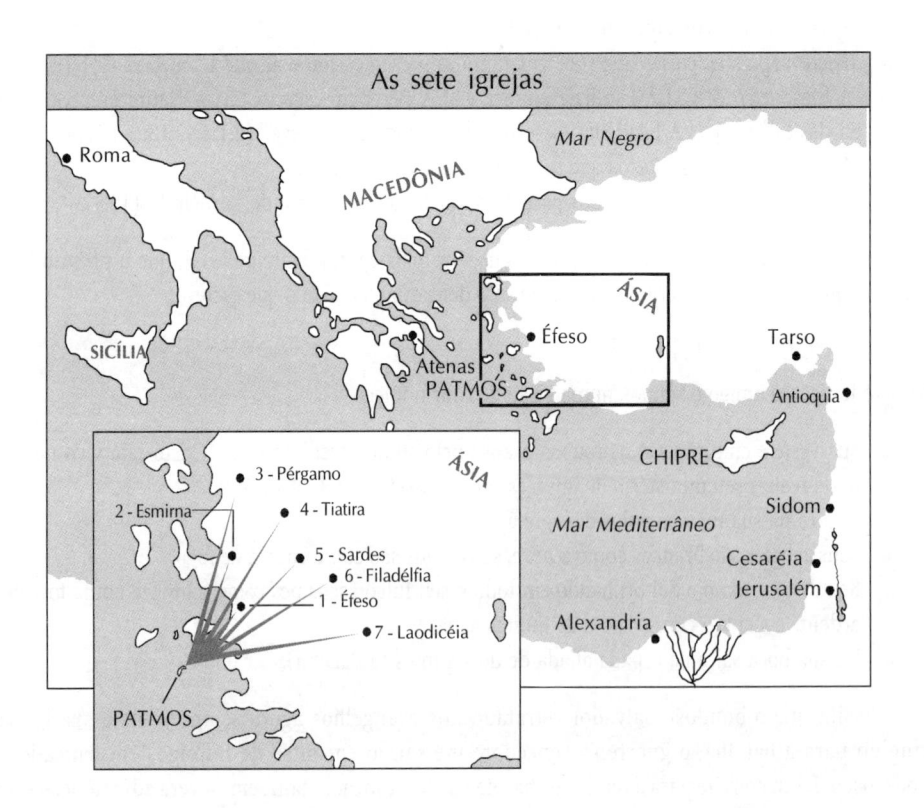

O caráter das igrejas

Duas eram muito boas: Esmirna e Filadélfia.
Duas eram muito más: Sardes e Laodicéia.
Três eram parcialmente boas e parcialmente más: Éfeso, Pérgamo e Tiatira.

- As duas igrejas boas, Esmirna e Filadélfia, eram compostas das classes mais humildes do povo e sofriam perseguição.
- As duas igrejas más, Sardes e Laodicéia, pareciam abrigar as classes dominantes, sendo nominalmente cristãs, mas pagãs quanto ao estilo de vida.
- Éfeso era doutrinamente ortodoxa, mas estava perdendo o primeiro amor.
- Pérgamo era fiel ao nome de Cristo, mas tolerava a heresia.
- Tiatira crescia quanto ao zelo, porém tolerava a heresia de Jezabel.

Todas as cartas seguem o mesmo padrão, que consiste em sete elementos. Esse padrão pode ser visto com clareza na carta a Éfeso, uma igreja grande e poderosa, mas que perdia seu amor a Cristo e ao próximo:

	Sete elementos	Versículos
1.	Instrução inicial a João, que ocorre nas sete cartas.	"Ao anjo da igreja em Éfeso escreva."
2.	O título ou aspecto de Cristo de cada igreja específica, que é relevante para a situação.	"Estas são as palavras daquele que tem as sete estrelas nem sua mão direita."
3.	O elogio de Cristo a cada igreja (Sardes e Laodicéia não receberam nenhuma).	"Conheço as suas obras, o seu trabalho árduo e a sua perseverança."
4.	A condenação ou crítica de Cristo a cada igreja (Esmirna e Filadélfia não receberam nenhuma).	"Contra você, porém, tenho isto..."
5.	A correção ou instrução de Cristo para cada igreja.	"Lembre-se [...] Arrependa-se..."
6.	A admoestação de Cristo. Idêntica para todas as sete igrejas.	"Aquele que tem ouvidos ouça o que o Espírito diz às igrejas."
7.	A promessa de Cristo a cada igreja.	"Ao vencedor darei o direito de de comer da árvore da vida."

Os elementos das cartas às demais igrejas podem ser resumidos da seguinte maneira — sem incluir a instrução inicial (1) e os elementos de admoestação (6 ou 7):

A **Esmirna,** igreja pobre e sofredora, que enfrenta o martírio:

2. "Estas são as palavras daquele que é o Primeiro e o Último, que morreu e tornou a viver."
3. "Conheço as suas aflições e a sua pobreza; mas você é rico!"

4. Esmirna não recebeu nenhuma condenação ou correção.
5. "Não tenha medo do que você está prestes a sofrer [...] Seja fiel até a morte, e eu lhe darei a coroa da vida".
7. "O vencedor de modo algum sofrerá a segunda morte".

A **Pérgamo,** a igreja que tolerava ensinava a imoralidade:

2. "Estas são as palavras daquele que tem a espada afiada de dois gumes."
3. "Sei onde você vive — onde está o trono de Satanás. Contudo, você permanece fiel ao meu nome."
4. "No entanto, tenho contra você algumas coisas: você tem aí pessoas que se apegam aos ensinos de Balaão [...] De igual modo, você tem também tem os que se apegam aos ensinos dos nicolaítas."
5. "Portanto, arrependa-se! Se não, virei em breve até você e lutarei contra eles com a espada da minha boca".
7. "Ao vencedor darei do maná escondido [e] uma pedra branca com um novo nome nela inscrito...".

A **Tiatira,** a igreja que crescia em zelo, mas tolerava Jezabel:

2. "Estas são as palavras do Filho de Deus, cujos olhos são como chama de fogo".
3. "Conheço as suas obras, o seu amor, a sua fé, o seu serviço e a sua perseverança".
4. "No entanto [...] você tolera Jezabel, aquela mulher que se diz profetisa".
5. "A vocês que não seguem a doutrina dela [...] apeguem-se com firmeza ao que vocês têm, até que eu venha".
7. "Àquele que vencer [...] darei autoridade sobre as nações [...] Também lhe darei a estrela da manhã".

A **Sardes,** a igreja que tinha a reputação de estar viva, mas estava morta:

2. "Estas são as palavras daquele que tem os sete espíritos de Deus e as sete estrelas".
3. Sardes não recebeu nenhuma recomendação ou correção.
4. "Conheço as suas obras; você tem fama de estar vivo, mas está morto".
5. "Esteja atento! Fortaleça o que resta e que estava para morrer".
7. "O vencedor será [...] vestido de branco. Jamais apagarei o seu nome do livro da vida".

A **Filadélfia,** a igreja humilde e fiel:

2. "Estas são as palavras daquele que é santo e verdadeiro, que tem a chave de Davi. O que ele abre ninguém pode fechar, e o que ele fecha ninguém pode abrir".
3. "Conheço as suas obras [...] você [...] guardou a minha palavra e não negou o meu nome".
4. Filadélfia não recebeu nenhuma condenação.
5. "Venho em breve! Retenha o que você tem, para que ninguém tome a sua coroa".
7. "Farei do vencedor uma coluna no santuário do meu Deus".

A **Laodicéia,** a igreja "rica" e morna:

2. "Estas são as palavras do Amém, a testemunha fiel e verdadeira, o soberano da criação de Deus".
3. Laodicéia não recebeu nenhum elogio.

4. "Conheço as suas obras, sei que você não é frio nem quente. Melhor seria que você fosse frio ou quente!".
5. "Por isso, seja diligente e arrependa-se".
7. "Ao vencedor darei o direito de sentar-se comigo em meu trono".

"Aquele que tem ouvidos ouça o que o Espírito diz às igrejas". É assim que cada carta termina, com uma admoestação da parte do Senhor, advertindo as igrejas levar a sério o que ele lhes dizia.
Todos nós precisamos escutar.

A carta a Éfeso — Ap 2.1-7

(V. mais sobre a cidade de Éfeso na p. 639.)

Éfeso era uma cidade com quase 250 mil habitantes. Era uma verdadeira metrópole e o centro comercial da Ásia Menor. O templo de Ártemis em Éfeso era uma das sete maravilhas do mundo antigo.

Ali, 40 anos antes, Paulo realizara sua obra mais bem-sucedida. Tantas pessoas se converteram a Cristo que, quase da noite para o dia, a igreja se tornou uma das influências mais poderosas na cidade e não demorou para se tornar uma das igrejas mais famosas do mundo inteiro. Veio a ser a igreja-mãe da Ásia Menor.

Especula-se ter sido ali que Timóteo, depois da morte de Paulo, gastou a maior parte de seu tempo e foi martirizado, durante governo de Domiciano, na mesma perseguição que exilou João em Patmos.

João passou a velhice em Éfeso e, se já não era um pastor ativo, devido à idade, continuou, por certo, como o último apóstolo de Cristo ainda com vida, uma influência dominante entre os pastores. Enquanto estava em Éfeso, João escreveu seu evangelho, três cartas, e possivelmente o Apocalipse (depois de seu regresso de Patmos).

Três das cartas de Paulo dizem respeito a Éfeso: Efésios e 1 e 2 Timóteo. Talvez as duas cartas de Pedro e a de Judas tiveram sua origem naquela região.

Éfeso, quase a meio-caminho entre Jerusalém e Roma, era o centro geográfico do Império Romano. E, ainda estando João com vida, tornara-se o centro geográfico e numérico da população cristã mundial.

Cerca de dez anos depois da morte de João, o imperador Trajano enviou Plínio à região da Ásia Menor a fim de investigar se os cristãos deviam ser perseguidos. Plínio mandou um relatório para Trajano, dizendo que os cristãos se tornaram tão numerosos que os templos pagãos estavam quase totalmente desertos.

Em muitas cidades da região, as igrejas cristãs abrigavam elementos importantes e influentes da população, e Éfeso tornou-se sua igreja principal.

Passaram-se 65 anos desde o Pentecostes, o aniversário da igreja de Jerusalém. A igreja, em todos os lugares, experimentara o crescimento fenomenal. Entretanto, sinais de corrupção começavam a aparecer — e foi essa, conforme pensamos, uma das coisas que tornaram necessário o Apocalipse.

A igreja em Éfeso (v. 1). Era anterior aos tempos das construções eclesiásticas. Os crentes precisavam se encontrar em salões, ou nas casas, ou onde quer que conseguissem. Não houve nenhuma grande "Primeira Igreja de Éfeso", mas muitas congregações, talvez centenas delas, cada uma com sua liderança pastoral. Mesmo assim, a carta é endereçada à "igreja em Éfeso". Centenas de congregações, porém uma só igreja.

Aquele que tem as sete estrelas em sua mão direita (v. 1). As sete estrelas são o emblema de seu poder. Talvez essa figura de linguagem visasse ser uma advertência sugestiva de que a igreja estava se orgulhando demasiadamente do próprio prestígio, e se gloriasse nas coisas que pouco proveito tinham para sua verdadeira missão.

Os falsos apóstolos (v. 2). Estes, segundo parece, eram homens que alegavam ter conhecido a Cristo e recebido da parte dele autorização para seus ensinos, no esforço para harmonizar a permissividade imoral da adoração idolátrica com a fé cristã.

Você abandonou o seu primeiro amor (v. 4,5). Essa era a falha deles. Esfriara-se o zelo que antes tiveram por Cristo. Já não o amavam como antes. Tornaram-se indiferentes, menos animados — mas não mornos como a igreja de Laodicéia (v. 3.16). Encaminhavam-se, porém, àquela direção. Receberam uma repreensão fustigante e uma advertência para que se arrependessem (v. 5), senão, Jesus "tiraria o seu candelabro do lugar dele". Foi mesmo removido. O sítio arqueológico de Éfeso agora está abandonado.

Os **nicolaítas** (v. 6) eram uma seita que promovia a licenciosidade como o modo correto de viver.

Esses falsos mestres tinham provocado muitos problemas na igreja. Os pastores efésios, segundo parece, tinha resistido juntos, de modo paciente e sólido, aos ensinos deles e por isso foram louvados (v. 2,3).

A árvore da vida (v. 7). Os que vencessem a sedução dos falsos ensinos e das tentações naturais à permissividade carnal e à vida mundana fácil tinham a promessa do acesso à árvore da vida.

Embora a igreja de Éfeso tenha perecido como intituição, a promessa do acesso à árvore da vida ainda é válida para os membros individuais de qualquer igreja, se vencerem.

A árvore da vida é mencionada pela primeira vez como uma árvore especial no jardim do Éden (Gn 3.2,22,25). Essa árvore aparece de novo em Apocalipse 22.2 como uma árvore que produz frutos perpétuos, bons para a saúde.

Ap 2.8-11   A carta a Esmirna

A Esmirna, a igreja sofredora, Cristo não transmite por João nenhuma palavra de crítica, mas só de consolo amoroso.

A igreja em Esmirna era composta de pobres, não podendo se comparar em nada à igreja em Éfeso, quanto ao número de membros ou seu prestígio. Eram pobres, porém ricos (v. 9). Por outras palavras, sua pregação fiel do evangelho atraiu contra eles muita perseguição e tribulação. Seguiu-se, por isso, a pobreza material. Jesus lhes dá a certeza de que grandes riquezas estão armazenadas para eles no céu.

De modo surpreendente, a igreja em Esmirna cresceu e floresceu durante esse período de perseguição horrenda. Esse "bom fruto" é evidência nítida de que Deus estava presente e atuante nas boas obras deles.

Esmirna

Esmirna (moderna Izmir, na Turquia) era um porto importante no litoral oeste da Ásia Menor, com um ancoradouro bem protegido, e o terminal natural de uma grande rota comercial que subia para o interior pelo vale do rio Hermo. Era rival de Éfeso e se orgulhava de ser a cidade natal do grande poeta grego Homero, autor da *Ilíada* e da *Odisséia*.

Esmirna fora destruída pelos lídios em 627 a.C., e durante três séculos era pouco mais que uma aldeia. Foi fundada de novo em meados do século IV a.C. e rapidamente se tornou a cidade principal da Ásia.

Um perigo em comum, a agressão por parte de Antíoco Magno da Síria, dera origem à união entre Roma e Esmirna no fim do século III a.C. Em 26 a.C., Esmirna apelou a esse tratado quando enviou uma petição a Tibério, no sentido de a comunidade ter permissão para edificar um templo a ele como divindade. Sendo concedida a permissão, Esmirna construiu o segundo templo da Ásia em homenagem ao imperador (o primeiro tinha sido construído em Pérgamo).

Esmirna era famosa pela ciência, pela medicina e pela majestade de seus edifícios. Apolônio de Tiana se refere à sua "coroa de pórticos", um círculo de belos prédios públicos que coroavam o cume do monte Pago como diadema; daí a referência de João à coroa em Apocalipse 2.10. Policarpo, o bispo de Esmirna martirizado em 155 d.C., foi discípulo de João.

Que morreu e tornou a viver (v. 8). Essas palavras são dirigidas por Cristo aos que têm diante de si o martírio, para lembrá-los de que ele já sofreu o que eles estão para sofrer — e que eles, também, dentro em breve, como o próprio Cristo, *terão a vida para todo o sempre*!

Conheço a blasfêmia dos que se dizem judeus mas não são (v. 9). A igreja em Esmirna experimentou perseguição de origem interna e externa. A perseguição externa provinha de pessoas que abertamente rejeitavam o evangelho, incluindo-se oficiais do governo e cidadãos comuns. A perseguição interna provinha dos judeus que, de modo superficial, aceitaram o evangelho e se tornaram membros da igreja, mas que não tinham realmente aceitado a Cristo de coração nem aos ensinos do NT. Esses falsos mestres provocavam confusão e dissensão dentro da igreja, porque queriam manter as tradições do NT — exigindo até que os novos crentes fossem circuncidados. Romanos 2.29 diz: "Judeu é quem o é interiormente, e circuncisão é a operada no coração, pelo Espírito". A circuncisão física não transforma ninguém em cristão. Jesus designa esses falsos cristãos como participantes da "sinagoga de Satanás".

Perseguição durante dez dias (v. 10). Pode tratar-se de uma perseguição de duração breve. Ou talvez se refira à perseguição movida por Trajano, que estava para começar, na qual foi martirizado o bispo Inácio, de Antioquia, e que talvez tenha afetado Esmirna de modo especial. Ou é possível que os "dez dias" prefigurem as dez perseguições imperiais (v. p. 777).

A coroa de vida (v. 10). A promessa feita a Éfeso foi "a árvore da vida" (v. 7). Aqui, a promessa feita a Esmirna é "a coroa da vida" (v. 10) e que o vencedor de modo algum "sofrerá a segunda morte" (v. 11; 21.8).

Embora essas promessas fossem feitas aos indivíduos que "vencerem", em outro sentido Esmirna, como cidade, recebeu a coroa de vida: sobreviveu durante todos esses séculos. Agora, é a maior cidade na região que era chamada Ásia Menor, com uma população de mais de 1,7 milhão.

A carta a Pérgamo — Ap 2.12-17

A igreja em Pérgamo era fiel ao nome de Cristo até o ponto do martírio (v. 13), mas tolerava os falsos mestres — provavelmente do mesmo tipo que atuava em Éfeso. Parece, entretanto, que enquanto em Éfeso os pastores, resistiram solidamente aos falsos mestres, em Pérgamo os pastores, sem pessoalmente sustentar falsos ensinos, toleravam em suas fileiras quem os aceitavam. Os falsos ensinos proclamavam o direito de os cristãos participarem das imoralidades pagãs. O Senhor, embora elogiasse a igreja pela fidelidade ao seu nome, não deixou de se apresentar como "aquele que tem a espada afiada de dois gumes". Seria melhor os membros se precaverem — o Senhor não se agrada da igreja que tolera a licenciosidade.

Pérgamo

Pérgamo era a capital do antigo reino grego de Pérgamo, até a data em que o último dos seus reis legou seus domínios a Roma, em 133 a.C. Pérgamo passou a ser a cidade principal da nova província da Ásia e o local do primeiro templo do culto a César, levantado em homenagem a Roma e a Augusto em 29 a.C. Um segundo santuário foi posteriormente dedicado ao imperador Trajano. O culto a Asclépio (ou Esculápio), o deus da cura, e a Zeus também era generalizado. O símbolo de Asclépio consistia em duas serpentes entrelaçadas numa vara (que hoje ainda é o símbolo da ciência médica). Zeus era adorado como "Zeus Salvador" por causa de uma vitória militar sobre os gauleses. Era natural que o "nicolaísmo" vicejasse num lugar onde a política e o paganismo conviviam tão estreitamente e onde era, por certo, pesada a pressão exercida sobre os cristãos para forçá-los a abandonar a fé.

Pérgamo era um centro antigo de cultura, e possuía uma biblioteca que rivalizava com a de Alexandria. O pergaminho foi inventado em Pérgamo com a finalidade de libertar a biblioteca da proibição imposta pelo Egito à exportação do papiro.

Onde Satanás habita (v. 13). Pérgamo era um centro da adoração ao imperador, onde incenso era oferecido diante da estátua do "imperador divino". Existiam também os templos de Zeus e de Asclépio, que era adorado na forma de uma serpente, símbolo de Satanás. Era ainda um reduto de mestres nicolaítas e das doutrinas de Balaão. Portanto, como centro infame do paganismo e da iniqüidade, a cidade era chamada "trono de Satanás".

E Satanás, que estava a ponto de perseguir os cristãos em Esmirna (2.10), já começara em Pérgamo (v. 13).

Os ensinos de Balaão (v. 14). Em Números 25, lemos como os israelitas se entregaram à imoralidade sexual com as mulheres moabitas, e Números 31.16 declara que isso foi resultado do conselho dado por Balaão aos moabitas. Por isso, em Pérgamo, os devotos das práticas pagãs, que tinham se infiltrado nas fileiras dos cristãos e que os aconselhavam a participar dos vícios sexuais do culto pagão, eram cognominados com o nome de Balaão. Segundo parece, tinham um número impressionante de seguidores.

O maná escondido (v. 17). A promessa aos vencedores (aos crentes genuínos em Cristo) é "o maná escondido" e uma "pedra branca" com um "novo nome" conhecido apenas por aquele que o recebe. O maná escondido talvez seja o fruto da árvore da vida (22.2). Pedras brancas eram freqüentemente usadas nos tribunais de justiça da Antigüidade para representar a absolvição. Louvado seja Deus porque, mediante a morte de Cristo na cruz, ele nos presenteou com pedras brancas com nosso nome nelas escrito. (Quanto à cor branca no Apocalipse, v. p. 736.)

Ap 2.18—29 A carta a Tiatira

A igreja de Tiatira era uma igreja de meios-termos. Os membros possuíam algumas boas qualidades. Eram notáveis por seu "amor, a sua fé, o seu serviço e a sua perseverança". Estavam aumentando seu zelo, "fazendo mais agora do que no princípio" (v. 19) — a situação inversa de Éfeso, que estava abandonando o primeiro amor (2.4).

Mas, assim como Pérgamo, toleravam os falsos mestres, só que a situação era pior — toleravam Jezabel entre eles.

Quem era Jezabel?

Tiatira era famosa pelo magnífico templo de Ártemis (outro nome da deusa Diana). Pensa-se que Jezabel tenha sido uma devota notável de Diana, com qualidades de liderança e seguidores entre as pessoas influentes da cidade que, atraída à causa crescente do cristianismo, filiou-se à igreja, mas insistia no direito de ensinar e praticar a licenciosidade — alegando receber inspiração para tais ensinos.

Era chamada "Jezabel" porque, da mesma maneira que a outra Jezabel, a diabólica esposa de Acabe, introduzira em Israel as abominações do culto a Astarte (1Rs 16), ela também introduzira na igreja cristã as mesmas práticas vis.

Nem todos os pastores em Tiatira aceitavam os ensinos dela. Mas, querendo ser tolerantes e imaginando que ela talvez fosse um auxílio importante na conquista da cidade para o nome de Cristo, eles a acolheram no ministério.

Com isso, o Senhor se desagradou muito. E, numa repreensão pungente, apresentou-se como aquele "cujos olhos são como chama de fogo e os pés como bronze reluzente" (v. 18). Nenhuma leviandade seria tolerada na igreja!

Os profundos segredos de Satanás (v. 24). Essa é a terceira menção a Satanás nas sete cartas. Em Esmirna, Satanás estava por trás do encarceramento dos cristãos (2.9,10). Em Pérgamo, "o trono de Satanás", ele perseguia a igreja e a corrompia internamente por meio de falsas doutrinas (2.13,14). Na presente carta, os ensinos de Jezabel foram chamados "os profundos segredos de Satanás" (v. 24). Posteriormente, é mencionado como o inimigo da igreja em Filadélfia (3.9).

Deus, por sua grande misericórdia, deu aos seguidores dos ensinos de Jezabel "tempo para que se arrependessem". Mas ninguém estava disposto a isso, e seu castigo seria o sofrimento e a morte de seus filhos.

A estrela da manhã (v. 28). "Àquele que vencer" é prometida a "estrela da manhã". O próprio Jesus é a Estrela da Manhã (22.16). Uma das profecias mais antigas do Messias chama-o "estrela" (Nm 24.17). Os que resistirem a Satanás não terão outras cargas impostas sobre si. Esses crentes fiéis receberam ordem para agüentar com firmeza até Cristo voltar. É pela fidelidade, e não pelos meios-termos, que a igreja alcança a posição de liderança genuína.

Tiatira

Tiatira era, talvez, a menos ilustre das sete cidades do Apocalipse. Sua história não continha muitos eventos e quase não é mencionada pelos escritores da Antigüidade. As moedas ali achadas sugerem que Tiatira, por estar posicionada numa estrada grande que ligava entre si dois vales fluviais, tenha servido como fortaleza militar durante muitos séculos.

A cidade era um centro de comércio, e os registros preservam referências a mais sindicatos comerciais que os alistados em qualquer outra cidade da Ásia. Lídia, a quem Paulo ficou conhecendo em Filipos, era uma vendedora originária de Tiatira. Ela vendia púrpura, um corante roxo, um produto famoso de Tiatira (At 16.14). Hoje conhecido por "vermelho turco".

A necessidade da afiliação a um sindicato da comunidade comercial talvez tenha reforçado a tentação ao meio-termo. Assim, é apropriado ver uma mulher, chamada (ou alcunhada?) Jezabel, a princesa que, ao casar-se com Acabe, selou a associação comercial entre este e os fenícios, comandar um partido de meio-termo na igreja de Tiatira (Ap 2.20,21). Tiatira não desempenhou nenhum papel relevante na história eclesiástica a partir de então.

A carta a Sardes — Ap 3.1-6

Sardes era uma igreja "morta" que só nominalmente tinha vida — embora existissem "uns poucos que não contaminaram as suas vestes" (v. 4). A semelhante igreja, Cristo apresentou-se como o Poderoso que tem os "sete espíritos de Deus" (v. 1) e pode remover do Livro da Vida no céu os membros impuros.

Existem pessoas, em todas as espécies de igreja hoje, denominadas cristãs, mas não sabem o que significa ser uma nova criatura em Cristo Jesus (2Co 5.17). Talvez seja por isso que milhares de pessoas estejam deixando as igrejas "mortas" nos dias de hoje e voltando às que se baseiam na Bíblia, que pregam o evangelho e que estão vivificadas com o Espírito de Cristo.

Jamais apagarei o seu nome do livro da vida (v. 5). Os crentes genuínos podem ter a certeza de que seu nome permanecerá no Livro da Vida e de que Cristo será seu Advogado diante de Deus e de todas as hostes do céu. O Livro da Vida registra que nossa cidadania no céu está confirmada.

Sardes

Sardes, perto da junção das estradas provenientes da Ásia Menor central, de Éfeso, de Esmirna e de Pérgamo, era a capital da Lídia durante o reinado de seu último rei e sede do governador depois da conquista pelos persas.

Sardes era famosa por suas artes e peças de artesanatos e foi o primeiro centro a cunhar moedas de ouro e de prata. Os reis da Lídia eram tão ricos, que Creso veio a ser sinônimo proverbial de riquezas. Infelizmente, Creso também veio a ser símbolo lendário da soberba e da arrogância quando sua incursão contra a Pérsia levou à queda de Sardes e ao desaparecimento de seu reino. Ciro e os persas capturaram a cidadela num ataque surpresa em 549 a.C., da mesma forma que os romanos fizeram três séculos depois, fato que talvez tenha sugerido a linguagem de João em Apocalipse 3.3 ("virei como um ladrão"). O grande terremoto em 17 d.C. arruinou Sardes física e financeiramente. Os romanos contribuíram com 10 milhões de sestércios em assistência, indício do montante dos danos feitos, mas a cidade jamais se recuperou.

Os sete espíritos (Ap 3.1)

- Sete espíritos participaram da saudação às igrejas (1.4).
- O próprio Cristo ditou as sete cartas (1.19), mas cada carta era o que o Espírito dizia (2.7).
- Posteriormente, vemos que os sete espíritos estavam diante do trono (4.5) e que os sete olhos do Cordeiro eram os sete espíritos (5.6).
- Os sete espíritos parecem representar a operação sétupla, ou completa, do Espírito Santo, do Espírito de Cristo, do Espírito de Deus — três nomes do mesmíssimo Espírito, na plenitude de seu poder, que é o modo de Cristo operar nas suas igrejas e por meio delas, na era entre seu primeiro advento e sua segunda vinda.

A cor branca em Apocalipse

- A cabeça de Jesus era "branca" como lã (1.14).
- "Lhe darei uma pedra branca com um novo nome nela inscrito" (2.17).
- "Andarão comigo, vestidos de branco" (3.4).
- O vencedor será vestido de "branco" (3.5).
- Os cidadãos do céu serão vestidos de "branco" (3.18).
- Os vinte e quatro anciãos estavam vestidos de "branco" (4.4).
- Cada mártir usava uma veste "branca" (6.11).
- As multidões redimidas estavam com vestes "brancas" (7.9).
- Vestes que foram branqueadas no sangue do Cordeiro (7.14).
- O Senhor virá num cavalo "branco" (19.11).
- Seus exércitos, vestidos de "branco", montarão cavalos "brancos" (19.14).

Branco é a cor da luz resplandecente, contrastando com as trevas e a noite. Pode refletir pureza e inocência, porém mais freqüentemente a alegria e o triunfo. Deus habita em luz inacessível (1Tm 6.16). As roupas de Jesus, na Transfiguração, eram brancas (Mc 9.3).

Ap 3.7-13   A carta a Filadélfia

A igreja de Filadélfia era humilde, porém fiel, que se satisfazia em seguir o modelo de Cristo vivendo numa sociedade pagã e corrupta. O nome "Filadélfia" significa "amor fraternal". Amava a Palavra de

Deus e estava firme no intuito de guardá-la. Eram cristãos grandemente amados pelo Senhor — ele não lhes fala uma única palavra de repreensão.

> **Filadélfia**
>
> Filadélfia era uma cidade da Lídia, fundada por Atalo II Filadelfo (159-138 a.C.). A cidade era um posto avançado do helenismo na Anatólia. Foi construída sobre uma colina ampla, baixa e facilmente defensável, o que explica por que Filadélfia foi a última cidade da Ásia Menor a ser conquistada pelos turcos em 1390 d.C. O distrito é ruinosamente sísmico, e o grande terremoto em 17 d.C., que também sacudiu Sardes, arruinou Filadélfia. Situada imediatamente acima de uma falha tectônica, Filadélfia foi atormentada durante 20 anos por terremotos secundários depois do cataclismo em 17 d.C. Talvez seja essa a base da linguagem figurada em Apocalipse 3.12 ("uma coluna", "dali ele jamais sairá", "novo nome"). O "novo nome" certamente é uma referência à proposta de dar à cidade o novo nome de Neocesaréia como sinal de gratidão pela assistência monetária generosa que Tibério lhe concedeu. O distrito era de viticultura e, conseqüentemente, do culto a Dionísio, o deus do vinho e da embriaguez.

Uma porta aberta que ninguém pode fechar (v. 8). Deus advertira as igrejas de Éfeso e de Sardes que não deviam encher-se de orgulho pela situação influente. Aqui, avisa a igreja de Filadélfia que não desanime só porque "tem pouca força" (talvez uma referência ao número reduzido de membros), já que Deus não depende do prestígio deste mundo.

Guardada da provação (v. 10). A igreja de Esmirna tinha sido avisada de que os membros passariam por perseguição (2.10). A igreja de Filadélfia recebe a promessa de que seria guardada do sofrimento. Ambas eram igrejas fiéis. Entretanto, Deus não lida com todos da mesma maneira, mas com cada um conforme ele mesmo sabe melhor, de um modo que está além do nosso entendimento.

O novo nome (v. 12). Em 2.17 "novo nome" parece referir-se às alegrias inimagináveis a serem desfrutadas no céu. No presente texto, o vencedor receberá o "nome" do próprio Deus. É sinal de pertencer a Deus e marca de cidadania. Da mesma forma, os seguidores da besta recebem a marca do senhor deles (13.16,17). Cada um de nós pertence ou ao Senhor ou à besta.

> **O Livro da Vida**
>
> - "Jamais apagarei o seu nome do livro da vida" (3.5).
> - Os seguidores da besta não estão no livro da vida (13.8; 17.8).
> - Os que não constavam no livro da vida foram lançados no lago de fogo (20.12,15).
> - O céu é habitado somente pelos que estão inscritos no livro da vida (21.27).
> - Daniel (12.1) e Malaquias (3.16) falaram sobre o livro de registros no céu. Êxodo 32.32,33 refere-se ao livro divino com nomes escritos.

A carta a Laodicéia — Ap 3.14-22

A igreja de Laodicéia era uma igreja morna. Seus membros eram materialmente prósperos, mas Deus lhes disse que os enxergava como espiritualmente miseráveis, dignos de compaixão, pobres, cegos e nus.

Vomitá-lo da minha boca (v. 16). Expressão bastante contundente da desaprovação do Senhor à igreja morna. Tendo por base essa declaração, imaginamos que Cristo prefere a oposição direta à mornidão, ao comodismo na religião. Laodicéia foi vomitada de sua boca.

Estou à porta e bato (v. 20). É um quadro estranho: o próprio Cristo do lado de fora, pedindo licença para entrar numa de suas igrejas. Em certa medida, é a situação de muitas igrejas nos dias de hoje, que operam em nome de Cristo dando pouca ênfase à pessoa dele.

Sentar-se comigo em meu trono (v. 21). Isto é: partilhar com Cristo da glória de seu Reino. A repetição, sem falta, em cada uma das cartas, de que a bem-aventurança final será somente para os que vencerem parece subentender que muitas pessoas que tinham começado no caminho cristão estavam, de uma ou de outra maneira, caindo à beira do caminho.

Esmirna e Filadélfia, as duas cidades com igrejas boas, continuam sendo cidades prósperas hoje (Izmir e Alasehir na Turquia). Sardes e Laodicéia, as duas cidades com igrejas más, hoje são lugares desertos e sem habitação.

Laodicéia

Laodicéia era uma cidade rica na Ásia Menor, fundada por Alexandre II (261-246 a.C.). Ficava numa das grandes estradas comerciais da Ásia, o que garantia sua prosperidade comercial (obtida, em parte, às expensas de Colossos, quando o itinerário comercial foi desviado daquela cidade para passar por Laodicéia). Laodicéia era um centro bancário de importância. Em 51 a.C., Cícero, a caminho para a província da Cilícia, sacou ali ordens de pagamento.

Foram, sem dúvida, as ricas companhias bancárias que financiaram a reconstrução da cidade depois de ser praticamente destruída pelo grande terremoto de 60 d.C. Laodicéia recusou a assistência, votada pelo senado romano. Dizia: "Estou rico, adquiri riquezas e não preciso de nada" (Ap 3.17).

O vale do Lico produzia um tipo de lã negra brilhosa, usada para capas e tapetes pretos, pela qual a cidade era famosa. Laodicéia também abrigava uma escola de medicina, e a fabricação do colírio, um ungüento famoso para os olhos (3.17,18). As irônicas figuras de linguagem da carta a Laodicéia baseiam-se obviamente nessas atividades. Também há referência às qualidades eméticas da água morna, carregada de soda, da cidade vizinha de Hierápolis, cujas fontes térmicas desaguavam no rio Meandro. A água de Laodicéia provinha de Hierápolis que provavelmente chegava ali ainda morna.

O significado típico das sete igrejas

É possível que as sete igrejas tivessem sido escolhidas como perfil das igrejas daquela geração. Também podem tipificar, em graus diferentes, as igrejas de todas as gerações, em várias etapas de maturidade e de apostasia, infiltrada de modos diferentes por traduções mundanas. Cada igreja é, em certa medida, produto de sua liderança, com proporções variadas de líderes fiéis e membros fiéis, sendo que muitas congregações são uma mistura lastimável entre igreja e mundo, entre o certo e o errado.

As sete igrejas podem também ser referências simbólicas ao crente individual, que é templo do Espírito Santo (1Co 6.19). É possível, também, que as diferentes situações das sete igrejas sejam aplicáveis ao comportamento "cristão" ou "menos cristão" de cada membro da igreja — pois somos muitos membros que formem um só corpo (1Co 12.12). É com o indivíduo dessas igrejas ("aquele que tem ouvidos") que Jesus está falando. É o membro da igreja que deve "vencer". Jesus diz: "O vencedor":

- "Darei o direito de comer da árvore da vida, que está no paraíso de Deus" (2.7).
- "De modo algum sofrerá a segunda morte" (2.11).

- "Darei do maná escondido. Também lhe darei uma pedra branca com um novo nome nela inscrito, conhecido apenas por aquele que o recebe" (2.17).
- "Darei autoridade sobre as nações. 'Ele as governará com cetro de ferro e as despedaçará como a um vaso de barro.' Eu lhe darei a mesma autoridade que recebi de meu Pai. Também lhe darei a estrela da manhã" (2.26-28).
- "Será igualmente vestido de branco. Jamais apagarei o seu nome do livro da vida, mas o reconhecerei diante do meu Pai e dos seus anjos" (3.5,6).
- "Será uma coluna no santuário do meu Deus, e dali ele jamais sairá. Escreverei nele o nome do meu Deus e o nome da cidade do meu Deus, a nova Jerusalém, que desce dos céus da parte de Deus; e também escreverei nele o meu novo nome" (3.12).
- "Darei o direito de sentar-se comigo em meu trono, assim como eu também venci e sentei-me com meu Pai em seu trono" (3.21).

Glória a Deus! Que todos sejamos dignos de tal honra!

Uma visão do trono de Deus — Ap 4

Existe uma mudança abrupta de situação entre os capítulos 3 e 4 — das sete igrejas da Ásia Menor para o trono de Deus no céu.

No começo da visão, que mostra desgraças horríveis ainda no porvir, Deus garante à sua igreja, por intermédio de João, que ele está no trono, controlando tudo, aconteça o que acontecer (cap. 4), e que as coisas terríveis que estão para suceder são a etapa final da obra redentora de Jesus, o único que é digno de completar o começou (cap. 5).

Os intérpretes *preteristas* vêem nos capítulos 4 e 5 um interlúdio antes do aparecimento do primeiro cavaleiro (montado no cavalo branco), que seria o exército romano vitorioso a caminho de Jerusalém em 67 d.C. O restante do livro passaria, então a contar de forma enigmática o restante do que aconteceria enquanto João ainda vivesse.

Os intérpretes *históricos* também vêem nesses capítulos um interlúdio do capítulo 6, que representaria a história eclesiástica depois dos tempos de João.

Os intérpretes *futuristas* acreditam que no fim do capítulo 3 acontece o arrebatamento da igreja: "Suba para cá" (4.1). A igreja é mencionada 16 vezes nos capítulos de 1 a 3, mas nenhuma vez no restante do livro a partir desse texto. O período que se segue, a partir do capítulo 4 até a batalha do Armagedom (19.9) e o Reino de mil anos de Cristo na terra (o Milênio; cap. 20), abrange um período terrível de sete anos nos tempos do fim, referido como a Grande Tribulação (7.14; também Mt 24.21 e Ap 2.22). Esses sete anos são idênticos ao septuagésimo conjunto de sete anos referido pelo profeta Daniel (v. nota sobre Dn 9.27).

O "arrebatamento" é um termo que se refere à vinda visível e audível de Jesus Cristo a fim de chamar fisicamente para fora deste mundo todo crente nascido de novo. Espera-se que o arrebatamento ocorra num só instante, "num abrir e fechar de olhos" (v. tb. 1Co 15.51-54; 1Ts 4.16,17).

Os capítulos 4 e 5 parecem relatar os eventos que ocorrem no *céu* depois de a igreja ter sido arrebatada, e os capítulos de 6 a 18, os eventos que ocorrem na *terra* após o arrebatamento. É o mesmo evento contado a partir de dois ângulos diferentes.

O trono do Criador, v. 2,3

O Espírito Santo assume o controle completo de João e lhe apresenta uma visão dos eventos que acontecem no céu. A primeira coisa que João vê é o próprio Deus no seu trono. Não é descrita sua forma

— só que tinha a aparência de jaspe e de sardônio. Em 21.11, o jaspe é uma pedra "clara como cristal", talvez um diamante. O sardônio é vermelho, da cor do fogo — talvez o fogo da justa ira de Deus. Assim, Deus aparece com branco claro e ofuscante, com matizes de vermelho, debaixo de um arco-íris de verde-esmeralda — uma tentativa de descrever o indescritível, o Deus que "habita em luz inacessível" (1Tm 6.16).

Os **relâmpagos, vozes e trovões** (v. 5) denotam a majestade e poder de Deus. As **sete lâmpadas de fogo** são uma representação visual do Espírito Santo na sua operação total. O **mar de vidro, claro como cristal** (v. 6) forma um contraste com a figura bíblica comum do mar como representação das nações tumultuosas e rebeldes em oposição a Deus (v. 21.1: não haverá nenhum "mar" na nova terra); o mar de vidro, que reflete a luz e esplendor de Deus, representa, segundo essa interpretação, a calma e a paz do governo de Deus.

Os 24 anciãos (v. 4)

A maioria dos intérpretes considera que os 24 anciãos representam a totalidade do povo de Deus glorificado: 12 patriarcas e 12 apóstolos, que simbolizam a união entre o povo de Deus no AT e no NT. João nota que os 24 anciãos estão com suas coroas. Sabemos, tendo por base Lucas 14.14, que os crentes serão recompensados [coroados] na ressurreição dos justos e, quando se manifestar o Supremo Pastor, receberão a "imperecível coroa da glória" (1Pe 5.4). Os anciãos lançam suas coroas aos pés de Cristo (v. 10,11).

Alguns intérpretes consideram os anciãos os equivalentes celestiais da igreja terrestre. Outros estudiosos da Bíblia consideram que eles, assim como os seres vivos dos versículos seguintes, são uma classe distinta de seres celestiais. Isso porque, nas doxologias que se seguem, parecem ser um grupo separado da multidão dos santos redimidos, em vez de fazer parte dela. Essa última opinião pode ser considerada a menos provável, pois em todas as demais partes da Bíblia os anciãos representam seres humanos.

Os quatro seres viventes (v. 6-11)

Não "animais" nem "bestas" — o grego aqui, *zōon*, significa "vivente". Eles são identificados como seres viventes e também como entidades simbólicas "parecia". Entende-se geralmente que esses seres viventes são querubins, seres literais de uma ordem angelical. Parecem idênticos aos referidos em Ezequiel 1 e 10, onde Ezequiel diz: "Soube que eram querubins".

Os querubins estavam presentes na Queda da raça humana (Gn 3) e, depois disso, passaram a guardar a árvore da vida. Aqui, participam de celebração da redenção da raça humana. Voltaremos a vê-los adorando a Deus de novo em 19.4.

Existem, entretanto, muitas variedades de opinião a respeito desses seres viventes. Seja qual for sua identidade específica, eles, juntamente com o céu inteiro, adoram aquele que está no trono, num crescendo de louvor a Deus, Criador de tudo.

Ap 5 O rolo selado

O tema do capítulo 4 é o poder criador de Deus; o do capítulo 5, o poder redentor da Cristo. João continua descrevendo o cenário no céu.

O rolo selado. O rolo contém os segredos do futuro, da etapa final da obra redentora de Cristo. A criação inteira quer saber como tudo termina, mas a única maneira de abrir o rolo é rompendo os sete selos. E somente uma pessoa em toda a criação pode fazer isso, não por ser forte, mas por ser digno — essa pessoa, logicamente, é Jesus.

À medida que os sete selos são abertos por Jesus descortina-se diante de João um panorama do futuro, desenrolando-se até ao fim. O abrir de cada selo resulta em acontecimentos terríveis na terra. E só depois de terem sido abertos todos os selos é que fica claro o futuro definitivo: novos céus e nova terra — Deus habitando com a sua criação redimida e restaurada.

O último selo foi o mais terrível. Quando foi aberto, revelou conter sete trombetas, e cada uma delas anunciava novos desastres. Alguns intérpretes entendem que a sétima trombeta contém as sete taças cheias de pragas, que serão derramadas sobre a terra antes do fim de tudo. Assim, vemos sete selos (6.1—8.1), sete trombetas (8.2—11.19) e sete taças (15 e 16).

Muitos intérpretes, no entanto, acham que os sete selos e as sete trombetas nos capítulos de 6 a 11 são a seqüência completa dos julgamentos. Conforme essa interpretação, os sete julgamentos das taças ocorrem simultaneamente com os sete julgamentos das trombetas. (Entretanto, os sete julgamentos das taças não são mostrados a João a não ser nas visões dos caps. 15 e 16.) O mesmo evento ocorre tanto ao ressoar a sétima trombeta (11.15-19) quanto depois de um anjo derramar a sétima taça (16.17,18): todo o céu reverbera com aos aleluias jubilosos da vitória final (11.15) quando a ira de Deus é derramada sobre a terra, na forma de relâmpagos, trovões, um terremoto e uma grande tempestade de granizo. Os capítulos de 12 a 20, portanto, são uma nova narrativa dos eventos dos capítulos anteriores.

Os sete selos e as sete trombetas, portanto, em conjunto, formam o arcabouço principal do Apocalipse e levam a narrativa rapidamente para o fim. Em seguida, o autor, empregando um método literário comum das Escrituras, volta ao início e, a partir do capítulo 12, recomeça com pormenores adicionais ou explanatórios.

O Leão de Judá é o Cordeiro (v. 5,6)

No começo do Apocalipse, Jesus apareceu como guerreiro em relação à sua igreja. Aqui é chamado "Leão" — mas quando o Leão aparece, é um Cordeiro. O Leão representa poder; o Cordeiro, sacrifício e vitória final. O Cordeiro subiu ao poder mediante a morte. O segredo do poder de Cristo é seu sofrimento — por mais paradoxal que isso pareça.

Os sete olhos representam todo o conhecimento; os sete chifres, o poder para vencer tudo. Cristo não somente sabe o futuro, como também tem poder para controlá-lo.

As doxologias (v. 8-14)

Em 4.8,11, os cânticos de louvor, ou doxologias, foram cantados ao Criador. Aqui os dois primeiros são cantados ao Redentor, e o terceiro, tanto ao Criador quanto ao Redentor. Um **cântico novo** (v. 9): o cântico da redenção é novo se comparado ao da Criação. É uma cena de grandeza transcendente: os seres viventes, os anciãos, 100 milhões de anjos e a totalidade do universo criado extasiados por causa da redenção da raça humana: "O céu é a pátria da música". As **orações dos santos** (v. 8) fazem parte dessa doxologia final! É nessa ocasião que Filipenses 2.9-11 será cumprido: "Por isso Deus o exaltou à mais alta posição e lhe deu o nome que está acima de todo nome, para que ao nome de Jesus se dobre todo joelho, no céu, na terra, e debaixo da terra e toda língua confesse que Jesus Cristo é o Senhor, para a glória de Deus Pai".

O seis primeiros selos — Ap 6

No capítulo 6, temos o início do relato dos eventos que ocorrem na terra durante os sete anos de tribulação. Os intérpretes futuristas acreditam que esses eventos começarão imediatamente após do arrebatamento da igreja (4.1)

Os selos apresentam em seqüência o período da Tribulação. É interessante notar que esses sinais se seguem exatamente na mesma ordem dos sinais referidos por Jesus em Mateus 24, onde ele responde às perguntas dos discípulos a respeito dos sinais que anunciarão sua segunda vinda e o fim dos tempos. (Esses versículos paralelos, tirados de Mt 24, estão incluídos nas seções que se seguem.)

"Cordeiro" é o nome predileto de Cristo no Apocalipse:

- O Cordeiro recebeu o rolo selado e o abriu (5.6,7; 6.1).
- Os seres viventes e os anciãos adoram ao Cordeiro (5.8,14).
- Cem milhões de anjos adoram ao Cordeiro (5.11-13).
- Chegou o grande dia da ira do Cordeiro (6.16,17).
- Multidões de todas as nações adoram ao Cordeiro (7.9,10).
- Suas vestes eram lavadas no sangue do Cordeiro (7.14).
- O Cordeiro os leva às fontes de águas vivas (7.17).
- Venceram Satanás pelo sangue do Cordeiro (12.11).
- Cento e quarenta e quatro mil seguem o Cordeiro (14.1,4).
- Cantam o cântico de Moisés e o do Cordeiro (15.3).
- O Cordeiro é Senhor dos senhores e Rei dos reis (17.14).
- Chegou o casamento entre o Cordeiro e sua noiva (19.7,9; 21.9).
- Os 12 alicerces da cidade são os doze apóstolos do Cordeiro (21.14).
- O Cordeiro é o templo da cidade, bem como sua luz (21.22,23).
- Somente entrarão os que estão no livro da vida do Cordeiro (21.27).
- Água da vida do trono do Cordeiro (22.1,3).

O primeiro selo (v. 1,2)

O cavalo branco e seu cavaleiro representam, segundo alguns, Cristo partindo na sua carreira triunfante, porque posteriormente (em 19.11), aparece montado num cavalo branco. Para outros, porém, o cavaleiro no cavalo branco é o Anticristo, que inaugura os sete anos da Grande Tribulação. Mas ainda não se trata de guerra aberta — a guerra de fato só começa com o segundo selo. Porque, assim como Satanás se apresenta como anjo de luz, também o Anticristo se apresenta, de início, como o próprio retrato da bondade.

Mateus 24.3-5: "Tendo Jesus se assentado no monte das Oliveiras, os discípulos dirigiram-se a ele em particular e disseram: 'Dize-nos, quando acontecerão essas coisas? E qual será o sinal da tua vinda e do fim dos tempos?' Jesus respondeu: 'Cuidado, que ninguém os engane. Pois muitos virão em meu nome, dizendo: "Eu sou o Cristo!" e enganarão a muitos'".

O segundo selo (v. 3,4)

O cavalo vermelho, cor do fogo, e seu cavaleiro representam a guerra declarada; a falsa paz no período do cavalo branco com seu cavaleiro foi removida, segue-se a guerra civil.

Mateus 24.6: "Vocês ouvirão falar de guerras e rumores de guerras, mas não tenham medo. É necessário que tais coisas aconteçam, mas ainda não é o fim".

O terceiro selo (v. 5,6)

O cavalo preto e seu cavaleiro representam a fome. A balança é usada para pesar alimentos, que faltarão na praça e serão vendidos por peso. A medida de trigo é a oitava parte do peso que normalmente o salário de um dia compraria. "Não danifique o azeite e o vinho!" talvez se refira aos limites impostos por

Deus quanto ao grau de destruição. A oliveira e a videira têm raízes profundas e não seriam afetadas imediatamente por uma seca.

Mateus 24.7: "Nação se levantará contra nação, e reino contra reino. Haverá fomes...".

O quarto selo (v. 7,8)

O cavalo amarelo (pálido) representa a morte, o resultado natural da guerra e da fome. Quando a civilização entra em colapso, as feras da terra reconquistam seu domínio e aumentam o sofrimento e a morte que já experimentam.

Mateus 24.7,8: "Nação se levantará contra nação, e reino contra reino. Haverá fomes e terremotos em vários lugares. Tudo isso será o início das dores".

O quinto selo (v. 9-11)

Uma visão das almas dos mártires. Os historiadores registram dez perseguições à igreja nos primeiros 300 anos de sua existência. Uma perseguição já havia passado (Nero, 64 d.C.), a segunda estava chegando ao fim (Domiciano, 96 d.C.) e a terceira estava para surgir no futuro imediato (Trajano, 98-117 d.C.). A figura dos mártires não era estranha aos primeiros leitores do Apocalipse. Não é algo desconhecido por nós que cristãos são martirizados em vários países. Alguns acham que esse selo se refere aos cristãos convertidos depois do arrebatamento e martirizados durante o reino do Anticristo, nos tempos do fim. A pergunta deles é a de todos os cristãos que sofrem: "Até quando?" — que é outra maneira de dizer: "Por quê?" A resposta é: "Tenham paciência; o plano de Deus será cumprido".

Mateus 24.9-13: "Então eles os entregarão para serem perseguidos e condenados à morte, e vocês serão odiados por todas as nações por minha causa. Naquele tempo muitos ficarão escandalizados, trairão e odiarão uns aos outros, e numerosos falsos profetas surgirão e enganarão a muitos. Devido ao aumento da maldade, o amor de muitos esfriará, mas aquele que perseverar até o fim será salvo".

O sexto selo (v. 12-17)

O sexto selo contém convulsões terríveis que sacudirão a terra e afetarão o Sol, a Lua e as estrelas. Uma chuva de meteoros provocará destruição, e haverá mudanças na crosta terrestre. Não se trata de uma calamidade natural localizada, mas de terror em âmbito mundial. Será tão terrível que todos — incluindo os poderosos — reconhecerão que esses eventos são "atos de Deus" no sentido mais terrível e real da expressão. Reconhecerão que se trata do juízo divino e que o fim não pode estar muito longe. Em alguns aspectos, a linguagem é semelhante à descrição da batalha do Armagedom (16.12-21), da qual talvez seja um indício preliminar.

Jesus empregou linguagem semelhante ao falar sobre a segunda vinda (Mt 24.29-30; Lc 21.26). Assim também Isaías, ao predizer a queda da Babilônia (Isaías 13.10) e Ezequiel ao profetizar a queda do Egito (Ez 32.7). Linguagem semelhante aparece também em Isaías 34.4; Joel 2.30,31; Atos 2.20, passagens que, segundo parece, se referem aos juízos divinos contra as nações ou ao Juízo Final.

Mateus 24.29: "O sol escurecerá, e a lua não dará a sua luz; as estrelas cairão do céu, e os poderes celestes serão abalados".

Um interlúdio — Ap 7

O capítulo 7 é um interlúdio entre o sexto e o sétimo selo, embora alguns entendam que faça parte do sexto selo. É dividido em duas seções, cada uma tratando de um grupo diferente: um na terra e outro no céu. De modo semelhante aos capítulos de 4 a 6, Jesus mostrou a João visões do que acontecerá na terra e no céu simultaneamente durante os sete anos da tribulação. Os versículos de 1 a 8 correspondem à visão de 144 000 eleitos de Israel na terra, e os versículos de 9 a 17 descrevem a visão da "grande multidão que ninguém podia contar, de todas as nações, tribos, povos e línguas, em pé, diante do trono e do Cordeiro".

Os 144 mil (v. 1-8)

O terrível juízo descrito em 6.15-17 parece severo a ponto de imaginarmos que ninguém poderia sobreviver. No entanto, existe misericórdia até mesmo no julgamento. Depois do tumulto imenso, há uma calmaria repentina, na qual são refreados os ventos da destruição. Os anjos recebem ordem de impedir que qualquer vento sopre (soprarão de novo quando as sete trombetas soarem nos caps. 8 e 9), até que os 144 mil servos de Deus, provenientes de todas as tribos de Israel, sejam marcados na testa com o selo de Deus (sinal de pertencerem a Deus). Não é de surpreender que, mais tarde, esse selo seja imitado pelo Anticristo em 13.17,18, quando, então, pessoas recebem o selo "666", a "marca da besta".

Existem muitas interpretações para o número 144 000. A interpretação futurista é que se trata do número literal de judeus, 12 de cada uma das doze tribos de Israel (v. 4-8), que se tornaram cristãos durante o período da tribulação. Outros interpretam o número simbolicamente, como representação da totalidade dos eleitos de Israel (embora alguns entendam que se trate da totalidade dos cristãos ou de todos os crentes mais os judeus convertidos).

A grande multidão no céu (v. 9-17)

Os 144 mil eram os eleitos de Israel, ao passo que a multidão provém de todas as nações. O cenário nos versículos de 1 a 8 era o planeta Terra — os 144 mil foram selados por Deus antes de começarem os anos piores da tribulação (7.3). A partir do versículo 9, João vê uma grande multidão de pessoas no céu *depois* de estarem completos os sete anos da Grande Tribulação. Um dos anciãos no céu revela a João a identidade das multidões e o modo como chegaram ao céu: "Estes são os que vieram da grande tribulação [o capítulo 6 diz que muitos seriam martirizados durante a Tribulação] e lavaram as suas vestes e as alvejaram no sangue do Cordeiro" (v. 14). A grande multidão, finalmente em segurança na casa do Pai, é a resposta ao clamor dos mártires referidos no quinto selo.

Existe diferença de opinião entre os estudiosos da Bíblia quanto ao serem os 144 mil e a grande multidão dois grupos separados ou o mesmíssimo grupo sob aspectos diferentes. Parece que "Israel" no versículo 4 forma um contraste com "todas as nações" no versículo 9 e que "Israel" se refere aos cristãos judeus, ao passo que o versículo 9 se refere a cristãos "de todas as nações, tribos, povos e línguas". Muitos acreditam que os 144 mil selados por Deus e protegidos durante a Tribulação eram os evangelistas desse período. Mediante os esforços deles, grandes multidões dentre os povos aceitaram a Cristo e morreram como mártires durante a Tribulação. São esses que João vê no céu.

Ap 8 — As quatro primeiras trombetas

O sétimo selo contém a terrível praga das sete trombetas, que são ainda mais horríveis que as dos primeiros seis selos. E as últimas três trombetas anunciam tamanhas desgraças sobre a terra que são chamadas "ais" (v. 13). Quando foi aberto o sétimo selo, "houve silêncio no céu cerca de meia hora", como se algo de importantíssimo estivesse para acontecer. Então soou a trombeta.

As orações dos santos (v. 3-6)

Em Apocalipse 6.10, ouvimos os santos clamando em alta voz: "Até quando, ó Soberano, santo e verdadeiro, esperarás para julgar os habitantes da terra e vingar o nosso sangue?". No presente texto, vemos um anjo (Jesus) oferecendo incenso e agindo como mediador entre Deus e os homens. A fumaça do incenso sobe diante de Deus a partir das mãos de Jesus — as orações dos santos são respondidas, e o julgamento é preparado. Jesus tira fogo do altar celeste e o lança para a terra, e "houve trovões, vozes, relâmpagos e um terremoto" (v. 5).

Alguns acreditam que o anjo nessa visão é Jesus Cristo. Citam o apóstolo Paulo — que nos diz que "há um só Deus e um só mediador entre Deus e os homens: o homem Cristo Jesus, o qual se entregou a si mesmo como resgate por todos". Esse foi o testemunho dado em seu próprio tempo" (1Tm 2.5,6) — como evidência.

As quatro primeiras trombetas (v. 7-12)

Parecem ser uma representação mais detalhada dos "quatro ventos" da "ira do Cordeiro" (6.16—7.3), retidos até serem selados os servos de Deus, mas agora prontos para serem desencadeados:

- A terça parte da terra e de sua vegetação é queimada,
- A terça parte do mar fica incapaz de sustentar vida e navegação,
- A terça parte do fornecimento de água fresca do mundo torna-se venenosa,
- O Sol, a Lua e as estrelas são feridos, e o ciclo regular do dia e da noite é alterado: um dia terá apenas 16 horas.

Alguns entendem que as trombetas são simbólicas, mas a maioria dos intérpretes futuristas entende que essas trombetas representam convulsões literais da natureza, que ocorrem durante o reinado do Anticristo.

"Ai, ai, ai" (v. 13)

João ouve um anjo voando pelo meio do céu, falando: "Ai, ai, ai dos que habitam na terra, por causa do toque das trombetas que está prestes a ser dado pelos três outros anjos!". É advertência de que o pior ainda está por vir.

Isso está em harmonia com o que sabemos a respeito do período de Tribulação a partir de Daniel 9, onde este descreve as septuagésima semana. Aqui aprendemos que os primeiros três anos e meio da tribulação ("o início das dores", Mt 24.8) não serão tão horríveis quanto os três anos e meio finais ("porque haverá então grande tribulação, como nunca houve desde o princípio do mundo até agora", Mt 24.21).

A quinta e a sexta trombeta — Ap 9

A quinta trombeta (o primeiro ai) (v. 1-11)

A praga dos gafanhotos demoníacos, soltos do abismo por uma estrela caída. Satanás é a "estrela que havia caído do céu sobre a terra" por possuir um coração orgulhoso (v. Is 14.12). Deus dá a Satanás a chave do poço sem fundo — o Abismo. Os gafanhotos demoníacos são aterrorizantes. Tendo a forma de cavalos, seus rostos parecem humanos, com cabelos femininos e dentes de leão. Têm couraças como de ferro e coroas como de ouro. O som de suas asas é como carros e cavalos precipitando-se para a guerra. Têm a capacidade de picar como escorpiões. Alimentam-se não da vegetação, como os gafanhotos comuns (até mesmo são proibidos de fazê-lo), mas do terror. Os gafanhotos recebem ordens de atormentar somente os que não têm o selo de Deus em suas testas. Os gafanhotos também são proibidos de matar as pessoas. Podem somente atormentá-las durante cinco meses, que é o período normal para os gafanhotos comuns (maio até setembro).

Os intérpretes futuristas sustentam que os gafanhotos demoníacos infestarão literalmente a terra nos dias da Tribulação, depois de terem sido desencadeados por Satanás.

Existem paralelos nas profecias do livro de Joel, que também prediz uma praga de gafanhotos como parte dos eventos que levam a um julgamento próximo. Uma praga de gafanhotos também é descrita em Êxodo 10.1-20.

A sexta trombeta (o segundo ai) (v. 12-21)

O segundo ai trará mais que simples tormento — matará a terça parte da humanidade. Ao invés de gafanhotos demoníacos, quatro anjos caídos agora são soltos das amarras que os prendem no rio Eufrates. (O rio Eufrates está no Oriente Médio, na atual região do Iraque e da Síria.) Um exército de 200 milhões de soldados de cavalaria. Estavam preparados para "aquela" hora, dia, mês e ano, o que parece significar o tempo exato determinado. Com o quarto selo, a quarta parte de toda a humanidade tinha sido morta (6.4); agora, é morta a terça parte dos que sobraram. Assim, somente metade da população do mundo permanece com vida.

Mas, por incrível que pareça, tudo isso não tem nenhum efeito sobre os sobreviventes. Persistem na rejeição a Deus, recusando-se se arrepender da adoração aos ídolos, do assassinato, das artes mágicas, da fornicação e do furto. Para o futurista, o exército de 200 milhões é o exército do Anticristo, ajudado pela atividade sobrenatural dos demônios.

Ap 10 O livrinho é aberto

O capítulo 10 e o início do capítulo 11 são outro breve interlúdio — uma olhada "atrás dos bastidores" nos eventos que ocorrem entre a sexta e a sétima trombeta (semelhante ao interlúdio entre o sexto e o sétimo selo no capítulo 7).

Aqui, temos diante de nós dois cenários: o anjo com o livrinho (cap. 10) e as duas testemunhas (cap. 11).

O anjo é provavelmente Cristo. Primeiramente, notamos que Cristo é freqüentemente retratado cercado por nuvens (v. Êx 19.9,16; 40.34; Mt 17.5; Lc 21.27, At 1.9). No capítulo 5, João viu Deus segurando um rolo selado; aqui descreve um anjo com um livrinho aberto. Essa designação — "livrinho" — parece distingui-lo do rolo selado. Além disso, o rolo selado no capítulo 5 era para ser aberto, ao passo que o livrinho aqui é para ser comido.

O anjo põe o pé direito sobre o mar e o pé esquerdo sobre a terra e dá "um alto brado, como o rugido de um leão" (v. 3). Esse brado parece ser uma advertência de que o fim está próximo, mas ainda falta outro período profético a ser abrangido antes de o próprio fim chegar.

De modo definitivo — jura pelo próprio Deus — o anjo proclama: "Não haverá mais demora!". As forças do mal já não adiarão a decisão final e inevitável. Chegou o grande dia de Deus, e a hora do Juízo Final para os que se opõem a Deus. Os intérpretes futuristas entendem que essa proclamação se refere à iminência do reinado do Anticristo. O sétimo anjo tocará sua trombeta em Apocalipse 11.15.

> **O Anticristo**
>
> A palavra "anticristo" pode significar "contra Cristo" ou "no lugar de Cristo", ou seja: um inimigo ou um usurpador, um fingido. É surpreendente que a palavra apareça em apenas quatro passagens da Bíblia, nas cartas de João (1Jo 2.18,22; 4.3; 2Jo 7). O conceito, entretanto, acha-se em todas as partes das Escrituras e parece que era bem conhecido. Paulo fala do "homem do pecado" de uma maneira que parece tomar por certo que seus leitores sabem a respeito do que ele escreve (2Ts 2.3-6), e João, da mesma forma, não acha necessário explicar o termo.
>
> No AT, veja o salmo 2, Ezequiel 38 e 39 e Zacarias 12—14. O livro de Daniel, em especial, oferece descrições vívidas do Anticristo (comp. Dn 11.36,37 com 2Ts 2.4; tb. Dn 7.8,20,21; 8.24; 11.28-30 com Ap 13.8).
>
> O próprio Jesus advertiu contra os falsos cristos e os falsos profetas (Mt 24.24), e se referiu à "abominação da desolação" mencionada por Daniel (Mt 24.15).
>
> A besta de Apocalipse 13.1-8 e 17.8 relembra o animal com chifres em Daniel 7 e 8. Reivindica honras divinas para si mesmo, receba-as e guerreia contra o povo de Deus. O Anticristo é finalmente destruído pelo Senhor numa grande batalha (Ap 19.19,20).

A essa altura, João recebe ordem para pegar o livrinho que está aberto na mão do anjo. Esse livrinho parece ser o Livro dos Juízos, na sua totalidade ou em parte. Conforme Cristo advertiu de antemão, a Palavra de Deus era tanto "doce" quanto "amarga". Isso talvez signifique que, embora fosse gratificante conhecer o futuro glorioso que o crente tem diante de si, o horror dos juízos vindouros contra os que se recusam a se arrepender deixou João abalado de tristeza. Em seguida, João recebe ordem para profetizar aos "muitos povos, nações, línguas e reis". Com toda a fidelidade, João conta as boas e as más notícias ao longo dos demais capítulos do Apocalipse.

As duas testemunhas — Ap 11

O Templo é medido (v. 1,2)

Continuação do interlúdio entre a sexta trombeta e a sétima. João recebe ordem para medir o templo de Deus, o altar e os adoradores. Não deve medir o pátio exterior, o dos gentios. Aqui somos informados de que a Cidade Santa será deixada para ser pisoteada pelos gentios durante 42 meses (três anos e meio — metade dos sete anos da tribulação.) Alguns acham que se refere à destruição de Jerusalém em 70 d.C. Outros acham que se trata, não de um templo material, mas do "Israel espiritual", a igreja. Alguns intérpretes futuristas acreditam que realmente será construído um novo templo, um pouco antes e durante os primeiros três anos e meio do período da Tribulação.

A linguagem figurada parece fazer distinção entre os adoradores no templo e os "gentios" no pátio exterior. Os intérpretes futuristas, muitos dos quais acreditam que a igreja será arrebatada no começo do período da Tribulação, acham que os adoradores aqui referidos são os judeus que se tornaram crentes fiéis ou todas as pessoas que aceitaram Cristo durante a grande Tribulação.

As duas testemunhas (v. 3-13)

Aqui se declara que as duas testemunhas profetizam em pano de saco durante o mesmo período em que a Cidade Santa será pisoteada pelas nações (1 260 dias, ou 42 semanas, ou três anos e meio). São identificadas como "as duas oliveiras e os dois candelabros". Trata-se de uma referência a Zacarias 4.1-14, onde é explicado que o candelabro é o templo de Deus e as oliveiras representam o Espírito, por meio de quem Zorobabel, da família messiânica, concluiria a obra do templo que, havia muitos anos, estava em ruínas (v. p. 386).

Quem são as duas testemunhas? São muitas as respostas, mas nenhuma delas está isenta de dificuldades. Alguns diriam Pedro e Paulo, cujos corpos jaziam, naqueles tempos, na cidade de Roma. Outros entendem que são a igreja verdadeira, que dará testemunho de Cristo no decurso de toda a era cristã. O intérprete futurista acredita, geralmente, que serão duas pessoas literais que voltarão à terra e testificarão com poder sobrenatural nos dias do Anticristo. Existe bastante especulação a respeito da identidade dessas testemunhas. As teorias mais comuns sugerem Elias e Enoque ou Elias e Moisés. Em Malaquias 3.1 e 4.5, vemos uma profecia específica segundo o qual Elias será enviado "antes do grande e terrível dia do Senhor". Em certo sentido, isso foi cumprido em João Batista (Mt 11.13,14), mas é possível que ainda exista outro cumprimento, no futuro. É interessante, notar que Elias não passou pela morte física, mas foi levado ao céu num carro de fogo (2Rs 2). Elias era um profeta de Israel. Muitos acreditam que Moisés seria a outra testemunha. Ele apareceu com Elias durante a Transfiguração (Mt 17.1-8), e seu corpo foi protegido por Deus (Jd 9). Enoque também é lembrado porque, de modo semelhante a Elias, não morreu, mas foi levado por Deus.

Embora a identidade das testemunhas seja questão não esclarecida no presente momento, um dia será desvendada. O âmago da questão é que Deus providenciará testemunhas — profetas que falarão em seu nome, mesmo durante o período mais terrível da história humana.

Deus protegerá de forma sobrenatural as testemunhas durante os 1 260 dias (três anos e meio) durante os quais profetizarão. Muitos as odiarão e rejeitarão suas mensagens de advertência. Os que procurarem lhes causar dano serão devorados por fogo proveniente da boca das próprias testemunhas. As testemunhas também terão poder para provocar uma seca (como Elias), bem como para transformar água em sangue e dar início a qualquer tipo de praga (como Moisés).

Depois dos três anos e meio, "a besta" que vem do Abismo os atacará e matará na mesma cidade onde Cristo foi crucificado. Essa é a primeira vez que a besta é mencionada no Apocalipse, e fica claro que é um ser demoníaco.

Os cadáveres das testemunhas ficarão jogados na rua principal durante três dias e meio, e "gente de todos os povos, tribos, línguas e nações contemplarão os seus cadáveres e não permitirão que sejam sepultados". As comunicações globais de hoje facilmente possibilitarão a qualquer pessoa no mundo inteiro ver os cadáveres das testemunhas. Haverá até mesmo pessoas celebrando a morte delas. Que situação vergonhosa!

Depois dos três dias e meio (note a semelhança com o período que Cristo passou no túmulo), Deus lhe dará o sopro da vida. A ressurreição delas aterrorizará o mundo inteiro. Pouco depois de voltar à vida, serão chamadas para subir ao céu e subirão numa nuvem enquanto o mundo observa (note a semelhança com 4.1). Em seguida, haverá um terremoto violento que matará 7 000 pessoas.

Esse é o fim da sexta trombeta e do segundo ai (v. 9.12). O terceiro ai está para começar (v. 14).

A sétima trombeta (v. 15-19)

Chegou o fim. O longo conflito acabou-se. Seremos transportados para além do Dia do Juízo. A totalidade da história alcançou sua gloriosa consumação. Alguns acreditam que o restante do livro seja uma continuação da primeira parte. Entretanto, são tantas as semelhanças entre os capítulos que se seguem e os anteriores que é mais provável que o escritor esteja voltando para contar a história inteira numa abordagem diferente. Ou seja, os capítulos de 6 a 11 são paralelos a 12—19.15. O culto de adoração que João vê no capítulo 11 é a mesma adoração ao Rei na sua segunda vinda marcada no capítulo 19.

Ap 12 — A mulher, o filho e o dragão

Até essa altura, os selos e as trombetas conduzem a história adiante, até o Juízo Final, definindo o destino do mundo. No capítulo 12, o escritor volta ao ponto de partida e, em outra série de visões, retrata detalhes anteriormente omitidos que se relacionam, em grande medida, ao destino dos que se recusaram a arrepender-se.

A mulher

É opinião comum, que a mulher representa Israel. A linguagem figurada é semelhante à do Sol, da lua e das doze estrelas que se curvaram diante de José no seu sonho (Gn 37.9-11). No versículo 2, vemos cumprida a predição de Isaías (Is 66.7,8), em que uma mulher (Israel) dar à luz um filho homem.

O filho

No versículo 5, ficamos sabendo que o menino é Cristo, "um homem, que governará todas as nações com cetro de ferro". E foi assim que Cristo nasceu da nação Israel.

O dragão vermelho

O dragão é expressamente identificado como o Diabo. As "sete cabeças e dez chifres" e as "sete coroas" representam o domínio de Satanás como príncipe deste mundo caído ou até mesmo sua pretensão de domínio universal e seus esforços nesse sentido. Ele é o "deus desta era" (2Co 4.4), o "príncipe do poder do ar" (Ef 2.2) e o "príncipe deste mundo" (Jo 12.31) — mas ele não é Deus. Ele não é onipotente, nem onipresente, nem onisciente. Não existem dois deuses: Deus e o Diabo. O Diabo é um poderoso príncipe do mal que recebeu permissão, na sabedoria de Deus (Ez 28.12), por alguma razão além do entendimento humano, para causar distúrbios durante certo tempo. Mas é inevitável sua perdição. O vermelho talvez indique sua natureza assassina. O assassinato é a sua arma. "Arrastou consigo um terço das estrelas do céu" (v. 4) pode ser uma alusão ao seu poder para organizar as hostes do mundo invisível contra os santos de Deus ou sua capacidade para influenciar os líderes eclesiásticos à apostasia.

A guerra no céu (v. 7-12)

João vê Satanás ser lançado do céu ao planeta Terra (v. 9). Há celebração no céu, mas "ai" das pessoas que vivem aqui, "pois o Diabo desceu até vocês! Ele está cheio de fúria, pois sabe que lhe resta pouco tempo". Alguns acham que a expulsão de Satanás do céu coincide com a data da Grande Tribulação, os últimos três anos e meio antes de Cristo voltar para retomar a terra para si.

Outros acreditam que a guerra no céu descreve Satanás, enfurecido após o fracasso em frustrar a obra de Cristo pela crucificação, seguindo-o na sua ascensão e tentando tomar à força os baluartes do céu, onde amarga outra derrota esmagadora e perde, para sempre, o poder de causar o mínimo dano que seja a Cristo ou às almas dos mártires que ele próprio, Satanás, mandara matar. Tendo perdido toda e qualquer oportunidade para provocar danos no céu, Satanás se dedica, doravante, à terra, a fim de estorvar e prejudicar tanto quanto possível a obra redentora de Cristo e manter fora do céu tantos seres humanos quantos conseguir. Seja qual for a interpretação exata, parece ser o que o próprio Jesus viu numa visão (Lc 10.18).

Miguel (v. 7), o arcanjo, é, segundo parece, o anjo da guarda de Israel (Dn 10.13,21; 12.1) que tivera alguma experiência prévia em contender com o Diabo (Jd 9).

O dragão, determinado a impedir que as pessoas sejam salvas mediante o sangue de Cristo, instala-se na besta, no falso profeta e na Babilônia nos capítulos que se seguem.

A fuga da mulher ao deserto (v. 13-17)

Deus faz provisão para Israel, seu povo escolhido, ao dirigir e providenciar um meio para escapar da ira de Satanás.

A "água como um rio" que o dragão faz jorrar de sua boca atrás da mulher talvez se refira às perseguições durante o período da Tribulação. Outros acreditam que representam as perseguições da igreja pelo Império Romano.

O "deserto" talvez subentenda que o remanescente fiel de Israel será preservado entre os gentios durante a Tribulação.

De novo, Deus emprega o período de 1 260 dias. Os 1 260 dias no versículo 6 correspondem exatamente a "um tempo, tempos e meio tempo" no versículo 14; essa última expressão significa "um ano, anos, e meio ano", ou seja: três anos e meio, que é igual a 42 meses ou, na base de 30 dias por mês, 1 260 dias. Não sabemos por que três expressões diferentes são empregadas para o mesmo período de tempo; é possível que existam aí matizes de significado que nos sejam desconhecidas.

A mulher ficou no deserto durante três anos e meio, ou 1 260 dias. A Cidade Santa foi pisoteada durante 42 meses (11.2). A besta viveu 42 meses depois de ser curada de um golpe mortal (13.5). As duas testemunhas profetizaram, vestidas de pano de saco, durante 1 260 dias (11.3). Portanto, a Cidade Santa estava sendo pisoteada enquanto a mulher estava no deserto, as duas testemunhas profetizavam vestidas de pano de saco, a Babilônia (a besta revivificada) estava no trono — tudo ao mesmo tempo. Os intérpretes futuristas entendem que se trata do período literal de três anos e meio chamado a Grande Tribulação.

O dragão (Satanás), em pé na areia do mar, prepara-se para "guerrear contra o restante da [...] descendência [da mulher], os que obedecem aos mandamentos de Deus e se mantêm fiéis ao testemunho de Jesus" (v. 17). Satanás tem como alvo todos os crentes.

Ap 13   As duas bestas

A primeira besta (v. 1-10)

O dragão vermelho no capítulo 12 é claramente Satanás. O capítulo 13 apresenta duas bestas por meio das quais Satanás estabelece o controle sobre os povos da terra. A primeira besta parece ser uma personagem política, e a segunda, uma personagem religiosa. Ambas recebem poder e orientação de Satanás, o grande enganador e imitador.

A primeira besta, saída do mar, é geralmente considerada o Anticristo. O mar é freqüentemente usado como símbolo da multidão dos habitantes da terra. Talvez se trate de um indício de que o Anticristo seja um político que tenha conseguido sua ascensão à fama da forma usual, assim como têm feito muitos outros no decorrer da história. A primeira besta era "semelhante" a um leopardo, mas tinha pés como os de urso e boca como a de leão. Essa descrição é semelhante à dos três primeiros dos quatro animais de Daniel (Dn 7.3-6). Entretanto, a besta do Apocalipse parece assemelhar-se à quarta besta em Daniel, que retém, em certa medida, as características de seus antecessores. Por ser empregado o termo "besta", é fácil imaginar que sua aparência física é muito estranha e animalesca. Entretanto, a semelhança com o leopardo, o urso e o leão possivelmente descreve características não-físicas, tais como ser um caçador astuto, alguém que sabe se camuflar no seu meio-ambiente.

Assim como o dragão, a quem era subserviente, a besta tinha sete cabeças e dez chifres (v. cap. 17). As "sete cabeças" carregadas de blasfêmias recebem mais explicações no capítulo 17. Simbolizam sete impérios e sete reis que estão, ou estavam, sob o controle da besta, que recebe seu poder da parte de Satanás. João nos diz que cinco (impérios/reis) caíram, um ainda existe e o outro ainda não surgiu (17.10). Existe muita especulação a respeito da identidade dos cinco que já caíram. Alguns acreditam que sejam os impérios importantes que governaram durante as eras, incluindo-se o egípcio, o assírio, o babilônio, o medo-persa e o grego (v. mais sobre os seis impérios mundiais dos tempos bíblicos nas p. 000-00). Aquele que "ainda existe" é geralmente considerado o Império Romano. Esse nunca foi conquistado; apodreceu por dentro e acabou perdendo sua posição de domínio mundial.

Outros acreditam que as sete cabeças representam os cinco reis que reinaram até os dias de João, que o sexto rei estava no trono durante a vida de João e que o sétimo rei, que ainda não surgira, seria o Anticristo.

Os "dez chifres com dez coroas, uma sobre cada chifre" parecem idênticos aos dez dedos dos pés do quarto animal no sonho de Nabucodonosor (Dn 2.33,40-43) e aos dez chifres do quarto animal no sonho de Daniel (Dn 7.7,24). Um anjo conta a Daniel o que representam os dez chifres: "Os dez chifres são dez reis que sairão desse reino [o último deles]. Depois deles um outro rei se levantará, e será diferente dos primeiros reis; ele subjugará três reis. Ele falará contra o Altíssimo, oprimirá os seus santos e tentará mudar os tempos e as leis" (Dn 7.24,25).

"Uma das cabeças da besta *parecia* ter sofrido um ferimento mortal, mas o ferimento mortal foi curado" (13.3; grifo do autor). Não nos surpreende que Satanás, o grande imitador, encene a "morte e ressurreição" do Anticristo. Imitação barata, sem dúvida, mas "todo o mundo ficou maravilhado e seguiu a besta". Como as pessoas se deixam enganar facilmente quando não conhecem a verdade que se acha na Palavra de Deus!

Para o intérprete preterista, essa primeira besta é o antigo Império Romano, cuja missão era perseguir a igreja. O intérprete futurista acredita que essa besta (o Anticristo) é literalmente um homem que alcançará o poder no Império Romano redivivo e que continuará como potência mundial durante 42 meses. Blasfemará do nome de Deus e receberá poder da parte de Satanás para guerrear contra os santos (os crentes genuínos em Deus) — mas o restante do mundo (cujos nomes não estão escritos no Livro da Vida) adorarão o político endemoninhado. Será um período de aflição como o mundo nunca conheceu. No fim desses três anos e meio de terror, Cristo voltará para retomar de Satanás o domínio da terra.

A segunda besta (v. 11-18)

Essa segunda besta tem aparência de cordeiro, e ocupará uma posição de autoridade religiosa. A primeira besta tinha aparência de leopardo, de urso e de leão e possuía poder político. Ambas recebiam poder de Satanás e pareciam ser aliadas entre si. Parece que aqui temos uma trindade impostora em potencial!

A segunda besta terá a capacidade de influenciar *a própria terra* e seus habitantes no sentido de adorar a primeira besta. O leitor pode imaginar que até mesmo as rochas serão influenciadas por esse homem? O poder que Satanás possui para enganar é realmente assustador.

João mencionara antes que a primeira besta parecia ter um ferimento mortal, mas que este fora curado (v. 3). Aqui ficamos sabendo que foi a besta-cordeiro que ressuscita a primeira besta. A besta-cordeiro é posteriormente chamada o "falso profeta" (16.13; 19.20; 20.10), ou seja, o cordeiro fingido.

Para o intérprete preterista, a besta-cordeiro é o sistema sacerdotal do Império Romano, organizado para impor a adoração ao imperador. Para o intérprete futurista, é o chefe eclesiástico do último império mundial, do qual o chefe político será a besta-leopardo, o Anticristo.

O número 666

Esse número representa o nome de um homem ou possivelmente de um grupo de homens, ou uma instituição chefiada por um homem ou grupo de homens. Nem a língua hebraica nem a grega possuíam símbolos separados para os números; pelo contrário, as letras do abecedário também tinham a função de algarismos. Em grego, pois, A = 1, B = 2 etc. A soma das letras de um nome, dá o total de 666.

Poucas coisas na Bíblia deram origem a tanta especulação quanto o significado do "número da besta". Em cada era da história da humanidade descobre-se o nome de um líder que é considerado a personificação da iniquidade suprema do Anticristo, desde o imperador de Roma nos dias de Paulo até Napoleão e Adolf Hitler.

Nos nossos tempos, alega-se que o assunto em pauta são números, e não letras, e que esse número está incorporado aos códigos de barras dos produtos comercializados.

Outros entendem o número de modo simbólico: 6 é o número do homem, uma a menos que 7, o número de Deus; 666, portanto, é uma "trindade" de seis. Seis ao quadrado [6^2] é 36; se somarmos todos os algarismo de 1 a 36, o total chega a 666. O significado, portanto, é que, por mais poderosa que seja a besta, e por mais poderosa que possa vir a ser, continua não sendo tão poderosa quanto Deus.

No fim do capítulo 13, João nos conta que o falso profeta, que recebe seu poder do grande imitador, Satanás, exige que todas as pessoas recebam uma marca na mão direita ou na testa. Sem essa marca, as pessoas não poderão nem mesmo comprar coisa nenhuma (v. 16,17). Relembra o selo que Deus colocou na testa de todos os servos de Deus no início da grande tribulação (7.3).

Ap 14   O Cordeiro e os seus seguidores

João descreve sete visões nesse capítulo. Parece que essas visões são dadas aqui para nos fornecer uma vista panorâmica prévia, e que os capítulos que se seguem nos oferecem mais pormenores. À medida que os pormenores se desdobram nos capítulos posteriores, percebemos que as visões aqui apresentadas não aparecem necessariamente na ordem cronológica.

Os 144 mil (v. 1-5)

O Cordeiro e seus seguidores fiéis são contrastados com a besta e seus seguidores, descritos no capítulo anterior:

- Os seguidores do Cordeiro levam o nome de Deus na testa (v. 1; 7.3,4), assim como os seguidores da besta são marcados com o nome dela (13.16,17).
- Eles não contam mentiras (v. 5), contrastando com os sinais enganosos da besta (13.14).
- Eles "se conservam castos" (v. 4), em contraste com a prostituição da besta (17.5). Não devemos entender que se trata de celibato literal, posto que o NT jamais considera pecaminoso o estado conjugal — pelo contrário, exalta-o como símbolo do relacionamento entre Cristo e sua noiva (v. 2Co 11.2). O celibato deles é espiritual. Não se contaminaram com a idolatria espiritual e permanecem puros diante do único Deus verdadeiro.
- Eram fiéis a Cristo, por contraste com o adultério da Babilônia, que inclui a igreja apóstata.

O cântico *novo* (v. 2,3), irrompendo nos ouvidos como o rugir do oceano, é um cântico que somente os redimidos da Tribulação podiam conhecer. Embora provavelmente fosse semelhante aos cânticos de louvor cantados anteriormente pelos santos (v. 5.9), é diferenciado como um cântico novo. Talvez os redimidos da antiga e da nova dispensação tenha algo especialmente original para cantar ao se unir aos outros na adoração e louvor no céu. O não-salvo não pode conhecer as alegrias dos redimidos, e os próprios redimidos, ao chegar ao céu, experimentarão enlevos espirituais primorosos, além de qualquer coisa que possam imaginar. No céu, todos cantarão muito.

Quem são os 144 mil? São provavelmente os mesmos citados em 7.4. Conforme consideração anterior, a maioria dos intérpretes acredita que são os eleitos de Israel (mais provavelmente judeus) selados por Deus no meio do período dos sete anos da Tribulação (v. informações adicionais na p. 774). São as "primícias" (v. 4), em contraste com a "colheita" geral (v. 15,16). Podem ser referidos como *primícias* porque foram os primeiros a ser salvos durante a Tribulação. Outros acreditam que isso confirma que eles são judeus, a noiva de Deus, as primícias, de modo semelhante à igreja, que é noiva de Cristo.

No início desse capítulo vemos o Cordeiro (Cristo) em pé no monte Sião. Com ele estão os 144 mil. O monte Sião é outro nome de Jerusalém. Existem muitas passagens na Bíblia, especialmente nos Salmos, que designam Sião como o lugar escolhido por Deus na terra: "O Senhor escolheu Sião, com o desejo de fazê-la sua habitação: 'Este será o meu lugar de descanso para sempre...'" (Sl 132.13,14). Embora essa seja a única referência a Sião no Apocalipse, parece confirmar várias passagens do AT que sugerem que Jerusalém será o centro do Reino terrestre de Cristo na sua Segunda Vinda (v. Is 2.3,4; Sl 48.2).

O anjo com o evangelho eterno (v. 6,7)

Os 144 mil eram as primícias. Aqui o quadro simboliza a evangelização geral do mundo inteiro. A arma do Cordeiro ao comandar seu exército contra a besta é a pregação do simples evangelho. Para alguns, essa figura representa o evangelho sendo levado aos gentios depois de ter sido pregado a Israel. Para outros, tipifica a era das missões mundiais modernas, antes da queda da "Babilônia", proclamada no versículo seguinte. Para outros, ainda, é o aviso de que o Reino milenar de Cristo está próximo.

De qualquer forma, o anjo está avisando aos habitantes da terra sobre um tipo de última chamada, para os que ainda precisam se arrepender, de que Cristo virá sem demora.

A queda da Babilônia (v. 8)

O segundo anjo anuncia a queda da Babilônia. Essa não é a primeira menção da Babilônia no Apocalipse. A queda da Babilônia é mencionada de novo em 16.19. Assim, a queda da Babilônia é mencionada duas vezes antes de haver qualquer declaração adicional a respeito da Babilônia, que é plenamente descrita nos capítulos 17 e 18. Babilônia era tão terrível que o escritor queria garantir aos seus leitores, antes de lhes contar a respeito com mais pormenores, que ela teria somente uma existência temporária. Babilônia é o nome dado à aliança funcional entre a besta política rediviva e o falso cordeiro do capítulo 13. A trindade satânica consegue fazer "todas as nações beberem do vinho da fúria da sua prostituição [espiritual]". Isso parece aludir à formação de uma única religião e de um sistema político mundial único. Tal situação não é difícil de imaginar, diante dos desdobramentos dos eventos atuais. Talvez a advertência do anjo seja relevante para nós agora, para que venhamos a nos precaver contra o movimento que visa criar uma religião ecumênica baseada mais na premissa do "amor e tolerância fraternais" que em nosso relacionamento com Jesus Cristo.

A perdição dos adoradores da besta (v. 9-12)

O Apocalipse reconhece somente duas classes de pessoas: as que pertencem a Deus e as que pertencem à besta. Aqui o destino lastimável dos que recebem a marca da besta está em triste contraste com a alegria inefável dos que recebem a marca do Cordeiro (v. 3). A perdição dos seguidores da besta é descrita mais detalhadamente nos capítulos 19 e 20. O contraste entre o destino dos remidos e o dos perdidos, tão evidente no Apocalipse, também caracteriza o ensino de Jesus nos evangelhos. É interessante notar que "a fumaça do tormento de tais pessoas sobe *para todo o sempre*" (v. 11; grifo do autor). A última expressão reafirma a diferença entre a "vida eterna" para o povo de Deus e o "castigo eterno" para os perdidos mencionada em Mateus 25.46 (v. tb. 19.20 e 20.10).

Os mortos bem-aventurados (v. 13)

Aqui temos, de novo, o contraste com o tormento dos ímpios mencionado no versículo 11. Finalmente, o sofrimento do mártires chegou ao fim — o momento a favor do qual oravam (6.9-11).

A colheita na terra (v. 14-16)

Este capítulo começa com a visão das "primícias" (v. 4) e se encerra com visões da colheita final, havendo, no entremeio, um período de pregação do evangelho. Os selos e as trombetas descortinam o panorama inteiro até o fim, no capítulo 11. Os capítulos de 12 a 14, voltando ao ponto de partida, contêm outra série que continua até o fim: a história da besta, que termina derrotada pelo Cordeiro. Essa visão é outra representação da parábola do joio (Mt 13.37-43); ambas retratam a colheita final dos eleitos.

A safra da terra está madura (v. 15) tem relação com o adiamento da vinda do Senhor: ele espera a colheita ficar madura. A colheita da raça humana já tinha sido mencionada, muito tempo antes, no AT, em Joel 3.13,14: "Lancem a foice, pois a colheita está madura. Venham, pisem com força as uvas, pois o lagar está cheio e os tonéis transbordam, tão grande é a maldade dessas nações! [...] Pois o dia do Senhor está próximo, no vale da Decisão". É um retrato muito antigo do anjo voador mencionado por João, seguido posteriormente pelos anjos da colheita.

As uvas da videira (v. 17-20)

Essa visão se refere aos ímpios, pois o lagar é "o grande lagar da ira de Deus" (v. 19). É outra representação da perdição dos ímpios, conforme disse Jesus: "[Os anjos] tirarão do seu Reino tudo o que faz tropeçar e todos os que praticam o mal. Eles os lançarão na fornalha ardente, onde haverá choro e ranger de dentes" (Mt 13.41,42) e "estes irão para o castigo eterno, mas os justos para a vida eterna" (Mt 25.46).

Mil e seiscentos estádios (v. 20) correspondem a aproximadamente 300 km — o comprimento da Palestina (Israel) de norte a sul. O sangue dos que foram abatidos cobriu essa área e alcançou a altura dos freios dos cavalos. Pensa-se que se trate da destruição completa da Terra Santa ou talvez do mundo inteiro. Joel profetiza a respeito dessa guerra (Joel 3.2,10-14), e a semelhança é notável. É provavelmente uma descrição da batalha do Armagedom (16.16) (v. tb. Zc 14.2, que se refere à reunião de todas as nações a fim de lutarem contra Jerusalém).

Fora da cidade (v. 20) provavelmente é uma referência ao vale (talvez o vale do Cedrom/vale de Josafá) imediatamente fora de Jerusalém, a Cidade de Deus. Em Zacarias 14.2, lemos que "a cidade será conquistada, as casas saqueadas e as mulheres violentadas. Metade da população será levada para o exílio, mas o restante do povo não será tirado da cidade". Os exilados significam, provavelmente, representam o povo de Deus que será removido para um lugar seguro a fim de não participar da ira que sobrevirá aos ímpios.

Ap 15 e 16 — As sete taças da ira de Deus

O capítulo 15 arma o palco para as sete taças que contêm as pragas, que são os juízos divinos mediante os quais o poder da Babilônia será desmantelado (16.19). Até aqui, a Babilônia não havia sido mencionada, a não ser na proclamação prévia de sua queda (14.8). A Babilônia é explicada nos capítulos 17 e 18 como a coalizão entre a besta política e o falso profeta.

O cântico dos vencedores (15.2-4)

João descreve a cena no céu. Sete anjos seguram sete taças da ira de Deus e se preparam para derramar sobre a terra as pragas finais. Os santos da Tribulação, os que morreram, mas venceram a besta, estão em pé no "mar de vidro", segurando harpas. O "mar de vidro" talvez simbolize o descanso pacífico do povo de Deus no céu. Estão louvando a Deus com o chamado "cântico de Moisés" e com o "cântico do Cordeiro". Assim como o povo de Deus, depois de passar pelo mar Vermelho (Êx 15; Dt 32), foi salvo do faraó e dos exércitos do Egito, aqui eles alcançam a praia celestial e estarão eternamente seguros contra qualquer dano. É semelhante ao "cântico novo" em 5.9-14: a explosão de alegria inefável na presença de Deus.

Talvez um dos objetivos dessa visão preliminar seja dar aos santos a certeza de sua segurança em meio às calamidades aterrorizantes que estão a ponto de acontecer, e contrastar o destino glorioso dos salvos com a perdição pavorosa dos perdidos.

Os juízos são dirigidos contra a Babilônia, uma instituição ou organização, e também contra os indivíduos que levam a marca dessa instituição. O livro retrata o curso dos governos, potências mundiais e impérios a caminho da ruína, mas nunca perde de vista o destino dos indivíduos, dos quais existem apenas duas classes: os que levam a marca da besta e os que ostentam o nome do Cordeiro.

A ira de Deus (15.1-8)

As taças são chamadas as taças da ira de Deus: "com elas se completa a ira de Deus". Representam sua fúria contra a iniqüidade da Babilônia. Deus é o Deus de amor e de misericórdia, mas os que desprezam sua misericórdia até ultrapassar os limites ficarão sabendo, um dia, com grande lástima, que quanto maior a misericórdia, tanto maior será a ira.

Ninguém podia entrar no santuário (v. 8) talvez signifique que ninguém poderá chegar à presença de Deus, a fim de interceder e, assim, evitar esses julgamentos. Já se passaram os tempos próprios para a intercessão. O santuário está cheio da fumaça da glória de Deus e de seu poder — talvez nenhum ser criado possa sobreviver diante de tamanha glória e poder extremo.

As quatro primeiras taças (16.2-9)

Assim como nas quatro primeiras trombetas, o castigo contido nas taças é derramado sucessivamente sobre a terra, o mar, os rios e o sol. O próprio Deus ordenou aos anjos executar os juízos.

A taça do primeiro juízo é derramada sobre a terra, e os que têm a marca da besta ficam cobertos com feridas malignas e dolorosas. Essa praga é semelhante a uma das pragas no Egito nos dias de Moisés (Êx 9.8-11).

A segunda taça é derramada sobre o mar. Essa também é semelhante ao relato em que Moisés e Arão transformam as águas do Egito em sangue (Êx 7.17-21). Além disso, lembre-se de que o segundo selo (6.3,4) revelou o cavalo vermelho, que provocará grande guerra com muito derramamento de sangue e que a segunda trombeta fez a terça parte do mar tornar-se em sangue.

Os rios e as fontes de águas nos quais foi derramada a terceira taça também se tornaram em sangue. O sangue, que antes poderia salvar as pessoas, agora matará todas as criaturas vivas no mar e provavelmente muitas pessoas, pois não haverá mais água potável.

A quarta taça, diferentemente da quarta trombeta que escureceu o sol, intensificou-lhe o calor. É possível que Deus tenha escurecido o sol a fim de evitar que o calor chegasse a níveis tão extremos que todos perecessem. Existe, também, uma passagem em Mateus onde Jesus, ao descrever o fim dos tempos, diz: "Se aqueles dias não fossem abreviados, ninguém sobreviveria; mas, por causa dos eleitos [os que têm selo de Deus na testa], aqueles dias serão abreviados" (Mt 24.22). Mesmo durante os piores tempos, Deus toma providências a favor do seu povo.

Mesmo após Deus derramar essas advertências finais à raça humana, as pessoas não se arrependerão e continuarão a blasfemar.

A quinta taça (16.10,11)

A quinta taça é derramada no trono da besta política, cujos domínios já sofreram terrivelmente com as quatro primeiras taças. As trevas — provavelmente literais — cobrem seu reino. Talvez sejam semelhantes às trevas que caíram sobre a terra do Egito (Êx 10.21-23). A raça humana continua a blasfemar.

A sexta taça (16.12-16)

Essa taça, assim como a sexta trombeta, afeta o rio Eufrates. Com a sexta trombeta, o exército demoníaco com 200 milhões de soldados de cavalaria foi solto do Eufrates. O rio secou a fim de abrir caminho para "os reis que vêm do Oriente". Trata-se da região hoje ocupada pelo Irã, pelo Iraque, e pela Síria. Na Antigüidade, um exército de 200 milhões de homens parecia inconcebível, mas com as populações atuais da China, da Rússia e de outros países do Oriente, é uma possibilidade concreta.

Os espíritos do dragão, da besta e do falso profeta reúnem os reis da terra inteira no Armagedom para a batalha do grande dia de Deus. Essa guerra é predita em Salmos 2.2-4: "Os reis da terra tomam posição e os governantes conspiram unidos contra o Senhor e contra o seu ungido".

Observe a advertência (v. 15) de que, ao aproximar-se essa batalha, estará próxima a vinda do Senhor. Nenhum ladrão dá aviso prévio de sua chegada. Da mesma forma, que esse dia não venha sobre nós inesperadamente (Lc 21.34).

A sétima taça (16.17-21)

Está armado o palco para a grande batalha do Armagedom, mas Deus antecipa-se ao inimigo antes da batalha propriamente dita com a sétima taça, derramada no ar. Com o bombardeio de pedras de granizo de 35 kg cada e o maior terremoto da história, cai a Babilônia.

Os intérpretes futuristas entendem que as taças representam convulsões literais da natureza e as calamidades que sobrevirão ao império confederado do Anticristo, e terão como ápice uma batalha literal em Megido, o histórico campo de batalha da Palestina. O terremoto será literal, e as pedras de granizo de 35 kg também serão literais. Imagine o que semelhante tempestade causará às modernas máquinas de guerra, por mais sofisticadas que sejam? Não é interessante que Deus empregou o granizo no último castigo terrestre? O apedrejamento era o castigo veterotestamentário dos blasfemos! (Lv 24.16).

A Babilônia, a grande prostituta — Ap 17

Os capítulos 17 e 18 são, de novo, um tipo de interlúdio ou seção em parênteses, e nos oferecem mais informações a respeito da queda da Babilônia. O capítulo 17 fornece mais informações, e com mais detalhes, a respeito do sistema religioso chamado Mistério: Babilônia a Grande (v. 5; 14.8). O capítulo 18 nos fornece mais informações a respeito da queda do sistema político/militar/econômico representado pela cidade da Babilônia (16.19). Esses dois sistemas são dirigidos pelo falso profeta (a besta-cordeiro) e o Anticristo (besta-leopardo), respectivamente.

A planície de Megido num dia ensolarado. Aqui será travada, algum dia no futuro, a grande batalha final entre Deus e as forças do mal – a batalha do Armagedom.

A **grande prostituta** (v. 1) que está sentada sobre muitas águas é o sistema religioso ecumênico criado durante a Tribulação e que é comandado pelo falso profeta (que recebe seu poder da parte de Satanás). Seu nome é Mistério: Babilônia a Grande (v. 5). As muitas águas são a multidão de pessoas enganadas e levadas ao adultério *espiritual* por essa religião mundana, que exige a adoração do Anticristo, em vez do único Cristo verdadeiro. O anjo deixa claro esse fato no versículo 15: "As águas que você viu, onde está sentada a prostituta, são povos, multidões, nações e línguas". (Tenha em mente que os intérpretes futuristas acreditam que a igreja verdadeira, composta pelos que aceitaram Cristo como seu Senhor e Salvador, será tirada da Terra antes da Grande Tribulação; 4.1.)

Ela (o falso profeta e a totalidade do sistema religioso ímpio) está montada numa besta escarlate (o Anticristo), que possui sete cabeças e dez chifres e está coberta de nomes blasfemos (v. 3). Lembre-se de que Satanás é o poder por trás das duas bestas e que elas trabalham em parceria. João explicou a visão da besta-cordeiro que "exercia toda a autoridade da primeira besta, em nome dela, e fazia a terra e os seus habitantes adorarem a primeira besta" (13.12).

A mulher, que representa o falso profeta e seu sistema religioso idólatra, está vestida de púrpura e de escarlate e adornada com jóias preciosas, o pagamento de sua prostituição (v. 4). A púrpura e o escarlate são freqüentemente as cores usadas pelos governantes e pelos líderes religiosos, e as jóias preciosas provavelmente representam as riquezas que a falsa religião irá coletar e repassar aos falsos profetas, em seu benefício. Ela segura na mão um cálice de ouro, cheio de coisas abomináveis e de impureza. É a mãe de todas as abominações e está embriagada com o sangue dos santos (v. 5,6). Aqui, de novo, vemos Satanás, o grande imitador, em operação, tentando fazer a besta-cordeiro parecer-se com Jesus e agir como ele (Lc 22.17-22).

Posteriormente, João descreve outra mulher — a nova Jerusalém a Cidade Santa de Deus com todos os seus habitantes — como a "noiva adornada para o seu marido" (Cristo), que é o Cordeiro verdadeiro. Duas mulheres, com amplos contrastes entre si, são identificadas com duas cidades, também com amplos contrastes entre si. Uma das mulheres pertence à besta; a outra, ao Cordeiro. A primeira é abominável; a outra, pura. A primeira está vestida de escarlate; a outra, de linho fino. A primeira caminha para a perdição; a outra, para a glória eterna.

Os versículos de 8 a 17 nos oferecem mais informações a respeito da besta política, o Anticristo, e são semelhantes a algumas das visões a respeito da besta que João descreve no capítulo 13. Aqui o anjo revela o mistério da mulher e da besta em que ela está montada (v. 7). Em primeiro lugar, ouvimos de novo que a besta que "era e já não é" está para sair do abismo "e caminha para a perdição". Há semelhança com o relato anterior, que explica que a besta foi fatalmente ferida, e depois restaurada à vida pelo falso profeta (13.3,12) — imitação zombeteira da morte e ressurreição de Cristo.

As sete cabeças são sete reis ou *reinos*, dos quais cinco já caíram (v. 10). Tratam-se de impérios mundiais; os cinco reinos caídos são os impérios Egípcio, Assírio, Babilônio, Persa e Grego. O sexto e sétimo impérios referem-se ao Império Romano antigo, que muito tempo atrás perdeu seu lugar de império mundial, mas nunca foi conquistado e, finalmente, o novo Império Romano revivificado. É interessante notar que Roma foi construída sobre sete colinas: Aventina, Celiana, Capitolina, Esquilina, Palatina, Quirinal e Viminal. "A besta que era, e agora não é, é o oitavo rei" (v. 11). Era originariamente o sétimo rei, mas morreu e foi trazido de volta como o oitavo rei.

Os dez chifres são dez reis que ainda não receberam seu reino (v. 12). Esses dez reis, sob o controle do Anticristo, receberão seu poder e autoridade de Satanás durante "uma hora", período que, à luz dos capítulos anteriores, entendemos ser os três anos e meio (42 meses) finais do período de sete anos da Grande Tribulação. Conforme foi considerado anteriormente, a primeira metade do período de tribulação será "o princípio das dores", menos horrível que o período da Grande Tribulação. Em Daniel 7.8,24, entendemos que o Anticristo "desarraigará" três dos reis originais e os substituirá. É possível que os três reis originais não queiram entregar a ele seu poder e riquezas, pois João nos informa que os dez reis resultantes serão de uma só mente e entregarão *todo* o poder (riquezas) e autoridade ao Anticristo (v. 11). Também lemos que Deus "colocou no coração deles o desejo de realizar o propósito que ele tem, ao concordarem em dar à besta o poder que eles têm para reinar até que se cumpram as palavras de Deus" (v. 17). Não é interessante ser necessária uma intervenção divina para que esses homens egoístas submetam à besta seu poder e autoridade? Nem a influência de Satanás bastará para garantir que essa coalizão inconsistente permaneça fiel ao Anticristo. Por certo, a solidariedade desse grupo de liderança demoníaca é importante para o plano divino, na aplicação do castigo final.

No fim, a Babilônia religiosa cairá porque o Anticristo e sua comissão de dez reis virarão as costas e trairão o falso profeta ao usurpar o poder e a autoridade da religião mundial. O falso profeta não será destruído senão mais tarde (cap. 19), mas o sistema religioso já estará desmontado e destituído de poder. Os reis se prepararão para lutar contra o Cordeiro (Cristo), e o Cordeiro os vencerá — "e vencerão com ele os seus chamados, escolhidos e fiéis" (v. 14). Vemos essa predição cumprida em 19.14.

Outras passagens do NT, tais como 2 Tessalonicenses 2.3-10, 1 Timóteo 4.1-3, 2 Pedro 2, e Judas 18, também predizem a ascensão e ascendência temporária de uma potência apóstata.

Para o intérprete futurista, a Babilônia é, entre outras coisas, uma futura cidade literal, onde o Anticristo estabelecerá seu quartel-general. Talvez se trate da cidade antiga da Babilônia reconstruída ou de uma cidade já existente na região, tal como Bagdá. Alguns acham que a referida cidade será a capital do Império Romano revivificado, uma confederação de dez países ou potências ocidentais que conspirariam juntas para governar e controlar o mundo nos tempos do fim. Considera-se que essa cidade será o quartel-general do sistema político do Anticristo, bem como a sede do sistema religioso estabelecido pelo falso profeta, que persuade os habitantes do mundo a adorar o Anticristo.

Muitos sinais hoje sugerem que o governo do nosso mundo está se tornando cada vez mais globalizado. Os sistemas financeiros estão essencialmente globalizados nos nossos dias, o comércio também, com a introdução da *Internet* e os tratados cada vez abrangentes do livre-comércio. Vemos a convergência na liderança política do mundo, tais como a Comunidade Econômica Européia e o poder e jurisdição cada vez maiores das Nações Unidas. Lastimavelmente, também percebemos sinais da crescente idolatria em nosso mundo. O movimento da Nova Era promove um tipo de espiritualismo que ensina que todos nós somos nossos deuses. Muitas igrejas deixam Cristo fora do centro de seus ensinos e garantem aos adeptos que basta viver honestamente para chegar ao céu. Uma injunção cada vez mais crescente está impondo a "tolerância" ao comportamento imoral, ao passo que cresce igualmente a intolerância para com os valores cristãos, tais como a abstinência do sexo antes do casamento, a santidade do matrimônio e da família e a pureza sexual. Certamente, o tempo determinado já está próximo!

A queda da Babilônia — Ap 18

A Babilônia, junto ao rio Eufrates, cujos Jardins Suspensos eram uma das Sete Maravilhas do mundo antigo, foi a cidade que levou ao cativeiro o povo de Deus no AT. Por isso, Deus aplica esse nome à potência mundial responsável pelo cativeiro da maior parte dos habitantes da terra. João menciona o "Eufrates" em conexão com a sexta trombeta e com a sexta taça, como o país de onde virão os inimigos de Deus.

O capítulo 18 descreve a destruição da cidade da Babilônia, que é o centro do poderio político e econômico do Anticristo (também denominada Babilônia, a Grande). No capítulo 17, João descreve a destruição do sistema religioso idólatra mundial. João começa o capítulo 18 com a expressão "depois disso", ou seja: depois da destruição da Babilônia religiosa. Ele teve a visão da queda da cidade de Babilônia, a Grande. Essa cidade, que representa os sistemas políticos e econômicos do mundo, passa a ser "habitação de demônios" (v. 2). Os reis da terra tinham cometido adultério (espiritual) com ela, e os comerciantes tinham se enriquecido "as custas do seu luxo excessivo" (v. 3). Isso porque o amor ao dinheiro é raiz de todos os males (1Tm 6.10).

	Mistério: Babilônia *versus* Babilônia, a Grande
	Esta tabela resume as diferenças principais entre Mistério: Babilônia, o sistema religioso adúltero, e Babilônia, a Grande, o sistema político e comercial corrupto; as duas sobem ao poder durante a Grande Tribulação.
Título	**Mistério: Babilônia**	**Babilônia, a Grande**
Representa	Sistema religioso mundial	Sistema político e comercial mundial
Líder	Besta-cordeiro: falso profeta chefe da religião mundial	Besta-leopardo: líder político mundial
Semelhante a	Uma mulher adúltera; uma mãe	Uma grande cidade
Missão	Seduzir toda a população para adorar o Anticristo e lhe dar poder e riquezas	Reunir todos os recursos da terra para a guerra final contra Deus, a fim de não perder o domínio do mundo
Posição	Sentada sobre sete colinas	Visível do mar
Destruição	Arruinada pelos reis da terra	Totalmente destruída pela ira de Deus
Reação à sua destruição	Não se sabe do certo, mas provavelmente os reis celebram	Reis, comerciantes, e marinheiros choram e lastimam a perda de seu poder e riquezas

Então João ouve uma voz do céu, que se supõe ser Deus dizendo: "Saiam dela vocês, povo meu, para que vocês não participem dos seus pecados, para que as pragas que vão cair sobre ela não os atinjam!" (v. 4). Semelhantemente, João relata no capítulo 12 que "a mulher fugiu para o deserto, para um lugar que lhe havia sido preparado por Deus, para que ali a sustentassem durante mil duzentos e sessenta dias" (12.6).

Três grupos ficam enlutados ao ver a cidade da Babilônia ser incendiada e totalmente destruída, e com ela o âmago do sistema político e comercial: os reis, os negociantes e os marinheiros (talvez um termo figurado para a pessoa que ganha ou acumula dinheiro do "mar" da humanidade). Aqui, parece que João descreve a forma corrupta de capitalismo que acaba trazendo destruição ao mundo.

Na virada do milênio, havia temores de que os sistemas de computadores no mundo inteiro entrassem em pane. Imagine o que aconteceria se todos os computadores e telecomunicações do mundo dependessem totalmente de uma só cidade — e que essa cidade fosse destruída!

A cidade da Babilônia é destruída quando um anjo lança ao mar **uma pedra do tamanho de uma grande pedra de moinho** (v. 21). Esse evento é predito em Daniel 2.34,35: "Enquanto estavas observando, uma pedra soltou-se, sem auxílio de mãos, atingiu a estátua nos pés de ferro e de barro e os esmigalhou. Então o ferro, o barro, o bronze, a prata e o ouro foram despedaçados, viraram pó, como o pó da debulha do trigo na eira durante o verão. O vento os levou sem deixar vestígio. Mas a pedra que atingiu a estátua tornou-se uma montanha e encheu a terra toda" (v. tb. Dn 2.44,45). A maioria das pessoas acredita que a pedra seja Cristo. Note as semelhanças com o cântico fúnebre de Jeremias a respeito da destruição da cidade veterotestamentária da Babilônia em Jeremias 50 e 51 (especialmente o incidente do lançamento da pedra no mar; comp. v. 21 com Jr 51.63,64).

O casamento entre a besta-leopardo e a besta-cordeiro, esse adultério entre a igreja e o mundo, que recebe o nome de "Babilônia", está condenado. Quando for derrubada, todo o céu ressoará com aleluias (19.1-5). Seguem-se os alegres acordes do cortejo nupcial, quando o Cordeiro toma para si sua verdadeira noiva.

A destruição da besta e do falso profeta — Ap 19

Gritos de *"Aleluia!"* (que significa "louvado seja o Senhor") ressoam nos ares quando João escuta o som de uma grande multidão no céu, exclamando e exaltando ao seu Deus com glórias e louvores. A palavra *Aleluia* não aparece em nenhum outro lugar no NT, mas ocorre quatro vezes nos seis primeiros versículos do capítulo 19. É grande a celebração no céu quando os anjos, os 24 anciãos, os quatro seres viventes de querubins e serafins (cap. 4) e todas as demais hostes do céu reconhecem que Babilônia — tanto o sistema religioso apóstata chamado Mistério: Babilônia, quanto o sistema político corrupto chamado a Babilônia, a Grande — caiu e foi completamente destruída.

O banquete do casamento do Cordeiro (v. 9)

Nos céus se canta: "Regozijemo-nos, vamos alegrar-nos e dar-lhe glória! Pois chegou a hora do casamento do Cordeiro, e a sua noiva já se aprontou". Os intérpretes futuristas acreditam que a igreja será levada ao céu no início do período dos sete anos de tribulação (4.1). Durante esse tempo, estará se preparando para o casamento. Em 2 Coríntios 5.10, lemos: "Pois todos nós devemos comparecer perante o tribunal de Cristo, para que cada um receba de acordo com as obras praticadas por meio do corpo, quer sejam boas quer sejam más". Esse julgamento não tem efeito sobre nossa salvação — que já está garantida (v. 1Co 3.14,15). Em vez disso, esse julgamento avalia quão fielmente vivemos por Cristo, a partir do momento de nossa conversão. Os que trabalharam com diligência para Deus no viver cristão serão grandemente recompensados — como ansiamos por ouvir nosso Mestre, Jesus, nos dizer: "Muito bem, servo bom e fiel! Você foi fiel no pouco; eu o porei sobre o muito. Venha e participe da alegria do seu senhor!" (Mt 25.21)! Depois do julgamento, o povo de Deus será vestido de linho fino, brilhante e puro, porque o sangue de Cristo derramado o purificou do pecado. São apresentados justos e puros diante de seu Noivo, Cristo. No banquete de casamento, os crentes individualmente são hóspedes, mas coletivamente, são a noiva.

Cristo volta, montado num cavalo branco, com os exércitos do céu (v. 11-16)

Nesse momento, João vê o céu aberto e Cristo voltando à terra, montado num cavalo branco e seguido por todos os exércitos do céu, também montados em cavalos brancos. Que vista gloriosa! Esse evento é chamado "Revelação", pois é o momento em que Cristo se revela ao mundo inteiro. Essa é a segunda vez no Apocalipse que a porta ao céu é aberta. A primeira vez foi por ocasião do arrebatamento da igreja para o céu (4.1). A segunda vez será na Revelação, quando Cristo e todos os exércitos do céu voltarem à terra (v. 11). Todos os redimidos no céu — incluindo-se os santos do AT, os da era da igreja e os da tribulação — voltarão para lutar contra Cristo na batalha do Armagedom — mas no fim Cristo sozinho irá "pisar o lagar do vinho do furor da ira do Deus todo-poderoso" — executar o juízo contra os habitantes da terra. O grande banquete para as aves de rapina forma um contraste com o banquete do casamento do Cordeiro.

A perdição final da besta e do falso profeta (v. 17-21)

Em seguida, vemos Deus derramar seu juízo sobre a trindade satânica. Primeiramente, o Anticristo (besta-leopardo) e o falso profeta (besta-cordeiro) são destruídos. Posteriormente (cap. 20), o dragão, o próprio Satanás, vai para sua perdição final.

Depois da queda da Babilônia, que era o conluio operacional entre a besta e o falso profeta, os dois continuam por algum tempo, cada um na própria área. Agora, chegou a vez deles. Ambos são lançados vivos no lago de fogo que arde com enxofre, onde sofrerão eternamente (v. 20).

Ap 20 — Os mil anos ("Milênio")

A única menção específica ao reino de "mil anos" de Jesus Cristo como Rei dos reis e Senhor dos senhores na Bíblia acha-se neste capítulo. Entretanto, existem passagens por toda a Bíblia que podem aludir a esse tempo de paz em que Cristo habitará na terra — por exemplo: Isaías 11.6: "O lobo viverá com o cordeiro, e o leopardo se deitará com o bode [...] e uma criança os guiará".

Alguns crentes entendem que milênio se refere a uma das eras da eternidade, depois de ter passado a ordem física da existência. Outros crentes acham que o milênio será uma era de bem-aventurança neste mundo durante mil anos, ou que poderá durar um longo período de tempo. Esse deve certamente ser o caso, pois, de outra forma, centenas de profecias da Bíblia não poderão ser cumpridas de modo literal — considere as profecias do AT a respeito da futura situação gloriosa de Israel (v. Gn 49 e Dt 33).

Um argumento a favor da validade do Reino milenar terrestre de Cristo é algo que o próprio Jesus disse: "Digo-lhes a verdade: Por ocasião da *regeneração* de todas as coisas, quando o Filho do homem se assentar em seu trono glorioso, vocês que me seguiram se assentarão em doze tronos, para julgar as doze tribos de Israel" (Mt 19.28). Além disso, Pedro disse: "Arrependam-se, pois, e voltem-se para Deus, para que os seus pecados sejam cancelados, para que venham tempos de descanso da parte do Senhor, e ele mande o Cristo, o qual lhes foi designado, Jesus. É necessário que ele permaneça no céu até que chegue o tempo em que Deus *restaurará todas as coisas,* como falou há muito tempo, por meio de seus santos profetas" (At 3.19-21). Essas duas passagens (com grifo do autor) se referem à renovação de alguma coisa, a restauração ao estado original. É improvável que se refiram ao céu — pois o céu não precisa de restauração. Parece mais provável que aludam à restauração da terra ao estado original criado por Deus, antes do pecado do homem quando, então, Deus reinava e andava na terra com suas criaturas (Gn 2).

> **Três interpretações acerca do Milênio**
>
> **Amilenarismo**
> Esse ponto de vista sugere que o Milênio representa o reino atual dos santos redimidos com Cristo no céu. Segundo esta linha interpretativa a forma presente do Reino de Deus será seguida pela Segunda Vinda de Cristo, pela ressurreição geral e pelo Juízo Final, do grande trono branco. Depois disso, Cristo continuará a reinar sobre o novo céu e a nova terra por toda a eternidade. Segundo esse ponto de vista, os mil anos são figurativos e representam um período eterno de tempo.
>
> **Pré-milenarismo**
> Esse ponto de vista (que é a principal na linha interpretativa usada neste comentário) sugere que a forma atual do Reino de Deus está rapidamente chegando ao momento da gloriosa volta de Cristo, que ocorrerá depois do período de sete anos de tribulação. Com a volta de Cristo, Satanás será amarrado no abismo, e ocorrerá a primeira ressurreição. Todos os santos redimidos no céu voltarão à terra a fim de reinar com ele durante mil anos literais. Esse período será caracterizado pela paz predominante — pelo menos, no início. À medida que o Milênio progride, a terra repovoada, com pessoas dotadas de livre-arbítrio. Com o passar do tempo, a autoconfiança e a soberba das pessoas endurecerá seu coração. Deus soltará Satanás por um breve período no fim dos mil anos. Ele fará um único último esforço para guerrear contra Deus. Deus atingirá Satanás e todos os que se reuniram com ele na luta contra Deus, com fogo devorador. Deus lançará Satanás no lago de enxofre ardente para ser atormentado para sempre. Haverá, em seguida, o julgamento do grande trono branco e a segunda ressurreição dos santos do Milênio. Finalmente, Deus estabelecerá novos céus e nova terra, onde habitará eternamente com seu povo.
>
> **Pós-milenarismo**
> Esse ponto de vista toma por certo que o mundo inteiro acabará sendo cristianizado — isto é, todos os povos do mundo aceitarão a Cristo como seu Senhor e Salvador. O resultado será um longo período de paz mundial chamado Milênio. Esse período glorioso será seguido pela Segunda Vinda de Cristo, pela ressurreição dos mortos, pelo julgamento do grande trono branco e o estabelecimento de novos céus e nova terra eternos.

Além disso, existem muitos versículos em Salmos, Isaías e Zacarias que indicam Jerusalém como o centro de atividade milenar.

- "O Redentor virá a Sião" (Is 59.20);
- "O Senhor rugirá de Sião e de Jerusalém levantará a sua voz [...] Então vocês saberão que eu sou o Senhor, o seu Deus, que habito em Sião, o meu santo monte. Jerusalém será santa" (Jl 3.16,17);
- "Assim diz o Senhor: 'Estou voltando para Sião e habitarei em Jerusalém. Então Jerusalém será chamada Cidade da Verdade, e o monte do Senhor dos Exércitos será chamado monte Sagrado [...] Homens e mulheres de idade avançada voltarão a sentar-se nas praças de Jerusalém, cada um com sua bengala, por causa da idade. As ruas da cidade ficarão cheias de meninos e meninas brincando'" (Zc 8.3,4).

Esses são versículos acerca da aliança que Deus estabeleceu com o seu povo. Seria difícil sustentar que essas promessas já foram cumpridas. Deus jamais quebra suas promessas, de modo que podemos tomar por certo que elas serão cumpridas durante os mil anos.

Independentemente do que cada um de nós acredita a respeito dos mil anos, o que nos une como cristãos é a viva esperança da segunda vinda de Jesus Cristo. Nossos vários modos de entender o futuro e os mil anos empalidecerão, sem exceção, à luz radiante da presença de Deus entre seu povo (21.22,23).

Satanás preso (v. 1-3)

A expulsão de Satanás do céu, no capítulo 12, estava ligada ao início da Grande Tribulação (os três anos e meio finais do domínio satânico na terra). Aqui a prisão de Satanás está ligada à segunda vinda de Cristo. Alguns acham que as duas passagens se referem ao mesmo evento, mas no capítulo 12 Satanás provocava problemas para as nações, ao passo que aqui é impedido de dar mais trabalho. O abismo (poço sem fundo; v. 1) era a moradia dos demônios (Lc 8.31). O domínio de Satanás, presidido por um de seus arcanjos (9.11), agora se torna seu cárcere. Ele governou este mundo, mas não o governará durante o milênio. O abismo não é o lago de fogo que arde com enxofre (v. 10), que será o destino final do Diabo.

O reino milenar (v. 4-6)

Durará mil anos. Alguns entendem que são mil anos literais, os mil anos finais ou o "descanso sabático". Alguns entendem que se trata de um tempo de duração longa e indefinida. Se a expressão em 2 Pedro 3.8 — "Para o Senhor um dia é como mil anos, e mil anos como um dia" — for aplicada aqui, poderá significar, na cronologia de Deus, qualquer período entre um dia e 360 mil anos.

Todas as pessoas que ingressarem no Milênio já foram redimidas, de acordo com Isaías 60.21 e Joel 2.28.

Tronos ocupados para o juízo (v. 4). Quem estava assentada nos tronos? Parece que os tronos foram ocupados pelos santos do AT, pelos santos do NT e pelos santos da Tribulação (que, tendo o selo de Deus na testa, morreram durante a Tribulação). Presumimos que a ressurreição dos santos da Tribulação tenha ocorrido na segunda vinda de Cristo (v. 6.9-11; Tt 2.13). Os tronos estão ocupados por pessoas que possuem corpos ressurretos.

A primeira ressurreição (v. 5). Muitos acreditam que a segunda frase do versículo 5 realmente se refere ao versículo 4 — o que significaria que a primeira ressurreição ocorrerá no início do Reino milenar. A segunda ressurreição não é mencionada, mas a expressão "o restante dos mortos não voltou a viver até se completarem os mil anos" indica que haverá duas ressurreições, uma antes do Milênio e outra depois. O restante dos mortos permanecerá no túmulo até o fim do milênio e será ressuscitado para o julgamento do grande trono branco (v. 11).

A perdição final de Satanás (v. 7-10)

A Babilônia, a besta e o falso profeta — as agências por meio das quais Satanás realizara sua obra de destruição — foram destruídas (17—19), e finalmente chegou a hora do próprio Satanás. Ele faz um esforço furioso, porém breve e fútil, para manter seu domínio sobre a terra.

Magogue (v. 8) é o nome das nações do norte pertencentes à posteridade de Jafé (Gn 10.2). Gogue é o príncipe delas. Em Ezequiel 38 e 39, atacam o povo de Deus pelo lado do norte. Aqui provêm dos "quatro cantos da terra". É provável que esses nomes sejam usados para se referir aos inimigos de Deus provenientes dentre todas as nações.

Como Satanás conseguiu arregimentar um número tão vasto de seguidores, depois de ter ficado preso mil anos e depois estabelecido o reino de justiça na sua ausência? A resposta se acha no fato que, assim como agora, as pessoas que viverem durante o milênio terão livre-arbítrio, como Deus as criou desde o princípio.

A procriação na terra (v. 6). Conforme a menção anterior, que foram ressuscitados no início do milênio terão corpos ressurretos ou glorificados e não terão filhos. Existem, entretanto, dois outros grupos de pessoas que entrarão no Milênio: (1) os que foram selados por Deus e protegidos, de modo que sobreviveram à tribulação e entraram nos mil anos (incluindo 144 mil que foram selados — cf. cap.

7 — mas não limitados a eles), e 2) talvez outros que sobreviveram à tribulação, mas não aceitaram a Cristo nem receberam a marca da besta durante esse período. Temos por certo que esses dois grupos de pessoas entrarão nos mil anos e terão filhos que, assim como nós, nascerão com uma natureza pecaminosa. Com Cristo habitando entre elas, e com Satanás preso no abismo, é provável que a maioria das pessoas que viverem no milênio aceitará a Cristo como seu Salvador. Entretanto, é provável que a natureza pecaminosa inerente nos homens resultará, no decurso do tempo, em muitos optarem por desconsiderar a mensagem de salvação. "Dessa maneira, o milênio comprovará [...] que no meio-ambiente terrestre perfeito e até mesmo o conhecimento universal do Senhor não mudará o coração humano" (Charles Ryrie).

Satanás é solto por pouco tempo (v. 7). Quando a iniqüidade não é muito real para um indivíduo, parece não haver motivo para ele precisar de um Salvador. Esse é um problema na geração de hoje porque não é "politicamente correto" falar a respeito do mal ou de Satanás — até mesmo em muitas igrejas! Talvez seja por isto que Deus soltará o Diabo no fim dos mil anos: para que ele passe a ser real para as pessoas, e então (segundo se espera) serão compelidas a aceitar a Cristo como seu Salvador. Apesar disso, multidões de pessoas, no fim dos mil anos rejeitarão a Cristo e tomarão o partido de Satanás na sua última tentativa de guerrear contra Deus. De novo, os inimigos de Deus cercarão a Cidade Santa, Jerusalém. Num só instante, Deus os destruirá com fogo.

O lago de fogo que arde com enxofre (v. 10) é o destino final de Satanás, da besta, do falso profeta e dos perdidos. Alguns talvez se surpreendam quando dizemos que Satanás não chegará ao destino final, o inferno, a não ser depois do milênio. Muitas pessoas crescem pensando que Satanás é um homenzinho vermelho com chifres e tridente que fica circulando no inferno, esperando a chegada de almas perdidas. Nada pode estar mais longe da verdade. Satanás é "príncipe do poder do ar" (Ef 2.2), é "o deus desta era" (2Co 4.4). Ele e seu exército demoníaco terão liberdade para percorrer os céus e a terra até serem expulsos do céu (12.7-9), na metade dos sete anos de tribulação. Depois disso, ficará restrito à terra durante três anos e meio, na Grande Tribulação. Com a segunda vinda de Cristo, será preso e amarrado no abismo durante o milênio e solto no fim, por um período bem curto. Finalmente, será lançado no lago de fogo que arde com enxofre onde ele, juntamente com todas as almas perdidas, viverá para sempre e sempre em tormentos, "dia e noite, para todo o sempre" (v. 10).

O Juízo Final (v. 11-15)

Essa passagem contém uma das mensagens mais pessoais da Bíblia. Devemos lê-la freqüentemente. Ela nos ajudará a estar prontos para atender à chamada.

A fuga da terra e do céu da presença daquele que está assentado no "grande trono branco" (v. 11) pode ter sido ocorrido pelo efeito do fogo (2Pe 3.10-12). Os que já foram julgados terão agora a confirmação de seu julgamento, na presença do universo reunido.

O julgamento é abrangente. Todas as pessoas de todas as eras e de todas as regiões estarão presentes. Todos os atos e todos os motivos foram registrados. Segundo comenta Paulo em Romanos 2.16, "isso tudo se verá no dia em que Deus julgar os segredos dos homens". Quanto melhor conhecermos a nós mesmos, tanto mais ficaremos sérios e pensativos ao meditar sobre o assunto.

Existem apenas duas classes de seres humanos: os salvos e os perdidos. Os "livros" contêm o registro das obras das pessoas. O livro da vida contém os nomes de todos os redimidos. Estão incluídos os salvos durante os mil anos e todos os que fizeram parte da primeira ressurreição: "Felizes e santos os que participam da primeira ressurreição! A segunda morte não tem poder sobre eles" (v.

6). O julgamento do grande trono branco se aplica somente às pessoas cujos nomes não estão escritos no livro da vida.

A "segunda morte" é a perdição definitiva, em contraste com a morte física, que é o destino de toda a raça humana. Aqui é denominada "lago de fogo", a respeito do qual Jesus falava nos evangelhos: o lugar onde "o fogo não se apaga" (Mc 9.48) — "o fogo eterno, preparado para o Diabo e os seus anjos" (Mt 25.41). Fogo literal? Quem sabe? É bem possível que o fogo literal fosse preferível aos tormentos eternos da alma, que seriam mais dolorosos para a alma que o fogo é para o corpo.

Ap 21   O céu

Esse capítulo não se refere à nova ordem social neste mundo, mas ao lar eterno dos redimidos, a casa do Pai com "muitos aposentos" (Jo 14.2). É um dos capítulos mais belos, confortadores, e preciosos da Bíblia, que nunca nos cansaremos de ler.

O novo céu e a nova terra (v. 1). O primeiro céu e terra já desapareceram, conforme dissera Pedro (2Pe 3.10), os céus com um grande estrondo (uma explosão?) e a terra com suas obras simplesmente foram desfeitos no fogo. Não sabemos quanta mudança no universo físico está envolvida. Nem sabemos se esta terra será refeita e renovada pelo fogo ou se haverá uma terra inteiramente diferente. Também não sabemos se, com nossos corpos incorruptíveis e espirituais, estaremos confinados a algum planeta ou estrela ou estaremos livres para percorrer as esferas ilimitadas do espaço e da eternidade. Como gostaríamos de saber! Mas um dia saberemos.

O mar já não existia (v. 1), mas há um rio (22.1). Ficamos imaginando se isso deve ser tomado literalmente. Talvez o fogo que consumiu a terra não tenha deixado sobrar nenhum mar. Talvez o "rio da água da vida" não seja água literal. Alguns acham que o "mar" é símbolo de distúrbios e iniqüidades e que sua ausência signifique a paz imperturbável que prevalece no céu. Ou, posto que o mar era considerado uma barreira entre as nações, sua ausência talvez indique a fraternidade universal.

A **nova Jerusalém** (v. 9,10), a Cidade Santa. A Bíblia apresenta duas Jerusaléns. A primeira fica na terra e se torna a moradia terrestre de Cristo durante o milênio. A outra está no céu, a cidade celestial que é reflexo da Jerusalém terrestre (v. Gl 4.25,26; Hb 12.22; Sl 122). Foi para achar essa cidade celestial que Abraão deixou sua casa em Ur dos caldeus (Hb 11.10). Essa cidade, "cujo arquiteto e edificador é Deus", agora está concluída, e Abraão e os demais santos redimidos se deleitam na sua glória.

O tabernáculo de Deus (v. 3). O tabernáculo ou habitação de Deus estava antes no céu. Agora, na pessoa de Jesus, Deus habita entre seu povo (v. 3). A habitação de Deus — "a casa de meu Pai [onde] há muitos aposentos". No Éden, a raça humana — Adão e Eva — foi expulsa da presença palpável, imediata e consciente de Deus. Aqui, a presença de Deus é restaurada. Veremos realmente seu rosto e estaremos com ele durante os ciclos incessantes das eras infindas. Não haverá mais morte, nem lágrimas, nem dores, nem angústias, nem tristezas, pois a antiga ordem das coisas já passou. Cristo diz: "Estou fazendo novas todas as coisas!" e então ordena que João escreva o que é fidedigno e verdadeiro: "Está feito. Eu sou o Alfa e o Ômega, o Princípio e o Fim. A quem tiver sede, darei de beber gratuitamente da fonte da água da vida. O vencedor herdará tudo isto, e eu serei seu Deus e ele será meu filho" (v. 6,7).

Os que viverem sem Deus estarão fora, no lago de fogo que arde com enxofre (v. 8; 22.15). Para Deus, existem somente duas classes de pessoas: as que são dele e as que não são.

A cidade de ouro (21.9—22.5)

A noiva de Cristo, uma cidade, é mostrada a João pelo mesmo anjo que lhe mostrara a igreja adúltera (cap. 17), que também era uma cidade: a Babilônia. A cidade da Babilônia na Antigüidade era uma "cidade de ouro" (v. "Babilônia", p. 346). Agora, aparece a verdadeira cidade de ouro, em seu infinito esplendor e magnificência. Seus habitantes são o povo de Deus.

As medidas da cidade (21.15-17). Doze mil estádios (c. 2 200 km). Pode tratar-se do comprimento de cada lado ou da circunferência toda, nesse caso cada lado teria 3000 estádios, e a distância entre cada uma das 12 portas seria de mil estádios. A muralha tinha 144 côvados (c. 60 m) de espessura. As medidas são feitas em múltiplos de doze. Doze é a assinatura do povo de Deus. Há doze portas, inscritas com os nomes das doze tribos de Israel, e doze alicerces, com os nomes dos doze apóstolos. A cidade forma um cubo perfeito, da mesma maneira que seu protótipo, o Lugar Santíssimo no Tabernáculo. Colocado sobre o Brasil, sua extensão abrangeria do Acre ao Pará, e da Roraima até o Mato Grosso — além de se estender 2200 km para as alturas. Doze mil, portanto, é o símbolo do povo de Deus, multiplicado por mil; representa o estado pleno, perfeito e glorioso da criação redimida.

Os nomes das doze tribos inscritas nas portas e dos doze apóstolos nos fundamentos talvez tenham o propósito de indicar que os fundadores da cidade nunca serão esquecidos, mas serão mantidos em amorosa lembrança pelos habitantes da cidade durante as eras intermináveis da eternidade.

As pedras preciosas (21.18-21). O peitoral do sumo sacerdote, que continha doze pedras inscritas com os nomes das doze tribos (Êx 28.15-30) deve ter sido um tipo de prenúncio, dado no passado distante, do que Deus estava preparando para o futuro. As pedras são semelhantes às da nova Jerusalém. Algumas dessas pedras são difíceis de identificar. Talvez não sejam as mesmas aqui mencionadas.

As cores representadas pelas pedras são: jaspe: incolor; safira, azul; calcedônia, azul celeste; esmeralda, verde; sardônio, vermelho e branco; sárdio, vermelho-fogo; crisólito, dourado; berilo, verde-mar; topázio, verde transparente; crisópraso, roxo; jacinto, vermelho; ametista, violeta.

Os fundamentos reluzem com as cores do arco-íris. Cada porta é uma pérola, e a cidade é composta inteiramente de coisas materiais as mais valiosas e belas que a raça humana conhece, harmonizadas num espetáculo resplandecente além da imaginação — um espetáculo de eterna beleza, glória, paz e segurança.

Palavras finais — Ap 22

A árvore da vida (v. 1-5)

O jardim do Éden aparece restaurado na cidade de ouro. O paraíso e a imortalidade. Depois de Adão e Eva terem pecado no jardim do Éden, Deus colocou um anjo diante da árvore da vida para impedir que comessem de seu fruto e fossem condenados a viver eternamente no seu estado pecaminoso. Aleluia! Chegou, agora, a era na qual o povo redimido por Deus poderá comer o quanto desejar da árvore da vida. Essa árvore promoverá nossa eterna saúde e bem-estar.

O que faremos no céu? Cantaremos? Com toda a certeza. O que seria o céu sem música? Porém haverá mais que isso. Sem dúvida, surgirão muitas oportunidades para cultivarmos as aspirações que não conseguimos satisfazer na terra. A vida, crescendo, avançando sempre, assumindo nosso lugar na administração divina do universo, em Corpos incorruptíveis no meio-ambiente incorruptível.

A importância do livro (v. 6-16)

No fim do livro existe a reafirmação de que *ele é a Palavra de Deus* (1.2). O livro começou com uma impetração de bênçãos sobre os que o lêem e guardam suas palavras (1.3), e assim termina (v. 7). **Não sele as palavras da profecia deste livro** (v. 10) é uma advertência séria para que não o negligenciemos e para que o estudemos. Daniel recebeu a ordem para selar as palavras de seu livro "até o tempo do fim" (Dn 12.4): esse tempo já chegou.

Gênesis e Apocalipse

A Bíblia é uma única história. A última parte do último livro da Bíblia, ao ser lida, parece ser o fim da história iniciada na primeira parte do primeiro livro.

A primeira expressão de *Gênesis:* "No princípio Deus criou os céus e a terra" (1.1).	A quase a última expressão do *Apocalipse:* "Vi novos céus e nova terra" (21.1).
Gênesis: "Chamou mares ao conjunto das águas" (1.10).	*Apocalipse:* "E o mar já não existia" (21.1).
Gênesis: "Às trevas chamou noite" (1.5).	*Apocalipse:* "Ali não haverá noite" (21.25).
Gênesis: "Deus fez os dois grandes luminares [Sol e Lua]" (1.16).	*Apocalipse:* "A cidade não precisa de sol nem de lua para brilharem sobre ela, pois a glória de Deus a ilumina" (21.23).
Gênesis: "No dia em dela comer, certamente você morrerá" (2.17).	*Apocalipse:* "Não haverá [...] mais morte" (21.4).
Gênesis: "Multiplicarei grandemente o seu sofrimento na gravidez" (3.16).	*Apocalipse:* "Não haverá mais dor" (21.4).
Gênesis: "Maldita é a terra por sua causa" (3.17).	*Apocalipse:* "Já não haverá maldição nenhuma" (22.3).
Gênesis: Satanás aparece como o enganador da raça humana (3.1,4).	*Apocalipse:* Satanás desaparece para sempre (20.10).
Gênesis: Foram afastados da árvore da vida (3.22-24).	*Apocalipse:* A árvore da vida reaparece; todos estão convidados a comer dela (22.2).
Gênesis: Adão e Eva foram expulsos da presença de Deus (3.24).	*Apocalipse:* "Eles verão a sua face" (22.4).
Gênesis: O lar primevo do homem foi num jardim à beira-rio (2.10).	*Apocalipse:* O lar eterno do homem será à beira de um rio que fluirá eternamente do trono de Deus (22.1).

Continue o injusto a praticar a injustiça, continue o santo a santificar-se (v. 11) é a resignação solene dos perdidos ao seu destino e dos salvos ao destino deles. Neste mundo, o caráter pode melhorar ou piorar, enquanto durar a era da graça. Chegará a hora, entretanto, em que ficará fixado por toda a eternidade. O castigo eterno e a vida eterna não são decretos arbitrários de Deus, mas o resultado inevitável, assim como o fruto provém do botão. O castigo do pecado é o pecado. O galardão da santidade é a santidade.

Observe de novo (v. 14,15) a separação total entre o joio e o trigo. Repetidas vezes declara-se que só existem duas classes de pessoas e somente dois destinos.

"Eu sou a Raiz e o Descendente de Davi, e a resplandecente Estrela da Manhã" (v. 16; v. Nm 24.17). Jesus assim nos ensina: "Sou eu o *único* que todas as profecias prevêem. Não existe nenhum outro".

O convite final (v. 17)

Jesus disse: "Eis que venho em breve!" (v. 12). O Espírito, a noiva e aquele que ouvir estão incluídos nesse convite e nessa oração: "Vem!" Jesus responde: "Sim, venho em breve!" (v. 20). É sua última palavra registrada, o recado de despedida à noiva, que o aguarda enquanto ele some de vista. A passagem contém é um convite para que os pecadores venham a ele, a fim de que estejam prontos na sua vinda. Como resultado, alguns pedirão que Cristo o salve, e outros endurecerão ainda mais o coração. É para cada indivíduo resolver — optar pela vida ou pela morte. Essa decisão tem consequências eternas. Se você ainda não aceitou a Cristo como seu Salvador, não fique esperando. Peça a Jesus que seja seu Senhor e Salvador e aceite o dom gratuito da vida eterna! (2Co 5.17; 6.2; Jo 14.6; Rm 5.8; Mc 1.15; v. na p. 871 uma oração singela pela salvação).

Advertência final contra a mutilação da Palavra de Deus (v. 1-5)

O críticos racionalistas não gostam desta passagem e desejam limitar seu significado a este único livro, porque ela os condena por terem tomado sobre si a liberdade de eliminar as porções das Escrituras que não lhes agradam. Essa advertência também se acha em Deuteronômio 4.2 e 12.32. Apesar de haver uma referência específica ao Apocalipse, é também uma advertência grave contra o tratamento leviano de qualquer parte da Palavra de Deus.

Depois do Novo Testamento

- História concisa da igreja ocidental
- História concisa da Terra Santa e dos judeus depois de Cristo

História concisa da igreja ocidental

Sumário

Introdução	774
Os primeiros séculos: Do Pentecostes até 313 d.C.	
A expansão da igreja	774
A organização e doutrina da igreja primitiva	775
Os pais apostólicos	776
Problemas externos: Perseguições	777
Problemas internos: Controvérsias e heresias	778
Do Edito de Milão (313 d.C.) até Carlos Magno (800 d.C.)	
O Edito de Milão (313 d.C.)	780
Os pais da igreja	780
Os sete concílios da igreja	781
O monasticismo	782
A igreja e o Estado	783
A Idade Média: c. 800-1300	
Carlos Magno e o Santo Império Romano	784
O cisma entre o Ocidente e o Oriente	784
As Cruzadas e seus efeitos	784
O escolasticismo	786
A Renascença e a Reforma (c. 1300-1648)	
Preparando o caminho para a Reforma	786
Mudanças na Europa	786
Precursores da Reforma	786
A invenção da imprensa	787
Causas religiosas da Reforma	787
Outras causas da Reforma	787
A Reforma	788
O primeiro reformador: Martinho Lutero (Alemanha)	788
Indulgências	788
João Calvino (França e Suíça)	789
A Reforma na Inglaterra	790

A Igreja Anglicana (Igreja da Inglaterra)	790
Os puritanos	790
Os reformadores radicais	790
Zuínglio (Suíça)	790
Os anabatistas	791
O protestantismo francês: os huguenotes	791
A Contra-Reforma	791
Efeitos da Reforma	792
O cristianismo na América do Norte	792
Ortodoxia e reavivamento (1648-1750)	793
O primeiro Grande Avivamento	793
João Wesley e o metodismo	793
A igreja no mundo moderno (1750-1914)	
O desafio da revolução científica	795
O segundo Grande Avivamento (1800-1861)	795
O surgimento das missões modernas	795
O desafio da alta crítica	796
O desafio do darwinismo	797
O darwinismo social	797
O evangelho social	797
Respostas ao modernismo	798
O século XX nos Estados Unidos (1914-2000)	
O fim do otimismo	798
Igrejas e denominações no século XX	799
As igrejas tradicionais	799
A Igreja Católica Romana	800
As igrejas evangélicas e fundamentalistas	801
O aparecimento do pré-milenismo e do dispensacionalismo	801
O fundamentalismo	802
O evangelicalismo contemporâneo	802
Igrejas negras e brancas	803
Pentecostais — carismáticos — igrejas da Terceira Onda	803
O pentecostalismo	803
O movimento carismático	804
A Terceira Onda	804
Fenômenos recentes	804
Grupos pareclesiásicos	804
Megaigrejas	805
Evangelismo em massa	806
O Evangelho na mídia	806
Questões contemporâneas	806
A questão mais importante	807

Introdução

É impossível resumir a história de igreja. O que se segue é uma simples síntese despretensiosa da história de parte da igreja ocidental (ou seja: da igreja na Europa e na América do Norte). A última seção, "O século XX nos Estados Unidos", tem enfoque ainda mais restrito: diz respeito especificamente aos Estados Unidos e, ainda assim a respeito das igrejas brancas no país.

É tentador considerar a história da igreja primariamente uma questão de contendas a respeito da pureza da doutrina e da igreja. Entretanto, a igreja está entrelaçada com as culturas nas quais existe e já no início, logo após o Pentecostes precisou lidar com questões levantadas pelo judaísmo e pelo Império Romano. Não era apenas questão de manter pura a fé, era também a luta infinda para entender como a fé cristã devia ser compreendida e expressada em cada período histórico.

As tendências sociais e culturais de alguma forma sempre afetam a igreja. A Reforma é um exemplo típico. Embora seja correto dizer que foi resultado da falência espiritual da Igreja Católica Romana e que levou à revitalização da igreja, o quadro global não se limita a isso. Numerosos fatores — a invenção do prelo, o enfraquecimento do sistema feudal e o movimento geral em direção do individualismo — desempenharam um papel de relevância. Sem esses fatores contribuintes, é difícil imaginar como a Reforma teria sido levada a efeito.

Isso não quer dizer que Deus não esteja na liderança de sua igreja. Pelo contrário, assim como a existência do Império Romano possibilitou sua disseminação rápida nos primeiros séculos, também a confluência das tendências religiosas, sociais e culturais levou à renovação da igreja na Reforma.

(Se você se interessar por ler mais a respeito da história da igreja, um livro mais pormenorizado, mas de fácil leitura, é *Cristianismo através dos séculos*, de Earle E. Cairns [2. ed., São Paulo: Vida Nova, 2000].)

Os primeiros séculos: Do Pentecoste a 313 d.C.

A expansão da igreja

A igreja teve seu início no dia de Pentecoste (At 1 e 2) e se propagou com bastante velocidade por todo o Império Romano. O apóstolo Pedro e muitos outros trabalharam com a intenção de divulgar o evangelho aos cerca de 4 milhões de judeus que estavam espalhados por todo o império. O apóstolo Paulo e outros trabalhavam principalmente entre os gentios, dos quais alguns se agregavam às sinagogas, e outros não conheciam o judaísmo, principalmente nas cidades principais. A partir daí, o evangelho se propagou para o interior.

A perseguição era freqüente, nos primeiros tempos era instigada pelos judeus, e não pelo Império Romano. Os romanos tinham outorgado o livre exercício às religiões então existentes, tais como o judaísmo, e consideravam o cristianismo um ramo do judaísmo, conforme se vê no caso de Félix, o governador romano, ao considerar com o rei Herodes Agripa o caso de Paulo: "Tinham alguns pontos de divergência com ele [Paulo] acerca de sua própria religião e de um certo Jesus, já morto, o qual Paulo insiste que estava vivo" (At 25.19).

A tolerância religiosa foi apenas um dos modos de o Império Romano ter ajudado na rápida propagação do cristianismo. Existiam dois idiomas internacionais, o grego e o latim; quase todos conheciam um ou outro além da língua materna, o que facilitava as comunicações. As estradas romanas fora da Palestina eram, na sua maioria, pavimentadas, o que facilitava as viagens por terra, e as viagens marítimas também eram razoavelmente convenientes. A estabilidade política tornava seguras as viagens e as comunicações, e havia suficiência de alimentação e abrigos apropriados para quase todos, mesmo os viajantes. Existia um sistema bancário não muito diferente do nosso, bem como câmbio de moedas estrangeiras.

Este obelisco de Ramsés II (m. 1225 a.C.) foi levado do Egito a Roma por César Augusto. Posteriormente, uma cruz foi colocada no topo do obelisco.

Organização e doutrina da igreja primitiva

A estrutura e a organização da igreja parecem ter se desenvolvido à medida que as necessidades surgiam. O modelo básico era o da sinagoga.

Os cristãos primitivos tinham tudo em comum (At 4.32), mas não demorou para surgir a necessidade, cada vez maior, de escolher pessoas que ficassem encarregadas de certificar que os alimentos fossem distribuídos com eqüidade e que as necessidades de todos os membros da igreja fossem satisfeitas. Foram escolhidos "homens de bom testemunho, cheios do Espírito e de sabedoria" (At 6.3).

Assim, logo surgiram dois tipos de líderes eclesiásticos: os oficiais administrativos, que o Espírito Santo dotara para governar a igreja, e os oficiais carismáticos, que receberam dons para exercer a liderança espiritual. Os que tinham dons de administração serviam na igreja local como presbíteros ou bispos cuidando do governo e da disciplina, dirigindo os cultos públicos de adoração, ou como diáconos coordenando obras da caridade e ajudando os presbíteros no culto. Pessoas com dons carismáticos eram apóstolos, que implantavam igrejas; profetas, que ensinavam e fortaleciam os crentes; evangelistas, que conquistavam novos convertidos; pastores, que cuidavam do bem-estar espiritual dos crentes, e cooperadores, que percebiam necessidades e atendiam a elas.

Os cristãos deviam separar-se das práticas pagãs, mas não dos próprios pagãos — conquanto que não houvesse transigência dos princípios cristãos e o contato não resultasse em participação na idolatria. Os cristãos assumiam a responsabilidade pelos pobres, e esperava-se deles que cumprissem suas obrigações, tais como o pagamento dos impostos e a obediência às autoridades.

Os cristãos se reuniam nas casas, nas sinagogas ou nos edifícios públicos no primeiro dia da semana. Havia, provavelmente, dois cultos. Cantavam hinos, oravam, liam as Escrituras e eram ensinados pelos presbíteros. No culto da noite, usualmente celebravam a Ceia do Senhor, baseada na última ceia, segundo a ordem dada por Jesus (Lc 22.19,20; 1 Co 11.24,25). Praticavam o batismo da mesma maneira que João Batista batizara a Jesus.

Desde o início, havia necessidade de declarações sucintas que resumissem o âmago da fé cristã. Existem vários trechos do NT que talvez reflitam formas primitivas de semelhantes declarações: Romanos 10.9,10, 1 Coríntios 15.4 e 1 Timóteo 3.16. Posteriormente, esses resumos da fé foram desenvolvidos até formar credos mais permanentes. O mais antigo dos credos, que sobreviveu até nós é chamado o Credo dos Apóstolos. Não foi escrito pelos apóstolos, embora certamente reflita os ensinos deles; sua forma mais antiga apareceu em Roma cerca 340 d.C.

Os pais apostólicos

Todos os livros do NT foram escritos antes do fim do século I d.C. Mas depois de João ter acabado de escrever o livro do Apocalipse (c. 95 d.C.), não cessou a produção da literatura cristã. Entre 95 d.C. e cerca de 150 d.C., foram escritas várias obras por homens que tinham conhecido os apóstolos e a doutrina apostólica. São os chamados pais apostólicos. Entre eles há Clemente de Roma, que era bispo de Roma entre 91 e 100 d.C. Escreveu uma carta à igreja de Corinto na mesma data, aproximadamente, em que João estava na ilha de Patmos. Esse é o documento cristão mais antigo (fora do NT) a sobreviver até nosso tempo. Outros escritos dos pais apostólicos:

- *Epístolas de Inácio*, bispo de Antioquia e aluno do apóstolo João (c. 110 d.C.).
- *Epístola de Policarpo*, aluno de João e bispo de Esmirna, escrita aos filipenses (c. de 110 d.C.).
- *Epístola de Barnabé*, escrita entre 90 e 120 d.C. e endereçada a todos os cristãos. Desfrutava de alta estima na igreja primitiva, pois até mesmo aparece no fim do NT, no *Códice sinaítico* (v. p. 848).
- *A Didaquê* (ou *Ensino dos doze apóstolos*), escrita provavelmente cerca de 100 d.C. como manual de catequese para ensinar os essenciais da fé. Assemelha-se à epístola de Tiago e cita extensivamente o NT.
- *O Pastor*, de Hermas é uma alegoria escrita por volta de 150 d.C. está repleta de simbolismo e visões. Segue o modelo do Apocalipse e pode ser chamado *O peregrino* da igreja primitiva. Também foi incluído no *Códice sinaítico*, no fim do NT.

Esses e os demais escritos dos pais apostólicos não devem ser confundidos com os muitos livros apócrifos que começaram a surgir no século II e que consistem principalmente em evangelhos espúrios (tais como o *Evangelho de Nicodemos* e o *Evangelho de Pedro*), livros de Atos (tais como os *Atos de João* e os *Atos de André*) e cartas (tais como as *Cartas de Paulo a Sêneca* e a *Carta de Pedro a Tiago*). Todas essas obras são falsificações posteriores e variam entre bem-intencionadas e patentemente absurdas.

História concisa da igreja ocidental 777

O Coliseu, iniciado pelo imperador Vespasiano em 72 d.C. e completado por Tito em 80 d.C. O maior monumento romano da Antigüidade (195 x 156 m), consiste em três bancadas de galerias com arcadas, e um quarto andar que sustentava uma coberta retrátil de lona para proteger contra o sol do verão. Comportava assentar cerca de 50 mil espectadores, que assistiam aos gladiadores lutarem entre si até a morte, e depois, em datas posteriores, assistiam à morte dos cristãos pelos leões. O Coliseu caiu em desuso depois de 404 d.C., e foi negligenciado. O papa Bento xiv (1740-1758) declarou-o monumento sagrado em homenagem aos mártires cristãos que morreram ali.

Problemas externos: Perseguições

Nos primeiros dias, como também no decurso da maior parte de sua história, a igreja tinha diante de si problemas externos e internos. Os problemas externos, na sua maioria, tomavam a forma de perseguições. Antes de 250 d.C., as perseguições eram locais, esporádicas, e freqüentemente resultavam da atuação de turbas amotinadas, e não da política civil.

Um dos motivos para as perseguições era político. O cristianismo crescia rapidamente e fazia reivindicações exclusivistas. Não era permitido a ninguém ser cristão e ao mesmo tempo adorar às deidades locais ou participar do culto ao imperador (v. p. 572). Esse fato foi considerado deslealdade ao Estado, e depois de 250 d.C. o cristianismo foi classificado como sociedade secreta ilegal e ameaça à segurança do império.

Outro motivo era o social. O cristianismo possuía muitos atrativos para as classes mais humildes, e por isso a aristocracia o temia, principalmente porque ensinava que em Cristo todos somos iguais — até mesmo os escravos e seus senhores.

Os cristãos também eram odiados por motivos econômicos. Os que ganhavam seu sustento com a idolatria e as várias práticas de ocultismo entendiam que o cristianismo era uma ameaça contra seu modo de ganhar a vida (At 16.16-19; 19.24-27), e os cristãos eram culpados pelas fomes e pestes.

Finalmente, por muitos o cristianismo era considerado ateísmo, posto que não possuía imagens e a adoração era espiritual e interior, em vez de se basear nos rituais e sacrifícios exteriores.

Depois dos judeus, o imperador Nero foi o primeiro a perseguir a igreja. Em 64 d.C., precisava de um bode expiatório para culpar pelo incêndio de Roma (embora, desde o início, Nero fosse o principal suspeito), de modo que mandou acusar os cristãos, e ordenou que fossem mortos de maneiras cruéis. Pedro e Paulo morreram nessa perseguição.

Em 95 d.C., os judeus se recusaram a pagar o imposto cobrado para o custeio de alguma das deidades romanas. Posto que os cristãos ainda eram oficialmente associados aos judeus, também sofreram as conseqüências disso enquanto Domiciano foi imperador. Durante a perseguição, João foi exilado na ilha de Patmos, onde recebeu as visões registradas no Apocalipse.

O cristianismo estava, então, oficialmente debaixo de um interdito do governo, não aplicado com muito rigor a não ser por volta de 250 d.C. Em 112 d.C., um governador, Plínio, escreveu ao imperador Trajano, pedindo esclarecimentos no tocante à política para com os cristãos. Quando um cristão era delatado por alguém, Plínio mandava que o acusado fosse levado ao tribunal, onde lhe perguntavam três vezes se era cristão. Caso afirmativo, o cristão era condenado à morte. Trajano escreveu que esse era, de fato, o procedimento correto: não se devia sair à caça dos cristãos, mas deviam ser executados caso fossem denunciados e confessassem.

Entretanto, em 250 d.C., o imperador Décio promulgou um edito que requeria uma oferenda anual de sacrifícios aos deuses e ao imperador. Cada pessoa, depois de oferecer o sacrifício, recebia uma certidão do cumprimento do edito. Os cristãos se recusaram a isso, e então o cristianismo passou a ser ilegal.

Décio foi sucedido pelo imperador Diocleciano, que se achava diante de um império em deterioração. Acreditava que a monarquia forte, apoiada pelo exército forte, pudesse salvar o império e entendia que a recusa dos cristãos em apoiar a religião do Estado era uma ameaça para o que sobrava da estabilidade do império. Em 303 d.C., emitiu os primeiros editos para a perseguição ativa dos cristãos, que já a essas alturas contavam entre 50 e 75 milhões, ou seja, 15% do império. A partir daí, deviam ser procurados e presos se persistissem na lealdade a Cristo e executados se recusassem oferecer sacrifícios ao imperador. Exemplares das Escrituras eram confiscados e queimados. As prisões ficaram tão superlotadas de cristãos que não sobrava lugar para os criminosos comuns, de modo que os cristãos eram exilados, perdiam seus bens, eram mortos à espada ou por animais selvagens ou enviados a campos de trabalhos forçados, onde eram sobrecarregados de tarefas até cair mortos.

Problemas internos: Controvérsias e heresias

Além disso, a igreja tinha problemas internos, que começaram, no mínimo, já em 49 d.C., com o Concílio de Jerusalém (At 15). Ali, os líderes da igreja se reuniram para decidir se os cristãos gentios precisavam ser circuncidados (ato religioso praticado pelos judeus como evidência de alguém tornar-se judeu) ou não. Pedro argumentou que sim, mas Paulo, dizendo que não, venceu o debate. Havia, entretanto, muitos cristãos que não aceitavam como definitiva essa decisão e continuavam a insistir na circuncisão porque acreditavam que a lei judaica era a expressão mais sublime da vontade de Deus e, portanto, aplicável aos cristãos.

Outras controvérsias da Antigüidade estavam relacionadas às heresias filosóficas, tais como o gnosticismo, que ensinava que o espírito era bom, mas a matéria era má, e que, se Jesus tinha corpo material, forçosamente também era mau. Por isso, insistiam em que Jesus era somente espírito e negavam que pudessem ter ocorrido sua crucificação e ressurreição físicas. Para eles, a salvação era somente para a alma, e não para o corpo. Os gnósticos também acreditavam que o Deus do AT era mau e que somente o Deus do NT era bom. Por isso, era fácil para os cristãos enganados pelo gnosticismo passar a odiar os judeus. É interessante que havia duas formas opostas de gnosticismo: alguns gnósticos acreditavam no ascetismo rigoroso para evitar a contaminação pelos desejos do corpo, ao passo que outros ensinavam a licenciosidade desenfreada, posto que as ações pessoais por meio do corpo nenhuma relação tinham com a alma. Paulo, João e outros líderes da igreja dedicaram muito tempo e esforço para combater essa heresia.

Surgiram problemas também quando os novos convertidos traziam consigo para a igreja algumas de suas antigas idéias pagãs ou quando os cristãos tentavam tornar o cristianismo aceitável aos intelectuais romanos da classe superior. As perseguições criaram questões que precisavam ser dirimidas — por exemplo, como tratar os cristãos que tinham oferecido sacrifícios ou entregado exemplares das Escrituras para serem queimados.

A queima de exemplares das Escrituras forçou a igreja a decidir quais livros formavam as Escrituras inspiradas, e isso levou à adoção formal do cânon do NT (v. p. 846). Perguntas concernentes à natureza dos seres humanos (nascemos pecadores, ou aprendemos o comportamento pecaminoso. Temos o livre-arbítrio para escolher entre o bem e o mal?) e à maneira em que somos salvos de nossos pecados eram "dirimidas" por concílios eclesiásticos, mas persistem até hoje e provocaram muitas disputas sérias no decurso dos séculos.

Olhando a partir do Coliseu (v. p. 777) para o Arco de Constantino, erigido pelo imperador Constantino depois da vitória em 312 d.C. que obteve depois de ter visto uma cruz no céu e a frase *en touto nika* ("Vence com esse sinal").

Do Edito de Milão (313 d.C.) a Carlos Magno (800 d.C.)

O Edito de Milão (313 d.C.)

As perseguições terminaram em 313, com o Edito de Milão, promulgado pelo imperador Constantino. De modo diferente de Diocleciano, Constantino considerava o cristianismo um aliado na tarefa de salvar o império e a cultura greco-romana. Quando Constantino e seu exército estavam quase totalmente derrotado pelos inimigos, ele teve, segundo o relato, uma visão de uma cruz com as palavras *En touto nika* ("Vence com esse sinal") nela escritas. Tomou isso como bom agouro, derrotou os inimigos e assumiu o controle do Estado.

Depois do Edito de Milão, o Império Romano favorecia a igreja; havia liberdade de culto, os bens confiscados foram devolvidos aos cristãos e os clérigos passou a ser isentos do serviço público. A igreja passou a ser subsidiada pelo Estado, e o domingo tornou-se o dia oficial de descanso e de culto.

Constantino permaneceu como sumo sacerdote do Estado pagão e não foi batizado senão imediatamente antes de sua morte. Mas, com a exceção de um só revés, no governo do imperador Juliano, sucessor de Constantino, o cristianismo continuou conquistando espaço para se tornar a religião oficial do Estado. Isso significava que o Estado estaria envolvido na tentativa de dirimir os problemas internos que a igreja tinha diante de si.

Os pais da igreja

Durante mais de um século após a Edito de Milão, um grupo de estudiosos investiu muita energia e brilhantismo em estudos cuidadosos das Escrituras a fim de descobrir seu sentido teológico. São chamados os pais da igreja pós-nicenos, porque viveram e trabalharam depois do Primeiro Concílio de Nicéia, realizado em 325 (v. embaixo; os pais da igreja anteriores são chamados pais apostólicos — v. p. 776 — e os pais antenicenos). Seis dos pais pós-nicenos da igreja se destacam, três na parte oriental do império e três na parte ocidental.

No oriente, **João Cristóstomo** de Antioquia (347-407) ensinava que a Cruz e a ética são inseparáveis; **Teodoro,** bispo de Mopsuéstia (350-428), escreveu comentários bíblicos e insistia no entendimento do contexto histórico gramatical do texto; e **Eusébio** (265-339) que escreveu, a pedido de Constantino, uma história da igreja usando fontes primárias cuidadosamente avaliadas. A maior parte de nosso conhecimento acerca dos primeiros séculos da igreja provém da obra de Eusébio.

Enquanto os pais orientais procuravam descobrir o significado das Escrituras pelo exame da gramática e da história, os pais ocidentais traduziam as Escrituras e escreviam tratados teológicos. **Jerônimo** de Veneza (347-420) enclausurou-se em Belém a fim de produzir a *Vulgata,* uma tradução do hebraico e do grego para o latim que, até recentemente, era a versão bíblica oficial da Igreja Católica Romana. **Ambrósio** (340-397) era administrador e pregador. Corajoso, opôs-se ao imperador e obrigou o Estado a respeitar a igreja e conter o ímpeto de intrometer-se no âmbito espiritual.

O mais famoso e influente dentre os pais da igreja era Agostinho de Hipona (354-430). Sua mãe orara pela conversão dele, que vivia de modo dissoluto. Certo dia, quando Agostinho estava num jardim, ouviu uma voz que lhe ordenava ler a Bíblia, e ele a abriu em Romanos 13.13,14. Tornou-se sacerdote e posteriormente veio a ser bispo de Hipona. Agostinho escreveu mais de 100 livros, 500 sermões, 200 cartas e uma das maiores autobiografias de todos os tempos: as *Confissões*. Criou uma filosofia cristã da história com sua *A cidade de Deus,* que entendia ser uma civilização espiritual capaz de substituir a civilização romana moribunda. Hoje, tanto católicos quanto protestantes o consideram autoridade. Os católicos gostam da ênfase que Agostinho dá à igreja como instituição visível, de sua doutrina do purgatório e do destaque que dá aos sacramentos (batismo, comunhão). Os protestantes gostam da ênfase que ele dá à salvação do pecado como resultado da graça de Deus, que entregou o próprio Filho a fim de que todos pudéssemos ser salvos do pecado e reconciliados com Deus.

Os sete concílios da igreja

Vários pais da igreja participaram de uma série de sete concílios eclesiásticos (também chamados concílios ecumênicos, porque envolviam a totalidade da igreja), realizados entre 325 e 787 d.C. para definir as doutrinas cristãs básicas. Os participantes eram bispos, e os imperadores os convocavam, o que significa que depois da queda do Império Romano ocidental, em 476 d.C., a maioria dos participantes provinha da igreja oriental. As declarações emitidas pelos quatro primeiros concílios continuam sendo aceitas unanimemente pelas igrejas cristãs até mesmo nos dias de hoje.

Agostinho foi a personagem principal no Concílio de Éfeso (431). Fora convocado para combater a chamada controvérsia pelagiana, que girava em torno da questão de como os seres humanos são salvos. Pelágio, teólogo britânico, sustentava que cada pessoa é criada livre e tem o poder de escolher entre o bem e o mal. Portanto, ninguém nasce contaminado pelo pecado de Adão. Assim, os indivíduos podem alcançar a salvação mediante a escolha e o esforço próprios. O oponente de Pelágio foi Agostinho, que argumentava que todas as pessoas nascem pecadoras pela própria natureza e, portanto, não podem escolher livremente entre o bem e o mal, de modo que a salvação só lhes pode ser concedida mediante a graça de Deus. O Concílio de Éfeso adotou o ponto de vista de Agostinho, e, embora a questão tenha voltado à pauta em muitas ocasiões a partir de então, a decisão ainda permanece como doutrina cristã ortodoxa.

Os outros concílios importantes foram o de Nicéia I (325), que declarou que Jesus Cristo é Deus juntamente com o Pai; o de Constantinopla I (381), que sustentou a divindade do Espírito Santo; e o de Calcedônia (451), que afirmou as duas naturezas de Cristo (divina e humana) numa só pessoa.

A Hagia Sofia (Igreja da Santa Sabedoria), estrutura bizantina em Constantinopla (Istambul), foi construída pelo imperador Constantino (360 d.C.), foi queimada (404) e reconstruída pelo imperador Justiniano (537). A cúpula tem 30 m de diâmetro e quase 60m de altura. Os minaretes foram acrescentados quando os muçulmanos conquistaram Constantinopla em 1453 e transformaram a igreja em mesquita. Agora é museu.

O monasticismo

Tribos bárbaras infiltraram-se cada vez mais na parte ocidental do Império Romano a partir do fim do século I até sua desintegração em 476. Depois de se ver livre das perseguições, a igreja dedicou suas energias à evangelização desses povos, que migravam por toda a Europa Ocidental. A expansão do cristianismo ajudou a preservar elementos da cultura greco-romana, mas a conversão em massa dos bárbaros afetou o cristianismo, porque eles introduziram muitas práticas pagãs na igreja que se esforçara por cristianizá-los. A partir de 350 d.C., os cristãos começaram a celebrar o Natal na data de uma antiga celebração pagã do solstício do inverno — os aspectos pagãos da festa foram eliminados e substituídos pela comemoração do nascimento de Cristo. Alguns diriam que isso enfraqueceu a igreja, mas outros argumentam que se trata de um exemplo de como o cristianismo se adaptava às práticas culturais e as transformava à medida que se propagava, no decorrer dos dois séculos que se seguiram.

Muitos bárbaros tinham se convertido apenas nominalmente ao cristianismo, e a disciplina na igreja ficou relaxada, de modo que a igreja acolheu um povo que tinha o costume de adorar imagens materializando a liturgia com a veneração dos santos por meio de relíquias, quadros e estátuas. Uma liturgia mais elaborada foi desenvolvida, bem como a nítida distinção entre o clero e o laicato. Expandiu-se o número de dias santos e festivos, bem como o número de cerimônias classificadas como sacramentos. Na igreja primitiva, os sacramentos eram o batismo e a santa ceia, mas o casamento, a penitência, a ordenação (cerimônia para ordenar bispos e outros oficiais eclesiásticos), a confirmação (cerimônia para confirmar a fé em Cristo da pessoa que tem idade suficiente para entender claramente o evangelho) e a unção dos enfermos (cerimônia para quem está no leito da morte) foram acrescentados.

Quando o Império Romano se enfraqueceu, muitos cristãos acharam que a sociedade se tornara decadente e que a igreja perdera seu enfoque espiritual. Sua reação foi retrair-se para a solidão a fim de buscar a santidade pessoal por meio da contemplação e do ascetismo. O movimento monástico originou-se no século IV, cresceu consideravelmente durante o século VI, desfrutou de popularidade durante os séculos X e XI e de novo no século XVI e ainda é praticado, embora por um número reduzido de religiosos.

A necessidade psicológica de escapar das duras realidades do mundo e das desordens cívicas tinha, segundo acreditavam os monásticos, o apoio de alguns textos bíblicos. Interpretavam 1 Coríntios 7.1, por exemplo, como um argumento de Paulo a favor do celibato. Além disso, os mosteiros ofereciam uma abordagem mais individualista a Deus e à salvação que o culto público formal daqueles tempos, e a pureza do estilo de vida monástico era uma crítica social viva. Fatores geográficos, tais como cavernas secas e cálidas ao longo do rio Nilo (onde o monasticismo floresceu), juntamente com as facilidades do plantio de produtos alimentares à beira do rio, fomentavam sua expansão, e a proximidade do deserto estimulava a meditação. E, quando o monasticismo se propagou no Ocidente, o clima frio tornou imprescindível a organização comunitária de modo que todos tivessem alimento e acomodação quente durante o inverno.

Bento foi o mais famoso organizador desse movimento na Europa. Fundou Monte Cassino (na Itália) por volta de 529; continuou existindo até a Segunda Guerra Mundial, quando foi destruído por bombas. Bento organizou e controlou vários mosteiros. Seu programa de trabalho e adoração, com regras alimentares, votos de pobreza, de castidade e de obediência, juntamente com as divisões do dia em períodos de leitura, de adoração e de trabalho — a *Regra* (ainda em vigor em muitos lugares) — passou a ser quase universal antes do ano 800.

Os mosteiros eram o equivalente medieval das fazendas experimentais, pois os monges derrubavam florestas, drenavam pântanos, construíam estradas e aperfeiçoavam raças de gado e a agricultura.

Mantiveram viva a erudição entre oa anos 500 e 1000, quando a vida urbana estava sendo interrompida pelas invasões dos bárbaros. Os mosteiros dirigiam escolas e copiavam manuscritos, colecionavam e traduziam obras de literatura e eram historiadores. Também eram missionários e conquistavam tribos inteiras para o cristianismo. Forneciam refúgio aos marginalizados e carentes, dirigiam hospitais e providenciavam alimento e abrigo para os viajantes. Entretanto, quando dos melhores homens e mulheres do Império Romano entraram nos mosteiros, o mundo teve que passar sem a liderança que poderiam ter oferecido.

Com o passar do tempo, alguns mosteiros se tornaram ricos, devido às economias feitas pela comunidade, e então foram se infiltrando a preguiça, a cobiça e a glutonaria. Os mosteiros contribuíram para o desenvolvimento de uma organização eclesiástica centralizada e hierárquica, à medida que os monges eram obrigados à obediência aos seus superiores, que por sua vez tinham seus superiores.

A igreja e o Estado

Entre 313 e 590 d.C., a igreja católica (universal) no Ocidente tornou-se a Igreja Católica Romana que, na sua estrutura e lei canônica, refletia a Roma imperial. Todos os bispos foram igualmente respeitados até 313, quando o bispo de Roma autodenominou-se *primus inter pares*, "o primeiro entre iguais". Mas a partir de Leão I, em 440, o bispo de Roma começou a reivindicar a supremacia sobre os demais bispos. A necessidade da eficiência e da coordenação levou à centralização do poder. O bispo de Roma era considerado a garantia da doutrina ortodoxa, principalmente porque o povo lhe confiara a liderança temporal e espiritual em tempos de crise. Por exemplo, quando o imperador estava em Constantinopla, em 410, Roma foi saqueada pelos visigodos, e o bispo, com hábil diplomacia, salvou a cidade de ser incendiada. Assim, quando a metade ocidental do império caiu em 476 d.C., o povo passou a confiar na liderança política do bispo romano.

O bispo de Constantinopla era considerado o segundo em importância depois do bispo de Roma, e tanto os líderes políticos quanto os eclesiásticos reconheciam essa hierarquia. Gregório I (Magno) declarou, em 590, que Leão foi o primeiro papa porque salvou a cidade da destruição, definiu a ortodoxia ao escrever contra as heresias e desenvolveu um tribunal central de recursos onde os processos, depois de terem passado pelos bispos, eram decididos em definitivo.

Os governantes deviam se submeter ao papa porque a autoridade espiritual era mais importante que a temporal. O próprio Gregório rejeitou o título "papa" (que literalmente significa "papai"), mas detinha todos os poderes dos papas posteriores, e até mesmo lutou contra o bispo (ou patriarca) de Constantinopla, que reivindicava o título de bispo universal.

Quando tentaram fazer dele o cabeça supremo da igreja, Gregório recusou o título, mas não permitiu que outro o assumisse. E ninguém ousava ir contra a vontade de Gregório, que fez do bispado de Roma um dos mais opulentos, devido aos seus talentos de administrador, e estendeu o controle romano às igrejas da Inglaterra e da Espanha. Gregório, além dos talentos administrativos era bom pregador, escritor, teólogo e músico. Foi ele quem desenvolveu o canto gregoriano, que galgou uma posição de grande importância na adoração.

A Igreja Católica Romana continuou sendo a instituição primária no Ocidente, mas não sem ameaças à sua primazia. Os imperadores do Oriente (Constantinopla) procuravam subordinar a igreja ao Estado, e os seguidores de várias heresias lutavam contra o bispo de Roma. Assim, já no século VIII, o papado estava procurando um aliado poderoso que reconhecesse suas reivindicações ao poder espiritual e também às possessões materiais, tinham como trunfo um sistema de taxação que enriquecera o papado e exigia do povo o pagamento de vários tipos de impostos à igreja. O papa achou esse aliado na pessoa de Carlos Magno.

A Idade Média (c. 800-1300)

Carlos Magno e o Sacro Império Romano

Uma família chamada carolingianos consolidara o poder na região que agora representa a maior parte da Europa Ocidental, incluindo boa parte da França e dos Países Baixos, bem como os países onde agora se fala alemão, e depois, a Itália. No decurso dos reinados dos carolíngios Carlos Martelo (que derrotou os muçulmanos em Tours e assim impediu o avanço do islamismo na Europa) e de Pepino, eram nutridos os relacionamentos entre a igreja e os governantes políticos, de modo que em 800, quando Carlos Magno, filho de Pepino, que estava para ser coroado imperador, pediu ao papa que realizasse a cerimônia da coroação. Desse modo, o bárbaro alemão Carlos Magno revivificou o Império Romano como um império cristão no qual o papa, responsável pelo bem-estar espiritual do povo, e o imperador, responsável pelo bem-estar físico, trabalhavam em estreita cooperação.

O cisma entre o Oriente e o Ocidente

A essas alturas, o Império Romano oriental e o Império Romano ocidental eram claramente duas entidades separadas, e a igreja, em cada uma das duas, também se desenvolvera em direções diferentes. A igreja no império ocidental passou a ser a Igreja Católica Romana, e a igreja no império oriental ficou sendo a Igreja Ortodoxa Oriental (composta, hoje, principalmente, das igrejas Ortodoxa Grega e Ortodoxa Russa). A igreja ocidental concentrava sua atenção na constituição eclesiástica, e a oriental, na teologia. Durante os séculos IX e X as duas tinham fortes desavenças entre si, numa série de controvérsias, até que, em 1054, o papa ocidental e o patriarca oriental (o equivalente oriental do papa) se excomungaram sobre uma questão — por insignificante que pareça — acerca do pão da Santa Ceia: se devia ser levedado ou não. Essa questão nunca foi resolvida, embora em anos recentes a Igreja Católica Romana e a Igreja Ortodoxa Oriental tenham dado passos cautelosos em direção à possível reconciliação.

As Cruzadas e seus efeitos

Apesar desse mútuo rancor, os cristãos orientais pediram a ajuda dos cristãos ocidentais para derrotarem os muçulmanos que tinham assumido o controle de Jerusalém e de outros lugares que eram considerados sagrados por todos os cristãos. A igreja oriental atendeu, mediante a organização das Cruzadas, que eram essencialmente operações militares realizadas entre 1095 e 1291. A igreja organizou grandes exércitos (custeados pela nobreza do Santo Império Romano), que foram para o Oriente Médio dispostos a libertar Jerusalém e outros lugares santos. O reino de Jerusalém foi estabelecido e durou menos de um século (1100-1187). Hoje, o legado dos cruzados consiste principalmente nas ruínas de fortificações maciças e castelos, em estilo europeu, deixados para trás quando os muçulmanos expulsaram os cruzados do Oriente Médio.

A motivação por trás das Cruzadas certamente não era puramente religiosa. A questão econômica — a abertura do Oriente para o comércio com o Ocidente — e a questão política — o controle do Oriente Médio — reforçou a motivação religiosa e gerou apoio maciço às Cruzadas. Os papas e os líderes cristãos promoviam as Cruzadas, e os reis e outros governantes políticos as comandavam. (Uma exceção foi a trágica Cruzada das Crianças, em 1212, na qual a idade média dos participantes era de 12 anos.) As Cruzadas terminaram em 1291, quando Acre foi tomada pelos muçulmanos.

As Cruzadas mudaram de muitas maneiras a sociedade ocidental. O poder do papado aumentou durante as guerras, mas o nacionalismo crescente dos participantes resultou no enfraquecimento do poder papal. As cidades tornavam-se mais fortes à medida que os nobres deixavam de voltar do Oriente ou vendiam suas propriedades aos cidadãos para financiar as Cruzadas. O zelo que alimentara as Cruzadas foi aplicado à edificação de belas catedrais góticas, que contavam, em pedra e vidro, histórias bíblicas à população analfabeta, zelo que também foi dedicado a novas formas de espiritualidade e às novas ordens monásticas.

O Crac des Chevaliers (Castelo dos Cavaleiros) foi construído pelos cruzados numa falha da cordilheira entre Antakya (antiga Antioquia), na Turquia, e Beirute, no Líbano. O controle dessa falha importava no domínio do interior da Síria. A fortaleza foi construída por volta de 1150-1250 e podia acomodar 4 mil soldados. Diferentemente do Castelo de Belvoir (v. p. 817), a fortaleza não foi destruída senão depois de sua captura pelos turcos, mas foi reutilizada e recebeu o acréscimo de torres.

O escolasticismo

Nesse período, houve também a ascensão do escolasticismo. A erudição árabe e a cultura grega clássica ofuscadas pelo Ocidente havia séculos, agora ressurgiam, em parte devido aos esforços dos judeus sefarditas da Espanha (v. p. 818). Foram feitos esforços para sintetizar a ciência e literatura gregas com a teologia cristã.

O resultado foi o escolasticismo — a aplicação sistemática da razão à teologia. As decisões dos vários concílios eclesiásticos respondiam a questões específicas, mas nunca tinham sido integradas a uma teologia sistemática. O escolasticismo passou a fazer isso.

Dois dos escolásticos mais influentes foram **Anselmo de Cantuária** (c. 1033-1109) e **Tomás de Aquino** (c. 1225-1274). Aquino era um nobre que resolveu se tornar monge. Escreveu a brilhante obra *Suma teológica*, que continua sendo fundamental para muitos católicos romanos e outros cristãos de nossos dias. A metodologia escolásticas foi posteriormente adotada pelos teólogos reformados nos séculos XVI a XVIII.

A Renascença e a Reforma (c. 1300-1648)

Preparando o caminho para a Reforma

Mudanças na Europa

A partir do século XIV, a Europa Ocidental passou por mudanças profundas, que resultaram na reestruturação da sociedade, da política, das ciências econômicas, das artes, das humanidades e da prática cristã. O individualismo substituiu as estruturas da sociedade feudal. Na Europa meridional, as mudanças se expressaram principalmente no humanismo, no qual o homem, e não Deus, passou a ser a medida de todas as coisas. Esse movimento é referido, em termos gerais, como a **Renascença**. Na Europa meridional, a expressão era mais religiosa por natureza, com protestos crescentes contra a Igreja Católica Romana, que resultaram na **Reforma**.

As mudanças começaram com a Peste Negra, que entrou na Europa em 1347 num navio mercante e matou metade da população do continente europeu no decurso dos 20 anos que se seguiram. Posto que metade do operariado já morrera, os trabalhadores sobreviventes exerceram na insurreição política seus músculos recém-adquiridos. Esse enfraquecimento geral das estruturas de autoridade também possibilitaram os protestos religiosos.

Precursores da Reforma

Na Itália, a ordem franciscana, fundada por Francisco de Assis (1182-1226), pregava uma nova forma individual de salvação e construía igrejas amplas, singelas e sem naves laterais, a fim de facilitar à congregação uma vista melhor do púlpito. Na Inglaterra, João Wycliffe (c. 1325-1384) contestou os ensinos da igreja e apresentou conceitos novos. Ensinava contra a transubstanciação, a doutrina que declarava que os elementos literalmente se transformam no corpo e no sangue de Cristo durante a Ceia. Dizia que Cristo, e não o papa, era o cabeça da igreja e asseverava que a igreja tinha o usufruto e posse de propriedades, mas não era sua dona. Além disso, Wycliffe traduziu o NT para o inglês a fim de que o povo o tivesse à disposição na sua própria língua. Alguns alunos de Wycliffe levaram os ensinos deste à Boêmia, onde João Huss os adotou. Huss e seus seguidores foram motivo de uma guerra civil, e esse foi líder condenado à fogueira.

A invenção da imprensa

O maior responsável pela disseminação das profundas mudanças na Europa e, posteriormente, no mundo inteiro, foi a invenção da imprensa, nascida na oficina de João Gutenberg, na Alemanha por volta de 1450. Antes de Gutenberg, a igreja era a fonte principal das informações. Notícias do mundo, tanto eclesiástico quanto civil, provinham do púlpito ou do pregoeiro público. A maioria das transações era feita oralmente porque a maior parte da população era analfabeta (incluindo-se os sacerdotes locais).

Bíblias e livros de oração estavam entre os primeiros livros a serem impressos, e as pessoas faziam questão de aprender a lê-los. Quando a palavra impressa substituiu a cópia manual, ficou mais fácil averiguar a exatidão dos textos bíblicos. Também ficou mais fácil para a igreja e para o Estado impor controle sobre o que podia ser impresso ou lido — mas os dissidentes tinham agora mais facilidade em propagar sua mensagem.

A revolução causada pela imprensa contribuiu tão grandemente à divulgação da Reforma Protestante que Martinho Lutero denominou a imprensa "a melhor das invenções de Deus". Realmente, desde o início do protesto de Lutero contra a Igreja Católica Romana, as opiniões do reformador eram divulgadas na forma impressa, de modo que, dentro de três anos, 300 mil exemplares de suas obras estavam em circulação (fazendo dele um autor muito bem-sucedido, até mesmo pelos padrões modernos) e ele ganhou uma guerra de propaganda contra a igreja de Roma.

Causas religiosas da Reforma

Nos séculos XIV e XV, o clero reduziu-se a níveis morais excepcionalmente baixos. Alguns clérigos viviam no luxo, e muitos tinham filhos ilegítimos. Poucos deles se interessavam tanto pelos assuntos da igreja quanto pelas atividades seculares. O Grande Cisma ocorreu quando, em 1305, o fraco papa Clemente V, influenciado pelo rei da França, mudou o papado de Roma para Avinhão, na França. Permaneceu ali até 1377, quando uma mística piedosa, Catarina de Siena, convenceu o papa Gregório XI a mudá-lo de volta para Roma. Mas quando Gregório morreu, a desavença levou à eleição de dois papas, um em Roma e outro na França. No século seguinte, três papas coexistiram durante um breve período de tempo.

Sustentar duas cortes papais era um fardo na forma de impostos para o povo da Europa. A sociedade tinha tantas obrigações financeiras para com a igreja que houve uma transferência substancial de dinheiro dos tesouros nacionais para o tesouro papal. À medida que os Estados se tornavam mais fortes, aumentava o ressentimento deles contra tais impostos.

Os dogmas da igreja eram aceitos e as celebrações litúrgicas eram realizadas, mas havia uma separação total entre a vida religiosa e a vida diária. Havia muitas tentativas de reforma. No nível pessoal, crescia o misticismo, porque muitos desejavam o contato pessoal com Deus. No nível institucional, a igreja convocou vários concílios para solucionar o problema dos dois papas e para eliminar os líderes corruptos, além de resolver outros problemas. Os concílios tinham como função terminar o cisma, combater as heresias e reunir-se de década em década.

Outras causas da Reforma

Outros fatores armaram o palco para o protesto.

- Politicamente, os Estados cada vez mais centralizados estavam dispostos a apoiar a Reforma. Os líderes políticos opunham-se ao poder da igreja e de suas cortes e ao fato de a possuir igreja

vastas extensões de terras que não geravam impostos para os países independentes onde se localizavam. Entendiam que a Reforma seria um modo de criar igrejas nacionais que pudessem ser mais facilmente controladas.
- Economicamente, até 1500 tinham surgido novos mercados e comércio cada vez maior. Os comerciantes da classe média achavam abusivas as restrições econômicas católicas romanas, tais como a proibição da usura (cobrar juros nos empréstimos financeiros) e os regulamentos das guildas (um tipo de sindicato comercial), bem como a falta de prestígio que a igreja atribuía aos comerciantes.
- Socialmente, o novo espírito de individualista exigia mudanças na rígida e hierárquica ordem social.
- Intelectualmente, humanistas cristãos como Erasmo de Roterdã estudavam a Bíblia nas línguas originais e passavam a ser críticos da Igreja Católica Romana medieval quando percebiam as diferenças entre a igreja do NT e a de sua época. Convenceram o povo de que a salvação era uma questão a ser tratada entre o indivíduo e Deus, sem nenhum sacerdote como mediador. Acreditavam que os indivíduos deviam estudar a Bíblia por conta própria, e isso ajudou a criar um ceticismo geral para com a Igreja Católica Romana.

A Reforma

O primeiro reformador: Martinho Lutero (Alemanha)

O primeiro a romper com a igreja foi Martinho Lutero. Nascido em 1483, Lutero, desde a infância, começou a longa luta em busca da salvação para sua alma. Seu pai queria que ele estudasse Direito, mas Lutero, aterrorizado durante uma tempestade com raios e trovões, prometeu a Deus que se tornaria monge se lhe fosse poupada a vida.

Começou a ensinar teologia na Universidade de Wittenberg e depois viajou a Roma como agente da igreja, e ali viu em primeira mão a corrupção do clero. Então se transferiu de volta para Wittenberg, doutorou-se em teologia e continuou a lecionar teologia bíblica até sua morte. Usavam o vernáculo (a língua falada comum, em contraste com o latim, mais usado nos contextos teológicos) e, em suas prelações para ensinar de modo competente, começou a estudar a Bíblia nas línguas originais. Chegou à conclusão de que a verdade podia ser achada somente na Bíblia *(sola Scriptura)*. Em 1516, enquanto lia Romanos 1.17, convenceu-se de que somente pela fé em Cristo podia ser justificado diante de Deus *(sola fide)*.

Indulgências

Uma das práticas eclesiásticas que Lutero considerava corruptas era a venda de indulgências. As indulgências eram documentos emitidos a favor dos fiéis em troca de orações, penitências, peregrinações a um santuário, uma boa ação ou — especialmente — o pagamento de dinheiro à igreja. A indulgência podia ser comprada a fim de livrar a pessoa da penalidade do pecado. A teoria por trás disso era que Cristo e os santos tinham granjeado tanto mérito na vida que o mérito excedente era creditado no banco celestial, do qual o papa podia sacar a favor das pessoas na terra ou no purgatório (a moradia a meio caminho entre a terra e o céu). O dinheiro pago pelas indulgências podia, então, ser empregado pela igreja para pagar pintores famosos, tais como Miguelângelo, para enfeitar Roma.

Foi na Alemanha que o abuso das indulgências mais desgostou o povo. A lei da igreja não permitia que um único homem detivesse mais de um cargo eclesiástico, mas nem por isso o arcebispo Alberto deixava de controlar duas províncias da igreja ou de querer acrescentar uma terceira, que ficara vaga em 1514. Naquela ocasião, o papa Leão X estava construindo a catedral de São Pedro em Roma, de modo que precisava de dinheiro e prometeu a Alberto os cargos adicionais em troca de uma soma exorbitante. Uma bula papal (uma carta ou decreto solene fechado com um lacre redondo, usualmente de chumbo, chamado *bulla*) outorgou a Alberto o direito de vender indulgências a fim de levantar o dinheiro necessário. O agente de Alberto era um monge chamado João Tetzel, cujas técnicas pitorescas de vendas criaram uma demanda enorme de indulgências.

Em 1517, Lutero pregou um documento na porta da igreja do castelo em Wittenberg. Nele havia 95 teses (declarações de tomada de posição) que criticavam os abusos do sistema de indulgências. Em 1518, compareceu à Dieta (assembléia deliberativa) de Augsburgo, onde asseverou a autoridade definitiva das Escrituras e rejeitou o papa como essa autoridade. Em 1520, publicou uma série de panfletos sobre o mesmo tema e acrescentou que os príncipes devem reformar a igreja, quando necessário, e que era desnecessário os sacerdotes ministrarem os sacramentos, pois os crentes individuais já eram sacerdotes.

Leão reagiu com a bula *Exsurge Domine* ("Levanta-te, Senhor"), que acabou resultando na excomunhão de Lutero. Os livros de Lutero foram queimados em Colônia, de modo que ele também queimou publicamente a bula de Leão. Em 1521, Lutero foi convocado diante da Dieta de Worms para justificar suas opiniões, mas recebeu proteção dos príncipes alemães. Recusou retratar-se. Seus amigos o seqüestraram e o esconderam no castelo de Wartburg, onde escreveu muito, trabalhou para levantar o sistema escolar da Alemanha e traduziu o NT para o alemão. Lutero disse que as freiras e os sacerdotes podiam casar-se, e ele mesmo se casou com Catarina von Bora em 1525.

No mesmo ano, em 1525, também se opôs à Revolta dos Camponeses porque acreditava que ela prejudicaria a Reforma e subverteria o governo estabelecido. Mas estava errado: os camponeses do sul da Alemanha permaneceram na Igreja Católica Romana por causa dessa revolta. Lutero, no entanto, continuou a desenvolver a nova liturgia e a organizar a igreja luterana.

João Calvino (França e Suíça)

João Calvino (1509-1564), a outra personagem célebre do movimento protestante, não passava de criança quando Lutero afixou suas teses em Wittenberg, mas, já em meados daquele século, tinha numerosos seguidores nos Países Baixos, na Suíça, na Escócia e na França. Foi Lutero o profeta do protestantismo, mas Calvino o organizou. Lutero enfatizava a pregação, ao passo que Calvino desenvolveu a teologia sistemática. Lutero enfocava a justificação pela fé, ao passo que Calvino enfatizava a soberania e a centralidade de Deus.

Enquanto morava em Basiléia, Suíça, Calvino (que era francês) escreveu as *Institutas da religião cristã* na tentativa de levar o Rei Francisco da França a aceitar as idéias da Reforma. Escreveu que todas as pessoas são totalmente depravadas (pecadoras) desde o nascimento, devido ao pecado de Adão, e que a salvação desse pecado original se dá por meio da eleição divina incondicional — à parte do mérito humano. O Espírito Santo atrai irresistivelmente as pessoas a Cristo, mas os que forem eleitos para a salvação devem perseverar na fé.

Calvino era membro da classe profissional e estudou filosofia, teologia, direito e ciências humanas. Encorajava a educação para todos os crentes e estabeleceu um sistema educacional em Genebra. Acreditava que tanto a igreja quanto o Estado foram criados por Deus para o bem da humanidade e que ambas as instituições deviam cooperar amigavelmente entre si para a promoção do cristianismo. Defendia um governo por representação popular, tanto para a igreja quanto para o Estado, e assim influenciou o desenvolvimento de movimentos democráticos nos séculos posteriores. A influência de suas idéias sociais e econômicas estimulou o crescimento do capitalismo.

Uma tentativa de modificar o calvinismo aconteceu na igreja estatal dos Países Baixos. Jacó Armínio, renomado professor de teologia começou a ensinar algumas de suas crenças pessoais sobre a doutrina da salvação. Ele cria que as pessoas podem resistir à graça de Deus, ao passo que sua igreja desaprova tal crença. Já que afirmavam, juntamente com Calvino, que a graça de Deus era irresistível e que os crentes não podiam perder a salvação. Para eles a pessoa salva do pecado estará para sempre segura diante de Deus. Reunida no Sínodo de Dort (1618-1619) prevaleceu na igreja dos Países Baixos a doutrina calvinista tradicional. Houve perseguição aos arminianos. Entretanto, as opiniões de Armínio perduraram e influenciaram o grande movimento metodista surgido no século XVIII.

A Reforma na Inglaterra

■ A Igreja Anglicana (Igreja da Inglaterra)

A Inglaterra entrou na Reforma por meio da política. O rei Henrique VIII (1509-1547) precisava de um herdeiro ao trono, mas a esposa não conseguiu lhe dar um. O rei incumbiu o cardeal Woolsey de obter o divórcio, mas o papa não o concedeu. Por isso, Henrique apelou para o Parlamento, convencendo-o a aceitá-lo como cabeça da igreja na Inglaterra. Em seguida, tomou posse das propriedades da igreja e obrigou-a a submeter-se à coroa.

Sua filha, Maria Tudor, católica convicta, perseguiu os protestantes quando se tornou rainha. Não durou muito o reinado dela, e a segunda filha de Henrique, Elisabete, subiu ao trono. Ela reinstituiu o protestantismo, mas de forma moderada, a fim de não provocar demasiadamente a ira do papa. Quando a frota inglesa derrotou a armada espanhola de Filipe II, em 1558, o catolicismo foi permanentemente substituído pelo anglicanismo na Inglaterra. O único país nas Ilhas Britânicas a permanecer católico romano foi a Irlanda, que se revelou um problema contínuo para os britânicos.

■ Os puritanos

Certo grupo na Inglaterra acreditava que Elisabete não avançara o suficiente nas reformas e que a igreja anglicana era por demais semelhante à católica romana. Eram chamados puritanos, porque queriam purificar a igreja inglesa e estruturá-la segundo o modelo bíblico. Pregavam a guarda do domingo como dia de descanso, a modéstia nas vestes e no comportamento e o cultivo da sensibilidade ao pecado.

Alguns puritanos queriam fazer uma separação entre a igreja e o Estado porque sua lealdade era a Cristo e não à igreja estatal. Formavam comunidades da aliança que alegavam ter Cristo como o único cabeça, e foram esses grupos que partiram da Inglaterra para fundar as irmandades Plymouth e Boston no Novo Mundo. Os puritanos na Inglaterra controlaram, por breve tempo, o governo durante o século XVII. Sua derrota levou à elaboração da Constituição Britânica, na qual boa parte da Constituição dos Estados Unidos posteriormente se basearia.

Os reformadores radicais

■ Zuínglio (Suíça)

Outro grupo de reformadores são os "reformadores radicais". Na sua maioria, estavam vinculados com o antigo movimento reformador dirigido por Ulrico Zuínglio (1484-1531). Zuínglio, proveniente da parte alemã da Suíça, foi treinado como clérigo e se tornou seguidor dos ensinos de Erasmo e um sério estudioso das Escrituras durante seu pastorado.

Em 1519, passou por uma experiência de conversão depois de ler os escritos de Lutero. Seu primeiro ato público foi de oposição aos impostos que a igreja recebia. Depois, casou-se secretamente, mas tornou o casamento oficial em 1524. As autoridades de Zurique resolveram, então, promover debates entre Zuínglio e quaisquer interessados, a fim de resolver qual orientação religiosa seguiriam. Como resultado desses debates, Zurique e Berna se tornaram protestantes.

Em 1529, Zuínglio e Lutero se encontraram no Colóquio de Marburgo e concordaram no tocante a 14 temas, mas não entraram em acordo quanto à presença física de Cristo na Ceia do Senhor. À medida que vários cantões suíços se tornavam protestantes, foi formada uma liga de cantões católicos romanos, e os dois grupos foram à guerra. Zuínglio serviu como capelão e morreu na luta.

Os anabatistas

A importância que Zuínglio dava à Bíblia como base da fé cristã fez surgir outro movimento, os anabatistas eram assim chamados porque enfatizavam o rebatismo, o "batismo dos crentes". Cooperavam estreitamente com Zuínglio até 1525, quando, este resolveu opor-se à opinião de que as Escrituras não ensinam o batismo infantil, porque essa doutrina mantinha um número grande demais de pessoas fora da fé reformada. Zuínglio tentou debater com eles a fim de persuadi-los a mudar de posição, mas eles também se opunham ao controle estatal da igreja, e o concílio da cidade de Zurique os expulsou. Os anabatistas fugiram para outros países, e muitos deles foram para a América do Norte — os *amish* — e para os Países Baixos — os menonitas, liderados por Meno Simons. Influenciaram os batistas e os quacres, bem como os puritanos separatistas, muitos dos quais posteriormente se estabeleceram na América do Norte.

O protestantismo francês: os huguenotes

Outro grupo da Reforma, que posteriormente dispersado devido à perseguição e se estabeleceria na América do Norte, foram os huguenotes. Tiveram sua origem na França com a fusão dos ensinos de Lutero e de Calvino. A despeito de Calvino ter escrito suas *Institutas* em 1536 a fim de convencer o rei da França a converter-se ao protestantismo, em 1572, depois de oito guerras, os governantes continuavam católicos romanos.

Em Paris, no dia 24 de agosto de 1572, na véspera da Festa de S. Bartolomeu, foram massacrados 3 000 huguenotes, e o número dos mortos nas províncias chegou a 8 000. Em 1598, o Edito de Nantes estendeu aos huguenotes a tolerância religiosa. Posteriormente, quando Luís XIV optou por um Estado vinculado a uma única igreja, o edito foi revogado (1685) e os huguenotes foram forçados a fugir para outros países. Muitos historiadores acreditam que, com essa expulsão, a França perdeu recursos humanos valiosos para o Estado, porque eram artesãos peritos, comerciantes e empresários.

A Contra-Reforma

A Igreja Católica Romana reagiu à Reforma protestante, reformando e renovando a si mesma. A Contra-reforma foi levada adiante pelos clérigos de classe superior e pelo papado. Desenvolveram novas ordens monásticas, tais como a dos jesuítas, que levaram o cristianismo às Américas e até mesmo ao Extremo

Oriente. Criaram comissões de moralidade a fim de coibir excessos entre os clérigos, reafirmaram sua teologia no Concílio de Trento, expulsaram totalmente da Espanha os muçulmanos, construíram igrejas barrocas de notável beleza, desenvolveram novas formas musicais como a polifonia e também instituíram a Inquisição a fim de perseguir os oponentes.

Os efeitos da Reforma

A Europa Ocidental gastou cerca de um século se definindo nas questões religiosas. O conflito mais violento foi a Guerra dos Trinta Anos (que, na realidade, durou muito mais; nos Países Baixos, foi a Guerra dos Oitenta Anos). O espírito criativo do século XVI foi substituído pela contenda renhida para decidir quais áreas seriam católicas ou protestantes. O conflito chegou formalmente ao fim em 1648, com a Paz de Vestfália.

Em 1648, a maioria das principais denominações e associações cristãs já existiam, e a Rússia se tornara o centro do cristianismo ortodoxo oriental. Todas essas formas de cristianismo eram européias, e não demoraria a surgir um ímpeto para estabelecer as mesmas denominações em todas as partes do globo terrestre por meio das missões cristãs, que acompanhavam o desenvolvimento do colonialismo europeu.

Alguns dos efeitos da Reforma foram de amplo alcance. Deu-se nova ênfase ao individualismo religioso, que levou a outras formas de individualismo. A autoridade passou dos sacerdotes da igreja para o sacerdócio de cada crente e da tradição para a Bíblia. Foi surgindo a demanda de educação para todos, a fim de todos poderem ler a Bíblia. Um eleitorado culto seria de muita relevância para os futuros governos democráticos, assim como um operariado com escolaridade seria essencial para a indústria. A insistência na igualdade espiritual entre os crentes levou à insistência na igualdade política para todos os homens. A liderança leiga e o governo eclesiástico democrático acabaria levando à democracia política. O protestantismo estimulou o capitalismo, porque a usura não era proibida, e o povo era incentivado a economizar, a trabalhar com afinco e a não se permitir diversões mundanas em excesso. As primeiras etapas do movimento do bem-estar social começaram quando as nações assumiriam a responsabilidade por aqueles que tinham perdido seus bens na Reforma. Houve também um reavivamento da pregação, que levou a um despertamento para a oratória política. Por fim, o emprego de panfletos impressos pelos reformadores na divulgação de suas opiniões evoluiria para o emprego generalizado de panfletos políticos.

O cristianismo na América do Norte

Os católicos romanos foram os primeiros colonos europeus na América do Norte. Estabeleceram Santo Agostinho, na Flórida, em 1565, e os nativos norte-americanos se tornaram católicos como resultado do trabalho das missões jesuítas. Os protestantes ingleses apareceram quarenta anos depois e se estabeleceram em Jamestown e posteriormente em Massachusetts. Posteriormente, vários grupos reformados estabeleceram-se no nordeste, levados pelo desejo de cultuar livremente a Deus do modo que acreditavam ser ordenado por Deus.

Antes do fim do século XVII, o anglicanismo dominava a Virgínia e o puritanismo congregacional predominava na Nova Inglaterra. Os reformados holandeses eram fortes em Nova York, os luteranos em Delaware, os quacres e grupos minoritários (que na Inglaterra eram chamados dissidentes) na Pensilvânia e os católicos romanos em Maryland, ao passo que os Estados do sul, era sua maioria, se tornaram batistas ou presbiterianos. Esse pluralismo caracterizava as colônias que posteriormente se tornaram os Estados Unidos — e ainda hoje continua se evidenciando.

Com a promulgação da Constituição dos Estados Unidos, a religião foi "privatizada", ou seja, o governo não podia exercer nenhum papel determinante em relação a ela. Essa separação entre a igreja e o Estado dava aos indivíduos a liberdade de prestar culto da maneira que desejassem, e protegia os grupos religiosos da coerção e da tributação pelo Estado.

Ortodoxia e reavivamento (1648-1750)

Durante o período da Reforma, as igrejas protestantes sabiam por que existiam, e havia um fervor religioso (embora, às vezes, misturado com interesses políticos e outros) que mantinha vivas as igrejas. Depois desse período inicial, porém, as igrejas protestantes, de modo geral, passaram pela experiência comum à maioria dos movimentos: desaparecidas as gerações que travaram as batalhas e entendiam o que significava sua luta, seus descendentes permitiram que o movimento decaísse no formalismo e na ortodoxia sem vida. Assim, o movimento do Espírito que servira de combustível para a Reforma foi substituído pela aceitação intelectual de certas doutrinas e pela confiança em determinadas formas e práticas.

Ironicamente, os teólogos das igrejas reformadas seguiram os passos de Tomás de Aquino e criaram um escolasticismo que se assemelhava ao católico romano (v. p. 786). Aplicaram a razão à teologia, e criaram sistemas pormenorizados com coerência brilhante, mas que tinham pouca aplicação ou impacto na vida do povo. Surgiu, de novo, forte necessidade de uma obra do Espírito de Deus.

No continente europeu, uma das reações contra essa ortodoxia morta foi um movimento cujo impacto é sentido até hoje: o pietismo. Começou como um movimento dentro do luteranismo alemão que dava menos valor a teologia abstrata e mais ênfase relacionamento pessoal com Deus. Alguns grupos pietistas migraram para a América do Norte — como, por exemplo, os morávios, liderados pelo conde alemão Nikolaus von Zinzendorf (1700-1760), que estabeleceu uma comunidade modelo, baseada em princípios cristãos, em Bethlehem, na Pensilvânia, que conquistou reputação pela economia, pelo esforço no trabalho e pelo viver regrado — seus membros agora são conhecidos como holandeses da Pensilvânia.

O primeiro Grande Avivamento

Muitos dos primeiros colonos como já se disse, achavam difícil sustentar, no decurso das gerações que se sucediam, o fervor religioso que os havia levado a formar suas colônias. Seus filhos e netos tinham pouca lembrança dos motivos de terem saído da Europa. Concentravam-se nos empreendimentos econômicos, saíam de mudança para a fronteira do oeste ou simplesmente perdiam o interesse pelo cristianismo. O primeiro Grande Avivamento (1725-1775) passou com ímpeto por todas as colônias da América do Norte. Sua principal personagem foi Jonathan Edwards, um gênio dotado de grande energia, cujos livros e sermões foram usados por Deus para acender a chama do reavivamento.

John Wesley e o metodismo

Outra figura importante do primeiro Grande Avivamento nas colônias na América do Norte foi John Wesley (1703-1791). Wesley foi ordenado na Igreja da Inglaterra (anglicana). Foi para a América do Norte a fim de ministrar na nova colônia da Geórgia, povoada por presos deportados da Inglaterra. Em 1737, sentia que sua fé estava se evaporando depois de ser mal-sucedido no seu ministério. Wesley foi então atraído pelas idéias do pietismo e em 1738 teve a experiência da conversão quando seu "coração foi aquecido de modo estranho" durante a leitura do prefácio de Lutero à epístola aos Romanos, em Aldersgate, Londres.

Durante mais de 50 anos, Wesley se esforçou para compartilhar sua descoberta por todas as partes das Ilhas Britânicas nas igrejas, nos campos, nas saídas das minas de carvão e nas prisões. Carlos, irmão dele, compôs mais de 6 500 hinos, e na América do Norte seus talentosos colegas, George Whitefield e Francis Asbury pregavam nas regiões campestres e treinavam muitos para o mesmo ministério.

Ao morrer, Wesley ainda se considerava anglicano, mas o movimento por ele iniciado separou-se da Igreja Anglicana e começou a ser chamado metodista por causa de sua devoção à piedade e à vida singela. Na época da morte de Wesley, o movimento tinha uns 100 mil membros e crescia rapidamente, especialmente entre as classes baixa e média.

Os metodistas esforçavam-se para melhorar as condições na sociedade mais pela caridade particular que pelas reformas públicas. Faziam protestos públicos contra a embriaguez, a escravidão e os maus-tratos aos presos e doentes físicos e mentais. Muitos historiadores atribuem ao metodismo o fato de a Inglaterra manter-se livre dos movimentos revolucionários que varreram a Europa e culminaram na Revolução Francesa, em 1789; isso porque era uma religião que atraía o povo em geral. Os historiadores chamam o metodismo "religião da fronteira" por causa do êxito alcançado nos Estados Unidos. Ainda floresce ali, e desempenhou um papel importante na origem de movimentos como as igrejas Holiness e o pentecostalismo (v. p. 803).

A igreja no mundo moderno (1750-1914)

A história da igreja após a Reforma é um mosaico de pessoas, movimentos e complexa demais para se encaixar num esboço simples. Os historiadores chamam o período a partir de 1750, aproximadamente até a época atual "a era moderna", caracterizada pela combinação de racionalismo e industrialismo.

O **racionalismo** é a crença de que o mundo e a realidade têm uma estrutura lógica e coerente e podem, portanto, ser entendidos e controlados pela razão humana. As idéias sociais, religiosas e políticas devem ser rejeitadas por se basearem em crenças irracionais (ou mitos). Para muitas pessoas, essa última categoria inclui Deus e a fé. O movimento filosófico que tornou o racionalismo a cosmovisão dominante durante os últimos séculos é chamado Iluminismo e surgiu no século XVIII.

O **industrialismo** é o parente prático do racionalismo. Até meados do século XVIII, a produção de bens de consumo estava nas mãos dos artesãos e das guildas. A Revolução Industrial, que começou aproximadamente no mesmo período que o Iluminismo, colocou de lado a tradição, o artesanato e o enfoque no indivíduo e fez da produção um processo "racional" em que os trabalhadores eram mais um meio de produção que seres humanos. Eram "capital humano" no sistema que se desenvolvia — o capitalismo — e podiam ser substituídos por máquinas no decurso do progresso da tecnologia (e realmente o eram).

Assim, a tendência em direção ao individualismo, que se iniciara muito tempo antes da Reforma, agora se aplicava principalmente às classes média e alta, ao passo que as classes trabalhistas, inferiores, viviam em condições desumanas que os reduziam a meras cifras dentro do sistema.

O mundo moderno trouxe à igreja desafios e problemas enormes. O breve resumo que se segue demonstra que muitas das questões fundamentais que a igreja tinha diante de si nos séculos XVIII e XIX ainda estão notavelmente presentes.

O desafio da revolução científica

A Reforma não foi o único desafio que a Igreja Católica Romana teve diante de si no século XVI. As pesquisas e escritos de Copérnico (1473-1543) e de Galileu (1564-1642) reduziram a Terra de sua condição de centro do Universo, ao redor da qual giravam o Sol, a Lua e as estrelas (o conceito geocêntrico), para a de um planeta entre vários que giram em torno do Sol, o qual, por sua vez, é apenas uma das muitas estrelas (o conceito heliocêntrico). As idéias de Copérnico, publicadas um ano antes de sua morte no livro *Das revoluções dos corpos celestes,* foram rejeitadas por alguns dos reformadores protestantes, mas houve notavelmente pouca oposição por parte da Igreja Católica Romana. (Na realidade, a igreja empregou algumas das descobertas de Copérnico para fazer mudanças no calendário!)

O caso de Galileu foi diferente. Ele estava convicto de que Copérnico tinha razão. Escreveu livros em defesa do conceito heliocêntrico, até que, em 1616, a igreja declarou que se tratava se heresia. (Em essência, Galileu desconsiderou a ordem da igreja para cessar de escrever. Mas ele não desistiu de suas idéias, e posteriormente foi colocado em prisão domiciliar, mas continuou escrevendo até sua morte em 1642.)

O conceito heliocêntrico tornou insustentável a idéia de que o Universo existia em função da raça humana, literal e figuradamente, que deixou de ser o centro do Universo. Para piorar a situação, em 1687 Isaac Newton publicou sua obra *Principia mathematica,* em que delineava a teoria da gravidade universal. Essa teoria destruiu o conceito do mundo como estrutura movida pela mão invisível de Deus. Agora, a Terra tornou-se um simples planeta no vasto Universo que se comporta de conformidade com leis científicas. O envolvimento providencial de Deus nos assuntos da humanidade já não parecia necessário. O resultado foi que a raça humana, apesar de já não ser o centro do Universo, passou a ser "a medida de todas as coisas" na ausência de Deus. O racionalismo científico constituiu-se num desafio importante ao cristianismo.

Essa revolução científica, além de reorientar o pensamento ocidental, levando-o a ver que o Universo era uma máquina gigante que funcionava segundo leis universais, levou à pressuposição (otimista) de que os seres humanos podiam "racionalizar" a sociedade. Ou seja, seria possível levar a efeito as mudanças e o progresso mediante o esforço humano. O resultado foi a Revolução Industrial e o Iluminismo (v. seções anteriores).

O segundo Grande Avivamento (1800-1861)

Na América do Norte, o segundo Grande Avivamento (1800-1861) foi uma resposta ao racionalismo e à industrialização. As pregações reavivalistas e a piedade pessoal grassavam no novo país. Quase todas as denominações se reuniam em acampamentos e as conversões ocorriam aos milhares. Os acampamentos tornaram-se lugares permanentes de culto e depois em centros de conferências bíblicas, alguns dos quais existem até hoje. Charles Finney foi o evangelista de maior destaque naqueles tempos. Ele mudou a forma de evangelização, adaptando-a ao ministério urbano. Mais tarde, no mesmo século, Dwight L. Moody empregaria as técnicas de avivamento de Finney e acrescentaria a colportagem (distribuição de literatura de porta em porta) e a fundação de várias instituições educacionais, das quais a mais conhecida é o Instituto Bíblico Moody em Chicago.

O surgimento das missões modernas

O espírito do segundo Grande Avivamento operou na Inglaterra (e, até certo ponto, na Europa setentrional), bem como na América do Norte. O reavivalismo ligou-se ao imperialismo do século XIX para fomentar o grande entusiasmo pelas missões protestantes. A ênfase missionária começou na Inglaterra, imediatamente antes de 1800. O primeiro missionário enviado foi William Carey (1761-1834), considerado "o pai das missões modernas". Fundou a Sociedade Missionária Batista na Inglaterra em 1792 e em 1793 partiu para a Índia, onde realizou um ministério notável. Não demorou para que a Sociedade Missionária de Londres e muitas outras enviassem missionários a todas as partes da terra a fim propagar o evangelho a milhões de pessoas que nunca tinham ouvido falar de Cristo. A partir de 1860, aproximadamente, até 1920, os americanos "tinham missões no coração", de modo que até mesmo os presidentes e outras pessoas de elevada autoridade as apoiavam.

Entre os nomes mais conhecidos na obra missionária estão Hudson Taylor (1832-1905), que fundou a Missão do Interior da China, interdenominacional, e ministrou naquele país; David Livingstone (1813-1873), enviado à África pela Sociedade Missionária de Londres que, além da obra missionária, explorou o continente; Amy Carmichael (1867-1951), que foi para a Índia, uma entre as muitas mulheres solteiras que serviam a Deus como missionárias. Nos livros de registro de Deus, constam muitos outros nomes — esquecidos na terra já faz muito tempo — que dedicaram sua vida a Deus e às pessoas a quem foram servir por amor ao Salvador.

"Evangelização mundial na presente geração" era o lema usado por Moody e por muitos outros. O senso de missão que levou os americanos a colonizar seu vasto continente também estimulou as missões estrangeiras. Muitas das organizações missionárias que tiveram sua origem no século xix, tais como a Missão do Interior do Sudão (SIM) e outras, bem como várias missões denominacionais, estão em plena atividade hoje.

Infelizmente, posto que em muitas áreas as missões estavam ligadas aos governos coloniais, o evangelho era freqüentemente percebido mais como parte de um imperialismo cultural que como a verdade libertadora do amor de Jesus. Mesmo nas missões americanas o significado do termo "evangelização" estende-se às funções civilizadoras.

O desafio da alta crítica

A revolução científica tinha sido apenas o começo de um esforço para o estudo e compreensão do Universo e de seu funcionamento. Um dos resultados das pesquisas foi o questionamento da validade da Bíblia. Muitos intelectuais deixaram a fé cristã porque não conseguiram conciliar o evangelho com a razão. Achavam que a Bíblia continha contradições para ser historicamente fidedigna, e parecia impossível estabelecer sua credibilidade científica. Em 1835, David Friederich Strauss publicou *Uma vida de Jesus,* onde questionava as exigências históricas do registro bíblico. Chegou à conclusão de que a história de Jesus era um mito criado em razão das condições sociais e intelectuais da Palestina no século I. A vida e o caráter de Jesus, segundo essa teoria, representavam o que o povo *queria,* e não o que realmente aconteceu.

Autores tais como Julius Wellhausen surgiram em seguida, argumentando que os livros da Bíblia foram escritos por autores humanos que tinham em mente os problemas da sociedade e da política judaicas. Para eles, os livros da Bíblia não eram inspirados, muitos dos quais eram restos de escritos mais antigos, reunidos desajeitadamente, como uma colcha de retalhos. Muitas das histórias da Bíblia pareciam-lhes imorais, apresentando um Deus cruel e imprevisível capaz de sacrificar o único ser perfeito que viveu neste mundo — Jesus. O cristianismo bíblico não se encaixava nos valores progressistas, tolerantes e racionais do Iluminismo, e muitos clérigos sentiam dificuldade em pregar doutrinas que consideravam inverossímeis ou até mesmo imorais.

Originária da Europa, essa atitude crítica para com a Bíblia (conhecida como "alta crítica" para distingui-la da "baixa crítica", textual; v. p. 850) não demorou para infiltrar-se na América do Norte, onde causou grandes transtornos à igreja (v. p. seguinte).

O desafio do darwinismo

Outro importante desafio enfrentado pela igreja foram as teorias de Charles Darwin (1809-1982). Darwin era filho de um médico bem-sucedido e da filha de Josiah Wedgewood, um dos principais fabricantes de porcelana da Inglaterra. Darwin foi reprovado em medicina e depois em teologia, porque se dedicava com paixão ao estudo do mundo natural. Navegou como naturalista não-assalariado no navio britânico Beagle em 1831 e, durante cinco anos, realizou pesquisas nas ilhas Galápagos e Malvinas. O livro que publicou em 1859, *A origem das espécies,* combinava suas pesquisas com a idéia (originariamente proposta por Thomas Malthus — Darwin leu um de seus livros durante a viagem) de que a sobrevivência consistia na constante competição pelo aproveitamento dos recursos limitados. Somente espécies que conseguissem se adaptar ao ambiente e extrair dele seu sustento poderiam sobreviver e multiplicar-se. As demais seriam extintas ou se tornariam uma minoria.

Muitos cristãos evangélicos podiam aceitar essa teoria, mas o livro seguinte de Darwin, *A descendência do homem,* publicado em 1871, provocou um rebuliço de grandes dimensões. Nessa obra, Darwin procura demonstrar que a raça humana evoluiu a partir de um ancestral semelhante ao macaco. A controvérsia entre o criacionismo e o evolucionismo persiste até hoje, especialmente nos Estados Unidos. Em 1925, o caso Scopes, em processo judicial realizado para decidir se a criação ou a evolução devia ser ensinada nas escolas, dividiu, não somente o cristianismo, mas também a cultura americana.

O darwinismo social

A teoria de Darwin foi adotada por acadêmicos e industrialistas e aplicada à sociedade. Esse "darwinismo social" sustentava que o processo evolucionário opera na sociedade e que, no decurso do tempo, o capitalismo infrene a levará a um mundo melhor.

Essa teoria mostrou-se atraente para as classes média e alta; as classes mais baixas, entretanto, precisariam buscar socorro em meio às desgraças provocadas pelas condições severas de trabalho a que estavam submetidos e pelos baixos salários. O Exército de Salvação (fundado em 1878) e os movimentos de missões de resgate foram formados com o intuito de ministrar o evangelho às classes mais pobres, além de cuidar de suas necessidades físicas; continuam sendo muito ativos até hoje.

A Igreja Católica Romana também apoiava a causa dos operários. Em 1895, o papa Leão XIII redigiu a encíclica, *Rerum novarum* que sancionou a ação conjunta pelos operários contra os proprietários das firmas em caso de necessidade.

O evangelho social

Outro movimento, chamado o evangelho social, surgiu com o propósito de ajudar os pobres, entendendo que o engajamento social fazia parte da cristianização dos EUA. Washington Gladden e Walter Rauschenbusch, os primeiros líderes do movimento, acreditavam que as instituições políticas e sociais da cultura americana podiam ser cristianizadas e remodeladas conforme os padrões bíblicos. Muitos cristãos esforçaram-se para reformar a sociedade no fim do século XIX e no início do século XX pela cartilha do evangelho social. Charles Sheldon escreveu *Em seus passos, o que faria Jesus?* (Juerp, Rio de Janeiro, 1969) e levantou a pergunta que de novo está sendo feita hoje: "O que faria Jesus?" O livro vendeu 25 milhões de exemplares.

O evangelho social, entretanto, era mais atraente para os protestantes liberais (por causa de seus vínculos com a indústria e o comércio, também chamados "modernos"), que questionavam a validade da Bíblia e consideravam mais substancial a ação social que a obra de Deus por meio de Jesus Cristo e do Espírito Santo na vida de cada pessoa. Esse movimento protestante liberal veio a ser a instituição dominante, não somente, como também em muitos países protestantes europeus. A maioria de seus membros pertencia às classes média e alta, sendo, profissionais liberais, comerciantes e industriais.

Respostas ao modernismo

A maioria dos cristãos durante o século XIX aceitava os valores básicos do modernismo: o otimismo e a fé no progresso. Muitos deles, porém, reconheciam que esse otimismo seria impróprio se desconsiderasse as verdades fundamentais do evangelho, tais como a necessidade da redenção do pecado. Algumas igrejas protestantes responderam a esse "modernismo" subversivo com o reavivalismo (v. seções anteriores).

Outros cristãos, na sua maioria protestantes, procuraram sintetizar algumas dessas tendências num socialismo cristão que levou a comunidades utópicas (perfeitamente igualitárias), tais como Oneida, em Nova York (originariamente em Vermont), as colônias Amana, em Iowa, e a Nova Harmonia, em Indiana; funcionavam bem nos Estados Unidos, mas não em outro lugar.

A resposta da Igreja Católica Romana foi muito diferente do reavivalismo protestante. Ela surgiu contra o racionalismo moderno por meio do conservadorismo. O Concílio Vaticano, realizado em 1870 (agora chamado Vaticano I), reafirmou a infalibilidade papal e restringiu certos tipos de erudição bíblica.

Muitos protestantes acreditavam que o cristianismo liberal tinha, em essência, deixado a igreja destituída do verdadeiro evangelho e transformado Cristo em bom professor social e exemplo para seguir sem, porém, reconhecê-lo como Salvador. Por isso, alinharam-se com o evangelicalismo, movimento que enfatiza as doutrinas cristãs básicas da salvação, da experiência pessoal da graça de Deus e da inspiração da Bíblia. O evangelicalismo tem sido mais forte na Inglaterra, nos Estados Unidos e no Canadá desde 1800 e, segundo estimativas, tem pelo menos 50 milhões de adeptos na América do Norte. Outros, posteriormente, se afiliariam ao novo movimento **fundamentalista** (v. adiante).

O século XX nos Estados Unidos (1914-2000)

O fim do otimismo

A era moderna iniciara-se com fé na razão e na estabilidade e predicabilidade do Universo. Olhava para o futuro com otimismo quase ilimitado, e as maravilhas da invenção e da tecnologia à disposição das massas nas décadas que precederam a virada do século — o automóvel, o avião, o telefone, o rádio e a luz elétrica, entre outras coisas — certamente pareciam justificar o otimismo geral.

Mas, enquanto o otimismo chegava ao apogeu, plantavam-se as sementes de sua destruição. As estruturas sociais seriam subvertidas, entre outras coisas, pelos escritos de Karl Marx (1818-1883); o primeiro volume de sua obra principal, *O Capital*, foi publicado em 1867; o segundo e o terceiro volumes foram completados, depois da morte de Marx, por Friedrich Engels). A definição do homem como racional e autônomo foi posteriormente desafiada por Sigmund Freud (1865-1939), e o universo de

Newton oscilou quando Albert Einstein publicou sua teoria da relatividade (1905) e a lei geral da relatividade (1915).

O golpe mortal foi dado com a Primeira Guerra Mundial, em 1914. Cerca de dez milhões de homens foram sacrificados por generais obstinados que operavam com princípios pré-modernos de guerra. O mundo nunca mais seria o mesmo, especialmente depois das condições ultrajantes impostas à Alemanha pelos vitoriosos. Por isso, a vitória dos aliados passou a ser a sementeira para a Segunda Guerra Mundial. Na América do Norte, o otimismo calmo da virada do século foi substituído pela frenética e exuberantes da década de 1920, silenciadas pelo desastre financeiro de 1929 e pela Grande Depressão daí resultante.

Igrejas e denominações do século XX

Neste breve panorama do século XX, focalizaremos os EUA. O desenvolver dos acontecimentos no Canadá, na Europa e em outros lugares era diferente, e devemos tomar o cuidado de não impor como normas os desdobramentos ocorridos em solo americano, mesmo porque nem todos esses acontecimentos contribuíram para a glória de Deus ou de seu Reino.

Entender a situação do cristianismo é difícil para o cristão moderno, porque o rótulo "denominação" já não é tão importante como antes, principalmente quando falamos das denominações históricas, tais como os presbiterianos, os luteranos e os metodistas. (Os batistas, Irmãos de Plymouth e outros grupos se consideram *associações*, e não denominações, posto que lhes faltam estruturas centralizadas de autoridade, mas o mesmo problema também se acha ali.) No passado, cada denominação era caracterizada por uma teologia específica, de modo que era possível saber a perspectiva teológica do indivíduo identificando-se a igreja à qual pertencia. Hoje, as diferenças teológicas mais importantes não existem tanto entre as denominações quanto entre os agrupamentos conservadores, por um lado, e, por outro lado, os que antes teriam sido rotulados "liberais", mas que agora são talvez mais bem definidos como não-evangélicos, postura que parece ser o denominador comum mais nítido entre eles. Dentro de todas as denominações e associações existem agrupamentos evangélicos e não-evangélicos. Assim, é possível, por exemplo, os presbiterianos terem mais em comum com os batistas ou com os católicos romanos que com presbiterianos não-evangélicos.

Visando à simplicidade, empregaremos os seguintes agrupamentos:

- Igrejas tradicionais (não-evangélicas)
- Católicos romanos
- Evangélicos e fundamentalistas
- Pentecostais/ carismáticos/ Terceira Onda

As igrejas tradicionais

Até a última parte do século XIX, as denominações históricas eram os depositários inquestionáveis do evangelho. Os motivos históricos das distinções entre elas continuavam relativamente claros. A lealdade denominacional era a norma, e as instituições de educação superior tinham, na sua maioria, estreitos vínculos com a igreja.

Os problemas começaram quando as teorias da alta crítica, provenientes da Europa, infiltraram-se nas universidades e seminários americanos (v. p. 796). Por algum tempo, as novas idéias permaneceram no âmbito acadêmico, embora escolas superiores tais como a Universidade de Chicago (batista) acolhessem totalmente essas teorias modernas. A crise surgiu quando numerosos clérigos treinados nessas instituições começaram a ocupar os púlpitos a partir da década de 1880. Eles obtiveram preponderância em suas denominações ou associações e passaram a alocar verbas para empreendimentos considerados ímpios pelos conservadores.

Algumas instituições, entretanto, reagiram contra a abordagem moderna, e entre elas se destacou o Seminário Teológico de Princeton (presbiteriano), onde teólogos como B. B. Warfield e Charles Hodge apresentaram uma defesa consistente e academicamente respeitável da Bíblia conforme tradicionalmente entendida. A defesa girava em torno de cinco temas principais: 1) a inerrância da Bíblia; 2) a concepção virginal; 3) a expiação que Cristo fez pelo pecado; 4) a ressurreição de Jesus dentre os mortos; 5) a realidade dos milagres.

Mais tarde, porém, Princeton também aderiu ao modernismo, de modo que os membros conservadores do corpo docente fundaram o Seminário de Westminister na Filadélfia (1929). J. Gresham Machen era seu principal porta-voz e se envolveu, não totalmente por gosto, na controvérsia entre os modernistas e os fundamentalistas (v. adiante).

Generalizando, podemos dizer que, durante o século XX, as igrejas tradicionais entraram em declínio paulatino à medida que seus membros mais conservadores se retiravam para fundar novas igrejas, associações e denominações.

A Igreja Católica Romana

A Igreja Católica Romana nos Estados Unidos obteve destaque imediatamente após a Segunda Guerra Mundial graças ao bispo J. Fulton Sheen, que empregou seu talento em retórica e em didática nos programas de televisão e em livros que pessoas medianas podiam entender. Seu ministério ajudou a preparar o caminho para um evento impensável poucas décadas antes: a eleição de um presidente católico — John Fitzgerald Kennedy.

A resposta mais relevante às tendências culturais do século XX, entretanto, veio da parte do papa João XXIII, que convocou um concílio, o Vaticano II (1962-1965), que levou a efeito mudanças drásticas na igreja.

O Vaticano II foi convocado também para encorajar a unidade cristã. Depois da Segunda Guerra Mundial, enquanto o movimento ecumênico se desenvolvia entre os protestantes tradicionais, os católicos começaram a abrir canais de diálogo sérios com os luteranos e com outros grupos protestantes, que a partir do Vaticano II passaram a ser chamados em lugar "irmãos separados" ao invés de "cismáticos".

Havia ainda outras razões: promover a paz e a justiça social no mundo, revitalizar a vida cristã dos fiéis, mudar a prática eclesiástica e ajudar a igreja a lidar com a vida moderna. O laicato tornou-se mais importante; os leigos receberam permissão para participar na celebração da missa, não mais feita em latim, mas no idioma do povo. A leitura individual da Bíblia passou a ser encorajada, bem como a liberdade no estilo litúrgico.

Os papas e a igreja mantiveram o celibato e o controle da natalidade, bem como sua posição quanto ao purgatório, à veneração de Maria, à infalibilidade papal e à transubstanciação. Mesmo assim, a Igreja Católica Romana tem se esforçado em direção ao ecumenismo desde segunda metade do século XX e se ocupado em empreendimentos cooperativos com evangélicos e fundamentalistas no tocante a questões de interesse mútuo, tais como a oposição ao aborto e às práticas homossexuais.

Da mesma forma que as denominações tradicionais, a Igreja Católica Romana também administra conflitos internos entre as interpretações conservadoras e mais liberais da Bíblia e da tradição. Existem católicos cuja teologia é praticamente indistinguível da teologia evangélica. Além disso, o movimento carismático (v. adiante) rompeu as linhas divisórias teológicas à medida que o Espírito Santo começou a operar na igreja católica, criando um tipo de união com outros cristãos que jamais seria conseguido mediante debates teológicos.

As igrejas evangélicas e fundamentalistas

O fundamentalismo, tal como hoje o conhecemos, não existia antes de 1915. A reação informal contra o modernismo começou no século XIX, mas a verdadeira polarização em posições mais ou menos fixas só ocorreu por volta de 1915. (Registre-se que é extremamente difícil definir com exatidão os termos "fundamentalismo" e "evangelicalismo". As diferenças entre os dois são evidentes em mais questões de ênfase, de atitude e de gênio distintivo, mas não de doutrina.

O aparecimento do pré-milenarismo e do dispensacionalismo

No advento do fundamentalismo, o pré-milenarismo desempenhou um papel significativo na união de pessoas cujas opniões divergiam bastante entre si. A igreja sempre creu na volta de Jesus (a segunda vinda); os pormenores é que geravam discussões. Apocalipse 20.2 diz que Satanás ficará preso durante mil anos. A maioria das igrejas defendiam o conceito amilenarista — não haverá nenhum período literal de mil anos Satanás no qual será preso para que Deus opere mediante a igreja a fim de levar a efeito o Reino de paz sobre a terra.

O pré-milenarismo, por contraste, é a crença de que Jesus voltará e instituirá um Reino literal de mil anos sobre a terra. A maioria dos pré-milenaristas acredita que esse reino será antecedido pela apostasia generalizada, por guerras, fomes e terremotos, pelo aparecimento do anticristo e por um período de tribulação. Embora Cristo reine durante o milênio, no fim haverá um combate, a batalha do Armagedom: Cristo e seus santos combaterão os que se rebelaram contra ele.

A partir de meados de 1870, os evangélicos organizaram conferências a fim de estudar a Bíblia, especialmente as profecias. Essas conferências, bem como os escritos dos preletores defendiam a visão pré-milenarista. Elas tiveram sucesso iminente e ajudaram a tornar o pré-milenarismo uma crença fundamental. Na Conferência de Niágara (New York), em 1898, foi adotada uma declaração de fé que era, nos pontos essenciais, idêntica aos cinco temas adotados pela Assembléia Presbiteriana (v. seção: "Igrejas tradicionais"), exceto no último item (a realidade dos milagres), substituído pelo retorno de Cristo para o Reino milenar.

Entretanto, alguns adotaram outras subdivisões e deram forma ao dispensacionalismo. Trata-se de um sistema teológico que divide o tempo em sete períodos ou dispensações, que são etapas da revelação progressiva de Deus. A questão principal no dispensacionalismo é que, na era da igreja, o plano de Deus para os judeus é diferente do projeto que tem para a igreja. Assim, os judeus passarão pela grande tribulação e se voltarão para Cristo durante esse período, ao passo que a igreja será arrebatada antes da tribulação. No fim, judeus e gentios, lado a lado, comparecerão diante de Deus.

O sistema dispensacionalista foi desenvolvido por John Darby, líder inglês dos Irmãos de Plymouth. Darby afirmava que o arrebatamento ocorreria antes da Tribulação e suas idéias dividiram os Irmãos de Plymouth, mas elas migraram para os Estados Unidos na década de 1870 e foram divulgadas nas conferências. O dispensacionalismo firmou-se depois de C. I. Scofield publicar a *Bíblia de referências Scofield* em 1909. Essas anotações demonstram detalhadamente como funciona o sistema dispensacionalista. Sua obra despertou um interesse generalizado, e ainda é muito procurada. Em 1924, foi fundado o Seminário Teológico de Dallas com o propósito específico de treinar homens na teologia dispensacionalista.

O fundamentalismo

Redes informais de comunicação foram desenvolvidas a partir das conferências bíblicas, por meio de livros e panfletos de editores como Fleming H. Revell (cunhado de Moody, que fundou sua casa publicadora em 1870) e por meio das muitas escolas bíblicas que foram estabelecidas. A certa altura, havia centenas delas, das quais muitas desapareceram sem deixar sinal e outras ainda existem — por exemplo, o Instituto Bíblico Moody (1886) e o Instituto Bíblico de Los Angeles (1908; atualmente Universidade Biola). O âmago do currículo dessas escolas consistia na Bíblia e na teologia, enfatizando a inerrância das Escrituras e o pré-milenarismo.

Depois, entre 1910 e 1915, um grupo de homens publicou um conjunto de doze pequenos volumes chamados *The fundamentals* [Os fundamentos], para o quais contribuíram calvinistas da "velha escola", como B. B. Warfield, e dispensacionalistas como C. I. Scofield. Esses panfletos articulavam as verdades e valores básicos da fé cristã e foram enviados gratuitamente pelo correio a mais de 300 mil pessoas. Vários grupos e denominações redigiram listas das doutrinas essenciais da fé, e todas continham a inspiração da Bíblia, a expiação vicária e a ressurreição de Cristo.

O termo "fundamentalista" foi cunhado em 1920 para designar os que estava dispostos a "batalhar pelos fundamentos de fé" contra o modernismo teológico. A palavra passou a ser um distintivo de honra para os que pertenciam ao movimento, e um termo pejorativo para outros, especialmente depois do caso Scopes, em 1925. Até então, o movimento fundamentalista avançara a passos largos e estava para se tornar uma força poderosa na vida e na cultura religiosa dos Estados Unidos, mas o caso Scopes arruinou quaisquer esperanças que os fundamentalistas tivessem de destronar os modernistas. O veredicto permitiu que o evolucionismo darwinista fosse ensinado nas escolas americanas.

O fundamentalismo acabou se polarizando em dois grupos rivais: o fundamentalismo "fechado" ou "separatista", que enfatizava a separação, não somente dos não-cristãos, mas também dos cristãos que não concordavam com eles em todos os pormenores, e o fundamentalismo "aberto", que seguia uma orientação mais positiva e tinha mais interesse em ganhar o mundo para Cristo. O primeiro grupo fazia da separação (até mesmo de outros cristãos ortodoxos com os quais não concordassem plenamente em todos os pormenores) a principal exigência imposta a seus membros; o segundo era mais receptivo, e optava por cooperar com grupos que adotassem a ortodoxia básica, com o intuito de alcançar alvos evangelísticos de maior porte. Esse segundo grupo são os evangélicos de nossos dias.

O evangelicalismo contemporâneo

Na Grã-Bretanha, o evangelicalismo não vivera as mesmas circunstâncias que seu equivalente americano. Era mais aberto e acadêmico. Durante as décadas de 1940 e 1950, no entanto, firmou-se nos Estados Unidos o movimento que também lutava por um evangelicalismo mais aberto e intelectualmente fundamentado. (Muitos fundamentalistas separatistas eram nitidamente anti-intelectuais e entendiam que qualquer tipo de treinamento acadêmico era, na melhor das hipóteses, perda de tempo e, na pior delas, um instrumento nas mãos do Diabo para desviar a igreja.) Esse movimento é freqüentemente chamado neo-evangelicalismo para distingui-lo do evangelicalismo antigo, menos aberto e avesso ao intelectualismo. Homens como Harold Ockenga, Carl F. H. Henry e Francis Schaeffer, escolas como o Seminário Fuller (fundado em 1947) e publicações como, *Christianity Today* (1956) avançavam em direção à abertura quanto às questões sociais e os problemas do mundo contemporâneo. Um livro que era um apelo à participação evangélica nas reformas sociais tornou-se referêncial: *The Uneasy Conscience of Modern Fundamentalism* [*A consciência inquieta do fundamentalismo moderno*] (1947), de Carl Henry.

Nas últimas décadas, o evangelicalismo criou suas estruturas de apoio: editoras, livrarias, gravadoras, circuitos de concertos e de preleções e suas próprias versões das Escrituras, tais como a *Bíblia Viva*, a *Nova Versão Internacional* e a NASB (*Nova Versão Padrão Americana*).

Igrejas negras e brancas

A partir do fim do século XIX e durante durante o século XX, as igrejas negras floresceram nos EUA principalmente no Sul. Dificilmente os africanos levados à força para os Estados Unidos e vendidos como escravos, abraçariam a religião de seus opressores. Assim que chegavam, porém, eram imediatamente instruídos no cristianismo (especialmente, e repetidas vezes, quanto à exortação de Paulo: "Escravos, obedeçam a seus senhores terrenos com respeito e temor" [Ef 6.5]) e deliberadamente mantidos no analfabetismo. A parte da Bíblia que lhes falava mais diretamente eram os evangelhos. Assim, com o passar dos anos, desenvolveu-se um cristianismo baseado na realidade dos negros.

Enquanto as igrejas brancas tendiam a ser teológicas e focalizavam questões como a justificação e a expiação, as igrejas negras extraíam forças do Cristo que viera libertar, curar e restaurar. Para a maioria das igrejas brancas, as epístolas do NT, especialmente as de Paulo, eram de principal importância. Quanto às igrejas negras, os evangelhos eram sua linha vital de comunicação com Deus, que na pessoa de Jesus viera postar-se ao lado deles, sendo que só ele conhecia as "tribulações que passavam" e os levaria à praia celestial, à vida eterna. Depois da Guerra Civil, quando, quase na virada do século XIX, a Corte Suprema articulou a doutrina de "separadas, porém iguais" para as escolas, as leis segregacionistas pareciam ter afetado as igrejas, de modo que elas também ficaram separadas. No século XIX e no início do século XX, as denominações brancas fundariam igrejas negras sob a condição de estas permanecem separadas, e, mais tarde, as igrejas negras fundaram suas denominações.

Em tempos recentes, os evangélicos negros e brancos passaram a e escutar com sinceridade seus irmãos na fé e estão descobrindo que essas diferenças são, com efeito, dois aspectos necessários do evangelho. Cada grupo precisa dos aspectos fortes do outro, e devemos ajudar uns aos outros em nossas fraquezas.

Pentecostais — renovados (carismáticos) — neopentecostais (igrejas da Terceira Onda)

O pentecostalismo

O início do movimento pentecostal geralmente é datado de 1.º de janeiro de 1901 quando Agnes Ozman, aluna da Escola Bíblica Betel de Charles Parham, em Topeka, Estado do Kansas, começou a falar em línguas. Parham mudou-se para Houston, e um de seus alunos, William Seymour, um negro, posteriormente veio a ser líder de uma missão na rua Rua Azusa, em Los Angeles, no ano de 1906. Foi ali que o movimento pentecostal explodiu. A partir da rua Azusa, a mensagem pentecostal, que incluía o falar em línguas como sinal do batismo no Espírito Santo, divulgou-se pelo restante dos Estados Unidos e pelo mundo inteiro. (Na realidade, experiências semelhantes já haviam ocorrido em fins do século XIX, tanto nos Estados Unidos quanto no exterior, em lugares bem distantes entre si, tais como a Índia e a Finlândia, embora permanecessem como incidentes isolados.)

As igrejas pentecostais formaram denominações como a Igreja de Deus em Cristo, de Charles H. Mason, que cresceu até se tornar a maior denominação pentecostal nos Estados Unidos, com mais de 6,5 milhões de membros. As Assembléias de Deus vieram a ser, mundialmente, a maior denominação pentecostal, com 2,2 milhões de membros nos Estados Unidos, e um total de 22 milhões no mundo inteiro. Outro grupo importante, porém menor, é a Igreja Pentecostal Unida; sua doutrina nega a Trindade e por isso é referida como o pentecostalismo unicista, ou movimento Jesus. Só.

As igrejas pentecostais em geral mantiveram-se separadas das demais igrejas (e vice-versa). Elas não desempenharam um papel relevante no desenvolvimento do evangelicalismo, e somente nas últimas décadas do século XX, a erudição séria surgiu e começou a ser encorajada no meio pentecostal.

O movimento carismático

Na década de 1960, as igrejas tradicionais foram tomadas de surpresa pelo movimento carismático, que também surpreendeu as igrejas pentecostais. Alguns membros e pastores dessas denominações começaram a falar em outras línguas, e grupos carismáticos em pouco tempo se tornam um fenômeno mais ou menos aceitável para a maioria das denominações. Alguns de seus líderes foram Dennis Bennett, clérigo episcopal, Lary Christenson, luterano, Harold Bredesen, da Igreja Reforma Holandesa; James Brown, da Igreja Presbiteriana e Michael Harper, da Igreja Anglicana.

Na Igreja Católica Romana, as primeiras manifestações da renovação carismática ocorreram na Universidade Duquesne, e posteriormente a renovação alcançou a Universidade de Notre Dame, de onde se propagou pela igreja inteira. O papa Paulo VI deu sua aprovação cautelosa ao movimento, e o partidário de maior força na hierarquia católica foi o cardeal Leo Suenens, da Bélgica.

Existe concordância entre as igrejas carismáticas no tocante às doutrinas principais da fé, havendo uma ênfase adicional à cura. O movimento carismático Palavra da Fé e as denominações adeptas da confissão positiva causam controvérsia com sua ênfase ao bem-estar e à prosperidade pessoais e materiais.

A Terceira Onda

Em fins da década de 1970 e no começo da década de 1980, surgiu a chamada Terceira Onda. Esse grande movimento acolhe os que não desejam vincular-se aos carismáticos pentecostais. A Terceira Onda enfatiza a obra do Espírito Santo na cura, na expulsão dos demônios, na profecia e nos "sinais e maravilhas". Seu representante principal é o falecido John Wimber, fundador da Vineyard Christian Fellowship.

Embora os três grupos — pentecostais, carismáticos e a Terceira Onda — difiram demográfica e doutrinariamente entre si, existe uma concordância fundamental quanto à posição e obra do Espírito Santo, embora entendam de modos diferentes a manifestação do Espírito na igreja.

Fenômenos recentes

Grupos pareclesiásticos

Depois da Primeira Guerra Mundial, foram formadas organizações eclesiásticas não-denominacionais, especialmente nos Estados Unidos, para lidar com missões e com reformas sociais. Elas multiplicaram-se e proliferaram depois da Segunda Guerra Mundial, período em que também surgiu o movimento ecumênico. A maioria dessas organizações chamadas, paraeclesiásticas, era evangélica, devido ao fato de os evangélicos e fundamentalistas acharem que o movimento ecumênico era dominado por modernistas que abandonaram as doutrinas fundamentais da fé cristã.

O primeiro desses grupos, a InterVarsity Christian Fellowship (IVCF), teve seu início na Inglaterra em 1877 (como a União Cristã), mas se propagou para o Canadá na década de 1920 e para os Estados Unidos nas décadas de 1930 e 1940. Sua Student Foreign Missions Fellow — Ship continua patrocinando convenções missionárias na Universidade de Illinois, em Urbana, de três em três anos. Essas convenções têm inspirado milhares de universitários e outros a ir para o campo missionário. A IVCF tem a própria editora, a InterVarsity Press.

Outro grupo surgido nessa época foram os Gideões Internacionais (1898), que distribuem milhões de Bíblias em hotéis, motéis e escolas.

Campus Crusade for Christ (Cruzada Estudantil para Cristo) foi organizada por Bill Bright em 1951 na UCLA. Talvez seja mais conhecida pelas suas *quatro leis espirituais*, um livreto usado há décadas para explicar o evangelho aos não-crentes.

Outras organizações paraeclesiásticas são: Youth for Christ, fundada em 1945, Billy Graham foi seu primeiro representante (posteriormente mudou o nome para Campus Life); Young Life (1941), visava alcançar os colegiais; os Navigators (fundada durante a Segunda Guerra Mundial) que visava alcançar e discipular os marinheiros, mas depois da guerra foi ampliada a fim de alcançar colegiais e trabalhadores adultos (sua editora é a NavPress); Focus on the Family (1977), criada para ajudar as famílias a viver uma vida piedosa na sociedade moderna; Promise Keepers (1990), que ajuda homens a pôr em prática a liderança espiritual na sua família; e muitos outros.

Algumas organizações paraeclesiásticas concentram-se nas questões sociais, como a Evangelicals for Social Action, de Ron Sider, e os Sojourners, de Jim Wallis.

Todas elas são independentes, mantêm consciência de sua missão e atraem adeptos com antecedentes protestantes, católicos e até mesmo ortodoxos orientais e cristãos de grupos minoritários. Seus ministérios atravessam barreiras raciais, nacionais e denominacionais, e muitos possuem editoras, programas de rádio e TV e empregam a Internet com o propósito de atrair novos membros e ensinar e encorajar os que já existem.

Megaigrejas

Os grupos pareclesiásticos são em parte responsáveis, pelo surgimento de outro fenômeno do século XX: a megaigreja. Trata-se de igrejas com mais de dois mil membros afiliados ou não a alguma denominação. As megaigrejas tiveram sua origem nos Estados Unidos, mas também são populares nos países da costa do Pacífico, na Ásia oriental, na África e na América Latina. Na realidade, a maior igreja no mundo — com mais de 800 mil membros e 55 mil diáconos e diaconisas — é a Igreja do Evangelho Pleno Yoído, em Seul, Coréia do Sul.

As megaigrejas têm um quadro grande de funcionários e vários pastores, cada um responsável pelas necessidades de um segmento específico de membros, tais como os jovens ou os enfermos. Geralmente, a vida espiritual da igreja depende de grupos pequenos que atendem aos membros mais particularmente. Exemplos nos Estados Unidos são a Willow Creek Community Church, perto de Chicago, e a Chrystal Cathedral, na Califórnia.

Evangelismo em massa

Evangelistas tais como George Whitefield pregaram nas colônias americanas a multidões maiores do que se poderia imaginar então, mas foi só com a invenção de microfones, amplificadores e alto-falantes que se tornaram possíveis os encontros de evangelismo em massa. O nome mais identificado com o evangelismo em massa é o de Billy Graham, que em 1949 fez uma cruzada em Los Angeles, que lhe atraiu a atenção nacional, devido em parte ao apoio inesperado de William Randolph Hearst, que lhe deu toda cobertura com seus jornais, ordenando: "Façam propaganda de Graham". Graham aparece no topo (ou bem perto daí) de todas as listas das pessoas mais influentes ou respeitadas, sendo uma das personagens de maior destaque na última metade do século xx, devido à sua total integridade (só recebe um simples salário) e à sua dedicação inabalável à mensagem da cruz.

Billy Graham recebeu um chamado dramático à pregação quando estava num campo de golfe, em 1938. Matriculou-se em seguida na Wheaton College, onde ficou conhecendo Rute, filha de missionários estrangeiros, com quem se casou. Em 1944, tornou-se evangelista da Youth for Christ, mas em pouco tempo realizava campanhas evangelísticas na Inglaterra. Depois de sua cruzada em Los Angeles, fundou em 1950 a Associação Evangelística Billy Graham, que realiza cruzadas pelo mundo inteiro e tem trazido multidões a Cristo. Assim como muitos outros, ele também fez uso do rádio, da televisão e da impressa para transmitir sua mensagem. (Até 1964, a Associação Evangelística Billy Graham distribuiu gratuitamente 750 mil exemplares do *Manual bíblico de Halley*.)

O evangelho na mídia

Os evangélicos têm usado com sucesso a mídia, especialmente o rádio e a televisão. O primeiro programa radiofônico regular e licenciado foi transmitido em 1920 pela estação KDKA, em Pittsburg, Estado da Pensilvânia. Dois anos depois, Paul Rader começou uma transmissão evangelística radiofônica regular em Chicago, e em 1923 R.R. Brown, do Tabernáculo Evangélico de Omaha iniciou uma série de programas. Posteriormente, vários programas obtiveram notável impacto, entre eles Hora do Reavivamento à Moda Antiga de Charles E. Fuller, e A Hora Luterana, de Walter Maier. A hora da decisão, de Billy Graham, começou no rádio e depois passou para a televisão. Outros programas são A hora da volta a Deus e Aula bíblica pelo rádio.

O potencial da televisão atraiu evangélicos, fundamentalistas, pentecostais e carismáticos. Nomes como Rex Humbard, Oral Roberts, Pat Robertson, Jerry Falwell, Paul e Jan Crouch, Jimmy e Tammy Bakker e Kathryn Kuhlman tornaram-se familiares.

Embora, sem dúvida alguma, Deus tenha alcançado muitas pessoas mediante a mídia, é triste dizer que esses programas nem sempre são uma bênção. Na década de 1930, o programa radiofônico do padre Francisco Coughlin disseminou o ódio racial, o facismo e o anti-semitismo entre o povo, que já sofria da Grande Depressão. Na década de 1980, escândalos envolvendo alguns nomes de destaque na televisão derrubaram seus respectivos impérios.

Questões contemporâneas

Em cada geração, a igreja depara com questões específicas. Na década de 1970, a questão da inerrância bíblica era motivo de muitas controvérsias no evangelicalismo. Na década de 1980, o debate acerca do papel e da posição das mulheres na igreja passou a ocupar, até hoje, lugar de importância. Nas últimas décadas, o envolvimento político tem sido cada vez maior da parte dos cristãos. Em 1976, Jimmy Carter foi o primeiro cristão "nascido de novo" a ser eleito presidente dos Estados Unidos.

Uma das questões fundamentais que a igreja terá diante de si nas décadas vindouras será provavelmente a do racismo. À medida que a maioria branca se torna minoria nos Estados Unidos, a igreja, que prega o evangelho da reconciliação com Deus, precisará estar na vanguarda da reconciliação racial. Em anos recentes, as denominações individuais e os grupos paraeclesiásticos — tanto negros quanto brancos — estão tomando medidas que visam à reconciliação racial e fazem disso uma prioridade para o futuro próximo.

Outra questão que o cristianismo tem hoje diante de si é a crescente tendência da sociedade para a "tolerância" — para os que têm estilo de vida "alternativa", para o aborto, para a Nova Era e para as práticas espiritualistas. Esse clamor "politicamente correto" parece estar acompanhado por um declínio global dos valores morais. Alguns consideram essa crescente atmosfera anticristã mera fase da história, semelhante aos dias da igreja primitiva. Outros a entendem como sinal de que talvez Cristo volte em breve.

A questão mais importante

Nos primeiros anos do novo milênio, o melhor que podemos fazer é voltar ao início deste livro (v. p. 13-20) e apontar, de novo, a questão mais importante que a igreja tem hoje diante de si e terá amanhã, nos dias e anos vindouros. Uma igreja que não entroniza a Bíblia na vida de seus membros está traindo sua missão. A Bíblia e a igreja devem andar de mãos dadas. A igreja existe para proclamar e exaltar o Cristo da Bíblia, e por nenhuma outra razão.

Todo cristão deve ser leitor da Bíblia. É o único hábito que, se praticado com o espírito correto, fará, mais que qualquer outro bom hábito, com que o cristão se torne o que deve ser, em todos os aspectos.

- Se uma igreja conseguir fazer de todos os seus membros leitores dedicados da Palavra de Deus, ela experimentará uma revolução.
- Se as igrejas, na sua totalidade, fizessem de seus membros leitores regulares da Bíblia, não somente experimentariam elas mesmas uma revolução, como também limpariam e purificariam a comunidade à sua volta, de modo irreversível.

História concisa da Terra Santa e dos judeus depois de Cristo

Por que isso é importante?

Deus fez duas promessas a Abraão acerca de seus descendentes: eles se tornariam uma grande nação e morariam na terra que Deus lhe prometeu (v. p. 87-8). O povo judeu e a Terra Prometida desempenham papéis importantes na narrativa bíblica. Entretanto, existe geralmente uma grande lacuna — quase dois mil anos nos registros a respeito da Terra Prometida e dos judeus, o povo de Deus segundo a aliança, iniciando na parte final de Atos dos Apóstolos, onde ocorre uma nítida delineação entre o judaísmo e o cristianismo, até a fundação do Estado de Israel em 1948, que marca o cumprimento de muitas profecias a respeito do reajuntamento dos judeus em Israel (v. Ez 37.3,7-11,21-23; Mt 24.32-34).

Durante essa significativa lacuna histórica, o cristianismo cresceu e transformou-se de pequena ramificação judaica à maior religião mundial. Foi fundado também o islamismo, que se tornou uma força religiosa e política de importância. As histórias das três principais religiões monoteístas — o judaísmo, o cristianismo e o islamismo — passou a se entrelaçar. A Terra Prometida ficou sob domínio islâmico durante 1 300 anos. Os judeus foram perseguidos durante muitos séculos principalmente (é triste dizer) em países que se consideram cristãos.

A história da Terra Santa e do povo judeu a partir do final de Atos até o presente momento demonstra a capacidade incrível de sobrevivência dos judeus, embora subsistiam de modo às vezes precário. É difícil deixar de perceber a mão de Deus em tudo isso. A história do relacionamento entre Deus e o povo de Israel não termina com do registro bíblico, mas continua até hoje. Não deveríamos nos surpreender com isso, pois Deus prometeu que reuniria e restauraria os judeus no fim dos tempos.

Os judeus e a Palestina nos dois primeiros séculos d.C.

Durante a maior parte destes últimos 2 500 anos, desde o exílio babilônico, passando pela era do NT, até os dias de hoje, maioria dos judeus mora fora da terra que Deus lhes deu. Somente em 1948 os judeus conseguiram retornar a Israel e assumir o controle político, econômico e social de pelo menos parte daquela região.

Durante esses dois milênios e meio, os judeus conseguiram o impossível: mantiveram viva sua identidade e sua cultura religiosa e étnica, a despeito (e freqüentemente por causa) de perseguições e tentativas de erradicá-los. Eles foram capazes de fazer isso porque, entre outras coisas, celebram e repetem a narrativa bíblica de sua história e tradição, sábado após sábado, especialmente nas festas, como a Páscoa, e nos dias santos como, Yom Kipur, o dia da expiação (v. tb., na p. 813-4, "O desenvolvimento do judaísmo").

A Diáspora (dispersão ou espalhamento) antiga

Em 586 a.C., Nabucodonosor destruiu Jerusalém e levou a maior parte da população judaica para a Babilônia. O exílio babilônico terminou oficialmente 50 anos depois, quando o rei Dario da Pérsia permitiu que os judeus retornassem a Jerusalém e reconstruíssem o Templo, sob a liderança de Esdras e de Sorobabel.

Uma testemunha silenciosa da destruição de Jerusalém em 70 d.C. Trata-se da cozinha de uma casa que hoje é chamada a Casa Queimada. Os aposentos da Casa Queimada estavam no nível térreo, e a estrutura continha vários fornos, o que significa que talvez não tenha sido necessariamente uma habitação, e sim uma oficina vinculada a uma das residências maiores nas proximidades.

Muitos judeus, porém, optaram por permanecer na Babilônia, onde as comunidades judaicas prosperavam. Posteriormente, durante o período grego — que se seguiu após as conquistas de Alexandre Magno (c. 330 a.C.) — muitos judeus se estabeleceram voluntariamente em outros locais, fora da Palestina. Já nos tempos de Cristo, a população de judeus no Império Romano era 4 milhões e constituía cerca de 7% da população total do império. Desses 4 milhões, menos de 20% (aproximadamente 700 mil) moravam na Palestina. Havia, na realidade, mais judeus em Alexandria, no Egito, que em Jerusalém, e em algumas regiões da Palestina os gentios eram mais numerosos que os judeus.

Quando a igreja teve seu início, no Dia do Pentecostes, judeus de todas as partes do Império Romano estavam em Jerusalém. Falavam muitos idiomas diferentes, e é provável que nem falassem o aramaico (naqueles tempos, o idioma comum no Oriente Médio). Nas suas viagens missionárias, Paulo achava uma sinagoga em quase todas as cidades que visitava. Filipos foi uma exceção: ali havia apenas "um lugar de oração", perto do rio, onde se reunia um grupo de mulheres.

A Primeira Revolta

Durante a vida de Jesus, a Palestina desfrutava de uma quietude atípica. O historiador romano Tácito, falando da Palestina durante o governo do imperador Tibério (14-37 d.C.), diz, quase com um suspiro de alívio: "Paz com Tibério!". Mas não duraria.

A reconstrução e o embelezamento do Templo, em Jerusalém, começados por Herodes, o Grande em 20 a.C., foram finalmente completados em 64 d.C. — 60 anos depois da morte deles. Apenas dois anos mais tarde, os zelotes, uma seita judaica fanática, instigaram uma violenta insurreição contra Roma. Em 70 d.C., a revolta foi esmagada, e Jerusalém e o Templo foram destruídos.

A última fortaleza dos revolucionários foi Massada, uma rocha maciça com topo plano perto do mar Morto. Herodes construíra palácios em Masada, local escolhido principalmente por ser de fácil defesa, com declives íngremes ao redor. O exército romano sitiou Massada em 70 d.C. Montaram um acampa-

O Arco de Tito foi levantado pelo imperador Domiciano e pelo senado romano para homenagear Tito. Uma de suas realizações foi a destruição de Jerusalém em 70 d.C. O relevo no lado interno do arco retrata a menorá (o candelabro com sete hásteas) sendo levada pelos soldados romanos.

Poucos sítios arqueológicos falam tanto à imaginação como Massada. A rocha tem 152 m de altura, com um topo plano de 230 m de comprimento e 115 m de largura. Herodes construiu um palácio no topo, e outro com três níveis, na borda do norte (os três níveis podem ser vistos na foto de cima, à direita. Olhando para cima a parte do palácio inferior (foto de baixo).

Durante a primeira revolta, que terminou quando Jerusalém foi destruída, em 70 d.C., alguns rebeldes mataram os soldados romanos que ocupavam Massada. Os rebeldes que sobreviveram (aproximadamente mil homens, mulheres e crianças) fugiram para Massada. Durante três anos, os romanos sitiaram Massada. No fim, os romanos levantaram um aterro maciço, uma rampa que subia pelo lado ocidental da rocha a fim de conseguir acesso à fortaleza (no alto). Olhando toda rampa, de cima para baixo, só podemos imaginar os que estavam no topo olhando a rampa que estava sendo construída, sabendo que o fim se aproximava inexoravelmente. Quando os romanos finalmente forçaram a entrada, somente duas mulheres e cinco crianças ainda viviam; os demais tinham se suicidado para não se render. Da mesma forma que a rampa, a pilha de pedras grandes no topo de Massada, atiradas pelas catapultas romanas (embaixo), também são testemunhas mudas do drama do cerco.

mento — cujos restos ainda podem ser vistos — e passaram vários anos de frustração atacando o monte com catapultas e outras máquinas de guerra. Finalmente, os romanos resolveram apelar para a única estratégia que lhes sobrara: construíram um enorme aterro, que subia pelo lado do monte, até conseguir chegar a pé no topo (v. fotos na p. 811-2).

A Segunda Revolta

Depois disso, a Judéia voltou a ser relativamente pacífica durante cerca de 60 anos. Mas então o imperador Adriano (117-138 d.C.) resolveu reconstruir Jerusalém como cidade pagã, a ser chamada Aelia Capitolina, em homenagem a Júpiter, o principal deus dos romanos. Além disso, proibiu a circuncisão, que durante dois milênios tinha sido a marca indelével do judaísmo.

Esses dois ultrajes provocaram a segunda revolta de grande magnitude contra Roma em 132 d.C., comandada por Shimon bar Kokhba. Os judeus conseguiram resistir aos romanos durante três anos, mas já em 135 d.C. os romanos tinham esmagado a rebelião, e suas medidas punitivas foram severas. A província já não devia ser chamada Judéia, mas Síria Palestina. Jerusalém foi reconstruída como cidade pagã, e qualquer judeu que entrasse na cidade era sumariamente executado.

E o mais grave: a queda da Judéia levou à perseguição dos judeus por todo o Império Romano. Além disso, alargou-se a brecha entre judeus e cristãos, pois os cristãos interpretavam esses fatos como a

Depois da Segunda Revolta, o imperador Adriano transformou Jerusalém numa cidade romana, com entrada proibida para os judeus. A Porta de Damasco é dos tempos de Adriano. Da mesma forma que as demais ruínas dos dois primeiros séculos d.C., agora está bem abaixo do nível da rua.

comprovação de que Deus transferira dos judeus para a igreja cristã o seu favor. A Diáspora — ou dispersão dos judeus — que, com exceção do período do exílio na Babilônia, era simples opção para a maioria dos judeus, agora era uma necessidade.

O desenvolvimento do judaísmo

Quando o Templo foi destruído, em 70 d.C., os judeus perderam seu centro religioso. Já acontecera uma vez, quando os babilônios destruíram Jerusalém e o Templo, em 586 a.C. Nessa ocasião, o resultado foi o desenvolvimento da sinagoga e o enfoque nas Escrituras, especialmente a *Torá* (os cinco primeiros livros do AT).

Agora, tanto a sinagoga quanto a *Torá* se tornaram ainda mais importantes. O centro da erudição judaica mudou-se de Jerusalém para Jabné (ou Jâmnia; a Moderna Yavne, 24 km ao sul de Tel Aviv no litoral mediterrâneo). Ali, e em outros centros, especialmente na Babilônia, a religião judaica mudou-se e deixou de gravitar em redor de Jerusalém e do Templo sem essa dependência, passou a ser o que hoje é chamado judaísmo — uma religião centralizada na sinagoga e na escola religiosa, unificada por uma mesma língua e tradição literária, uma comunidade harmonizada e vinculada entre si por valores e tradições sociais e religiosas e pela esperança messiânica. Essa mudança garantiu a sobrevivência dos judeus como grupo étnico distintivo, com uma religião adaptada às realidades da vida na Diáspora após 70 d.C.

No século anterior ao nascimento de Jesus, os rabinos (mestres da lei) já eram importantes na vida e adoração judaicas. Destruído o Templo, já não havia mais sacrifícios nem rituais esmerados, de modo os sacerdotes não eram mais necessários. Os judeus que quisessem continuar sua tradição precisavam fazê-lo mediante o estudo da *Torá*, e isso fez dos rabinos a chave da sobrevivência da religião judaica. Um dos maiores rabinos de todos os tempos foi Hilel, que viveu pouco antes dos dias de Jesus. Foi eleito patriarca da Palestina, e seus sucessores continuaram até o fim do século v d.C. Hilel era um modelo de humildade e ensinava que todos os homens deviam ter o direito de estudar a *Torá*, posto que o estudo é um modo de adorar a Deus.

Devido à importância crescente do estudo entre os judeus, os estudiosos judaicos, especialmente em Jabné e na Babilônia, mas também em outras localidades, impuseram a si mesmos a tarefa de registrar por escrito o grande corpo de leis orais e interpretações religiosas que tinham sido formadas no decurso dos séculos. Esse corpo de leis e interpretações é chamado *Talmude*. Os estudiosos na Palestina completaram o *Talmude da Palestina* (também chamado o *Talmude ierosolimitano*) no século v d.C. Os estudiosos babilônicos completaram o *Talmude babilônico*, mais amplo, um século depois. Até uma data bem avançada dentro da Idade Média, os estudiosos do *Talmude babilônico* davam a palavra final sobre as questões religiosas remetidas a eles de todas as partes do mundo.

O calendário judaico passou a ser de importância fundamental, posto que já não havia um ponto de referência físico para o culto. O calendário anual determina o ritmo do ano e começa com o Ano Novo, ro'sh hashānâ. Foi projetado a fim de reiterar a história bíblica para os judeus. Os rituais visam criar significado interior e um relacionamento com Deus. O sábado é principal da semana e começa na sexta-feira ao pôr-do-sol, quando a dona de casa acende as velas e diz uma bênção sobre as velas do sábado, e termina ao pôr-do-sol do sábado. Inclui a refeição do sábado, bem como o culto coletivo na sinagoga ou em outro local de reunião.

A Palestina de 324 a 1918

O período bizantino (324-640)

A Palestina permaneceu sob o controle de Roma até o ano 324, quando a capital do império foi transferida de Roma, no oeste, para Constantinopla, no leste. Em 313, o imperador Constantino, que se convertera ao cristianismo, legalizou-o e encorajou seu crescimento, mas promulgou um edito que castigava a conversão ao judaísmo com a pena da morte. A motivação principal por trás desse edito era provavelmente o papel importante que os judeus desempenhavam no comércio: a igreja cristã proibia a usura (emprestar dinheiro com juros), e os judeus, sendo proibidos de muitas outras atividades com a quais poderiam ganhar a vida, de modo que financiavam o comércio. Outro efeito do edito de Constantino foi que muitos locais na Palestina ligadas à vida de Jesus foram consagrados como santuários e por isso eram visitados por numerosos peregrinos cristãos. Como resultado, muitos mosteiros e igrejas foram construídos na Terra Santa.

O primeiro período árabe (640-1099)

O evento seguinte, que teria grande impacto sobre a Palestina e os judeus foi o surgimento do islamismo por Maomé em 622 d.C. O islamismo não somente passou a ser a terceira maior religião monoteísta (depois do judaísmo e do cristianismo), como também marcou o início da expansão territorial dos árabes. Em 637, os exércitos muçulmanos conquistaram a Mesopotâmia, e o islamismo tornou-se a religião nacional. Jerusalém foi capturada em 638, transformando-se num centro de peregrinação para muçulmanos, além dos cristãos que já atraía.

O Domo da Rocha, situado no lugar onde ficava o Templo até 70 d.C., foi construído durante esse período relativamente pacífico. Embora o califa Omar I tivesse promulgado um decreto que restringia a vida judaica e exigindo que os judeus ussassem remendos amarelos nas mangas e proibindo a construção e reparo das sinagogas, os califas de Bagdá não se consideravam obrigados e fazer valer esses decretos e deixavam os judeus viver ali sem restrições.

O período dos cruzados (1099-1291)

Esse período relativamente pacífico chegou ao fim em 1009, quando o califa Hakim começou a perseguir os cristãos e destruir as igrejas. Os turcos, que capturaram Jerusalém em 1071, passaram a fechar os locais considerados santos pelos cristãos na Palestina. A reação do papado foi iniciar as Cruzadas em 1095 a fim de retormar o controle.

Os cruzados eram, em essência, exércitos enviados sob os auspícios da igreja. Estavam decididos a livrar a Terra Santa do islamismo, e capturaram Jerusalém em 1099, massacrando todos os habitantes muçulmanos. Estabeleceram o reino de Jerusalém e edificaram fortalezas maciças de conformidade com o modelo feudal (v. p. 723, 785, 817).

Depois dos sucessos iniciais dos cruzados, entretanto, a maré se virou contra estes, e dentro de dois séculos foram totalmente derrotados. Seu último bastião caiu em 1291.

O período dos mamelucos (1250-1517)

Os mamelucos (exércitos de escravos que conquistaram o controle político de vários Estados islâmicos durante a Idade Média assumiram o controle da região por volta de 1250. A Palestina passou a ser uma região de pouca importância, porque os mamelucos estavam muito ocupados em outros lugares. Lembranças da presença deles são a Cidadela em Jerusalém e o Haram es-Sharif, ou monte do Templo, no qual está edificado o Domo da Rocha. (Os judeus não visitam o Haram es-Sharif, porque ninguém, a não ser o sumo sacerdote, tinha licença para entrar no Lugar Santíssimo no Templo. E, como ninguém sabe a localização exata do Lugar Santíssimo, o rabinato-mor determinou que o acesso ao monte do Templo em sua totalidade fosse proibido aos judeus.)

O Domo da Rocha, também chamado Mesquita de Omar, foi construído em 688—91. Está no lugar aproximado onde antes ficara o Templo, e ali, segundo se alega, Maomé subiu ao céu. Uma sugestão mais cínica tem sido que foi construído a fim de superar as igrejas cristãs na área que atraíam convertidos árabes, que viam nessas construções imagens de poder.

Os cruzados deixaram em vários lugares estruturas maciças, construídas ao estilo dos castelos ou fortalezas européias medievais. Um exemplar notável é o Castelo de Belvoir, construído no vale do Jordão aproximadamente 16 km ao sul do mar da Galiléia. Consistia em três quadrados concêntricos com muralhas pesadas e um fosso em derredor. Depois de derrotar os cruzados, os turcos destruíram Belvoir. As ruínas do castelo ainda impressionam pela solidez.

As muralhas e portões atuais de Jerusalém têm cerca de 500 anos de idade. Foram construídos por Suleiman o Magnífico em 1537–42, e têm passado por manutenção desde então. Esse é o Portão de Damasco.

O período otomano (1517-1918)

Os turcos otomanos capturaram Constantinopla em 1453 e em 1517 assumiram o controle da Palestina. (Naquele mesmo ano, Martinho Lutero pregou suas 95 teses na porta da igreja em Wittenberg, e marcando o início da Reforma; v. p. 788). O segundo sultão a governar a Palestina foi Suleimã, o Magnífico, que reconstruiu os muros de Jerusalém, existentes até hoje (v. foto acima).

Depois de Suleimã, a Palestina voltou a ser relegada à condição de importância secundária. Seu governantes eram violentos e corruptos. Apesar disso, houve, no fim do século XVII, um aumento nas imigrações de judeus, devido às perseguições na Diáspora. Esses movimentos continuaram no século XVIII, e judeus da Europa Oriental estabeleceram comunidades em Safede e em Tiberíades.

O judeus na Europa antes da Reforma

Espanha

Nos países cristãos, era desvantajoso ser judeu, mas nos países islâmicos os judeus desfrutavam de uma posição relativamente segura. Na Espanha, por exemplo, os judeus sofreram perseguições durante vários séculos enquanto era um país cristão. Com a conquista muçulmana da Espanha em 711, as perseguições cessaram. E não somente isso, o centro da erudição judaica mudou-se da Babilônia para a Espanha. Os judeus na Espanha chegaram a ocupar posições de destaque pela primeira vez na Europa Ocidental desde a queda do Império Romano e contribuíram à Renascença do século XII ao traduzir os clássicos gregos, aos quais tinham acesso por meio dos árabes.

Quando o domínio muçulmano da Espanha chegou ao fim, no século XIII, os judeus espanhóis, chamados **sefarditas**, foram submetidos ao mesmo tipo severo de tratamento que os judeus de outras partes da Europa.

Europa setentrional

Nos países da Europa setentrional, os judeus eram perseguidos e condenados por serem considerados os culpados pelos sofrimentos e morte de Jesus. Especialmente durante o período das Cruzadas (1095-1291), marcado pelo fanatismo religioso cristão, milhares de judeus foram massacrados. Em 1215, a igreja adotou formalmente as restrições à vida judaica semelhantes às decretadas pelo califa Omar I, exigindo até mesmo que cada judeu usasse um distintivo para indicar sua raça. Nas cidades, os judeus eram forçados a habitar em áreas especiais (guetos) e acabaram sendo expulsos de vários países, como a Inglaterra (1290), a França (1394), a Espanha (1492) e Portugal (1497). Os judeus foram até mesmo acusados de causar a Peste Negra, que dizimou a população da Europa do século XIV.

Europa oriental

Os judeus expulsos migravam em direção ao leste. No século XVI, Constantinopla (agora Istambul, na Turquia) tinha a maior comunidade judaica da Europa. A maioria dos judeus expulsos dos países do norte da Europa mudaram para a Polônia e a Rússia. Os judeus da Europa Oriental são chamados **asquenazitas**. Já em meados do século XVII, existiam 500 mil judeus na Polônia. Entretanto, uma década de ferrenhas

---

Maimônides

O erudito judaico mais famoso da Espanha foi Maimônides (1135-1204). Era um pensador religioso, mas também personagem importante no direito, na filosofia, na medicina, na astronomia e na lógica, e era considerado o líder da comunidade judaica. Nasceu na Espanha, mas foi forçado a fugir com seus familiares para o Marrocos aos 13 anos de idade porque uma família muçulmana radical assumiu o governo da Espanha. Ali, tornou-se médico, mas sua dedicação em incentivar os judeus a seguir secretamente os mandamentos judaicos o obrigaram a fugir de novo, para a Palestina e depois para o Egito. Escreveu *Mishnê Torá*, um comentário abrangente sobre o direito judaico, com 14 tomos, o *Guia para os perplexos* e os *Treze artigos*, ou princípios da fé, que influenciaram não somente os judeus, mas também os cristãos e os muçulmanos.

---

perseguições (1648-1658) destruiu muitas comunidades judaicas ali. As leis excluíam os judeus de todas a profissões e ocupações periciais, e assim eles foram forçados a se sustentar por meio da compra e revenda em pequena escala e pelo empréstimo de dinheiro a juros (serviços bancários), mas ainda lhes era permitido guardar o sábado e as festas religiosas da maneira prescrita.

Os judeus depois da Reforma

Na Europa ocidental

O aumento da liberdade social e política que resultou da Reforma restabeleceu a tolerância aos judeus na Europa Ocidental. A Inglaterra, por exemplo, que expulsara os judeus em 1290, passou a encorajar sua imigração durante o governo de Cromwell, e as colônias inglesas na América do Norte também os acolhiam sem restrições.

Muitos judeus se destacaram como intelectuais, artistas, cientistas e políticos.

- À medida que os judeus conquistavam participação maior na cultura, os filósofos que surgiam mediavam entre a cultura européia e o judaísmo. Um deles foi **Baruch Espinosā** (1632-1677). Excomungado da comunidade judaica, não se converteu a outra religião, mas escreveu como humanista a respeito da liberdade e ocupou-se da crítica bíblica, do ponto de vista histórico. Assim, foi o primeiro entre os muitos judeus que mantiveram as tradições judaicas sem adotar o judaísmo como religião.

- **Moisés Mendelssohn** (1729-1786), deísta, veio a ser um dos fundadores do Iluminismo judaico. Escolheu ser alemão quanto à cultura e judeu na vida pessoal. Ensinava também que devia haver separação entre a igreja e o Estado. O filho de Mendelssohn se fez batizar, com a família, como luteranos, a fim de poupar aos filhos o estigma social de serem judeus. Seu neto, Félix Mendelssohn, foi o grande compositor que, entre suas muitas obras-primas, escreveu os oratórios *Elias* e *Moisés*.

- Já em meados do século XVIII, **Karl Marx** (1818-1883), judeu alemão que fora batizado como cristão aos seis anos de idade e que evitava a participação na vida judaica, efetuou mudanças profundas na cultura mundial. Em cooperação com Fredrich Engels, Marx escreveu *O manifesto comunista* em 1848, que conclamava os operários a uma revolução violenta contra seus supostos opressores capitalistas. Exilado da França e da Alemanha, Marx foi morar em Londres e ali publicou *O capital*, que deplorava a opressão do capitalismo.

- Na Inglaterra, **Benjamin Disraeli** (1804-1881) foi um exemplo de participação dos judeus na política. Seus ancestrais tinham sido expulsos da Espanha, e seu pai o mandou batizar devido à discriminação social e política praticada contra os judeus e contra os protestantes dissidentes. No entanto, quando as reformas da década de 1830 permitiram a dissidentes religiosos participar da política, ele ocupou vários cargos, incluindo o de primeiro-ministro duas vezes. Seu trabalho aumentou e fortaleceu o Império Britânico. Ao mesmo tempo, esforçou-se em favor de medidas para permitir aos judeus e outros grupos o direito de votar e participar plenamente da vida política.

- Muitos judeus intelectuais na Europa na virada do século XX eram ambivalentes a respeito de suas tradições. Um deles foi **Sigmund Freud** (1856-1939), o fundador da psicanálise. Pesquisando os mistérios da personalidade humana e do inconsciente, foi o primeiro a reconhecer a importância das experiências da primeira infância no amadurecimento humano, bem como a importância do impulso sexual. Fugiu para a Inglaterra em 1938, depois da invasão nazista na Áustria. Certa vez, aconselhou um amigo, dizendo que deixar seu filho crescer como judeu o forçaria a ter uma vida de luta, ao passo que deixar de fazê-lo "o privaria daquelas fontes de energia que não podem ser substituídas por nenhuma outra coisa".

- Enquanto Freud revolucionava, para melhor ou para pior, nossa maneira de considerar as pessoas, **Albert Einstein** (1879-1955) revolucionou nosso modo de entender o mundo físico. Suas teorias gerais e especiais da relatividade prepararam o caminho para o colapso da cosmovisão newtoniana e acabaram levando ao desenvolvimento da fissão e da energia nuclear.

Na Europa oriental

Enquanto na Europa ocidental aumentava a tolerância para com os judeus o inverso ocorria na Europa oriental. Até meados do século XVII, houvera uma política de tolerância para com os judeus, mas a partir daí os judeus passaram a ser alvejados pela perseguição oficial. A Polônia oriental, onde habitava a maioria dos judeus poloneses, tornou-se parte do Império Russo no fim do século XVIII. Para esses judeus, a vida passou a ser extremamente difícil. Só podiam morar em áreas específicas e tinham pouquíssimas oportunidades educacionais e ocupacionais. Mas o que realmente tornava a vida deles insegura era a prática periódica de *pogrons* — ataques violentos e gratuitos contra os judeus, com a permissão do governo, que às vezes até mesmo os financiava. As perseguições continuaram até a Revolução Bolchevista em 1917. Entre 1890 e 1917, cerca de dois milhões de judeus migraram das regiões sob controle russo para os Estados Unidos. Outros migraram para o Canadá, a América do Sul, a África do Sul e a Palestina, onde estabeleceram comunidades ao mesmo tempo residenciais e religiosos.

Uma lembrança visível dessa migração é a roupa típica ainda usada por muitos judeus ortodoxos — um chapéu de aba larga ou de peles e um casaco comprido negro —, que teve sua origem na Europa ocidental. Outra lembrança, é o idioma dos judeus da Europa oriental, dos asquenazitas — o iídiche, uma forma de baixo alemão que incorpora muitas palavras hebraicas. A literatura iídiche florescia durante certo período, com escritores como Sholem Aleichem e Isaque Bashevis Singer.

Na América do Norte

Muitos judeus se estabeleceram na América do Norte por causa da liberdade religiosa e do pluralismo ali reinantes. (Hoje, as maiores populações judaicas acham-se nos Estados Unidos e em Israel.) Na realidade, a maioria das formas atuais de judaísmo ou se desenvolveu nos Estados Unidos ou foi criada ali. À medida que iam chegando as levas de imigrantes, desenvolveram-se as três formas modernas de judaísmo.

- **O judaísmo reformado.** Em 1869, um grupo de rabinos, na maior parte com antecedentes alemães, emitiu uma declaração que rejeitava a idéia de um Messias pessoal e da restauração de Sião. Enxergavam o judaísmo como parte de uma religião universal na qual o reino de Deus seria estabelecido a fim de unir entre si todos os seres humanos. Daí foi desenvolvido o judaísmo reformado, que grosso modo, era equivalente do protestantismo liberal americano do século XIX. Os judeus reformados davam aos seus locais de culto o nome de templos, em vez de sinagogas, e fundaram a Hebrew Union College em Cincinnati como seu centro principal de treinamento. Sua teologia era modernista e combinava a crítica literária e histórica com a interpretação judaica tradicional.

- **O judaísmo ortodoxo.** Os imigrantes provenientes da Europa oriental tendiam a apegar-se ao judaísmo ortodoxo; muitos deles eram hassídicos. Os hassidismo teve sua origem por volta de 1750, na Polônia, com a carismático Baal Shem Tov. Era uma reação contra a ortodoxia religiosa que se tornara rígida, sem relacionamento com a vida do povo comum. O hassidismo é caracterizado pela combinação do estudo da *Torá* com formas expressivas, freqüentemente extáticas, de adoração. (Hoje em dia, comunidades hassídicas bem ativas acham-se em Jerusalém e outros lugares, nas áreas de Williamsburg e Crown Heights, do Brooklyn, em Nova York). Os judeus ortodoxos criaram a Universidade Yeshivá para formar rabinos. Embora vivam nos Estados Unidos, os judeus ortodoxos mantêm-se fiéis à *Torá* revelada e seguem as leis tradicionais. Os judeus ortodoxos consideram que os judeus reformados abandonaram a substância da fé.

- **O judaísmo conservador.** Entre o judaísmo reformado e o ortodoxo existe uma terceira categoria, o judaísmo conservador, que combina a erudição moderna com a prática religiosa que segue a lei tradicional.

Muitos judeus americanos não se encaixam em nenhuma dessas três categorias e são chamados judeus não-praticantes ou seculares, que se desviaram totalmente da fé e das práticas religiosas tradicionais, mas reconhecem sua ascendência judaica.

O anti-semitismo na Europa ocidental

Embora já não houvesse mais discriminação nem perseguição oficiais contra os judeus na Europa ocidental, continuava havendo tendências ocultas de anti-semiticismo.

O caso Dreyfus

A Revolução Francesa formalizou aceitação dos judeus na França. Em 1791, a cidadania plena foi outorgada aos judeus, e Napoleão fazia questão de abrir os guetos e garantir os direitos dos judeus nos seus avanços militares por toda a Europa continental. Após a derrota de Napoleão, porém, muitos dos Estados nos quais se emancipara os judeus retornavam, durante algumas décadas, às políticas antigas. Em 1894, o julgamento de Alfred Dreyfus passou a ser um dos processos mais famosos na história do Direito e ilustrou a persistência do anti-semitismo na sociedade européia, a despeito das reformas políticas. Dreyfus, o único oficial judeu no estado-maior da França, foi acusado de traição e condenado. Dois anos mais tarde, o governo francês suprimiu evidências que comprovavam que Dreyfus não era culpado de espionagem e que, na realidade, apontavam outro membro do estado-maior como o verdadeiro culpado. A inocência de Dreyfus passou a ser de conhecimento do público, e outro processo foi aberto. As pessoas tomavam por certo que Dreyfus seria inocentado, mas um governo declaradamente anti-semítico fora eleito em 1898, e Dreyfus foi considerado "culpado com circunstâncias atenuantes" e condenado a dez anos de prisão. Mesmo depois de Dreyfus ter sido perdoado pelo presidente da França, a população teve de fazer pressões para libertá-lo o que ocorreu em 1906. Em seguida, Dreyfus foi reintegrado no exército. O advogado de defesa de Dreyfus era Émile Zola, o afamado escritor que também era judeu.

O Holocausto

Certos movimentos dos fins do século XIX, tais como o darwinismo social e o monismo, com suas alegações de indivíduos e raças superiores e inferiores, contribuíram para o anti-semitismo. Assim, no fim da Primeira Guerra Mundial havia ressentimento contra os judeus e outros grupos étnicos que eram considerados inferiores, especialmente na Alemanha e na Europa ocidental. Quando a depressão econômica e a hiperinflação assolavam a Alemanha na década de 1930, muitas pessoas culpavam os judeus, por causa de seu histórico de sucesso nos serviços bancários e nos negócios. Assim, foi fácil para Adolf Hitler e seu regime nazista elaborar a "solução final", uma tentativa de exterminar os judeus por eliminação em massa. Para começar, empregaram as técnicas medievais do califa Omar I (v. p. 815): exigiram que todos os judeus ostentassem uma estrela-de-davi amarela e instituíram restrições, tais como o toque de recolher e a exclusão de certos tipos de comércio e de atividades sociais. Conseguiram matar 6 milhões de judeus e assim reduziram de modo significativo a população judaica da Europa.

O Holocausto levantou questões para muitos judeus (e cristãos, também). A pergunta principal era: Como um Deus bom permitiu semelhante atrocidade? Alguns judeus abandonaram a fé. Alguns argumentaram que o Holocausto foi tão monstruoso que deixou os judeus livres para abandonar a aliança e suas obrigações de guardar a Lei. Outros acreditavam que era o plano de Deus e que os judeus foram usados como vítimas sacrificiais para criar uma nova sociedade. Muitos ainda se acham envolvidos com essas perguntas. A idéia central do pensamento pós-Holocausto é que o judaísmo passou pelas trevas que os danificaram, mas que os judeus continuam sendo testemunho vivo da luz de Deus.

A Palestina: O mandato britânico (1919-1948)

Um resultado concreto do Holocausto foi o estabelecimento do Estado de Israel em 1948, quando os britânicos entregaram a região para ser povoada pelos judeus.

O Império Otomano enfraqueceu durante o século XIX, e a Grã-Bretanha e outras nações começaram a se interessar pela região, especialmente depois da abertura do canal de Suez, em 1869, torná-la estrategicamente importante. Durante a Primeira Guerra Mundial, a Grã-Bretanha e seus aliados buscaram o apoio dos árabes e dos judeus para derrubar o Império Otomano. A política e a diplomacia do período não eram nada transparentes. Parece que a promessa de um Estado independente na Palestina foi feita tanto aos árabes quanto aos judeus. A infame Declaração Balfour (1917), que "considerava com favor o estabelecimento de um lar nacional para o povo judaico", é tão ambígua que tanto os judeus quanto os árabes a têm usado para fundamentar suas reivindicações.

Depois da Primeira Guerra Mundial, a Palestina foi colocada sob a tutela de uma "nação mais avançada", a Grã-Bretanha. Assim começou o chamado mandato britânico (1919-1948), um período durante o qual os interesses judaicos e árabes entraram em conflito — e freqüentemente de modo violento. Foi também um período de aumento da emigração dos judeus para a Palestina, devido, em grande medida, ao sionismo (derivado de Sião, o nome tradicional de Jerusalém e da Palestina).

O sionismo

O sionismo era o movimento nacionalista judaico cujo alvo era criar e sustentar um Estado nacional judaico na Palestina. Perto do fim do século XIX, Theodore Herzl, depois de ver o anti-semitismo em operação no caso Dreyfus, na França (1893-1894), tomou consciência da necessidade de um Estado judeu. Tornou-se o fundador do sionismo político, que meio século depois, em 1948, alcançou seu propósito ao fundar o Estado de Israel.

O conceito da volta a Sião faz parte da lei judaica. Os judeus reformados declararam em 1885 que se consideravam mais uma comunidade religiosa que uma nação. Entretanto, essa idéia foi substituída no século XX pelo sionismo entusiástico. Outros judeus acreditam que a humanidade será redimida nos "dias do Messias", em Sião, com a reconstrução das instituições perdidas da vida nacional e religiosa. Muitos judeus ortodoxos não questionavam a necessidade de voltar a Sião, mas acreditavam que os sionistas políticos tentavam apropriar-se indevidamente das promessas de Deus para o futuro. A maioria desses judeus morreu no Holocausto, e os judeus ortodoxos estão se estabelecendo hoje em dia em Israel, com grande entusiasmo.

O Estado de Israel (desde 1948)

A situação na Palestina tornou-se cada vez mais complexa e ingovernável, de modo que, em 1947, os britânicos resolveram pôr fim ao seu mandato e entregar a solução à Assembléia Geral da Organização das Nações Unidas — ONU. A ONU propôs a divisão da Palestina em dois Estados: um árabe e um judeu. Jerusalém seria uma zona internacional. Os judeus aceitaram, mas os árabes rejeitaram o plano.

No dia 14 de maio de 1948, no dia anterior ao oficial do mandato britânico, quando os últimos soldados britânicos deixaram o país, David ben Gurion declarou Israel um Estado independente e se tornou primeiro-ministro da nação judaica. Tanto os Estados Unidos quanto a Rússia reconheceram a nova nação que, depois de muitos debates, foi aceita como membro das ONU por uma votação de 37 a 12.

Esse fato levou à guerra contra seus vizinhos árabes, que terminou um ano mais tarde, deixando Israel de posse de um território maior que o previsto no plano de partilha.

Desde o começo, o Estado de Israel tem vivido em tensão com seus vizinhos árabes. As questões são complexas, e as emoções são profundas dos dois lados. Depois de quatro guerras — a Guerra da Independência em 1948 a do Sinai (Suez) em 1956, a Guerra dos Seis Dias em 1967 e a Guerra de Yom Kippur em 1973 — houve intensificação dos esforços pela paz, mas também em 1948 se aprofundaram os conflitos políticos e religiosos, tanto na retórica quanto nas atividades terroristas.

> Orem pela paz de Jerusalém:
> "Vivam em segurança aqueles que te
> amam!
> Haja paz dentro dos teus muros
> e segurança nas tuas cidadelas!"
> Em favor de meus irmãos e amigos,
> direi:
> Paz seja com você!
> Em favor da casa do Senhor, nosso Deus,
> buscarei o seu bem.
> — Salmos 122.6-9

Para ler e estudar a Bíblia

- Lendo a Bíblia do começo ao fim
- Ferramentas básicas para o estudo bíblico

Lendo a Bíblia do começo ao fim

Planos de leitura bíblica

Existem muitos planos para a leitura da Bíblia. Cada pessoa deve optar pelo plano que outra mais apropriado. Não importa qual seja o plano. O essencial é lermos a Bíblia com certo grau de regularidade. (v. "O hábito da leitura da Bíblia", p. 16.)

Comece com um dos evangelhos

Se você nunca leu a Bíblia ou não está familiarizado com ela, uma boa opção é começar por um dos evangelhos: Mateus, Marcos, Lucas ou João. Os evangelhos apresentam Jesus, que ocupa o lugar central na Bíblia. O AT prediz sua vinda, e o NT demonstra a importância de sua vida, morte e ressurreição.

Leituras selecionadas:
O plano e a história da Bíblia

Nas páginas que se seguem, há um plano para ajudá-lo a ler porções selecionadas inteiras da Bíblia, principalmente históricas, para ajudá-lo a entender como a Bíblia forma um só conjunto e qual a sua história global. Será útil ter a seção (p. 30-7). "De que a Bíblia trata?" durante a leitura.

Sugerimos que você leia Salmos e Provérbios de modo sistemático enquanto põe em prática o plano embaixo.

1. No princípio (Gn 1—11)

Leia:

- Introdução a essa seção na p. 68.
- Gênesis 1—11

2. O período dos patriarcas (Gn 12—50)

Leia:

- Introdução a essa seção na p. 85.
- Gênesis 12—50

3. O Êxodo: Israel sai do Egito (Êx —Dt)
Leia:

- Introdução a essa seção na p. 105
- Êxodo
- Números 8—36
- Deuteronômio 1—11; 32—34

4. A conquista e a colonização de Canaã (Js—Rt)
Leia:

- Introdução a essa seção na p. 151
- Josué
- Juízes 1—16
- Rute

5. O reino de Israel e o reino dividido (1 Sm—2 Cr)
Leia:

- Introdução a essa seção na p. 173
- 1 Samuel
- 2 Samuel
- 1 Reis
- 2 Reis
- Isaías 52—54; 60—62

6. O exílio babilônico e o regresso (Ed—Et)
Leia:

- Introdução a essa seção na p. 234
- Esdras
- Neemias
- Ester
- Daniel 1—6

Os 400 anos entre os Testamentos
Leia:

- Resumo desse período na p. 408

7. A vida de Jesus (Mateus, Marcos, Lucas e João)
Leia:

- Introdução a essa seção na p. 530
- Mateus, Marcos ou Lucas

8. A igreja primitiva (At—Ap)
Leia:

- Introdução a essa seção na p. 565
- Atos
- Gálatas (graça, não lei)
- Efésios (o alvo de Deus: a unidade da igreja)
- Filipenses (encorajamento e alegria)
- Colossenses (a divindade de Jesus)
- 1 João (a certeza da salvação; o amor cristão)
- 1 Pedro (a vida e os deveres cristãos; lidando com a perseguição)
- Tiago (o cristianismo prático)

9. O derradeiro triunfo de Cristo
Leia:

- 1 e 2 Tessalonicenses
- Apocalipse 1, 20—22

Lendo a Bíblia inteira

Um plano de leitura diária

Esse plano oferece uma leitura específica para cada dia do ano, de modo que, ao final de um ano, você terá lido a Bíblia inteira. Se, por algum motivo, você perder um dia ou mesmo vários, *não abandone o plano nem deixe de ler a Bíblia*. Você pode pôr a leitura em dia ou ajustar o restante do plano. Mas não desista!

- A Bíblia contém 1 189 capítulos. Se você ler quatro capítulos por dia, passará pela Bíblia inteira em menos de um ano.
- Salmos e Provérbios contêm, ao todo, 181 capítulos. Se você ler um salmo ou um capítulo de Provérbios por dia, bem como três capítulos diários do restante da Bíblia, terá a Bíblia inteira uma vez e os livros dos Salmos e Provérbios duas vezes num só ano.
- Se você é lento na leitura (muitas pessoas o são!), você pode ajustar o plano de modo a ler a Bíblia inteira uma vez em dois anos. Nesse caso, você teria de ler, dois capítulos por dia, mais um salmo ou um capítulo de Provérbios.

O que importa é achar um plano que funcione para *você*.

Um plano de leitura semanal

Um plano simples consiste em ler um ou mais livros da Bíblia por semana (dependendo do tamanho), em vez de capítulos específicos todos os dias. O plano apresentado na página seguinte permitir que você leia AT uma vez e o NT duas vezes no mesmo ano.

Lendo a Bíblia do começo ao fim

	1.ª semana		2.ª semana
1.ª	Gênesis	2.ª	Mateus
3.ª	Êxodo	4.ª	Marcos
5.ª	Levítico	6.ª	Lucas
7.ª	Números	8.ª	Lucas
9.ª	Deuteronômio	10.ª	João
11.ª	Josué, Juízes	12.ª	Atos
13.ª	Rute, 1 Samuel	14.ª	Romanos
15.ª	2 Samuel	16.ª	1 e 2 Coríntios
17.ª	1 Reis	18.ª	Gálatas, Efésios, Filipenses, Colossenses
19.ª	2 Reis	20.ª	1 e 2 Tessalonicenses, 1 e 2 Timóteo, Tito, Filemom
21.ª	1 Crônicas	22.ª	Hebreus, Tiago
23.ª	2 Crônicas	24.ª	1 e 2 Pedro, 1, 2 e 3 João, Judas
25.ª	Esdras, Neemias, Ester	26.ª	Apocalipse
27.ª	Jó	28.ª	Mateus
29.ª	Salmos	30.ª	Mateus ou João
31.ª	Salmos	32.ª	Marcos
33.ª	Salmos	34.ª	Lucas
35.ª	Provérbios, Eclesiastes, Cântico dos Cânticos	36.ª	João
37.ª	Isaías	38.ª	Atos
39.ª	Isaías	40.ª	Romanos
41.ª	Jeremias	42.ª	1 e 2 Coríntios
43.ª	Jeremias, Lamentações	44.ª	Gálatas, Efésios, Filipenses, Colossenses
45.ª	Ezequiel	46.ª	1 e 2 Tessalonicenses, 1 e 2 Timóteo, Tito, Filemom
47.ª	Daniel	48.ª	Hebreus, Tiago
49.ª	Oséias, Joel, Amós, Obadias	50.ª	1 e 2 Pedro, 1, 2 e 3 João, Judas, Jonas, Miquéias
51.ª	Naum, Habacuque, Sofonias	52.ª	Apocalipse, Ageu, Zacarias, Malaquias

Escolhendo seu plano de leitura bíblica

- Resolva qual plano é melhor para você. Estabeleça um cronograma e *escreva num calendário* qual seção ou capítulos você lerá todos os dias.
- É melhor ler fielmente uma seção pequena todos os dias que ler, de vez em quando, seções grandes.
- Mais importante: se você, por algum motivo, perder um dia ou até mesmo alguns dias, *não abandone o plano nem deixe de ler a Bíblia*. Você pode pôr a leitura em dia ou ajustar o restante do plano. Mas não desista!

No meio de um dia muito ocupado

A leitura bíblica não é uma coisa desvinculada da vida diária. Deve fazer parte do nosso viver diário.

Não seria boa idéia, no meio de um dia muito ocupado, quando você se sente pressionado até o ponto de um colapso, separar uns poucos minutos para a leitura de um salmo ou de alguns provérbios? Ou então leia alguns versículos de outros livros da Bíblia, textos que falam ao seu coração. Mantenha ao alcance uma Bíblia pequena ou um Novo Testamento com Salmos — na sua mesa, no seu armário ou na sua lancheira — com uma lista de versículos especiais. Se você fizer assim, ficará atônito ao ver quantas vezes sua seleção de Salmos, Provérbios ou de outra parte da Bíblia fará diferença no seu dia.

Ferramentas básicas para o estudo bíblico

Ao ler a Bíblia, você se descobre fazendo perguntas a respeito do significado das palavras ou do sentido de versículos ou seções. Também desejará achar outros versículos, dos quais não se lembra com exatidão, que se relacionam com aquilo que você está lendo. Existem, no entanto, muitas ferramentas à disposição para ajudá-lo. Mas tenha sempre em mente que nem a melhor biblioteca de referências no mundo nem o estudo mais intensivo poderão substituir a simples leitura da Bíblia. Prestando atenção a ela refletindo sobre ela, o Espírito Santo iluminará seu entendimento.

Por que estudar a Bíblia?

O propósito principal do estudo da Bíblia é aprofundar nosso relacionamento com o Senhor de nos tornarmos cada vez mais semelhantes a Cristo (2 Co 3.18). As Escrituras podem nos levar à salvação, nos treinar na justiça e nos equipar para a prática das boas obras (2Tm 3.15-17). Mas, embora seja apropriado dedicar tempo e esforço continuamente para conhecer melhor as Escrituras, corremos o risco de afogar nosso amor a Jesus num mar de conhecimentos, ou de medir nossa espiritualidade pelo nosso nível de informação, ou de fazer do estudo da Bíblia uma finalidade em si mesmo.

As palavras mais severas de Jesus foram reservadas aos estudiosos da Bíblia e aos líderes religiosos. Ele disse aos fariseus: "Vocês nunca ouviram a sua voz [do Pai ...] nem a sua palavra habita em vocês [...] Vocês estudam cuidadosamente as Escrituras, porque pensam que nelas vocês têm a vida eterna. E são as Escrituras que testemunham a meu respeito; contudo, vocês não querem vir a mim para terem vida" (Jo 5.37-40). Como conseguiremos evitar cair numa situação dessas? A Bíblia nos ensina como:

1. Seja humilde. Deus dá sabedoria e graça aos humildes (Pv 3.34; 11.2). Esteja pronto a ver desafiadas suas antigas opiniões e revelados pecados dos quais precisa se arrepender para ser perdoado.
2. Clame pelo socorro divino! Peça a Deus que lhe dê seu Espírito de sabedoria e revelação, no pleno conhecimento dele (Ef 1.17) e lhe abra os olhos para coisas maravilhosas de sua lei (Sl 119.18). Deus tem prazer em nos dar o Espírito Santo (Lc 11.13).
3. Esteja pronto para obedecer. Jesus disse: "Se alguém me ama, obedecerá à minha palavra. Meu Pai o amará, nós viremos a ele e faremos morada nele" (Jo 14.23). Não sejamos como a pessoa que

estuda seu rosto no espelho e depois vai embora e se esquece de sua aparência contrário. Devemos praticar o que a Palavra diz e assim ser abençoados (Tg 1.22-25).
4. Faça um equilíbrio entre o estudo da Bíblia e a oração, a adoração, a comunhão com os outros crentes e o servir a Jesus.

Como abordar o estudo da Bíblia

Deus teve o cuidado de mandar registrar sua verdade por escrito e de conservá-la para nós no decurso dos séculos. Não devemos ser indiferentes nem descuidados quanto à maneira de ler e entender a Bíblia. É importante interpretar a Bíblia de modo honesto, cuidadoso e consistente, em vez de simplesmente selecionar versículos que pareçam apoiar o aspecto da verdade que mais nos agrada. As obras de referências podem nos ajudar a manejar corretamente a Palavra de Deus (2Tm 2.15) e a estudá-la com a reverência e o cuidado que ela merece.

O estudo sério da Bíblia requer esforço. As pessoas muitas vezes gostam mais da idéia do estudo da Bíblia que do esforço envolvido. Não existem livros que, como por magia, dêem a você todas as respostas, sem esforço de sua parte.

Por isso, mantenha expectativas realistas. Você nunca se assenhoreará totalmente da Bíblia — ninguém chegou a isso até agora, embora algumas pessoas queiram dar essa impressão. A idéia não é se tornar mestre da Bíblia, e sim servo da Palavra.

Mas não se subestime. A Bíblia não é um banco de dados eletrônico que só possa ser acessado por peritos — não existem senhas secretas ou códigos especiais serem aprendidos. Nossa disposição para ler e estudar a Bíblia é muito mais importante que nossa capacidade de manejar até as mais sofisticadas ferramentas de estudo.

Três livros que fornecem informações práticas para o estudo da Bíblia são *Understanding the Bible* [*Entendendo a Bíblia*], de John R. W. Stott, *Applying the Bible* [*Aplicando a Bíblia*], de Jack Kuhatschek, e *Entendes o que lês?*, de Gordon Fee e Douglas Stuart.

As ferramentas básicas

Quando você entra numa livraria que tem uma ampla oferta de ferramentas para o estudo da Bíblia (ou começa uma busca pela Internet), a quantidade e variedade, por si só, podem deixá-lo confuso — especialmente quando você não tem certeza de quais obras irá precisar.

Mas não fique intimidado — a compra de ferramentas para o estudo da Bíblia é uma decisão vital. Tudo quanto você necessita é descobrir quais ferramentas satisfazem suas necessidades imediatas. Além disso, embora realmente haja muitas opções, fica muito mais simples escolher quando você se dá conta de que a maioria delas se enquadra em bem poucas categorias.

- Ferramentas que oferecem uma *visão geral* da Bíblia e o ajudam a *ler* a Bíblia com entendimento:
  1. Manual bíblico
  2. Bíblia de estudos
- Ferramentas para *encontrar achar* versículos e passagens da Bíblia:
  1. Concordância
  2. Bíblia temática ("tópicos").

- Ferramentas que ajudam a *compreender* detalhes da Bíblia:
  1. Dicionário bíblico
  2. Comentário bíblico

Segue-se a descrição de cada uma dessas ferramentas:

1. Um **manual** como este deve acompanhar sua leitura bíblica. Está disposto na ordem dos livros da Bíblia e fornece o contexto histórico (para ser conhecido antes da leitura de cada livro), explicações e ilustrações (a serem consultados durante a leitura) e notas temáticas e históricas a fim de expandir seu entendimento.
   Aliás, o *Manual bíblico de Halley* foi, historicamente, o primeiro manual bíblico a ser publicado. Foi um conceito revolucionário surgido do desejo que tinha o Dr. Halley levar as pessoas a ler a Bíblia com mais entendimento. É um campeão de vendas até ao dia de hoje.
2. Uma **Bíblia de estudo** é o alicerce de qualquer biblioteca de referência. Trata-se do texto integral da Bíblia com o acréscimo de notas e outras matérias úteis como mapas, introduções a cada livro da Bíblia e referências a outros trechos bíblicos.
3. Uma **concordância** alista palavras que existem na Bíblia e indica em quais textos podem ser localizadas. Por exemplo, no verbete "Fé", você descobre em quais textos da Bíblia a palavra "fé" é usada. Uma concordância ajuda você a fazer estudos de palavras bíblicas, além de auxiliar na localização de versículos dos quais você só tem uma vaga lembrança.
4. Uma **Bíblia temática** ("tópicos") é um guia para assuntos ou temas tratados na Bíblia. No verbete "Fé", uma obra desse tipo alistará não somente os versículos mais importantes onde encontramos a palavra "fé" como também os versículos que falam a respeito da fé sem empregar essa palavra — por exemplo, Gênesis 15.6: "Abraão creu no Senhor".
5. Um **dicionário bíblico** oferece informações mais pormenorizadas a respeito de pessoas, lugares, palavras e eventos da Bíblia. Você pode usá-lo para saber mais sobre o que a Bíblia diz a respeito das crianças (por exemplo), ou de Pedro, ou do Egito, ou dos milagres.
6. Um **comentário bíblico** é uma obra — em um só volume ou em — que explica o significado de passagens bíblicas.

Como escolher e usar as ferramentas apropriadas

Bíblia de Estudo

Em primeiro lugar, você deve resolver qual tradução da Bíblia (versão bíblica) você irá empregar nos seus estudos.

Em segundo lugar, as Bíblias de estudo podem ter ênfases e propósitos diferentes. Por exemplo: a *Bíblia de estudo Vida* focaliza mais as questões práticas, enquanto *A Bíblia de estudo* NVI visa mais à compreensão do próprio texto. Verifique umas poucas passagens em ambas e compare o conteúdo das notas. Você perceberá rapidamente como — e quanto! — diferem entre si. Você poderá até mesmo adquirir as duas, pois ambas se complementam. Se você comprar uma Segunda Bíblia de estudo com uma tradução diferente, terá o benefício adicional de estudar com duas versões ao mesmo tempo.

Tenha em mente, porém, que *nem todas as Bíblias com matérias adicionais são Bíblias de estudo*. As Bíblias devocionais contêm várias meditações além do texto bíblico, mas visam principalmente à leitura diária, e não estudos textuais.

Escolhendo uma Bíblia de estudo

Você usará sua Bíblia de estudo mais que os outros livros de sua biblioteca. Por isso, vale a pena tirar tempo para comparar os vários modelos que existem nas livrarias. Selecione umas poucas seções (talvez livros breves, tais como Jonas, 1 João, ou 2 Pedro) e compare as notas que oferecem.

Pergunte a si mesmo:

- As notas que explicam o texto tratam das coisas que quero saber?
- Até que ponto são claras, pormenorizadas e úteis as introduções e esboços referentes a cada livro da Bíblia?
- Há quantas referências a outros textos bíblicos? São de fácil leitura?
- O dicionário é extensivo? As definições são claras e úteis?
- Que tipo de coisas constam do índice de assuntos? Os temas são de utilidade para o leitor de hoje?
- A concordância alista aspalavras que eu gostaria de consultar?
- Quantos mapas existem? Qual a qualidade deles? É fácil usar o índice? Existem gráficos? Contêm informações relevantes? Contêm ilustrações? São de utilidade ou simplesmente ocupam espaço?
- A obra possui uma harmonia dos evangelhos (um único resumo cronológico dos quatro evangelhos)?
- Contém as palavras de Jesus impressas em vermelho (se for sua preferência)

Concordância

Uma concordância é um índice das palavras que se acham na Bíblia. Alista as referências dos versículos nos quais ocorrem e uma parte de cada frase onde ocorre a palavra. Por exemplo, na *Concordância da* NVI *em* CD-*rom*, no verbete "amor":

Diferentemente da maioria do livros de referência bíblicos, **uma concordância se baseia numa tradução específica da Bíblia** (ARA, ARC, NVI etc.) **e deve ser usada somente com a referida tradução.** Por exemplo, a palavra hebraica que significa "amor" no sentido religioso é traduzida na NVI (texto de 1990) como "amor", "amor firme", "amor fiel", "amor bondoso", "amor benigno", "amor leal", "amor inabalável", "amor infalível", "amor de Aliança" ou "amor inesgotável" conforme o contexto. Semelhantemente, a palavra "paz" aparece quatrocentas vezes na *King James Version* (ou *Versão do Rei Tiago*), mas pouco mais de 200 vezes na NVI.

Se você foi criado com algumas das versões de Almeida, mas agora usa uma tradução moderna, talvez queira uma concordância para cada uma dessas versões, a fim de também poder encontrar os versículos memorizados na versão antiga.

Escolhendo uma concordância

Existem concordâncias de tamanhos diferentes, desde breves ou condensadas (inseridas como apêndice na maioria das Bíblias de estudo) até as exaustivas com quase 2 mil páginas. Existem quatro tipos básicos:

- **A concordância abreviada ou de bolso** contém somente as palavras mais importantes que se acham na Bíblia, e são alistadas somente as referências mais importantes. Esse tipo talvez seja o ideal, se você somente emprega a concordância ocasionalmente.

- **A concordância completa** ainda é condensada, mas de modo diferente. Nem todas as palavras que se acham na Bíblia estão incluídas, mas, para cada uma das palavras incluídas, a lista de referências é completa. Se você quiser fazer estudos de palavras em português, esse tipo de concordância é indispen'savel, e uma concordância exaustiva é ainda melhor.
- **A concordância integral** registra todos os verbetes que ocorrem na Bíblia e alista todas as referências onde podem ser encontrados.
- **A concordância exaustiva** registra todos os verbetes, alista todas as referências e também indica, para cada ocorrência de cada verbete na versão em português a palavra hebraica ou grega que foi traduzida. Se você pretende fazer estudos em profundidade das palavras gregas e hebraicas, esse tipo de concordância será imprescindível.

Utilizando a concordância

Leia a introdução à sua concordância a fim de conhecer as suas características e limitações.

Se você não conseguir localizar determinada palavra, procure a forma regularmente usada nos dicionários. (Se, por exemplo, você não conseguir encontrar a palavra "vá", procure o verbete "Ir").

Muitas concordâncias remetem a várias formas flexionadas das palavras (e.g., "venha", "vem", "vindo", "veio") ou até mesmo a palavras com a mesma "raiz" (e.g. "ânimo", "pusilânime", "desanimado"). Ao consultar as demais formas ou ortografias, você poderá fazer um estudo mais completo das palavras ou dos conceitos.

Quando você fizer um estudo de várias palavras, use um dicionário de sinônimos, antônimos etc. em português para descobrir palavras correlatas que poderão ser procuradas na concordância. Por exemplo, um tesouro da língua portuguesa alistaria, no verbete "Fé", palavras como "crença", "esperança", "confiança", "certeza", "dependência" e "lealdade".

Não estude somente pela concordância — use sua Bíblia. Leia sempre o contexto em que o versículo se encontra, e não apenas o versículo ou parte dele. Por exemplo, Salmos 14.1 diz: "Deus não existe", mas o contexto esclarece que quem fala isso é um tolo.

Quando você faz um estudo de uma palavra, leia os versículos consultados dentro de seu contexto e em várias traduções. É de utilidade também procurar vários trechos na Bíblia onde a mesma palavra é empregada. A maioria das Bíblias de estudo possui uma cadeia de referências que ajuda a descobrir outras ocorrências da palavra ou do conceito em estudo, possibilitando um melhor entendimento de seu significado. Pouquíssimas palavras apresentam um único sentido, muito menos as palavras abstratas.

Bíblia temática

Escolhendo uma Bíblia temática

Você pode empregar uma Bíblia temática *com qualquer tradução da Bíblia,* ainda que ela só faça referência essa mesma tradução.

Algumas Bíblias temáticas alistam somente temas bíblicos e teológicos, ao passo que outras focalizam mais os temas práticos.

O tamanho de uma Bíblia temática não reflete necessariamente o número de temas ou referências que ela contém. Uma pequena, que cite apenas as referências aos versículos pode, na realidade, ser mais completa que uma grande se esta trouxero texto integral dos versículos.

Posto que uma concordância e uma Bíblia temática se complementam, devem ser usadas em conjunto, ao invés de só uma ou outra.

Pergunte a si mesmo:

- Qual delas se identifica melhor com os assuntos que pretendo estudar?
- Que informações cada uma contém?
- Existe equilíbrio dos temas escolhidos pelo editor e o tamanho relativo deles?
- Os temas estão claramente subdivididos. O índice é apropriado?
- Os versículos bíblicos estão impressos por extenso? Até que ponto essa característica é importante para mim?
- Quando foi originalmente publicada? Qual a data de sua revisão mais recente?
- Qual delas me parece mais amiga do leitor?

Usando a Bíblia temática

Se você quiser estudar um tema como "batismo", a concordância somente lhe oferecerá uma lista de todos os versículos nos quais ocorre a palavra.

A Bíblia temática ajudará você a encontrar versículos e trechos na Bíblia que se referem ao assunto sem o emprego da palavra "batismo" propriamente dita.

Dicionário bíblico

O dicionário bíblico assemelha-se mais a uma enciclopédia que a um dicionário da língua portuguesa. Oferece definições e pronúncias, mas também traz informações bíblicas, históricas e teológicas a respeito de pessoas, lugares, palavras e eventos na Bíblia, tudo na ordem alfabética. (Uma enciclopédia bíblica é simplesmente um dicionário bíblico com muitos volumes.)

Ele não define todas as palavras da Bíblia. Focaliza principalmente os substantivos — pessoas, lugares e objetos —, embora algumas também contenham artigos sobre termos teológicos que não aparecem no texto bíblico — "Trindade", por exemplo — mas resultam do estudo das doutrinas bíblicas.

Escolhendo um dicionário bíblico

É de utilidade ter um dicionário bíblico que emprega a mesma versão da Bíblia que você está usando. A ortografia de alguns nomes de pessoas e lugares pode diferir entre uma tradução e outra, e às vezes há palavras que recebem uma tradução totalmente diferente. Há, por exemplo, uma palavra hebraica que é traduzida em quatro versões diferentes por "cormorão", "coruja do deserto", "pelicano" e "ouriço" respectivamente.

Ao comparar entre si os dicionários, escolha uns poucos verbetes — por exemplo, um topônimo, como Silo; uma pessoa, talvez Maria; uma palavra bíblica abstrata, como "graça"; uma palavra teológica como "Trindade" — e leia as explicações dessas palavras em vários dicionários.

Pode ser de grande ajuda possuir mais que um só dicionário bíblico, principalmente se diferem um pouco entre si quanto ao enfoque ou à orientação.

Procure uma obra com remissões eficientes. Se você não souber a palavra exata a ser consultada, um bom sistema de remissões antecipará suas conjecturas e o ajudará a chegar ao tema que você está procurando. Se, por exemplo, você procurar "perfume" o dicionário pode conter a seguinte remissão: "V. UNGENTOS E PERFUMES".

Pergunte a si mesmo:

- Que tipo de informação procurarei com mais freqüência
- Quantos artigos o dicionário contém? Prefiro muitos artigos breves ou um menor número, porém, extensos?
- Possui remissões eficientes?
- Que tamanho de dicionário é melhor para mim? O tamanho da letra (ou fonte) e a disposição das páginas estão ao meu gosto?
- Quero um dicionário que empregue um português mais popular ou uma obra mais erudita?
- Que data de sua publicação original e quando foi sua última revisão? (Os conhecimentos históricos, arqueológicos e língüísticos têm aumentado dramaticamente no decurso das últimas décadas.)

Usando o dicionário bíblico

As remissões ou referências cruzadas podem ajudar você a descobrir artigos de interesse correlato. Um artigo a respeito de Jesus pode terminar com "V. EXPIAÇÃO, MESSIAS, MILAGRES, PARÁBOLAS, SEGUNDA VINDA", entre outros.

Um bom **dicionário da língua portuguesa** é uma ferramenta indispensável para simultaneamente com o dicionário bíblico. Podem surgir palavras pouco conhecidas na Bíblia cuja definição não seja pertinente de um dicionário bíblico, e sim à própria língua portuguesa. (A palavra "opróbrio", para exemplo, pode muito bem ser definida num dicionário secular, embora o verbete apareça em dicionário bíblico.)

Comentário bíblico

Escolhendo um comentário

A escolha dos comentários é, mais que a escolha de outros livros de referência, um assunto pessoal. A questão principal é: *Qual comentário responde aos tipos de perguntas que tenho a maior probabilidade de fazer?*

Fique à vontade para examinar o que existe à disposição e fazer uma comparação antes de comprar. Uma das considerações é a perspectiva teológica que o autor adota ao escrever.

Outra consideração é a data da publicação — algumas informações históricas e culturais nos comentários bíblicos mais antigos podem estar antiquadas ou incorretas, embora a matéria devocional nesses comentários seja de valor perpétuo.

Os comentários existem em tamanhos diferentes — desde um único volume para a Bíblia inteira até coletâneas com um volume por livro da Bíblia.

Existem três tipos básicos:

- **Comentários devocionais**, como o *Matthew Henry's commentary*, focalizam a relevância espiritual do texto para nossa vida.
- **Comentários expositíveis** focalizam a explicação do texto. A maioria dos comentários expositíveis, como o *Expositor's Bible commentary*, empregam informações históricas, geográficas e culturais, bem como considerações sobre as línguas originais para explicar o texto. Outros — como NIV *application commentary* — procuram ligar o abismo cultural entre os tempos bíblicos e hoje.

- **Comentários exegéticos ou críticos** focalizam primariamente as questões técnicas relacionadas ao texto grego ou hebraico e sua interpretação. São escritos primariamente para especialistas (por exemplo: *Word biblical commentary*).

Usando o comentário

Os comentários oferecem a perspectiva do comentarista a respeito de passagens na Bíblia. Nunca devem ser os primeiros livros consultados num estudo bíblico — se você fizer assim, começará com as conclusões de outra pessoa, ao invés de descobrir suas próprias idéias. Não existe substituto para o estudo em primeira mão, com o emprego correto das ferramentas da biblioteca fundamental e confiança na presença iluminadora do Espírito Santo.

Os comentários, todavia podem ser fundamentais para suplementar seus estudos, oferecendo perspectivas e entendimentos adicionais.

Pergunte a si mesmo:

- O texto bíblico está incluído? É a tradução do próprio autor?
- Existe uma explicação do texto?
- Estão incluídas informações históricas, geográficas e culturais?
- Existem estudos de palavras e explicações gramaticais?
- Existem notas relativas à crítica textual — crítica da forma, literária e outras "altas" críticas; história e comparação entre as diferentes interpretações?
- Estão incluídas notas de rodapé, bibliografias e índices?

Atlas bíblico

Um atlas da Bíblia pode ter grande utilidade para o entendimento do contexto histórico e geográfico no qual se desdobram as histórias bíblicas. Um bom atlas bíblico deve conter:

- Mapas que demonstram a localização de lugares, e nações na Bíblia, bem como mapas que ilustram eventos históricos específicos, como a conquista de Canaã sob a liderança de Josué.
- Informações geográficas a respeito das várias regiões de Israel e da Jordânia, bem como do Egito, da Síria, do Líbano e da Mesopotâmia.
- Informações a respeito do clima e do tempo.
- Geografia histórica — um panorama histórico da Bíblia que demonstre onde e como a geografia desempenhou um papel na história dos tempos bíblicos.
- Uma geonimia ou índice das localidades bíblicas.

Software para o estudo da Bíblia

A invenção do microcomputador revolucionou a arte do estudo da Bíblia. Bibliotecas inteiras de livros de estudo da Bíblia podem ser comprados em CD-ROM por uma fração do preço que custariam como livros impressos. O *software* bíblico deixa você localizar instantaneamente as informações e o ajuda a estudar a Bíblia de modo mais rápido e eficiente que qualquer outro.

Existem muita coisa a ser considerada ao selecionar um *software* bíblico. O *software* funcionará no computador que você tem? É de fácil manejo? As obras de referência incluídas são substanciais? A versão da Bíblia que você usa está incluída no *software*? Embora todas essas considerações sejam importantes, existem três características fundamentais que destacam o bom *software* bíblico:

- A **ferramenta de busca** é de fácil manuseio.
- A **biblioteca fundamental** contém as obras que você precisa?
- **Interatividade:** é fácil exibir temas e passagens correlatos de vários livros, todos ao mesmo tempo?

Alguns *softwares* bíblicos são projetados tanto para o entretenimento quanto para o estudo da Bíblia. Tome cuidado ao selecionar um *software* interativo, porque muitos deles têm atrativos como belos sons e texturas, mas de pouco valor para o estudo. Um exemplo de um programa interativo que diverte sem deixar de possuir ferramentas magníficas para o estudo é *Zondervan New International Version Bible*.

Outros *softwares* para o estudo da Bíblia NVI são NIV *study Bible basic library,* NIV *study Bible complete library* e NIV *study Bible basic library.* Esses programas foram elaborados especificamente para serem usados com a NVI e apresentam conexões atualizadas entre a versão moderna e o texto grego e hebraico.

Material suplementar

- Como a Bíblia chegou até nós
- Redescobrindo o passado bíblico
  - A casa de Herodes
  - Tabelas de distâncias
  - O calendário judáico
  - Orações
- Homenagem à memória de Henry H. Halley
  - Bibliografia
  - Índice de assuntos

Como a Bíblia chegou até nós

1. Como os livros da Bíblia foram compilados

Os dois Testamentos

A palavra "testamento", conforme é empregada nas expressões "Novo Testamento" e "Antigo Testamento", significa "aliança" (pacto ou contrato solene).

O AT (o nome que a igreja cristã atribuiu à **Bíblia hebraica**) diz respeito à aliança que Deus fez com Abraão (Gn 15). Deus prometeu que Abraão

- viria a ser uma grande nação;
- a terra de Canaã pertenceria, aos seus descendentes (Israel);
- por meio de seu descendente o mundo seria abençoado.

O NT diz respeito à nova aliança que Deus fez com todos os povos mediante a vida, morte e ressurreição de Jesus, o maior dentre os descendentes de Abraão. A nova aliança é o cumprimento da promessa de Deus a Abraão de que este seria uma bênção para o mundo inteiro.

Posto que o NT ainda não tinha sido escrito, a Bíblia hebraica era a Bíblia de Jesus e dos apóstolos. Portanto, sempre que Jesus e os apóstolos se referem às Escrituras, têm em mente a Bíblia hebraica. Semelhantemente, "está escrito na Lei" tem a mesma força que "a Bíblia diz".

Como chegamos a 66 livros na Bíblia?

Como foi organizada a Bíblia conforme hoje a temos — 66 livros, escritos no decurso de um período de mais de 1500 anos?

Os 66 livros que estão incluídos em todas as versões bíblicas são chamados **cânon** da Bíblia (os livros, portanto, são referidos como os livros **canônicos**). "Cânon" significa "regra ou padrão", e os livros canônicos são aqueles que foram formalmente aceitos pela igreja como parte da inspirada Palavra de Deus.

A maioria das versões bíblicas protestantes contém somente os 66 livros canônicos, mas algumas versões protestantes, católicas romanas e ortodoxas também incluem livros que não fazem parte do cânon, mas são considerados "de leitura proveitosa". Trata-se dos **apócrifos**, ou **livros apócrifos**, nome derivado de uma palavra grega que significa "obscuro, secreto" (v. mais sobre os apócrifos na p. 854).

O cânon do AT

Não se sabe exatamente quando foi resolvido que a Bíblia hebraica (o nosso AT) deveria ser limitada aos 39 livros que agora contém, considerados o cânon do AT. É provável que o cânon do AT tenha chegado à sua forma final nos séculos imediatamente anteriores aos dias de Cristo. Nos dias de Jesus, essa obra era referida como "as Escrituras" e era ensinada com regularidade e lida publicamente nas sinagogas. Era considerada entre o povo a "Palavra de Deus".

Os livros da Bíblia hebraica, porém, estavam (e estão), dispostos de modo diferente que no nosso AT. Existem três divisões:

- **A Lei** (ou os cinco livros de Moisés): Gênesis, Êxodo, Levítico, Números e Deuteronômio
- **Os Profetas:** Josué, Juízes, 1 e 2 Samuel, 1 e 2 Reis (os Profetas Anteriores); Isaías, Jeremias, Ezequiel e os doze Profetas Menores (os Profetas Posteriores)
- **Os Escritos:** Rute, Salmos, Jó, Provérbios, Eclesiastes, Cântico dos Cânticos, Lamentações, Ester, Daniel, Esdras—Neemias, e 1 e 2 Crônicas.

Os nomes hebraicos dessas divisões são *Tôrâ*, *N^{e}vî'îm* e *K^{e}tûvîm*. As letras iniciais — T, N, K — são usadas para formar o nome da Bíblia hebraica inteira: **Tanak**.

Na *Septuaginta*, a tradução grega da Bíblia hebraica feita por volta de 250 a.C., a ordem dos livros foi mudada, sendo a que agora temos na nossa Bíblia: históricos (Gn—Dt), poéticos (Jó—Ct), e proféticos (Is—Ml).

A *Septuaginta* serviu de base para a tradução do AT em latim — a *Vulgata*. Depois da Reforma (século XVI), as igrejas protestantes resolveram usar a Bíblia hebraica, e não a *Septuaginta*, para a tradução do AT (porque a *Septuaginta*, em muitos trechos, era uma tradução um pouco inferior do original hebraico), mas mantiveram a ordem dos livros conforme se acha na *Septuaginta*, e não a ordem do **Tanak**.

O cânon do NT

Início do cânon no NT

Sabemos muito mais a respeito de como foi formado o cânon do NT. Existem indícios dentro do próprio NT de que, embora os apóstolos ainda vivessem, e debaixo de sua própria supervisão, coletâneas de seus escritos começaram a ser organizadas para as igrejas e acrescentadas ao AT como a Palavra de Deus.

- Paulo reivindicava para seus ensinos a inspiração de Deus (1Co 2.6-13; 14.37; 1Ts 2.13).
- Assim também fez João para o Apocalipse (Ap 1.2).
- A intenção de Paulo era que suas epístolas fossem lidas nas igrejas (Cl 4.16; 1Ts 5.27; 2Ts 2.15).
- Pedro escreveu a fim de que as igrejas pudessem "lembrar-se destas coisas depois da minha partida" (2Pe 1.15; 3.1,2).
- Paulo citou como parte das Escrituras: "O trabalhador merece o seu salário" (1Tm 5.18). Essa frase não se acha em nenhuma parte da Bíblia, a não ser Mateus 10.10 e Lucas 10.7 — evidência de que o evangelho de Mateus ou de Lucas já existia e de que era considerado Escritura.
- Pedro classificou as epístolas de Paulo com "as demais Escrituras" (2Pe 3.15,16).

Segundo parece, os apóstolos escreveram muitas cartas, tendo em mente as necessidades imediatas das igrejas. No tocante a quais dessas cartas deviam ser conservadas pelos séculos vindouros, cremos que o próprio Deus cuidou da questão e fez suas próprias escolhas.

Onde apareceram pela primeira vez os vários livros do NT

Havia grandes distâncias entre a Palestina, a Ásia Menor, a Grécia e Roma. Os livros do AT tiveram sua origem principalmente dentro de um país pequeno, mas a maioria dos livros do NT foi escrita em países muito distantes entre si.

- **Palestina:** Mateus Tiago, e Hebreus (incerto)
- **Ásia Menor:** João, Gálatas, Efésios, Colossenses, 1 e 2 Timóteo, Filemom, 1 e 2 Pedro, 1, 2 e 3 João, Judas e Apocalipse
- **Grécia:** 1 e 2 Coríntios, Filipenses, 1 e 2 Tessalonicenses, Lucas (incerto)
- **Creta:** Tito
- **Roma:** Marcos, Atos e Romanos

As coletâneas mais antigas

Os livros do NT foram escritos num mundo em que as comunicações tinham se tornado mais fáceis que em qualquer período anterior. Entretanto, comparados aos nossos padrões atuais, as comunicações ainda eram lentas e viajar podia ser perigoso. O que hoje é um passeio de poucas horas teria levado, naqueles tempos, semanas ou meses. Não era conhecida a imprensa, e livros e cartas tinham que ser copiados manualmente — um processo lento e laborioso.

Além dos livros que acabariam sendo aceitos como canônicos do NT, existiam muitos outros que variavam entre bons, absurdos e fraudulentos. Alguns deles eram tão magníficos e valiosos que, durante algum tempo e em algumas regiões, eram considerados Escrituras. Em última análise, o critério para um livro ser aceito no cânon era sua origem apostólica genuína escrito por um apóstolo (e.g., o evangelho segundo João) ou sob os auspícios de um apóstolo (e.g., o evangelho segundo Marcos, que se baseava na pregação do apóstolo Pedro). Nem sempre era fácil averiguar essa autenticidade principalmente no caso de livros menos conhecidos provenientes de uma região distante.

Testemunho antigo aos livros do NT

Por causa da natureza perecível de material de escrita e por se tratar de um período de perseguição durante o qual os escritos cristãos eram destruídos, e poucos coincididos que parcialmente com a vida dos apóstolos sobreviveram até nós. Mas, embora sejam pouco numerosos, oferecem testemunho inabalável da existência, nos dias deles, de um grupo de escritos autorizados que os cristãos aceitavam como Escrituras, ou por declarações diretas, ou, mais freqüentemente, por meio de citação ou referência a escritos específicos como "Escritura". Tais escritos posteriormente tornaram-se parte do cânon oficial do Novo Testamento. Por exemplo:

Clemente de Roma, na sua carta aos Coríntios (95 d.C.), cita de Mateus, Lucas, Romanos, Coríntios, Hebreus, 1 Timóteo 1 Pedro ou se refere a eles.

Policarpo, na sua carta aos Filipenses (c. 110 d.C.), cita Filipenses e reproduz frases de nove outras epístolas de Paulo e de 1 Pedro.

Inácio, nas suas sete cartas, escritas por volta de 110 d.C., durante sua viagem de Antioquia a Roma para ser martirizado, cita Mateus, 1 Pedro e 1 João e nove das epístolas de Paulo; suas cartas também revelam o efeito dos outros três evangelhos.

Papias (70-155), aluno do apóstolo João, escreveu *Uma explicação dos discursos do Senhor*, na qual cita João e registra tradições a respeito da origem dos evangelhos segundo Mateus e Marcos.

O Didaquê, escrito entre 80 e 120 d.C., contém 22 citações de Mateus, tem referências a Lucas, João, Atos, Romanos, Tessalonicenses e 1 Pedro e fala do "evangelho" como um documento escrito.

A Epístola de Barnabé, escrita entre 90 e 120 d.C., cita Mateus, João, Atos e 2 Pedro e emprega a expressão "está escrito", fórmula usualmente aplicada somente às Escrituras.

Existem muitos outros exemplos semelhantes. Ao todo, abrangem todos os livros do Novo Testamento, embora vários deles tivessem sido colocados "em dúvida" em algumas regiões até ao século IV, quando, então, o imperador Constantino promulgou seu Edito de Tolerância.

Eusébio alista os livros do NT

Eusébio (264-340 d.C.) era bispo da Cesaréia. Foi o primeiro grande historiador da igreja, e devemos a ele boa parte de nossos conhecimentos acerca do que aconteceu durante os primeiros séculos da igreja cristã. Eusébio viveu a perseguição dos cristãos por Diocleciano e foi preso nesse período, que foi o derradeiro esforço de Roma para apagar o cristianismo do mapa. Um dos objetivos especiais de Diocleciano era a destruição de todas as Escrituras cristãs. Durante dez anos, os agentes de Roma buscavam Bíblias para serem queimadas nas praças públicas. Para os cristãos, não era questão secundária saber exatamente quais livros compunham suas Escrituras!

A vida de Eusébio continuou no reinado do imperador Constantino, que aceitou o cristianismo. Eusébio passou a ser um dos principais conselheiros religiosos de Constantino. Um dos primeiros atos de Constantino como imperador foi encomendar 50 Bíblias para as igrejas de Constantinopla, a serem preparadas por copistas peritos, sob a orientação de Eusébio, no pergaminho mais fino. As Bíblias seriam levadas de Cesaréia para Constantinopla em carruagens reais.

De quais livros se constituía o NT de Eusébio? Exatamente os mesmos que agora temos em nosso NT. Eusébio, por meio de pesquisas extensivas, informou-se a respeito de quais livros eram geralmente aceitos pelas igrejas. Na sua *História eclesiástica,* escreve a respeito de quatro classes de livros:

1. Os livros universalmente aceitos
2. Os livros "em disputa": Tiago, 2 Pedro, 2 e 3 João e Judas, os quais, embora estivessem incluídos nas Bíblias que ele mesmo mandara copiar, tinham sido colocados em dúvida por alguns
3. Os livros "espúrios", entre os quais menciona *Atos de Paulo O pastor de Hermas*, o *Apocalipse de Pedro*, a *Epístola de Barnabé,* e a *Didaquê*
4. As "falsificações dos hereges": o *Evangelho de Pedro*, o *Evangelho de Tomé*, o *Evangelho de Matias*, *Atos de André* e *Atos de João*

O cânon adotado pelo Concílio de Cartago (397 d.C.)

Em 397 d.C., o Concílio de Cartago estabeleceu formalmente o cânon do NT ao ratificar os 27 livros do NT conforme os conhecemos, expressou o que já fora decidido pelo julgamento unânime das igrejas e aceitou o Livro que estava destinado a se tornar a herança mais preciosa da raça humana.

2. Como o texto da Bíblia foi preservado

O texto do AT

O AT foi escrito primariamente em hebraico, o idioma dos israelitas. Mas no milênio anterior a do Cristo, o aramaico, idioma correlato com o hebraico, passou a ser o idioma do comércio e comunicação internacionais por todo o antigo Oriente Médio e chegou a ser o idioma oficial do Império Persa (c. 600-540 a.C.).

Três seções do AT estão escritas em aramaico. A correspondência oficial entre as autoridades locais e os reis persas Artaxerxes e Dario a respeito da reconstrução de Jerusalém e do Templo (Ed 4.8—6.18) e também uma carta de autorização da parte do rei Artaxerxes dirigida a Esdras (Ed 7.12-26) foram inseridas na forma aramaica original, e não numa tradução em hebraico. Uma grande parte do livro de Daniel também está escrita em aramaico (2.4b—7.28), que era o idioma usado na Babilônia.

Todas as cópias tinham que ser feitas à mão, e nem todos os escribas eram igualmente cuidadosos. Às vezes, anotações ou comentários escritos nas margens do texto eram erroneamente incorporadas no texto no decurso da cópia. Já muito tempo antes dos dias de Cristo, um esforço combinado estava sendo feito para padronizar o texto hebraico e torná-lo mais fidedigno possível. Esse trabalho mostrou-se tanto mais complicado porque a escrita hebraica usada no AT era diferente da escrita aramaica adotada posteriormente (as letras quadráticas ainda usada no hebraico moderno impresso). Além disso, somente as consoantes eram escritas, ao passo que as vogais eram omitidas (embora, posteriormente, sinais fossem acrescentados para indicar vogais longas). E, finalmente, já no século VIII a.C., o hábito de separar palavras com pontinhos ou traços de pena desapareceu, de modo que todos as letras eram simplesmente escritas juntas. Em inglês, um paralelo poderia ser: CMPTRNTWRK, que pode ser interpretado como "Computer network" ou como "Came Peter in to work?"

O Texto Massorético

O texto hebraico, sem vogais nem acentos, estava razoavelmente definido já no fim do século I d.C., embora não esteja claro como isso foi levado a efeito. Já no século VI d.C., os chamados massoretas (nome derivado de "tradição" em hebraico) acrescentaram um sistema de pontinhos e traços embaixo, acima e na lateral das consoantes para garantir de que o texto fosse lido corretamente. (Havia, originalmente, três sistemas separados — o babilônico, o palestinense e o tiberiano; o sistema tiberiano de "pontuar as vogais" é o que ainda está em uso.)

Havia ainda casos que o texto era de difícil entendimento. Nesses casos, os masemoretas marcavam a palavra no texto, para indicar como o texto deveria ser escrito, e acrescentavam na margem ou a palavra ou a forma gráfica, para indicar o que faria mais sentido para o leitor. Assim, ficava reduzida ao mínimo o risco de o escriba olhar para um texto que não parecia fazer sentido e fazer suas próprias correções, quer deliberadamente, quer sem pensar.

Os massoretas tinham tamanho respeito pelo texto que deixaram intactas as peculiaridades dos vários livros da Bíblia, inclusive palavras e expressões idiomáticas arcaicas e diferenças entre os dialetos e ortografias. Em alguns casos, um nome mais moderno era acrescentado para explicar um nome que já não era reconhecido — por exemplo, em Gênesis 14.2, onde é explicado que Bela é a mesma cidade que conhecem como Zoar (v. tb. Gn 14.3,7 etc.).

O texto do NT

O NT foi escrito em grego, o idioma da maioria dos primeiros cristãos. Pelo que sabemos, os manuscritos de todos os livros do NT foram perdidos. Desde os primórdios, cópias desses escritos preciosos começaram a ser feitas, visando à distribuição para as igrejas, e depois, cópias de cópias, e depois, cópias de cópias de cópias, geração após geração, à medida que se envelheciam os exemplares mais antigos.

Materiais de escrita

Do papiro ao pergaminho

O material de escrita de uso comum era o papiro, feito de fatias do caule do papiro, uma planta aquática que crescia no Egito. Fatias horizontais e verticais eram prensadas juntas e lustradas. A tinta era feita de carvão vegetal, goma e água.

O papiro tinha um problema: não era muito durável. Tornava-se quebradiço com o decorrer do tempo ou apodrecido na umidade e rapidamente se deteriorava — menos no Egito, onde o clima seco e as areias movediças preservaram, até ser descoberta nos tempos modernos, uma coletânea assombrosa de documentos da Antigüidade.

No século IV d.C., o papiro foi substituído pelo pergaminho como material de escrita. O pergaminho é preparado a partir do couro de bezerro ou de cordeiros, com granulação fina, e é muito mais durável.

Até a descoberta recente dos papiros egípcios (v. adiante), todos os manuscritos existentes eram de pergaminho.

Do rolo ao códice

Para composições curtas, tais como cartas, eram usadas folhas avulsas de papiro. Para cartas mais extensas, bem como para livros, eram coladas folhas lado a lado, para formar rolos. O rolo usualmente tinha aproximadamente 9 m de comprimento e de 23 a 25 cm de altura.

A desvantagem do rolo era que não era muito prático com seus 9 m de comprimento, pois o tamanho dificultava o manuseio. Por isso, no século II d.C., o rolo começou a ser substituído pelo códice, que tem essencialmente a mesma forma dos livros modernos — com todas as páginas coladas num único lado. Era possível colocar num códice uma quantidade muito maior de folhas do que caberiam (pelo menos, de modo prático) num rolo, e assim ficou possível colocar a totalidade do NT num único códice.

Além disso, o códice tornou possível trabalhar com pergaminho em vez de com o papiro, pois rolos de pergaminhos seriam de manuseio impossível.

A manufatura de Bíblias em manuscrito cessaram com a invenção da imprensa no século XV.

Os manuscritos da Bíblia

Existem, hoje em dia, aproximadamente 4 mil manuscritos conhecidos da Bíblia ou de partes da Bíblia, feitas entre os século II e XV d.C. Talvez isso nos pareça um número reduzido, mas representa muito mais exemplares do que o que temos de qualquer outra obra escrita da Antigüidade. Por exemplo: não se conhece nenhum exemplar completo de Homero anterior a 1300 d.C., nem existe nada de Heródoto que seja anterior a 1000 d.C.

Os manuscritos do NT estão divididos em dois grupos, tendo por base a forma das letras gregas que empregam: *unciais* e *cursivos*. Os unciais eram escritos em letras maiúsculas grandes. Existem aproximadamente cento e sessenta deles, feitos entre os séculos IV e X. Os cursivos eram escritos em letras pequenas, corridas, freqüentemente ligadas entre si, datados dos séculos X a XV. Os unciais são muito mais valiosos, por serem muito mais antigos.

Os três manuscritos mais antigos, completos, famosos e valiosos do NT são o *Códice sinaítico*, o *Códice vaticano*, e o *Códice alexandrino*, que originalmente eram Bíblias completas.

O Códice sinaítico

A descoberta do *Códice sinaítico* é uma das histórias mais interessantes da arqueologia. Foi descoberto em 1844 por um estudioso alemão chamado L. F. K. von Tischendorf, no Mosteiro de Santa Catarina, ao sopé do monte Sinai. Durante uma visita ao mosteiro em 1844, notou, num cesto de papéis velhos separados para serem queimados, páginas de pergaminho escritas em grego. Um exame mais apurado revelou fazerem parte de um manuscrito antigo da *Septuaginta*. Tratava-se de 43 folhas. Por mais que procurasse, não conseguiu achar mais.

Em 1853 voltou ao mosteiro para continuar a busca, mas nada descobriu. Voltou de novo em 1859. Enquanto falava com o mordomo a respeito da *Septuaginta*, este mencionou que tinha um exemplar antigo e o trouxe a Tischendorf, embrulhado numa toalha de papel. Era o restante do manuscrito do qual Tischendorf vira as 43 folhas, 15 anos antes. Ao examinar aquelas páginas, percebeu que tinha nas suas mãos a obra escrita mais preciosa existente. Continha 199 folhas do AT e o NT inteiro, mais a extracanônica *Epístola de Barnabé*, e parte do *Pastor*, de Hermas, em 148 folhas, dando um total de 347. Estavam escritas numa bela caligrafia, nas folhas mais finas de pergaminho, medindo 38 x 32 cm, e data da primeira metade do século IV. É o único manuscrito dessa antiguidade que contém a totalidade do NT.

As 43 folhas que Tischendorf conseguiu na sua primeira visita estão no Biblioteca da Universidade de Leipzig. O restante do manuscrito foi comprado, depois de longas negociações internacionais, para a Biblioteca Imperial de São Petersburgo, onde permaneceu até 1933, quando foi vendido ao Museu Britânico por meio milhão de dólares.

O Códice vaticano

O *Códice vaticano* foi escrito no século IV pertence a Biblioteca do Vaticano desde 1481, daí o nome. Faltam alguns fragmentos do NT.

O Códice alexandrino

O *Códice alexandrino* foi escrito no século V, em Alexandria, no Egito. Contém a Bíblia inteira (faltando alguns fragmentos) e as obras extracanônicas *Epístolas de Clemente* e *Salmos de Salomão*. Está no Museu Britânico desde 1627.

Os papiros

Sir Flinders Petrie, egiptólogo de renome, notou, durante escavações no Egito central, folhas antigas de papiro que apareciam em depósitos de lixo que tinham ficado enterrados na areia e imaginou que talvez

O mosteiro de Santa Catarina, ao sopé do monte Sinai. Aqui, Friedrich von Tischendorf descobriu e recuperou o *Códice sinaítico*, um dos manuscritos mais antigos e importantes da Bíblia.

fossem valiosas. Em 1895, dois de seus alunos, Grenfell e Hunt, iniciaram uma procura sistemática desses papiros.

Nos dez anos que se seguiram, descobriram 10 mil manuscritos, inteiros ou parciais, em Oxirrinco e nas suas redondezas. Outros pesquisadores também descobriram grandes quantidades de manuscritos semelhantes em depósitos de lixo cobertos de areia, nos preenchimentos das caixas de múmias e nos corpos de crocodilos embalsamados. Consistiam principalmente de cartas, notas fiscais, recibos, agendas, certidões, almanaques e outros. Alguns deles eram documentos históricos que remontavam até 2000 a.C. A maioria deles, porém, datava de 300 a.C. a 300 d.C. Entre eles, havia alguns escritos cristãos antigos, que despertaram o interesse dos estudiosos da Bíblia.

Um dos papiros, um pedacinho que mede meros 6 x 8 cm, contém fragmentos do evangelho de João: em um lado, João 18.31-33, e no outro, João 18.37,38. Faz parte de uma folha de um manuscrito que originalmente continha 130 páginas, medindo 20,9 x 20,3 cm. Os estudiosos, ao fazer a comparação entre a forma das letras e o estilo de escrita nele usados com manuscritos cuja data já fora comprovada, dataram-no da primeira parte do século II. É, portanto, o manuscrito mais antigo do NT que se conhece e serve de evidência de que o evangelho segundo João existia e circulava no Egito nos anos imediatamente após a morte do apóstolo. Esse papiro foi descoberto em 1920 e agora está no Biblioteca Rylands, em Manchester, Inglaterra.

Foram descobertos muitos outros papiros, de uma data um pouco posterior, que contêm partes do restante do NT (e do AT).

Além dos muitos fragmentos de folhas de papiro que são partes de livros da Bíblia, alguns contêm ditos de Jesus que não se acham nos evangelhos, mas que, segundo parece, circulavam no século III.

A linguagem dos papiros

Adolf Deissmann, estudioso alemão, notou, em fins do século XIX, que a linguagem grega nos papiros era igual ao grego usado no NT, chamado *Koiné*, e não o grego clássico de épocas mais antigas. Existem 500 palavras no NT grego que nem sequer aparecem no grego clássico. A descoberta de que o NT foi, aparentemente, escrito na linguagem de uso diário do povo comum deu impulso às traduções do NT em linguagem moderna que surgiram no século XX.

3. Temos o texto "original" da Bíblia?

O AT

O texto do AT foi fixado definitivamente depois do fim do século I d.C. (v. p. 843). Os manuscritos mais antigos que possuímos, os rolos do mar Morto, de Qumran (que remontam ao século I a.C., no mínimo), concordam essencialmente (com variações secundárias) com o texto hebraico que temos hoje. A não ser que se descubram manuscritos de uma data antiga mais recuada (o que não é muito provável), devemos tomar por certo que o atual texto hebraico do AT é, de fato, uma cópia exata do texto original.

O NT

Os manuscritos mais antigos do NT que hoje possuímos também foram copiados alguns séculos depois de terem sido escritos os livros ou as epístolas. Como, estão, ter certeza (em alguns casos, muitas vezes), os escribas não cometeram erros nem fizeram alterações intencionais?

Já de início, possuímos milhares de manuscritos que contêm a totalidade do NT ou porções dele. Embora haja diferenças entre esses manuscritos quanto aos pormenores, nenhum desses detalhes não significativos a ponto de nos levar a duvidar das verdades da fé cristã.

Nem por isso deixa de ser importante envidar todos os esforços para determinar quais dessas variações (chamadas *variantes* ou *textos variantes*) teriam a maior probabilidade de ser as corretas. Um campo especial de pesquisa, chamado *crítica textual*, é dedicado a isso.

A importância da crítica textual

A palavra *crítica* não significa necessariamente "fazer crítica de" no sentido negativo de "pôr defeito". Pelo contrário, pode significar "investigação cuidadosa" — examinar uma coisa visando determinar a verdade. É nesse sentido que a palavra "crítica" é usada na expressão "crítica textual".

A crítica textual envolve a comparação de vários manuscritos ou edições a fim de averiguar com a maior exatidão possível qual o texto original. Dessa forma, uma "edição crítica" das peças de teatro de Shakespeare não é uma edição que procure desacreditar Shakespeare, sim o resultado de um escrutínio cuidadoso de todos os manuscritos e edições impressas existentes onde se procurou determinar, com relação às diferenças entre essas edições, qual "texto variante" é mais provavelmente o original de Shakespeare.

Possuímos vários milhares de manuscritos das Escrituras, alguns dos quais remontam até o século II d.C. As variantes nos manuscritos são usualmente o resultado de erros (e — muito raramente — de mudanças, omissões ou acréscimos deliberados) cometidos pelos escribas. Posto que todas as cópias individuais de um manuscrito tinham que ser feitas manualmente até a invenção da imprensa com tipos móveis no século XV, erros de transcrição eram inevitáveis — principalmente porque no grego dos textos unciais (letras maiúsculas, todas as letras eram escritas juntas, sem espaço entre as palavras, de modo que palavras eram facilmente omitidas de modo despercebido.

João 1.1,2 parece ter sido escrito assim (sem o sublinhamento):

ΕΝΑΡΧΗΗΝΟΛΟΓΟΣ
ΚΑΙΟΛΟΓΟΣΗΝΠΡΟΣΤΟΝ
ΘΕΟΝΚΑΙΘΕΟΣΗΝΟΛΟΓΟΣ
ΟΥΤΟΣΗΝΕΝΑΡΧΗΠΡΟΣ
ΤΟΝΘΕΟΝ

Podia acontecer, por exemplo, que o escriba lesse a primeira linha (que termina com [grego] ΛΟΓΟΣ [*logos*, "palavra"]) e a copiasse. Então voltaria ao original, procurando a última linha que copiara: [grego] ΛΟΓΟΣ. Mas seu olhar poderia voltar descuidadosamente para o [grego] ΛΟΓΟΣ no fim da terceira linha, de modo que passaria a copiar a *quarta* linha, pulando a segunda e a terceira linha. Esse era um dos vários tipos de erro que aconteciam — tão freqüentemente que têm nomes especiais: esse tipo de erro é chamado *homoitelêuto* (que significa "terminação semelhante").

Famílias de manuscritos

Se colocarmos lado a lado todos os manuscritos que temos à disposição, poderemos dividí-los em várias "famílias" — grupos de manuscritos que contêm muitas das mesmas variantes.

Digamos que o escriba A faça uma cópia muito fiel do manuscrito original, mas com um só erro: escreve a mesma palavra duas vezes, que o escriba B, que também faz uma cópia do mesmo manuscrito original, cometa um erro diferente — omite uma linha porque seu olhar pula para uma linha mais abaixo.

O escriba C então faz uma cópia exata daquela feita por B — *inclusive* do erro cometido por B. Quaisquer cópias da obra de B repetirão esse erro — todas elas ficarão destituídas da linha pulada por B.

Além disso, quaisquer cópias da cópia feita pelo escriba A possuirão a mesma palavra duplicada. Portanto, surgem duas "famílias" de manuscritos — uma com o erro de A e outra com o erro de B.

Os manuscritos mais antigos ou a maioria dos manuscritos?

A maioria dos críticos textuais toma por certo que os *manuscritos mais antigos* devem ser considerados mais fidedignos, por estarem cronologicamente mais próximos do manuscrito original — haveria menos tempo para os erros se infiltrarem no texto grego. Isso significa que, para cada variante do texto, devemos determinar qual variante é encontrada nos manuscritos mais antigos e também quais variantes podem ser mais facilmente explicadas como enganos dos escribas, tais como pular uma linha. O resultado disso é chamado "texto crítico".

Outros tomam por certo que quaisquer variantes presentes na *maioria dos manuscritos* do NT que possuímos refletem mais fielmente o original. O resultado é o "texto majoritário".

A *Versão do Rei Tiago* baseia-se num manuscrito grego que representa o texto majoritário, ao passo que a maioria das versões da atualidade, como a *Nova Versão Internacional* (NVI), baseiam-se no texto crítico.

Convém esclarecer que o debate entre os defensores do texto majoritário e os do texto crítico *não* tem a intenção de definir qual das correntes é piedosa e geral a espúria. Nem se trata de um debate em que um dos partidos é intelectualmente desonesto ou deficiente. A maioria dos estudiosos que crêem na Bíblia aceitam, com plena integridade, o texto crítico, ao passo que outros estudiosos, também com plena integridade, apóiam o texto majoritário.

Traduções da antigüidade

As traduções da Antigüidade são outras peças do quebra-cabeça da crítica textual.

O NT foi escrito em grego, a língua franca do Império Romano. O AT tinha sido traduzido para o grego alguns séculos antes de Cristo, de modo que a igreja primitiva possuía a Bíblia inteira, tanto o AT quanto o NT, em grego.

À medida que a igreja se propagava, entretanto, alcançava países onde o grego não era idioma comum, de modo que surgia a necessidade de fazer traduções do grego. Algumas das versões antigas do NT, das quais hoje possuímos exemplares, foram feitas nos séculos II, III e IV d.C. e, portanto, baseavam-se em cópias muitíssimo antigas. No caso de variantes específicas, é *possível* que as traduções nos ofereçam algum indício de qual das variantes foi usada pelo tradutor.

A versão **Siríaca Antiga** foi feita no século II d.C., para ser usada entre os sírios. É interessante que outra tradução, de mais simples leitura, foi necessária — a **Peshita,** uma versão simplificada feita no século IV ("Peshita" significa "simples").

A versão **Latina Antiga** também foi feita no século II. O AT foi traduzido, não do hebraico, mas da *Septuaginta*. O grande estudioso bíblico Jerônimo (382—404) reconheceu ser inadequada a versão latina antiga, de modo que fez a *Vulgata,* uma revisão da versão latina antiga, só que o AT (excetuando-se os Salmos) foi traduzido diretamente do hebraico. A *Vulgata* passou a ser a Bíblia do Ocidente durante um milênio.

Outras versões da Antigüidade incluem a copta (a língua vernácula do Egito; século II d.C.); a etiópica e a gótica (século IV); a armênia (século V); a arábica e a eslavônica (século IX).

4. Versões da Bíblia em inglês

As primeiras traduções

A primeira tradução para o anglo-saxão (antiga forma do inglês) de porções da Bíblia foi feita 700 d.C. — aproximadamente novecentos anos antes de ser publicada a *Versão do Rei Tiago*.

O bispo Aldhelm de Sherborne (m. 709) traduziu os Salmos, que em seguida foram versificados por bardos itinerantes, para serem de fácil memorização. Eram cantados pelo povo e ensinados às crianças.

A primeira Bíblia em inglês mesmo foi a de **Wycliffe,** publicada em 1382, baseada na *Vulgata*. A Bíblia de Wycliffe existia somente na forma de manuscrito, pois a imprensa não foi inventado senão 70 anos depois, por Gutenberg. Isso significa que não havia muitos exemplares em circulação. Eles eram usados por pregadores itinerantes que alcançavam muitas pessoas em todas as partes da Inglaterra. A Igreja Católica Romana condenou a obra de Wycliffe. Ele foi excomungado, e muitas cópias de sua Bíblia foram queimadas. Ainda existem umas cento e cinqüenta, mas somente uma delas é completa.

A **Bíblia de Tyndale,** publicada em 1525, foi mais exata que a de Wycliffe, pois foi traduzida do grego e hebraico originais. Quando as autoridades eclesiásticas tentaram impedir a publicação de sua Bíblia, Tyndale fugiu da Inglaterra para Hamburgo e depois para Colônia e Worms, onde seu NT foi impresso e em seguida contrabandeado para a Inglaterra em fardos de mercadorias. Em 6 de outubro de 1536, Tyndale foi queimado vivo por ter traduzido a Bíblia para o vernáculo.

Outras traduções antigas em inglês foram a Bíblia de **Coverdale** (1535; de origens documentárias em holandês e em latim); a Bíblia de **Rogers** (1537; quase totalmente copiada da de Tyndale); e a *Grande Bíblia* (1539; uma compilação de Tyndale, Rogers e Coverdale).

A *Bíblia de Genebra* (1560; traduzida por um grupo de estudiosos que fugira da Inglaterra para Genebra, a cidade de João Calvino) tinha a distinção de ser a primeira Bíblia a dividir o texto em versículos. A divisão em versículos foi realizada por Robert Estienne em Paris, que imprimia textos gregos do NT.

A *Versão do Rei Tiago*

O rei Tiago VI da Escócia foi coroado como o rei Tiago I da Inglaterra. Uma das medidas que adotou para criar algum senso de união entre os partidos e facções no seu reino foi a criação de uma nova tradução da Bíblia, a ser usada por todas as igrejas.

Nomeou 54 estudiosos, que usaram, para o NT, o texto grego publicado por Erasmo de Roterdã e um texto greco-latino do século VI. Esse texto grego representa o que agora chamamos de texto majoritário (v. p. 851).

A *Versão do Rei Tiago* (KJV, em inglês) — também chamada *Versão Autorizada* (AV), por ter sido autorizada pelo rei — foi publicada em 1611 e revisada em 1615, 1629, 1638 e 1762. (A KJV atualmente em uso é a revisão de 1762.) Os tradutores adotaram as divisões em capítulos feitas por Stephen Langton em 1551, bem como as divisões em versículos feitas por Robert Estienne.

A KJV era uma maravilha, não somente de erudição, mas também de linguagem. Estabeleceu um padrão para todas as traduções futuras da Bíblia. Empregava a linguagem comum daqueles tempos e ao mesmo tempo dotou-a com todas as cadências da poesia e uma dignidade que não diminuiu no decorrer dos tempos.

Traduções modernas

No decurso dos séculos, a língua inglesa, da mesma forma que qualquer outro idioma, passou por mudanças. O que parecia natural para os leitores originais da KJV, que a compreendiam facilmente, tornou-se mais difícil para os leitores de quase quatro séculos depois. Exemplifiquemos em português: "Pelo que rejeitando toda immundicia e superfluidade de malicia" (Epístola de S. Jacobo 1.21, *Almeida* 1753) já não transmite o sentido real tanto quanto "Portanto, livrem-se de toda impureza moral e da maldade que prevalece" (Tg 1.21, NVI).

Essa situação tem levado à publicação de várias traduções modernas durante o século XX, sendo algumas deles da Bíblia inteira e outras do NT somente. Muitas dessas traduções estiveram em uso durante algum tempo, mas agora desapareceram quase totalmente (por exemplo, a *American Standard Version* [ASV, 1901], o Novo Testamento de Weymouth [1903], as traduções de Moffat [1926], de Smith e Goodspeed [1923], a *Berkeley Version of the Bible* [1959] e muitas outras. Foi somente depois da publicação da *New International Version* (NIV) completa, em 1978, que uma única versão moderna foi adotada para uso geral. (Tem superada a KJV em vendas desde 1993). Em português, seu equivalente é a *Nova Versão Internacional* (NVI), de 2001.

Métodos de tradução

Existem dois métodos básicos de tradução.

1. A tradução **palavra por palavra** permanece tão próxima quanto possível das palavras e da estrutura das frases do original. (Essa também é chamada a abordagem da "equivalência formal".) No entanto, uma tradução feita rigorosamente palavra por palavra freqüentemente acabaria sendo incompreensível para os leitores a que se destina.
   a. Uma das razões é a cultura. Por exemplo, uma tradução literal da expressão americana "ir à rebatida por alguém" em alemão ou suaíli não faria sentido para leitores não familiarizados com o beisebol.
   b. Outra razão por que as traduções palavra por palavra nem sempre funcionam tem relação com a linguagem. Uma palavra em determinado idioma pode não ter um equivalente exato em outro idioma. Temos, por exemplo, duas palavras, *fé* e *crença*, para expressar o que muitos idiomas dizem com uma só palavra (por exemplo: *Glaube*, em alemão). A distinção entre a fé (uma atitude de confiança) e a crença (aquilo que aceitamos como verdade) não pode, portanto, ser expressada por uma simples tradução palavra por palavra.

   Pela proposição inversa, a palavra hebraica *shālôm* não tem equivalente exato em português. Um dos significados é *paz*, mas *shālôm* é muito mais abrangente: inclui *integridade, saúde, bem-estar*. Em Gênesis 29.6, por exemplo, Jacó pergunta, literalmente: "É *shālôm* para ele?" A tradução, na maioria de nossas versões, é: "Ele vai bem?"

   Exemplos de traduções bíblicas palavra por palavra são a KJV, a *New King James Version* (NKJV) e a NASB *(New American Standard Bible)*. A maior desvantagem na tradução palavra por palavra é que freqüentemente não é de leitura fácil ou agradável.

2. O segundo método é o de traduzir **pensamento por pensamento** (também chamado abordagem da "equivalência dinâmica"). Aqui, a intenção é traduzir de tal maneira que os leitores da tradução percebam o mesmo *significado* que os leitores originais. No exemplo acima, "Ele está bem?" demonstra como é a tradução pensamento por pensamento. Exemplos de traduções bíblicas pensamento por pensamento são a NIV, NIRV *(New International Reader's Version)*, NVC *(New Century Version)* e a NLT *(New Life Traduction)*. Geralmente, são de leitura muito mais fácil e agradável que as traduções palavra por palavra.

3. Uma tradução pensamento por pensamento deve permanecer tão próxima do original quanto possível. Quando se afasta demais do original, fica sendo uma **paráfrase**. Um exemplo da paráfrase é *A Bíblia viva*.

   Para a *leitura* da Bíblia, é melhor uma tradução pensamento por pensamento. Para o *estudo* da Bíblia, uma tradução mais literal (palavra por palavra) talvez seja mais conveniente.

5. Os apócrifos

Os apócrifos (lit. "[livros] obscuros, escondidos") consistem em 14 livros que se acham em algumas versões bíblicas entre o AT e o NT. Tiveram sua origem nos séculos III a I a.C. e, na sua maioria, são de autoria incerta.

Esses livros não estão na Bíblia hebraica (nosso AT). Foram escritos depois de terem cessado as profecias, os oráculos e a revelação direta do AT. A certa altura, entretanto, esses livros foram acrescentados à *Septuaginta*, uma tradução grega da Bíblia hebraica que surgiu naquele período.

Os apócrifos nunca foram reconhecidos pelos judeus como parte das Escrituras hebraicas. Josefo os rejeitou na sua totalidade. Nunca foram citados por Jesus, nem em qualquer parte do NT. Não eram reconhecidos pela igreja primitiva como canônicos nem como divinamente inspirados. Como, pois, acabaram aparecendo em muitas Bíblias?

Quando a Bíblia foi traduzida para o latim, no século II d.C., o AT não foi traduzido do AT hebraico, mas da versão em grego (a *Septuaginta*). Assim, os livros apócrifos foram incluídos na versão latina antiga da Bíblia, da qual surgiu a **Vulgata** latina, que passou a ser a versão comum da Europa ocidental até os tempos da Reforma.

Os livros apócrifos não são reconhecidos como canônicos pelos protestantes, mas estão incluídos em algumas versões bíblicas protestantes, entre o AT e o NT, como "livros que são de leitura proveitosa". Nas versões bíblicas católicas romanas, os apócrifos (excetuando-se 3 e 4 Esdras e a Oração de Manassés) estão intercalados com os livros canônicos do AT e são chamados **deuterocanônicos**.

Complicando ainda mais o assunto, a Igreja Católica Romana emprega o termo **apócrifos** para *outro* grupo de livros, como o *Testamento de Adão* e *3 e 4 Macabeus*, que usualmente não estão incluídos nas Bíblias católica romanas nem nas protestantes. O termo protestante para esse grupo é **pseudepígrafos**.

Breve panorama dos apócrifos

Livros históricos

Terceiro Esdras. Compilação de passagens de Esdras, 2 Crônicas e Neemias, com lendas adicionais a respeito de Zorobabel. Seu objetivo era retratar a generosidade de Ciro e Dario para com os judeus, como padrão a ser emitido pelos ptolomeus do Egito.

Primeiro Macabeus. Obra histórica de grande valor a respeito do período macabeu, que relata os eventos da luta heróica dos judeus pela liberdade (175-135 a.C.). Foi escrita por volta de 100 a.C. por um judeu da Palestina.

Segundo Macabeus. Declara ser uma abreviação de uma obra escrita por um certo Jasom de Cirene, a respeito de quem nada se sabe. Suplementa 1 Macabeus, mas é inferior a ele.

Ficção religiosa

Tobias. Romance totalmente destituído de valor histórico, a cerca de um rico jovem cativo em Nínive que foi levado por um anjo a casar-se com uma "viúva-virgem" que perdera sete maridos.

Judite. Romance histórico de uma viúva judia rica, bela e devota que, nos dias da invasão de Judá pelos babilônios, foi com esperteza à tenda do general babilônico e, fingindo querer se oferecer a ele, cortou-lhe a cabeça e assim salvou sua cidade.

Acréscimos ao livro de Ester. Passagens interpoladas na *Septuaginta*, no livro de Ester, principalmente para demonstrar a intervenção divina na história. Esses fragmentos foram reunidos e agrupados por Jerônimo.

Três acréscimos ao livro de Daniel:

A Oração de Azarias e o Cântico dos Três Moços. Um acréscimo inautêntico ao livro de Daniel, encaixado depois de 3.23, que registra o que teria sido sua oração enquanto estavam na fornalha ardente, e seu cântico triunfante de louvor por serem livrados.

Susana. Outra amplificação inautêntica do livro de Daniel, que relata como a esposa piedosa de um judeu rico na Babilônia, falsamente acusada de adultério, foi inocentada por Daniel.

Bel e o Dragão. Mais um acréscimo inautêntico ao livro de Daniel. Consiste em duas estórias, e em ambas Daniel comprova que os ídolos Bel e o Dragão não são deuses; uma delas baseia-se na história da cova de leões.

Os Apócrifos, livros deuterocanônicos e pseudepígrafes		
	Bíblias protestantes	*Bíblias católicas romanas*
■ Tobias ■ Judite ■ Sabedoria (de Salomão) ■ Eclesiástico ■ 1 Macabeus ■ 2 Macabeus ■ Baruque	**Apócrifos** (entre o AT e o NT)	**Livros deuterocanônicos** (intercalados com os livros canônicos)
■ Acréscimos a Ester ■ Carta de Jeremias ■ Acréscimos a Daniel (Oração de Azarias, Susana, Bel e o Dragão)		[incluídos em Ester] [incluída em Baruque] [incluídos em Daniel]
■ 1 e 2 Esdras ■ Oração de Manassés		[não incluído]
■ O testamento de Adão ■ 1 e 2 Enoque ■ O testamento de Jó ■ 3 e 4 Macabeus ■ muitos outros livros	**Pseudepígrafos**	**Apócrifos**

Literatura sapiencial

Sabedoria de Salomão ou simplesmente **Sabedoria**. Muito semelhante a partes de Jó, Provérbios e Eclesiastes. É um tipo de fusão entre o pensamento hebraico e a filosofia grega e foi escrito por um judeu de Alexandria que se apresenta como Salomão.

Eclesiástico. Também chamada a **Sabedoria de Jesus, Filho de Siraque**, ou simplesmente **Siraque**. Assemelha-se ao livro de Provérbios e foi escrito por um filósofo judeu muito viajado. Oferece regras de conduta para todos os pormenores da vida civil, religiosa e doméstica e tece elogios a uma longa lista de heróis do AT.

Baruque. Livro que supostamente provém de Baruque, secretário de Jeremias (v. Jr 32.12,13; 45.1), que no livro é representado passando a última parte de sua vida na Babilônia. É dirigido aos exilados. Consiste principalmente de paráfrases de Jeremias, Daniel e outros profetas.

A Carta de Jeremias. Apêndice de Baruque.

A Oração de Manassés. Livro que alega ser a oração de Manassés, rei de Judá, enquanto era mantido cativo na Babilônia (v. 2Cr 33.12,13). O autor é desconhecido, mas o livro provavelmente data do século I a.C.

Literatura apocalíptica

Quarto Esdras. Supostamente contém visões, concedidas a Esdras, que tratam do governo do mundo por Deus, de uma era vindoura melhor e da restauração de algumas Escrituras perdidas.

Redescobrindo o passado bíblico

A BÍBLIA MOSTRA quem Deus é, como ele é e o que ele tem feito na história. É por isso que sempre houve interesse pela história e geografias bíblicas. Ocasionalmente, os autores e copistas bíblicos se davam conta de que alguns de seus ouvintes ou leitores talvez não reconhecessem as referências geográficas num relato histórico. Por isso, encaixavam o nome contemporâneo de um local de modo que o contexto histórico ficasse mais inteligível aos ouvintes e leitores.

Por exemplo: os leitores são informados de que Belá (um nome que não lhes era familiar) era a mesma cidade que conheciam como Zoar (Gn 14.2); que o vale de Sidim era o mar Morto (14.3); que En-Mispate era Cades (14.7); que era Quiriate-Sefer e Debir (Js 15.15); qual era Quiriate-Arbam Hebrom (15.54); que era Quiriate-Baal Quiriate-Jearim (15.60); que era Luz Betel (Jz 1.23) e assim por diante.

Antes do século XIX, a localização exata da maioria dos lugares mencionados na Bíblia era desconhecida. Havia exceções, é claro, como Jerusalém e Jope, mas só no século XIX, com o desenvolvimento da arqueologia, foram feitos esforços organizados para redescobrir o passado.

A arqueologia é "o estudo restos materiais da vida e das atividades humanas do passado". Consiste não somente em desencobrir (usualmente por escavação) o que sobrou, mas também *registrar e interpretar* o que é descoberto — que é a parte mais difícil.

Entre outras razões, a dificuldade existe porque a maior parte do que é descoberto são restos incidentais de civilizações passadas. As coisas de uso diário — tais como as roupas e os sapatos — entravam em decomposição, na sua maioria, e é raro achar semelhantes itens. O Egito é uma exceção. Devido ao seu clima seco, foram conservados muitos itens perecíveis, como cartas e anotações corriqueiras escritas em papiro, que em qualquer outro clima teriam se decomposto há muitos séculos.

Levando em conta os milênios de civilização nas regiões bíblicas, especialmente no Egito e na Mesopotâmia, as descobertas representam um porção minúscula do que ainda jaz, sem dúvida alguma, debaixo da terra. No entanto, foi escavado o suficiente para nos oferecer, em muitos casos, um retrato bastante nítido de como era a vida nos séculos — e até mesmo milênios — passados.

A Bíblia e a arqueologia

Os críticos da Bíblia, especialmente no século XIX, freqüentemente tomavam por certo que tudo quanto a Bíblia dizia a respeito de locais ou personagens históricos estava errado ou simplesmente fora inventado, a não ser que houvesse evidências arqueológicas que apoiassem a Bíblia. Pressupunha-se, por exemplo, sendo as únicas referências aos (hititas) os que se achavam na Bíblia, os hititas eram mero produto da imaginação do autor bíblico. Mas depois perto da aldeia de Bogazkoy, na Turquia, foram descobertos milhares de documentos antigos da capital dos hititas, cujo império em certo período estendia-se ao sul até a Palestina.

Além disso, havia a pressuposição de que a escrita não era conhecida nos dias de Moisés, de modo que (nesse caso) Moisés e Josué não poderiam ter escrito nenhuma parte da Bíblia, nem teriam tido acesso a documentos da Antigüidade. A arqueologia, porém, já descobriu documentos escritos na antiga língua cananita muito tempo antes dos dias de Moisés.

Outro exemplo é o rei Belsazar, que, segundo Daniel, foi o último rei da Babilônia antes de os medos e os persas terem conquistado a Babilônia em 539 a.C. Belsazar, porém, não era mencionado em nenhum outro documento e por isso era considerado fruto da imaginação do autor bíblico. Depois, foram descobertas inscrições que mencionavam Belsazar — mas não como o último rei da Babilônia. Semelhante honra pertencia, segundo as inscrições, ao pai de Belsazar, Nabonido. Descobertas mais recentes, porém, revelaram que Nabonido fugiu da Babilônia nos últimos anos de seu reinado, e deixou seu filho a governar a cidade.

É importante notar, por outro lado, que o propósito da Bíblia *não* é simplesmente apresentar uma crônica histórica, mas visa demonstrar como Deus tem operado no decurso histórico — e é por isso que os livros históricos da Bíblia freqüentemente apresentam pormenores onde não esperaríamos achá-los e omitem fatos que nos parecem importantes. Existe, por exemplo, um hiato histórico de vários séculos entre os últimos versículos de Gênesis e o início do livro do Êxodo. E os reis de Israel e de Judá são apresentados, não em termos de seu poder político, mas segundo seu papel na vida espiritual da nação.

Por exemplo: o reinado inteiro do rei Onri de Israel, reino do norte (885-874 a.C.), é descrito em poucos versículos em 1 Reis 16.16-28. Sabemos, entretanto, por fontes extrabíblicas, que Onri foi um dos reis mais poderosos e influentes do reino do norte. Uma inscrição do rei assírio adade-Nirari III (810-782 a.C.) refere-se ao país de Israel como "Onri" — muito tempo depois da morte deste. Esse rei, no entanto, não teve relevância no desdobrar do plano divino da redenção.

Redescobrindo o passado

É relativamente fácil descobrir ruínas de cidades da Antigüidade. Existem muitos cômoros (v. p. 863) no Oriente Médio, e cada um deles contém o que sobrou de uma cidade antiga. Parte da redescoberta do passado deve-se às excravações, e é nelas que geralmente pensamos ao falar em arqueologia.

O mais difícil, porém, é de descobrir qual cidade, grande ou pequena, se acha coberta por determinado cômoro. A tarefa dos geógrafos bíblicos é identificar os topônimos bíblicos e outras referências geográficas com as cidades, povoações, aldeias e sítios arqueológicos que agora existem.

Identificando os sítios arqueológicos (geografia bíblica)

A Bíblia contém uma quantidade surpreendente de documentos que são de interesse geográfico e arqueológico. Existem, também, inscrições antigas, descobertas no Oriente Médio, que ajudam nessa pesquisa.

Os documentos bíblicos

A Bíblia contém três tipos de documentos de interesse geográfico.

1. Os do primeiro tipo, as descrições **histórico-geográficas,** parecem ter sido escritos visando primariamente aos propósitos geográficos. Entre eles estão a tabela das nações (Gn 10), a lista de

reis cananeus conquistados (Js 12) e possivelmente as descrições da "terra que resta" (Js 13.1-6; Jz 3.1-4), bem como do itinerário dos israelitas no deserto (Nm 33).
2. O segundo tipo de documento útil são as **descrições territoriais**. Em alguns casos, a área que pertence a um estado ou tribo é definida por meio de uma descrição de fronteiras. Algumas dessas descrições são muito breves — por exemplo, a descrição da terra de Israel estendendo-se "de Dã [no norte] Berseba [no sul]" (e.g., 2Sm 24.2) e a descrição da Terra Prometida (Êx 23.31) que se estende "desde o mar Vermelho até o mar dos filisteus, e desde o deserto até o Eufrates".

Existem também descrições que alistam várias localidades ao longo da fronteira, como, por exemplo, a descrição dos limites da terra de Canaã, em Números 34.1-19, e várias descrições dos limites tribais em Josué, tais como os de Judá (15.2-12). Algumas dessas descrições são bem pormenorizadas, como a descrição da fronteira entre Judá e Benjamim na região de Jerusalém (Js 15.7-9; 18.15-17).

As descrições mais pormenorizadas dos limites territoriais podem ser muito úteis. Podem ser delineadas num mapa e, uma vez que os nomes usualmente seguem uma seqüência geográfica lógica, é possível conjecturar a localização de lugares desconhecidos. Por exemplo: a localização exata de Ecrom, uma cidade filistéia, foi debatida durante muitos anos, mas sua localização geral era conhecida, porque o texto bíblico a colocava na parte oeste da fronteira norte de Judá — especificamente, ao oeste de Bete-Semes, mas ao leste de Jabneel (Js 15.10,11), duas cidades cuja identificação já era ponto pacífico.

Além disso, territórios eram descritos por meio de listas com os nomes das cidades alocadas a determinada tribo ou distrito, como nas relações das cidades de Judá (Js 15.21-63; mais de 100 cidades são mencionadas!).
3. Finalmente, há os **registros de expedições e conquistas militares**. Os roteiros de expedições militares, como as de Abias (2Cr 13.19), Ben-Hadade (1Rs 15.20) e Tiglate-Pileser (2Rs 15.29), podem ser rastreados com alguma certeza. É razoável pensar que essas expedições seguiam uma progressão geográfica mais ou menos sensata e que os textos registram fielmente essas invasões. Por isso a identificação de determinadas cidades bíblicas pode ser confirmada, ao passo que a localização das cidades desconhecidas pode ser, pelo menos, conjecturada. Por exemplo: embora haja dúvidas quanto à localização exata de Janoa, é razoável, com base em 2 Reis 15.29, colocá-la na vizinhança de Abel-Bete-Maaca, de Queades e de Hazor.

Nomes de lugares (topônimos) modernos

Outra maneira de localizar uma cidade específica, grande ou pequena, da Antigüidade, é verificar se seu nome foi, de alguma maneira, preservado no decurso dos séculos. À primeira vista, essa busca talvez pareça um pouco infrutífera, considerando os milhares de anos que nos separam do tempos da Bíblia. Mas não é tão improvável quanto parece. Muitas cidades da Europa ocidental, por exemplo, ainda levam os nomes de acampamentos militares estabelecidos há quase dois mil anos — como Londres, que era chamado Londinium nos tempos romanos. Embora mais de metade dos topônimos bíblicos tenha desaparecido sem deixar o mínimo sinal, um número surpreendentemente grande desses topônimos e sobrevive nos nomes modernos.

As áreas bem irrigadas da terra de Israel/Palestina foram habitadas por uma sucessão quase ininterrupta de povos nativos que podem ter transmitido (conforme realmente foi feito em muitos casos) o nome de determinado lugar — quase sempre de modo oral, mas às vezes por escrito — de geração para geração. Dessa forma, nomes como Jerusalém, Hebrom, Aco e Tiberíades têm sido preservados ao longo de milhares de anos.

Bete-Seã foi uma das cidades de Canaã que os israelitas não conseguiram capturar (Jz 1.27). Depois de Saul ter se suicidado na batalha, seu corpo e o de seus filhos foram pendurados "no muro de Bete-Seã" (1Sm 31). Davi finalmente capturou a cidade, mas ela permaneceu insignificante até ser fundada de novo na era helenista, com o nome de Citópolis.

A cidade nova foi construída ao lado do cômoro – de 76 m de altura – da cidade veterotestamentária (página anterior). A vista aérea mostra as escavações no alto do cômoro (em cima). Bete-Seã passou a ser uma cidade romana, com um *cardo,* ou rua com colunatas, percorrendo a cidade de ponta a ponta (embaixo).

A preservação dos topônimos antigos foi ajudada pelo fato que, no decurso das eras, os idiomas dos grupos populacionais autóctones têm sido todos semíticos: o cananeu se relacionava com o hebraico, e o hebraico, por sua vez, com o aramaico, e o aramaico, com o árabe (havendo também, é claro, muitas diferenças lingüísticas entre esses idiomas). Por isso, identificações como a de Micmás com a aldeia árabe de Mukhmas são razoavelmente exatas. Em áreas mais remotas, como a península de Sinai, parece ter havido hiatos relevantes na sucessão de habitantes autóctones, e por isso o nomes geográficos não foram bem preservados no decurso dos séculos.

Ocorre também que o nome nem sempre está vinculado ao local exato onde ficava a povoação bíblica embora os topônimos consirvam o nome de uma povoação da Antigüidade. Por exemplo, o antigo sítio arqueológico de Jericó foi localizado em Tell es-Sultan, mas o nome foi conservado na aldeia de er-Rahia, nas proximidades. (Embora "er-Rahia" talvez não se assemelhe a "Jericó", os peritos familiarizados com os sons, a escrita e as leis fonéticas do hebraico, do aramaico e do árabe conseguem fazer com confiança semelhantes identificações.)

Formas dos nomes gregos e latinos de cidades *estabelecidas* durante o período romano têm sido freqüentemente conservadas pela população semítica local: Tiberíades é conservada como Tabariyeh, e Cesaréia como Qeisarieh. Em alguns casos raros, nomes semíticos antigos foram substituídos por um nome greco-romano — por exemplo, a Siquém bíblica recebeu o nome de Neápolis durante o período greco-romano, e é esse nome que conserva a moderna Nablus.

Desenterrando o passado (a arqueologia)

Uma vez escolhido um sítio arqueológico, dois métodos principais são empregados para escavar um cômoro.

O primeiro método de escavação consiste em abrir áreas grandes do cômoro, que resulta num nítido quadro global dos tipos das construções, do planejamento urbano e outros, para determinado nível ou camada (ou estrato). Esse método consome bastante tempo e é dispendioso, e, uma vez removido do cômoro, o nível nunca mais poderá ser reescavado. Na realidade, algumas das grandes controvérsias da arqueologia têm pouca chance de serem resolvidas porque os escavadores, em tempos passados removeram completamente de um cômoro determinada camada ou estrato, e seus registros de escavação não contêm os dados necessários para responder às perguntas surgidas mais tarde.

O segundo método pode ser chamado o "método de trincheira": os arqueólogos selecionam uma área do cômoro, usualmente perto de sua periferia, onde escavam uma "trincheira" que se assemelha a uma fatia fina cortada de um bolo com muitas camadas de massa e recheio. Essa "trincheira" é, na realidade, uma série de buracos quadrados, de 5 x 5 m, cavados em linha reta e às vezes dispostos aos pares, que ficam divididos entre si por divisórias de terra intocada, com um metro de largura. Os lados dos buracos de 25 m^2 são mantidos perfeitamente verticais.

A idéia da trincheira é fazer um corte transversal de todos os níveis de ocupação (estratos) representados no cômoro e também um corte de quaisquer fortificações (muros etc.) preservadas ao longo da periferia. À medida que a escavação progride, são feitos registros escrupulosos, desenhos, fotografias e medidas. O local onde foi achado cada artefato — um vaso, uma jóia ou outra coisa — é registrado com exatidão, de modo que tudo possa posteriormente ser estudado em relação ao contexto em que foi encontrado. Além disso, os restos arquitetônicos (muros, prédios, assoalhos, fortificações etc.) são calculados em gráficos num esforço para reproduzir a disposição e as defesas das povoações da Antigüidade. Alguns cômoros, como Megido ou Hazor, podem ter mais de 20 estratos, ao passo que outros, como a cidade inferior de Arade, talvez tenham quatro ou menos.

> **Por que existem cômoros?**
>
> Um cômoro é uma colina artificial, formada pelos restos acumulados das construções e muros das cidades, sendo que cada cidade era construída em cima das anteriores. (Em hebraico, é chamado *tell*, e a ortografia árabe é *tel*.) Os tells freqüentemente levavam séculos ou até milênios, para se desenvolver.
>
> Por que as pessoas construíam em cima das próprias povoações ou cidades em vez de construírem alhures? É que elas preferiam morar em áreas que tivessem boas terras agrícolas ou boas pastagens, as quais existiam em quantidades limitadas. Era freqüente desejarem morar perto de estradas principais ou até mesmo secundárias. Nos tempos antigos, as estradas tendiam a seguir os contornos naturais do terreno, fato que limitava os sítios à disposição. Era essencial um suprimento fidedigno de água doce nas redondezas — uma fonte, um poço ou, mais raramente, um riacho perene.
>
> Ao se estabelecer numa colina ou num encosto montanhoso perto de um suprimento de água, as pessoas podiam mais facilmente vigiar a paisagem em derredor e defender a si mesmas. Alguns cômoros, portanto, já tinham certa vantagem na altura, pois a primeira povoação fora levantada num lugar elevado natural.
>
> Construir em cima de outra cidade também era prático. Pedras de muros, alicerces ou estruturas levantadas por habitantes anteriores podiam facilmente ser reaproveitadas na construção de um novo povoado.
>
> Em algumas áreas do país, tijolos de barro eram usados para as construções, em vez de pedras. Esses tijolos não podiam ser reaproveitados, mas ao se desintegrar, acrescentavam barro em quantidade substancial à altura do cômoro.
>
> Em muitos casos, a construção de cidades novas em cima de níveis antigos era repetida muitas vezes eacabavam formando os cômoros com suas camdas agora conhecidos como *tells*.

Adaptação de *Zondervan* NIV *Atlas of the Bible*, de Carl Rausmussen.

Há, naturalmente, um problema: os níveis ou estratos nem sempre são camadas nitidamente divididas. Por exemplo, no cômoro imaginário descrito a seguir, os primeiros ocupantes deixaram uma camada relativamente "nítida" de restos. Depois de a cidade ter sido destruída por um terremoto ou por uma guerra, os novos ocupantes construíram em cima dos restos deixados pelos primeiros ocupantes. O processo se repetiu, mas dessa vez, os novos ocupantes fizeram duas coisas: reaproveitaram os materiais de construção recuperados da segunda cidade, mas escavaram um buraco que atravessou as duas primeiras camadas e ali armazenaram jarras. Sendo assim, em uns poucos lugares, materiais da segunda cidade acabaram se misturando com as ruínas da terceira, enquanto remanescentes da terceira cidade acabaram ficando com os da primeira.

É isso que torna a interpretação muito mais difícil que a descoberta.

A grande pergunta é: como uma data mais exata ou menos exata pode ser atribuída a cada um dos estratos? As evidências por escrito, achadas em determinado estrato e que mencionam uma personagem ou evento histórico conhecidos, podem ser muito úteis nesse sentido, mas, infelizmente, não se acha muita matéria escrita pertencente ao período bíblico nos cômoros de Israel/ Palestina, excetuando-se as moedas dos períodos helenista e romano. Em alguns casos, a tecnologia moderna pode ajudar, como o método carbono-14, para datar os restos orgânicos, mas essas técnicas não são tão exatas quanto os arqueólogos desejariam — ou, pelo menos, não para os períodos históricos em pauta.

Freqüentemente a mudança dos estilos no decurso do tempo é mais útil na interpretação. Assim como uma xícara de chá do século XIX difere de uma caneca de café dos nossos dias, também as candeias a óleo, os utensílios da cozinha, os portões, os palácios e o modo de construir os templos diferem entre si de período para período. No decurso dos últimos 50 anos, tem sido possível correlacionar os vários tipos de artefatos — especialmente de cerâmica, com suas várias formas, enfeites e texturas — com períodos específicos. Por isso, hoje em dia, a despeito da ausência de indícios escritos, um determinado estrato pode usualmente ser datado pelo tipo de cerâmica (quase sempre fragmentos) nele contido.

A vantagem do método da trincheira na escavação é que ele permite ao arqueólogo uma visão panorâmica da história total do cômoro com um investimento relativamente menor de tempo e de dinheiro. Além disso, esse método deixa intocadas áreas relativamente grandes do cômoro, de modo que gerações futuras de arqueólogos, com técnicas e equipamentos melhores, possam voltar ao sítio a fim de verificar conclusões anteriores e melhorá-las.

Uma desvantagem desse método é que determinado estrato *pode* não estar representado na área onde uma trincheira foi escavada. Nesse caso, passaria desapercebido um período inteiro da história do cômoro, e o resultado pode ser um conceito errôneo da história de um sítio arqueológico.

Por que a arqueologia é importante

Muitas das descobertas arqueológicas feitas em anos recentes por aqueles que escavaram as ruínas das cidades bíblicas coincidem exatamente com as narrativas das Escrituras. Trecho por trecho, o Antigo Testamento está sendo confirmado, suplementado e ilustrado. Até mesmo coisas que antes masi se assemelhavam a mitos, agora estão sendo demonstradas como verídicas.

Isso ressalta a fidedignidade da Bíblia na sua totalidade e facilita a crença em tudo quanto a Bíblia diz — inclusive suas promessas maravilhosas, tanto para esta vida quanto para a vida do porvir.

A declaração isolada mais importante na Bíblia é que Cristo ressuscitou dentre os mortos. Essa razão de a Bíblia inteira ter sido escrita — à parte disso, nada significaria. É isso que dá relevância à vida, e sem isso a vida nada significaria. É a base de nossa esperança quanto a ressurreição e à vida eterna.

Conforta-nos saber que o Livro que gira em torno desse evento tem consistência histórica, o que deixa tanto mais certo que esse evento, o mais importante de todos os tempos, é um fato.

A casa de Herodes

1.ª Geração

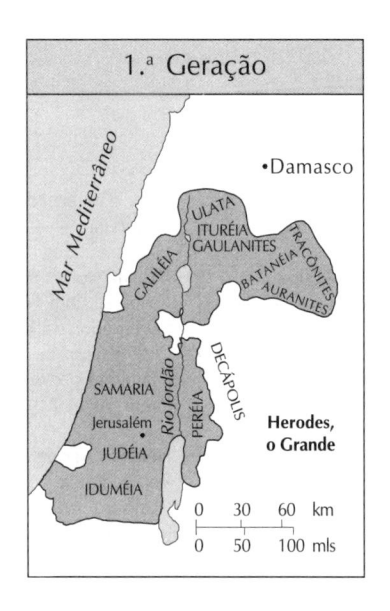

Herodes, o Grande

2.ª Geração

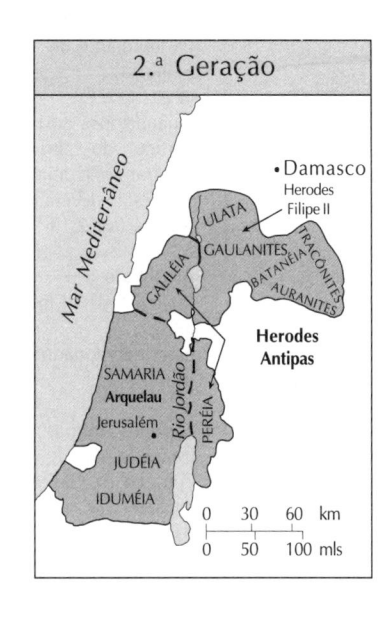

Herodes Filipe II

Herodes Antipas

Arquelau

3.ª Geração

Herodes Agripa I

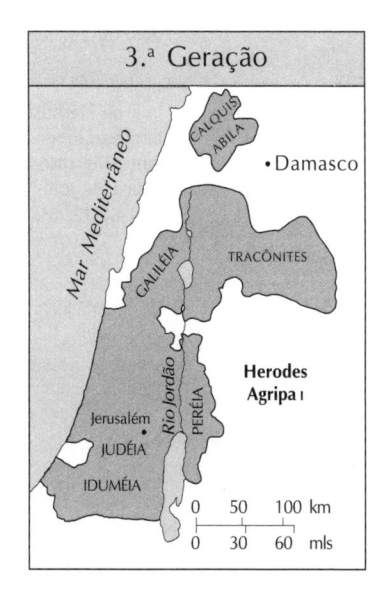

4.ª Geração

Controlado por procuradores romanos

Herodes Agripa II

ABILA

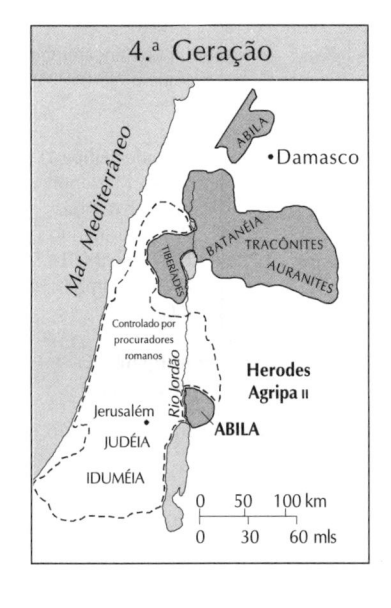

1.ª geração	2.ª geração	3.ª geração	4.ª geração
Herodes, o Grande Rei da Judéia, da Galiléia, da Ituréia, de Tracônites (37-4 a.C.) Nascimento de Jesus (Mt 2.1-19; Lc 1.5)	**Herodes Filipe II*** (Mãe: Cleópatra) Tetrarca da Ituréia e de Tracônites (4 a.C.-34 d.C.) (Lc 3.1)		
	Arquelau* (Mãe: Maltace) Governador da Judéia, da Iduméia e de Samaria (4 a.C.-6 d.C.) Quando José e Maria partiram do Egito, evitaram a Judéia e se estabeleceram em Nazaré (Mt 2.19-23)	**Herodes de Calquis**	
	Aristóbulo (Mãe: Mariane) (m. 10 a.C.) Não mencionado na Bíblia	**Herodes Agripa I** Rei da Judéia (37-44 d.C.) Matou Tiago, encarcerou Pedro, foi ferido por um anjo (At 12.1-24)	Félix, Governador da Judéia **Drusila** Casou-se com Félix, governador da Judéia (52-59) Examinou o caso de Paulo (At 24.24) **Herodes Agripa II** Rei da Judéia Paulo fez sua defesa jurídica diante dele (At 25.13—26.32) **Berenice** Estava com o irmão dela na ocasião da defesa de Paulo (At 25.13)
	Herodes Antípas* (Mãe: Maltace) Tetrarca da Galiléia e da Peréia (4. a.C.-39 d.C.) (Lc 3.1) Segundo marido de Herodias Mandou executar João Batista (Mt 14.1,2; Mc 6.14-29) Pilatos encaminhou Jesus a ele (Lc 23.7-12)	**Herodias** Casou-se com seu tio, Herodes Filipe I, e depois, com um segundo tio, Herodes Antipas (Mt 14.3; Mc 6.17)	**Salomé** Filha de Herodias e de Herodes Filipe I Dançou em troca da cabeça de João Batista (Mt 14.1-12; Mc 6.14-29)
	Herodes Filipe I (Mãe: Mariane) Não governou. Primeiro marido de Herodias (Mt 14.3; Mc 6.17) (m. c. 34 d.C.)		
	Antipáter (Mãe: Dóris)		

*Tetrarca: governante da quarta parte de um reino ou província no Império Romano.

Tabelas de distâncias

1. Cidades do AT

	Babilônia	Berseba	Betel	Damasco	Dã	Harã	Hazor	Hebrom	Jericó	Jerusalém	Jope	Megido	Nínive	Samaria	Siquém	Sidom	Susã	Tebas	Tiro
Berseba	1488																		
Betel	1230	93																	
Damasco	1158	330	232																
Dã	1222	266	168	72															
Harã	707	878	781	549	613														
Hazor	1253	235	138	94	30	643													
Hebrom	1442	45	50	283	219	832	189												
Jericó	1390	98	19	214	168	781	138	58											
Jerusalém	1408	75	18	238	186	800	155	34	24										
Jope	1389	99	51	213	166	634	136	72	69	58									
Megido	1318	186	80	157	94	709	66	128	86	98	85								
Nínive	422	1203	1106	874	938	344	968	1157	1106	1123	877	1034							
Samaria	1352	128	42	194	128	742	99	82	51	59	50	40	1067						
Siquém	1355	125	35	197	131	746	102	85	42	53	58	46	1070	13					
Sidom	1246	304	206	88	46	637	69	258	206	224	179	120	962	168	171				
Susã	349	1837	1739	1507	1571	1056	1602	1790	1739	1757	1738	1667	725	1701	1704	1595			
Tebas	2406	946	1016	1237	1184	1797	1154	1006	1022	998	1013	1088	2122	1058	1051	1208	2775		
Tiro	1267	282	184	109	45	658	46	235	184	202	142	85	982	123	128	40	1776	1173	
Ur	272	1760	1662	1430	1494	979	1525	1714	1662	1680	1661	1590	694	1624	1627	1518	232	2678	1562

Nota: Essas distâncias são aproximadas. Não levam em conta determinados obstáculos físicos, mas geralmente seguem as rotas da Antiguidade (e.g., em derredor do Crescente Fértil, ao em vez de atravessar o deserto). Adaptação de *O Antigo Testamento em quadros*, de John H. Walton (São Paulo: Vida, 2000), p. 116, com a devida permissão.

2. Cidades do NT (Evangelhos)

	Belém	Betsaida	Cesaréia à beira mar	Caná	Cafarnaum	Corazim	Damasco	Emaús/Qolônia	Jericó	Jerusalém	Jope	Magdala/Dalmanuta	Monte Hermom	Nazaré	Ptolemaida	Samaria	Sicar/Mte Gerizim	Tiberíades
Betsaida	155																	
Cesaréia à beira mar	109	134																
Caná	195	40	174															
Cafarnaum	142	34	64	75														
Corazim	150	5	130	45	30													
Damasco	154	8	133	42	34	3												
Emaús/Qolônia	306	106	242	83	155	110	114											
Jericó	16	152	96	192	139	147	150	302										
Jerusalém	30	128	104	168	154	123	126	275	27									
Jope	10	146	99	186	133	141	144	296	6	21								
Magdala/Dalmanuta	61	184	50	224	114	179	182	347	45	72	51							
Monte Hermom	139	14	120	54	22	10	13	120	138	114	131	170						
Nazaré	205	50	184	10	85	54	51	43	202	178	195	234	64					
Ptolemaida	128	45	50	85	14	40	43	157	123	139	118	99	30	94				
Samaria	170	64	61	77	30	59	61	171	154	181	160	110	50	86	35			
Sicar/Mte Gerizim	75	99	40	139	67	94	98		72	58	50	66	85	149	53	85		
Tiberíades	136	19	115	59	29	14	18	126	133	109	126	5	165	69	30	50	80	
Tiro	214	69	106	50	75	64	61	198	133	205	226	155	154	58	80	45	130	144

Copyright ©, de Carl Rasmussen

3. Cidades do NT (Atos dos Apóstolos)

	Alex.	Ant.Pis	Ant.Sir	Atenas	Cesaréia	Colossos	Corinto	Éfeso	Icônio	Jerusalém	Patmos	Perge	Filadélfia	Filipos	Roma	Salamina	Tarso	Tessalônica
Antioquia (da Pisídia)	899																	
Antioquia (da Síria)	**800**	686																
Atenas, Grécia	776	1003	2261															
Cesaréia, Palestina	**504**	875	432	1192														
Colossos, Turquia	**896**	200	888	530	872													
Corinto, Grécia	992	1664	2350	90	1232	619												
Éfeso, Turquia	776	376	1064	352	1072	178	440											
Icônio, Turquia	952	178	509	1752	776	378	1842	555										
Jerusalém, Judéia	603	1218	531	1291	99	971	1331	877	1171									
Patmos, Grécia	736	757	760	264	960	282	352	104	659	1059								
Perge, Turquia	640	259	491	744	616	256	434	437	715	496	376							
Filadélfia, Turquia	**1016**	320	1008	1256	1293	120	221	498	1091	325	944	568						
Filipos, Grécia	1208	888	1573	688	1432	686	778	486	2104	448	2000	2029	1808					
Roma, Itália	2032	2259	2368	1432	2400	1986	1224	1808	2499	1584	2029	944	1426	2304				
Salamina, Chipre	576	717	219	614	320	714	704	925	419	819	458	578	1426	2336	240			
Tarso, Turquia	827	475	211	2050	480	675	2139	885	579	800	416	795	1360	2336	1320	240		
Tessalônica, Grécia	**1224**	1078	1765	496	1464	546	586	522	2296	501	997	758	192	1808	1808	1168		
Trôade, Turquia	**1064**	658	1344	917	1248	458	1006	296	1875	312	714	338	229	1712	1133	1133	421	

As cifras em *itálico* indicam basicamente uma rota seguida por Paulo, conforme Atos dos Apóstolos dá a entender; às vezes, são possíveis rotas mais diretas.
As cifras em tipo normal significam viagens por terra; as rotas terrestres foram escolhidas em preferência às marítimas em alguns casos, onde é provável que Paulo tenha viajado por terra e não por mar.
As cifras sublinhadas indicam viagens por terra e por mar em combinação, numa tentativa de seguir os itinerários de Paulo sempre que possível.
As cifras em **negrito** indicam viagens principalmente por mar. Copyright ©, de Carl Rasmussen

O calendário judaico

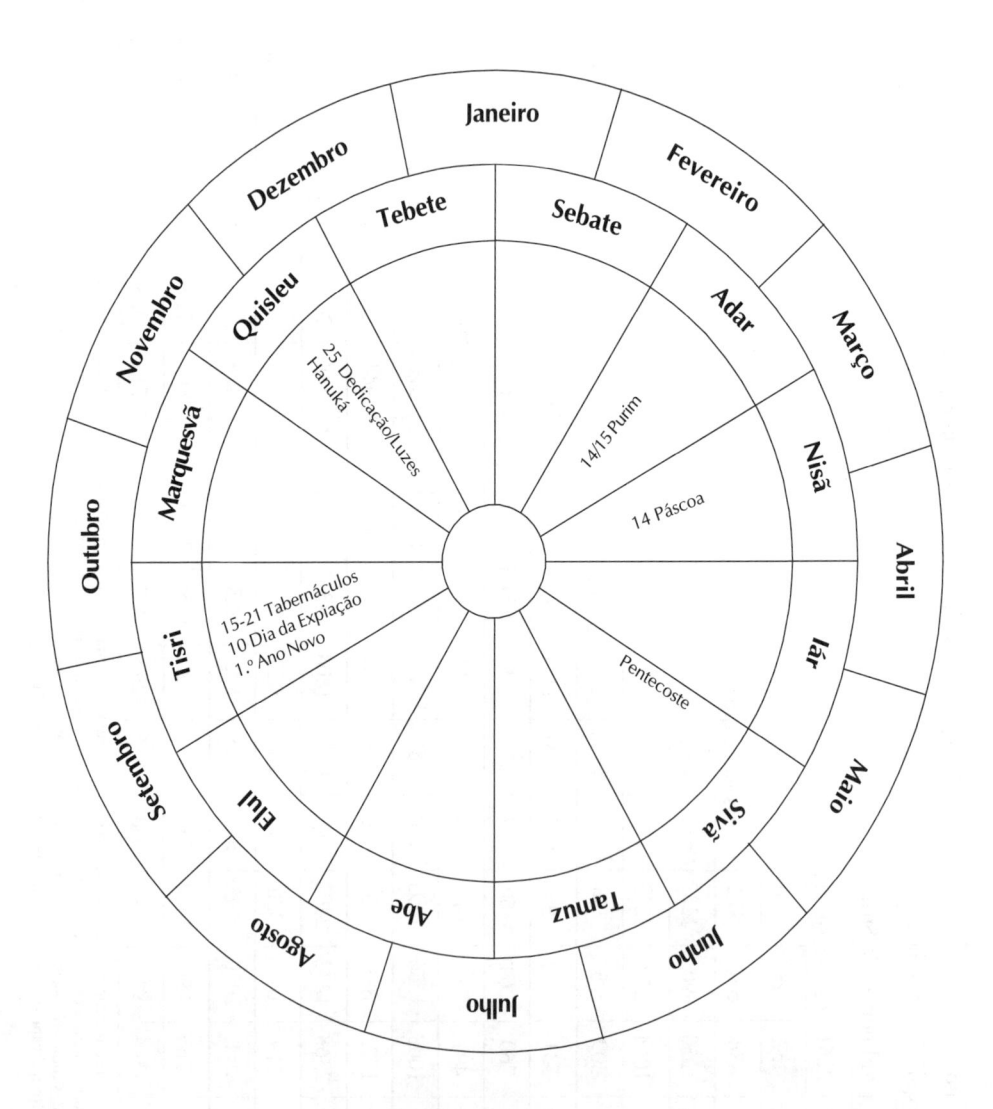

Meses civis (exterior): Janeiro, Fevereiro, Março, Abril, Maio, Junho, Julho, Agosto, Setembro, Outubro, Novembro, Dezembro.

Meses judaicos (interior): Tebete, Sebate, Adar, Nisã, Iár, Siva, Tamuz, Abe, Elul, Tisri, Marquesvã, Quisleu.

Festas:
- 25 Dedicação/Luzes — Hanuká
- 14/15 Purim
- 14 Páscoa
- Pentecoste
- 15-21 Tabernáculos
- 10 Dia da Expiação
- 1.º Ano Novo

O ano religioso começa em nisã.

O ano civil começa em tisri.

Orações

Oração pela salvação

Deus no céu,
Venho a ti em nome de Jesus.
Confesso que não tenho vivido para ti.
Mas estou feliz em saber que posso mudar isso.
Tomei a decisão de aceitar que Jesus é o teu Filho e que ele
    morreu na cruz e ressuscitou dentre os mortos,
        a fim de que eu tenha a vida eterna, e as bênçãos da vida presente.
Jesus, entra no meu coração, seja meu Salvador, seja meu Senhor.
A partir deste dia, e do melhor modo que puder, viverei para ti.
Oro em nome de Jesus.
Amém.

Bênção

O Senhor te abençoe e te guarde;
o Senhor faça resplandecer
    o seu rosto sobre ti
    e te conceda graça;
o Senhor volte para ti o seu rosto
    e te dê paz.
Amém.
        — Números 6.24-26

Bênção

Que o Senhor te responda
    no tempo da angústia;
        o nome do Deus de Jacó te proteja!
Que te envie auxílio
    e te dê apoio.
Conceda-te o desejo do teu coração
    e leve a efeito todos os teus planos.
Que o Senhor atenda todos os teus
    pedidos!
Amém.
        — Salmo 20

Oração pela nossa nação

Senhor,
Concede-nos a paz, o teu dom mais precioso.
Ó Fonte eterna de paz, abençoa a nossa nação,
 para que ela sempre seja uma fortaleza de paz
 e a defensora da paz nos concílios das nações.
Que reine dentro de suas fronteiras o contentamento,
 saúde e felicidade dentro de seus lares.
Fortalece os vínculos de amizade e de fraternidade
 entre todos os habitantes de nosso país.
Implanta virtude em cada alma; e que o amor ao teu nome
 santifique cada lar e cada coração.
Sê tu louvado, ó Senhor, Doador da paz.
Amém.
— Adaptado de *O hinário metodista*

Oração matutina

Escuta, SENHOR, as minhas palavras,
 considera o meu gemer.
Atenta para o meu grito de socorro, meu Rei e meu Deus,
 pois é a ti que imploro.
De manhã ouves, SENHOR, o meu clamor,
 de manhã te apresento a minha oração
 e aguardo com esperança.
Amém.
— SALMO 5

Oração na aflição

SENHOR, não me castigues na tua ira
 nem me disciplines no teu furor.
Misericórdia, SENHOR, pois vou
 desfalecendo!
Cura-me, SENHOR, pois os meus ossos
 tremem:
todo o meu ser estremece.
Até quando, SENHOR, até quando?
Volta-te, SENHOR, e livra-me;
 salva-me por causa do teu amor leal.
O SENHOR ouviu a minha súplica;
 o SENHOR aceitou a minha oração.
Amém.
— SALMO 6

Oração de confiança

O Senhor é o meu pastor; de nada terei
  falta.
Em verdes pastagens me faz repousar
  e me conduz a águas tranqüilas;
  restaura-me o vigor.
Guia-me nas veredas da justiça
  por amor do seu nome.
Mesmo quando eu andar
  por um vale de trevas e morte,
não temerei perigo algum, pois tu estás
  comigo;
a tua vara e o teu cajado me
  protegem.
Preparas um banquete para mim
  à vista dos meus inimigos.
Tu me honras,
  ungindo a minha cabeça com óleo
  e fazendo transbordar o meu cálice.
Sei que a bondade e a fidelidade
  me acompanharão todos os dias da
  minha vida,
e voltarei à casa do Senhor enquanto
  eu viver.
Amém.
  — Salmo 23

Oração por orientação

A ti, Senhor, elevo a minha alma.
  Em ti confio, ó meu Deus.
Não deixes que eu seja humilhado.
Mostra-me, Senhor, os teus caminhos,
  ensina-me as tuas veredas;
guia-me com a tua verdade e ensina-me,
  pois tu és Deus, meu Salvador,
  e a minha esperança está em ti o tempo
  todo.
Lembra-te, Senhor,
da tua compaixão e da tua
  misericórdia,
que tens mostrado desde a
  antigüidade.
Não te lembres dos pecados e
  transgressões
  da minha juventude;

conforme a tua misericórdia, lembra-te
 de mim,
pois tu, Senhor, és bom.
Amém.
— Salmo 25

Oração de gratidão pela cura

Eu te exaltarei, Senhor,
 pois tu me rerguestes
 e não deixaste que os meus inimigos
se divertissem à minha custa.
Senhor meu Deus, a ti clamei por
 socorro,
 e tu me curaste.
Senhor, tiraste-me da sepultura;
 prestes a descer à cova,
 devolveste-me à
 vida.
A ti, Senhor, clamei,
 ao Senhor pedi misericórdia:
Se eu morrer, se eu descer à cova,
 que vantagem haverá?
Acaso o pó te louvará?
 Proclamará a tua fidelidade?
Ouve, Senhor, e tem misericória de
 mim;
 Senhor, sê tu o meu auxílio.
Mudaste o meu pranto em dança,
a minha veste de lamento em veste de
 alegria
para que o meu coração cante louvores a ti e não se cale.
 Senhor, meu Deus,
 eu te darei graças para sempre.
Amém.
— Salmo 30

Oração de confissão

Tem misericórdia de mim, ó Deus,
 por teu amor;
por tua grande compaixão
 apaga as minhas transgressões.
Lava-me de toda a minha culpa
 e purifica-me do meu pecado.
Pois eu mesmo reconheço as minhas transgressões,
 e o meu pecado sempre me persegue.

Contra ti, só contra ti, pequei
    e fiz o que tu reprovas,
de modo que justa é a tua sentença
    e tens razão em condenar-me.
Purifica-me, e ficarei puro;
    lava-me, e mais branco do que a neve
    serei.
Cria em mim um coração puro, ó Deus,
    e renova dentro de mim um espírito
    estável.
Devolve-me a alegria da tua salvação
    e sustenta-me
    com um espírito pronto a obedecer.
Então ensinarei os teus caminhos
    aos transgressores,
    para que os pecadores se voltem para ti.
Ó Senhor, dá palavras aos meus lábios,
    e a minha boca anunciará o teu louvor.
Os sacrifícios que agradam a Deus
são um espírito quebrantado;
    um coração quebrantado e contrito,
    ó Deus, não desprezarás.
Amém.
                      — Salmo 51

Oração pela consciência da presença de Deus

Ó Deus, tu és o meu Deus,
    eu te busco intensamente;
a minha alma tem sede de ti!
    Todo o meu ser anseia por ti,
numa terra seca, exausta e sem água.
Quero contemplar-te no santuário
    e avistar o teu poder e a tua glória.
O teu amor é melhor do que a vida!
    Por isso os meus lábios te exaltarão.
Enquanto eu viver te bendirei,
    e em teu nome levantarei as minhas
    mãos.
Porque és a minha ajuda,
    canto de alegria à sombra das tuas asas.
A minha alma apega-se a ti;
    a tua mão direita me sustém.
Amém.
                      — Salmo 63

Oração de louvor

> Meu coração está firme, ó Deus!
>> Cantarei e louvarei, ó Glória minha!
> Acordem, harpa e lira!
>> Despertarei a alvorada.
> Eu te darei graças, ó Senhor, entre os
>> povos;
>> cantarei louvores entre as nações,
> porque o teu amor leal
>> se eleva muito acima dos céus;
>> a tua fidelidade alcança as nuvens!
> Sê exaltado, ó Deus, acima dos céus;
>> estenda-se a tua glória sobre toda a
>> terra!
> Amém.
>> — Salmo 108

Oração de arrependimento

> Das profundezas clamo a ti, Senhor;
>> Ouve, Senhor, a minha voz!
> Estejam atentos os teus ouvidos
>> às minhas súplicas!
> Se tu, Soberano Senhor,
>> registrasses os pecados, quem
>> escaparia?
> Mas contigo está o perdão
>> para que sejas temido.
> Espero no Senhor com todo o meu ser,
>> e na sua palavra ponho a minha
>> esperança.
> Espero pelo Senhor
>> mais do que as sentinelas pela manhã;
>> sim, mais do que as sentinelas
>> esperam pela manhã!
> Ponha a sua esperança no Senhor, ó
>> Israel,
>> pois no Senhor há amor leal
>> e plena redenção.
> Ele próprio redimirá Israel
>> de todas as suas culpas.
> Amém.
>> — Salmo 130

Oração de reverência diante da grandeza de Deus

Senhor, tu me sondas e me conheces.
Sabes quando me sento e quando me
 levanto;
  de longe percebes os meus pensamentos.
Antes mesmo que a palavra
 me chegue à língua,
  tu já a conheces inteiramente, Senhor.
Tu me cercas, por trás e pela frente,
 e pões a tua mão sobre mim.
Tal conhecimento é maravilhoso demais
 e está além do meu alcance,
  é tão elevado que não o posso atingir.
Para onde poderia eu escapar do teu
 Espírito?
  Para onde poderia fugir da tua presença?
Se eu subir aos céus, lá estás;
 se eu fizer a minha cama na sepultura,
  também lá estás.
Se eu subir com as asas da alvorada
 e morar na extremidade do mar,
mesmo ali a tua mão direita me guiará
 e me susterá.
Mesmo que eu diga quer as trevas
 me encobrirão,
  e que a luz se tornará noite ao meu
  redor,
verei que nem as trevas são escuras para
 ti.
  A noite brilhará como o dia,
  pois para ti as trevas são luz.
Como são preciosos para mim
 os teus pensamentos, ó Deus!
Como é grande a soma deles!
Se eu os contasse, seriam mais
 do que os grãos de areia.
Se terminasse de contá-los,
 eu ainda estaria contigo.
Sonda-me, ó Deus,
 e conhece o meu coração;
  prova-me, e conhece as minhas
  inquietações.
Vê se em minha conduta algo te ofende,
 e dirige-me pelo caminho eterno.
Amém.

— Salmo 139

Homenagem à memória de Henry H. Halley

Henry H. Halley, numa fotografia tirada em 1960, segura na mão esquerda um exemplar do livreto original de 16 páginas publicado em 1924 e na outra um exemplar da 22ª edição, publicada em 1959. Já nessa data existiam quase um milhão de exemplares publicados.

Henry Hampton Halley viveu de 1874 a 1965. Lembro-me dele como um homem alto, sereno, que sempre tinha um sorriso nos lábios e um brilho nos olhos. Nossa família o chamava "Vovozinho". Ele era meu bisavô e, embora o tivesse conhecido por bem pouco tempo, as muitas história que meus pais e avós contavam a respeito de sua vida e de seu ministério ficaram gravadas para sempre. Como marido, pai, avô e bisavô, era amoroso e dedicado — porém, mais importante que isso, era um grande homem de Deus. Foi o seu singelo chamado — Deus lhe colocou no coração o desejo de ajudar as pessoas a ler, entender e amar a Palavra de Deus.

  Henry Halley nasceu num sítio no Estado de Kentucky, na região do "capim azul", e cresceu num lar cristão. Seu pai tinha sido soldado do exército confederado, um dos "Homens de Morgan". O sistema de escolas públicas em White Sulpher, Kentucky, era muito precário, de modo que os pais de Henry aliaram-se com outros sitiantes para montar uma escola particular para seus filhos. Aos 16 anos de idade, o jovem Henry matriculou-se na Universidade de Kentucky, em Lexington (agora Faculdade da Transilvânia) e, em cinco anos, conquistou seus, dois bacharelados. Ensinou durante um ano nessa universidade e, em seguida, no Colégio Missionário para Mulheres em Hazel Green, Kentucky.

Seu primeiro pastorado na Igreja Discípulos de Cristo começou em 1897, em Kalkaska, Michigan, uma região de acampamentos de madeireiros. Fazia visitas pastorais a todas as pessoas, inclusive à diretora do colégio local, canadense por nascimento. Vovozinho freqüentemente contava a história com um sorriso: "Meu dever pastoral incluía visitas à diretora, Madge Gillis — mas não que culpa eu tinha se meu coração começava a bater forte enquanto conversávamos a respeito de escolas e almas?" Não demorou muito para as visitas obrigatórias se tornarem espontâneas — e, em seguida, para o deleite dos moradores de Kalkaska, levassem ao namoro e a um casamento que durou 65 anos!

O jovem pastor já tinha o que era preciso — uma fé firme e uma esposa ideal. A Igreja Cristã de Kalamazoo (Estado de Michigan) ouviu a respeito do jovem ministro que já estava se destacando, e o convidou a ficar ali. Quando o casal chegou, o povo adorava num salão. Logo o casal Halley liderou os membros na construção de uma capela e, depois, de um santuário impressionante. Durante oito anos, Henry e Madge trabalharam diligentemente na sua nova região eclesiástica. Esse seu pastorado (1900-1908) terminou quando o médico deu a Henry um ultimato.

"Você terá que ficar ao ar livre fazendo trabalhos físicos — ou sofrer as conseqüências", disse. Henry obedeceu. Pediu demissão de seu púlpito, mas permaneceu como membro ativo da congregação. Para Henry, isso parecia ser o fim de sua carreira pastoral — mas Deus tinha outros planos para a vida dele.

Henry começou a construir casas — e fazia os serviços de assistente de pedreiro enquanto os serviços periciais eram realizados por construtores profissionais por ele contratados — e as vendia quando estavam prontas. Um ano se passou rapidamente e depois outro, até Henry, jovem empresário achar que seria impossível separar-se de seus negócios. Em fins de 1912, um amigo despertou-lhe o interesse pela especulação imobiliária nas plantações de laranja da Califórnia. Mudou-se e permaneceu ali um ano, colocando em andamento os plantios, e depois voltou para Kalamazoo, em 1914.

No ano seguinte, fez sete viagens à costa do Pacífico para cuidar dos laranjais. Cada viagem obrigava-a passar quatro dias monótonos dentro de um trem. Henry, sendo um pouco acanhado, não se dispunha a fazer amizades no trem, e o tempo passava como um peso sobre ele. Certo dia, enquanto contemplava as pradarias infindas pela janela do vagão, surgiu-lhe a idéia de aproveitar as longas horas com a memorização de trechos bíblicos. Começou decorando o Sermão da Montanha e, em seguida, a epístola de Tiago. Embora estivesse então com 39 anos de idade, descobriu que, mediante a concentração intensa, conseguia reter na mente trechos inteiros, embora, ele dissesse: "Minha memória, além de não ter recebido treinamento, também não era nada incomum". Em breve, comprovou que podia torná-la extraordinária mediante a prática constante.

Embora seu trabalho de empresário de construções fosse um enorme sucesso comercial, Henry estava achando tão fascinante a experiência de memorizar as Escrituras que começou a dedicar a ela várias horas por dia — quase sempre no final da tarde. Certo dia, o seu telefone tocou.

"Venha para cá e pregue para nós no domingo", convidou um diácono de uma igreja fora de Kalamazoo. Ele aceitou o convite. Quando chegou o momento da pregação, assumiu o púlpito e se deu conta de não estar com suas anotações, além de ter esquecido o esboço. O Senhor o orientou a entregar a mensagem literalmente na linguagem bíblica — recitando diante de todos, de modo sereno, mas comovente, o Sermão da Montanha e outras seleções bíblicas. A reação foi tão favorável que aquele culto acabou se revelando um ponto crucial na carreira de Henry. Vieram muitos convites de outras igrejas, e em cada uma delas ele recitava de cor passagens inteiras.

Henry levou a família, que estava crescendo, para Chicago em 1914. Até então, ele e Madge tinham quatro filhos: dois meninos e duas meninas. Entrou no mercado imobiliário, mas foi nessa época que surgiu a idéia de memorizar a Bíblia *inteira* numa forma abreviada, retendo o âmago de cada livro. Até essas alturas, tinha memorizado várias seleções, mas a "grande idéia", que de início o deixou quase assoberbado, não queria desaparecer de seus pensamentos.

Enfrentou a tarefa — entre as vendas e depois do horário comercial — utilizando dois métodos complementares entre si. O primeiro consistia em selecionar os trechos a serem decorados e dispô-los numa ordem conexa; o segundo, em intensificar o processo de memorização. À noite, estudava intensamente a revisão norte-americana da KJV, virando as páginas, marcando seções e versículos para condensá-la na terça parte que finalmente decorou. Esse volume, que foi reduzido a farrapos, agora é uma relíquia da família.

Henry descobriu que, durante as idas e voltas ao escritório, ao circular pelos bondes, ao ir a pé para visitar clientes, nos pequenos momentos entre seus deveres no escritório e até mesmo durante as refeições, tinha muito tempo à disposição para fazer suas memorizações. Em algumas ocasiões, de madrugada, acordava e percebia que esse subconsciente lhe imprimia trechos bíblicos no cérebro.

Portanto, num período de dez anos, o construtor-pregador gastou no mínimo 10 000 horas para realizar o que é provavelmente uma das maiores façanhas de memorização que a raça humana já conheceu. Para poder recitar tudo o que havia decorado do texto das Escrituras, exclusivamente, ele precisava de 25 horas. Incluías as narrativas de todos os livros, desde as mais curtas até as mais compridas. No caso de Jó, por exemplo, levava apenas 15 minutos para apresentar o tema inteiro da história, ao passo que Gênesis ocupava uma preleção de 45 minutos.

Quanto aos evangelhos, tratava-os de modo diferente: dividia-os em oito leituras públicas — quatro sobre a vida de Cristo, compiladas de uma harmonia dos evangelhos, e quatro sobre os ditos de Jesus. Nas suas leituras sobre a vida de Cristo, atribuía ênfase predominante à ressurreição, pois dizia: "Essa é a parte mais importante do Novo Testamento".

À medida que sua forma se espalhava Henry recebia convites não somente para "sermões" isolados, mas também para séries de uma semana — ou mais — de duração, da parte de congregações individuais ou até mesmo de grupos não-denominacionais de várias cidades reunidos num só local. Henry paulatinamente foi se afastando do mundo dos negócios e entrando no "negócio do Rei".

Desde o Atlântico até ao Pacífico, em 35 estados dos Estados Unidos, Henry apresentou suas récitas do texto bíblico. Sempre iniciava com um breve esboço contextual da Bíblia inteira ou dos trechos que estava para apresentar. Embora houvesse muitas conversões a Cristo pelo seu ministério, seu propósito principal era ensinar a Bíblia e encorajar a sua leitura.

Por causa do interesse pela religião naqueles dias, suas preleções alcançaram mais popularidade nos primeiros anos que nos dias turbulentos do final da década de 1920 e início da década de 1930. As pessoas gostavam mais dos relatos da crucificação e da ressurreição, da história da Criação, em Gênesis, do livro de Jó, das viagens missionárias de Paulo, da história de Rute e do Apocalipse.

Freqüentemente, as pessoas perguntavam a Henry se sua memória havia falhado em alguma ocasião, e ele contava a história de um incidente constrangedor que ocorreu enquanto recitava a lista dos 20 reis de Israel. Chegou até o segundo Jeroboão, mas não conseguiu lembrar-se do rei seguinte. Portanto, recomeçou automaticamente com os nomes que se seguiam depois do primeiro Jeroboão, filho de Nebate. Quando chegou ao segundo Jeroboão, viu-se sem saída, de novo. Assim, pediu desculpas pelo lapso e retomou a história... omitindo os reis.

A outra pergunta que as pessoas freqüentemente faziam era: "Você sempre teve uma memória tão notável?" Henry respondia: "Quando eu era menino, conseguia facilmente rechear a mente com as lições escolares e mantê-las ali por tempo suficiente para conseguir passar nas sabatinas". Dava um sorriso maroto ao continuar: "Depois, tudo evaporava. Quanto ao memorizar de modo permanente, isso parecia ser uma impossibilidade. Na universidade, tive uma experiência semelhante. A aplicação intensa é a chave da vitória. Se uma pessoa comum, como eu, consegue decorar uma terça parte da Bíblia, mesmo depois de estar na meia-idade, por que milhões de outras pessoas não podem decorar os as passagens mais belas da Palavra de Deus? É claro que conseguirão — e terão a experiência mais emocionante de sua vida ao fazê-lo!"

"O que você memoriza da Bíblia é um encorajamento constante para memorizar mais", acrescentava. "À medida que você aprende um trecho bíblico palavra por palavra, novos significados entram na sua mente. Mesmo que você tenha lido uma passagem centenas de vezes, verdades que ainda lhe permaneciam desconhecidas vão se ressaltar com clareza cristalina ao mesmo tempo em que a memorização destaca a importância de todas as frases."

Em 1922, enquanto fazia preleções em New Albany, ocorreu um incidente insignificante, mas que abriria uma nova fase na sua vida e posteriormente lhe lavraria um nicho nas galerias de fama na literatura.

Todas as noites, durante uma semana, uma estenógrafa esforçada na primeira fila remexia, com bastante barulho, seus papéis ao registrar o resumo do contexto de cada livro da Bíblia, que Henry fazia ao começar cada preleção. Esse desvio de atenção deixava Henry irritado o tempo inteiro. A mulher tinha as melhores intenções, e não sabia que perturbava o preletor com o barulho dos papéis. Henry não fez nenhuma crítica, mas o incidente lhe provocou uma decisão momentosa — cuja importância foi revelada nos anos que se sucederam.

"Vou imprimir um folheto com essas informações", disse à esposa posteriormente. Imprimiu 20 000 exemplares de um folheto com 16 páginas, intitulado: *Sugestões a respeito do estudo da Bíblia*. Oferecidos gratuitamente, esgotaram-se rapidamente. Em seguida, Henry duplicou o tamanho, acrescentou uma capa com papel mais espesso, e doou mais uma edição, de 10 000 exemplares. Esse livreto alistava as datas de todos os livros da Bíblia e trazia a idéia principal e um resumo de cada um.

Cada ano, surgia uma edição aumentada do livreto, mas foi só com a sétima edição, de 144 páginas, de que recebeu o nome, *Manual bíblico de bolso de Halley*, e foi bem aceito. O *Manual* recebeu, sem demora, um resumo da história eclesiástica, esboços breves e fatos paralelos interessantes a respeito dos livros da Bíblia.

Posteriormente, na década de 1930, foi feito outro acréscimo relevante. Henry passou a se interessar apaixonadamente pela arqueologia e a ler com voracidade tudo quando conseguia encontrar a respeito. Escrevia para lugares tais como o Museu Britânico, o Louvre e o Instituto Oriental de Chicago, pedindo informações e fotografias. Cerca de noventa gravuras selecionadas de descobertas arqueológicas que lançavam luz sobre as personagens e tempos da Bíblia, bem como uma rica bagagem de fatos que formam uma apologética convincente das histórias bíblicas, foram acrescentadas ao *Manual*.

Pouco depois de publicada a segunda edição, Henry já não conseguia distribuir gratuitamente os livros, porque a procura era cada vez maior, e os custos de impressão iam subindo. Para não parecer que fazia comércio no seu ministério, Henry teve a idéia de emprestar os livros às pessoas interessadas. Se, depois, quisessem ficar com eles, podiam remeter-lhe o pagamento. Esse sistema foi seguido por muitos anos, sendo as preleções seu único ponto de distribuição.

Durante 20 anos, de 1921 a 1941, Henry continuou seu ministério, sustentado apenas por ofertas voluntárias. Ao todo, estima-se em dois milhões o número de pessoas que o serviriam recitar as Escrituras. Entrementes, o *Manual* viera a ser um volume de várias centenas de páginas, e duplicou-se a circulação entre a décima terceira edição, em 1939, décima quarta, em 1941.

O início da Segunda Guerra Mundial provocou outra mudança importante na carreira de Henry. Fazer grandes viagens tornava-se quase impossível, e isso prejudicou de modo significativo seu ministério. Mas aceitou o fato como a vontade de Deus para ele e se sentiu levado a dedicar ao *Manual* suas energias, em regime de tempo integral.

Em 1941, Madge Halley, que em 1923 retomara sua carreira de professora nas escolas públicas de Chicago, aposentou-se e reuniu seus esforços aos do marido no desenvolvimento do *Manual* e na compilação de um novo livro chamado *Best Bible verses* [*Versículos prediletos da Bíblia*]. Juntos, passavam entre dez e 15 horas por dia lidando com a correspondência, revisando e aumentando as publicações e respondendo a perguntas a respeito da Bíblia.

O Sr. e Sra. Halley gostavam da agitação da cidade. Tinham um escritório bem no meio do famoso centro comercial de Chicago e moravam num apartamento a poucos quarteirões de distância, anexo à State Street. Já nesses tempos, os filhos estavam dispersos — os dois homens eram médicos, uma filha era dona de casa e a outra, uma artista reconhecida e mulher de negócios. O número de netos aumentava, conforme evidenciavam as fotos que adornavam as paredes do apartamento e do escritório.

À parte do *Manual*, Henry não tinha passatempos propriamente ditos. A não ser que alguém queira considerar como passatempo seu hábito predileto: ir à igreja no domingo de manhã. Talvez devido à curiosidade que desenvolveu durante os muitos anos de viagens, visitava uma congregação diferente a cada domingo. A partir de suas observações, formulou idéias específicas acerca do que devia ser abrangido nesse culto.

Henry passou a preocupar-se cada vez mais com o que considerava "uma falta de liderança no púlpito" quanto a orientar e guiar os membros da igreja na leitura bíblica. Achava que as igrejas estavam-se tornando frias e que as pessoas perdiam seu amor à fé. Na opinião dele, a receita para o reavivamento era obedecer à seguinte admoestação: "A coisa mais importanter neste livro é esta sugestão singela: que cada igreja tenha um plano congregacional de leitura da Bíblia e que o sermão do pastor se baseie no trecho da Bíblia lido na semana anterior". Henry acreditava que, se essa sugestão fosse seguida, produziria uma igreja revitalizada e levaria a efeito um grande reavivamento, desde que o ministro acreditasse ser a Bíblia a Palavra de Deus.

A segunda queixa mais freqüente de Henry era quanto à pregação no culto normal. As pessoas o ouviam dizer: "Quase não há pregação bíblica na igreja — há muita alegorização e metaforização. As pessoas freqüentavam a igreja a vida inteira e não sabem nada a respeito da Bíblia, até mesmo nas igrejas fundamentalistas. A pregação deve ser claro e simples ensino bíblico".

Na década de 1950, o casal Halley começou a cooperar com missionários estrangeiros, que traduziram o *Manual* em outros idiomas. As primeiras traduções foram para o japonês e o coreano. Em 1956, 20 000 exemplares da edição do *Manual* em japonês tinham sido vendidos. Naquele ano, receberam a notícia de um missionário de renome: "O *Manual bíblico de Halley* é o campeão de vendas imbatível de livros cristã no Japão; somente a Bíblia o supera. Na realidade, nada de comparável pode ser citado na história da literatura cristão no Japão". A lista de edições em idiomas estrangeiros publicadas no decurso dos anos inclui o espanhol, o chinês, o francês, o grego, o italiano, o português, o tailandês, o russo, o suaíli e muitos outros.

As primeiras edições do *Manual* foram impressas pela Rand NcNally & Company em Indiana. Em maio de 1960, Andrew McNally III, presidente de Rand McNalley, deu de presente a Henry e Madge Halley o milionésimo exemplar, com encadernação especial. A essas alturas, estava na sua vigésima segunda edição. Chegara a 968 páginas e era vendido a menos de quatro dólares. As vendas anuais atingiam mais de sessenta mil exemplares.

Em 17 de junho de 1960, Henry concedeu à Zondervan Publishing House os direitos de publicar o *Manual bíblico de Halley*. Passou a ser das publicações mais importantes dessa editora, e durante muitos anos permaneceu como um dos campeões de vendas na lista da Zondervan. Até hoje, existem mais de 5 milhões de exemplares foram impressos. A última revisão do *Manual* — a sua vigésima quarta edição — foi feita em 1964, pouco antes da morte de Henry Halley, em 1965, aos 91 anos de idade. O Sr. e a Sra. Halley jazem perto de seus antepassados em Lexington, Kentucky.

A filha de Henry Halley, Julia Halley Berry, e seu marido, Henry S. Berry, participaram ativamente da vigésima quarta edição do *Manual*. Além disso, assumiram as responsabilidades gerenciais da obra depois da morte de Henry Halley. A Sra. Berry desenhou todos os mapas contidos na vigésima quarta edição. Os mapas que forram o parte interna da capa também foram desenhados por ela. Foram incluídos como homenagem aos seus esforços incansáveis, no decurso de muitos anos, para preservar o espírito e o impacto contínuo da obra de seu pai dela.

Em 1997, a Sra. Henry Berry, minha avó, confiou a gerência permanente do *Manual* a meu marido e a mim. Fomos grandemente abençoados com a oportunidade de levar o ministério ininterrupto do *Manual Bíblico de Halley* para dentro do novo milênio. Oramos para que esta edição do *Manual Bíblico de Halley* continue o ministério, orientado por Deus, que Henry H. Halley iniciou, com o desejo sincero do coração de que cada leitor obtenha maior entendimento da Palavra de Deus e mais amor por ela.

— Patrícia Wicker
10 de janeiro de 2000
Mineápolis, Minnesota

Bibliografia

As fontes e recursos alistados abaixo estão citados neste livro. Um asterisco indica que foi concedida a permissão dos editores para o material empregado ou adaptado neste livro. Os números de páginas indicam onde esse material se acha no *Manual bíblico de Halley*.

Livros e Bíblias

CAIRNS, Earle E. *Cristianismo através dos séculos*. 2. ed., São Paulo: Vida Nova, 2000.

DOUGLAS, J. D. *The NIV compact dictionary of the Bible*. Grand Rapids: Zondervan, 1989.

DOUGLAS, J. D. & TENNEY, Merrill C. *O novo dicionário internacional da Bíblia*. 2. ed., São Paulo: Vida Nova, 1995.

GAEBELEIN, Frank E., org. *Expositor's Bible commentary*. 1Grand Rapids: Zondervan, 1976-92. 2 v.

FEE, Gordon D. & STUART Douglas: *Entendes o que lês?* Trad. Gordon Chown. São Paulo: Vida Nova, 1984.

JOSEFO, Flávio. *História dos hebreus*. Trad. Vicente Pedroso. Rio de Janeiro: CPAD, 1990.

KOHLENBERGER III, John R. *Your guide to Bible reference books and software*. Grand Rapids: Zondervan, 1998. p. 1048s.

GOODRICK, Edward W. *The NIV exhaustive concordance*. Grand Rapids: Zondervan, 1990.

KUHATSCHEK, Jack. *Applying the Bible*. Grand Rapids: Zondervan, 1995.

The Methodist hymnal. Hinário oficial da Igreja Metodista. Nashville: Methodist Publishing House, 1939.

The new Strong's exhaustive concordance. Nashville: ThomasNelson,1997.

NIV application commentary. Grand Rapids: Zondervan, 1995. 19 v.

The NIV Matthew Henry commentary in one volume. Grand Rapids: Zondervan, 1992.

Bíblia de estudo NVI. Trad. Gordon Chown. São Paulo: Vida, a ser publicada.

PRITCHARD, James B. *Ancient Near Eastern texts:* relating to the Old Testament. 3. ed. Princeton, Princeton University Press, 1969.

*RASMUSSEN, Carl G. *The Zondervan NIV atlas of the Bible*. Grand Rapids: Zondervan, 1989. p. 1099.

STOTT, John R. W. *Understanding the Bible*. Ed. exp. Grand Rapids: Zondervan, 1999.

TENNEY, Merrill C. *The Zondervan Pictorial Encyclopedia of the Bible*. Grand Rapids: Zondervan, 1975. 5 v.

*THIELE, Edwin R. *The Mysterious Numbers of the Hebrew Kings*. Ed. rev. e exp. Grand Rapids: Zondervan, 1994. p. 140, 365, 1104.

Word biblical commentary. Nashville: Word Books, 1982. 52 v.

Fotografias e Ilustrações

- Quadros de distâncias nas p. 867-9. Copyright © de Carl Rasmussen
- Ilustração nas p. 520-1: Copyright © de dr. Leen Ritmeyer, Ritmeyer Archaelogical Design, Harrogate, Inglaterra.
- Fotografias na p. 23: KIENE, Paul F. *The Tabernacle of God in the wilderness*. Grand Rapids: Zondervan, 1977.
- Todas as demais fotografias, menos a da p. 110: BIERLING, NEAL & Joel BIERLING. *Zondervan image archives CD-ROM*. Grand Rapids: Zondervan, 1999.

Índice de assuntos

A

Abraão
    chamado de, 87-8
    Deus pede que ofereça Isaque, 95
    em Canaã, 91
    no Egito, 91
    promessas de Deus a, 87-8, 93
    viagem para Canaã, 89
Acabe, 200-2
acácia, madeira de, 120
acampamento de Israel no deserto, 134
acróstico, 249
Adão e Eva, 74, 78
Ageu, Zacarias e Malaquias, 384
Ai, 156
Alexandre, o Grande, 409
alfabeto, invenção do, 62
aliança, os profetas e a, 294-5
alta crítica, 796
altar com quatro pontas, 121
amilenarismo, 763
amor (1Co 13), 545
amorreus, 157
anabatistas, 791
anglicano, v. Igreja Anglicana.
animais puros e impuros, 127
anjos
    na vida de Jesus, 468
    no Apocalipse, 726
Anselmo de Cantuária, 786
Anticristo, 747
antigo Oriente Médio, 40-1
Antíoco Epifânio, 410
Antioquia, 587
anti-semitismo, 822
Antônia, Fortaleza. V. Fortaleza Antônia.
Apocalipse, livro de
    autor, 718
    Babilônia no, 759-61
    e Ezequiel, 333
    e Gênesis, 768
    interpretações principais de, 720-1
    o Cordeiro no, 742
    o significado da cor branca no, 736
    sete espíritos no, 736
    sete igrejas, 722-3
apocalíptica, literatura. V. literatura apocalíptica.
apócrifos, 854-6
apostólicos, pais. V. pais apostólicos.
apóstolos. V. discípulos.
Aquino, Tomás de. V. Tomás de Aquino.
aramaico, 426
arca da aliança
    capturada pelos filisteus, 180
    modelo, 123
    trazida a Jerusalém, 221
arca de Noé, 79-81
arganaz, 285
arqueologia, 857-64
asquenazitas, judeus, 819
Assíria
    reis da, 212
    reis envolvidos com Israel, 370
associações de igrejas, 798-9
Assurbanipal, 239
Atenas, 592
atlas bíblico, 838-9
Atos dos Apóstolos
    apedrejamento de Estêvão, 581-2
    autor, 575

Concílio de Jerusalém, 589
milagres em, 579-80
Pentecostes, 577
primeira viagem de Paulo, 588-90
propagação do evangelho, 605
quarta viagem de Paulo, 603-4
segunda viagem de Paulo, 590-4
terceira viagem de Paulo, 595-6
atravessando o Jordão, 154
Avivamento,
 Primeiro Grande, 793
 Segundo Grande, 795

B

Baal, adoração a, 201
Babel, Torre de. *V.* Torre de Babel.
Babilônia (cidade), 346
Babilônia
 reis de, 218
Balaão, 138
Bate-Seba, Davi e, 187
beduínas, tendas. *V.* tendas beduínas.
Beistum, inscrição de, 58
Belém, 516
Belsazar, 349
Belvoir, castelo de, 817
Ben-Hadade, 206
Betel, 156
Betesda, tanques de, 554
Bete-Seã, 183
Betsaida, 549
bezerro de ouro, 120
Bíblia
 de estudos, 833-4
 de que trata, 30-7
 e a escrita, 63-6
 em inglês moderno, 853
 esboço da, 30-6
 ferramentas para o estudo da, 831-9
 história da, 13-5, 30-7
 leitura da. *V.* leitura da Bíblia.
 o que é, 26
 organização da, 27-9, 36-7
 pensamento principal de cada livro, 38-9
 temática, 836
 texto da. *V.* texto da Bíblia.
 traduções antigas, 852
 traduções da, 852

 traduções em inglês, 853
 versões da. *V.* Bíblia, traduções da.
bíblica, 852
 concordância. *V.* concordância bíblica.
bíblico,
 atlas. *V.* atlas bíblico.
 comentário. *V.* comentário bíblico.
 dicionário. *V.* dicionário bíblico.
 software. *V.* software bíblico.
bibliotecas antigas, 59
bom samaritano, parábola do, 530
bulas e selos, 328-9

C

Cades-Barnéia, 137-8
Cafarnaum, 496
Caim e Abel, 78
calendário judaico, 870
Calvino, João, 789-90
Caná da Galiléia, 549
Canaã,
 povoamento de, 151-2
cananeus, 157
candelabro (Tabernáculo), 122
cânon
 do AT, 843
 do NT, 813-47
capital, pena. *V.* pena capital.
carismático, movimento. *V.* movimento carismático.
Carlos Magno, 784
cartucho, 58
cativeiro babilônico. *V.* Exílio babilônico.
censo
 de Davi, 189
 o primeiro no deserto, 133
 o segundo no deserto, 138
certeza da vida eterna, 707
Cesaréia, 413, 598-601
Cesaréia de Filipe, 478
Cesaréia Marítma. *V.* Cesaréia.
céu
 e inferno, 537
 novo e nova terra, 315
cidadania romana, 570
cidades de refúgio, 145, 160
Ciro (rei da Pérsia), 237-8
 em Isaías, 311-2
cisma entre as igrejas do Ocidente e do Oriente, 784

Códice sinaítico, 848
codornas e maná, 116
Coliseu, 777
Colossos de Memnon, 288
Colossos, 652
comentário bíblico, 837-8
cômoros, 863
concepção virginal, 515
Concílio de Jerusalém, 589
Concílios
　da igreja, 781
　os sete ecumênicos, 781
concordância bíblica, 834-5
conquista
　de Canaã, 151-2, 156
　de Betel e Ai, 156
　de Jericó, 154, 156
Constantino, 779-80
Contra-Reforma, 791-2
Corazim, 474
Corinto, 616-18
Crac des chevaliers, 785
Creta, 674-5
Criação
　e recriação, 72
　Hino da. *V.* "Hino da Criação".
　histórias babilônicas da, 74
　sete dias da, 70-4
　o Universo e a, 73
Cristo
　Cordeiro, 741
　no AT, 464-65
　nomes e títulos de, 443
　V. Filho do Homem, 547
crítica textual, 850-1
Crônicas, 173-6
　origens documentárias de, 220
crucificação. *V.* Jesus, vida de.
Cruzadas, as, 784-5, 815, 817
cuneiforme, escrita, 58, 60

D

Dã (cidade)
　inscrição de Davi, 186
　lugar alto, 194
　porta dos tempos de Abraão, 92
Damasco, 585

Daniel
　escrita na parede, 349
　fornalha de fogo, 347
　na cova dos leões, 349-50
　períodos de tempo no livro de, 351-2
　resumo das profecias, 356
　setenta semanas, 352-3
　sonho de Nabucodonosor, 347-9
　tempo do fim, 355-6
Dario, 350
darwinismo, 797
Davi
　ancestrais, 171-2
　censo de, 189
　como fugitivo, 182
　e Bate-Seba, 187
　e Golias, 181
　planos para o Templo, 222
　reinado de, 184, 189
　ungido rei, 221-2
Debir e Laquis, 15-8
Débora e Baraque, 165-6
Decápolis, 413
denominações, 799
Deuteronômio
　formato de tratados, 142
　profecia a respeito do povo judeu, 148
Dez Mandamentos, 118
dez pragas, 112-4
　e os deuses do Egito, 113
Dia da Expiação, 128
Diáspora, 416-7, 420
dicionário bíblico, 836-7
Dilúvio
　a arca foi descoberta?, 81
　outras tradições, 80
　quanto tempo passaram nela?, 81
discípulos
　sua lentidão para crer, 563
　treinamento dos, 448
dispensacionalismo, 801
Dispersão. *V.* diáspora.
divindade de Cristo em Colossenses. *V.* Jesus, divindade de.
dízimo, 131-2
Dólmen, 86
Domo da Rocha, 816
dons espirituais, 622-3
doze discípulos. *V.* discípulos.

E

Éden, Jardim do. *V.* Jardim do Éden.
Edito de Milão, 780
Éfeso, 593-4, 638-40
Egito
    e a Bíblia, 107-9
    e o Êxodo, 105-19
    V. dez pragas.
Elias, 200-4
Eliseu, 205-7
    milagres de, 205
Emanuel, 301
entre os Testamentos, 407-25
epístolas, lista das, 29
Esaú, 98-100
escolasticismo, 786
escravos
    no Império Romano, 568
    no NT, 678
escribas, 421
escrita
    a Bíblia e a, 63-5
    bibliotecas antigas, 59
    desenvolvimento da, 60-2
    hieróglifos, 57-8, 61
    invenção do alfabeto, 60-2
    na Mesopotâmia, 58-9
    no Egito, 57-8
Esdras, 235, 240
Esfinge (Mênfis), 327
Esmirna, 732
espiões, 135
espirituais, dons. *V.* dons espirituais.
Ester, 245-27
estradas e viagens, 41-7, 66
estradas romanas, 46
Eusébio, 845
evangelho social, 797-8
evangelhos
    harmonia dos quatro, 452-9
    contradições?, 451
    por que quatro?, 449
Exílio babilônico
    proclamação de Ciro, 238
    três regressos do, 235, 240, 383
    v. tb. Esdras, Neemias, Zorobabel.
Êxodo
    atravessando o mar Vermelho, 115-6
    data do, 105
    faraó do, 106
    monte Sinai, 117-8
    multidão de gente, 138
    rota do, 107-9, 119
    Tabernáculo, 119, 121-4
Expiação, Dia da. *V.* Dia da Expiação.
Ezequias, 229-32
    muros de Jerusalém, 230
    tributo pago a Senaqueribe, 232
    túnel de, 230

F

falsos mestres, 712-3
fariseus, 417-8
fé
    Hebreus 11, 687
    o poder dela e o da oração, 538-9
ferro na Palestina, 163
Festas de Israel, 143, 144-6
festas judaicas, 870
Filadélfia, 737
Filho do Homem, 547
filho pródigo, parábola do, 535
Filipos, 646, 648-9
filisteus, 169
    chegada dos, 169
Fortaleza Antônia, 492
fundamentalismo, 801-2
futurista, interpretação do Apocalipse, 720

G

Gabriel, 519
gafanhoto, 114
Galácia, região da, 634
Galiléia, 412
Gaza, 168
Gênesis, estrutura de, 69-70
Gerasa, 500
Getsêmani, 543
Gezer, 164
Gibeão, túnel de água, 186
Gideão, 166
Giom, fonte de, 185
Gogue e Magogue, 342-3
Gósen, 102-3
Grécia. *V.* Grego, Império.

grega, língua, 424
Grego, Império, 409-10

H

Halley, H. H., 878-83
harmonia dos evangelhos. *V.* evangelhos, harmonia dos.
Hazor, 158, 166
hebraica, língua, 62, 424
helenismo, 417
heresias, 778-9
Hermom, monte, 279
Herodes, casa de, 865-6
Herodes, o Grande
    programas de construção, 416
    reconstrução de Jerusalém e do Templo, 54
    V. tb. Templo de Herodes.
herodianos, 421
Heródio, 414-5
"Hino da Criação", 70
hieróglifos, 57, 61
holocausto, 822
huguenotes, 791

I

Idade Média, 784-6
Igreja Anglicana, 790
Igreja Católica Romana, 800
igrejas
    carismáticas, 803-4
    evangélicas, 801-3
    fundamentalistas, 802
    tradicionais, 799-80
    pentecostais, 803-4
Igreja Ortodoxa Oriental, 784-8
imagem de Deus, 74
imperador, adoração ao, 570, 572-3
Império Romano, 565-73
    cidades, 568-9
    cidadania, 570
    colônias, 568-9
    culto ao imperador, 572-3
    direito, 570
    escravos, 569-70
    militares, 569
    reis-vassalos, 569
imprensa, invenção da, 787
Inácio, 776
indulgências, 788-9

industrialismo, 794
inferno. *V.* céu e inferno.
instrumentos musicais, 261
interpretação
    histórica do Apocalipse, 720
    idealista do Apocalipse, 720
    preterista do apocalipse, 720
Isaque, 95-8
Isaías
    resumo das predições, 314
    rolos de. *V.* rolos do mar Morto.
Israel. *V. tb.* Terra Santa; Palestina.

J

Jacó
    obtém a bênção de Isaque, 98
    Poço de (Samaria), 553
    viagem de, 98-100
jardim, túmulo no, 489
Jardim do Éden, 75-7
Jeremias
    cronologia, 319
    carta de Laquis, 324
Jericó. *V.* conquista de Canaã.
Jeroboão, 195
Jerusalém, 50-5, 185
    aqueduto, 185-221
    casa incendiada, 809
    expansão no reinado de Ezequias, 231
    Fonte de Giom, 185
    história bíblica, 30-7
    história depois do NT, 809-17
    inscrição de Siloé, 230-1
    Milo (aterro), 185
    modelo de, 492-3
    muro de Ezequias, 230
    no governo de Neemias, 243-4
    nos reinados de Davi e Salomão, 226
    nos tempos de Jesus, 439
    Porta de Damasco, 813, 818
    reconstrução no tempo de Herodes, o Grande, 54-5
    topografia, 51
    Túnel de Ezequias, 230
    V. tb. Templo.
Jesus
    aniversário em 25 de dezembro?, 519
    aparência, 445
    aparecimentos após a ressurreição, 437-9

ascensão, 576
batismo e tentação, 431-2
como era?, 444-5
como financiava sua obra?, 529
concepção virginal, 515
crucificação, 435-6
crucificação, como castigo, 543
crucificação, local da, 510
curas no sábado, 555
divindade de, 652-3
era Filho de Deus?, 441-3
ministério na Galiléia, 433
ministério na Peréia, e ministério posterior na Judéia, 434
movimentos na última noite, 435
nascimento, data do, 430
nascimento e juventude, 429-30
nos quatro evangelhos, 429
oito períodos, 428
orações de, 531
parábolas de, 476
primeiro ministério na Judéia, 432
relatos da ressurreição, 436-7
ressurreição, terceiro dia, 488
retorno, 483-4
Segunda Vinda, 483-4
vida de, 428-9
V. tb. Cristo
última semana, 434-35, 438
Jeú, 207-8
mencionado no Obelisco Negro, 208
Jezabel, 208
Jó, estutura de, 253-5
João, evangelho de, 545-6
João Batista, 520
Joaquim, 233
Joel profetiza o Dia de Deus, 362, 577-8
jogos romanos, 561
Jonas, viagem de, 372
Jope, 371
José, 101-4
torna-se governante no Egito, 103
viagem o Egito, 101
José (esposo de Maria), 462
Josué, 148, 153
divisão da terra, 159
o sol fica parado, 157
Jubileu, Ano do, 130-1
judaísmo, desenvolvimento do, 813-4
judeus, história dos depois do NT, 808-16
juízes, período dos, 162-3, 165-7

L

Laodicéia, 737-8
Laquis, 232
cartas de, 324
Laquis e Debir, 60, 157-8
latim, 424
legalismo, 655
leitura da Bíblia, 16-20
planos para a, 826-30
levitas, 125
línguas (NT), 423-4
literatura apocalíptica, 715-6
literatura sapiencial, 249-50
Livro da Vida, 737
livros históricos, lista dos, 28-9
livros poéticos, lista dos, 28
livros proféticos, lista dos, 28-9
Lucas, evangelho de, 514
Lugar Santíssimo (Tabernáculo), 124
Lugar Santo (Tabernáculo), 122
Lutero, Martinho, 788-9

M

macabeus
período dos, 410-1
magos
estrela dos, 463
Maimônides, 819
Malaquias, Ageu e Zacarias, 384
maná e codornizes, 116
Manassés, 232
mandamentos
de Jesus, 508
dez, 118
primeiro grande, 142
segundo grande, 128
manuscritos da Bíblia, 847-8
Códice alexandrino, 848
Códice sinaítico, 848
Códice vaticano, 848
papiros, 848-50
Maquera, 414
mar Morto
rolos do, 64-5, 298-9

mar Vermelho. *V.* Êxodo.
Marcos, evangelho de
    autor, 494-5
    últimos doze versículos, 512
Maria (mãe de Jesus), 462
massa
    evangelismo de, 806
    mídia de, 806
Massada, 811-2
Mateus, evangelho de
    autor, 460
    discurso sobre os últimos dias, 483
    Reino de Deus, 477-8
    Sermão do Monte, 469-71
Matusalém, 79
Medo (Império), 354
mega-igrejas, 805
Megido, 209
    porta de, 171
    planície de, 757
    ruínas de, 193
    sistema de fornecimento de água, 193, 209
Mênfis, 327
Merneptá, estela de, 169
mestres da Lei, 421
metodismo, 193-4
milagres
    de Daniel, 351
    de Eliseu, 205
    de Moisés, 139
    em Atos dos Apóstolos, 579-80
    em Daniel, 351
    no livro de Juízes, 169
Milênio, 762-4
Milo (aterro), 185
missões, 795-6
Moabe, 170
Moabita, Pedra, 205
Moisés
    aflições de, 136
    bezerro de ouro, 120
    chamado por Deus, 112
    milagres de, 139
    morte de, 149-50
    nascimento de, 111
    retratado com chifres, 149
    serpente de bronze, 137

Moloque, 380
monarquia (Saul, Davi e Salomão)
    vista panorâmica, 173-5
    V. tb. reino dividido.
monasticismo, 782-3
monte Sinai. *V.* Êxodo.
movimento carismático, 803-4
multidão de gente. *V.* Êxodo.
múmia, 61
Muro das Lamentações, 550

N

Nabucodonosor, 217-8, 348-9
Nazaré, 519
Nebo, monte, 149
Neemias, 235, 242-4
Negro, Obelisco. *V.* Obelisco Negro.
Nero, 566
Nínive, 370-1
Noé, 79-81
    V. tb. Dilúvio.
novos céus e nova terra, 315, 766
números
    sete bem-aventuranças no Apocalipse, 721
    setenta semanas em Daniel, 352-3
    "três tempos e meio" em Daniel, 352
    7 na Bíblia, 722
    7 na Lei de Moisés, 131
    7 no Apocalipse, 722
    "40 anos e 40 dias", 164
    666 (número da besta), 752
    1 000. *V.* Milênio.
    vários outros números, 722

O

oásis, 137
Obelisco Negro, 68, 208
Onri, 200
    palácio de, 199
oração, 871-77
    poder da fé e da oração, 538-9
    orações de Jesus, 530-1
    oração em particular, 531
ossos secos, o vale dos, 342
Oséias (rei), 211-2
óstraco, 210

P

pais apostólicos, 776
pais da igreja, 780
    V. tb. pais apostólicos
Palestina, história depois do NT, 808-23
Palmira (Tadmor), 567
parábola do bom samaritano. *V.* bom samaritano, parábola do.
parábola do filho pródigo. *V.* filho pródigo, parábola do.
parábolas de Jesus, 476
pareclesiásticos, grupos, 804-5
paralelismo (poesia), 249
Páscoa
    primeira, 115
Patmos, 723
patriarcas
    tempos dos, 85-6
    túmulo dos, 95
    V. tb. Abraão, Isaque e Jacó.
Paulo, 582, 584-603
    seu espinho na carne, 632
pecado imperdoável, 515
Pedra Moabita. *V.* Moabita, Pedra.
Pedro, 446
pena capital, 129
pensamento principal de cada livro da Bíblia, 38-9
pentecostalismo, 803-4
Pentecoste, 577
peregrinações no deserto, 140
Peréia, 413-4
Perge, 590
Pérgamo, 733
Persa (Império), 236-7
    Pérsia, 236
    V. tb. Ester.
perseguições, 777-8
Pilatos, Pôncio, 486-7
poesia hebraica, 248-9
período pós-exílico, 235-7
período romano na Palestina, 411-2
pirâmides, 90
Policarpo, 776
pós-milenarismo, 763
pragas (no Egito). *V.* Dez pragas.
Pré-milenarismo, 763, 801
profecias
    acerca do povo judeu (em Dt), 148
    de Joel, 362, 577-8
    profecias messiânicas, 394-405
        citadas nos evangelhos, 464-5
portão (Megido), 171
potências mundiais dos tempos bíblicos, 41, 43-4
    V. tb. Assíria, babilônia, Egito, Grécia, Pérsia, Roma.
"problema sinótico". *V.* "sinótico, problema".
profecias messiânicas,
profetas
    de Israel e de Judá, 295
    pós-exílicos, 383-4
provérbio, o que é?, 281-2
Provérbios, livro de, 282
    V. tb. literatura sapiencial
provérbios e experiência, 282
Ptolomeus, 409-10
Purim, festa de, 246-7
puritanos, 790

Q

quarenta. *V.* algarismos.
Quatrocentos anos entre os Testamentos, 408-425
Queda, 76
    em outras tradições, 77

R

Raabe, 154
rabinos, 422
Ramsés II, 327
Reforma protestante, 786-92
refúgio, cidades de, 145, 160
Regra Áurea, 525
reino dividido, 175, 195
    reis de Israel e de Judá, 197
    vista panorâmica de Israel e Judá, 198
    V. tb. Reino do Norte; Reino do Sul.
Reino de Deus. *V.* Mateus, evangelho de.
reino do Norte
    deportação de, 211-2, 332
    religião de, 197
reino do Sul
    deportação do, 216-17
    região do, 197
Reis, Crônicas, Samuel, livros de, 173-6
Renascença e Reforma, 786-92
ressurreição
    em 1 Coríntios, 624-5
    sete ressurreições na Bíblia, 206

resumo
    das profecias de Daniel, 356
    das profecias de Isaías, 314
    das profecias de Zacarias, 390
revolta judaica
    primeira, 810
    segunda, 813
Roboão (rei de Judá)
    fortalezas no Neguebe, 227
Rodes, 597
Roma, 607
romana, cidadania. *V.* cidadania romana.
romanas, cidades
    ruas das, 46
romanas, estradas. *V.* estradas romanas.
romanos, imperadores. *V.* imperadores romanos.
Roseta, Pedra de, 57
Rute, 170-2

S

Sabá, rainha de, 192
sábado, leis sobre o, 130
sacerdotes e levitas, 223
sacerdotes no NT, 421
sacerdotes principais, 422
sacrifícios, origem divina dos, 126-7
saduceus, 418-9
Salmaneser III, 208
Salmos, livro de
    cinco divisões, 260
    declarações referentes a Cristo, 262
    uso dos, 260-1
salmos de imprecação. *V.* salmos de vingança.
salmos de vingança, 269
salmos messiânicos, 262-3
Salomão
    apostasia de, 194-5
    coroado rei, 191
    constrói o Templo, 192
    estábulos de, 194
    fortalezas de, 195
    marinha de, 193
    reinado de, 191-5
    sabedoria e riquezas de, 192-4
Samaria, 413
    ruínas, 199
Samuel, 176

Samuel, Reis e Crônicas, livros de, 176
    por quem foram escritos, 173-5
Sansão, 167
    ministério de, 177-8
Santo Império Romano, 784
Sardes, 735-6
Satanás, 521-2
Saul, 181-3
Saulo (NT). *V.* Paulo.
sefarditas, judeus, 818
Segunda Vinda de Cristo, 483-4
    em 1 e 2 Tessalonicenses, 659-64
selos da era do AT, 328-9
selos e bulas, 328-9
selêucidas, 410
Senaqueribe, 60
    assassinato de, 232
    ataque contra Laquis, 230
    invasão de Judá, 231
    prisma de, 230
    tributo de Ezequias, 232
Septuaginta, 425
Sermão do Monte, 469-71
Sionismo, 823
Sodoma e Gomorra, 93-4
software bíblico, 839
Siló, 178
Siloé
    inscrição de, 230
    tanque de, 556
Sinai, monte, *V.* Êxodo.
serpente de bronze, 137
Servo Sofredor (Is), 313
sinagoga, 423
Sinédrio, 422
"sinótico, problema", 451
Sisaque invade Judá, 226
sofrimento, problema do, 253-5
sol parado (Js), 157
sumo sacerdote
    no AT, 126
    no NT, 423-4
Suném (Ct), 290
Susã, palácio de, 246

T

tabelas de distâncias
    AT, 867

NT (evangelhos), 868
NT (Atos dos Apóstolos), 869
Tabernáculo, 119, 121-23
Tafnes, 326
targuns, 425
Tarso, 583
Templo
    construído por Salomão, 224-6
    futuro em Ezequiel, 343-4
planejado por Davi
    reconstruído por Herodes, 418-9
    reconstruído por Zorobabel, 239
tendas beduínas, 92
terceira onda, 804
Terra Prometida. V. Israel.
Terra Santa
    clima, 47-50
    geografia, 47-8
    V. tb. Palestina.
terras, posse das, 130
territórios tribais, 159
Tessalônica, 657
texto da Bíblia
    AT, 846
    NT, 847
Tiatira, 735
Tiago, discípulo, 447

Tito (imperador), 566
    arco de, 810
Tomás de Aquino, 786
Torre de Babel, 83
    contrastada com Pentecostes, 83-4
torre de vigia, 374
túmulo com pedra, 511

U

Uzias, 131-32

V

Versão do Rei Tiago, 853
viagens missionárias. V. Atos dos Apóstolos.
virginal, concepção. V. concepção virginal.
votos, 131

W

Wesley, John, 793

Z

zelotes, 519
Zacarias, Malaquias e Ageu, 384
    profecias de, 390
Zorobabel, 235, 239
Zuínglio, 790-1

Esta obra foi composta em *Minion*
e impressa por Gráfica Piffer Print sobre papel
Offset 63 g/m² para Editora Vida.